Les Contemplations

Maison de Victor Hugo — *Cl. Bullo*

DESSIN DE VICTOR HUGO QUI DEVAIT SERVIR DE FRONTISPICE À « *Aujourd'hui* »
d'après l'édition de l'Imprimerie Nationale

Victor Hugo

Les Contemplations

Éditions Garnier Frères
6, Rue des Saints-Pères, Paris

Texte établi avec introduction,
chronologies des *Contemplations*
et de Victor Hugo,
bibliographie, notes et variantes
par

Léon Cellier

Professeur à la Faculté des Lettres
et Sciences humaines de Grenoble

Édition illustrée de 17 reproductions

B. N. Estampes *Cl. Lalance*

VICTOR HUGO, photo de Charles Hugo et A. Vacquerie

Maison de Victor Hugo — *Cl. Bulloz*

Adèle Hugo en 1838, par Louis Boulanger

B. N. Estampes — *Cl. B. N.*

JULIETTE DROUET, lithographie de Léon Noël, 1832

Maison de Victor Hugo *Cl. Bulloz*

LÉOPOLDINE AU LIVRE D'HEURES (1835), peinture par Auguste de Châtillon

— On lit dans le *Journal du Havre* :

« Un affreux événement qui va porter le deuil dans une famille chère à la France littéraire est venu, ce matin, affliger de son bruit sinistre notre population qui, parmi les victimes, compte des concitoyens.

Hier, vers midi, M. P. Vacquerie, ancien capitaine et négociant du Havre, qui habite à Villequier une propriété située sur les bords de la Seine, ayant affaire à Caudebec, entreprit d'accomplir ce petit voyage par eau. Familier avec la navigation de la rivière et la manœuvre des embarcations, il prit avec lui, dans son canot gréé de deux voiles auriques, son jeune fils, âgé de dix ans ; son neveu M. Ch. Vacquerie et la jeune femme de ce dernier, fille, comme on sait, de M. Victor Hugo.

Parti de Villequier avec le jusant, le canot fut rencontré vers midi trois quarts, louvoyant avec faible brise de N.-O, par le bateau à vapeur la *Petite-Emma*, capitaine Derosan, qui, en le perdant de vue, vint toucher à Villequier pour prendre un pilote, et y mouilla, faute d'eau. Une demi-heure à peine s'était écoulée que l'on fut informé à terre qu'un canot avait chaviré sur le bord opposé de la rivière, par le travers d'un banc de sable appelé le Dos-d'Ane. On courut immédiatement au lieu de l'accident.

Le canot était coiffé, ayant ses voiles bordées, dont les écoutes étaient imprudemment tournées à demeure. En le redressant, on trouva dans l'intérieur un boulet et une grosse pierre servant de lest, et le cadavre de M. Pierre Vacquerie incliné et la tête penchée sur le bord.

Les trois autres personnes avaient disparu. On supposa d'abord que M. Ch. Vacquerie, nageur très exercé, avait pu, en cherchant à sauver sa femme et ses parens, être entraîné plus loin. Mais rien n'apparaissant à la surface de l'eau, au moyen d'une seine on dragua les environs du lieu du sinistre, et, du premier coup, le filet ramena le corps inanimé de l'infortunée jeune femme, qui fut transporté à terre et déposé sur un lit.

Au moment où le capitaine Durosan, qui nous communique ces détails, quittait cette scène lamentable, la seine venait d'être une seconde fois jetée, et à la manœuvre des embarcations on présumait que les cadavres des deux dernières victimes avaient été retrouvés.

Mme Victor Hugo a appris ce matin au Havre, qu'elle habite depuis quelque temps avec ses deux autres enfans, le terrible coup qui la frappe dans ses affections de mère. Elle est repartie immédiatement pour Paris. M. Victor Hugo est actuellement en voyage. On le croit à La Rochelle. »

— Le *Courrier du Havre* annonce que les corps des deux autres victimes ont été retrouvés.

B. N. Périodiques *Cl. A.C.R.P.P.*

ANNONCE DU DRAME DE VILLEQUIER DANS *Le Siècle* du 7 septembre 1843

Maison de Victor Hugo — *Cl. Bulloz*

CLAIRE PRADIER MALADE, dessin de James Pradier
(Voir *Claire P.*, p. 300)

6

de traduction ; il ne pourra autoriser la publication d'aucune traduction avant deux mois écoulés à partir de la mise en vente des Contemplations.

Cinquante
~~(17)~~ ~~[illegible]~~ 17° ~~Cinquante~~ exemplaires de main de passe, par mille, sont accordés à l'éditeur. Sur ces exemplaires seront prélevés les exemplaires destinés aux journaux, et les exemplaires d'auteur, fixés à vingt-cinq pour l'édition de Paris, et à trente pour l'édition de Bruxelles.

J H
N. 17

Fait double et de bonne foi entre les soussignés, le 24 Juillet mil huit cent cinquante quatre

Approuvé l'écriture ci-dessus et d'autre part.
J Hetzel
140 rue royale Bruxelles

Approuvé l'écriture ci-dessus et de autre part.
Victor Hugo

J'ai pris connaissance de ce qui me concerne dans le présent traité et je déclare m'y engager
[illegible]

B. N. Manuscrits, Archives Hetzel *Cl. Lalunce*

DERNIÈRE PAGE DU CONTRAT DES *Contemplations* DU 24 JUILLET 1854, de la main de Noël Parfait, avec la signature de Victor Hugo

B. N. Manuscrits *Cl. B. N.*

Évocation de Léopoldine par les tables, dessin de Victor Hugo

B. N. Manuscrits — Cl. Lalance

MANUSCRIT DES *Contemplations : Réponse à un acte d'accusation* (p. 19)

B. N. Manuscrits — *Cl. B. N.*

Carnet intime de Victor Hugo, 1856; dessin illustrant le thème du crâne. « *Le creux du crâne humain lui donne son relief* » (Voir *Réponse à un acte d'accusation,* Suite, p. 27, et note 12)

Maison de Victor Hugo *Cl. Bulloz*

ÉTUDE DE CRUCIFIX, dessin de Victor Hugo
(Voir *Écrit au bas d'un crucifix,* p. 142)

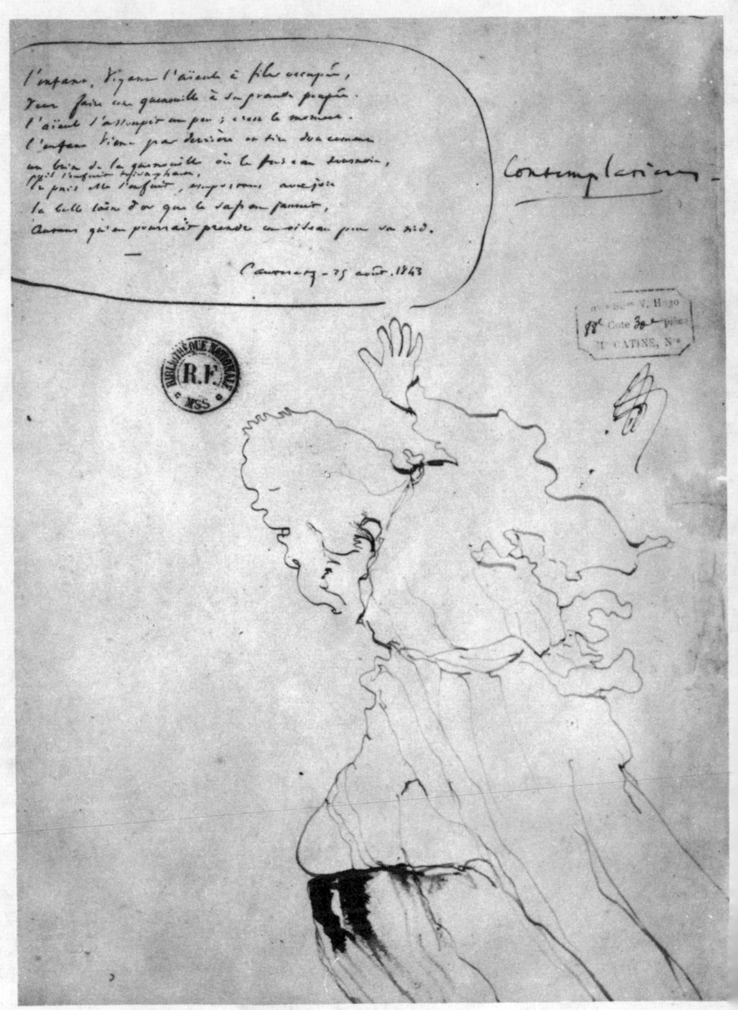

L'enfant, voyant l'aïeule à filer occupée,
Veut faire une quenouille à sa grande poupée.
L'aïeule s'assoupit un peu ; c'est le moment.
L'enfant vient par derrière et tire doucement
Un brin de la quenouille où le fuseau tournoie,
Puis s'enfuit triomphante,
Et puis elle s'enfuit, emportant avec joie
La belle laine d'or que le safran jaunit,
Autant qu'en pourrait prendre un oiseau pour son nid.

—

Cauterets – 25 août. 1843

Contemplations –

B. N. Manuscrits *Cl. B. N.*

MANUSCRIT DES *Contemplations* : *L'Enfant, voyant l'aïeule à filer occupée...* (p. 183)

Maison de Victor Hugo — *Cl. Bulloz*

Dessin de Victor Hugo
Voir : *J'aime l'araignée...* (p. 186)

B. N. Manuscrits — *Cl. B. N*

L'OMBRE DU MANCENILLIER

Dessin de Victor Hugo illustrant *Pleurs dans la nuit* (p. 347)

« *... et l'homme dort à l'ombre de ce mancenillier.* »

Maison de Victor Hugo — *Cl. Bulloz*

DOLMEN OU M'A PARLÉ LA BOUCHE D'OMBRE, dessin de Victor Hugo
(Voir *Ce que dit la bouche d'ombre,* p. 433)

B. N. Manuscrits *Cl. B. N.*

VICTOR HUGO SUR LE ROCHER DES PROSCRITS, photo de Ch. Hugo et A. Vacquerie

INTRODUCTION

Celui qui aime Hugo a fait souvent le rêve de revivre heure par heure les jours prodigieux où le titan entassait poème sur poème. Il voudrait démembrer les recueils, extraire des *Contemplations,* de *la Fin de Satan,* de *Dieu,* de *la Légende des siècles,* des *Quatre Vents de l'Esprit,* de *Toute la lyre,* de *la Dernière Gerbe,* etc., les fragments de date voisine pour reconstituer des volumes de vers qui s'intituleraient, sur le modèle de *Quatre-vingt-treize, Quarante-six, Cinquante-quatre* ou même *Octobre cinquante-quatre* ou *Janvier cinquante-cinq.*

Ce rêve est-il réalisable? Si précis que soit le « calendrier » de V. Hugo, on ne peut décrire la genèse des œuvres que d'une façon conjecturale, puisque les poèmes, dès qu'ils ont quelque ampleur, ne sont pas écrits d'un jet, que le seul indice que tienne à laisser l'auteur est la date de l'achèvement, que l'heure de leur naissance reste hypothétique et vagues les phases de leur développement. Celui qui aime Hugo hésite surtout à détruire l'ordonnance d'un recueil, sachant que depuis *les Châtiments,* le poète attachait une importance primordiale à cette architecture.

Autant que l'auteur des *Fleurs du mal,* et avant lui, l'auteur des *Contemplations* aurait pu dire : « Le seul éloge que je sollicite pour ce livre est qu'on reconnaisse qu'il n'est pas un pur album et qu'il a un commencement et une fin. » Pour mieux dégager cette organisation, il convient de se demander comment Hugo a eu l'idée d'écrire *les Contemplations,* et comment il est passé de l'album au livre.

Les Contemplations ne sont pas nées de l'exil. La chronologie fondée sur la publication des œuvres fait apparaître une grande période creuse entre 1840, l'année des *Rayons et les Ombres,* et 1853, l'année des *Châtiments;* et, a fortiori, si l'on s'en tient à la « poésie pure », entre 1840 et 1856, l'année des *Contemplations.* Mais les apparences sont trompeuses. Après *les Rayons et les Ombres,* Hugo, parvenu à la pleine maturité, connaît un renouveau d'inspiration, et l'on doit souligner l'originalité des œuvres qui marquent la nouvelle décade : *le Rhin* en 1842, *les Burgraves* en 1843, et à partir de 1845 le grand roman qui deviendra *les Misérables.* En même temps, Hugo songeait à un nouveau recueil lyrique. Il n'avait pas épuisé toute sa production dans les quatre recueils publiés entre 1831 et 1840, et il continuait d'écrire. Qu'il y ait eu une baisse de la veine lyrique après 1841, que la mort de Léopoldine ait fait taire le poète pendant plusieurs mois, la chose est indéniable; mais, dès 1846, l'inspiration revient, et peut-être la mort de Claire, la fille de Juliette, par un effet inverse a-t-elle contribué à ce retour à la poésie.

Entre 1840 et 1845, semble-t-il, Hugo avait déjà trouvé le titre futur : *les Contemplations d'Olympio.* De 1846 date un premier essai de groupement qui comprend 1761 vers, tous antérieurs au 9 novembre 1845, mais ne figurant pas exclusivement dans *les Contemplations* (23 pièces sur 57), et qui en outre laisse de côté une vingtaine de pièces déjà écrites dont quatre feront partie de notre recueil (les raisons qui poussent le poète à retenir ou à écarter telle pièce restant mystérieuses).

L'année 1846 fut particulièrement féconde et joue dans la vie de Hugo un rôle capital, comme l'a montré J. Gaudon. Hugo écrit une quarantaine de poèmes lyriques dont une vingtaine figurent dans *les Contemplations.* A partir de là l'histoire se complique. Car,

— une note du 19 novembre 1846 le prouve, — si le poète est plein de projets, ces projets restent flous, et cela en raison même de la diversité de son inspiration. Il a déjà écrit quelques « petites épopées »; devenu un lecteur assidu de la Bible, il met en vers des fragments bibliques et tout naturellement écrit des poèmes de facture apocalyptique (contrairement à l'idée reçue, cette inspiration est si peu liée à l'exil ou aux expériences spirites que l'on peut faire remonter ce « contact vivant » avec l'*Apocalypse* jusqu'à 1823); J.-B. Barrère a démontré qu'en toutes circonstances la fantaisie de Hugo reste vivace; mais une attention particulière doit être prêtée au groupe de poèmes inspirés par le souvenir de Léopoldine. C'est alors, sans doute, qu'il trouve le titre latin, *Pauca meae;* toutefois, il est impossible d'affirmer que ces poèmes de la douleur et du souvenir dussent entrer dans le recueil ébauché : peut-être eut-il alors l'idée d'un autre album.

Son incertitude persiste au cours des mois suivants, d'autant plus que la vie politique l'absorbe. Dans une note du 11 mars 1848, on lit : *Poésie — les Contemplations — les petites épopées — la poésie de la rue — les quatre hymnes du peuple — Inchoata.* Les indications laissées sur des chemises vides des *Contemplations* mentionnent quatre chapitres : *la femme — socialisme — moi — la mer.* Ces indications sont de date incertaine (la seconde empêche de remonter avant les événements de 1848; la dernière, avant l'exil), et rien ne prouve que ce soit là les seuls thèmes envisagés.

L'exil marque dans la vie de Hugo une rupture : désormais sa destinée est coupée en deux : Autrefois — Aujourd'hui. Sa carrière s'était déroulée sur un rythme triomphal comme celle d'un héros de Balzac, et voici qu'il n'est plus rien. Une équation s'impose à son esprit. Autrefois = Vie; Aujourd'hui = Mort. Un exilé n'est plus qu'un mort-vivant. De ce thème riche de pathétique naît le projet émouvant : *Chant de celui qui est proscrit pour ceux qui sont morts (les morts — tom-*

beaux — ma mère — mon père — ma fille) (à féconder et à couver).

Entre 1850 et 1852, Hugo laisse cette note précieuse : *(trier encore) dans le volume actuel ne mettre que Dieu, la nature et Didine.* « En méditant son recueil, observent R. Journet et G. Robert, Hugo a pu obéir à deux tendances contraires et prévalant tour à tour : l'une d'extension et l'autre de concentration. » Il trouvera la solution idéale en faisant de ce recueil une somme de 10 000 vers et en modelant cette masse selon une architecture rigoureuse.

Nous sommes encore loin de cette construction colossale lorsque le 15 août 1852, il déclare à Hetzel : « Je puis avoir un volume de vers, *les Contemplations,* prêt dans deux mois. » Mais à mesure que le proscrit reprend courage, car il n'est pas de la race des vaincus, le spleen cède la place à la rage, il rêve de vengeance et de châtiment, et c'est pourquoi, émule de Juvénal, il ramasse le fouet de la satire. Cependant la bipartition en Autrefois et Aujourd'hui s'impose toujours à lui, et le 7 septembre 1852, il fait à Hetzel cette proposition : « *Les Contemplations...* se composeraient de deux volumes, premier volume : *Autrefois,* poésie pure, deuxième volume : *Aujourd'hui,* flagellation de tous ces drôles et du drôle en chef. » Ainsi *Aujourd'hui* se confond alors avec *les Châtiments.* Le projet n'eut pas de suite, ou plutôt Hugo para au plus pressé : il donna tous ses soins au recueil satirique qui fut publié en novembre 1853.

On se trompe si l'on se représente Hugo sous les seuls traits du prophète irrité. C'est à contrecœur qu'il se livre à ce travail de salubrité publique; mais Hercule n'a-t-il pas nettoyé les écuries d'Augias avant de descendre aux enfers? Il y voit, autant qu'un devoir, une délivrance. Comme son héros d'*Autrefois,* il pourrait se plaindre qu'on l'ait fait pour haïr, lui qui n'a su qu'aimer. Il a hâte d'en finir pour pouvoir revenir à l'effusion lyrique, à ce qu'il appelle « poésie pure », et du reste, avant même la divulgation des *Châtiments,* dès 1853, il envisage encore de publier *les Contemplations.*

Bien que purifié de toute polémique, le recueil lyrique dans son esprit n'a pas diminué d'importance, puisqu'il comprend toujours deux volumes. Qu'il en profite pour se libérer du traité qui le lie depuis 1831, en remplaçant deux volumes de roman par deux volumes de vers, ne nous importe guère. Nous ne retiendrons ici que l'éveil de l'inspiration sous la pression des circonstances. « Après l'effet rouge, note-t-il, l'effet bleu. » Il faut surtout bien voir à quel problème il doit faire face : que représente *Aujourd'hui,* s'il s'en tient à la poésie pure?

Trouvaille géniale! Au lieu de traduire l'opposition d'Autrefois et d'Aujourd'hui sous la forme : Avant l'exil — Après l'exil, il adopte une nouvelle vision de sa destinée : Avant et après la mort de Léopoldine. Pour lui qui veut à l'instar de Chateaubriand faire de sa vie une œuvre d'art, ce n'est plus la fin de sa carrière parisienne qui constitue la charnière, mais la perte de sa fille bien-aimée. Deux périodes s'opposent, l'une de joie, l'autre de deuil. Au cours de la première, il vivait avec elle; depuis, il est un corps sans âme, et l'exil a fait de lui un disparu comme elle. « La tombe et l'exil se répondent. » Désormais le recueil possède une armature; c'est autour de cet axe qu'il va s'accroître et s'ordonner. Si Hugo avait envisagé deux recueils, *les Contemplations d'Olympio* et *Pauca meae,* disons d'une façon plus simple que c'est alors que les deux projets fusionnèrent.

A mesure que les jours passaient, l'exil changeait d'aspect. Non seulement le pseudo-mort continue de vivre, mais l'exil lui apporte un renouveau de vitalité. En vérité, Hugo a eu deux jeunesses. Comme l'a souligné J. Vianey dans une formule parfaite, « chez l'exilé le faune a précédé le mage ». L'inspiration lyrique renaissante se fait volontiers sensuelle, sinon égrillarde.

Grâce à ce retour de flamme, c'est tout naturellement que le poète se plaira à évoquer l'époque où il était vivant et sera amené à ce comble d'artifice : écrire après coup des poèmes de jeunesse.

Dans cette histoire, le passage à Jersey de Mme de Girardin en septembre 1853 occupe une place de premier plan, et au dire de Hugo lui-même, il changea la perspective de l'exil. C'est elle — on le sait — qui apprit aux exilés à faire parler les tables. Dès le début, Léopoldine manifesta sa présence, donnant ainsi au père douloureux et aux siens une preuve expérimentale de l'immortalité et de la proximité du royaume des morts. Plus encore que la douleur, c'est l'inquiétude religieuse que la table parlante peut apaiser, puisque Léopoldine s'est empressée de répondre : « Où es-tu? — Lumière. — Que faut-il pour aller à toi? — Aimer. » Tous les problèmes qui ont angoissé l'espèce humaine seront passés en revue au cours de ces heures de fièvre. Tous les grands esprits accepteront de discuter avec Hugo. Le 13 janvier 1854, Shakespeare ne dicte-t-il pas : « Dieu se fait un parterre de demi-dieux. Orphée, Tyrtée, Homère, Eschyle, Sophocle, Euripide, Moïse, Ézéchiel, Isaïe, Daniel, Ésope, Dante, Rabelais, Cervantès, Molière, Shakespeare, et d'autres que j'entrevois sans les connaître dans l'infini, nous sommes assis pensifs devant la lumière de l'Éternel. Jésus est à genoux. » Ce parterre de demi-dieux ne cessera de tenir compagnie au poète solitaire; ce sont les mages célébrés en 1855; ce sont les génies célébrés en 1864 dans *William Shakespeare*.

Tandis qu'*Autrefois* retentit des chants de joie, des espoirs et des rêves, le royaume de la mort, après la plainte élégiaque, s'ouvre au nouvel Orphée. Le poète en proie à l'horreur sacrée s'approche avec crainte et tremblement, mais décidé à poursuivre sa quête. Les deux périodes débouchent sur le rêve : le mot dans l'univers hugolien se charge de toutes les valeurs que l'âme romantique lui a attribuées : projets de l'ambitieux, utopies du réformateur, rêveries du promeneur solitaire, rêves prophétiques du voyant, hallucinations du dormeur, contemplation hagarde du ciel étoilé et de la mer. Rastignac ou d'Arthez est devenu le somnambule de la mer, le Prométhée énorme de l'abîme.

Cependant après avoir écrit *Ibo,* le poète fera marche arrière. Dans une note du 15 décembre 1854, il reconnaît : « Le monde sublime qui consent à communiquer avec notre monde ténébreux ne veut pas se laisser forcer par lui. » Ce recul, qui se traduira par l'arrêt quasi total des expériences spirites à Guernesey, révèle chez le poète à la lourde hérédité, frère d'un fou et père d'une folle, la volonté irréfragable de ne pas céder au vertige. Notons enfin qu'en voulant se consacrer à la poésie pure, l'auteur des *Misérables* ne cesse pas d'assigner le Progrès comme but à l'Art. « Il ne faut pas, lit-on dans le *Journal d'Adèle,* que l'on puisse dire que *les Contemplations* ne sont pas socialement plus avancées que *les Feuilles d'automne.* »

Quelle valeur dès lors acquiert l'aveu célèbre : « Je trouve de plus en plus l'exil bon. Il faut croire qu'à leur insu les exilés sont près de quelque soleil, car ils mûrissent vite. Depuis trois ans — en dehors de ce qui est l'art — je me sens sur le vrai sommet de la vie, et je vois les linéaments réels de tout ce que les hommes appellent faits, histoire, événements, succès, catastrophes, machinisme énorme de la Providence. Ne fût-ce qu'à ce point de vue, j'aurais à remercier M. Bonaparte qui m'a proscrit et Dieu qui m'a élu. Je mourrai peut-être dans l'exil, mais je mourrai accru ! »

Le Contrat des *Contemplations* fut signé le 24 juillet 1854. Si au cours du dernier trimestre, Hugo semble se consacrer activement à l'achèvement de son recueil, depuis la fin de 1853 sa production avait été d'une fécondité et d'une diversité tenant du prodige : *la Fin de Satan, la Légende des siècles, le Théâtre en liberté,* les recueils lyriques postérieurs témoignent de cette formidable puissance. Il n'est pas possible de retracer ici, jour par jour comme elle doit l'être, l'histoire de cette création, histoire que compliquent les sautes d'humeur de Hugo, car le mage n'a pas dépouillé le vieux faune. De l'espoir au désespoir, de l'extase à la révolte, de la fureur à la détente, de la panique à l'ébaudissement, de la grande ode à l'odelette, son imagination à la fois dantesque et rabelaisienne le mène à cette « cime du rêve », d'où « le poète découvre d'un côté le fantastique; de l'autre, le fantasque, qui n'est autre que le fantastique riant ». J.-B. Barrère a écrit en détail cette histoire dans sa grande thèse et parfaitement démêlé les raisons de ces alternances déroutantes.

Si l'on s'en tient à l'ordonnance du recueil, celle-ci n'en reste pas moins une opération mystérieuse, si riche que soit la documentation pieusement rassemblée par R. Journet et G. Robert.

Au cours d'une première phase, l'opposition simpliste d'Autrefois et d'Aujourd'hui — la mort de Léopoldine servant de transition — se nuance. Chaque partie se subdivise en deux. D'où les projets de plan de 1854 :

T. I. — *Autrefois.*	1833-1842,	livre Ier — Les joies.
		livre II — Les rêves.
T. II. — *Aujourd'hui.*	1843-1854,	livre III — Au bord de la tombe.
		livre IV — Au bord de la mer.

Outre le nombre de livres, on notera comme autre différence avec l'ordonnance définitive, le choix de la date initiale : hommage à Juliette, souvenir de la nuit bénie. Le retard de la date finale aura pour conséquence une remontée dans le temps.

Il tente alors de résumer les quatre époques en quatre verbes :

vivre, rêver, pleurer, mourir
ou aimer, rêver, souffrir, mourir.

A la fin de 1854 (selon une lettre à Janin du 26 décembre et une lettre à Mme de Girardin du 4 janvier 1855), il est persuadé que l'achèvement du recueil est proche, le nombre de vers restant voisin de celui des recueils lyriques de 1830-1840. La lettre à Janin propose encore un plan en quatre parties, déconcertant puisqu'il fait de la mort le facteur commun à *Autrefois* et *Aujourd'hui* : « Le livre pourrait être divisé en quatre parties qui auraient pour titres : ma jeunesse morte, — mon cœur mort, — ma fille morte, — ma patrie morte. — Hélas ! » Soulignons cependant la rectification : « C'est un sombre livre, *serein pourtant.* »

A mesure que les volumes prennent forme, leur élaboration nous échappe, et c'est par induction que nous devons restituer les mises au point convergentes des premiers mois de 1855.

Le 31 mai, une lettre à Hetzel nous fait assister à l'élargissement soudain de son projet : « Il faut frapper un grand coup et je prends mon parti. Comme Napoléon (Ier), je fais donner ma réserve. Je vide mes légions sur le champ de bataille. Ce que je gardais à part moi, je le donne pour que *les Contemplations* soient mon œuvre de poésie la plus complète. Mon premier volume aura 4 500 vers, le second 5 000, près de 10 000 vers en tout. *Les Châtiments* n'en avaient que 7 000. Je n'ai encore bâti sur mon sable que des Giseh; il est temps de construire Chéops; *les Contemplations* seront ma grande Pyramide. »

En même temps que le nombre de vers s'accroît dans une proportion considérable, le nombre des parties passe de quatre à six. Cependant, entre ces deux groupements de nombre pair, il existe un projet en cinq livres, qui eut quelque consistance puisqu'il en subsiste trois plans. Ceux-ci, contrairement à ce que l'on pourrait attendre si 1843 est l'année-pivot, ne font pas de *Pauca meae* le livre central, mais comme dans l'état définitif le livre IV. Ainsi c'est *Autrefois* qui a pris surtout de l'extension. Hugo a décidé de consacrer un livre à l'Amour : *solus cum sola*. Après avoir choisi 1830 comme point de départ, sans doute compense-t-il la suppression de l'allusion à 1833 par un hommage plus flatteur encore à Juliette. En outre ce livre passe de la troisième place à la deuxième. Non moins significative est l'hésitation sur le titre du dernier livre : soit *Nuit*, soit *Espérance*. Le dénouement reste donc encore remarquablement ambigu.

Mais voici que dans un quatrième projet, *Pauca meae* devient la partie centrale : *Nuées du passé* — *Amour* — *Pauca meae* — *Solitudines terrae* — *Solitudines coeli*. Ce polyptyque aux volets plus vastes que le panneau central répondait mieux évidemment à l'intention profonde du poète, intention qu'il résumait dans la formule expressive : *omnibus multa* — *pauca meae* — *omnia deo*. Mais la publication en deux volumes exigeait une symétrie parfaite, et Hugo ne put s'en tenir à la division impaire. C'est de la sorte qu'il en vint au plan en six livres, plus un épilogue : 1. *Nuées du passé*. — 2. *Amour*. — 3. *Choses de la terre*. — 4. *Pauca meae*. — 5. *Exil*. — 6. *Solitudines coeli*. — Épilogue : *L'absent à l'absente*.

Pour qu'*Autrefois* prît tant d'ampleur, Hugo avait eu à franchir un obstacle de taille : il n'avait écrit avant la mort de Léopoldine qu'une trentaine de poèmes. Puisque le premier volume en comprend quatre-vingt-huit, on voit combien il était loin du compte. C'est alors qu'une double solution lui vint à l'esprit.

1° Il donnera à des poèmes postérieurs à la mort de Léopoldine une date fictive antérieure à la tragédie. Il sélectionne donc les poèmes susceptibles d'être antidatés en raison de leur sujet ou de leur tonalité. Sa production est si abondante qu'il connaît l'embarras du choix, et qu'il doit éliminer des *Contemplations* des poèmes de même famille qui seront recueillis dans les

Quatre Vents de l'Esprit et *Toute la lyre*. Quant au travail de datation factice, il le pousse si loin qu'il en vient logiquement à dater de 1853 un poème de 1841 (IV, XII) en raison de sa tonalité sombre, ou un poème de 1846 (VI, IV) en raison de sa facture apocalyptique. Le plus étonnant est qu'une fois la décision prise, il continuera pour les poèmes d'*Aujourd'hui*. Plus encore que de raconter sa vie, il lui importe de la composer. Beaucoup de pièces garderont la date réelle, d'autres seront antidatées ou postdatées, pour des raisons qui nous échappent plus d'une fois, mais qui ont été l'objet de mûre réflexion.

2° Il écrira des poèmes pour étoffer les divers livres. L'architecture du recueil apparaissant plus nettement, certaines pièces seront écrites en fonction de cette architecture. Travail subtil : « Le besoin confirme l'humeur et vice versa », observe J.-B. Barrère.

Il comble des vides, ménage des transitions ou des contrastes. D'où la formule frappante du 22 avril 1855 : « J'achève de dorer quelques étoiles au ciel un peu sombre des *Contemplations*. »

En octobre 1854 et au début de 1855, il a rédigé entièrement les deux grands poèmes de conclusion : *Ce que dit la Bouche d'Ombre* et *Magnitudo parvi*. Mais le poète débordant d'inspiration et poursuivant sa quête métaphysique achève en avril *Solitudines coeli*, première version de la seconde partie de *Dieu*. Or, le dernier plan en cinq livres s'achève sur ces deux titres symétriques : *Solitudines terrae* — *Solitudines coeli*.

Parmi les révélations apportées par le *Journal d'Adèle*, la plus importante est que ce fragment de *Dieu* fit partie des *Contemplations*. Le 2 mai, après lecture de *Solitudines coeli* qui soulève l'enthousiasme de Vacquerie, « on parle du mode de publication. M. Aug. (Vacquerie) conseille à mon père de publier ce poème séparément et non dans *les Contemplations*. Mon père résiste. Ce poème est nécessaire à la figure qu'il veut donner aux *Contemplations*, d'abord des choses légères, joyeuses, lumineuses, je mettrai vous savez ces vers sur cette petite fille, puis de la critique, puis de la moquerie, puis de la gaieté, le livre s'assombrira, je mettrai la mort de ma fille puis l'exil, puis je sortirai du monde et j'entrerai dans la vie extra-humaine. Le livre commencera par l'enfantillage et s'élargira jusqu'à Dieu ».

Vacquerie insiste en dénonçant la sottise du public. « L'enfantillage déteindra sur Dieu. On ne prendra pas assez au sérieux ce grand poème, autour duquel gambaderont des strophes moqueuses. » Réponse exemplaire de Hugo : « Mon père dit que le succès du moment lui importe peu et qu'il s'inquiète seulement de la physionomie que ses livres auront dans l'avenir. » Vacquerie propose la solution qui sera finalement adoptée : « On peut concilier l'avenir et le présent. Rien ne vous empêche de publier séparément *les Contemplations* et *Solitudines coeli.* »

Quand renonça-t-il à introduire cette partie de *Dieu* dans *les Contemplations?* Nous avons vu que *Solitudines coeli* est encore retenu comme titre lorsque le plan passe de cinq à six livres. En était-il encore ainsi le 31 mai, lorsque Hugo écrivit à Hetzel? On ne saurait répondre encore d'une façon sûre. Toujours est-il que *Solitudines coeli* fut rejeté des *Contemplations. Ce que dit la Bouche d'Ombre* pouvait tenir lieu d'exposé doctrinal, et l'achèvement des *Mages,* la grande ode de sept cent dix vers, laissait au sixième livre toute son importance. Jamais, contrairement à l'hypothèse formulée par Maurice Levaillant, *Magnitudo parvi* ne servit de conclusion à l'ensemble. Le 12 juillet, Hugo souligne au contraire son rôle de transition entre les deux volumes : « Je recommande à votre attention fraternelle et paternelle d'abord tout, puis très particulièrement la grosse pièce qui finit *(Magnitudo parvi)* et qui marque le passage d'un volume à l'autre, du bleu clair au bleu sombre. »

Hugo définit avec bonheur l'effet qu'il veut produire. Le 15 novembre 1855, il déclare à Deschanel : « *Les*

Contemplations sont un livre qu'il faut lire tout entier pour le comprendre. Qui ne lit que le premier volume (*Autrefois*) se dit : C'est tout rose. Qui ne lit que le second (*Aujourd'hui*) dit : C'est tout noir. » Le 2 septembre, une lettre à Janin avait exprimé l'idée d'une façon plus nuancée et plus juste : « Cela commence bleu et finit noir; mais... c'est un noir où je tâche qu'il y ait des rayons d'astres; c'est surtout la nuit qu'on voit les soleils. » Le 5 février 1856, dans une lettre à Meurice, il définit d'une autre manière le rapport des deux volumes : « Il y a aussi quelques idylles au commencement pour faire contrepoids aux apocalypses de la fin »; ou encore le 28 juin 1856 : « C'est l'épopée après l'idylle. »

L'impression commença en mai. Sur le manuscrit d'*A propos d'Horace,* on lit : « Aujourd'hui 31 mai 1855 j'écris cette pièce la dernière de celles que je destine à compléter *les Contemplations.* » Il nous fournit lui-même l'explication de sa décision : « Il y a deux ans jour pour jour, le 31 mai 1853, j'écrivais la dernière pièce des *Châtiments.* » Poète docile aux signes, il sait donc qu'il en a fini.

En réalité, la mise au point est loin d'être achevée : il continue d'écrire des poèmes; il continue de modifier l'ordre des poèmes à l'intérieur de chaque livre; il continue d'ajouter des poèmes, et en particulier le livre V, né du dédoublement du livre VI, est systématiquement étoffé; il continue de modifier les titres des livres ou des poèmes. C'est le 28 juin que le livre II reçoit son titre définitif : *l'Ame en fleur.* Le titre du livre VI *Au bord de l'infini* remplacera *Nuit.* En juillet, il affirme avec la même rigueur que Baudelaire : « Les pièces de ce recueil sont comme les pierres d'une voûte. Impossible de les déplacer. » Cependant, au livre III, *la Musique* passe de la sixième à la vingt et unième place. *Le Chien de cour* (I, xx) change et de titre et de place et devient sous le titre *le Maître d'études* le poème xvi du troisième livre. Et surtout il ajoute encore de nouveaux poèmes.

Il en retranche aussi : un plan du livre VI compte vingt-sept poèmes : le poème supprimé *le Sphinx amour* daté du 24 janvier 1855 sera recueilli dans *la Légende des siècles* (*Ténèbres,* III).

Le travail de composition se poursuit avec les difficultés que l'on devine. « C'est une rude chose, écrivait-il, de donner des *bons à tirer* à travers l'Océan. » Le 21 février 1856, de Guernesey il presse la publication. Comme on n'est jamais trahi que par les siens, voici que Vacquerie pris d'émulation veut publier *Profils et Grimaces*. Hugo s'inquiète. Toujours soucieux de l'effet produit, il ne veut pas que l'on compare les deux œuvres; il ne veut pas que l'on considère *les Contemplations* comme une suite des *Châtiments*. Vacquerie est un batailleur; lui, un poète pur : « On accouplera tout naturellement les deux ouvrages et *les Contemplations* perdront leur calme, leur deuil, leur sérénité religieuse et feront presque un effet contraire à celui qu'elles doivent produire. » Ainsi dans l'esprit de Hugo le contraste du bleu et du noir doit laisser une impression de sérénité. Il eut gain de cause et le recueil de Vacquerie parut deux mois après son œuvre poétique. C'est le 23 avril 1856 que *les Contemplations* furent publiées à Paris et à Bruxelles.

***

Il subsiste beaucoup d'à-peu-près dans l'ordonnance du recueil. Il y a deux principes de classement, ou plutôt la datation factice est subordonnée à un autre point de vue : la place dans le livre et dans la partie. Ni d'un livre à l'autre, ni à l'intérieur d'un livre l'ordre chronologique n'est respecté : on trouve des poèmes datés de 1842 dans le livre I, de 1832 dans le livre III. Dans le livre I, le poème III porte la date fictive de 1842, le poème XXIX celle de 1837. Dans chaque livre donc, le sujet, le ton, la longueur du poème importent davantage : l'ordre est conditionné par l'effet à produire sur le lecteur. C'est pourquoi dans l'étude de chaque poème, la place dans le recueil doit être l'objet d'une attention plus grande que la date fictive, et pourquoi encore on ne peut sans absurdité considérer isolément tel ou tel texte des *Contemplations*. Il faut pourtant observer que le tome II fixe comme dates à *Aujourd'hui* 1843-1855, alors que deux pièces sont datées de 1856. C'est avec raison que la deuxième édition de Paris corrige 1855 en 1856. Dans *Autrefois,* qui ne contient que des poèmes antérieurs à 1843, si la date de 1855 est justifiable pour I, VIII et I, X, celle de 1846 ne l'est absolument pas pour III, VI.

Les premiers poèmes de *Pauca meae* sont datés de janvier-février 1843 alors que dans *Autrefois,* livre III, certains le sont de juin, juillet, août 1843. Ces détails méritaient d'être signalés, au moment d'aborder le problème de l' « architecture secrète » du recueil.

Il était tentant, étant donné la faveur dont jouit l'ésotérisme, d'aborder l'œuvre que Hugo compare lui-même à la grande Pyramide avec l'état d'esprit des égyptologues férus de symbolique qui ont cherché à pénétrer « le secret de la grande Pyramide ». Fr. Pruner a publié en 1962 *les Contemplations « pyramide-temple », ébauche pour un principe d'explication*[1]. Il se fonde sur la lettre adressée le 15 novembre 1855 par Hugo à É. Deschanel : « *Les Contemplations* sont un livre qu'il faut lire tout entier pour le comprendre [...]. Le premier vers n'a de sens complet qu'après qu'on a lu le dernier. Le poème est une pyramide au-dehors, une voûte au-dedans. Pyramide du temple, voûte du sépulcre. Or, dans des édifices de ce genre, voûte et pyramide, toutes les pierres se tiennent. » Fr. Pruner a pris au sérieux les métaphores de Hugo : pyramide au-dehors, voûte au-dedans, et il a cherché, à l'aide du symbolisme ésotérique, à retrouver dans *les Contemplations* la structure de la pyramide-temple. Cette démonstration subtile, riche en aperçus originaux, excite l'esprit

1. *Archives des lettres modernes,* nº 43.

du lecteur, sans entraîner la conviction. Fr. Pruner avait à résoudre la quadrature du cercle, puisqu'il lui fallait retrouver la structure d'une pyramide à *quatre* faces dans une œuvre comportant *six* parties. Le projet initial comportait assurément quatre parties, mais précisément Hugo ne s'y est pas tenu. La voûte permet à l'exégète d'enfermer à l'intérieur les livres II et IV plus « intimes », et de faire des livres I, III, V, VI les quatre faces de la Pyramide !

Si on replace la phrase de Hugo parmi les multiples déclarations relatives à son œuvre, on constate qu'il a l'habitude de traduire sa pensée à l'aide de métaphores empruntées à d'autres arts : ailleurs la peinture, ici l'architecture.

Ce passage n'en a pas moins une signification capitale. Au cœur de la masse pyramidale se cache un tombeau qui enferme aussi bien le cadavre de la fille que le cœur mort du père. Mais cette tombe, comme le saint sépulcre, est un temple. Sous une forme statique, le poète trace un itinéraire spirituel : il faut par la *via dolorosa* parvenir au centre, mourir, puis transformer le tombeau en temple, remonter vers Dieu, renaître à l'immortalité.

Certes, nous pensons avec Fr. Pruner qu'il n'y a pas de commencement ni de fin dans *les Contemplations*, car naître c'est mourir et mourir c'est naître. Le berceau est une énigme autant que le tombeau, et le progrès spirituel ne peut être qu'une marche en spirale, un retour au point de départ, mais à un échelon supérieur. Il ne s'ensuit pas, contrairement à l'opinion de Fr. Pruner, qu'il y ait un sens ésotérique dans *les Contemplations*. Le mystère est en pleine lumière. Quand Fr. Pruner découvre dans *la Vie aux champs* (I, VI) une allusion voilée au Grand Livre d'Hermès Trismégiste, il ne fait pas autre chose que Guttinguer interprétant « Elle était déchaussée » (I, XXI) comme un épithalame en l'honneur de l'union de Hugo et de la démocratie. Le myste passe par une série d'épreuves, et si, pour un romantique, toute expérience est religieuse, Hugo n'en saisit pas moins en toute lucidité la valeur spirituelle plus ou moins grande de chaque expérience. Comme Nerval à la fin d'*Aurélia,* il aurait pu écrire dans sa *préface :* « Je me sens heureux des convictions que j'ai acquises, et je compare cette série d'épreuves que j'ai traversées à ce qui, pour les anciens, représentait l'idée d'une descente aux enfers. »

Le myste qui suit cet itinéraire spirituel, celui qui dit « je », est le poète, mais, souligne-t-il lui-même, « ce n'est plus le moi ».

Qu'il reste *lui, toujours lui,* la chose est évidente, et P. Moreau dans son opuscule *les Contemplations ou le Temps retrouvé*[1] n'a pas de peine à montrer que ce recueil poétique est une évocation précise de l'existence du poète *dans le temps. Les Contemplations* nous offrent un « calendrier » de la vie de Hugo, et le mot convient tout à fait ici, puisque l'auteur des *Mémoires d'une âme* a choisi pour ses souvenirs des dates symboliques faisant allusion à telle époque révolue, accompagnées souvent d'une indication de lieu, depuis les Feuillantines jusqu'à Guernesey. Les figures des parents, des amis, maintes silhouettes gracieuses ou grotesques sortent de l'ombre, d'autant plus présentes que leur absence est définitive, et parmi elles plus vivante que dans les tableaux de Châtillon, l'enfant chérie, Léopoldine. Des paysages se succèdent, les rues et les bois, Paris et sa banlieue la plus charmante, parcs et jardins à la française, puis l'archipel de la Manche, dolmens et récifs, la côte sauvage et la mer cruelle, décor mouvant et émouvant que tantôt le souvenir pare du jaune d'or des vieilles photographies, tantôt l'exil enveloppe d'un clair-obscur pathétique.

Le Hugo réel cependant subit une double transformation en tant que poète et en tant qu'homme. En tant que poète, il s'assimile à diverses figures mythiques,

1. *Archives des lettres modernes,* n° 41.

à des types de héros et de génies et devient lui-même « un opéra fabuleux ». Il fait partie de la grande famille des mages. En même temps ce voyant est un exilé et un martyr : à la fois Orphée, Jésus-Christ et Napoléon (puisque Saint-Hélier égale Sainte-Hélène). Il est Jacob rêvant, tel que l'a représenté Rembrandt, ou aux prises avec l'ange tel que le figurera Delacroix. Il est Œdipe vainqueur du Sphinx, aveugle comme Homère ou Milton, mais guidé par une Antigone aux ailes d'ange. Dramaturge, il est Eschyle et Shakespeare; satirique, il est Juvénal; prophète, il est Ézéchiel ou Amos; lyrique, il est Horace et Virgile. Mais entre tous les archétypes qui le hantent, trois occupent une place privilégiée : il est Job sur son fumier, questionnant et questionné, et ce Job, dans une vue syncrétique admirable, s'identifie à Prométhée sur le Caucase, le libérateur enchaîné. Il est Jean à Patmos; comme lui il écrit l'*Apocalypse*. Il est Dante, le pèlerin de l'au-delà, guidé par Virgile ou Béatrice, il est surtout Dante en exil, tel que l'évoquait Balzac dans *les Proscrits,* et, comme Dante à Paris, il est en quelque sorte l'élève de Sigier qui enseigne la théologie mystique indispensable à l'homme moderne, car « aujourd'hui, comme au temps du docteur Sigier, il s'agit de donner à l'homme des ailes pour pénétrer dans le sanctuaire où Dieu se cache à nos regards ».

Or, ce surhomme est un homme, pareil à chacun de ses lecteurs. « Ah! insensé, qui crois que je ne suis pas toi. » Ce héros est l'homme de toutes les faiblesses. Comme chacun de nous, il est capable du pire. Comme chacun de nous, il est un homme de douleur. Il a peur, il a honte, il souffre, il pleure, il sourit, il veut fuir, se cacher, oublier. La grandeur ne préserve pas de la misère : l'homme est double et le christianisme dont nous portons l'empreinte depuis des siècles ne fait que rendre plus tragique cette dualité. *Ecce homo*. Le plus remarquable est que Hugo substitue à l'image authentique de lui-même une image stylisée qu'il conforme à l'idée reçue. La confrontation entre dates fictives et dates réelles, et aussi la place du poème dans le recueil, rendent l'altération manifeste. Selon l'idée reçue, le poète écrit en hiver des poèmes tristes, au printemps des poèmes joyeux. Selon l'idée reçue, un poète n'écrit pas de suite un poème où le père pleure et un poème où le faune rit. Selon l'idée reçue, la résignation succède à la révolte, au doute l'acte de foi. Cette façon de voir n'était pas si malavisée : un Brunetière ou un Faguet ont pu s'y laisser prendre.

L'Homme qui dit « je » se penche sur son passé. *Les Contemplations* sont des Mémoires : si tout vit, c'est sous forme rétrospective. « La mémoire, remarquait P. Moreau, façonne ce paysage introspectif qui est, plus encore que les Feuillantines, ou les Roches, ou Jersey, le décor des *Contemplations.* » Le retour en arrière fondamental entraîne même d'autres retours en arrière : l'homme de cinquante ans évoque l'homme de trente ans qui évoque l'adolescent de seize ans, l'enfant de douze. Dans *Aujourd'hui,* d'une façon plus troublante, le voyant osera écrire :

Avant d'être sur cette terre
Je sens que jadis j'ai plané...

Dans *Littérature et philosophie mêlées,* il avait déjà composé sa vie en opposant au *Journal d'un jeune jacobite de 1819* le *Journal d'un révolutionnaire de 1830,* et il précisait dans la préface : « Le premier de ces deux volumes enserre onze années de la vie intellectuelle de l'auteur, de 1819 à 1830. Le deuxième contient également onze années, de 1823 à 1834. Mais comme une partie de ce deuxième volume rentre dans l'intervalle de 1819 à 1830, les deux volumes réunis n'offrent le mouvement en bien ou en mal de la pensée de celui qui les a écrits que sur une échelle de quinze années, de 1819 à 1834. »

Ainsi il avait déjà évoqué quinze ans de sa vie, *grande mortalis aevi spatium* selon Tacite. Dans *les Contempla-*

tions, il évoquera les vingt-cinq dernières années qu'il vient de vivre : un quart de siècle. L'année 1830 marque le début de la nouvelle période : année du triomphe du romantisme, année des trois Glorieuses. Un hasard saisissant veut que l'année-pivot — la treizième qui est encore la première — se situe au milieu : 1830-1843; 1843-1856. Cette année-là a fait de lui un autre homme : il a connu l'échec et le deuil. Tandis que les deux volumes de *Littérature et philosophie mêlées* se recoupent, entre *Autrefois* et *Aujourd'hui,* il y a, comme il le dit si bien, « un abîme ».

Il importe de ne pas réduire cette crise au lieu commun chanté par Musset :

Rien ne nous rend si grands qu'une grande douleur...

Lorsqu'on envisage la vie se déroulant dans le temps, il est normal que l'enfant voie disparaître ses père et mère; il n'est pas normal que le père voie disparaître son enfant. Le drame de Villequier, c'est l'ordre du monde inversé. Le mystère de la destinée se révèle alors dans une lumière noire et le poète expérimente d'un seul coup le tragique, l'absurde et le sacré. Au milieu de sa vie, le poète a eu sa saison en enfer. L'homme de prière et le justicier qu'il a toujours été doute de la justice de Dieu.

En chaque livre, Hugo retrace une série d'expériences et d'épreuves. Dans *Aurore,* l'homme découvre les joies de la paternité, puis, au-delà du cercle de famille, il rencontre la Nature et la sent harmonieusement accordée à son rêve. Mais ce père, ce rêveur est déjà un lutteur, attaqué parce qu'il représente l'esprit nouveau, attaquant parce qu'il a foi en l'avenir. Déjà aussi il se tourne vers son passé, cherchant dans son enfance la préfiguration de son destin. Il fut victime des pédagogues comme il l'est des esprits bornés. Il était amoureux, à la fois précoce et naïf. Le nigaud qui laissait passer les occasions deviendra le distrait qui ne saura pas voir le bonheur là où il se trouve. A l'avant-dernier poème, il se dit épris d'ombre et d'azur. La dernière pièce : *Halte en marchant,* au titre symbolique, est une méditation du pèlerin avant de reprendre la route : l'image du chemin de la croix apparaît à la lumière de l'aurore, comme si la persécution allait venir.

L'Ame en fleur est un hommage pudique et discret (aucune date précise) à Juliette. Cette passion est à la fois sainte et coupable; sainte aux yeux de Dieu, coupable aux yeux des hommes. Le poète découvre donc l'injustice sociale au sein de la passion. Mais la Nature est là qui sourit à ses amours. Mieux encore il devine la présence de Dieu attentif et complice. La femme apparaît en posture humiliée aux pieds de l'amant olympien; mais celui-ci lui prête des paroles aussi belles que celles qu'il accorde à Olympio, et elle n'en joue pas moins le rôle de Béatrice. Son regard qui est une étoile invite à contempler le ciel. Cependant le dernier poème présente la passion comme révolue. Serait-ce un adieu?

Les Luttes et les Rêves (beau titre qui rappelle le jeu de mots : solidaire-solitaire) montre l'homme plus mûr poursuivant sa contemplation. Sa vision de l'univers devient plus trouble : à la beauté, à la bonté de la Nature s'oppose le monde cruel des hommes où triomphe l'injustice. Ce premier contact avec l'absurde rend le poète mélancolique, au point qu'il envisage sa mort prochaine. Dès lors en contemplant le mystérieux univers, le penseur en vient à considérer la Nature comme un palimpseste : elle semble cacher un secret. Puis un retour sur soi l'oblige à s'interroger sur la contemplation même. Le livre et le volume s'achèvent sur un poème immense sans commune mesure avec ce qui précède, sublime méditation opposant le feu du pâtre et la lueur de l'étoile et démontrant que le monde de la pensée est d'un autre ordre. Le pâtre, le contemplateur par excellence, connaît le chemin pour aller à Dieu : sa sainte ignorance constitue un précieux exemple pour le poète. Ce dernier poème rejoint aussi le premier : *A ma fille,* puisque cette méditation prend son essor au cours d'une promenade nocturne où le père tenait par la main sa fille promise à la mort.

Pauca meae est un hommage à la jeune morte, auquel le poème final associe celui qui a voulu partager son tragique destin. Le poète s'est arrêté au bord de l'abîme comme il le fera dans la dédicace finale. Il dit sa douleur simplement, et consacrant chaque année un poème anniversaire à la mémoire de la disparue, il tire de son passé les images les plus charmantes. Si ce livre semble un arrêt le long de la *via dolorosa,* il faut comprendre que la leçon du pâtre est complétée par le « deuil ». La mort n'est pas un terme, mais un commencement. La mort est la voie d'accès à la lumière.

En marche par son titre même indique que l'itinéraire spirituel continue de se dérouler. L'exil a fait du poète un solitaire comme le pâtre, un mort comme sa fille; l'exil lui permet aussi de découvrir la continuité de sa vie, le sens de ses épreuves. Ce livre dont le contenu semble hétérogène et qui contient des poèmes de circonstance (l'exil invitant à rendre hommage aux amis fidèles) révèle sa véritable signification, lorsque l'on constate que les thèmes d'*Autrefois* sont repris dans une tonalité différente, soulignant la transformation du néophyte. Le mythe de Proserpine illustre cette intention : le poète est descendu aux enfers. Le mythe de Cerigo célèbre la métamorphose de la passion, qui n'est plus le plaisir mais l'amour, l'astre sacré que voit l'âme. Si la Nature chante, elle aussi, l'amour éternel, c'est sur un ton solennel. Quant à la mer, la mer toujours présente, elle met en valeur par ses contrastes mêmes la tristesse du poète ou sa bonté. Le dernier poème montre éloquemment le changement intervenu depuis *Melancholia :* aux yeux de l'homme de douleur, le spectacle du mal dans le monde apparaît sous un autre jour : le bourreau est plus malheureux que la victime. Il n'est qu'un véritable malheur : ne pas pouvoir être bon.

Nous voici parvenus *Au bord de l'infini*. La fille métamorphosée en ange, le poète métamorphosé en alérion nous proposent l'un et l'autre un chemin pour aller au ciel. La fille exalte la prière; le père, la volonté de puissance du mage prométhéen. Ce livre, qui est le grand livre des *Contemplations,* évoque dans un climat d'épouvante l'énigme de la mort. Après une longue lutte, car c'est le mage qui nous est montré en proie aux faiblesses de la chair comme aux pièges du doute, encouragé par la Nature qui rayonne et fait de la vie avec de la mort, le poète, par-delà les ténèbres, veut parvenir à la sérénité. Mourir, c'est naître; la mort n'est pas noire, mais bleue; l'histoire humaine est une marche vers l'azur; le dernier mot est *Spes*. Deux vastes poèmes marquent l'aboutissement de la quête. L'un rassemble comme pour une apothéose du mage les élus qui révèlent Dieu à l'humanité et conduisent celle-ci vers l'idéal, les privilégiés qui connaissent *hic et nunc* l'extase de la mort. L'autre poème est, sous une forme gnomique et apocalyptique à la fois, l'exposé doctrinal, la mise en forme de la théosophie du grand initié, qui annonce en une vision suprême corroborant la leçon du pâtre et celle de l'ange-femme, la réintégration finale et le triomphe de l'Amour.

De même qu'il avait placé avant *Autrefois* un poème liminaire où l'homme découvrait dans l'univers qui l'entoure la présence du Seigneur, et annoncé ainsi la quête qui est l'objet de son livre, le poète fait suivre *Aujourd'hui* d'un finale. Le livre est offert par lui à celle qui est restée en France. Le mage n'est plus que l'homme de douleur : dans la confusion de l'aube, le contemplateur triste et meurtri pressent qu'il est parvenu à la sérénité.

Tel est l'itinéraire spirituel décrit en ces deux tomes.

Il apparaît au terme de ce tracé que l'antithèse d'*Autrefois* et d'*Aujourd'hui,* l'opposition du bleu et du noir ne rendent pas compte de la véritable intention du poète. La formule de la préface est plus juste : « On ne s'étonnera donc pas de voir, nuance à nuance, ces deux volumes s'assombrir pour arriver, cependant, à l'azur d'une vie meilleure. » La descente aux enfers est suivie d'une remontée. La vision analogique fait du quart de siècle revécu par le poète une journée symbolique. Nous partons de l'aurore. A la fin d'*Autrefois* la nuit tombe. Mais la tombée de la nuit est suivie d'une aube nouvelle.

Trois remarques importantes doivent être faites ici. « L'intention finale du poète, dirons-nous avec J.-B. Barrère, est de dissiper l'épouvante. [...] Or, ce n'est pas seulement par la promesse d'une révélation *post mortem* qu'il prétend y arriver, mais aussi par la simple contemplation du renouveau de la joie dans la nature. C'est là que les idylles de printemps et d'automne prennent un sens dans le schéma métaphorique de la pyramide, où toutes les pierres se tiennent. »

Je mettrai pour ma part l'accent sur le fait que Hugo hésite entre deux formules de dénouement heureux : le retour de l'aube ou le passage de la nuit noire à la nuit étoilée. L'imagination du poète se satisfait davantage de celle-ci, car Hugo ne peut être dit *totus in antithesi* qu'à condition d'ajouter qu'il est moins le poète de l'antithèse que celui de la résolution de l'antithèse; l'éternel retour le séduit moins que la *coincidentia oppositorum,* l'union des contraires. Hugo disait : « L'état normal du ciel, c'est la nuit »; mais il savait comme Van Gogh que « la nuit (est) aussi claire que le jour ». Il nous le rappelle en une formule inoubliable :

Médite. Tout est plein de jour, même la nuit.

Cette fusion des contraires conduit R. Journet et G. Robert à une conclusion profonde : « Grâce à elle, toutes les visions diverses du monde découvrent chacune sa vérité. Elles peuvent bien en chaque homme se succéder dans le temps, celle qui suit n'abolit pas celle qui précède. On peut les tenir pour vraies simultanément. Ainsi cette nature harmonieuse que voyait l'homme encore jeune, où la chair était mariée à l'esprit, n'est plus d'abord qu'une apparence par rapport à l'univers pénal que nous découvre le livre VI. Mais en un autre sens, elle est plus vraie que cette vision lugubre, puisqu'elle préfigure déjà la réconciliation finale. »

Dès lors l'exégète se plaît à rechercher à l'intérieur d'un même livre et d'un livre à l'autre des demandes et des réponses, des échos, des reflets, à démêler le jeu subtil des rappels et des pressentiments. Il est aisé de découvrir des rapports de poème à poème. *La Réponse à un acte d'accusation* a une suite. « *Écrit en 1846* est suivi d'*Écrit en 1855;* un poème dont le titre est un simple point d'interrogation, du poème-réponse intitulé *Explication*. Le dernier poème du livre III *Magnitudo parvi* s'achève sur l'invocation à la double « blancheur du cœur humain » : « Innocence avant la tempête, après la tempête vertu »; et la première pièce du livre IV prend son essor sur les deux mêmes mots : « Pure innocence, vertu sainte. » Le livre IV se termine sur un poème adressé à Charles Vacquerie; le livre V s'ouvre sur un appel à Auguste Vacquerie : « Et toi, son frère, sois le frère de mes fils. » Au cœur d'une même partie, les poèmes se répondent : avant l'exil, *Claire P.;* du fond de l'exil, *Claire;* d'*Aujourd'hui* à *Autrefois,* mêmes échos : *les Malheureux* prolongent *Melancholia;* des vers du premier livre, *Halte en marchant,* sont rappelés de loin par un titre du livre V, *En marche.* » (P. Moreau.)

On peut découvrir des effets moins apparents : *le verbe, c'est Dieu,* proclame le poète au début du premier livre. A la fin du livre VI, on entend en écho : *nomen, numen, lumen.* Le poème I, IV, observent

R. Journet et G. Robert, annonce VI, x, *Éclaircie,* qui présentera, plus lumineux encore, le spectacle de la création réconciliée avec elle-même. *A Granville,* en 1836, Hugo aperçoit de loin Jersey, se drapant d'un beau ciel pur. Et il est évident que si nous lisons dans le poème liminaire : « Et j'entendis... me parler... une voix dont mes yeux ne voyaient pas la bouche », c'est pour annoncer le grand poème apocalyptique : *Ce que dit la Bouche d'Ombre.*

En dépit des déclarations du poète, la place de chaque pièce ne s'impose pas de façon indiscutable, ou plutôt à l'intérieur de chaque livre, des livres I, III, V en particulier, il subsiste un certain flottement. L'architecte manifeste au contraire sa présence aux points critiques : le début et la fin de chaque livre. C'est que la mise en ordre se confond avec une prise de conscience, le poète découvrant à la fois son destin et son devoir.

Si ce recueil poétique est un livre et non un album, plus encore qu'à son armature, il le doit à sa thématique : l'itinéraire spirituel se développe comme un *poème* initiatique où triomphe, ainsi que l'a remarquablement montré P. Albouy, l'imagination mythologique. Plus que les « interférences ou les surimpressions » de souvenirs, ce sont les thèmes et leur orchestration sous forme de mythes qui doivent retenir l'attention du critique.

Hugo a voulu faire de son livre une sorte de *canzoniere.* La dame n'est point Laure ou Délie, mais Léopoldine, qui, singulièrement, n'est jamais nommée. Le projet prenant de l'ampleur, c'est la trinité féminine qui est célébrée : la femme qui joue le rôle de médiatrice est à la fois amante, fille et mère, et en ces trois emplois, elle est marquée du même signe fatal. On admirera la place de plus en plus grande accordée à la *mater dolorosa* qui permet de fondre en une figure sublime non seulement Ève et Marie, mais aussi la mère « endormie », Juliette l'amante et Adèle l'épouse.

Voici l'édifice achevé autour du saint sépulcre. Un

homme entrevoit que son bonheur est menacé et il pressent que seule la douleur « sacre ». Son propre progrès se fera donc à l'imitation d'un intercesseur, à l'exemple d'un sacrifice : à la fin du livre II, sacrifice de Juliette; à la fin du livre III, sacrifice du Pauvre; à la fin du livre IV, sacrifice de Charles (et l'on aperçoit désormais toute la portée du poème XIV qui est plus qu'une offrande discrète aux mânes du jeune mort) prolongé au début du livre V par le sacrifice d'Auguste; à la fin du livre V, sacrifice de la *mater dolorosa;* à la fin du livre VI, sacrifice des mages. Il n'est pas trop hardi de prétendre que *les Contemplations* sont une imitation de Jésus-Christ. Le berger et les rois mages convergent vers la crèche métamorphosée en un berceau-tombeau où repose le cœur du poète, reliquaire vivant du cœur de sa fille. A la fin du livre I, le poète pressent que lui aussi aura à parcourir son chemin de croix : c'est sur un mythe en marge de l'évangile de la Passion que s'achève *Aurore.* Au livre III, *la Chouette,* oiseau de mauvais augure, annonce au poète sa prochainc crucifixion. Au vers 592 des *Mages,* Hugo place le Christ en tête de la sublime légion, et le poème XXIV qui suit achève l'assimilation du poète au Christ. Prisonnier de la Sainte Agonie comme le héros de Bernanos, il déclarera d'une façon bouleversante en offrant son livre à la morte :

Toujours nous arrivons à ta grotte fatale,
Gethsémani, qu'éclaire une vague lueur!

Certes Hugo, comme Claudel au début du *Soulier de satin,* pourrait écrire : « La scène de ce drame est le monde. » Mais dégageons les thèmes majeurs : ceux-ci ressortent d'une confrontation du poème liminaire avec *les Mages.* Le poème liminaire présente les trois acteurs du drame : l'homme, la nature, Dieu. La nature, répertoire d'analogies, fournit les symboles de l'homme et du Seigneur. Ces symboles sont précisément les thèmes majeurs : le vent, la mer, l'étoile. Le navire qui est l'homme se rattache aisément, comme le suggère la métonymie favorite du poète (le navire = le mât) à la thématique de l'arbre. *Les Mages* où se multiplient les variations sur le ternaire nous invitent à y joindre trois autres thèmes : la fleur, l'oiseau, l'ange. Ces thèmes sont des images primordiales, car, souligne P. Albouy, « la mythologie hugolienne, à travers emprunts ou réminiscences, retrouve les Archétypes ».

Il y a enfin dans le recueil comme un film du poète en mouvement. Il est souvent courbé comme celui qui songe. Mais lorsqu'il « contemple », son front se lève. Autour de ce front s'épanouit une mythologie du crâne, étudiée par P. Moreau. Il est naturel que dans un recueil intitulé *Contemplations,* le regard joue un rôle primordial, et l'amour de la femme, de la nature, de Dieu aboutit toujours à un échange de regards. Quand le marcheur s'arrête,

Debout, les bras croisés, le front levé, l'œil calme...

ou

Assis sur la montagne en présence de l'être...
Il contemple, serein, l'idéal et le beau.

Telle est l'image de lui-même que Hugo s'est plu à nous laisser. Nous respectons trop la royauté de l'imagination pour ne pas dessiner derrière cette statue une ombre fantastique dotée de la crinière du Lion et des ailes de l'Aigle.

Au premier abord, le recueil frappe surtout par sa diversité. C'est bien là selon les propres termes de Hugo son œuvre de poésie la plus complète.

Dans ces volumes où ne figure aucun sonnet, quatre-vingt-trois pièces sont écrites en rimes plates, soixante-treize en strophes, deux combinent l'un et l'autre système de versification. Les strophes sont de trente-cinq types différents. La longueur du poème est très variable : *Écrit au bas d'un crucifix* compte quatre vers, et *Magnitudo parvi,* huit cent treize.

Les formes typiques de Hugo sont assurément les grands monologues en rimes plates, à la verve bouffonne et apocalyptique à la fois, les grandes suites de sizains et de quatrains hepta- ou octosyllabiques. « Quand nous lisons certaines œuvres tardives de Ronsard, les plus belles pages d'Agrippa d'Aubigné, bien des pièces des *Contemplations,* des *Châtiments,* de *la Légende des siècles,* remarquait Jean Prévost, nous sommes entraînés, subjugués, par l'élan même de l'invention. [...] Ils avancent dans la dure substance du langage poétique comme Michel-Ange fouillait, par taille directe, son marbre, ou comme un torrent se fait un lit : eux seuls sont les vrais maîtres du mouvement, qui semble libre dans les entraves de la prosodie. » Cette force qui va sait où elle va. A la différence de Lamartine, dont le flot verbal semble une « fuite » (« le robinet toujours ouvert de *Jocelyn* » !), le flux hugolien, s'il monte inépuisable, ne se déchaîne pas en fureur aveugle, et rien n'est plus instructif que l'étude des longs poèmes, faits de pièces et de morceaux, car s'y révèle toujours une unité organique, née d'un instinct organisateur infaillible.

Ce n'est pas la seule manière de Hugo. Les poèmes plus brefs l'ont amené à des recherches de structure très subtiles. On retient, en vertu du goût qui semble présider au choix des morceaux scolaires, des poésies où le mot de la fin ressemble à une réplique de théâtre, où l'image de la fin ressemble au bouquet d'un feu d'artifice. On admire les développements en antithèse où le second élément réduit à sa plus simple expression fait équilibre à un premier élément copieux. Mais, observe G. Picon, « plus souvent... les poèmes de

Hugo se terminent par une sorte de suspension naturelle, involontaire. Une exclamation isolée se retire, s'excepte de la marée verbale. Non dans un geste de maîtrise qui la domine : dans un geste d'impuissance qui témoigne que l'on ne peut achever de dire et qui appelle au silence... »

Oh! l'herbe épaisse où sont les morts!...
Ô nature! abîme! immensité de l'ombre!...
Ô Seigneur! ouvrez-moi les portes de la nuit
Afin que je m'en aille et que je disparaisse...

La structure du poème ne se réduit pas non plus toujours à une opposition simpliste. Hugo connaît l'art des transitions subtiles, des modulations. Ce qui vaut pour le recueil vaut pour le poème : combien de pièces décrivent un lent passage du jour à la nuit, mais à une nuit lumineuse, du bruit au silence, mais au silence souligné par un chant. Ce génie sans frontières est aussi le plus varié dans ses moyens d'expression. De même que l'on trahit son génie si, plutôt que par la création mythologique, le critique se laisse fasciner par la pensée fatalement incohérente du théosophe (car selon la formule décisive de *William Shakespeare* « le poète philosophe parce qu'il imagine »), de même on le trahit plus encore si l'on ne commente pas son œuvre poème par poème.

Dans cette somme de poésie nous retrouvons, selon J.-B. Barrère, les grands leitmotive des recueils antérieurs et de tout le romantisme, les lieux communs du sentiment : poèmes de l'enfance, poèmes de l'amour, poèmes de la douleur, poèmes de la nature, poèmes de la solitude, de la lassitude. « La note nouvelle étant apportée par les expériences jersiaises de la fantaisie et de l'apocalypse. »

L'incohérence de cette inspiration déconcerta longtemps la critique, et l'on jugeait scandaleux que le poète d'*A Villequier* pût dans le même recueil chanter « la belle fille heureuse, effarée et sauvage ». Dès 1856, George Sand répliquait cependant : « Vous ne voyez donc pas qu'il n'y a pas de grands artistes sans tous ces contrastes dont vous vous plaignez? »

Mais si *les Contemplations* doivent être considérées comme un chef-d'œuvre de la poésie lyrique, ce n'est pas parce qu'un homme y a mis son cœur à nu, c'est parce qu'un poète atteste la souveraineté de l'imagination. A quel recueil s'appliquerait mieux qu'à celui-ci la note de *William Shakespeare* : « Un livre où il y a du fantôme est irrésistible. »

A partir, comme il se doit, de l'effet produit, le lecteur parcourt toute la gamme des émotions : plaisir, trouble, frisson, extase. Si Hugo ne dédaigne pas les larmes de Margot (mais qui oserait railler la tendresse du poète, qui peut répéter sans émoi le vers : « Je vous baise, ô pieds froids de ma mère endormie »?), il sait faire naître ces *hysterical tears* chers à Baudelaire ou à Mallarmé. Son rire est parent du rire de Claudel : du calembour à l'ironie sa verve grosse, à l'éclat rutilant, est toujours euphorique puisque le rire est le jaillissement de la vie, mais le poète n'ignore pas qu'« il existe une hilarité des ténèbres ». « Victor Hugo a des fantaisies Watteau tout au beau milieu de ses fièvres dantesques », déclarait G. Sand avant J.-B. Barrère. Il nous apprend, parce qu'il sent tout vivre, à noter le moindre signe de vie; de la prairie au ciel nocturne, de la mare à l'océan, tout est plein de signes lumineux, tout frémit, soupire, chuchote; nous sommes environnés de souffles, de frôlements, d'appels et de rayons. Mais il est aussi le plus grand poète de la mort. Personne n'a su traduire et inspirer comme lui l'angoisse, la peur panique, les cauchemars remontant à je ne sais quel passé de terreur et de curiosité. Il est le poète de l'épouvante, du vertige, de l'horreur sacrée. Il nous apprend que « toute chose est effrayante à cause de la présence possible d'un dieu ». Nyctalope prodigieux, il est le voyant du négatif. Mais plutôt que de le traiter vaguement de primitif, il faut déceler en lui comme en Claudel « ce pouvoir d'être pleinement originel, d'identifier la plénitude et la source » (P. Emmanuel).

« Le titre, selon J.-B. Barrère, invite à une comparaison avec *les Méditations* que Hugo n'a sans doute pas écartée de son esprit. » La date invite plus encore à une comparaison avec *les Fleurs du mal* auxquelles la plupart des lecteurs d'aujourd'hui ne peuvent s'empêcher de songer. *Les Contemplations* ont paru un an avant le recueil de Baudelaire. Un tableau de la poésie française au XIXe siècle, au lieu de placer les deux œuvres à une grande distance comme le font à l'envi les manuels et les histoires littéraires, devrait au contraire concentrer autour d'elles toute la flamme lyrique du siècle. Il faudrait surtout renoncer à démarquer pour l'appliquer aux deux œuvres la formule connue : avec *les Contemplations,* c'est un monde qui finit; avec *les Fleurs du mal,* c'est un monde qui commence. Quel crève-cœur pour des admirateurs de Hugo tels que R. Journet et G. Robert, lorsqu'ils doivent constater dans une note : « En 1956, le centenaire des *Contemplations* est pratiquement passé inaperçu. » N'en concluons pas ironiquement : Hugo s'éloigne; mais répétons inlassablement : Hugo est le plus mal connu et le plus méconnu de nos poètes.

« Qui comprendrait à fond le poète Hugo, déclarait J. Prévost, serait tout près des grands secrets de la poésie. » On a peine à admettre que ce prince des poètes à qui l'on abandonne la royauté des mots, voire un tour de main toujours sûr en matière de versification, puisse être un critique lucide, qui, autant que Baudelaire, aurait réfléchi sur la création poétique, et qu'il faille donc accorder du prix à l'esthétique de Hugo, comme l'a fait A. Joussain, à la poétique de Hugo, comme l'a fait M. Riffaterre.

Autre préjugé : on oppose naturellement à la poétique de Hugo fondée sur l'accumulation et l'amplification, celles de Baudelaire et surtout de Mallarmé fondées sur la condensation. On rappelle les pages célèbres de Baudelaire disant à la suite de Poe : « Un long poème n'existe pas », et l'on exalte les réussites des trois sonnettistes : Nerval, Baudelaire, Mallarmé, au détriment des grandes tirades ou des effusions infinies de celui qui ne sut pas écrire un sonnet. Hugo ignorait-il absolument le secret d'une poétique de la condensation? Entre l'*Apparition* de Hugo et celle de Mallarmé l'amateur de poésie n'a-t-il pas le droit d'hésiter? Et surtout qui aurait pu croire qu'après les recherches d'un Mallarmé, une poétique de l'amplification fût encore viable? Or, un Péguy, un Claudel, un Saint-John Perse ont redonné droit de cité au long poème, à la grande ode. A mesure que nous prenons du recul, que le débat sur la poésie pure fait figure de divertissement académique, maintenant que l'incompréhension de Maurras et de ses disciples ne provoque plus que de la pitié, s'impose le parallèle entre Hugo et Claudel, parallèle fondé sur une parenté de tempérament et d'imagination, qui aboutit à découvrir une parenté spirituelle. Pour imager l'itinéraire décrit dans *les Contemplations,* quelle plus belle illustration que l'œuvre dramatique de Claudel : *le Repos du septième jour*. Les mages de Hugo ne sont autres que ces quelques hommes qui ont tous les jours le devoir de louer le Seigneur : « Ceux-ci ont été choisis entre dix mille et dix milliers de dix mille, afin qu'ils occupent inimaginablement la plénitude, et que ceci soit leur sort, qu'ils n'aient point d'autre joie que la Joie! Le Suprême Être se les est choisis afin que ceux-ci soient à lui, et qu'ils soient sa famille et ses témoins, et les hôtes de sa magnificence. » L'empereur chinois descend aux Enfers comme Olympio, et lorsqu'il reparaît, il troque sa robe impériale pour des vêtements sacerdotaux; les paroles que Hugo prononçait le 12 juillet 1854 auraient pu être les siennes : « Je vis dans l'exil. Là je perds le caractère de l'homme pour prendre celui de l'Apôtre et du Prêtre. Je suis Prêtre. »

On objectera que Claudel a su renoncer à la versification traditionnelle, on objectera que, si Hugo a pratiqué la Bible autant que son successeur, le style biblique ne l'a pas libéré entièrement des contraintes de la rhétorique classique, et que ce sont là précisément les raisons du vieillissement de son œuvre. On pardonne plus facilement à Baudelaire son prosaïsme qu'à Hugo son éloquence.

La versification traditionnelle empêche de saisir d'emblée la violence de l'imagination hugolienne. Celui qui fait abstraction des rythmes stéréotypés ou plutôt qui ne considère que leur rôle essentiel : mettre en valeur le mot et l'image, celui qui fait abstraction de la monotonie des rimes pour ne retenir que leur puissance fécondante et leur fonction stupéfiante, constate que Hugo a été ce que Rimbaud a cru être. « On voit se disloquer, notent justement R. Journet et G. Robert, les cadres logiques qui enserraient jusqu'alors presque toute poésie. » Cette éloquence a recours à tous les procédés catalogués, mais avec tant d'outrance et de tact à la fois qu'elle finit par se moquer de l'éloquence.

Pour mieux dire, puisque les figures sont fondées sur les structures de l'imaginaire, Hugo recrée les figures. Il ne faut plus parler d'hypallage, mais de projection et de participation. La « métaphore maxima » (le pâtre promontoire, la biche illusion), n'est pas une manie bizarre, mais la traduction naturelle de cette forme de vision. La synecdoque, la métonymie, qui représentent le tout par la partie, font du détail un microcosme. L'antithèse et l'oxymoron sont la diastole et la systole de ce cœur épris d'ombre et d'azur. La répétition obsédante des adjectifs, des substantifs, les couples de rimes indissolubles relèvent d'une conception magique de la parole. « Il y a des mots qui sont comme Dieu au fond de la langue », répliquait Hugo à N. Parfait effrayé par ces redites. Et qu'on ne ricane pas en invoquant quelque tam-tam barbare. On passe sans solution de continuité du tambour vaudou aux recherches les plus hardies, voire les plus sophistiquées d'un Poe ou d'un Mallarmé. Parce que les mots sont des êtres vivants, Hugo joue à la manière mallarméenne de leur ambiguïté sémantique ou pressent que « dans le poème les mots se reflètent les uns sur les autres », « qu'ils s'allument de reflets réciproques comme une virtuelle traînée de feux sur des pierreries ». Du vers au poème, du poème au recueil, c'est donc un perpétuel jeu de reflets.

Le poète au regard d'enfant et au regard d'aigle, tantôt redécouvre un monde en sa fraîcheur première, tantôt plonge au fond de l'Inconnu pour trouver du nouveau. Si le poète est voyant, ce n'est pas simplement parce qu'il sait qu'existe un sens caché derrière le signe, qu'il est à même de le déchiffrer, qu'il devine sous le masque la figure. Il constate qu'en participant à la vie des choses, il continue de vivre de la même vie, c'est-à-dire d'aimer, de pardonner, d'adorer. Le poète, homme de désir, découvre l'esprit des choses, « tout ce qu'il y a d'humain dans n'importe quoi » selon Baudelaire, un univers de désir. Réciproquement il donne à l'abstrait une apparence concrète, à l'infini un contour, à l'informe une forme, à l'esprit un corps. Il est le poète de l'incarnation, et il sait que paradoxalement la notation la plus familière est celle qui suggère le mieux le mystère, la présence du Dieu caché. L'expérience poétique est une expérience de l'unité. J.-B. Barrère constate que la tournure de l'imagination, que le poème soit fantaisiste ou fantastique, est nécessairement la même.

Hugo, le seul Hugo, pouvait écrire de tels vers :

L'arbre Éternité vit sans faîte et sans racines...
Le problème muet gonfle la mer sonore...
L'azur luit quand parfois la gaîté le déchire...
La bouche qui promet est un oiseau qui passe...
Nous sommes les flocons de la neige éternelle...
Prends-tu le vent des mers pour un joueur de flûte...
Toutes les femmes sont teintes du sang des roses...

Ainsi donc c'est sur le terrain de la rhétorique profonde et de la sorcellerie évocatoire qu'il faut situer le débat. Mais, disait Valéry, « l'essentiel est encore à isoler ». Nous ne pouvons qu'inviter le chercheur à suivre la voie ouverte par R. Journet et G. Robert. L'exploration en profondeur des mécanismes poétiques repose sur l'analyse stylistique. M. Riffaterre résumait ainsi ces recherches : « Hugo ne détruit pas les cadres de la poésie néo-classique, mais les utilise à des fins toutes nouvelles : renouvellement du vocabulaire par substitution de la puissance d'évocation au sens, adjectifs obsédants qui créent l'atmosphère des « choses sombres », audace dans l'emploi des tropes classiques, fusion des vocabulaires jusqu'alors séparés de l'humain et du réel, des notions et des choses, impressionnisme des noms abstraits qui envahissent le domaine du verbe et de l'adjectif ». « Il s'agit là, concluent ces spécialistes, d'un outil créé pour construire un monde aux contours nouveaux », « admirable outil pour représenter un monde où tout est plein d'âmes ».

Hugo, bien qu'il sût que Baudelaire n'accepterait jamais l'art pour le progrès, était le premier à déceler dans *les Fleurs du mal* un frisson nouveau. Baudelaire de son côté, dès qu'il jugeait non plus en homme, mais en poète, déclarait de Hugo : « Quand on se figure ce qu'était la poésie française avant qu'il apparût, et quel rajeunissement elle a subi depuis qu'il est venu; quand on imagine ce peu qu'elle eût été s'il n'était pas venu, [...], il est impossible de ne pas le considérer comme un de ces poètes rares et providentiels qui opèrent, dans l'ordre littéraire, le salut de tous, comme d'autres dans l'ordre moral et d'autres dans l'ordre politique. »

C'est à un ouvrage consacré à la gloire de Baudelaire[1] que sera emprunté le mot de la fin. « Nous avons longtemps vécu, avoue R. Kanters, et les manuels de

1. *Génies et réalités :* Baudelaire, chap. VII, pp. 197-198.

littérature nous y aidaient, sur l'idée que le XIXe siècle était celui de quatre poètes : Lamartine, Vigny, Hugo et Musset. Je n'oublie ni Rimbaud ni Mallarmé, mais je me demande si, quand on prendra la bonne distance, le vrai visage de ce siècle nc pourra pas se fixer en disant qu'il a été le siècle de Hugo et de Baudelaire. »

LÉON CELLIER.

Qu'il me soit permis de rendre ici hommage au doyen Vianey, mon maître, victime malheureuse du polémiste René Benjamin, lors de la publication de son édition savante des *Contemplations,* et à la nouvelle équipe de spécialistes qui de l'Université de Columbia à la Sorbonne en passant par Manchester et Genève entretiennent le culte de Hugo.

COMPOSITION DES *CONTEMPLATIONS*
CHRONOLOGIE

1° Avant la mort de Léopoldine (4 septembre 1843).

Dates réelles				Dates fictives	
1834 (?)	25 août	II, x	*Mon bras pressait...*	18..	juill.
1838	31 déc.	II, xx	*Il fait froid*	18..	déc.
1839	30 avril	III, iii	*Saturne*	1839	avril
1839	15 mai	II, vi	*Lettre*	18..	juin
1839	5 juin	I, i	*A ma fille*	1842	oct.
1839	8 juin	III, xxi	*Écrit sur la plinthe...*	1833	juin
1839	15 juin	P. lim.	*Un jour je vis...*	1839	juin
1840	16 févr.	I, xxii	*La Fête chez Thérèse*	18..	avril
1840	21 mai	II, xxiv	*Que le sort...*	18..	oct.
1840 (?)		II, xvi	*L'Hirondelle au printemps...*	18..	juin
1840 (?)		III, xxx	Fragment 764-781 de *Magnitudo parvi*		
1840	27 août	I, x	*A Madame D. G. de G.*	1840-1855	
1841	22 mars	II, ii	*Mes vers fuiraient*	18..	mars
1841	10 sept.	III, xviii	*Intérieur*	1841	sept.
1841	11 oct.	IV, xii	*A quoi songeaient...*	1853	oct.
1841	22 oct.	I, xvii	*A M. Froment Meurice*	1841	oct.
1841	11 déc.	V, xix	*Au poète qui m'envoie...*	S. d.	11 déc.
1842	mai	I, xx	*A un poète aveugle*	1842	mai
1842	10 juin	I, iii	*Mes deux filles*	1842	juin
1843 (?)	3 févr.	III, v	*Quia pulvis es*	1843	févr.
1843	15 févr.	IV, ii	*15 février 1843*	1843	févr.
1843	11 mai	III, xv	*Épitaphe*	1843	mai
1843	mai	I, xi	*Lise*	1843	mai
1843	mai	II, xxii	*Aimons toujours!*	18..	mai
1843 (?)	4 juin	II, v	*Hier au soir*	18..	mai
1843	9 juin	III, xxiv	*Aux arbres*	1843	juin

Dates réelles				Dates fictives
1843	20 juin	II, III	*Le Rouet d'Omphale*	18.. juin
1843	25 août	III, XXV	*L'Enfant voyant...*	1843 août
. . . . . .	. . . . . .	. . . . . .	. . . . . .	. . . . . .
1843 (?)	31 oct.	I, II	*Le poète s'en va...*	1831 juin

2° L'année 1846.

1846	26 janv.	II, XXVIII	*Un soir que je regardais...*	18.. janv.
1846	11 juill.	IV, II	*On vit, on parle...*	1846 11 juill.
1846	12 juill.	II, IV	*Chanson*	18.. mai
1846	21 juill.	III, XIV	*A la mère de l'enfant*	1843 avril
1846	27 juill.	II, XXI	*Il lui disait*	18.. juill.
1846	2 août	I, VI	*La Vie aux champs*	1840 août
1846	10 août	V, X	*Aux Feuillantines*	1855 août
1846	4 sept.	VI, VII	*Un jour, le morne...*	1855 sept.
1846	8 sept.	II, XIII	*Viens! Une flûte...*	18.. août
1846	19 sept.	I, XXIV	*Heureux l'homme...*	1842 sept.
1846	28 sept.	II, XII	*Églogue*	18.. sept.
1846	4 oct.	III, VI	*La Source*	1846 oct.
1846	12 oct.	IV, VII	*Elle était pâle*	1846 oct.
1846	Après le 12 oct.	IV, IX	*Ô souvenir! Printemps*	1846 4 sept.
1846	16 oct.	IV, VI	*Quand nous habitions*	1844 4 sept.
1846	20 oct.	III, II	?	1840 oct.
1846	24 oct.	IV, XV	*A Villequier*	1847 4 sept.
1846	1er nov.	IV, V	*Elle avait pris ce pli*	1846 1er nov.
1846	3 nov.	II, XV	*Paroles dans l'ombre*	18.. oct.
1846	10 nov.	IV, III	*Trois ans après*	1846 nov.
1846	2e semestre	IV, IV	*Oh! je fus comme fou*	1852 4 sept.
1846	Aut. (?)	VI, IV	*Écoutez. Je suis Jean*	1853 juill.
1846	(?)	III, II	Début de *Melancholia*	
1846	(?)	III, XXX	Début de *Magnitudo parvi*	
1846	(?)	I, XIII	Début d'*A propos d'Horace*	

3° De 1847 a l'exil.

1847	4-5 mars	III, IV	*Écrit au bas d'un crucifix*	1842 mars
1847	8 avril	IV, X	*Pendant que le marin*	1847 avril
1847	19 mai	I, XXVIII	*Il faut que le poète*	1842 mai
1847	4 oct.	IV, XIV	*Demain dès l'aube*	1847 5 sept.

Dates réelles				Dates fictives
1848	11 avril	IV, XIII	*Veni, vidi, vixi*	1848 avril

4° A BRUXELLES.

1852	16 juill.	V, II	*Au fils d'un poète*	1852 juill.

5° A JERSEY, AVANT LES EXPÉRIENCES SPIRITES.

1852	16 juill.	V, XXIV	*J'ai cueilli cette fleur*	1855 août
1853	16 avril	I, XXI	*Elle était déchaussée*	183. juin
1853	5 juin	II, VII	*Nous allions au verger*	18.. juill.
1853	2 juill.	I, XXIV	*Unité*	1836 juill.
1853	22 juill.	III, I	*Écrit sur un exemplaire*	1843 juill.

6° A JERSEY, DE NOVEMBRE 1853 A AOUT 1854.

1853	9-10 nov.	III, XX	*Insomnie*	1843
1854	12 janv.	III, XXIX	*La Nature*	1843 janv.
1854	4 févr.	III, XVII	*Chose vue un jour...*	1840 avril
1854 (?)	20 févr.	II, XXVI	*Crépuscule*	18.. août
1854	14 mars	IV, XVI	*Mors*	1854 mars
1854	30 mars	VI, XVII	*Dolor*	1854 31 mars
1854	Nuit du 31 mars	VI, XVI	*Horror*	1854 30 mars
1854	S. d.	VI, XIV	*Ô gouffre! l'âme...*	1853 sept.
1854	17 avril	VI, III	*Un spectre...*	1853 avril
1854	21 avril	V, IV	*La source tombait...*	1854 avril
1854	25 avril	IV, VIII	*A qui donc sommes-nous?*	1845 4 sept.
1854	29 avril	VI, IX	*A la fenêtre...*	1854 avril
1854	Du 26 au 30 avril	VI, VI	*Pleurs dans la nuit*	1854 avril
1854 (?)	24 mai	III, XXII	*La Clarté du dehors...*	1843 mai
1854	6 juin	III, XIX	*Baraques de la foire*	1842 juin
1854	9 juin	VI, XVIII	*Hélas! tout est sépulcre*	1855 juin
1854 (?)	9 juill.	III, II	Fin de *Melancholia*	1838 juill.
1854	24 juill.	VI, II	*Ibo*	1853 janv.
1854	5 août	V, XIII	*Paroles sur la dune*	1854 5 août
1854	18 août	III, XXIII	*Le Revenant*	1843 août
1854	20 août	II, XIX	*N'envions rien*	18.. août

7° A JERSEY, OCTOBRE ET NOVEMBRE 1854.

1854 (?)	2e semestre	IV, XVII	*Charles Vacquerie*	1852 4 sept.
1854	1er-13 oct.	VI, XXVI	*Ce que dit la Bouche d'Ombre*	1855

Dates réelles				Dates fictives
1854	5 oct.	III, XII	*Explication*	1840 nov.
1854	10 oct.	I, XIV	*A Granville en 1836*	1836 juin
1854	10 oct.	I, XV	*La Coccinelle*	1830 mai
1854	10 oct.	VI, XX	*Religio*	1855 oct.
1854	13 oct.	VI, I	*Le Pont*	1852 déc.
1854	14 oct.	I, V	*A André Chénier*	1830 juill.
1854	14 oct.	I, XII	*Vere novo*	1831 mai
1854	14 oct.	I, XVIII	*Les Oiseaux*	1835 mai
1854	15 oct.	I, XXVII	*Oui, je suis le rêveur*	1835 août
1854	18 oct.	I, XVI	*Vers 1820*	S. d.
1854 (?)	20 oct.	V, IX	*Le Mendiant*	1834 (?) déc.
1854	21 oct.	II, XVII	*Sous les arbres*	18.. juin
1854	24 oct.	I, VII	*Réponse à un acte...*	1834 janv.
1854	30 oct.	VI, XIX	*Voyage de nuit*	1855 oct.
1854	1er nov.	I, IX	*Le poème éploré...*	1834 janv.
1854	2 nov.	III, XXVIII	*Le Poète*	1835 avril
1854	3 nov.	I, VIII	*Suite*	1855 juin
1854	4 nov.	V, XXV	*Ô strophe du poète*	1854 nov.
1854	11 nov.	V, VII	*Pour l'erreur...*	1854 nov.
1854	12 nov.	V, III	*Écrit en 1846*	1846 juin
1854	17 nov.	I, XXVI	*Quelques mots à un autre*	1834 nov.

8° A JERSEY, DU 1er DÉCEMBRE 1854 AU 7 FÉVRIER 1855.

1854 (?)	1er déc.	II, XXV	*Je respire où tu palpites*	18.. août
1854	8 déc.	VI, XXII	*Ce que c'est que la mort*	1854 déc.
1854	11 déc.	VI, V	*Croire, mais pas en nous*	1854 déc.
1854	13 déc.	III, XXVI	*Joies du soir*	1843 juill.
1854	14 déc.	V, XIV	*Claire P.*	1854 juin
1854	17 déc.	V, XXIII	*Pasteurs et Troupeaux*	1855 avril
1854	23 déc.	V, I	*A Auguste V.*	1852 4 sept.
1854	27 déc.	VI, VIII	*Claire*	1846 déc.
1854	29 déc.	VI, XXIV	*En frappant à une porte*	1855 4 sept.
1855	10 janv.	V, III	*Écrit en 1855*	1855 janv.
1855	11 janv.	VI, XV	*A celle qui est voilée*	1854 janv.
1855	14 janv.	III, IX	*Jeune fille, la grâce...*	1843 févr.
1855	17 janv.	VI, XXI	*Spes*	1856 janv.
1855	18 janv.	I, XIX	*Vieille chanson du jeune temps*	1831 juin
1855	22 janv.	I, XXIII	*L'Enfance*	1835 janv.
1855	22 janv.	IV, I	*Pure innocence...*	1843 janv.
1855	24 janv.	III, VIII	*Je lisais...*	1843 juill.
1855	1er févr.	III, XXX	*Magnitudo parvi*	1839 août

Dates réelles				Dates fictives
1855	7 févr.	III, VII	*La Statue*	1843 févr.

9° A Jersey, du 1er mars au 31 octobre 1855.

1855	1er mars	VI, XXV	*Nomen, numen, lumen*	1855 mars
1855	3 mars	VI, II	*Ponto*	1855 mars
1855	5 mars	III, X	*Amour*	1843 juill.
1855	19 mars	I, IV	*Le Firmament est plein*	1840 avril
1855	29 mars	II, I	*Premier mai*	18.. 1er mai
1855	7 avril	II, II	*Les femmes sont...*	18.. avril
1855	14 avril	II, XIV	*Billet du matin*	18.. juin
1855	17 avril	I, XXIX	Début de *Halte en marchant*	
1855	24 avril	VI, XXIII	*Les Mages*	1856 janv.
1855	30 avril	V, XVI	*Lueur au couchant*	1855 juill.
1855	7 mai	I, XXIX	Fin de *Halte en marchant*	1837 juin
1855 (?)	10 mai	III, XIII	*La Chouette*	1843 mai
1855	27 mai	V, VI	*A vous qui êtes là*	1855 janv.
1855	31 mai	I, XIII	Fin d'*A propos d'Horace*	1831 mai
1855	10 juin	II, IX	*En écoutant les oiseaux*	183. sept.
1855	11 juin	V, XX	*Cérigo*	1855 juin
1855	14 juin	III, XVI	*Le Maître d'études*	1843 juin
1855	16 juin	II, VIII	*Tu peux, comme il te plaît*	18.. juin
1855	**17 juin**	II, XXVII	*La Nichée sous le portail*	18.. juin
1855	**17 juin**	II, XVIII	*Je sais bien qu'il est d'usage...*	18.. sept.
1855	18 juin	II, XXIII	*Après l'hiver*	18.. juin
1855	4 juill.	VI, X	*Éclaircie*	1855 juill.
1855	12 juill.	III, XXVII	*J'aime l'araignée...*	1842 juill.
1855	14 juill.	V, XII	*Dolorosae*	1855 août
1855	17 juill.	V, XXII	*Je payai le pêcheur*	1855 juill.
1855	26 juill.	V, XVII	*Mugitusque boum*	1855 juill.
1855	27 juill.	V, V	*A Mademoiselle Louise B.*	1855 juin
1855	30 juill.	V, XV	*A Alexandre D.*	1854 déc.
1855	9 août	VI, XIII	*Cadaver*	1855 août
1855	19 août	V, XXI	*A Paul M.*	1855 août
1855	20 août	VI, II	*Oh! par nos vils plaisirs*	1855 juin
1855	22 août	V, VIII	*A Jules J.*	1854 déc.
1855	23 août	V, XVIII	*Apparition*	1855 sept.
1855	17 sept.	V, XXVI	*Les Malheureux*	1855 sept.

1855	4 oct.	VI, XII	*Aux anges qui nous voient*	1855 juin
1855	Avant le 8 oct.		*A celle qui est restée...* (v. 1-290)	

10° A GUERNESEY.

1855	Avant et après le 2 nov.		*A celle qui est restée...* (fin)	1855 2 nov.

Dans *Autrefois* (1830-1843) :

29 poèmes ne comportent pas de date,
15 gardent le millésime du manuscrit,
43 sont antidatés,
1 est postdaté.

Dans *Aujourd'hui* (1843-1856) :

1 poème ne comporte pas de date,
41 gardent le millésime du manuscrit (mais le mois peut être modifié),
14 sont antidatés,
15 sont postdatés.

BIBLIOGRAPHIE

On ne trouvera pas ici une bibliographie de V. Hugo, mais une bibliographie des *Contemplations*. Pour les commentaires des poèmes, les références sont données dans les notes.

ALBOUY, P. — *La Création mythologique chez Victor Hugo,* Corti, 1963.

— *Victor Hugo, Œuvres poétiques,* I, Bibliothèque de la Pléiade, 1964.

— *Hommage à Victor Hugo : La Préface philosophique des Misérables,* Strasbourg, 1962.

— *L'Ane,* édition critique, Flammarion, 1966.

— *C. R. de Victor Hugo, les Contemplations,* éd. J. Seebacher, *R. H. L. F.*, 1965, 4.

ANGRAND, P. — *Victor Hugo raconté par les papiers d'État,* Gallimard, 1961.

ARAGON, L. — *Avez-vous lu Victor Hugo?,* Pauvert, 1964.

ASCOLI, G. — *Victor Hugo : les Contemplations* (livres IV et V), C. D. U., s. d.

AUDIAT, P. — *Ainsi vécut Victor Hugo,* Hachette, 1947.

BARRÈRE, J.-B. — *La Fantaisie de Victor Hugo,* I, II, III, Corti, 1949, 1950, 1960.

— *Hugo, l'homme et l'œuvre,* Hatier, 1959.

— *Victor Hugo à l'œuvre. Le poète en exil et en voyage,* Klincksieck, 1965.

— C. R. de Journet et Robert, *Autour des Contemplations,* *R. H. L. F.*, avril 1957.

— C. R. de Journet et Robert, *le Manuscrit des Contemplations,* *R. H. L. F.,* juillet 1958.

— *Les Écrivains devant Dieu : Victor Hugo,* Desclée de Brouwer, 1965.

Barthou, L. — *Impressions et Essais,* Paris, 1914.

— *Les Amours d'un poète,* A. Fayard, Paris, 1926.

Baudelaire, Ch. — *L'Art romantique : Victor Hugo,* pp. 701-713, Bibliothèque de la Pléiade, 1961.

Baudouin, Ch. — *Psychanalyse de Victor Hugo,* éditions du Mont-Blanc, 1943.

Béguin, A. — *L'Ame romantique et le Rêve,* Corti, 1939.

— *Le Songe de Jean-Paul et Victor Hugo,* R. L. C., 1934.

Berret, P. — *La Philosophie de Victor Hugo en 1854-1859,* Paulin, 1910.

— *Victor Hugo,* Garnier, 1939.

Bibliothèque Nationale. — *Victor Hugo,* Paris, 1952.

Bornecque, J.-H. — *Les Leçons de Villequier,* le Monde, 4 octobre 1952.

Bounoure, G. — *Abîmes de Victor Hugo,* Mesures, 15 juillet 1936.

Brombert, V. — *Victor Hugo, la prison et l'espace* R. S. H., janvier-mars 1965.

Butor, M. — Répertoire II : *Babel en creux,* éditions de Minuit, 1964.

Cellier, L. — *Fabre d'Olivet,* quatrième partie, chap. II : l'Esprit de Jersey, Nizet, 1953.

— *Mallarmé et la morte qui parle,* chap. III, P. U. F., 1959.

— *Autour des Contemplations : G. Sand et V. Hugo,* Archives des Lettres modernes, n° 44, 1962.

Chabert, S. — *Virgile et Victor Hugo, Annales de l'université de Grenoble,* XXI-XXII.

Citron, P. — *La Poésie de Paris dans la littérature française de Rousseau à Baudelaire,* tome II, Éditions de Minuit, 1961.

Clancier, G.-E. — *Note sur la poétique de l'œil chez Hugo,* Cahiers du Sud, 1962.

CLAUDEL, P. — *Positions et Propositions : Digression sur Victor Hugo,* Gallimard, 1928.
DAUBRAY, C. — *Victor Hugo et ses correspondants,* Albin Michel, 1947.
DEBIDOUR, A. — *Les Contemplations,* extraits, classiques Larousse, s. d.
DEDEYAN, Ch. — *Victor Hugo et l'Allemagne,* IV vol., Lettres modernes, 1964 et *sq.*
DELALANDE, J. — *Documents inédits sur « le Revenant » des Contemplations,* R. H. L. F., 1966, 2.
DITCHY, J.-K. — *La Mer dans l'œuvre littéraire de Victor Hugo, Belles-Lettres,* 1925.
DURAND, G. — *Dualismes et Dramatisation,* Eranos-Jahrbuch, XXXIII, 1964.
ECALLE, M., et LOMBROSO, V. — *Album Hugo,* Gallimard, 1964.
EIGELDINGER, M. — *Le Dynamisme de l'image dans la poésie française,* chap. IV : *Hugo ou la primauté de l'imagination,* La Baconnière, 1943.
EVANS, J.-O. — *Le Socialisme romantique. Pierre Leroux et ses contemporains,* chap. IV : *P. Leroux et les poètes,* M. Rivière, 1948.
EMERY, L. — *Vision et Pensée chez Victor Hugo,* Lyon, 1939.
— *Trois poètes cosmiques,* Lyon, les Cahiers libres, s. d.
FRANCESCHETTI, G. — *Studi hughiani in Italia nel decenni 1951-1960,* Contributi dell' Istituto di filologia moderna. Serie francese III, Milano, 1964.
GAUDON, J. — *Victor Hugo, Choix de poèmes,* Manchester University Press, 1957.
— *Ce que disent les tables parlantes,* J.-J. Pauvert, 1963.
— *Victor Hugo, Lettres à Juliette Drouet,* J.-J. Pauvert, 1964.
GEORGEL, P. — *Léopoldine Hugo, une jeune fille romantique,* 1968, Maison de Victor Hugo.
— *L'Album de Léopoldine Hugo,* s. d. (1967), Villequier.

GIRARD, R. — *Monstres et demi-dieux dans l'œuvre de V. Hugo,* Symposium, Spring, 1965.

GLAUSER, A. — *Victor Hugo et la poésie pure,* Droz, 1957.

GRILLET, C. — *La Bible dans Victor Hugo,* Lyon, 1910.

— *Victor Hugo spirite,* Lyon, 1935.

GUIARD, A. — *La Fonction du poète,* étude sur Victor Hugo, Bloud, 1910.

— *Virgile et Victor Hugo,* Bloud, 1910.

GUILLE, Fr. — *François-Victor Hugo et son œuvre,* Nizet, 1950.

GUILLEMIN, H. — *Victor Hugo par lui-même,* éditions du Seuil, 1951.

— *Le « Journal de l'exil »* (Adèle Hugo), *Revue de Paris,* avril 1950.

— *Mon père Victor Hugo,* d'après le « Journal » d'Adèle Hugo à Jersey (1852 et 1855), *Figaro littréaire,* 19 février 1955.

— *Victor Hugo et les fantômes de Jersey, Revue de Paris,* septembre 1952.

— *Comment Hugo éloignait les spectres, Figaro littéraire,* 24 mars 1951.

— *Hugo interroge les esprits, Médecine de France,* XXXVII, 1952.

— *Victor Hugo et le rêve, Mercure de France,* mai 1951.

— *La Bataille de Dieu,* Genève, 1944.

GUIMBAUD, L. — *Victor Hugo et Juliette Drouet,* Paris, 1927.

— *Victor Hugo et Madame Biard,* Paris, Blaizot, 1927.

HAZARD, P. — *Avec Victor Hugo en exil, Études françaises,* 23e cahier, Belles-Lettres, 1931.

HEUGEL, J. — *Essai sur la philosophie de Victor Hugo du point de vue gnostique,* Calmann-Lévy, 1930.

HUGO, Victor. — *Œuvres dramatiques et critiques complètes,* éditions J.-J. Pauvert, 1964. Appendice : *Les Tables tournantes de Jersey,* 1853-1855. *Albums spirites,* 1854.

— *Correspondance,* II, *Œuvres complètes,* éditions I. N., Albin Michel, 1950.

— *Correspondance de Victor Hugo avec Paul Meurice,* Paris, 1909.

HUGUET, E. — *Le Sens de la forme dans les métaphores de V. Hugo,* Hachette, 1904.

— *La Couleur, la lumière et l'ombre dans les métaphores de V. Hugo, ibid.,* 1905.

JOURNET, R., et ROBERT, G. — *Autour des Contemplations,* Belles-Lettres, 1955.

— *Manuscrit des Contemplations, ibid.,* 1956.

— *Notes sur les Contemplations, ibid.,* 1958.

— *Carnet* (mars-avril 1856), *ibid.,* 1959.

— *Dieu (l'Océan d'en haut),* Nizet, 1960.

— *Dieu (le Seuil du gouffre),* Nizet, 1960.

— *Promontorium somnii,* Belles-Lettres, 1961.

— *Boîte aux lettres,* édition critique, Flammarion, 1965.

— *Journal de ce que j'apprends chaque jour,* Flammarion, 1966.

JOUSSAIN, A. — *L'Esthétique de Victor Hugo,* Boivin, 1920.

LECŒUR, C. — *La Philosophie religieuse de Victor Hugo,* Bordas, 1951.

LEROUX, P. — *La Grève de Samarez,* 2 vol., Dentu, 1863.

LEVAILLANT, M. — *L'Œuvre de Victor Hugo,* choix, notices et notes critiques, Delagrave, 1938.

— *La Crise mystique de Victor Hugo,* Corti, 1954.

— *Le Centenaire des Contemplations, R. H. L. F.,* octobre 1956.

MABILLEAU, L. — *Victor Hugo,* Hachette, 1893.

MALLION, J. — *Victor Hugo et l'art architectural,* P. U. F., 1962.

MERCIÉ, J.-L. — *Victor Hugo et une inconnue : Clara Duchastel,* Archives des Lettres modernes, n° 66, Minard.

— *Victor Hugo et Julie Chenay, documents inédits,* Minard, 1966.

MILNER, M. — *Le Diable dans la littérature française,* II, chap. XXVI, Corti, 1960.

MISTLER, J. — *Hugo et les tables tournantes,* les Annales, octobre 1959.

MOREAU, P., et BOUDOUT, J. — *Victor Hugo, Œuvres choisies,* 2 vol., Hatier, 1950.

MOREAU, P. — *Hommage à Victor Hugo : Paysages introspectifs chez Victor Hugo,* Strasbourg, 1962.

— *Les Contemplations ou le Temps retrouvé,* Archives des Lettres modernes, nº 41, 1962.

PARMÉNIE, A., et BONNIER DE LA CHAPELLE. — *Histoire d'un éditeur et de ses auteurs :* P.-J. Hetzel, Albin Michel, 1953.

PERCHE, L. — *Victor Hugo, Poètes d'aujourd'hui,* Seghers, 1952.

PEYRE, H. — *Hommes et Idées du XXe siècle : Présence de Victor Hugo,* Corrêa, 1939.

PICON, G. — *Préface à Victor Hugo dessinateur,* éditions du Minotaure, 1963.

— *Préface à Victor Hugo,* Œuvres poétiques, I, Bibliothèque de la Pléiade, 1964.

POULET, G. — *La Distance intérieure,* chap. VI, Plon, 1952.

PRUNER, F. — *Les Contemplations,* « pyramide-temple », ébauche pour un principe d'explication, Archives des Lettres modernes, nº 43, 1962.

PY, A. — *Les Mythes grecs dans la poésie de Victor Hugo,* Droz, 1963.

RAYMOND, M. — *Génies de la France : Hugo le Mage,* Neuchâtel, La Baconnière, 1942.

— *Poèmes choisis,* avec une préface, 2 vol., Genève, Skira, 1945.

RENOUVIER, C. — *Victor Hugo, le philosophe,* Colin, 1893.

— *Victor Hugo, le poète, ibid.,* 1900.

RIFFATERRE, M. — *La Vision hallucinatoire chez Victor Hugo,* Modern Language Notes, vol. 78, may 1963.

— C. R. de Journet et Robert, *Notes sur les Contemplations,* Romanic Review, vol. 5, 1960.

— *Poétiques et Poésie de Diderot à Baudelaire, ibid.,* 1960.

— C. R. de Journet et Robert, *Carnet* (mars-avril 1856), *ibid.*, 1960.

— *La Poésie métaphysique de Victor Hugo, ibid.*, 1960.

— *Victor Hugo's poetics,* The American Society Legion of Honor Magazine, XXXII, 1961.

ROBERT, G. — Voir JOURNET, R.

ROCHETTE, A. — *L'Esprit dans les œuvres poétiques de Victor Hugo,* Champion, 1911.

ROOS, J. — *Les Idées philosophiques de Victor Hugo : Ballanche et Victor Hugo,* Nizet, 1958.

SAURAT, D. — *Victor Hugo et les dieux du peuple,* La Colombe, 1948.

SAVEY-CASARD, P. — *Le Crime et la peine dans l'œuvre de Victor Hugo,* P. U. F., 1956.

SCHNEIDER, P. — *La Voix vive,* pp. 93-140, Éditions de Minuit, 1953.

SCHWAB, R. — *La Renaissance orientale,* Payot, 1950.

SCOTT, S. J. — *The Mythology of the tree in les Contemplations,* A. U. M. L. A., n° 10, 1959.

SEEBACHER, J. — *Victor Hugo, les Contemplations,* 2 vol. avec introduction, notes et chronologie, Bibliothèque de Cluny, 1964.

SERGENT, J. — *Dessins de Victor Hugo,* La Palatine, Genève, 1955.

SICCARDO, F. — *Dante e Victor Hugo,* R. L. C., juillet-septembre 1965.

SIMON, G. — *La Vie d'une femme* (Mme Victor Hugo), Ollendorf, 1914.

— *Les Tables tournantes de Jersey,* Conard, 1923.

SOUCHON, P. — *Juliette Drouet inspiratrice de Victor Hugo,* Tallandier, 1942.

— *Mille et Une Lettres d'amour de Juliette Drouet à Victor Hugo,* Gallimard, 1951.

TEMPLE-PATTERSON, H. — *Poetic genesis : Sebastien Mercier into Victor Hugo,* Studies on Voltaire, vol. XI, Genève, 1960.

TORTEL, J. — *Notion sur l'esthétique de Victor Hugo,* Cahiers du Sud, n° 311, 1952.

TUZET, H. — *L'Image du soleil noir,* R. S. H., 1957.

VAN TIEGHEM, Ph. — *Les Contemplations,* extraits avec notices et notes, Hachette, 1950.

VENZAC, G. — *Les Origines religieuses de Victor Hugo,* Bloud et Gay, 1955.

— *Les Premiers Maîtres de Victor Hugo, ibid.*, 1955.

VIANEY, J. — *Les Contemplations,* édition critique, Grands Ecrivains de la France, 3 vol. Hachette, 1922.

VIATTE, A. — *Victor Hugo et les illuminés de son temps,* Montréal, éditions de l'Arbre, 1942.

WEBER, J.-P. — *Genèse de l'œuvre poétique,* chap. II, Gallimard, 1960.

ZUMTHOR, P. — *Victor Hugo, poète de Satan,* Robert Laffont, 1946.

CHRONOLOGIE

1772. 19 JUIN : Naissance à Nantes de Sophie Trébuchet, mère de Victor Hugo.
1773. 15 NOVEMBRE : Naissance à Nancy de Joseph-Léopold-Sigisbert Hugo, père de Victor Hugo.
1792. Léopold Hugo, militaire de carrière, est capitainc et arrive en Vendée.
1796. Il fait la connaissance à Châteaubriant de Sophie Trébuchet.
1797. 15 NOVEMBRE : Mariage civil à Paris de Léopold et de Sophie.
1798. 15 NOVEMBRE : Naissance d'Abel Hugo à Paris.
1800. 16 SEPTEMBRE : Naissance d'Eugène Hugo à Nancy.
1802. 26 FÉVRIER : A dix heures et demie du soir, naissance de Victor Hugo à Besançon. Le général Victor Lahorie est son parrain (il ne s'agit pas d'un baptême religieux).
1803. Léopold Hugo, devenu major, va de Bastia à l'île d'Elbe.
Le ménage ne s'entend plus : Sophie est la maîtresse de Lahorie; Léopold a une liaison avec Catherine Thomas.
EN NOVEMBRE : Sophie venue à l'île d'Elbe découvre la liaison de son mari.
28 NOVEMBRE : Naissance d'Adèle Foucher à Paris.
1804. Mme Hugo revient à Paris avec ses enfants; elle s'installe au 24, avenue de Clichy. Lahorie compromis dans le complot royaliste de Cadoudal est traqué par la police; Sophie le cache chez elle.

Victor Hugo à l'école rue du Mont-Blanc : Mlle Rose, la fille du maître d'école, est vue par lui en train de mettre ses bas.

1806. 11 AVRIL : Naissance de Julienne Gauvain (= Juliette Drouet) à Fougères.

1807. Léopold, en Italie, donne la chasse au brigand Fra Diavolo.

Départ en décembre de Mme Hugo et de ses enfants pour l'Italie.

1808. Ils arrivent à Naples. Léopold et Sophie décident de se séparer à l'amiable.

EN JUILLET : Léopold devenu colonel quitte l'Italie pour l'Espagne.

Sa femme et ses enfants restent à Naples, puis en décembre repartent pour Paris.

1809. Ils s'installent d'abord rue Saint-Jacques, puis en mai aux Feuillantines. Lahorie, qui avait fui en Normandie, revient s'y cacher. Il apprend le latin à Victor. Celui-ci joue avec Adèle Foucher. Il est demi-pensionnaire à l'école du « père Larivière ».

1810. Le colonel est nommé maréchal de camp et comte de Siguenza.

30 DÉCEMBRE : Arrestation de Lahorie chez Mme Hugo. Il est interné à Vincennes.

1811. A la demande du roi Joseph, Sophie va avec ses enfants rejoindre le général-comte Hugo en Espagne.

AVRIL : Séjour d'un mois à Bayonne (« C'est là qu'est le plus ancien souvenir de mon cœur »).

Traversée de l'Espagne par Ernani, Tolosa, Torquemada, Valladolid, Ségovie.

16 JUIN : A Madrid, installation dans le palais Masserano. Les trois garçons au collège des Nobles.

Le général vit toujours avec sa maîtresse et dépose une demande en divorce.

1812. 3 MARS : Le roi Joseph impose un compromis : Mme Hugo repart pour la France avec Eugène et Victor.

AVRIL : Nouveau séjour aux Feuillantines. Victor a pour précepteur Larivière et lit beaucoup chez le bonhomme Royal.

22-23 OCTOBRE : Complot du général Malet auquel participe Lahorie, sorti de prison. Le complot échoue, Lahorie est condamné à mort (l'assistant du procureur n'est autre que Pierre Foucher, père d'Adèle).

29 OCTOBRE : Lahorie est fusillé.

1813. Le général Hugo quitte l'Espagne pour Kaiserslautern.

Départ des Feuillantines pour la rue des Vieilles-Tuileries (rue du Cherche-Midi).

1814. Le général assiégé dans Thionville n'acceptera de capituler qu'après l'abdication de Napoléon, le 14 avril. Mme Hugo intente une action en séparation.

1815. EN FÉVRIER : Léopold Hugo, à la suite d'un jugement de référé, fait enlever à leur mère Eugène et Victor qui sont conduits à la pension Cordier. Victor commence son *Cahier de vers français*. Il est en butte aux tracasseries du professeur de mathématiques, « le sombre Decotte », mais il est protégé par le maître d'études, Félix Biscarrat. Pendant les Cent-Jours, le général défend Thionville une seconde fois.

Après la capitulation en septembre, il est mis en demi-solde.

1816. Le général Hugo s'installe à Blois.

Victor commence le cahier des *Poésies diverses*. Il écrit *le Déluge*, poème en trois chants, et *Irtamène*, tragédie en cinq actes. « Je veux être Chateaubriand ou rien. »

EN OCTOBRE : Il entre au lycée Louis-le-Grand où il suit les cours de philosophie et de mathématiques élémentaires.

1817. Il traduit *Virgile*. Il commence le cahier *Essais* où figure le poème *le Bonheur que procure l'étude dans toutes les situations de la vie*. Il obtient pour ce poème, dont le sujet avait été mis au concours par l'Académie-française, une mention et entre en relations avec François de Neufchâteau.

1818. Activité poétique de Victor et de ses frères.

3 FÉVRIER : Jugement de séparation entre les époux Hugo.

AOUT : Eugène et Victor quittent la pension Cordier et vivent chez leur mère, rue des Petits-Augustins.

Victor, qui a eu un accessit de physique au Concours général, hésite entre Polytechnique et le droit.

Il commence — jusqu'en 1821 — des études de droit.

Abel réunit ses frères et ses amis chez Édon pour des dîners littéraires.

1819. AVRIL : Première rédaction de *Bug-Jargal*.

26 AVRIL : Victor avoue son amour à Adèle Foucher.

MAI : Victor lauréat aux Jeux Floraux pour des poèmes d'inspiration ultra.

11 DÉCEMBRE : Fondation par les frères Hugo du *Conservateur littéraire* qui survivra jusqu'au 31 mars 1821. Intense activité littéraire.

1820. Une ode sur *la Mort du duc de Berry* vaut à Victor une gratification royale. Rupture entre Mme Hugo et la famille Foucher : Adèle et Victor cessent de se voir.

MAI : Victor maître ès Jeux Floraux pour l'ode *Moïse sur le Nil.*

MAI-JUIN : Publication de *Bug-Jargal* dans *le Conservateur littéraire.*

JUIN : Lauréat de l'Académie-française.

1821. MARS : Reprise de la correspondance entre Adèle et Victor.

30 MARS : Le duc de Rohan présente Hugo à Lamennais.

MAI : Il commence *Han d'Islande.*

27 JUIN : Mort de Mme Hugo.

JUILLET-AOUT : Victor à Dreux avec les Foucher, à Montfort-l'Amaury, à La Roche-Guyon.

SEPTEMBRE : Le général Hugo épouse Catherine Thomas. Victor renoue avec son père. Il s'installe 30, rue du Dragon.

1822. Hugo travaille à *Amy Robsart,* drame écrit en collaboration avec Soumet.

MARS : Son père l'autorise à épouser Adèle.

AVRIL-MAI : Il travaille à *Han d'Islande.*

8 JUIN : Publication des *Odes et Poésies diverses* (pension royale de 1.000 fr.).

12 OCTOBRE : Mariage de Victor et d'Adèle. Témoins : Vigny et Biscarrat. Eugène, qui était amoureux d'Adèle, devient fou furieux pendant le dîner.

1823. JANVIER : Deuxième édition des *Odes.*

8 FÉVRIER : *Han d'Islande* (pension royale de 2.000 fr.). Début des relations de Hugo et de Nodier. Eugène est interné.

15 JUILLET : Début de la *Muse française* qui durera jusqu'en juin 1824.

16 JUILLET : Naissance à Paris du premier enfant, Léopold.

EN SEPTEMBRE : L'enfant malade est envoyé chez son grand-père à Blois.

9 OCTOBRE : Mort de l'enfant.

1824. 13 MARS : *Nouvelles Odes.*

Nodier, nommé bibliothécaire à l'Arsenal, reçoit les poètes du premier Cénacle.
Victor, qui habite rue de Vaugirard, fréquente l'Arsenal et reçoit de son côté des artistes, Devéria, Boulanger.
28 AOUT : Naissance de Léopoldine, fille du poète.

1825. 17 AVRIL : Séjour à Blois chez son père.
29 AVRIL : Chevalier de la Légion d'honneur.
19 MAI-2 JUIN : Voyage à Reims en compagnie de Nodier pour le sacre de Charles X.
AOUT : Voyage avec Nodier en Savoie et en Suisse. Visite à Lamartine.
OCTOBRE : Séjour à Montfort-l'Amaury.

1826. FÉVRIER : *Bug-Jargal,* en volume, dans une version profondément remaniée.
AOUT : Travaille à *Cromwell.*
2 NOVEMBRE : Naissance de Charles, fils du poète.
NOVEMBRE : *Odes et Ballades.*

1827. Début des relations avec Sainte-Beuve.
AVRIL : Hugo s'installe rue Notre-Dame-des-Champs où il va recevoir les artistes et les poètes du second Cénacle.
5 DÉCEMBRE : Publication de *Cromwell,* avec la célèbre *Préface.*

1828. NUIT DU 29 AU 30 JANVIER : Mort du général Hugo.
13 FÉVRIER : *Amy Robsart,* drame achevé par Victor seul, est joué à l'Odéon sous le nom de son beau-frère, Paul Foucher : insuccès complet.
Hugo travaille aux *Orientales.*
Promenades en compagnie de Sainte-Beuve et Louis Boulanger; il fait la connaissance aux Roches de Louis Bertin, rédacteur en chef du *Journal des Débats.*
AOUT : Publication de l'édition définitive des *Odes et Ballades.*
21 OCTOBRE : Naissance de François-Victor, fils du poète.
NOVEMBRE : Sainte-Beuve devient le voisin des Hugo.

1829. 19 JANVIER : *Les Orientales.*
3 FÉVRIER : *Le Dernier jour d'un condamné.*
JUIN : Hugo écrit *Un duel sous Richelieu (Marion de Lorme)* que le baron Taylor lui demande pour le Théâtre-Français.
1er AOUT : La censure interdit la représentation du drame.
7 AOUT : Audience du roi; l'interdiction est confirmée; le roi accorde une nouvelle pension au poète qui la refuse.

AOUT : *Fragment d'un Voyage aux Alpes* (Hugo y défend les monuments historiques).

AOUT-OCTOBRE : Hugo écrit *Hernani* qui est mis en répétition au Théâtre-Français.

1830. 25 FÉVRIER : Bataille d'*Hernani*. Triomphe de Hugo.

AVRIL : Installation 9, rue Jean-Goujon. Sainte-Beuve amoureux d'Adèle.

DU 27 AU 29 JUILLET : Révolution — les Trois Glorieuses.

28 JUILLET : Naissance d'Adèle, fille du poète.

19 AOUT : *Le Globe* publie *A la jeune France,* ode qui montre un Hugo rallié au nouveau régime de Louis-Philippe.

SEPTEMBRE : Travail intense à *Notre-Dame de Paris,* roman promis à Josselin pour 1829.

DÉCEMBRE : Sainte-Beuve avoue à Hugo son amour pour Adèle.

1831. 16 MARS : *Notre-Dame de Paris.*

Relations difficiles avec Sainte-Beuve qui refuse de partir pour Liège.

JUILLET-AOUT : Séjour chez les Bertin aux Roches, dans la vallée de la Bièvre. Amitié entre Victor et la fille de Bertin, Louise, musicienne et infirme, qui devient sa confidente.

11 AOUT : Première de *Marion de Lorme* à la Porte-Saint-Martin. Amours clandestines de Sainte-Beuve et d'Adèle.

1er DÉCEMBRE : *Les Feuilles d'automne.*

1832. 15 MARS : 5e éd. du *Dernier Jour d'un condamné,* augmentée d'une *Préface* contre la peine de mort.

JUIN-JUILLET : Travaille au *Roi s'amuse* et au *Souper à Ferrare (Lucrèce Borgia).*

AOUT-OCTOBRE : Séjour aux Roches chez les Bertin.

8 OCTOBRE : S'installe 6, place Royale (place des Vosges).

22 NOVEMBRE : Première du *Roi s'amuse* au Théâtre-Français; 23-24, interdiction du drame.

17 DÉCEMBRE : 8e éd. de *Notre-Dame de Paris,* augmentée de trois chapitres.

19 DÉCEMBRE : Procès de Hugo contre le Théâtre-Français. Discours du poète pour la liberté. Il renonce à sa pension.

1833. 2 OU 3 JANVIER : Première rencontre de Hugo et de Juliette Drouet, actrice.

2 FÉVRIER : Première triomphale de *Lucrèce Borgia* à la

Porte-Saint-Martin. Juliette Drouet y jouait un petit rôle, la princesse Negroni.

17 FÉVRIER : Juliette et Hugo deviennent amants.

NUIT DU 19 AU 20 JANVIER : Mardi-gras : première nuit d'amour.

AOUT : Travaille à *Marie d'Angleterre (Marie Tudor)*.

SEPTEMBRE-OCTOBRE : Séjour aux Roches.

6 NOVEMBRE : Première de *Marie Tudor* (l'échec de Juliette dans le rôle de Jane est tel qu'on lui retire le rôle après la première représentation).

1834. JANVIER : *Étude sur Mirabeau.*

19 MARS : *Littérature et Philosophie mêlées* (recueil d'articles répartis en deux volumes comme *les Contemplations :* Journal des idées, des opinions et des lectures d'un jeune jacobite de 1819; Journal des idées et des opinions d'un révolutionnaire de 1830).

3 JUILLET : Juliette et Hugo dans la vallée de la Bièvre.

6 JUILLET : *Claude Gueux* dans *la Revue de Paris;* 6 septembre, en volume.

20 JUILLET : Juliette s'installe rue du Paradis, puis à la suite d'une scène s'enfuit avec sa fille, Claire, en Bretagne.

8 AOUT : Hugo la rejoint à Saint-Renan. Il la ramène à Paris par Tours, Étampes, Melun, Versailles.

SEPTEMBRE : Hugo rejoint sa famille aux Roches, tandis que Juliette s'installe aux Metz. Hugo va et vient entre les Roches et les Metz.

1835. 28 AVRIL : Première d'*Angelo* au Théâtre-Français.

26 JUILLET-22 AOUT : Voyage avec Juliette en Picardie, puis en Normandie (Le Tréport, Étretat).

SEPTEMBRE-OCTOBRE : Nouveau séjour dans la vallée de la Bièvre, Victor aux Roches, Juliette aux Metz.

27 OCTOBRE : *Les Chants du crépuscule.*

1836. 18 FÉVRIER : Premier échec à l'Académie française.

MAI : Hugo installe sa famille à Fourqueux dans la forêt de Marly.

15 JUIN-20 JUILLET : Voyage avec Juliette et Célestin Nanteuil en Bretagne et en Normandie (passage à Granville).

8 SEPTEMBRE : Léopoldine fait sa première communion à Fourqueux.

14 NOVEMBRE : A l'Opéra, première représentation de

la Esmeralda, musique de Louis Bertin, livret de Victor Hugo d'après *Notre-Dame de Paris.*

29 DÉCEMBRE : deuxième échec à l'Académie française.

1837. 20 FÉVRIER : Mort d'Eugène Hugo, à Charenton où il était interné depuis 1823.

26 JUIN : *Les Voix intérieures.*

JUIN-JUILLET : Hugo est présenté à la duchesse d'Orléans; il devient un hôte assidu du pavillon de Marsan en raison de la politique libérale du duc.

4 JUILLET : Le vicomte Hugo, officier de la Légion d'honneur.

AOUT-SEPTEMBRE : Voyage avec Juliette en Belgique et Normandie.

OCTOBRE : Hugo revient seul dans la vallée de la Bièvre : *Tristesse d'Olympio.*

NOVEMBRE : Il intente un procès au Théâtre-Français pour n'avoir pas repris ses drames.

1838. FÉVRIER-MARS : Hugo gagne son procès : reprise d'*Hernani* et *Marion de Lorme.*

Prépare *Ruy Blas* pour l'ouverture d'un nouveau théâtre, la Renaissance. Juliette est engagée comme actrice; Mme Hugo intervient pour que Juliette ne joue pas le rôle de la reine dans *Ruy Blas.*

AOUT : Court voyage en Champagne.

8 NOVEMBRE : Inauguration de la Renaissance avec *Ruy Blas.*

1839. JUILLET : Obtient la grâce de Barbès, condamné à mort.

JUILLET-AOUT : Commence puis abandonne un drame, *les Jumeaux.*

AOUT-OCTOBRE : Voyage avec Juliette en Alsace, Suisse, Savoie et Provence.

AOUT-OCTOBRE : Mme Hugo et ses enfants séjournent à Villequier, chez les Vacquerie. Auguste était le condisciple de Charles Hugo et un admirateur passionné du poète. Son frère, Charles Vacquerie, s'éprit pendant ce séjour de Léopoldine.

17-18 NOVEMBRE : Juliette renonce au théâtre; Hugo s'engage à ne jamais l'abandonner ainsi que sa fille, Claire.

19 DÉCEMBRE : Élection nulle à l'Académie française.

1840. 9 JANVIER : Hugo président de la Société des Gens de lettres.

20 FÉVRIER : Troisième échec à l'Académie française.
9 MAI : Mort de Paul Lefèvre, neveu d'A. Vacquerie.
16 MAI : *Les Rayons et les Ombres.*
JUILLET : Hugo installe sa famille à Saint-Prix, au château de la Terrasse, dans la forêt de Montmorency.
28 AOUT-2 NOVEMBRE : Hugo quitte Saint-Prix et voyage avec Juliette sur les bords du Rhin et du Neckar, et dans la Forêt-Noire.
15 DÉCEMBRE : Retour et transfert des cendres de Napoléon aux Invalides.
Hugo publie *le Retour de l'Empereur.*

1841. 7 JANVIER : Élu à l'Académie française au fauteuil de Lemercier.
3 JUIN : Reçu à l'Académie par Salvandy. Dans son discours, Hugo laisse percer ses ambitions politiques. Il écrit sur l'avenir de l'Europe la conclusion du *Rhin.*
SEPTEMBRE : Séjour à Saint-Prix.

1842. 28 JANVIER : *Le Rhin,* lettres à un ami.
AU PRINTEMPS : Rencontre de Léonie Biard.
28 JUIN : Directeur de l'Académie française.
13 JUILLET : Mort accidentelle du duc d'Orléans; Hugo ayant présenté au roi les condoléances de l'Institut aura désormais des relations personnelles avec Louis-Philippe.
SEPTEMBRE-OCTOBRE : Travaille aux *Burgraves.*

1843. 15 FÉVRIER : Mariage de Léopoldine et de Charles Vacquerie en l'église Saint-Paul à Paris.
7 MARS : Première des *Burgraves* au Théâtre-Français. Échec du drame qui contraste avec le triomphe de *Lucrèce,* tragédie de Ponsard le 22 avril.
MAI : Mme Hugo s'installe avec sa fille Adèle chez Léopoldine.
10 JUILLET : Visite de Hugo à Léopoldine.
18 JUILLET-12 SEPTEMBRE : Départ avec Juliette pour Bordeaux, Bayonne, les Pyrénées, l'Espagne. Il revient par Cauterets, Auch, Agen, Périgueux.
4 SEPTEMBRE : Léopoldine et Charles Vacquerie se noient à Villequier.
9 SEPTEMBRE : Hugo, qui attend le départ de la diligence pour La Rochelle, se rend à pied à Soubise. Dans un café où il entre pour se reposer, il apprend, par un journal, la mort de sa fille et ses obsèques.

1844. Début de la liaison avec Mme Biard.
4 SEPTEMBRE : Pèlerinage sur la tombe de Léopoldine.

OCTOBRE : Excursion avec Juliette à Nemours et Montargis.

1845. 16 JANVIER : Réponse au discours de réception de Saint-Marc-Girardin.

27 FÉVRIER : Réponse au discours de réception de Sainte-Beuve.

25 MARS : Mort de Pierre Foucher, beau-père de Hugo.

13 AVRIL : Le vicomte Hugo est nommé pair de France.

5 JUILLET : Il est pris en flagrant délit d'adultère avec Léonie Biard.

AOUT : Séjours à Chelles et à Montfermeil.

26 SEPTEMBRE : Pèlerinage aux Metz avec Juliette, qui ignore tout du scandale.

17 NOVEMBRE : Commence à écrire *les Misères*.

1846. 14 FÉVRIER : Discours à la Chambre des pairs sur la propriété des œuvres d'art.

19 MARS : Discours à la Chambre des pairs en faveur de la Pologne : accueil hostile.

21 JUIN : Mort de Claire Pradier, fille de Juliette. Enterrée d'abord à Auteuil le 23, elle sera exhumée et transférée au cimetière de Saint-Mandé le 11 juillet.

La mort de Claire rouvre la source du lyrisme : il écrit trente-six poèmes, dont divers poèmes de *Pauca meae*.

Il relit la Bible et la paraphrase en vers.

SEPTEMBRE : Voyage à Caudebec et Villequier.

Il continue d'écrire *les Misères*.

1847. 14 JUIN : Discours à la Chambre des pairs en faveur des Bonaparte interdits de séjour en France.

Liaison avec Alice Ozy, maîtresse de son fils Charles.

4 OCTOBRE : Pèlerinage à Villequier.

1848. 15 JANVIER : Discours à la Chambre des pairs sur l'unité italienne.

22-24 FÉVRIER : Révolution : Louis-Philippe est renversé. Hugo suspend la rédaction des *Misères*.

Il tente vainement d'obtenir la régence pour la duchesse d'Orléans.

23 AVRIL : Il est battu aux élections sans avoir été candidat.

4 JUIN : Il est élu député de droite aux élections complémentaires.

20 JUIN : Premier discours à l'Assemblée constituante sur les Ateliers nationaux.

6 JUILLET : Quitte la place Royale pour la rue de l'Isly.

1er AOUT : Il fonde un journal, *l'Événement,* avec ses deux fils et leurs amis Meurice et Vacquerie. Il parle le même jour contre l'arrestation des écrivains.
2 SEPTEMBRE : Discours contre l'état de siège.
15 SEPTEMBRE : Discours contre la peine de mort.
11 OCTOBRE : Discours pour la liberté de la presse.
Il rencontre Louis-Napoléon et fait campagne pour lui dans *l'Événement.*
10 DÉCEMBRE : Louis-Napoléon Bonaparte est élu président de la République.

1849. 13 MAI : Élu député de Paris à l'Assemblée législative.
9 JUILLET : Discours sur *la misère,* qui indispose la droite.
21-24 AOUT : Il préside le Congrès de la Paix.
8-17 SEPTEMBRE : Voyage avec Juliette dans la Somme et l'Oise.
19 OCTOBRE : Discours sur l'expédition de Rome : rupture définitive avec la droite. Cependant *l'Événement* devient de plus en plus hostile à Louis-Napoléon.

1850. 15 JANVIER : Discours contre la loi Falloux où il dénonce le parti clérical.
5 AVRIL : Discours contre le projet de loi relatif à la déportation.
21 MAI : Discours pour la défense du suffrage universel.
9 JUILLET : Discours pour la liberté de la presse.
21 AOUT : Discours aux obsèques de Balzac.

1851. JUIN : Léonie Biard envoie à Juliette les lettres que lui avait adressées le poète.
17 JUILLET : Discours contre Napoléon le Petit qui demande la révision de la Constitution.
30 JUILLET : Charles Hugo est emprisonné.
18 SEPTEMBRE : *L'Événement* est supprimé. *L'Avènement du peuple* le remplace.
NOVEMBRE : François-Victor est emprisonné.
2 DÉCEMBRE : Coup d'État de Louis-Napoléon. Hugo tente d'organiser la résistance.
7 DÉCEMBRE : Juliette cache Hugo poursuivi et lui procure un passeport sous le nom de Lanvin.
11 DÉCEMBRE : Déguisé, Hugo prend le train pour Bruxelles.
14 DÉCEMBRE : Juliette arrive à Bruxelles. Hugo écrit *l'Histoire d'un crime.*

1852. 9 JANVIER : Décret expulsant Victor Hugo du territoire français.
3 FÉVRIER : Charles sorti de prison rejoint son père à Bruxelles.
JUIN : Vente aux enchères à Paris du mobilier de Victor Hugo.
14 JUIN : Hugo écrit *Napoléon le Petit.*
ENTRE LE 1er ET LE 5 AOUT : Hugo quitte la Belgique, passe à Londres et arrive à Jersey où l'ont précédé Mme Hugo, Adèle et Vacquerie.
5 AOUT : Napoléon le Petit paraît à Bruxelles.
6 AOUT : Juliette arrive à Jersey.
15 AOUT : Propose à Hetzel « un volume de vers, *les Contemplations* ».
16 AOUT : Hugo emménage à Marine-Terrace.
7 SEPTEMBRE : Annonce à Hetzel une œuvre poétique en 2 volumes : *Autrefois, Aujourd'hui.*
18 NOVEMBRE : Annonce à Hetzel un livre de vers contre Napoléon, *les Vengeresses.*
2 DÉCEMBRE : Napoléon III empereur.

1853. 23 JANVIER : Il choisit pour son recueil le titre de *Châtiments.*
20 AVRIL : Discours sur la tombe du proscrit Jean Bousquet.
14 JUILLET : Excursion dans l'île de Serk.
26 JUILLET : Discours sur la tombe de Louise Julien.
6-14 SEPTEMBRE : Séjour de Mme de Girardin qui initie les exilés à la pratique des tables parlantes.
11 SEPTEMBRE : Léopoldine parle par la table.
23-24 NOVEMBRE : Publication des *Châtiments* en deux éditions, dont une expurgée.

1854. 10 JANVIER : Appel aux habitants de Jersey pour la grâce de l'assassin Tapner.
20 JANVIER : Commence *la Fin de Satan.*
10 FÉVRIER : Tapner est pendu à Guernesey.
11 FÉVRIER : Lettre ouverte à Lord Palmerston contre la peine de mort.
24 FÉVRIER : Discours pour l'anniversaire de la Révolution de 1848.
23 MARS : La Dame blanche parle par la table.
12 MAI : Hugo envoie à Hetzel le projet de traité pour *les Contemplations.*
14 MAI : Hugo écrit *la Forêt mouillée.*

24 JUILLET : Signature du contrat pour *les Contemplations*.
SEPTEMBRE : *Ce que dit la Bouche d'Ombre*. La Mort parle par la table.

1855. 7 FÉVRIER : Mort d'Abel Hugo, frère aîné du poète.
11 AVRIL : Lettre ouverte à Louis Bonaparte.
12 AVRIL : Début de *Solitudines cœli* (2e partie de *Dieu*).
31 MAI : Lettre à Hetzel : « *Les Contemplations* seront une grande pyramide... »
29 JUIN : Mort de Mme de Girardin.
OCTOBRE : Affaire Pyat. Dans *l'Homme,* journal des proscrits, Pyat ayant publié une lettre offensante pour la reine Victoria, les responsables du journal sont expulsés de Jersey. Le 17 octobre, Hugo se solidarise avec les proscrits expulsés. Le 27 octobre, Hugo reçoit un ordre d'expulsion.
31 OCTOBRE : Hugo quitte Jersey pour Guernesey.

1856. 23 AVRIL : Publication des *Contemplations,* à Bruxelles et à Paris.
27 AVRIL : Hugo commence *l'Esprit humain* et *les Voix* (1re partie de *Dieu*).
16 MAI : Avec l'argent des *Contemplations,* Hugo achète Hauteville-House.
17 OCTOBRE : Installation à Hauteville-House. Maladie mentale d'Adèle.

1857. 17 MARS : Lettre de Hetzel qui déconseille la publication de *Dieu* et *la Fin de Satan,* et pousse Hugo à écrire *les Petites Épopées*.
11 SEPTEMBRE : Signe avec Hetzel le traité pour *les Petites Épopées*.
25 DÉCEMBRE : Achève *la Révolution (Livre épique* des *Quatre Vents de l'Esprit)*.

1858. Achève le 1er janvier *la Pitié suprême*.
23 MAI : Achève *l'Ane*.
DE JUIN A OCTOBRE : Gravement malade d'un anthrax. Dès sa guérison, il se remet aux *Petites Épopées*.

1859. 3 AVRIL : Opte pour le titre *Légende des siècles*.
11 MAI : Mme Hugo quitte l'île avec Adèle jusqu'en septembre.
MAI-JUIN : Séjour dans l'île de Serk, avec Juliette et Charles. Pendant l'été, travaille aux *Chansons des Rues et des Bois*.
16 AOUT : Napoléon III amnistie les proscrits. Le 18 août,

Hugo repousse l'amnistie : « Quand la liberté rentrera, je rentrerai. »
26 SEPTEMBRE : Publication de *la Légende des siècles* (1re série) à Bruxelles et Paris.
16 NOVEMBRE : Se remet à *la Fin de Satan (le Gibet l'Ange Liberté)*.
2 DÉCEMBRE : Intervient en faveur du Noir américain antiesclavagiste John Brown, qui est pendu le même jour.

1860. 15 AVRIL : Abandonne *la Fin de Satan*.
25 AVRIL : Reprend *les Misérables* et commence *la Préface philosophique*.
14 JUIN : Discours à Jersey en l'honneur de Garibaldi.
30 DÉCEMBRE : Reprend la rédaction des *Misérables*.

1861. DE MARS A SEPTEMBRE : Séjour en Belgique : 7 mai, Hugo à Mont-Saint-Jean.
EN JUILLET : Voyage en Hollande.
4 OCTOBRE : Signe avec Lacroix le traité pour *les Misérables*.

1862. JANVIER : Publication chez Hetzel d'un choix de poèmes de Hugo sur *les Enfants*.
MARS : Début des dîners hebdomadaires offerts aux enfants pauvres.
Publication de la première partie des *Misérables* le 30 mars à Bruxelles, le 3 avril à Paris.
15 MAI : Publication des deuxième et troisième parties des *Misérables*.
30 JUIN : Publication des quatrième et cinquième parties des *Misérables*.
JUILLET-SEPTEMBRE : Voyage en Belgique, Luxembourg, Rhénanie.
16 SEPTEMBRE : Banquet des *Misérables* à Bruxelles.
27 DÉCEMBRE : *Dessins* de V. Hugo, album gravé par P. Chenay et préfacé par Th. Gautier.

1863. 3 JANVIER : Représentation des *Misérables* à Bruxelles, adaptation à la scène du roman par Charles Hugo.
17 JUIN : *Victor Hugo raconté par un témoin de sa vie* (Mme Hugo).
18 JUIN : Adèle, fille du poète, amoureuse d'un officier, Pinson, s'enfuit à sa poursuite à Londres, puis au Canada.
AOUT-OCTOBRE : Voyage en Belgique, Luxembourg, les bords du Rhin.
DÉCEMBRE : La fille du poète apprenant que Pinson est marié devient folle.

1864. 14 AVRIL : Publication par Lacroix de *William Shakespeare.*
P. Meurice organise à Paris un banquet en l'honneur de Shakespeare, présidé symboliquement par Hugo. Le banquet est interdit.
MAI : Hugo écrit une préface pour la traduction des œuvres de Shakespeare, à laquelle son fils François-Victor s'était consacré depuis 1858; la préface paraîtra en 1865 en tête du tome XV.
DE JUIN A AOUT : Commence *les Travailleurs de la mer.*
D'AOUT A OCTOBRE : Voyage en Belgique, Luxembourg et Rhénanie.
4 DÉCEMBRE : Reprend *les Travailleurs de la mer.*

1865. 14 JANVIER : Mort d'Emily de Putron, fiancée de François-Victor, qui quitte Guernesey avec sa mère.
18-24 JUIN : Écrit *la Margrave (la Grand-Mère)* de *Théâtre en liberté.*
DE JUIN A NOVEMBRE : Voyage en Belgique et en Rhénanie.
17-18 OCTOBRE : Mariage à Bruxelles de Charles Hugo et d'Alice Lehaene.
25 OCTOBRE : Publication des *Chansons des Rues et des Bois.*

1866. FÉVRIER-MARS : Écrit le drame *Mille francs de récompense.*
12 MARS : Publication des *Travailleurs de la mer.*
MAI : Écrit la comédie *l'Intervention.*
DE JUIN A OCTOBRE : Séjourne à Bruxelles où il commence *l'Homme qui rit.*

1867. FÉVRIER-AVRIL : Écrit *Mangeront-ils* du *Théâtre en liberté.*
31 MARS : Naissance de Georges, fils de Charles Hugo.
11 MAI : Publication de *Paris-Guide* à l'occasion de l'Exposition universelle.
20 JUIN : Intervention en faveur de Maximilien, empereur du Mexique (il avait été fusillé le 19).
Reprise triomphale d'*Hernani* à Paris.
19 JUILLET : A Bruxelles, puis voyage en Zélande.
NOVEMBRE : *La Voix de Guernesey,* poème en l'honneur de Garibaldi, est publié à Genève : d'où interdiction à Paris de la reprise de *Ruy Blas.*

1868. 14 AVRIL : Mort du petit Georges.
DE JUILLET A OCTOBRE : Séjour à Bruxelles.

16 AOUT : Naissance de Georges, second fils de Charles Hugo.

27 AOUT : Mort de Mme Hugo à Bruxelles, inhumée à Villequier.

1869. JANVIER-AVRIL : Écrit *Margarita* et *Esca (Livre dramatique* des *Quatre Vents de l'Esprit)*.

19 AVRIL-8 MAI : Publication de *l'Homme qui rit*.

MAI-JUIN : Écrit *Torquemada*.

D'AOUT A NOVEMBRE : Voyage en Belgique, en Suisse; en septembre, préside le Congrès de la Paix à Lausanne.

29 SEPTEMBRE : Naissance de Jeanne, fille de Charles Hugo.

La fondation du *Rappel* à Paris en mai vaut à Charles qui y collabore plusieurs condamnations.

1870. 2 FÉVRIER : Reprise de *Lucrèce Borgia* à Paris.

6 AVRIL : Discours sur la tombe de Kesler.

14 JUILLET : Plantation à Hauteville-House du Chêne des États-Unis d'Europe.

19 JUILLET : La France déclare la guerre à la Prusse.

15 AOUT : Départ pour Bruxelles.

4 SEPTEMBRE : Proclamation de la République.

5 SEPTEMBRE : Retour de Hugo à Paris : « Accueil indescriptible. »

Loge avenue Frochot.

9 SEPTEMBRE : Proclamation de Hugo *Aux Allemands;* 17 septembre, *Aux Français;* 2 octobre, *Aux Parisiens.*

20 OCTOBRE : Première édition française des *Châtiments*.

1871. 8 FÉVRIER : Élu député de Paris.

13 FÉVRIER : Départ pour Bordeaux où se réunit l'Assemblée nationale.

8 MARS : Donne sa démission de député pour protester contre la politique de l'Assemblée.

13 MARS : Mort de Charles Hugo.

18 MARS : Obsèques de Charles à Paris, au moment où éclate l'insurrection de la Commune.

21 MARS : Départ de Hugo pour Bruxelles.

27 MARS : Offre dans *l'Indépendant belge* asile aux communards.

30 MAI : Expulsé de Belgique.

1er JUIN-25 SEPTEMBRE : Séjour au Luxembourg.

2 JUILLET : Battu aux élections.

25 SEPTEMBRE : Retour à Paris; s'installe 66, rue de La Rochefoucauld.

1872. 7 JANVIER : Nouvel échec à la députation.
17 FÉVRIER : Adèle, fille du poète, ramenée des Antilles, est internée à Saint-Mandé.
19 FÉVRIER : Reprise de *Ruy Blas*.
20 AVRIL : Publication de *l'Année terrible*.
7 AOUT : Départ pour Guernesey où il reprend *Quatrevingt-treize*.
Début de la liaison avec Blanche.
1873. 31 JUILLET : Revient à Paris et s'installe rue Pigalle.
26 DÉCEMBRE : Mort de François-Victor.
1874. 20 FÉVRIER : Publication de *Quatrevingt-treize*.
FÉVRIER : S'installe rue de Clichy.
OCTOBRE : Publication de *Mes fils*.
1875. MARS : *Pour un soldat*, appel pour un soldat condamné à mort.
AVRIL : Séjour d'une semaine à Guernesey.
MAI : Publication d'*Actes et Paroles : Avant l'exil* (1841-1851).
NOVEMBRE : Publication d'*Actes et Paroles : Pendant l'exil* (1852-1870) avec une préface : *Ce que c'est que l'exil*.
1876. 30 JANVIER : Élu sénateur de Paris.
22 MAI : Intervention en faveur de l'amnistie.
5 JUILLET : Publication d'*Actes et Paroles : Depuis l'exil* (1870-1876), avec une préface : *Paris et Rome*.
1877. 26 FÉVRIER : Publication de la deuxième série de *la Légende des siècles*.
3 AVRIL : Mariage d'Alice, veuve de Charles, avec Lockroy.
26 AVRIL : Mort de Louise Bertin.
12 MAI : Publication de *l'Art d'être grand-père*.
21 JUIN : Discours au Sénat contre la dissolution de la Chambre.
1er OCTOBRE : Publication d'*Histoire d'un crime* (1re partie).
1878. 15 MARS : Publication d'*Histoire d'un crime* (2e partie).
22 MARS : L'adaptation des *Misérables* est jouée à la Porte-Saint-Martin.
29 AVRIL : Publication du *Pape*.
30 MAI : Discours pour le Centenaire de la mort de Voltaire.
9 JUIN : S'installe 130, avenue d'Eylau (avenue Victor-Hugo).
17 JUIN : Discours au Congrès littéraire international.
28 JUIN : Début de congestion cérébrale.

Du 8 juillet au 9 novembre : Dernier séjour à Guernesey.

1879. 28 février : Publication de *la Pitié suprême.* Le même jour, discours sur l'amnistie au Sénat.

21 mars : Mort de Léonie Biard.

Du 28 aout au 20 septembre : Séjour à Veules-les-Roses et à Villequier.

1880. 26 février : Cinquantenaire d'*Hernani.*

Avril : Publication de *Religions et Religion.*

3 juillet : Dernier discours en faveur de l'amnistie.

24 octobre : Publication de *l'Ane.*

1881. 27 février : Manifestation populaire pour son entrée dans sa quatre-vingtième année.

4 mars : Hommage du Sénat.

31 mai : Publication des *Quatre Vents de l'Esprit.*

1882. 8 janvier : Réélu sénateur.

26 mai : Publication de *Torquemada.*

21 aout-15 septembre : Séjour à Veules-les-Roses.

22 novembre : Reprise du *Roi s'amuse,* cinquante ans après.

12 décembre : Discours pour la mort de Louis Blanc.

1883. 16-17 février : Cinquantième anniversaire de la liaison avec Juliette.

11 mai : Mort de Juliette Drouet.

9 juin : Publication de *la Légende des siècles* (3e série).

2 aout : Codicille au testament : « Je refuse l'oraison de toutes les églises, je demande une prière à toutes les âmes, je crois en Dieu. »

6 octobre : Publication de *l'Archipel de la Manche.*

1883-1884. Édition définitive de *la Légende des siècles.*

1884. Septembre : Dernier voyage en Suisse et Italie.

1885. 15 mai : Congestion pulmonaire.

22 mai : A treize heures vingt-sept, mort de Victor Hugo.

1er juin : Funérailles nationales : le cercueil est exposé sous l'Arc de triomphe de l'Étoile, puis transporté au Panthéon.

LES CONTEMPLATIONS

Si un auteur[1] pouvait avoir quelque droit d'influer sur la disposition d'esprit des lecteurs qui ouvrent son livre, l'auteur des *Contemplations* se bornerait à dire ceci : Ce livre doit être lu comme on lirait le livre d'un mort.

Vingt-cinq années sont dans ces deux volumes. *Grande mortalis aevi spatium*. L'auteur a laissé, pour ainsi dire, ce livre se faire en lui. La vie, en filtrant goutte à goutte à travers les événements et les souffrances, l'a déposé dans son cœur. Ceux qui s'y pencheront retrouveront leur propre image dans cette eau profonde et triste, qui s'est lentement amassée là, au fond d'une âme.

Qu'est-ce que *les Contemplations?* C'est ce qu'on pourrait appeler, si le mot n'avait quelque prétention, *les Mémoires d'une âme*.

Ce sont, en effet, toutes les impressions, tous les souvenirs, toutes les réalités, tous les fantômes vagues, riants ou funèbres, que peut contenir une conscience, revenus et rappelés, rayon à rayon, soupir à soupir, et mêlés dans la même nuée sombre. C'est l'existence humaine sortant de l'énigme du berceau et aboutissant à l'énigme du cercueil; c'est un esprit qui marche de lueur en lueur en laissant derrière lui la jeunesse, l'amour, l'illusion, le combat, le désespoir, et qui s'arrête éperdu « au bord de l'infini ». Cela commence par un sourire, continue par un sanglot, et finit par un bruit du clairon de l'abîme.

Une destinée est écrite là jour à jour.

Est-ce donc la vie d'un homme? Oui, et la vie des autres hommes aussi. Nul de nous n'a l'honneur d'avoir une vie qui soit à lui. Ma vie est la vôtre, votre vie est la mienne, vous vivez ce que je vis; la destinée est une. Prenez donc ce miroir, et regardez-vous-y. On se plaint quelquefois des écrivains qui disent moi. Parlez-nous de nous, leur crie-t-on. Hélas! quand je vous parle de moi, je vous parle de vous. Comment ne le sentez-vous pas? Ah! insensé, qui crois que je ne suis pas toi!

Ce livre contient, nous le répétons, autant l'individualité du lecteur que celle de l'auteur. *Homo sum*. Traverser le tumulte, la rumeur, le rêve, la lutte, le plaisir, le travail, la douleur, le silence; se reposer dans le sacrifice, et, là, contempler Dieu; commencer à Foule et finir à Solitude, n'est-ce pas, les proportions individuelles réservées, l'histoire de tous?

On ne s'étonnera donc pas de voir, nuance à nuance, ces deux volumes s'assombrir pour arriver, cependant, à l'azur d'une vie meilleure. La joie, cette fleur rapide de la jeunesse, s'effeuille page à page dans le tome premier, qui est l'espérance, et disparaît dans le tome second, qui est le deuil. Quel deuil? Le vrai, l'unique : la mort; la perte des êtres chers.

Nous venons de le dire, c'est une âme qui se raconte dans ces deux volumes. *Autrefois, Aujourd'hui*. Un abîme les sépare, le tombeau.

V. H.

Guernesey, mars 1856.

Un jour je vis[1], debout au bord des flots mouvants,
Passer, gonflant ses voiles,
Un rapide navire enveloppé de vents[2],
De vagues et d'étoiles;

Et j'entendis, penché sur l'abîme des cieux,
Que l'autre abîme touche,
Me parler à l'oreille une voix dont mes yeux
Ne voyaient pas la bouche[3] :

« Poète, tu fais bien! Poète au triste front,
Tu rêves près des ondes,
Et tu tires des mers bien des choses qui sont
Sous les vagues profondes[4]!

La mer, c'est le Seigneur, que, misère ou bonheur,
Tout destin montre et nomme;
Le vent, c'est le Seigneur; l'astre, c'est le Seigneur[5];
Le navire, c'est l'homme[6]. »

Juin 1839.

LIVRE PREMIER

AURORE

I

A MA FILLE[1]

O mon enfant, tu vois, je me soumets.
Fais comme moi : vis du monde éloignée[2];
Heureuse? non; triomphante? jamais.
— Résignée! —

Sois bonne et douce, et lève un front pieux.
Comme le jour dans les cieux met sa flamme,
Toi, mon enfant, dans l'azur de tes yeux
Mets ton âme!

Nul n'est heureux et nul n'est triomphant.
L'heure est pour tous une chose incomplète;
L'heure est une ombre[3], et notre vie, enfant,
En est faite.

Oui, de leur sort tous les hommes sont las.
Pour être heureux, à tous, — destin morose! —
Tout a manqué. Tout, c'est-à-dire, hélas!
Peu de chose[4].

Ce peu de chose est ce que, pour sa part,
Dans l'univers chacun cherche et désire :
Un mot, un nom, un peu d'or, un regard,
Un sourire!

La gaîté manque au grand roi sans amours[5];
La goutte d'eau manque au désert immense.
L'homme est un puits où le vide toujours
Recommence[6].

Vois ces penseurs que nous divinisons,
Vois ces héros dont les fronts nous dominent,
Noms dont toujours nos sombres horizons
S'illuminent!

Après avoir, comme fait un flambeau,
Ébloui tout de leurs rayons sans nombre,
Ils sont allés chercher dans le tombeau
Un peu d'ombre[7].

Le ciel, qui sait nos maux et nos douleurs,
Prend en pitié nos jours vains et sonores[8].
Chaque matin, il baigne de ses pleurs[9]
Nos aurores.

Dieu nous éclaire, à chacun de nos pas,
Sur ce qu'il est et sur ce que nous sommes;
Une loi sort des choses d'ici-bas,
Et des hommes!

Cette loi sainte, il faut s'y conformer.
Et la voici, toute âme y peut atteindre :
Ne rien haïr, mon enfant; tout aimer,
Ou tout plaindre!

Paris, octobre 1842.

II

Le poète s'en va[1] dans les champs; il admire,
Il adore; il écoute en lui-même une lyre[2];
Et, le voyant venir, les fleurs, toutes les fleurs,
Celles qui des rubis font pâlir les couleurs,
Celles qui des paons même éclipseraient les queues,
Les petites fleurs d'or, les petites fleurs bleues,
Prennent, pour l'accueillir agitant leurs bouquets,
De petits airs penchés ou de grands airs coquets,
Et, familièrement, car cela sied aux belles :
« Tiens! c'est notre amoureux qui passe! » disent-elles.
Et, pleins de jour et d'ombre et de confuses voix,
Les grands arbres profonds[3] qui vivent dans les bois,
Tous ces vieillards, les ifs, les tilleuls, les érables,
Les saules tout ridés, les chênes vénérables,
L'orme[4] au branchage noir, de mousse appesanti,
Comme les ulémas quand paraît le muphti[5],
Lui font de grands saluts et courbent jusqu'à terre
Leurs têtes de feuillée et leurs barbes de lierre,
Contemplent de son front la sereine lueur,
Et murmurent tout bas : C'est lui! c'est le rêveur!

Les Roches, juin 1831.

III

MES DEUX FILLES[1]

Dans le frais clair-obscur du soir[2] charmant qui
[tombe,
L'une pareille au cygne et l'autre à la colombe,
Belles[3], et toutes deux joyeuses, ô douceur!
Voyez, la grande sœur et la petite sœur
Sont assises au seuil du jardin, et sur elles
Un bouquet d'œillets blancs aux longues tiges frêles,
Dans une urne de marbre agité par le vent,
Se penche, et les regarde, immobile et vivant,
Et frissonne dans l'ombre, et semble, au bord du vase,
Un vol de papillons[4] arrêté dans l'extase.

La Terrasse, près Enghien, juin 1842.

IV

Le firmament est plein[1] de la vaste clarté;
Tout est joie, innocence, espoir, bonheur, bonté.
Le beau lac brille au fond du vallon qui le mure;
Le champ sera fécond, la vigne sera mûre;
Tout regorge de sève et de vie et de bruit,
De rameaux verts, d'azur frissonnant, d'eau qui luit,
Et de petits oiseaux qui se cherchent querelle.
Qu'a donc le papillon? qu'a donc[2] la sauterelle?
La sauterelle a l'herbe, et le papillon l'air;
Et tous deux ont avril, qui rit dans lc ciel clair.
Un refrain joyeux sort de la nature entière;
Chanson qui doucement monte et devient prière.
Le poussin court, l'enfant joue et danse, l'agneau
Saute, et, laissant tomber goutte à goutte son eau,
Le vieux antre, attendri, pleure comme un visage;
Le vent lit[3] à quelqu'un d'invisible un passage
Du poème inouï de la création;
L'oiseau parle au parfum; la fleur parle au rayon;
Les pins sur les étangs dressent leur verte ombelle[4];
Les nids ont chaud; l'azur trouve la terre belle,
Onde et sphère, à la fois tous les climats flottants;
Ici l'automne, ici l'été; là le printemps.
Ô coteaux! ô sillons! souffles, soupirs, haleines!
L'hosanna des forêts, des fleuves et des plaines,
S'élève gravement vers Dieu, père du jour;
Et toutes les blancheurs sont des strophes d'amour[5];
Le cygne dit : Lumière! et le lys dit : Clémence!
Le ciel s'ouvre à ce chant comme une oreille immense.

Le soir vient[6]; et le globe à son tour s'éblouit,
Devient un œil énorme et regarde la nuit;
Il savoure, éperdu, l'immensité sacrée,
La contemplation du splendide empyrée,
Les nuages de crêpe et d'argent, le zénith,
Qui, formidable, brille et flamboie et bénit,
Les constellations, ces hydres étoilées,
Les effluves du sombre et du profond, mêlées
A vos effusions, astres de diamant,
Et toute l'ombre avec tout le rayonnement!
L'infini tout entier d'extase se soulève[7].
Et, pendant ce temps-là, Satan, l'envieux, rêve[8].

La Terrasse, avril 1840.

V

A ANDRÉ CHÉNIER[1]

OUI, mon vers croit pouvoir, sans se mésallier,
Prendre à la prose un peu de son air familier.
André, c'est vrai, je ris quelquefois sur la lyre.
Voici pourquoi. Tout jeune encor, tâchant de lire
Dans le livre effrayant des forêts et des eaux,
J'habitais un parc sombre où jasaient des oiseaux,
Où des pleurs souriaient dans l'œil bleu des pervenches;
Un jour que je songeais seul au milieu des branches,
Un bouvreuil qui faisait le feuilleton du bois
M'a dit : « Il faut marcher à terre quelquefois.
« La nature est un peu moqueuse autour des hommes[2];
« Ô poète, tes chants, ou ce qu'ainsi tu nommes,
« Lui ressembleraient mieux si tu les dégonflais.
« Les bois ont des soupirs, mais ils ont des sifflets.
« L'azur luit, quand parfois la gaîté le déchire;
« L'Olympe reste grand en éclatant de rire[3];
« Ne crois pas que l'esprit du poète descend
« Lorsque entre deux grands vers un mot passe en dansant.
« Ce n'est pas un pleureur que le vent en démence[4];
« Le flot profond n'est pas un chanteur de romance;
« Et la nature, au fond des siècles et des nuits,
« Accouplant Rabelais à Dante plein d'ennuis,
« Et l'Ugolin sinistre au Grandgousier difforme[5],
« Près de l'immense deuil montre le rire énorme[6]. »

Les Roches, juillet 1830.

VI

LA VIE AUX CHAMPS[1]

Le soir, à la campagne, on sort, on se promène,
Le pauvre dans son champ, le riche en son domaine;
Moi, je vais devant moi : le poète en tout lieu
Se sent chez lui, sentant qu'il est partout chez Dieu.
Je vais volontiers seul. Je médite ou j'écoute.
Pourtant, si quelqu'un veut m'accompagner en route,
J'accepte. Chacun a quelque chose en l'esprit;
Et tout homme est un livre[2] où Dieu lui-même écrit.
Chaque fois qu'en mes mains un de ces livres tombe,
Volume où vit une âme et que scelle la tombe[3],
J'y lis.
                Chaque soir donc, je m'en vais, j'ai congé,
Je sors. J'entre en passant chez des amis que j'ai.
On prend le frais, au fond du jardin, en famille.
Le serein[4] mouille un peu les bancs sous la charmille;
N'importe : je m'assieds, et je ne sais pourquoi
Tous les petits enfants viennent autour de moi.
Dès que je suis assis, les voilà tous qui viennent.
C'est qu'ils savent que j'ai leurs goûts[5]; ils se souviennent
Que j'aime comme eux l'air, les fleurs, les papillons
Et les bêtes qu'on voit courir dans les sillons.
Ils savent que je suis un homme qui les aime,
Un être auprès duquel on peut jouer, et même
Crier, faire du bruit, parler à haute voix;
Que je riais comme eux et plus qu'eux autrefois.
Et qu'aujourd'hui, sitôt qu'à leurs ébats j'assiste,
Je leur souris encor[6], bien que je sois plus triste;

Ils disent, doux amis, que je ne sais jamais
Me fâcher; qu'on s'amuse avec moi; que je fais
Des choses en carton, des dessins à la plume;
Que je raconte, à l'heure où la lampe s'allume,
Oh! des contes charmants qui vous font peur la nuit;
Et qu'enfin je suis doux, pas fier et fort instruit.

Aussi, dès qu'on m'a vu : « Le voilà! » tous accourent[7].
Ils quittent jeux, cerceaux et balles; ils m'entourent
Avec leurs beaux grands yeux d'enfants, sans peur,
[sans fiel,
Qui semblent toujours bleus, tant on y voit le ciel!

Les petits — quand on est petit, on est très brave —
Grimpent sur mes genoux; les grands ont un air grave;
Ils m'apportent des nids de merles qu'ils ont pris,
Des albums, des crayons qui viennent de Paris;
On me consulte, on a cent choses à me dire,
On parle, on cause, on rit surtout; — j'aime le rire,
Non le rire ironique[8] aux sarcasmes moqueurs,
Mais le doux rire honnête ouvrant bouches et cœurs,
Qui montre en même temps des âmes et des perles. —

J'admire les crayons, l'album, les nids de merles;
Et quelquefois on dit quand j'ai bien admiré :
« Il est du même avis que monsieur le curé[9]. »
Puis, lorsqu'ils ont jasé tous ensemble à leur aise,
Ils font soudain, les grands s'appuyant à ma chaise,
Et les petits toujours groupés sur mes genoux,
Un silence, et cela veut dire : « Parle-nous. »

Je leur parle de tout. Mes discours en eux sèment
Ou l'idée ou le fait. Comme ils m'aiment, ils aiment
Tout ce que je leur dis. Je leur montre du doigt
Le ciel, Dieu qui s'y cache, et l'astre qu'on y voit.

Tout, jusqu'à leur regard, m'écoute. Je dis comme
Il faut penser, rêver, chercher. Dieu bénit l'homme,
Non pour avoir trouvé, mais pour avoir cherché.
Je dis : Donnez l'aumône au pauvre humble et penché;

Recevez doucement la leçon ou le blâme.
Donner et recevoir, c'est faire vivre l'âme!
Je leur conte la vie, et que, dans nos douleurs,
Il faut que la bonté soit au fond de nos pleurs[10],
Et que, dans nos bonheurs, et que, dans nos délires,
Il faut que la bonté soit au fond de nos rires;
Qu'être bon, c'est bien vivre[11], et que l'adversité
Peut tout chasser d'une âme, excepté la bonté;
Et qu'ainsi les méchants, dans leur haine profonde,
Ont tort d'accuser Dieu. Grand Dieu! nul homme au [monde
N'a droit, en choisissant sa route, en y marchant,
De dire que c'est toi qui l'as rendu méchant;
Car le méchant, Seigneur, ne t'est pas nécessaire[12]!

Je leur raconte aussi l'histoire; la misère
Du peuple juif, maudit qu'il faut enfin bénir[13];
La Grèce, rayonnant jusque dans l'avenir;
Rome; l'antique Égypte[14] et ses plaines sans ombre,
Et tout ce qu'on y voit de sinistre et de sombre.
Lieux effrayants! tout meurt; le bruit humain finit.
Tous ces démons taillés dans des blocs de granit,
Olympe monstrueux des époques obscures,
Les Sphinxs, les Anubis, les Ammons, les Mercures[15],
Sont assis au désert depuis quatre mille ans;
Autour d'eux le vent souffle, et les sables brûlants
Montent comme une mer d'où sort leur tête énorme[16];
La pierre mutilée a gardé quelque forme[17]
De statue ou de spectre, et rappelle d'abord
Les plis que fait un drap sur la face d'un mort;
On y distingue encor le front, le nez, la bouche,
Les yeux, je ne sais quoi d'horrible et de farouche
Qui regarde et qui vit, masque vague et hideux.
Le voyageur de nuit, qui passe à côté d'eux,
S'épouvante, et croit voir, aux lueurs des étoiles,
Des géants enchaînés et muets sous des voiles.

La Terrasse, août 1840.

VII

RÉPONSE
A UN ACTE D'ACCUSATION[1]

DONC, c'est moi qui suis l'ogre et le bouc émissaire.
Dans ce chaos du siècle où votre cœur se serre,
J'ai foulé le bon goût et l'ancien vers françois[2]
Sous mes pieds, et, hideux, j'ai dit à l'ombre : « Sois[3] ! »
Et l'ombre fut. — Voilà votre réquisitoire.
Langue, tragédie, art, dogmes, conservatoire[4],
Toute cette clarté s'est éteinte, et je suis
Le responsable, et j'ai vidé l'urne des nuits[5].
De la chute de tout je suis la pioche inepte;
C'est votre point de vue. Eh bien, soit, je l'accepte;
C'est moi que votre prose en colère a choisi;
Vous me criez : Racca[6]; moi, je vous dis : Merci!
Cette marche du temps, qui ne sort d'une église
Que pour entrer dans l'autre, et qui se civilise;
Ces grandes questions d'art et de liberté,
Voyons-les, j'y consens, par le moindre côté[7],
Et par le petit bout de la lorgnette. En somme,
J'en conviens, oui, je suis cet abominable homme[8];
Et, quoique, en vérité, je pense avoir commis
D'autres crimes encor que vous avez omis,
Avoir un peu touché les questions obscures,
Avoir sondé les maux, avoir cherché les cures,
De la vieille ânerie insulté les vieux bâts,
Secoué le passé du haut jusques en bas,
Et saccagé le fond tout autant que la forme,
Je me borne à ceci : je suis ce monstre énorme[9]
Je suis le démagogue horrible et débordé[10],
Et le dévastateur du vieil A B C D;

Causons[11].
Quand je sortis du collège, du thème,
Des vers latins, farouche, espèce d'enfant blême
Et grave, au front penchant, aux membres appauvris;
Quand, tâchant de comprendre et de juger, j'ouvris
Les yeux sur la nature et sur l'art, l'idiome,
Peuple et noblesse[12], était l'image du royaume;
La poésie était la monarchie; un mot
Était un duc et pair, ou n'était qu'un grimaud[13];
Les syllabes, pas plus que Paris et que Londre,
Ne se mêlaient; ainsi marchent sans se confondre
Piétons et cavaliers traversant le pont Neuf;
La langue était l'État avant quatre-vingt-neuf;
Les mots, bien ou mal nés, vivaient parqués en castes;
Les uns, nobles, hantant les Phèdres, les Jocastes,
Les Méropes[14], ayant le décorum pour loi,
Et montant à Versaille[15] aux carrosses du roi;
Les autres, tas de gueux, drôles patibulaires,
Habitant les patois; quelques-uns aux galères
Dans l'argot; dévoués à tous les genres bas,
Déchirés en haillons dans les halles; sans bas,
Sans perruque; créés pour la prose et la farce;
Populace du style au fond de l'ombre éparse;
Vilains, rustres, croquants, que Vaugelas[16] leur chef
Dans le bagne Lexique[17] avait marqués d'une F[18];
N'exprimant que la vie abjecte et familière,
Vils, dégradés, flétris, bourgeois, bons pour Molière.
Racine regardait ces marauds de travers;
Si Corneille en trouvait un blotti dans son vers,
Il le gardait, trop grand pour dire : Qu'il s'en aille;
Et Voltaire criait : Corneille s'encanaille[19]!
Le bonhomme Corneille, humble[20], se tenait coi.
Alors, brigand, je vins; je m'écriai : Pourquoi
Ceux-ci toujours devant, ceux-là toujours derrière?
Et sur l'Académie, aïeule et douairière,
Cachant sous ses jupons les tropes[21] effarés,
Et sur les bataillons d'alexandrins carrés,
Je fis souffler un vent révolutionnaire.

Je mis un bonnet rouge[22] au vieux dictionnaire.
Plus de mot sénateur[23]! plus de mot roturier!
Je fis une tempête au fond de l'encrier,
Et je mêlai, parmi les ombres[24] débordées,
Au peuple noir des mots l'essaim blanc des idées;
Et je dis : Pas de mot où l'idée au vol pur
Ne puisse se poser, tout humide d'azur[25]!
Discours affreux! — Syllepse, hypallage, litote[26],
Frémirent; je montai sur la borne Aristote[27],
Et déclarai les mots égaux, libres, majeurs.
Tous les envahisseurs et tous les ravageurs,
Tous ces tigres, les Huns, les Scythes et les Daces,
N'étaient que des toutous auprès de mes audaces[28];
Je bondis hors du cercle et brisai le compas.
Je nommai le cochon par son nom[29]; pourquoi pas?
Guichardin a nommé le Borgia! Tacite
Le Vitellius[30]! Fauve, implacable, explicite[31],
J'ôtai du cou du chien stupéfait son collier
D'épithètes[32]; dans l'herbe, à l'ombre du hallier,
Je fis fraterniser la vache[33] et la génisse,
L'une étant Margoton et l'autre Bérénice[34].
Alors, l'ode, embrassant Rabelais, s'enivra;
Sur le sommet du Pinde[35] on dansait Ça ira;
Les neuf muses, seins nus, chantaient la Carmagnole;
L'emphase frissonna dans sa fraise espagnole;
Jean[36], l'ânier, épousa la bergère Myrtil[37].
On entendit un roi dire : « Quelle heure est-il[38]? »
Je massacrai l'albâtre, et la neige, et l'ivoire,
Je retirai le jais de la prunelle noire,
Et j'osai dire au bras : Sois blanc, tout simplement.
Je violai du vers le cadavre fumant;
J'y fis entrer le chiffre; ô terreur! Mithridate
Du siège de Cyzique eût pu citer la date.
Jours d'effroi! les Laïs[39] devinrent des catins.
Force mots, par Restaut[40] peignés tous les matins,
Et de Louis-Quatorze ayant gardé l'allure,
Portaient encor perruque; à cette chevelure
La Révolution, du haut de son beffroi,

Cria : « Transforme-toi ! c'est l'heure. Remplis-toi
« De l'âme de ces mots que tu tiens prisonnière ! »
Et la perruque alors rugit, et fut crinière[41].
Liberté ! c'est ainsi qu'en nos rébellions,
Avec des épagneuls nous fîmes des lions[42],
Et que, sous l'ouragan maudit que nous soufflâmes,
Toutes sortes de mots se couvrirent de flammes.
J'affichai sur Lhomond[43] des proclamations.
On y lisait : « Il faut que nous en finissions !
« Au panier les Bouhours, les Batteux, les Brossettes[44]
« A la pensée humaine ils ont mis les poucettes[45].
« Aux armes, prose et vers ! formez vos bataillons[46] !
« Voyez où l'on en est : la strophe a des bâillons !
« L'ode a les fers aux pieds, le drame est en cellule.
« Sur le Racine mort le Campistron pullule[47] ! »
Boileau grinça des dents ; je lui dis : Ci-devant,
Silence ! et je criai dans la foudre et le vent :
Guerre à la rhétorique et paix à la syntaxe[48] !
Et tout quatre-vingt-treize éclata. Sur leur axe,
On vit trembler l'athos, l'ithos et le pathos[49].
Les matassins[50], lâchant Pourceaugnac et Cathos,
Poursuivant Dumarsais dans leur hideux bastringue
Des ondes du Permesse emplirent leur seringue[52].
La syllabe[53], enjambant la loi qui la tria,
Le substantif manant, le verbe paria,
Accoururent. On but l'horreur jusqu'à la lie.
On les vit déterrer[54] le songe d'Athalie ;
Ils jetèrent au vent les cendres du récit
De Théramène ; et l'astre Institut s'obscurcit[55].
Oui, de l'ancien régime ils ont fait tables rases,
Et j'ai battu des mains, buveur du sang des phrases,
Quand j'ai vu par la strophe écumante et disant
Les choses dans un style énorme et rugissant[56],
L'Art poétique pris au collet dans la rue[57],
Et quand j'ai vu, parmi la foule qui se rue,
Pendre, par tous les mots que le bon goût proscrit,
La lettre aristocrate à la lanterne esprit[58].
Oui, je suis ce Danton[59] ! je suis ce Robespierre !

J'ai, contre le mot noble à la longue rapière[60],
Insurgé le vocable ignoble, son valet,
Et j'ai, sur Dangeau mort, égorgé Richelet[61].
Oui, c'est vrai, ce sont là quelques-uns de mes crimes.
J'ai pris et démoli la bastille des rimes.
J'ai fait plus[62] : j'ai brisé tous les carcans de fer
Qui liaient le mot peuple, et tiré de l'enfer
Tous les vieux mots damnés, légions sépulcrales;
J'ai de la périphrase écrasé les spirales,
Et mêlé, confondu, nivelé sous le ciel
L'alphabet, sombre tour qui naquit de Babel[63];
Et je n'ignorais pas que la main courroucée
Qui délivre le mot, délivre la pensée.

L'unité[64], des efforts de l'homme est l'attribut[65].
Tout est la même flèche et frappe au même but.

Donc, j'en conviens, voilà, déduits en style honnête,
Plusieurs de mes forfaits, et j'apporte ma tête.
Vous devez être vieux, par conséquent, papa[66],
Pour la dixième fois j'en fais meâ culpâ.
Oui, si Beauzée[67] est dieu, c'est vrai, je suis athée.
La langue était en ordre, auguste, époussetée,
Fleurs-de-lis[67bis] d'or, Tristan[68] et Boileau, plafond bleu,
Les quarante fauteuils et le trône au milieu;
Je l'ai troublée, et j'ai, dans ce salon illustre,
Même un peu cassé tout; le mot propre, ce rustre,
N'était que caporal : je l'ai fait colonel;
J'ai fait un jacobin du pronom personnel,

Du participe, esclave à la tête blanchie,
Une hyène, et du verbe une hydre d'anarchie[69].
Vous tenez le *reum confitentem*[70]. Tonnez!
J'ai dit à la narine : Eh mais! tu n'es qu'un nez!
J'ai dit au long fruit d'or : Mais tu n'es qu'une poire[71]!
J'ai dit à Vaugelas : Tu n'es qu'une mâchoire[72]!
J'ai dit aux mots : Soyez république! soyez
La fourmilière immense, et travaillez! Croyez,
Aimez, vivez! — J'ai mis tout en branle, et, morose,

J'ai jeté le vers noble aux chiens noirs de la prose.
Et, ce que je faisais, d'autres l'ont fait aussi;
Mieux que moi. Calliope, Euterpe au ton transi,
Polymnie[73], ont perdu leur gravité postiche.
Nous faisons basculer la balance hémistiche[74].
C'est vrai, maudissez-nous. Le vers, qui, sur son front[75]
Jadis portait toujours douze plumes en rond,
Et sans cesse sautait sur la double raquette
Qu'on nomme prosodie et qu'on nomme étiquette,
Rompt désormais la règle et trompe le ciseau[76],
Et s'échappe, volant qui se change en oiseau,
De la cage césure, et fuit vers la ravine,
Et vole dans les cieux, alouette divine.

Tous les mots à présent planent dans la clarté.
Les écrivains ont mis la langue en liberté.
Et, grâce à ces bandits, grâce à ces terroristes,
Le vrai, chassant l'essaim des pédagogues tristes[77],
L'imagination, tapageuse aux cent voix,
Qui casse des carreaux dans l'esprit des bourgeois;
La poésie au front triple, qui rit, soupire [speare[7]
Et chante; raille et croit; que Plaute et que Shak
Semaient, l'un sur la plebs, et l'autre sur le mob[79];
Qui verse aux nations la sagesse de Job
Et la raison d'Horace à travers sa[80] démence;
Qu'enivre de l'azur la frénésie immense,
Et qui, folle sacrée aux regards éclatants,
Monte à l'éternité par les degrés du temps,
La muse reparaît[81], nous reprend, nous ramène,
Se remet à pleurer sur la misère humaine,
Frappe et console, va du zénith au nadir,
Et fait sur tous les fronts reluire et resplendir
Son vol, tourbillon, lyre[82], ouragan d'étincelles,
Et ses millions d'yeux sur ses millions d'ailes.

Le mouvement complète ainsi son action.
Grâce à toi, progrès saint, la Révolution
Vibre aujourd'hui dans l'air, dans la voix, dans le livre

Dans le mot palpitant le lecteur la sent vivre;
Elle crie, elle chante, elle enseigne, elle rit.
Sa langue est déliée ainsi que son esprit.
Elle est dans le roman, parlant tout bas aux femmes.
Elle ouvre maintenant deux yeux où sont deux flammes,
L'un sur le citoyen, l'autre sur le penseur.
Elle prend par la main la Liberté, sa sœur,
Et la fait dans tout homme entrer par tous les pores.
Les préjugés, formés, comme les madrépores,
Du sombre entassement des abus sous les temps[83],
Se dissolvent au choc de tous les mots flottants[84],
Pleins de sa volonté, de son but, de son âme.
Elle est la prose, elle est le vers, elle est le drame;
Elle est l'expression, elle est le sentiment,
Lanterne dans la rue, étoile au firmament.
Elle entre aux profondeurs du langage insondable;
Elle souffle dans l'art, porte-voix formidable;
Et, c'est Dieu qui le veut, après avoir rempli
De ses fiertés le peuple, effacé le vieux pli
Des fronts[85], et relevé la foule dégradée,
Et s'être faite droit, elle se fait idée[86]!

Paris, janvier 1834.

VIII

SUITE[1]

Car le mot, qu'on le sache, est un être vivant.
La main du songeur vibre et tremble en l'écrivant;
La plume, qui d'une aile allongeait l'envergure[2],
Frémit sur le papier quand sort cette figure,
Le mot, le terme, type on ne sait d'où venu[3],
Face de l'invisible, aspect de l'inconnu;
Créé, par qui? forgé, par qui? jailli de l'ombre;
Montant et descendant[4] dans notre tête sombre,
Trouvant toujours le sens comme l'eau le niveau[5];
Formule des lueurs flottantes du cerveau[6].

Oui, vous tous, comprenez que les mots sont des chose
Ils roulent pêle-mêle au gouffre obscur des proses,
Ou font gronder le vers, orageuse forêt.
Du sphinx Esprit Humain le mot sait le secret.
Le mot veut, ne veut pas, accourt, fée ou bacchante[7]
S'offre, se donne ou fuit; devant Néron[8] qui chante
Ou Charles-Neuf[9] qui rime, il recule hagard;
Tel mot est un sourire, et tel autre un regard;
De quelque mot profond tout homme est le discipl
Toute force ici-bas a le mot pour multiple[10];
Moulé[11] sur le cerveau, vif ou lent, grave ou bref,
Le creux du crâne[12] humain lui donne son relief;
La vieille empreinte y reste auprès de la nouvelle;
Ce qu'un mot ne sait pas, un autre le révèle;
Les mots heurtent le front comme l'eau le récif;
Ils fourmillent, ouvrant dans notre esprit pensif
Des griffes ou des mains, et quelques-uns des ailes[13]

Comme en un âtre noir errent des étincelles,
Rêveurs, tristes, joyeux, amers, sinistres, doux,
Sombre peuple, les mots vont et viennent en nous;
Les mots sont les passants mystérieux de l'âme[14].
Chacun d'eux porte une ombre ou secoue une flamme;
Chacun d'eux du cerveau garde une région;
Pourquoi? c'est que[15] le mot s'appelle Légion[16],
C'est que chacun, selon l'éclair qui le traverse,
Dans le labeur commun fait une œuvre diverse;
C'est que de ce troupeau de signes et de sons
Qu'écrivant ou parlant, devant nous nous chassons,
Naissent les cris, les chants, les soupirs, les harangues;
C'est que, présent partout, nain caché sous les langues[17],
Le mot tient sous ses pieds le globe et l'asservit;
Et, de même que l'homme est l'animal où vit
L'âme, clarté d'en haut par le corps possédée,
C'est que Dieu fait du mot la bête de l'idée.

Le mot fait vibrer tout au fond de nos esprits.
Il remue, en disant : Béatrix, Lycoris[18],
Dante au Campo-Santo[19], Virgile au Pausilippe.
De l'océan pensée il est le noir polype[20].
Quand un livre jaillit d'Eschyle ou de Manou[21],
Quand saint Jean à Patmos écrit sur son genou[22],
On voit, parmi leurs vers pleins d'hydres et de stryges[23],
Des mots monstres ramper dans ces œuvres prodiges.

Ô main de l'impalpable! ô pouvoir surprenant!
Mets un mot sur un homme, et l'homme frissonnant
Sèche et meurt, pénétré par la force profonde[24];
Attache un mot vengeur au flanc de tout un monde,
Et le monde, entraînant pavois, glaive, échafaud,
Ses lois, ses mœurs, ses dieux, s'écroule sous le mot.
Cette toute-puissance immense sort des bouches.
La terre est sous les mots comme un champ sous les
[mouches.

Le mot dévore, et rien ne résiste à sa dent.
A son haleine, l'âme et la lumière aidant,
L'obscure énormité lentement s'exfolie[25].
Il met sa force sombre en ceux que rien ne plie;
Caton a dans les reins cette syllabe : NON.
Tous les grands obstinés, Brutus, Colomb, Zénon[26],
Ont ce mot flamboyant qui luit sous leur paupière :
ESPÉRANCE! — Il entr'ouvre une bouche de pierre[27]
Dans l'enclos formidable où les morts ont leur lit[28],
Et voilà que don Juan pétrifié pâlit[29]!
Il fait le marbre spectre, il fait l'homme statue.
Il frappe, il blesse, il marque[30], il ressuscite, il tue;
Nemrod[31] dit : « Guerre! » alors, du Gange à l'Illissu
Le fer luit, le sang coule. « Aimez-vous! » dit Jésus.
Et ce mot à jamais brille et se réverbère
Dans le vaste univers, sur tous, sur toi, Tibère[32],
Dans les cieux, sur les fleurs, sur l'homme rajeuni,
Comme le flamboiement d'amour de l'infini!

Quand[33], aux jours où la terre entr'ouvrait sa coroll
Le premier homme dit la première parole,
Le mot né de sa lèvre, et que tout entendit,
Rencontra dans les cieux la lumière, et lui dit :
« Ma sœur!
« Envole-toi! plane! sois éternelle!
« Allume l'astre! emplis à jamais la prunelle!
« Échauffe éthers, azurs, sphères, globes ardents;
« Éclaire le dehors, j'éclaire le dedans.
« Tu vas être une vie, et je vais être l'autre.
« Sois la langue de feu, ma sœur, je suis l'apôtre[34].
« Surgis, effare[35] l'ombre, éblouis l'horizon,
« Sois l'aube; je te vaux, car je suis la raison;
« A toi les yeux, à moi les fronts[36]. Ô ma sœur blond
« Sous le réseau Clarté tu vas saisir le monde;
« Avec tes rayons d'or, tu vas lier entre eux
« Les terres, les soleils, les fleurs, les flots vitreux,
« Les champs, les cieux; et moi, je vais lier les bouche
« Et sur l'homme, emporté par mille essors farouche

« Tisser, avec des fils d'harmonie et de jour,
« Pour prendre tous les cœurs, l'immense toile Amour[37].
« J'existais avant l'âme, Adam n'est pas mon père.
« J'étais même avant toi ; tu n'aurais pu, lumière,
« Sortir sans moi du gouffre où tout rampe enchaîné ;
« Mon nom est FIAT LUX[38], et je suis ton aîné ! »

Oui, tout-puissant ! tel est le mot. Fou qui s'en joue !
Quand l'erreur fait un nœud dans l'homme, il le
[dénoue[39].
Il est foudre dans l'ombre et ver dans le fruit[40] mûr.
Il sort d'une trompette, il tremble sur un mur,
Et Balthazar chancelle, et Jéricho s'écroule[41].
Il s'incorpore au peuple, étant lui-même foule.
Il est vie, esprit, germe, ouragan, vertu[42], feu ;
Car le mot, c'est le Verbe, et le Verbe, c'est Dieu[43].

Jersey, juin 1855.

IX

Le poème éploré[1] se lamente; le drame
Souffre[2], et par vingt acteurs répand à flots son âme
Et la foule accoudée[3] un moment s'attendrit,
Puis reprend : « Bah! l'auteur est un homme d'esprit
« Qui, sur de faux héros lançant de faux tonnerres,
« Rit[4] de nous voir pleurer leurs maux imaginaires.
« Ma femme, calme-toi; sèche tes yeux, ma sœur. »
La foule a tort : l'esprit, c'est le cœur[5]; le penseur
Souffre de sa pensée et se brûle à sa flamme.
Le poète a saigné le sang qui sort du drame;
Tous ces êtres qu'il fait l'étreignent de leurs nœuds
Il tremble en eux, il vit en eux, il meurt en eux;
Dans sa création le poète tressaille;
Il est elle, elle est lui; quand dans l'ombre il travaill
Il pleure, et s'arrachant les entrailles[7], les met
Dans son drame, et, sculpteur, seul sur son noir so
Pétrit sa propre chair dans l'argile sacrée; [me
Il y renaît sans cesse, et ce songeur qui crée
Othello d'une larme, Alceste d'un sanglot[9],
Avec eux pêle-mêle en ses œuvres éclôt.
Dans sa genèse[10] immense et vraie, une et diverse,
Lui, le souffrant du mal éternel, il se verse,
Sans épuiser son flanc[11] d'où sort une clarté.
Ce qui fait qu'il est dieu, c'est plus d'humanité.
Il est génie, étant, plus que les autres, homme.
Corneille est à Rouen, mais son âme est à Rome[12];
Son front des vieux Catons[13] porte le mâle ennui.
Comme Shakspeare est pâle[14]! avant Hamlet, c'est

Que le fantôme attend sur l'âpre plate-forme[15],
Pendant qu'à l'horizon surgit la lune énorme.
Du mal dont rêve Argan, Poquelin est mourant[16];
Il rit : oui, peuple, il râle! Avec Ulysse errant,
Homère éperdu fuit dans la brume marine[17].
Saint Jean frissonne : au fond de sa sombre poitrine,
L'Apocalypse horrible agite son tocsin[18].
Eschyle! Oreste[19] marche et rugit dans ton sein,
Et c'est, ô noir poète à la lèvre irritée[20],
Sur ton crâne géant qu'est cloué Prométhée[21].

Paris, janvier 1834.

X

A MADAME D. G. DE G.[1]

Jadis je vous disais : — Vivez, régnez, Madame!
Le salon vous attend! le succès vous réclame!
Le bal éblouissant pâlit quand vous partez!
Soyez illustre et belle! aimez! riez! chantez!
Vous avez la splendeur des astres et des roses[2]!
Votre regard charmant, où je lis tant de choses[3],
Commente vos discours légers et gracieux.
Ce que dit votre bouche étincelle en vos yeux.
Il semble, quand parfois un chagrin vous alarme,
Qu'ils versent une perle et non pas une larme.
Même quand vous rêvez, vous souriez encor[4].
Vivez, fêtée et fière, ô belle aux cheveux d'or!
Maintenant vous voilà pâle, grave, muette,
Morte, et transfigurée, et je vous dis : — Poète!
Viens me chercher[5]! Archange! être mystérieux!
Fais pour moi transparents et la terre et les cieux!
Révèle-moi, d'un mot de ta bouche profonde[6],
La grande énigme humaine et le secret du monde!
Confirme en mon esprit Descarte ou Spinosa[7]!
Car tu sais le vrai nom de celui qui perça,
Pour que nous puissions voir sa lumière sans voiles
Ces trous du noir plafond qu'on nomme les étoiles[8]!
Car je te sens flotter sous mes rameaux penchants;
Car ta lyre invisible a de sublimes chants!

Car mon sombre océan, où l'esquif s'aventure,
T'épouvante et te plaît; car la sainte nature,
La nature éternelle, et les champs, et les bois,
Parlent à ta grande âme avec leur grande voix[9]!

Paris, 1840. — Jersey, 1855.

XI

LISE[1]

J'AVAIS douze ans; elle en avait bien seize.
Elle était grande, et, moi, j'étais petit.
Pour lui parler le soir plus à mon aise,
Moi, j'attendais que sa mère sortît;
Puis je venais m'asseoir près de sa chaise
Pour lui parler le soir plus à mon aise.

Que de printemps passés avec leurs fleurs!
Que de feux morts, et que de tombes closes!
Se souvient-on qu'il fut jadis des cœurs?
Se souvient-on qu'il fut jadis des roses?
Elle m'aimait. Je l'aimais. Nous étions
Deux purs enfants, deux parfums, deux rayons.

Dieu l'avait faite ange, fée et princesse.
Comme elle était bien plus grande que moi,
Je lui faisais des questions sans cesse
Pour le plaisir de lui dire : Pourquoi?
Et, par moments, elle évitait, craintive,
Mon œil rêveur qui la rendait pensive.

Puis j'étalais mon savoir enfantin,
Mes jeux, la balle et la toupie agile;
J'étais tout fier d'apprendre le latin;
Je lui montrais mon Phèdre et mon Virgile[2];
Je bravais tout; rien ne me faisait mal;
Je lui disais : Mon père est général.

Quoiqu'on soit femme, il faut parfois qu'on lise
Dans le latin, qu'on épèle en rêvant;
Pour lui traduire un verset, à l'église,
Je me penchais sur son livre souvent.
Un ange ouvrait sur nous son aile blanche
Quand nous étions à vêpres le dimanche.

Elle disait de moi : C'est un enfant!
Je l'appelais mademoiselle Lise;
Pour lui traduire un psaume, bien souvent,
Je me penchais sur son livre à l'église;
Si bien qu'un jour, vous le vîtes, mon Dieu!
Sa joue en fleur toucha ma lèvre en feu.

Jeunes amours, si vite épanouies,
Vous êtes l'aube[3] et le matin du cœur.
Charmez l'enfant, extases inouïes!
Et, quand le soir vient avec la douleur,
Charmez encor nos âmes éblouies,
Jeunes amours, si vite évanouies[4]!

Mai 1843.

XII

VERE NOVO[1]

COMME le matin rit[2] sur les roses en pleurs!
Oh! les charmants petits[3] amoureux qu'ont les fleurs!
Ce n'est dans les jasmins, ce n'est dans les pervenches
Qu'un éblouissement de folles ailes blanches
Qui vont, viennent, s'en vont, reviennent, se fermant,
Se rouvrant, dans un vaste et doux frémissement.
Ô printemps! quand on songe à toutes les missives
Qui des amants rêveurs vont aux belles pensives,
A ces cœurs confiés au papier, à ce tas
De lettres que le feutre écrit au taffetas[4],
Aux messages d'amour, d'ivresse et de délire
Qu'on reçoit en avril et qu'en mai l'on déchire[5],
On croit voir s'envoler, au gré du vent joyeux,
Dans les prés, dans les bois, sur les eaux, dans les cieux,
Et rôder en tous lieux, cherchant partout une âme[6],
Et courir à la fleur en sortant de la femme,
Les petits morceaux blancs, chassés en tourbillons,
De tous les billets doux, devenus papillons[7].

Mai 1831.

XIII

A PROPOS D'HORACE[1]

MARCHANDS de grec! marchands de latin! cuistres! [dogues!
Philistins! magisters! je vous hais, pédagogues!
Car, dans votre aplomb grave, infaillible, hébété,
Vous niez l'idéal, la grâce et la beauté!
Car vos textes, vos lois, vos règles sont fossiles!
Car, avec l'air profond, vous êtes imbéciles!
Car vous enseignez tout, et vous ignorez tout!
Car vous êtes mauvais et méchants! — Mon sang bout
Rien qu'à songer au temps où, rêveuse bourrique,
Grand diable de seize ans, j'étais en rhétorique!
Que d'ennuis! de fureurs! de bêtises! — gredins! —
Que de froids châtiments et que de chocs soudains!
« Dimanche en retenue et cinq cents vers d'Horace! »
Je regardais le monstre aux ongles noirs de crasse,
Et je balbutiais : « Monsieur... — Pas de raisons!
« Vingt fois l'ode à Plancus et l'épître aux Pisons[2]! »
Or, j'avais justement, ce jour-là, — douce idée
Qui me faisait rêver d'Armide et d'Haydée[3], —
Un rendez-vous avec la fille du portier.
Grand Dieu! perdre un tel jour! le perdre tout entier!
Je devais, en parlant d'amour, extase pure!
En l'enivrant avec le ciel et la nature,
La mener, si le temps n'était pas trop mauvais,
Manger de la galette aux buttes Saint-Gervais[4]!
Rêve heureux[5]! je voyais, dans ma colère bleue,
Tout cet Éden, congé, les lilas, la banlieue,
Et j'entendais, parmi le thym et le muguet,

Les vagues violons de la mère Saguet[6]!
Ô douleur! furieux, je montais à ma chambre,
Fournaise au mois de juin, et glacière en décembre;
Et, là, je m'écriais :

— Horace! ô bon garçon!
Qui vivais dans le calme et selon la raison,
Et qui t'allais poser, dans ta sagesse franche,
Sur tout, comme l'oiseau se pose sur la branche,
Sans peser, sans rester, ne demandant aux dieux
Que le temps de chanter ton chant libre et joyeux!
Tu marchais, écoutant le soir, sous les charmilles,
Les rires étouffés des folles jeunes filles,
Les doux chuchotements dans l'angle obscur du bois[7];
Tu courtisais ta belle esclave quelquefois,
Myrtale aux blonds cheveux, qui s'irrite et se cabre
Comme la mer creusant les golfes de Calabre[8],
Ou bien tu t'accoudais à table, buvant sec
Ton vin que tu mettais toi-même en un pot grec.
Pégase te soufflait des vers de sa narine;
Tu songeais; tu faisais des odes à Barine[9],
A Mécène, à Virgile, à ton champ de Tibur[10],
A Chloë, qui passait le long de ton vieux mur,
Portant sur son beau front l'amphore délicate.
La nuit, lorsque Phœbé devient la sombre Hécate[11],
Les halliers s'emplissaient pour toi de visions;
Tu voyais des lueurs, des formes, des rayons,
Cerbère se frotter, la queue entre les jambes[12],
A Bacchus, dieu des vins et père des ïambes[13];
Silène digérer dans sa grotte[14], pensif;
Et se glisser dans l'ombre, et s'enivrer, lascif,
Aux blanches nudités des nymphes peu vêtues,
Le faune aux pieds de chèvre, aux oreilles pointues[15]!
Horace, quand grisé d'un petit vin sabin[16],
Tu surprenais Glycère[17] ou Lycoris au bain,
Qui t'eût dit, ô Flaccus[18]! quand tu peignais à Rome
Les jeunes chevaliers courant dans l'hippodrome[19],
Comme Molière a peint en France les marquis[20],

Que tu faisais ces vers charmants, profonds, exquis,
Pour servir, dans le siècle odieux où nous sommes,
D'instruments de torture à d'horribles bonshommes,
Mal peignés, mal vêtus, qui mâchent, lourds pédants,
Comme un singe une fleur, ton nom entre leurs dents!
Grimauds hideux qui n'ont, tant leur tête est vidée,
Jamais eu de maîtresse et jamais eu d'idée!

Puis j'ajoutais, farouche :
— Ô cancres! qui mettez
Une soutane aux dieux de l'éther irrités,
Un béguin à Diane, et qui de vos tricornes
Coiffez sinistrement les olympiens mornes,
Eunuques, tourmenteurs, crétins, soyez maudits!
Car vous êtes les vieux, les noirs, les engourdis,
Car vous êtes l'hiver; car vous êtes, ô cruches!
L'ours qui va dans les bois cherchant un arbre à ruches,
L'ombre, le plomb, la mort, la tombe, le néant!
Nul ne vit près de vous dressé sur son séant[21];
Et vous pétrifiez d'une haleine sordide
Le jeune homme naïf, étincelant, splendide;
Et vous vous approchez de l'aurore, endormeurs!
A Pindare serein plein d'épiques rumeurs,
A Sophocle, à Térence, à Plaute, à l'ambroisie[22],
Ô traîtres, vous mêlez l'antique hypocrisie,
Vos ténèbres, vos mœurs, vos jougs, vos exeats[23],
Et l'assoupissement des noirs couvents béats;
Vos coups d'ongle rayant tous les sublimes livres,
Vos préjugés qui font vos yeux de brouillard ivres,
L'horreur de l'avenir, la haine du progrès;
Et vous faites, sans peur, sans pitié, sans regrets,
A la jeunesse, aux cœurs vierges, à l'espérance,
Boire dans votre nuit ce vieil opium[24] rance!
Ô fermoirs de la bible humaine[25]! sacristains
De l'art, de la science, et des maîtres lointains,
Et de la vérité que l'homme aux cieux épèle,
Vous changez ce grand temple en petite chapelle!
Guichetiers de l'esprit, faquins dont le goût sûr

Mène en laisse le beau; porte-clefs de l'azur,
Vous prenez Théocrite, Eschyle aux sacrés voiles,
Tibulle plein d'amour, Virgile plein d'étoiles[26];
Vous faites de l'enfer avec ces paradis!

Et, ma rage croissant, je reprenais :

— Maudits,
Ces monastères sourds! bouges! prisons haïes!
Oh! comme on fit jadis au pédant de Veïes[27],
Culotte bas, vieux tigre! Écoliers! écoliers!
Accourez par essaims, par bandes, par milliers,
Du gamin de Paris au grœculus de Rome[28],
Et coupez du bois vert, et fouaillez-moi cet homme!
Jeunes bouches, mordez le metteur de bâillons!
Le mannequin[29] sur qui l'on drape des haillons
A tout autant d'esprit que ce cuistre en son antre,
Et tout autant de cœur; et l'un a dans le ventre
Du latin et du grec comme l'autre a du foin.
Ah! je prends Phyllodoce et Xanthis à témoin[30]
Que je suis amoureux de leurs claires tuniques;
Mais je hais l'affreux tas des vils pédants iniques!
Confier un enfant, je vous demande un peu,
A tous ces êtres noirs[31]! autant mettre, morbleu!
La mouche en pension chez une tarentule[32]!
Ces moines, expliquer Platon, lire Catulle,
Tacite racontant le grand Agricola[33],
Lucrèce[34]! eux, déchiffrer Homère, ces gens-là!
Ces diacres! ces bedeaux dont le groin renifle!
Crânes d'où sort la nuit, pattes d'où sort la gifle,
Vieux dadais[35] à l'air rogue, au sourcil triomphant,
Qui ne savent pas même épeler un enfant!
Ils ignorent comment l'âme naît et veut croître.
Cela vous a Laharpe et Nonotte[36] pour cloître!
Ils en sont à l'A, B, C, D, du cœur humain;
Ils sont l'horrible Hier qui veut tuer Demain;
Ils offrent à l'aiglon leurs règles d'écrevisses.
Et puis ces noirs tessons ont une odeur de vices.

Ô vieux pots égueulés[37] des soifs qu'on ne dit pas!
Le pluriel met une S à leurs meâs culpâs[38],
Les boucs mystérieux[39], en les voyant, s'indignent,
Et, quand on dit : « Amour! » terre et cieux! ils se
[signent.
Leur vieux viscère mort insulte au cœur naissant.
Ils le prennent de haut avec l'adolescent,
Et ne tolèrent pas le jour entrant dans l'âme
Sous la forme pensée ou sous la forme femme.
Quand la muse apparaît, ces hurleurs de holà[40]
Disent : « Qu'est-ce que c'est que cette folle-là? »
Et, devant ses beautés, de ses rayons accrues,
Ils reprennent : « Couleurs dures, nuances crues;
« Vapeurs, illusions, rêves[41]; et quel travers
« Avez-vous de fourrer l'arc-en-ciel dans vos vers? »
Ils raillent les enfants, ils raillent les poètes;
Ils font aux rossignols leurs gros yeux de chouettes;
L'enfant est l'ignorant, ils sont l'ignorantin[42];
Ils raturent l'esprit, la splendeur, le matin;
Ils sarclent l'idéal ainsi qu'un barbarisme,
Et ces culs de bouteille ont le dédain du prisme[43]!

Ainsi l'on m'entendait dans ma geôle crier.

Le monologue avait le temps de varier.
Et je m'exaspérais, faisant la faute énorme,
Ayant raison au fond, d'avoir tort dans la forme.
Après l'abbé Tuet, je maudissais Bezout[44];
Car, outre les pensums où l'esprit se dissout,
J'étais alors en proie à la mathématique[45].
Temps sombre! enfant ému du frisson poétique,
Pauvre oiseau qui heurtais du crâne mes barreaux,
On me livrait tout vif aux chiffres, noirs bourreaux;
On me faisait de force ingurgiter l'algèbre;
On me liait au fond d'un Boisbertrand funèbre;
On me tordait, depuis les ailes jusqu'au bec,
Sur l'affreux chevalet[46] des X et des Y;
Hélas! on me fourrait sous les os maxillaires

Le théorème orné de tous ses corollaires;
Et je me débattais, lugubre patient
Du diviseur prêtant main-forte au quotient.
De là mes cris[47].

Un jour, quand l'homme sera sage,
Lorsqu'on n'instruira plus les oiseaux par la cage,
Quand les sociétés difformes sentiront
Dans l'enfant mieux compris se redresser leur front,
Que, des libres essors ayant sondé les règles,
On connaîtra la loi de croissance des aigles,
Et que le plein midi rayonnera pour tous,
Savoir étant sublime, apprendre sera doux.
Alors, tout en laissant au sommet des études
Les grands livres latins et grecs, ces solitudes
Où l'éclair gronde, où luit la mer, où l'astre rit,
Et qu'emplissent les vents immenses de l'esprit,
C'est en les pénétrant d'explication tendre,
En les faisant aimer, qu'on les fera comprendre.
Homère emportera dans son vaste reflux
L'écolier ébloui; l'enfant ne sera plus
Une bête de somme attelée à Virgile;
Et l'on ne verra plus ce vif esprit agile
Devenir, sous le fouet d'un cuistre ou d'un abbé,
Le lourd cheval poussif du pensum embourbé.
Chaque village aura, dans un temple rustique,
Dans la lumière, au lieu du magister antique,
Trop noir pour que jamais le jour y pénétrât,
L'instituteur lucide et grave[48], magistrat
Du progrès, médecin de l'ignorance, et prêtre
De l'idée; et dans l'ombre on verra disparaître
L'éternel écolier et l'éternel pédant.
L'aube vient en chantant, et non pas en grondant.
Nos fils riront de nous dans cette blanche sphère;
Ils se demanderont ce que nous pouvions faire
Enseigner au moineau par le hibou hagard.
Alors, le jeune esprit et le jeune regard
Se lèveront avec une clarté sereine

Vers la science auguste, aimable et souveraine;
Alors, plus de grimoire obscur, fade, étouffant;
Le maître, doux apôtre incliné sur l'enfant,
Fera, lui versant Dieu, l'azur et l'harmonie,
Boire la petite âme à la coupe infinie.
Alors, tout sera vrai, lois, dogmes, droits, devoirs.
Tu laisseras passer dans tes jambages noirs
Une pure lueur, de jour en jour moins sombre,
Ô nature, alphabet des grandes lettres d'ombre[49]!

Paris, mai 1831.

XIV

A GRANVILLE, EN 1836[1]

Voici juin. Le moineau raille
Dans les champs les amoureux;
Le rossignol de muraille[2]
Chante dans son nid pierreux.

Les herbes et les branchages,
Pleins de soupirs et d'abois,
Font de charmants rabâchages
Dans la profondeur des bois.

La grive et la tourterelle
Prolongent, dans les nids sourds,
La ravissante querelle
Des baisers et des amours.

Sous les treilles de la plaine,
Dans l'antre où verdit l'osier,
Virgile enivre Silène,
Et Rabelais Grandgousier[3].

Ô Virgile, verse à boire!
Verse à boire, ô Rabelais!
La forêt est une gloire;
La caverne est un palais!

Il n'est pas de lac ni d'île
Qui ne nous prenne au gluau,
Qui n'improvise une idylle,
Ou qui ne chante un duo.

Car l'amour chasse aux bocages,
Et l'amour pêche aux ruisseaux,
Car les belles sont les cages
Dont nos cœurs sont les oiseaux.

De la source, sa cuvette,
La fleur, faisant son miroir[4],
Dit : « Bonjour », à la fauvette,
Et dit au hibou : « Bonsoir. »

Le toit espère la gerbe,
Pain d'abord et chaume après;
La croupe du bœuf dans l'herbe
Semble un mont dans les forêts.

L'étang rit à la macreuse,
Le pré rit au loriot,
Pendant que l'ornière creuse
Gronde le lourd chariot.

L'or fleurit en giroflée[5];
L'ancien zéphyr fabuleux[6]
Souffle avec sa joue enflée
Au fond des nuages bleus.

Jersey[7], sur l'onde docile,
Se drape d'un beau ciel pur,
Et prend des airs de Sicile
Dans un grand haillon d'azur.

Partout l'églogue est écrite;
Même en la froide Albion,
L'air est plein de Théocrite,
Le vent sait par cœur Bion[8];

Et redit, mélancolique,
La chanson que fredonna
Moschus[9], grillon bucolique
De la cheminée Etna[10].

L'hiver tousse, vieux phthisique,
Et s'en va; la brume fond;
Les vagues font la musique
Des vers que les arbres font.

Toute la nature sombre
Verse un mystérieux jour;
L'âme qui rêve a plus d'ombre
Et la fleur a plus d'amour[11].

L'herbe éclate en pâquerettes;
Les parfums, qu'on croit muets[12],
Content les peines secrètes
Des liserons aux bleuets.

Les petites ailes blanches
Sur les eaux et les sillons
S'abattent en avalanches;
Il neige des papillons[13].

Et sur la mer, qui reflète
L'aube au sourire d'émail[14],
La bruyère violette
Met au vieux mont un camail[15];

Afin qu'il puisse, à l'abîme
Qu'il contient et qu'il bénit,
Dire sa messe sublime
Sous sa mitre de granit.

Granville, juin 1836.

XV

LA COCCINELLE[1]

Elle me dit : « Quelque chose
« Me tourmente. » Et j'aperçus
Son cou de neige[2], et, dessus,
Un petit insecte rose.

J'aurais dû — mais, sage ou fou,
A seize ans, on est farouche, —
Voir le baiser sur sa bouche
Plus que l'insecte à son cou.

On eût dit un coquillage;
Dos rose et taché de noir[3].
Les fauvettes pour nous voir
Se penchaient dans le feuillage.

Sa bouche fraîche était là :
Je me courbai sur la belle,
Et je pris la coccinelle;
Mais le baiser s'envola.

« Fils, apprends comme on me nomme »,
Dit l'insecte du ciel bleu,
« Les bêtes sont au bon Dieu[4];
« Mais la bêtise est à l'homme. »

Paris, mai 1830.

XVI

VERS 1820[1]

DENISE[2], ton mari, notre vieux pédagogue,
Se promène; il s'en va troubler la fraîche églogue
Du bel adolescent Avril dans la forêt;
Tout tremble et tout devient pédant, dès qu'il paraît :
L'âne bougonne un thème au bœuf son camarade;
Le vent fait sa tartine[3], et l'arbre sa tirade;
L'églantier verdissant, doux garçon qui grandit,
Déclame le récit de Théramène [4], et dit :
Son front large est armé de cornes menaçantes.

Denise, cependant, tu rêves et tu chantes,
A l'âge où l'innocence ouvre sa vague fleur[5];
Et, d'un œil ignorant, sans joie et sans douleur,
Sans crainte et sans désir, tu vois, à l'heure où rentre
L'étudiant en classe et le docteur dans l'antre,
Venir à toi, montant ensemble l'escalier,
L'ennui, maître d'école, et l'amour, écolier.

XVII

A M. FROMENT MEURICE[1]

Nous sommes frères : la fleur
Par deux arts peut être faite.
Le poète est ciseleur;
Le ciseleur est poète[2].

Poètes ou ciseleurs,
Par nous l'esprit se révèle.
Nous rendons les bons meilleurs,
Tu rends la beauté[3] plus belle.

Sur son bras ou sur son cou,
Tu fais de tes rêveries,
Statuaire du bijou,
Des palais de pierreries!

Ne dis pas : « Mon art n'est rien... »
Sors de la route tracée,
Ouvrier magicien,
Et mêle à l'or la pensée!

Tous les penseurs, sans chercher
Qui finit ou qui commence,
Sculptent le même rocher :
Ce rocher, c'est l'art immense.

Michel-Ange, grand vieillard,
En larges blocs qu'il nous jette,
Le fait jaillir au hasard;
Benvenuto nous l'émiette.

Et, devant l'art infini,
Dont jamais la loi ne change,
La miette de Cellini[4]
Vaut le bloc de Michel-Ange

Tout est grand; sombre ou vermeil,
Tout feu qui brille est une âme.
L'étoile vaut le soleil;
L'étincelle vaut la flamme[5].

Paris, octobre 1841.

XVIII

LES OISEAUX[1]

Je rêvais dans un grand cimetière désert;
De mon âme et des morts j'écoutais le concert[2],
Parmi les fleurs de l'herbe et les croix de la tombe.
Dieu veut que ce qui naît sorte de ce qui tombe.
Et l'ombre[3] m'emplissait.
Autour de moi, nombreux,
Gais, sans avoir souci de mon front ténébreux,
Dans ce champ, lit fatal de la sieste dernière,
Des moineaux francs[4] faisaient l'école buissonnière.
C'était l'éternité que taquine l'instant[5].
Ils allaient et venaient, chantant, volant, sautant,
Égratignant la mort de leurs griffes pointues,
Lissant leur bec au nez lugubre des statues,
Becquetant les tombeaux, ces grains mystérieux.
Je pris ces tapageurs ailés au sérieux;
Je criai : — Paix aux morts! vous êtes des harpies[6].
— Nous sommes des moineaux, me dirent ces impies.
— Silence! allez-vous-en! repris-je, peu clément.
Ils s'enfuirent; j'étais le plus fort. Seulement,
Un d'eux resta derrière, et, pour toute musique,
Dressa la queue, et dit : — Quel est ce vieux classique[7]?

Comme ils s'en allaient tous, furieux, maugréant,
Criant, et regardant de travers le géant[8],
Un houx noir qui songeait près d'une tombe, un sage,
M'arrêta brusquement par la manche au passage,
Et me dit : — Ces oiseaux sont dans leur fonction.
Laisse-les. Nous avons besoin de ce rayon.

Dieu les envoie. Ils font vivre le cimetière.
Homme, ils sont la gaîté de la nature entière;
Ils prennent son murmure au ruisseau, sa clarté
A l'astre, son sourire au matin enchanté;
Partout où rit un sage[9], ils lui prennent sa joie,
Et nous l'apportent; l'ombre en les voyant flamboie;
Ils emplissent leurs becs des cris des écoliers;
A travers l'homme et l'herbe, et l'onde, et les halliers,
Ils vont pillant la joie en l'univers immense.
Ils ont cette raison qui te semble démence.
Ils ont pitié de nous[10] qui loin d'eux languissons;
Et, lorsqu'ils sont bien pleins de jeux et de chansons,
D'églogues, de baisers, de tous les commérages
Que les nids en avril font sous les verts ombrages,
Ils accourent, joyeux, charmants, légers, bruyants,
Nous jeter tout cela dans nos trous effrayants;
Et viennent, des palais, des bois, de la chaumière,
Vider dans notre nuit toute cette lumière[11]!
Quand mai nous les ramène, ô songeur, nous disons :
« Les voilà! » tout s'émeut, pierres, tertres, gazons;
Le moindre arbrisseau parle, et l'herbe est en extase;
Le saule pleureur chante en achevant sa phrase;
Ils confessent les ifs, devenus babillards;
Ils jasent de la vie avec les corbillards;
Des linceuls trop pompeux[12] ils décrochent l'agrafe;
Ils se moquent du marbre; ils savent l'orthographe[13];
Et, moi qui suis ici le vieux chardon boudeur,
Devant qui le mensonge étale sa laideur,
Et ne se gêne pas, me traitant comme un hôte[14],
Je trouve juste, ami, qu'en lisant à voix haute
L'épitaphe où le mort est toujours bon et beau,
Ils fassent éclater de rire le tombeau[15].

Paris, mai 1835.

XIX

VIEILLE CHANSON DU JEUNE TEMPS[1]

Je ne songeais pas à Rose;
Rosc au bois vint avec moi;
Nous parlions de quelque chose,
Mais je ne sais plus de quoi.

J'étais froid comme les marbres;
Je marchais à pas distraits;
Je parlais des fleurs, des arbres;
Son œil semblait dire : « Après? »

La rosée offrait ses perles,
Le taillis ses parasols;
J'allais; j'écoutais les merles,
Et Rose les rossignols.

Moi, seize ans, et l'air morose;
Elle vingt; ses yeux brillaient.
Les rossignols chantaient Rose,
Et les merles me sifflaient.

Rose, droite sur ses hanches,
Leva son beau bras tremblant
Pour prendre une mûre aux branches;
Je ne vis pas son bras blanc.

Une eau courait, fraîche et creuse
Sur les mousses de velours;
Et la nature amoureuse
Dormait dans les grands bois sourds[2].

Rose défit sa chaussure,
Et mit, d'un air ingénu,
Son petit pied dans l'eau pure;
Je ne vis pas son pied nu.

Je ne savais que lui dire;
Je la suivais dans le bois,
La voyant parfois sourire
Et soupirer quelquefois.

Je ne vis qu'elle était belle
Qu'en sortant des grands bois sourds.
« Soit; n'y pensons plus! » dit-elle.
Depuis, j'y pense toujours.

Paris, juin 1831.

XX

A UN POÈTE AVEUGLE[1]

MERCI, poète! — au seuil de mes lares pieux,
Comme un hôte divin, tu viens et te dévoiles;
Et l'auréole d'or de tes vers radieux
Brille autour de mon nom comme un cercle d'étoiles.

Chante! Milton chantait; chante! Homère a chanté.
Le poète des sens perce la triste brume;
L'aveugle voit dans l'ombre un monde de clarté.
Quand l'œil du corps s'éteint, l'œil de l'esprit s'allume.

Paris, mai 1842.

XXI

Elle était déchaussée[1], elle était décoiffée,
Assise, les pieds nus, parmi les joncs penchants;
Moi qui passais par là, je crus voir une fée,
Et je lui dis : Veux-tu t'en venir dans les champs ?

Elle me regarda de ce regard suprême
Qui reste à la beauté quand nous en triomphons,
Et je lui dis : Veux-tu, c'est le mois où l'on aime,
Veux-tu nous en aller sous les arbres profonds?

Elle essuya ses pieds à l'herbe de la rive;
Elle me regarda pour la seconde fois,
Et la belle folâtre alors devint pensive.
Oh! comme les oiseaux chantaient au fond des boi

Comme l'eau caressait doucement le rivage!
Je vis venir à moi, dans les grands roseaux verts,
La belle fille heureuse, effarée et sauvage,
Ses cheveux dans ses yeux, et riant au travers.

Mont.-l'Am., juin 183..

XXII

LA FÊTE CHEZ THÉRÈSE[1]

La chose fut exquise et fort bien ordonnée[2].
C'était au mois d'avril, et dans une journée
Si douce, qu'on eût dit qu'amour l'eût faite exprès.
Thérèse la duchesse à qui je donnerais,
Si j'étais roi, Paris, si j'étais Dieu, le monde[3],
Quand elle ne serait que Thérèse la blonde[4];
Cette belle Thérèse, aux yeux de diamant[5],
Nous avait conviés dans son jardin charmant[6].
On était peu nombreux. Le choix faisait la fête.
Nous étions tous ensemble et chacun tête à tête.
Des couples pas à pas erraient de tous côtés.
C'étaient les fiers seigneurs et les rares beautés,
Les Amyntas rêvant auprès des Léonores[7],
Les marquises riant avec les monsignores;
Et l'on voyait rôder dans les grands escaliers
Un nain qui dérobait leur bourse aux cavaliers[8].

A midi, le spectacle avec la mélodie.
Pourquoi jouer Plautus[9] la nuit? La comédie
Est une belle fille, et rit mieux au grand jour.
Or, on avait bâti, comme un temple d'amour[10],
Près d'un bassin dans l'ombre habité par un cygne,
Un théâtre en treillage[11] où grimpait une vigne.
Un cintre à claire-voie en anse de panier,
Cage verte où sifflait un bouvreuil prisonnier,
Couvrait toute la scène, et, sur leurs gorges blanches,
Les actrices sentaient errer l'ombre des branches[12].
On entendait au loin de magiques accords;

Et, tout en haut, sortant de la frise à mi-corps,
Pour attirer la foule aux lazzis qu'il répète,
Le blanc Pulcinella sonnait de la trompette.
Deux faunes soutenaient le manteau d'Arlequin[13];
Trivelin leur riait au nez comme un faquin.
Parmi les ornements sculptés dans le treillage,
Colombine dormait dans un gros coquillage,
Et, quand elle montrait son sein et ses bras nus,
On eût cru voir la conque, et l'on eût dit Vénus[14].
Le seigneur Pantalon, dans une niche, à droite,
Vendait des limons doux sur une table étroite,
Et criait par instants : « Seigneurs, l'homme est divin
« Dieu n'avait fait que l'eau, mais l'homme a fait le vin ! »
Scaramouche en un coin harcelait de sa batte
Le tragique Alcantor, suivi du triste Arbate;
Crispin, vêtu de noir, jouait de l'éventail;
Perché, jambe pendante, au sommet du portail,
Carlino se penchait, écoutant les aubades,
Et son pied ébauchait de rêveuses gambades[15].

Le soleil tenait lieu de lustre[16]; la saison
Avait brodé de fleurs un immense gazon,
Vert tapis déroulé sous maint groupe folâtre.
Rangés des deux côtés de l'agreste théâtre,
Les vrais arbres du parc, les sorbiers, les lilas,
Les ébéniers[17] qu'avril charge de falbalas,
De leur sève embaumée exhalant les délices,
Semblaient se divertir à faire les coulisses,
Et, pour nous voir, ouvrant leurs fleurs comme de
Joignaient aux violons leur murmure joyeux; [yeux
Si bien qu'à ce concert gracieux et classique,
La nature mêlait un peu de sa musique[18].

Tout nous charmait, les bois, le jour serein, l'air pu
Les femmes tout amour, et le ciel tout azur.
Pour la pièce, elle était fort bonne, quoique ancienne
C'était, nonchalamment assis sur l'avant-scène,
Pierrot, qui haranguait, dans un grave entretien,
Un singe[20] timbalier à cheval sur un chien.

Rien de plus. C'était simple et beau. — Par intervalles[21],
Le singe faisait rage et cognait ses timbales;
Puis Pierrot répliquait. — Écoutait qui voulait.
L'un faisait apporter des glaces au valet;
L'autre, galant drapé d'une cape fantasque,
Parlait bas à sa dame en lui nouant son masque[22];
Trois marquis attablés chantaient une chanson;
Thérèse était assise à l'ombre d'un buisson :
Les roses pâlissaient à côté de sa joue,
Et, la voyant si belle, un paon[23] faisait la roue.

Moi, j'écoutais, pensif, un profane couplet
Que fredonnait dans l'ombre un abbé violet[24].

La nuit vint, tout se tut; les flambeaux s'éteignirent[25];
Dans les bois assombris les sources se plaignirent;
Le rossignol, caché dans son nid ténébreux,
Chanta comme un poète et comme un amoureux.
Chacun se dispersa sous les profonds feuillages;
Les folles en riant entraînèrent les sages;
L'amante s'en alla dans l'ombre avec l'amant;
Et, troublés comme on l'est en songe, vaguement,
Ils sentaient par degrés se mêler à leur âme,
A leurs discours secrets, à leurs regards de flamme,
A leur cœur, à leurs sens, à leur molle raison[26],
Le clair de lune bleu qui baignait l'horizon[27].

Avril 18...

XXIII

L'ENFANCE[1]

L'ENFANT chantait; la mère au lit, exténuée,
Agonisait, beau front dans l'ombre se penchant;
La mort au-dessus d'elle errait dans la nuée;
Et j'écoutais ce râle, et j'entendais ce chant.

L'enfant avait cinq ans, et, près de la fenêtre,
Ses rires[2] et ses jeux faisaient un charmant bruit;
Et la mère, à côté de ce pauvre doux être
Qui chantait tout le jour, toussait toute la nuit.

La mère alla dormir sous les dalles du cloître;
Et le petit enfant se remit à chanter... —
La douleur est un fruit[3] : Dieu ne le fait pas croîtr
Sur la branche trop faible encor pour le porter.

Paris, janvier 1835.

XXIV

Heureux l'homme[1], occupé de l'éternel destin,
Qui, tel qu'un voyageur qui part de grand matin,
Se réveille, l'esprit rempli de rêverie,
Et, dès l'aube du jour, se met à lire et prie!
A mesure qu'il lit, le jour vient lentement
Et se fait dans son âme ainsi qu'au firmament.
Il voit distinctement, à cette clarté blême,
Des choses dans sa chambre et d'autres en lui-même[2];
Tout dort dans la maison; il est seul, il le croit;
Et, cependant, fermant leur bouche de leur doigt,
Derrière lui, tandis que l'extase l'enivre,
Les anges souriants se penchent sur son livre[3].

Paris, septembre 1842.

XXV

UNITÉ[1]

Par-dessus l'horizon aux collines brunies,
Le soleil, cette fleur des splendeurs[2] infinies,
Se penchait sur la terre à l'heure du couchant;
Une humble marguerite[3], éclose au bord d'un champ
Sur un mur gris, croulant parmi l'avoine folle[4],
Blanche, épanouissait sa candide[5] auréole;
Et la petite fleur, par-dessus le vieux mur,
Regardait fixement, dans l'éternel[6] azur,
Le grand astre épanchant sa lumière immortelle.
« Et, moi, j'ai des rayons aussi[7]! » lui disait-elle.

Granville, juillet 1836

XXVI

QUELQUES MOTS A UN AUTRE[1]

On y revient; il faut y revenir moi-même.
Ce qu'on attaque en moi, c'est mon temps, et je l'aime.
Certe, on me laisserait en paix, passant obscur,
Si je ne contenais, atome de l'azur,
Un peu du grand rayon dont notre époque est faite.

Hier le citoyen, aujourd'hui[2] le poète;
Le « romantique » après le « libéral ». — Allons,
Soit; dans mes deux sentiers mordez mes deux talons.
Je suis le ténébreux[3] par qui tout dégénère.
Sur mon autre côté lancez l'autre tonnerre.

Vous aussi, vous m'avez vu tout jeune, et voici
Que vous me dénoncez, bonhomme[4], vous aussi;
Me déchirant le plus allégrement du monde,
Par attendrissement pour mon enfance blonde.
Vous me criez : « Comment, Monsieur! qu'est-ce que [c'est?
« La stance va nu-pieds! le drame est sans corset!
« La muse jette au vent sa robe d'innocence!
« Et l'art crève la règle et dit : « C'est la croissance! »
Géronte[5] littéraire aux aboiements plaintifs,
Vous vous ébahissez, en vers rétrospectifs,
Que ma voix trouble l'ordre, et que ce romantique
Vive, et que ce petit, à qui l'Art Poétique
Avec tant de bonté donna le pain et l'eau,
Devienne si pesant aux genoux de Boileau[6]!

Vous regardez mes vers, pourvus d'ongles et d'ailes,
Refusant de marcher derrière les modèles,
Comme après les doyens marchent les petits clercs[7];
Vous en voyez sortir de sinistres éclairs;
Horreur! et vous voilà poussant des cris d'hyène
A travers les barreaux de la Quotidienne[8].

Vous épuisez sur moi tout votre calepin[9],
Et le père Bouhours et le père Rapin[10];
Et, m'écrasant avec tous les noms qu'on vénère,
Vous lâchez le grand mot : Révolutionnaire[11].

Et, sur ce, les pédants en chœur disent : Amen!
On m'empoigne; on me fait passer mon examen;
La Sorbonne bredouille et l'école griffonne;
De vingt plumes jaillit la colère bouffonne :
« Que veulent ces affreux novateurs? ça, des vers?
« Devant leurs livres noirs, la nuit, dans l'ombre ouverts,
« Les lectrices ont peur au fond de leurs alcôves.
« Le Pinde[12] entend rugir leurs rimes bêtes fauves,
« Et frémit. Par leur faute, aujourd'hui tout est mort
« L'alexandrin saisit la césure, et la mord[13];
« Comme le sanglier dans l'herbe et dans la sauge,
« Au beau milieu du vers l'enjambement patauge;
« Que va-t-on devenir? Richelet[14] s'obscurcit.
« Il faut à toute chose un magister dixit[15].
« Revenons à la règle, et sortons de l'opprobre;
« L'hippocrène est de l'eau; donc, le beau, c'est l
« Les vrais sages, ayant la raison pour lien, [sobre[16]
« Ont toujours consulté, sur l'art, Quintilien[17];
« Sur l'algèbre, Leibnitz; sur la guerre, Végèce[18]. »

Quand l'impuissance écrit, elle signe : Sagesse[19].
Je ne vois pas pourquoi je ne vous dirais point
Ce qu'à d'autres j'ai dit sans leur montrer le poing.
Eh bien, démasquons-nous! c'est vrai, notre âme es
Sortons du domino[20] nommé forme oratoire. [noire

On nous a vus, poussant vers un autre horizon
La langue, avec la rime entraînant la raison[21],
Lancer au pas de charge, en batailles rangées,
Sur Laharpe[22] éperdu, toutes ces insurgées.
Nous avons au vieux style attaché ce brûlot[23] :
Liberté! Nous avons, dans le même complot,
Mis l'esprit, pauvre diable, et le mot, pauvre hère;
Nous avons déchiré le capuchon, la haire,
Le froc, dont on couvrait l'Idée aux yeux divins[24].
Tous ont fait rage en foule. Orateurs, écrivains,
Poètes, nous avons, du doigt avançant l'heure,
Dit à la rhétorique : — Allons, fille majeure,
Lève les yeux! — et j'ai, chantant, luttant, bravant,
Tordu plus d'une grille au parloir du couvent[25];
J'ai, torche en main, ouvert les deux battants du drame :
Pirates[26], nous avons, à la voile, à la rame,
De la triple unité[27] pris l'aride archipel;
Sur l'Hélicon tremblant j'ai battu le rappel.
Tout est perdu! le vers vague sans muselière[28]!
A Racine effaré nous préférons Molière[29];
Ô pédants! à Ducis nous préférons Rotrou[30].
Lucrèce Borgia[31] sort brusquement d'un trou,
Et mêle des poisons hideux à vos guimauves;
Le drame échevelé fait peur à vos fronts chauves;
C'est horrible! oui, brigand, jacobin, malandrin,
J'ai disloqué ce grand niais d'alexandrin[32];
Les mots de qualité[33], les syllabes marquises,
Vivaient ensemble au fond de leurs grottes exquises,
Faisant la bouche en cœur et ne parlant qu'entre eux,
J'ai dit aux mots d'en bas : Manchots, boiteux, goitreux,
Redressez-vous! planez, et mêlez-vous, sans règles,
Dans la caverne immense et farouche des aigles!
J'ai déjà confessé ce tas de crimes-là;
Oui, je suis Papavoine, Érostrate, Attila[34] :
Après?

Emportez-vous, et criez à la garde,
Brave homme! tempêtez, tonnez! je vous regarde.

Nos progrès prétendus vous semblent outrageants;
Vous détestez ce siècle où, quand il parle aux gens,
Le vers des trois saluts[35] d'usage se dispense;
Temps sombre où, sans pudeur, on écrit comme on pense,
Où l'on est philosophe et poète crûment,
Où de ton vin sincère[36], adorable, écumant,
Ô sévère idéal, tous les songeurs sont ivres[37].
Vous couvrez d'abat-jour, quand vous ouvrez nos livres,
Vos yeux, par la clarté du mot propre brûlés;
Vous exécrez nos vers francs et vrais; vous hurlez
De fureur en voyant nos strophes toutes nues.
Mais où donc est le temps des nymphes ingénues[38],
Qui couraient dans les bois, et dont la nudité
Dansait dans la lueur des vagues soirs d'été?
Sur l'aube nue et blanche, entr'ouvrant sa fenêtre,
Faut-il plisser la brume honnête et prude, et mettre
Une feuille de vigne à l'astre dans l'azur?
Le flot, conque d'amour, est-il d'un goût peu sûr?
Ô Virgile! Pindare! Orphée! est-ce qu'on gaze,
Comme une obscénité, les ailes de Pégase[39],
Qui semble, les ouvrant au haut du mont béni,
L'immense papillon du baiser infini[40]?
Est-ce que le soleil splendide est un cynique[41]?
La fleur a-t-elle tort d'écarter sa tunique[42]?
Calliope[43], planant derrière un pan des cieux,
Fait donc mal de montrer à Dante soucieux
Ses seins éblouissants à travers les étoiles?
Vous êtes un ancien d'hier[44]. Libre et sans voiles,
Le grand Olympe nu vous ferait dire : Fi!
Vous mettez une jupe au Cupidon bouffi;
Au clinquant, aux neuf sœurs en atours, au Parnasse
De Titon du Tillet[45], votre goût est tenace;
Les Ménades pour vous danseraient le cancan;
Apollon vous ferait l'effet d'un Mohican[46];
Vous prendriez Vénus pour une sauvagesse.

L'âge — c'est là souvent toute notre sagesse[47] —

A beau vous bougonner tout bas : « Vous avez tort,
« Vous vous ferez tousser si vous criez si fort;
« Pour quelques nouveautés sauvages et fortuites,
« Monsieur, ne troublez pas la paix de vos pituites.
« Ces gens-ci vont leur train; qu'est-ce que ça vous fait?
« Ils ne trouvent que cendre au feu qui vous chauffait.
« Pourquoi déclarez-vous la guerre à leur tapage?
« Ce siècle est libéral comme vous fûtes page[48].
« Fermez bien vos volets, tirez bien vos rideaux,
« Soufflez votre chandelle, et tournez-lui le dos!
« Qu'est l'âme du vrai sage? Une sourde-muette.
« Que vous importe, à vous, que tel ou tel poète,
« Comme l'oiseau des cieux, veuille avoir sa chanson;
« Et que tel garnement du Pinde, nourrisson
« Des Muses, au milieu d'un bruit de corybante[49],
« Marmot sombre, ait mordu leur gorge un peu tom-
[bante[50] ? »

Vous n'en tenez nul compte, et vous n'écoutez rien.
Voltaire, en vain, grand homme et peu voltairien[51],
Vous murmure à l'oreille : « Ami, tu nous assommes! »
— Vous écumez! — partant de ceci : que nous, hommes
De ce temps d'anarchie et d'enfer, nous donnons
L'assaut au grand Louis juché sur vingt grands noms;
Vous dites qu'après tout nous perdons notre peine,
Que haute est l'escalade et courte notre haleine;
Que c'est dit, que jamais nous ne réussirons;
Que Batteux[52] nous regarde avec ses gros yeux ronds,
Que Tancrède[53] est de bronze et qu'Hamlet est de sable.
Vous déclarez Boileau perruque[54] indéfrisable;
Et, coiffé de lauriers, d'un coup d'œil de travers,
Vous indiquez le tas d'ordures de nos vers,
Fumier où la laideur de ce siècle se guinde
Au pauvre vieux bon goût, ce balayeur du Pinde;
Et même, allant plus loin, vaillant, vous nous criez :
« Je vais vous balayer moi-même! »
Balayez.

Paris, novembre 1834.

XXVII

Oui, je suis le rêveur[1]; je suis le camarade[2]
Des petites fleurs d'or du mur qui se dégrade[3],
Et l'interlocuteur des arbres et du vent.
Tout cela me connaît, voyez-vous. J'ai souvent,
En mai, quand de parfums les branches sont gonflées,
Des conversations avec les giroflées;
Je reçois des conseils du lierre et du bleuet[4].
L'être mystérieux, que vous croyez muet,
Sur moi se penche, et vient avec ma plume écrire[5].
J'entends ce qu'entendit Rabelais; je vois rire[6]
Et pleurer[7]; et j'entends ce qu'Orphée entendit.
Ne vous étonnez pas de tout ce que me dit
La nature aux soupirs ineffables. Je cause
Avec toutes les voix de la métempsycose[8].
Avant de commencer le grand concert sacré,
Le moineau, le buisson, l'eau vive dans le pré,
La forêt, basse[9] énorme, et l'aile et la corolle,
Tous ces doux instruments, m'adressent la parole;
Je suis l'habitué de l'orchestre divin;
Si je n'étais songeur, j'aurais été sylvain[10].
J'ai fini, grâce au calme en qui je me recueille,
A force de parler doucement à la feuille,
A la goutte de pluie, à la plume, au rayon,
Par descendre à ce point dans la création,
Cet abîme où frissonne un tremblement farouche,
Que je ne fais plus même envoler une mouche[11]!
Le brin d'herbe[12], vibrant d'un éternel émoi,
S'apprivoise et devient familier avec moi,

Et, sans s'apercevoir que je suis là, les roses
Font avec les bourdons toutes sortes de choses;
Quelquefois, à travers les doux rameaux bénis,
J'avance largement ma face sur lcs nids[13],
Et le petit oiseau, mère inquiète et sainte,
N'a pas plus peur de moi que nous n'aurions de crainte,
Nous, si l'œil du bon Dieu regardait dans nos trous;
Le lis prude me voit approcher sans courroux,
Quand il s'ouvre aux baisers du jour; la violette
La plus pudique fait devant moi sa toilette;
Je suis pour ces beautés l'ami discret et sûr[14];
Et le frais papillon[15], libertin de l'azur,
Qui chiffonne gaîment une fleur demi-nue,
Si je viens à passer dans l'ombre, continue,
Et, si la fleur se vcut cacher dans le gazon,
Il lui dit : « Es-tu bête! Il est de la maison[16]. »

Les Roches, août 1835.

XXVIII

Il faut que le poète[1], épris d'ombre et d'azur[2],
Esprit doux[3] et splendide, au rayonnement pur,
Qui marche devant tous[4], éclairant ceux qui doutent,
Chanteur mystérieux qu'en tressaillant écoutent
Les femmes, les songeurs, les sages, les amants,
Devienne formidable à de certains moments.
Parfois, lorsqu'on se met à rêver sur son livre,
Où tout berce, éblouit, calme, caresse, enivre,
Où l'âme, à chaque pas, trouve à faire son miel,
Où les coins les plus noirs ont des lueurs du ciel[5];
Au milieu de cette humble et haute[6] poésie,
Dans cette paix sacrée où croît la fleur choisie,
Où l'on entend couler les sources et les pleurs,
Où les strophes, oiseaux peints de mille couleurs,
Volent chantant l'amour, l'espérance et la joie[7];
Il faut que, par instants, on frissonne, et qu'on voie
Tout à coup, sombre, grave et terrible au passant,
Un vers fauve[8] sortir de l'ombre en rugissant!
Il faut que le poète, aux semences fécondes,
Soit comme ces forêts vertes, fraîches, profondes,
Pleines de chants, amour du vent et du rayon,
Charmantes, où, soudain, l'on rencontre un lion.

Paris, mai 1842.

XXIX

HALTE EN MARCHANT[1]

UNE brume couvrait l'horizon; maintenant,
Voici le clair midi qui surgit rayonnant;
Le brouillard se dissout en perles sur les branches,
Et brille, diamant, au collier des pervenches.
Le vent souffle à travers les arbres, sur les toits
Du hameau noir cachant ses chaumes dans les bois;
Et l'on voit tressaillir, épars dans les ramées,
Le vague arrachement[2] des tremblantes fumées;
Un ruisseau court dans l'herbe, entre deux hauts talus,
Sous l'agitation des saules chevelus;
Un orme[3], un hêtre, anciens du vallon, arbres frères
Qui se donnent la main des deux rives contraires,
Semblent, sous le ciel bleu, dire : A la bonne foi[4]!
L'oiseau chante son chant plein d'amour et d'effroi[5],
Et du frémissement des feuilles et des ailes;
L'étang luit sous le vol des vertes demoiselles.
Un bouge[6] est là, montrant, dans la sauge et le thym,
Un vieux saint souriant parmi des brocs d'étain[7],
Avec tant de rayons et de fleurs sur la berge[8],
Que c'est peut-être un temple ou peut-être une auberge[9].
Que notre bouche ait soif, ou que ce soit le cœur,
Gloire au Dieu bon qui tend la coupe au voyageur[10]!
Nous entrons. « Qu'avez-vous? — Des œufs frais, de [l'eau fraîche. »
On croit voir l'humble toit effondré d'une crèche[11].
A la source du pré, qu'abrite un vert rideau,
Une enfant blonde alla remplir sa jarre d'eau,
Joyeuse et soulevant son jupon de futaine.

Pendant qu'elle plongeait sa cruche à la fontaine,
L'eau semblait admirer, gazouillant doucement,
Cette belle petite aux yeux de firmament[12].
Et moi, près du grand lit drapé de vieilles serges[13],
Pensif, je regardais un Christ battu de verges.
Eh! qu'importe l'outrage aux martyrs éclatants,
Affront de tous les lieux, crachat de tous les temps,
Vaine clameur d'aveugle, éternelle huée
Où la foule toujours s'est follement ruée!

Plus tard, le vagabond flagellé devient Dieu.
Ce front noir et saignant semble fait de ciel bleu,
Et, dans l'ombre, éclairant palais, temple, masure,
Le crucifix blanchit et Jésus-Christ s'azure[14].
La foule un jour suivra vos pas; allez, saignez,
Souffrez, penseurs, des pleurs de vos bourreaux [baignés[15]!
Le deuil[16] sacre les saints, les sages, les génies;
La tremblante auréole éclôt aux gémonies[17],
Et, sur ce vil marais, flotte, lueur du ciel,
Du cloaque de sang feu follet éternel[18].
Toujours au même but le même sort ramène[19] :
Il est, au plus profond de notre histoire humaine,
Une sorte de gouffre, où viennent, tour à tour,
Tomber tous ceux qui sont de la vie et du jour,
Les bons, les purs, les grands, les divins, les célèbres,
Flambeaux échevelés au souffle des ténèbres;
Là se sont engloutis les Dantes disparus,
Socrate, Scipion, Milton, Thomas Morus,
Eschyle, ayant aux mains des palmes frissonnantes[20].
Nuit d'où l'on voit sortir leurs mémoires planantes[21]!
Car ils ne sont complets qu'après qu'ils sont déchus.
De l'exil d'Aristide au bûcher de Jean Huss[22],
Le genre humain pensif — c'est ainsi que nous sommes —
Rêve ébloui devant l'abîme des grands hommes.
Ils sont, telle est la loi des hauts destins penchant,
Tes semblables, soleil! leur gloire est leur couchant;

Et, fier Niagara dont le flot gronde et lutte,
Tes pareils : ce qu'ils ont de plus beau, c'est leur chute.

Un de ceux qui liaient Jésus-Christ au poteau,
Et qui, sur son dos nu, jetaient un vil manteau[23],
Arracha de ce front tranquille une poignée
De cheveux qu'inondait la sueur résignée,
Et dit : « Je vais montrer à Caïphe cela[24] ! »
Et, crispant son poing noir, cet homme s'en alla.
La nuit était venue et la rue était sombre;
L'homme marchait; soudain, il s'arrêta dans l'ombre,
Stupéfait, pâle, et comme en proie aux visions,
Frémissant! — Il avait dans la main des rayons.

Forêt de Compiègne, juin 1837.

LIVRE DEUXIÈME

L'AME EN FLEUR

I

PREMIER MAI[1]

Tout conjugue le verbe aimer[2]. Voici les roses.
Je ne suis pas en train de[3] parler d'autres choses;
Premier mai! l'amour gai, triste[4], brûlant, jaloux,
Fait soupirer les bois, les nids, les fleurs, les loups[5];
L'arbre où j'ai, l'autre automne, écrit une devise,
La redit pour son compte, et croit qu'il l'improvise[6];
Les vieux antres pensifs, dont rit le geai moqueur,
Clignent leurs gros sourcils et font la bouche en cœur[7];
L'atmosphère, embaumée et tendre, semble pleine
Des déclarations qu'au Printemps fait la plaine,
Et que l'herbe amoureuse adresse au ciel charmant.
A chaque pas du jour dans le bleu firmament,
La campagne éperdue, et toujours plus éprise,
Prodigue les senteurs, et, dans la tiède brise,
Envoie au renouveau ses baisers odorants;
Tous ses bouquets, azurs, carmins, pourpres, safrans,
Dont l'haleine s'envole en murmurant : Je t'aime!
Sur le ravin, l'étang, le pré, le sillon même,
Font des taches partout de toutes les couleurs;
Et, donnant les parfums, elle a gardé les fleurs;
Comme si ses soupirs et ses tendres missives
Au mois de mai, qui rit dans les branches lascives[8],
Et tous les billets doux[9] de son amour bavard,
Avaient laissé leur trace aux pages du buvard!
Les oiseaux dans les bois, molles[10] voix étouffées,
Chantent des triolets et des rondeaux aux fées;
Tout semble confier à l'ombre un doux secret;
Tout aime, et tout l'avoue à voix basse; on dirait

Qu'au nord, au sud brûlant, au couchant, à l'aurore,
La haie en fleur, le lierre et la source sonore,
Les monts, les champs, les lacs et les chênes mouvants,
Répètent un quatrain fait par les quatre vents[11].

Saint-Germain, 1er mai 18..

II

Mes vers fuiraient[1], doux et frêles,
Vers votre jardin si beau,
Si mes vers avaient des ailes,
Des ailes comme l'oiseau.

Ils voleraient, étincelles,
Vers votre foyer qui rit,
Si mes vers avaient des ailes,
Des ailes comme l'esprit.

Près de vous, purs et fidèles,
Ils accourraient nuit et jour,
Si mes vers avaient des ailes,
Des ailes comme l'amour.

Paris, mars 18..

III

LE ROUET D'OMPHALE[1]

IL est dans l'atrium[2], le beau rouet d'ivoire.
La roue agile est blanche, et la quenouille[3] est noire;
La quenouille est d'ébène incrusté de lapis.
Il est dans l'atrium sur un riche tapis.

Un ouvrier d'Égine[4] a sculpté sur la plinthe
Europe[5], dont un dieu n'écoute pas la plainte.
Le taureau blanc l'emporte. Europe, sans espoir,
Crie, et baissant les yeux, s'épouvante de voir[6]
L'Océan monstrueux qui baise ses pieds roses.

Des aiguilles, du fil, des boîtes demi-closes[7],
Les laines de Milet, peintes[8] de pourpre et d'or,
Emplissent un panier près du rouet qui dort.

Cependant[9], odieux, effroyables, énormes,
Dans le fond du palais, vingt[10] fantômes difformes,
Vingt monstres tout sanglants, qu'on ne voit qu'à demi,
Errent en foule autour du rouet endormi :
Le lion néméen[11], l'hydre affreuse de Lerne,
Cacus, le noir[12] brigand de la noire caverne,
Le triple Géryon, et les typhons des eaux[13],
Qui, le soir, à grand bruit, soufflent dans les roseaux[14];
De la massue au front tous ont l'empreinte horrible
Et tous, sans approcher, rôdant d'un air terrible,
Sur le rouet, où pend un fil souple et lié,
Fixent de loin, dans l'ombre, un œil humilié.

Juin, 18..

IV

CHANSON[1]

Si vous n'avez rien à me dire,
Pourquoi venir auprès de moi?
Pourquoi me faire ce sourire
Qui tournerait la tête au roi?
Si vous n'avez rien à me dire,
Pourquoi venir auprès de moi?

Si vous n'avez rien à m'apprendre,
Pourquoi me pressez-vous la main?
Sur le rêve angélique et tendre,
Auquel vous songez en chemin,
Si vous n'avez rien à m'apprendre,
Pourquoi me pressez-vous la main?

Si vous voulez que je m'en aille,
Pourquoi passez-vous par ici?
Lorsque je vous vois, je tressaille :
C'est ma joie et c'est mon souci.
Si vous voulez que je m'en aille,
Pourquoi passez-vous par ici?

Mai, 18..

V

HIER AU SOIR[1]

HIER, le vent du soir, dont le souffle caresse,
Nous apportait l'odeur des fleurs qui s'ouvrent tard;
La nuit tombait; l'oiseau dormait dans l'ombre épaisse.
Le printemps embaumait, moins que votre jeunesse;
Les astres rayonnaient, moins que votre regard.

Moi, je parlais tout bas. C'est l'heure solennelle
Où l'âme aime à chanter son hymne le plus doux.
Voyant la nuit si pure, et vous voyant si belle,
J'ai dit aux astres d'or : Versez le ciel sur elle!
Et j'ai dit à vos yeux : Versez l'amour sur nous!

Mai 18..

VI

LETTRE[1]

Tu vois cela d'ici. Des ocres et des craies[2];
Plaines où les sillons croisent leurs mille raies,
Chaumes à fleur de terre et que masque un buisson;
Quelques meules de foin debout sur le gazon;
De vieux toits enfumant le paysage bistre;
Un fleuve qui n'est pas le Gange ou le Caystre[3],
Pauvre cours d'eau normand troublé de sels marins;
A droite, vers le nord, de bizarres terrains
Pleins d'angles[4] qu'on dirait façonnés à la pelle;
Voilà les premiers plans[5]; une ancienne chapelle
Y mêle son aiguille, et range à ses côtés
Quelques ormes tortus[6], aux profils irrités,
Qui semblent, fatigués du zéphyr qui s'en joue,
Faire une remontrance au vent qui les secoue[7].
Une grosse charrette, au coin de ma maison,
Se rouille; et, devant moi, j'ai le vaste horizon,
Dont la mer bleue emplit toutes les échancrures;
Des poules et des coqs, étalant leurs dorures[8],
Causent sous ma fenêtre, et les greniers des toits
Me jettent, par instants, des chansons en patois.
Dans mon allée habite un cordier patriarche,
Vieux qui fait bruyamment tourner sa roue, et marche
A reculons, son chanvre autour des reins tordu.
J'aime ces flots où court le grand vent éperdu;
Les champs à promener[9] tout le jour me convient;
Les petits villageois, leur livre en main, m'envient,
Chez le maître d'école où je me suis logé,
Comme un grand écolier abusant d'un congé.

Le ciel rit, l'air est pur; tout le jour, chez mon hôte,
C'est un doux bruit d'enfants épelant à voix haute[10];
L'eau coule, un verdier[11] passe; et, moi, je dis : Merci!
Merci, Dieu tout-puissant! — Ainsi je vis; ainsi,
Paisible, heure par heure, à petit bruit, j'épanche
Mes jours, tout en songeant à vous[12], ma beauté blanche!
J'écoute les enfants jaser, et, par moment,
Je vois en pleine mer, passer superbement,
Au-dessus des pignons du tranquille village[13],
Quelque navire ailé qui fait un long voyage,
Et fuit, sur l'Océan, par tous les vents traqué,
Qui, naguère, dormait au port, le long du quai[14],
Et que n'ont retenu, loin des vagues jalouses,
Ni les pleurs des parents, ni l'effroi des épouses,
Ni le sombre reflet des écueils dans les eaux,
Ni l'importunité des sinistres oiseaux[15].

Près le Tréport, juin 18..

VII

Nous allions au verger[1] cueillir des bigarreaux.
Avec ses beaux bras blancs en marbre de Paros[2],
Elle montait dans l'arbre et courbait une branche;
Les feuilles frissonnaient au vent; sa gorge blanche,
Ô Virgile, ondoyait dans l'ombre et le soleil[3];
Ses petits doigts allaient chercher le fruit vermeil,
Semblable au feu qu'on voit dans le buisson qui flambe[4].
Je montais derrière elle; elle montrait sa jambe,
Et disait : « Taisez-vous! » à mes regards ardents;
Et chantait[5]. Par moments, entre ses belles dents,
Pareille, aux chansons près, à Diane farouche[6],
Penchée, elle m'offrait la cerise à sa bouche;
Et ma bouche riait, et venait s'y poser,
Et laissait la cerise et prenait le baiser.

Triel, juillet 18..

VIII

Tu peux, comme il te plaît[1], me faire jeune ou vieux.
Comme le soleil fait serein ou pluvieux
L'azur dont il est l'âme et que sa clarté dore,
Tu peux m'emplir de brume ou m'inonder d'aurore[2],
Du haut de ta splendeur, si pure qu'en ses plis,
Tu sembles une femme enfermée en un lis,
Et qu'à d'autres moments, l'œil qu'éblouit ton âme
Croit voir, en te voyant, un lis dans une femme[3].
Si tu m'as souri, Dieu! tout mon être bondit!
Si, Madame, au milieu de tous, vous m'avez dit,
A haute voix : « Bonjour, Monsieur », et bas : « Je [t'aime! »
Si tu m'as caressé de ton regard suprême[4],
Je vis! je suis léger, je suis fier, je suis grand;
Ta prunelle m'éclaire en me transfigurant;
J'ai le reflet charmant des yeux dont tu m'accueilles;
Comme on sent dans un bois des ailes sous les feuilles[5]
On sent de la gaîté sous chacun de mes mots;
Je cours, je vais, je ris; plus d'ennuis, plus de maux
Et je chante, et voilà sur mon front la jeunesse!
Mais[6] que ton cœur injuste, un jour, me méconnaisse
Qu'il me faille porter en moi, jusqu'à demain,
L'énigme de ta main retirée à ma main;
— Qu'ai-je fait? qu'avait-elle? Elle avait quelque chose
Pourquoi, dans la rumeur du salon où l'on cause,
Personne n'entendant, me disait-elle *vous?* —
Si je ne sais quel froid dans ton regard si doux
A passé comme passe au ciel une nuée,

Je sens mon âme en moi toute diminuée;
Je m'en vais, courbé, las, sombre comme un aïeul;
Il semble que sur moi, secouant son linceul,
Se soit soudain penché le noir vieillard Décembre;
Comme un loup dans son trou, je rentre dans ma
[chambre :
Le chagrin — âge et deuil, hélas! ont le même air, —
Assombrit chaque trait de mon visage amer,
Et m'y creuse une ride avec sa main pesante.
Joyeux, j'ai vingt-cinq ans; triste, j'en ai soixante[7].

Paris, juin 18..

IX

EN ÉCOUTANT LES OISEAUX[1]

Oh! quand donc aurez-vous fini, petits oiseaux,
De jaser au milieu des branches et des eaux,
Que nous nous expliquions et que je vous querelle?
Rouge-gorge, verdier, fauvette, tourterelle,
Oiseaux, je vous entends, je vous connais. Sachez
Que je ne suis pas dupe, ô doux ténors cachés,
De votre mélodie et de votre langage.
Celle que j'aime est loin et pense à moi : je gage,
Ô rossignol dont l'hymne, exquis et gracieux,
Donne un frémissement à l'astre dans les cieux,
Que ce que tu dis là, c'est le chant de son âme.
Vous guettez les soupirs de l'homme et de la femme
Oiseaux; quand nous aimons et quand nous triomphons
Quand notre être, tout bas, s'exhale en chants profonds
Vous, attentifs, parmi les bois inaccessibles,
Vous saisissez au vol ces strophes invisibles,
Et vous les répétez tout haut, comme de vous;
Et vous mêlez, pour rendre encor l'hymne plus doux
A la chanson des cœurs, le battement des ailes;
Si bien qu'on vous admire, écouteurs infidèles,
Et que le noir sapin murmure aux vieux tilleuls :
« Sont-ils charmants d'avoir trouvé cela tout seuls! »
Et que l'eau, palpitant sous le chant qui l'effleure,
Baise avec un sanglot le beau saule qui pleure;
Et que le dur tronc d'arbre a des airs attendris;
Et que l'épervier rêve, oubliant la perdrix;
Et que les loups s'en vont songer auprès des louves
« Divin! » dit le hibou; le moineau dit : « Tu trouves?

Amour, lorsqu'en nos cœurs tu te réfugias,
L'oiseau vint y puiser; ce sont ces plagiats, [bouches
Ces chants qu'un rossignol, belles, prend sur vos
Qui font que les grands bois courbent leurs fronts
[farouches
Et que les lourds rochers, stupides et ravis,
Se penchent, les laissant piller le chènevis[3],
Et ne distinguent plus, dans leurs rêves étranges,
La langue des oiseaux de la langue des anges.

Caudebec, septembre 183.

X

Mon bras pressait[1] ta taille frêle
Et souple comme le roseau;
Ton sein palpitait comme l'aile
D'un jeune oiseau.

Longtemps muets, nous contemplâmes
Le ciel où s'éteignait le jour.
Que se passait-il dans nos âmes?
Amour! amour!

Comme un ange qui se dévoile,
Tu me regardais, dans ma nuit,
Avec ton beau regard d'étoile,
Qui m'éblouit.

Forêt de Fontainebleau, juillet 18..

XI

Les femmes sont sur la terre[1]
Pour tout idéaliser;
L'univers est un mystère
Que commente leur baiser[2].

C'est l'amour qui, pour ceinture,
A l'onde et le firmament,
Et dont toute la nature,
N'est, au fond, que l'ornement.

Tout ce qui brille offre à l'âme
Son parfum ou sa couleur;
Si Dieu n'avait fait la femme,
Il n'aurait pas fait la fleur.

A quoi bon vos étincelles,
Bleus saphirs, sans les yeux doux?
Les diamants, sans les belles,
Ne sont plus que des cailloux;

Et, dans les charmilles vertes,
Les roses dorment debout,
Et sont des bouches ouvertes[3]
Pour ne rien dire du tout.

Tout objet qui charme ou rêve
Tient des femmes sa clarté;
La perle blanche, sans Ève,
Sans toi, ma fière beauté,

Ressemblant, tout enlaidie,
A mon amour qui te fuit,
N'est plus que la maladie[4]
D'une bête dans la nuit[5].

Paris, avril 18..

XII

ÉGLOGUE[1]

Nous errions, elle et moi, dans les monts de Sicile[2].
Elle est fière pour tous et pour moi seul docile.
Les cieux et nos pensers rayonnaient à la fois.
Oh! comme aux lieux déserts les cœurs sont peu [farouches!
Que de fleurs aux buissons, que de baisers aux bouches,
　　Quand on est dans l'ombre des bois!

Pareils à deux oiseaux qui vont de cime en cime,
Nous parvînmes enfin tout au bord d'un abîme.
Elle osa s'approcher de ce sombre entonnoir;
Et, quoique mainte épine offensât[3] ses mains blanches,
Nous tâchâmes, penchés et nous tenant aux branches,
　　D'en voir le fond lugubre et noir.

En ce même moment, un titan centenaire[4],
Qui venait d'y rouler sous vingt coups de tonnerre,
Se tordait dans ce gouffre où le jour n'ose entrer;
Et d'horribles vautours au bec impitoyable,
Attirés par le bruit de sa chute effroyable,
　　Commençaient à le dévorer.

Alors, elle me dit : « J'ai peur qu'on ne nous voie!
« Cherchons un antre afin d'y cacher notre joie!
« Vois ce pauvre géant! nous aurions notre tour!
« Car les dieux envieux qui l'ont fait disparaître,
« Et qui furent jaloux de sa grandeur, peut-être
　　« Seraient jaloux de notre amour! »

Septembre 18..

XIII

VIENS! — une flûte invisible[1]
Soupire dans les vergers. —
La chanson la plus paisible
Est la chanson des bergers.

Le vent ride, sous l'yeuse,
Le sombre miroir des eaux. —
La chanson la plus joyeuse
Est la chanson des oiseaux.

Que nul soin ne te tourmente.
Aimons-nous! aimons toujours[2]! —
La chanson la plus charmante
Est la chanson des amours.

Les Metz, août 18..

XIV

BILLET DU MATIN[1]

Si les liens des cœurs ne sont pas des mensonges,
Oh! dites, vous devez avoir eu de doux songes,
Je n'ai fait que rêver de vous toute la nuit.
Et nous nous aimions tant! vous me disiez : « Tout fuit,
« Tout s'éteint, tout s'en va; ta seule image reste. »
Nous devions être morts dans ce rêve céleste;
Il semblait que c'était déjà le paradis.
Oh! oui, nous étions morts, bien sûr; je vous le dis.
Nous avions tous les deux la forme de nos âmes.
Tout ce que, l'un de l'autre, ici-bas nous aimâmes
Composait notre corps de flamme et de rayons,
Et, naturellement, nous nous reconnaissions.
Il nous apparaissait des visages d'aurore
Qui nous disaient : « C'est moi! » la lumière sonore
Chantait[2]; et nous étions des frissons et des voix.
Vous me disiez : « Écoute! » et je répondais : « Vois! »
Je disais : « Viens-nous-en dans les profondeurs
[sombres[3],
« Vivons; c'est autrefois que nous étions des ombres. »
Et, mêlant nos appels et nos cris : « Viens! oh! viens!
« Et moi, je me rappelle, et toi, tu te souviens. »
Éblouis, nous chantions : — C'est nous-mêmes qui
[sommes
Tout ce qui nous semblait, sur la terre des hommes,
Bon, juste, grand, sublime, ineffable et charmant;
Nous sommes le regard et le rayonnement;

Le sourire de l'aube et l'odeur de la rose,
C'est nous; l'astre est le nid où notre aile se pose[4];
Nous avons l'infini pour sphère et pour milieu,
L'éternité pour âge; et, notre amour, c'est Dieu[5].

Paris, juin 18..

XV

PAROLES DANS L'OMBRE[1]

ELLE disait : C'est vrai, j'ai tort de vouloir mieux;
Les heures sont ainsi très doucement passées;
Vous êtes là; mes yeux ne quittent pas vos yeux,
Où je regarde aller et venir vos pensées.

Vous voir est un bonheur; je ne l'ai pas complet.
Sans doute, c'est encor bien charmant de la sorte!
Je veille, car je sais tout ce qui vous déplaît,
A ce que nul fâcheux ne vienne ouvrir la porte;

Je me fais bien petite, en mon coin, près de vous;
Vous êtes mon lion[2], je suis votre colombe;
J'entends de vos papiers le bruit paisible et doux;
Je ramasse parfois votre plume qui tombe;

Sans doute, je vous ai; sans doute, je vous voi.
La pensée est un vin dont les rêveurs sont ivres[3],
Je le sais; mais, pourtant, je veux qu'on songe à moi.
Quand vous êtes ainsi tout un soir dans vos livres,

Sans relever la tête et sans me dire un mot,
Une ombre reste au fond de mon cœur qui vous aime;
Et, pour que je vous voie entièrement, il faut
Me regarder un peu, de temps en temps, vous-même[4].

Paris, octobre 18..

XVI

L'HIRONDELLE au printemps[1] cherche les vieilles tours
Débris où n'est plus l'homme, où la vie est toujours
La fauvette en avril cherche, ô ma bien-aimée[2],
La forêt sombre et fraîche et l'épaisse ramée,
La mousse, et, dans les nœuds des branches, les dou
Qu'en se superposant font les feuilles des bois. [toit
Ainsi fait l'oiseau. Nous, nous cherchons, dans la vill
Le coin désert, l'abri solitaire et tranquille,
Le seuil qui n'a pas d'yeux obliques et méchants,
La rue où les volets sont fermés; dans les champs,
Nous cherchons le sentier du pâtre et du poète;
Dans les bois, la clairière inconnue et muette
Où le silence éteint les bruits lointains et sourds.
L'oiseau cache son nid, nous cachons nos amours.

Fontainebleau, juin 18..

XVII

SOUS LES ARBRES[1]

Ils marchaient à côté l'un de l'autre; des danses
Troublaient le bois joyeux; ils marchaient, s'arrêtaient,
Parlaient, s'interrompaient, et, pendant les silences,
Leurs bouches se taisant[2], leurs âmes chuchotaient.

Ils songeaient; ces deux cœurs, que le mystère écoute,
Sur la création au sourire innocent
Penchés, et s'y versant dans l'ombre goutte à goutte,
Disaient à chaque fleur quelque chose en passant.

Elle sait tous les noms des fleurs qu'en sa corbeille[3]
Mai nous rapporte avec la joie et les beaux jours;
Elle les lui nommait comme eût fait une abeille,
Puis elle reprenait : « Parlons de nos amours.

« Je suis en haut, je suis en bas », lui disait-elle,
« Et je veille sur vous, d'en bas comme d'en haut. »
Il demandait comment chaque plante s'appelle,
Se faisant expliquer le printemps mot à mot[4].

Ô champs! il savourait ces fleurs et cette femme.
Ô bois! ô prés! nature où tout s'absorbe en un,
Le parfum de la fleur est votre petite âme,
Et l'âme de la femme est votre grand parfum!

La nuit[5] tombait; au tronc d'un chêne, noir pilastre[6],
Il s'adossait pensif; elle disait : « Voyez
« Ma prière toujours dans vos cieux comme un astre,
« Et mon amour toujours comme un chien[7] à tes pieds. »

Juin 18..

XVIII

Je sais bien qu'il est d'usage[1]
D'aller en tous lieux criant
Que l'homme est d'autant plus sage
Qu'il rêve plus de néant[2];

D'applaudir la grandeur noire[3],
Les héros, le fer qui luit,
Et la guerre, cette gloire
Qu'on fait avec de la nuit;

D'admirer les coups d'épée,
Et la fortune, ce char
Dont une roue est Pompée,
Dont l'autre roue est César[4];

Et Pharsale et Trasimène[5],
Et tout ce que les Nérons[6]
Font voler de cendre humaine
Dans le souffle des clairons!

Je sais que c'est la coutume
D'adorer ces nains géants[7]
Qui, parce qu'ils sont écume,
Se supposent océans;

Et de croire à la poussière,
A la fanfare qui fuit,
Aux pyramides de pierre,
Aux avalanches de bruit.

Moi, je préfère, ô fontaines!
Moi, je préfère, ô ruisseaux!
Au Dieu des grands capitaines,
Le Dieu des petits oiseaux!

Ô mon doux ange, en ces ombres
Où, nous aimant, nous brillons,
Au Dieu des ouragans sombres
Qui poussent les bataillons,

Au Dieu des vastes armées[8],
Des canons au lourd essieu,
Des flammes et des fumées,
Je préfère le bon Dieu[9]!

Le bon Dieu, qui veut qu'on aime[10],
Qui met au cœur de l'amant
Le premier vers du poème,
Le dernier au firmament[11]!

Qui songe à l'aile qui pousse,
Aux œufs blancs, au nid troublé,
Si la caille a de la mousse,
Et si la grive a du blé;

Et qui fait, pour les Orphées,
Tenir, immense et subtil,
Tout le doux monde des fées
Dans le vert bourgeon d'avril[12]!

Si bien[13], que cela s'envole
Et se disperse au printemps,
Et qu'une vague auréole
Sort de tous les nids chantants!

Vois-tu, quoique notre gloire
Brille en ce que nous créons,
Et dans notre grande histoire
Pleine de grands panthéons;

Quoique nous ayons des glaives,
Des temples, Chéops, Babel[14],
Des tours, des palais, des rêves,
Et des tombeaux jusqu'au ciel;

Il resterait peu de choses
A l'homme, qui vit un jour,
Si Dieu nous ôtait les roses,
Si Dieu nous ôtait l'amour[15]!

Chelles, septembre 18..

XIX

N'ENVIONS RIEN[1]

O femme, pensée aimante
Et cœur souffrant,
Vous trouvez la fleur charmante
Et l'oiseau grand;

Vous enviez la pelouse
Aux fleurs de miel;
Vous voulez que je jalouse
L'oiseau du ciel.

Vous dites, beauté superbe
Au front terni,
Regardant tour à tour l'herbe
Et l'infini :

« Leur existence est la bonne;
« Là, tout est beau;
« Là, sur la fleur qui rayonne,
« Plane l'oiseau!

« Près de vous, aile bénie,
« Lis enchanté,
« Qu'est-ce, hélas! que le génie
« Et la beauté?

« Fleur pure, alouette agile,
« A vous le prix!
« Toi, tu dépasses Virgile;
« Toi, Lycoris[2]!

« Quel vol profond dans l'air sombre!
« Quels doux parfums! — »
Et des pleurs brillent sous l'ombre
De vos cils bruns.

Oui, contemplez l'hirondelle,
Les liserons;
Mais ne vous plaignez pas, belle,
Car nous mourrons!

Car nous irons dans la sphère
De l'éther pur;
La femme y sera lumière,
Et l'homme azur;

Et les roses sont moins belles
Que les houris[3];
Et les oiseaux ont moins d'ailes[4]
Que les esprits!

Août 18..

XX

IL FAIT FROID[1]

L'HIVER blanchit le dur chemin.
Tes jours aux méchants sont en proie.
La bise mord ta douce main;
La haine souffle sur ta joie.

La neige emplit le noir sillon.
La lumière est diminuée... —
Ferme ta porte à l'aquilon!
Ferme ta vitre à la nuée!

Et puis laisse ton cœur ouvert!
Le cœur, c'est la sainte fenêtre.
Le soleil de brume est couvert;
Mais Dieu va rayonner peut-être!

Doute du bonheur, fruit mortel;
Doute de l'homme plein d'envie;
Doute du prêtre et de l'autel[2];
Mais crois à l'amour, ô ma vie!

Crois à l'amour, toujours entier,
Toujours brillant sous tous les voiles!
A l'amour, tison du foyer!
A l'amour, rayon des étoiles!

Aime et ne désespère pas.
Dans ton âme où parfois je passe,
Où mes vers chuchotent tout bas,
Laisse chaque chose à sa place[3].

La fidélité sans ennui,
La paix des vertus élevées,
Et l'indulgence pour autrui,
Éponge des fautes lavées.

Dans ta pensée où tout est beau,
Que rien ne tombe ou ne recule[4].
Fais de ton amour ton flambeau.
On s'éclaire de ce qui brûle.

A ces démons d'inimitié,
Oppose ta douceur sereine,
Et reverse-leur en pitié
Tout ce qu'ils t'ont vomi de haine.

La haine, c'est l'hiver du cœur.
Plains-les! mais garde ton courage.
Garde ton sourire vainqueur;
Bel arc-en-ciel, sors de l'orage!

Garde ton amour éternel.
L'hiver, l'astre éteint-il sa flamme?
Dieu ne retire rien du ciel;
Ne retire rien de ton âme!

Décembre 18..

XXI

IL lui disait[1] : « Vois-tu, si tous deux nous pouvions,
« L'âme pleine de foi, le cœur plein de rayons,
« Ivres de douce extase et de mélancolie,
« Rompre les mille nœuds dont la ville nous lie ;
« Si nous pouvions quitter ce Paris triste et fou,
« Nous fuirions ; nous irions quelque part, n'importe où,
« Chercher loin des vains bruits, loin des haines jalouses,
« Un coin où nous aurions des arbres, des pelouses,
« Une maison petite avec des fleurs, un peu
« De solitude, un peu de silence, un ciel bleu,
« La chanson d'un oiseau qui sur le toit se pose,
« De l'ombre ; — et quel besoin avons-nous d'autre [chose ? »

Juillet 18..

XXII

— Aimons toujours[1]! aimons encore!
Quand l'amour s'en va, l'espoir fuit[2].
L'amour, c'est le cri de l'aurore,
L'amour, c'est l'hymne de la nuit[3].

Ce que le flot dit aux rivages,
Ce que le vent dit aux vieux monts,
Ce que l'astre dit aux nuages,
C'est le mot ineffable : Aimons!

L'amour fait songer, vivre et croire.
Il a, pour réchauffer le cœur,
Un rayon de plus que la gloire,
Et ce rayon, c'est le bonheur!

Aime! qu'on les loue ou les blâme,
Toujours les grands cœurs aimeront :
Joins cette jeunesse de l'âme
A la jeunesse de ton front!

Aime, afin de charmer tes heures!
Afin qu'on voie en tes beaux yeux
Des voluptés intérieures
Le sourire mystérieux!

Aimons-nous toujours davantage!
Unissons-nous mieux chaque jour.

Les arbres croissent en feuillage;
Que notre âme croisse en amour!

Soyons le miroir et l'image!
Soyons la fleur et le parfum!
Les amants, qui, seuls sous l'ombrage,
Se sentent deux et ne sont qu'un!

Les poètes cherchent les belles.
La femme, ange aux chastes faveurs,
Aime à rafraîchir sous ses ailes
Ces grands fronts brûlants et rêveurs.

Venez à nous, beautés touchantes!
Viens à moi, toi, mon bien, ma loi!
Ange! viens à moi quand tu chantes,
Et, quand tu pleures, viens à moi!

Nous seuls comprenons vos extases;
Car notre esprit n'est point moqueur;
Car les poètes sont les vases
Où les femmes versent leur cœur.

Moi qui ne cherche dans ce monde
Que la seule réalité,
Moi qui laisse fuir comme l'onde
Tout ce qui n'est que vanité,

Je préfère, aux biens dont s'enivre
L'orgueil du soldat ou du roi,
L'ombre que tu fais sur mon livre
Quand ton front se penche sur moi.

Toute ambition allumée
Dans notre esprit, brasier subtil,
Tombe en cendre ou vole en fumée,
Et l'on se dit : « Qu'en reste-t-il? »

Tout plaisir, fleur à peine éclose
Dans notre avril sombre et terni,
S'effeuille et meurt, lis, myrte ou rose,
Et l'on se dit : « C'est donc fini! »

L'amour seul reste. O noble femme,
Si tu veux, dans ce vil séjour,
Garder ta foi, garder ton âme,
Garder ton Dieu, garde l'amour!

Conserve en ton cœur, sans rien craindre,
Dusses-tu pleurer et souffrir,
La flamme qui ne peut s'éteindre
Et la fleur qui ne peut mourir!

Mai 18..

XXIII

APRÈS L'HIVER[1]

Tout revit, ma bien-aimée!
Le ciel gris perd sa pâleur;
Quand la terre est embaumée,
Le cœur de l'homme est meilleur.

En haut, d'où l'amour ruisselle,
En bas, où meurt la douleur,
La même immense étincelle
Allume l'astre et la fleur[2].

L'hiver fuit, saison d'alarmes,
Noir avril mystérieux
Où l'âpre sève des larmes
Coule, et du cœur monte aux yeux.

O douce désuétude
De souffrir et de pleurer!
Veux-tu, dans la solitude,
Nous mettre à nous adorer?

La branche au soleil se dore
Et penche, pour l'abriter,
Ses boutons qui vont éclore
Sur l'oiseau qui va chanter.

L'aurore où nous nous aimâmes[3]
Semble renaître à nos yeux;
Et mai sourit dans nos âmes
Comme il sourit dans les cieux.

On entend rire, on voit luire
Tous les êtres tour à tour,
La nuit, les astres bruire,
Et les abeilles, le jour.

Et partout nos regards lisent,
Et, dans l'herbe et dans les nids,
De petites voix nous disent :
« Les aimants sont les bénis! »

L'air enivre; tu reposes
A mon cou tes bras vainqueurs. —
Sur les rosiers que de roses!
Que de soupirs dans nos cœurs!

Comme l'aube, tu me charmes;
Ta bouche et tes yeux chéris
Ont, quand tu pleures, ses larmes,
Et ses perles quand tu ris[4].

La nature, sœur jumelle
D'Ève et d'Adam[5] et du jour,
Nous aime, nous berce et mêle
Son mystère à notre amour.

Il suffit que tu paraisses
Pour que le ciel, t'adorant,
Te contemple; et, nos caresses,
Toute l'ombre nous les rend!

Clartés et parfums nous-mêmes[6],
Nous baignons nos cœurs heureux
Dans les effluves suprêmes
Des éléments amoureux.

Et, sans qu'un souci t'oppresse,
Sans que ce soit mon tourment,
J'ai l'étoile pour maîtresse[7];
Le soleil est ton amant;

Et nous donnons notre fièvre
Aux fleurs où nous appuyons
Nos bouches, et notre lèvre
Sent le baiser des rayons[8].

Juin 18 .

XXIV

QUE le sort[1], quel qu'il soit, vous trouve toujours
[grande!
Que demain soit doux comme hier!
Qu'en vous, ô ma beauté, jamais ne se répande
Le découragement amer,
Ni le fiel, ni l'ennui des cœurs qui se dénouent,
Ni cette cendre, hélas! que sur un front pâli,
Dans l'ombre, à petit bruit secouent
Les froides ailes de l'oubli!
Laissez, laissez brûler pour vous, ô vous que j'aime
Mes chants dans mon âme allumés!
Vivez pour la nature, et le ciel, et moi-même!
Après avoir souffert, aimez!
Laissez entrer en vous, après nos deuils funèbres,
L'aube, fille des nuits, l'amour, fils des douleurs,
Tout ce qui luit dans les ténèbres,
Tout ce qui sourit dans les pleurs!

Octobre 18..

XXV

Je respire où tu palpites[1],
Tu sais; à quoi bon, hélas!
Rester là si tu me quittes,
Et vivre si tu t'en vas?

A quoi bon vivre, étant l'ombre
De cet ange qui s'enfuit?
A quoi bon, sous le ciel sombre,
N'être plus que de la nuit?

Je suis la fleur des murailles,
Dont avril est le seul bien.
Il suffit que tu t'en ailles
Pour qu'il ne reste plus rien.

Tu m'entoures d'auréoles;
Te voir est mon seul souci.
Il suffit que tu t'envoles
Pour que je m'envole aussi.

Si tu pars, mon front se penche;
Mon âme au ciel, son berceau,
Fuira, car dans ta main blanche
Tu tiens ce sauvage oiseau.

Que veux-tu que je devienne,
Si je n'entends plus ton pas?
Est-ce ta vie ou la mienne
Qui s'en va? Je ne sais pas.

Quand mon courage succombe,
J'en reprends dans ton cœur pur;
Je suis comme la colombe
Qui vient boire au lac d'azur.

L'amour fait comprendre à l'âme
L'univers, sombre et béni;
Et cette petite flamme
Seule éclaire l'infini.

Sans toi, toute la nature
N'est plus qu'un cachot fermé,
Où je vais à l'aventure,
Pâle et n'étant plus aimé.

Sans toi, tout s'effeuille et tombe;
L'ombre emplit mon noir sourcil;
Une fête est une tombe,
La patrie est un exil.

Je t'implore et te réclame;
Ne fuis pas loin de mes maux,
O fauvette de mon âme
Qui chantes dans mes rameaux!

De quoi puis-je avoir envie,
De quoi puis-je avoir effroi,
Que ferai-je de la vie,
Si tu n'es plus près de moi?

Tu portes dans la lumière,
Tu portes dans les buissons,
Sur une aile ma prière,
Et sur l'autre mes chansons[2].

Que dirai-je aux champs que voile
L'inconsolable douleur?
Que ferai-je de l'étoile?
Que ferai-je de la fleur[3]?

Que dirai-je au bois morose
Qu'illuminait ta douceur?
Que répondrai-je à la rose
Disant : « Où donc est ma sœur? »

J'en mourrai; fuis, si tu l'oses.
A quoi bon, jours révolus!
Regarder toutes ces choses
Qu'elle ne regarde plus?

Que ferai-jc de la lyre,
De la vertu, du destin?
Hélas! et, sans ton sourire,
Que ferai-je du matin?

Que ferai-je, seul, farouche,
Sans toi, du jour et des cieux,
De mes baisers sans ta bouche,
Et de mes pleurs sans tes yeux!

Août 18..

XXVI

CRÉPUSCULE[1]

L'ÉTANG mystérieux, suaire aux blanches moires,
Frissonne; au fond du bois, la clairière apparaît;
Les arbres sont profonds et les branches sont noires
Avez-vous vu Vénus à travers la forêt?

Avez-vous vu Vénus au sommet des collines?
Vous qui passez dans l'ombre, êtes-vous des amants
Les sentiers bruns sont pleins de blanches mousselines
L'herbe s'éveille et parle aux sépulcres dormants.

Que dit-il, le brin d'herbe? et que répond la tombe
Aimez, vous qui vivez! on a froid sous les ifs.
Lèvre, cherche la bouche! aimez-vous! la nuit tombe
Soyez heureux pendant que nous sommes pensifs.

Dieu veut qu'on ait aimé. Vivez! faites envie,
O couples qui passez sous le vert coudrier.
Tout ce que dans la tombe, en sortant de la vie,
On emporta d'amour, on l'emploie à prier.

Les mortes d'aujourd'hui furent jadis les belles.
Le ver luisant dans l'ombre erre avec son flambeau.
Le vent fait tressaillir, au milieu des javelles,
Le brin d'herbe, et Dieu fait tressaillir le tombeau.

La forme d'un toit noir dessine une chaumière;
On entend dans les prés le pas lourd du faucheur;
L'étoile aux cieux, ainsi qu'une fleur de lumière,
Ouvre et fait rayonner sa splendide fraîcheur.

Aimez-vous! c'est le mois où les fraises sont mûres.
L'ange du soir rêveur, qui flotte dans les vents,
Mêle, en les emportant sur ses ailes obscures,
Les prières des morts aux baisers des vivants.

Chelles, août 18..

XXVII

LA NICHÉE SOUS LE PORTAIL[1]

Oui, va prier à l'église[2],
Va; mais regarde en passant,
Sous la vieille voûte grise,
Ce petit nid innocent.

Aux grands temples où l'on prie,
Le martinet, frais et pur,
Suspend la maçonnerie[3]
Qui contient le plus d'azur[4].

La couvée est dans la mousse
Du portail qui s'attendrit;
Elle sent la chaleur douce
Des ailes de Jésus-Christ.

L'église, où l'ombre flamboie,
Vibre, émue à ce doux bruit;
Les oiseaux sont pleins de joie,
La pierre est pleine de nuit.

Les saints, graves personnages
Sous les porches palpitants,
Aiment ces doux voisinages
Du baiser et du printemps.

Les vierges et les prophètes
Se penchent dans l'âpre tour,
Sur ces ruches d'oiseaux faites
Pour le divin miel amour.

L'oiseau se perche sur l'ange;
L'apôtre rit sous l'arceau.
« Bonjour, saint! » dit la mésange.
Le saint dit : « Bonjour, oiseau! »

Les cathédrales sont belles
Et hautes sous le ciel bleu;
Mais[5] le nid des hirondelles
Est l'édifice de Dieu.

Lagny, juin 18..

XXVIII

UN SOIR QUE JE REGARDAIS LE CIEL[1]

Elle me dit, un soir, en souriant :
— Ami, pourquoi contemplez-vous sans cesse
Le jour qui fuit, ou l'ombre qui s'abaisse,
Ou l'astre d'or qui monte à l'orient?
Que font vos yeux là-haut? je les réclame.
Quittez le ciel; regardez dans mon âme!

Dans ce ciel vaste, ombre où vous vous plaisez,
Où vos regards démesurés vont lire,
Qu'apprendrez-vous qui vaille mon sourire?
Qu'apprendras-tu qui vaille nos baisers[2]?
Oh! de mon cœur lève les chastes voiles.
Si tu savais comme il est plein d'étoiles!

Que de soleils! vois-tu, quand nous aimons,
Tout est en nous un radieux spectacle.
Le dévouement, rayonnant sur l'obstacle,
Vaut bien Vénus qui brille sur les monts.
Le vaste azur n'est rien, je te l'atteste;
Le ciel que j'ai dans l'âme est plus céleste[3]!

C'est beau de voir un astre s'allumer.
Le monde est plein de merveilleuses choses.
Douce est l'aurore, et douces sont les roses.
Rien n'est si doux que le charme d'aimer!
La clarté vraie et[4] la meilleure flamme,
C'est le rayon qui va de l'âme à l'âme!

L'amour vaut mieux, au fond des antres frais,
Que ces soleils qu'on ignore et qu'on nomme.
Dieu mit, sachant ce qui convient à l'homme,
Le ciel bien loin et la femme tout près.
Il dit à ceux qui scrutent l'azur sombre :
« Vivez! aimez! le reste, c'est mon ombre[5]! »

Aimons[6]! c'est tout. Et Dieu le veut ainsi.
Laisse ton ciel que de froids rayons dorent!
Tu trouveras, dans deux yeux qui t'adorent,
Plus de beauté, plus de lumière aussi[7]!
Aimer, c'est voir, sentir, rêver, comprendre[8].
L'esprit plus grand s'ajoute au cœur plus tendre[9].

Viens, bien-aimé! n'entends-tu pas toujours
Dans nos transports une harmonie étrange[10]?
Autour de nous la nature se change
En une lyre et chante nos amours!
Viens! aimons-nous! errons sur la pelouse.
Ne songe plus au ciel! j'en suis jalouse! —

Ma bien-aimée ainsi tout bas parlait,
Avec son front posé sur sa main blanche,
Et l'œil rêveur d'un ange qui se penche,
Et sa voix grave, et cet air qui me plaît;
Belle et tranquille, et de me voir charmée,
Ainsi tout bas parlait ma bien-aimée.

Nos cœurs battaient; l'extase m'étouffait;
Les fleurs du soir entr'ouvraient leurs corolles...
Qu'avez-vous fait, arbres, de nos paroles?
De nos soupirs, rochers, qu'avez-vous fait?
C'est un destin bien triste que le nôtre,
Puisqu'un tel jour s'envole comme un autre!

O souvenir! trésor dans l'ombre accru!
Sombre horizon des anciennes pensées!

Chère lueur des choses éclipsées!
Rayonnement du passé disparu!
Comme du seuil et du dehors d'un temple,
L'œil de l'esprit en rêvant vous contemple!

Quand les beaux jours font place aux jours amers,
De tout bonheur il faut quitter l'idée;
Quand l'espérance est tout à fait vidée,
Laissons tomber la coupe au fond des mers.
L'oubli! l'oubli! c'est l'onde où tout se noie;
C'est la mer sombre où l'on jette sa joie.

Montf., septembre 18.. — Brux..., janvier 18..

LIVRE TROISIÈME

LES LUTTES ET LES RÊVES

I

ÉCRIT SUR UN EXEMPLAIRE
DE LA DIVINA COMMEDIA[1]

Un soir, dans le chemin je vis passer un homme
Vêtu d'un grand manteau[2] comme un consul de Rome,
Et qui me semblait noir sur la clarté des cieux.
Ce passant s'arrêta, fixant sur moi ses yeux
Brillants, et si profonds, qu'ils en étaient sauvages[3],
Et me dit : « J'ai d'abord été, dans les vieux âges,
« Une haute montagne emplissant l'horizon;
« Puis, âme encore aveugle et brisant ma prison,
« Je montai d'un degré dans l'échelle des êtres[4],
« Je fus un chêne, et j'eus des autels et des prêtres,
« Et je jetai des bruits étranges[5] dans les airs;
« Puis je fus un lion rêvant dans les déserts,
« Parlant à la nuit sombre avec sa voix grondante;
« Maintenant, je suis homme, et je m'appelle Dante[6]. »

Juillet 1843.

II

MELANCHOLIA[1]

Écoutez. Une femme au profil décharné,
Maigre, blême, portant un enfant étonné,
Est là qui se lamente au milieu de la rue.
La foule, pour l'entendre, autour d'elle se rue.
Elle accuse quelqu'un, une autre femme, ou bien
Son mari. Ses enfants ont faim. Elle n'a rien;
Pas d'argent; pas de pain; à peine un lit de paille.
L'homme est au cabaret pendant qu'elle travaille.
Elle pleure, et s'en va. Quand ce spectre a passé,
O penseurs, au milieu de ce groupe amassé,
Qui vient de voir le fond d'un cœur qui se déchire,
Qu'entendez-vous toujours? Un long éclat de rire.

Cette fille au doux front a cru peut-être, un jour,
Avoir droit au bonheur, à la joie, à l'amour.
Mais elle est seule, elle est sans parents, pauvre fille!
Seule! — n'importe! elle a du courage, une aiguille,
Elle travaille, et peut gagner dans son réduit,
En travaillant le jour, en travaillant la nuit,
Un peu de pain, un gîte, une jupe de toile.
Le soir, elle regarde en rêvant quelque étoile,
Et chante au bord du toit tant que dure l'été[2].
Mais l'hiver vient. Il fait bien froid, en vérité,
Dans ce logis mal clos tout en haut de la rampe;
Les jours sont courts, il faut allumer une lampe;
L'huile est chère, le bois est cher, le pain est cher.
O jeunesse! printemps! aube! en proie à l'hiver!

La faim passe bientôt sa griffe sous la porte[3],
Décroche un vieux manteau, saisit la montre, emporte
Les meubles, prend enfin quelque humble bague d'or;
Tout est vendu! L'enfant travaille et lutte encor;
Elle est honnête; mais elle a, quand elle veille,
La misère, démon, qui lui parle à l'oreille[4].
L'ouvrage manque, hélas! cela se voit souvent.
Que devenir! Un jour, ô jour sombre! elle vend
La pauvre croix d'honneur de son vieux père, et pleure;
Elle tousse, elle a froid. Il faut donc qu'elle meure!
A dix-sept ans! grand Dieu! mais que faire?... — Voilà
Ce qui fait qu'un matin la douce fille alla
Droit au gouffre, et qu'enfin, à présent, ce qui monte
A son front, ce n'est plus la pudeur, c'est la honte[5].
Hélas! et maintenant, deuil[6] et pleurs éternels!
C'est fini. Les enfants, ces innocents cruels[7],
La suivent dans la rue avec des cris de joie.
Malheureuse! elle traîne une robe de soie,
Elle chante, elle rit... ah! pauvre âme aux abois!
Et le peuple sévère, avec sa grande voix,
Souffle qui courbe un homme et qui brise une femme[8],
Lui dit quand elle vient : « C'est toi? Va-t-en, infâme! »

Un homme s'est fait riche en vendant à faux poids;
La loi le fait juré. L'hiver, dans les temps froids;
Un pauvre a pris un pain pour nourrir sa famille.
Regardez cette salle où le peuple fourmille;
Ce riche y vient juger ce pauvre. Écoutez bien.
C'est juste, puisque l'un a tout et l'autre rien.
Ce juge, — ce marchand, — fâché de perdre une heure,
Jette un regard distrait sur cet homme qui pleure,
L'envoie au bagne, et part pour sa maison des champs.
Tous s'en vont en disant : « C'est bien! » bons et méchants;
Et rien ne reste là qu'un Christ pensif et pâle[9],
Levant les bras au ciel dans le fond de la salle.

Un homme de génie apparaît. Il est doux,
Il est fort, il est grand; il est utile à tous;

Comme l'aube au-dessus de l'océan qui roule,
Il dore d'un rayon tous les fronts de la foule;
Il luit; le jour qu'il jette est un jour éclatant;
Il apporte une idée au siècle qui l'attend;
Il fait son œuvre; il veut des choses nécessaires,
Agrandir les esprits, amoindrir les misères;
Heureux, dans ses travaux dont les cieux sont témoins
Si l'on pense un peu plus, si l'on souffre un peu moins
Il vient. — Certe, on le va couronner! — On le hue
Scribes, savants, rhéteurs, les salons, la cohue,
Ceux qui n'ignorent rien, ceux qui doutent de tout,
Ceux qui flattent le roi, ceux qui flattent l'égout,
Tous hurlent à la fois et font un bruit sinistre.
Si c'est un orateur ou si c'est un ministre,
On le siffle. Si c'est un poète, il entend
Ce chœur : « Absurde! faux! monstrueux! révoltant!
Lui, cependant, tandis qu'on bave sur sa palme,
Debout, les bras croisés, le front levé, l'œil calme,
Il contemple, serein, l'idéal et le beau;
Il rêve; et, par moments, il secoue un flambeau
Qui, sous ses pieds, dans l'ombre, éblouissant la haine
Éclaire tout à coup le fond de l'âme humaine;
Ou, ministre, il prodigue et ses nuits et ses jours;
Orateur, il entasse efforts, travaux, discours;
Il marche, il lutte! Hélas! l'injure ardente et triste,
A chaque pas qu'il fait, se transforme et persiste.
Nul abri. Ce serait un ennemi public,
Un monstre fabuleux, dragon ou basilic,
Qu'il serait moins traqué de toutes les manières,
Moins entouré de gens armés de grosses pierres,
Moins haï! — Pour eux tous et pour ceux qui viendron
Il va semant la gloire, il recueille l'affront.
Le progrès est son but, le bien est sa boussole;
Pilote, sur l'avant du navire il s'isole;
Tout marin, pour dompter les vents et les courants,
Met tour à tour le cap sur des points différents,
Et, pour mieux arriver, dévie en apparence;
Il fait de même; aussi blâme et cris; l'ignorance

Sait tout, dénonce tout; il allait vers le nord,
Il avait tort; il va vers le sud, il a tort;
Si le temps devient noir, que de rage et de joie!
Cependant, sous le faix sa tête à la fin ploie,
L'âge vient, il couvait un mal profond et lent[10],
Il meurt. L'envie alors, ce démon vigilant[11],
Accourt, le reconnaît, lui ferme la paupière,
Prend soin de le clouer de ses mains dans la bière,
Se penche, écoute, épie en cette sombre nuit
S'il est vraiment bien mort, s'il ne fait pas de bruit,
S'il ne peut plus savoir de quel nom on le nomme,
Et, s'essuyant les yeux, dit : « C'était un grand homme[12]! »

Où vont tous ces enfants dont pas un seul ne rit?
Ces doux êtres pensifs, que la fièvre maigrit?
Ces filles de huit ans qu'on voit cheminer seules?
Ils s'en vont travailler quinze heures sous des meules;
Ils vont, de l'aube au soir, faire éternellement
Dans la même prison le même mouvement.
Accroupis sous les dents d'une machine sombre,
Monstre hideux qui mâche on ne sait quoi dans l'ombre,
Innocents dans un bagne, anges dans un enfer,
Ils travaillent. Tout est d'airain, tout est de fer.
Jamais on ne s'arrête et jamais on ne joue.
Aussi quelle pâleur! la cendre est sur leur joue.
Il fait à peine jour, ils sont déjà bien las.
Ils ne comprennent rien à leur destin, hélas!
Ils semblent dire à Dieu : « Petits comme nous sommes,
« Notre père, voyez ce que nous font les hommes! »
O servitude infâme imposée à l'enfant!
Rachitisme! travail dont le souffle étouffant
Défait ce qu'a fait Dieu; qui tue, œuvre insensée,
La beauté sur les fronts, dans les cœurs la pensée,
Et qui ferait — c'est là son fruit le plus certain —
D'Apollon un bossu, de Voltaire un crétin!
Travail mauvais qui prend l'âge tendre en sa serre[13],
Qui produit la richesse en créant la misère,

Qui se sert d'un enfant ainsi que d'un outil!
Progrès dont on demande : « Où va-t-il? que veut-il? »
Qui brise la jeunesse en fleur! qui donne, en somme,
Une âme à la machine et la retire à l'homme!
Que ce travail, haï des mères, soit maudit[14]!
Maudit comme le vice où l'on s'abâtardit,
Maudit comme l'opprobre et comme le blasphème!
O Dieu! qu'il soit maudit au nom du travail même,
Au nom du vrai travail, saint, fécond, généreux,
Qui fait le peuple libre et qui rend l'homme heureux[15]!

Le pesant chariot porte une énorme pierre;
Le limonier, suant du mors à la croupière,
Tire, et le roulier fouette, et le pavé glissant
Monte, et le cheval triste a le poitrail en sang.
Il tire, traîne, geint, tire encore et s'arrête;
Le fouet noir tourbillonne au-dessus de sa tête;
C'est lundi; l'homme hier buvait aux Porcherons[16]
Un vin plein de fureur, de cris et de jurons;
Oh! quelle est donc la loi formidable qui livre
L'être à l'être, et la bête effarée à l'homme ivre!
L'animal éperdu ne peut plus faire un pas;
Il sent l'ombre sur lui peser; il ne sait pas,
Sous le bloc qui l'écrase et le fouet qui l'assomme,
Ce que lui veut la pierre et ce que lui veut l'homme
Et le roulier n'est plus qu'un orage de coups[17]
Tombant sur ce forçat qui traîne les licous,
Qui souffre et ne connaît ni repos ni dimanche.
Si la corde se casse, il frappe avec le manche,
Et, si le fouet se casse, il frappe avec le pié;
Et le cheval, tremblant, hagard, estropié,
Baisse son cou lugubre et sa tête égarée;
On entend, sous les coups de la botte ferrée,
Sonner le ventre nu du pauvre être muet!
Il râle; tout à l'heure encore il remuait;
Mais il ne bouge plus, et sa force est finie;
Et les coups furieux pleuvent; son agonie

Tente un dernier effort; son pied fait un écart,
Il tombe, et le voilà brisé sous le brancard;
Et, dans l'ombre, pendant que son bourreau redouble,
Il regarde Quelqu'un de sa prunelle trouble;
Et l'on voit lentement s'éteindre, humble et terni,
Son œil plein des stupeurs sombres de l'infini,
Où luit vaguement l'âme effrayante des choses.
Hélas!

Cet avocat plaide toutes les causes;
Il rit des généreux qui désirent savoir
Si blanc n'a pas raison, avant de dire noir;
Calme, en sa conscience il met ce qu'il rencontre,
Ou le sac d'argent Pour, ou le sac d'argent Contre;
Le sac pèse pour lui ce que la cause vaut[18].
Embusqué, plume au poing, dans un journal dévot,
Comme un bandit tuerait, cet écrivain diffame.
La foule hait cet homme et proscrit cette femme;
Ils sont maudits. Quel est leur crime? Ils ont aimé[19].
L'opinion rampante accable l'opprimé,
Et, chatte aux pieds des forts, pour le faible est tigresse[20].
De l'inventeur mourant le parasite engraisse[21].
Le monde parle, assure, affirme, jure, ment,
Triche, et rit d'escroquer la dupe Dévouement.
Le puissant resplendit et du destin se joue;
Derrière lui, tandis qu'il marche et fait la roue,
Sa fiente[22] épanouie engendre son flatteur.
Les nains sont dédaigneux de toute leur hauteur.
O hideux coins[22 bis] de rue où le chiffonnier morne
Va, tenant à la main sa lanterne de corne[23],
Vos tas d'ordures sont moins noirs que les vivants!
Qui, des vents ou des cœurs, est le plus sûr? Les vents.
Cet homme ne croit rien et fait semblant de croire;
Il a l'œil clair, le front gracieux, l'âme noire;
Il se courbe; il sera votre maître demain.

Tu casses des cailloux, vieillard, sur le chemin;
Ton feutre humble et troué s'ouvre à l'air qui le mouille;

Sous la pluie et le temps ton crâne nu se rouille;
Le chaud est ton tyran, le froid est ton bourreau;
Ton vieux corps grelottant tremble sous ton sarrau;
Ta cahute, au niveau du fossé de la route,
Offre son toit de mousse à la chèvre qui broute;
Tu gagnes dans ton jour juste assez de pain noir
Pour manger le matin et pour jeûner le soir;
Et, fantôme suspect devant qui l'on recule[24],
Regardé de travers quand vient le crépuscule,
Pauvre au point d'alarmer les allants et venants,
Frère sombre et pensif des arbres frissonnants,
Tu laisses choir tes ans ainsi qu'eux leur feuillage;
Autrefois, homme alors dans la force de l'âge,
Quand tu vis que l'Europe implacable venait,
Et menaçait Paris et notre aube qui naît,
Et, mer d'hommes, roulait vers la France effarée,
Et le Russe et le Hun sur la terre sacrée
Se ruer, et le nord revomir Attila,
Tu te levas, tu pris ta fourche; en ces temps-là,
Tu fus, devant les rois qui tenaient la campagne,
Un des grands paysans de la grande Champagne.
C'est bien. Mais, vois, là-bas, le long du vert sillon,
Une calèche arrive, et, comme un tourbillon,
Dans la poudre du soir qu'à ton front tu secoues,
Mêle l'éclair du fouet au tonnerre des roues.
Un homme y dort. Vieillard, chapeau bas! Ce passant
Fit sa fortune à l'heure où tu versais ton sang[25];
Il jouait à la baisse, et montait à mesure
Que notre chute était plus profonde et plus sûre;
Il fallait un vautour à nos morts; il le fut;
Il fit, travailleur âpre et toujours à l'affût,
Suer à nos malheurs des châteaux et des rentes;
Moscou[26] remplit ses prés de meules odorantes;
Pour lui, Leipsick payait des chiens et des valets,
Et la Bérésina charriait un palais;
Pour lui, pour que cet homme ait des fleurs, des charmilles,
Des parcs dans Paris même ouvrant leurs larges grilles,
Des jardins où l'on voit le cygne errer sur l'eau,

Un million joyeux sortit de Waterloo;
Si bien que du désastre il a fait sa victoire,
Et que, pour la manger, et la tordre, et la boire,
Ce Shaylock[27], avec le sabre de Blucher,
A coupé sur la France une livre de chair.
Or, de vous deux, c'est toi qu'on hait, lui qu'on vénère;
Vieillard, tu n'es qu'un gueux, et ce millionnaire,
C'est l'honnête homme. Allons, debout, et chapeau bas!

Les carrefours sont pleins de chocs et de combats.
Les multitudes vont et viennent dans les rues.
Foules! sillons creusés par ces mornes charrues :
Nuit, douleur, deuil! champ triste où souvent a germé
Un épi qui fait peur à ceux qui l'ont semé!
Vie et mort! onde où l'hydre à l'infini s'enlace!
Peuple océan jetant l'écume populace!
Là sont tous les chaos et toutes les grandeurs;
Là, fauve[28], avec ses maux, ses horreurs, ses laideurs,
Ses larves, désespoirs, haines, désirs, souffrances,
Qu'on distingue à travers de vagues transparences,
Ses rudes appétits, redoutables aimants,
Ses prostitutions, ses avilissements,
Et la fatalité de ses mœurs imperdables,
La misère épaissit ses couches formidables.
Les malheureux sont là, dans le malheur reclus.
L'indigence, flux noir, l'ignorance, reflux,
Montent, marée affreuse, et, parmi les décombres,
Roulent l'obscur filet des pénalités sombres.
Le besoin fuit le mal qui le tente et le suit,
Et l'homme cherche l'homme à tâtons; il fait nuit;
Les petits enfants nus tendent leurs mains funèbres;
Le crime, antre béant, s'ouvre dans ces ténèbres;
Le vent secoue et pousse, en ses froids tourbillons,
Les âmes en lambeaux dans les corps en haillons;
Pas de cœur où ne croisse une aveugle chimère[29].
Qui grince des dents? L'homme. Et qui pleure? La
[mère.
Qui sanglote? La vierge aux yeux hagards et doux.

Qui dit : « J'ai froid? » L'aïeule. Et qui dit : « J'ai faim? »
Et le fond est horreur, et la surface est joie. [Tous!
Au-dessus de la faim, le festin qui flamboie,
Et sur le pâle amas des cris et des douleurs,
Les chansons et le rire et les chapeaux de fleurs[30]!
Ceux-là sont les heureux. Ils n'ont qu'une pensée :
A quel néant jeter la journée insensée?
Chiens, voitures, chevaux! cendre au reflet vermeil!
Poussière dont les grains semblent d'or au soleil[31]!
Leur vie est aux plaisirs sans fin, sans but, sans trêve,
Et se passe à tâcher d'oublier dans un rêve
L'enfer au-dessous d'eux et le ciel au-dessus.
Quand on voile Lazare, on efface Jésus[32].
Ils ne regardent pas dans les ombres moroses.
Ils n'admettent que l'air tout parfumé de roses,
La volupté, l'orgueil, l'ivresse, et le laquais,
Ce spectre galonné du pauvre, à leurs banquets.
Les fleurs couvrent les seins et débordent des vases.
Le bal[33], tout frissonnant de souffles et d'extases,
Rayonne, étourdissant ce qui s'évanouit;
Éden étrange fait de lumière et de nuit.
Les lustres aux plafonds laissent pendre leurs flammes[34],
Et semblent la racine ardente et pleine d'âmes
De quelque arbre céleste épanoui plus haut.
Noir paradis dansant sur l'immense cachot[35]!
Ils savourent, ravis, l'éblouissement sombre
Des beautés, des splendeurs, des quadrilles sans nombre,
Des couples, des amours, des yeux bleus, des yeux noirs.
Les valses, visions, passent dans les miroirs.
Parfois, comme aux forêts la fuite des cavales,
Les galops effrénés courent; par intervalles,
Le bal reprend haleine; on s'interrompt, on fuit,
On erre, deux à deux, sous les arbres sans bruit;
Puis, folle, et rappelant les ombres éloignées,
La musique, jetant les notes à poignées,
Revient, et les regards s'allument, et l'archet,
Bondissant, ressaisit la foule qui marchait.
O délire! et, d'encens et de bruit enivrées,

L'heure emporte en riant les rapides soirées.
Et les nuits et les jours, feuilles mortes des cieux.
D'autres, toute la nuit, roulent les dés joyeux[36],
Ou bien, âpre, et mêlant les cartes qu'ils caressent,
Où des spectres riants ou sanglants apparaissent[37],
Leur soif de l'or, penchée autour d'un tapis vert,
Jusqu'à ce qu'au volet le jour bâille entr'ouvert,
Poursuit le pharaon, le lansquenet ou l'hombre;
Et, pendant qu'on gémit et qu'on frémit dans l'ombre,
Pendant que les greniers grelottent sous les toits,
Que les fleuves, passants pleins de lugubres voix,
Heurtent aux grands quais blancs les glaçons qu'ils
[charrient,
Tous ces hommes contents de vivre, boivent, rient,
Chantent; et, par moments, on voit, au-dessus d'eux,
Deux poteaux soutenant un triangle hideux[38],
Qui sortent lentement du noir pavé des villes[39]... —

Ô forêts! bois profonds! solitudes! asiles!

Paris, juillet 1838.

III

SATURNE[1]

I

Il est des jours de brume et de lumière vague,
Où l'homme, que la vie à chaque instant confond,
Étudiant la plante, ou l'étoile, ou la vague,
S'accoude au bord croulant du problème sans fond[2];

Où le songeur, pareil aux antiques augures,
Cherchant Dieu, que jadis plus d'un voyant[3] surprit,
Médite[4] en regardant fixement les figures
Qu'on a dans l'ombre de l'esprit;

Où, comme en s'éveillant on voit, en reflets sombres,
Des spectres du dehors errer sur le plafond,
Il sonde le destin, et contemple les ombres
Que nos rêves jetés parmi les choses font!

Des heures où, pourvu qu'on[5] ait à sa fenêtre
Une montagne, un bois, l'océan qui dit tout,
Le jour prêt à mourir ou l'aube prête à naître,
En soi-même on voit tout à coup

Sur l'amour, sur les biens qui tous nous abandonnent,
Sur l'homme, masque vide et fantôme rieur,
Éclore des clartés effrayantes qui donnent
Des éblouissements à l'œil intérieur[6];

De sorte qu'une fois que ces visions glissent
Devant notre paupière en ce vallon d'exil,

Elles n'en sortent plus et pour jamais emplissent
L'arcade sombre du sourcil[7]!

II

Donc, puisque j'ai parlé de ces heures de doute
Où l'un trouve le calme et l'autre le remords[8],
Je ne cacherai pas au peuple qui m'écoute
Que je songe souvent à ce que font les morts;

Et que j'en suis venu — tant la nuit étoilée[9]
A fatigué de fois mes regards et mes vœux,
Et tant une pensée inquiète est mêlée
Aux racines de mes cheveux[10]! —

A croire qu'à la mort, continuant sa route,
L'âme, se souvenant de son humanité[11],
Envolée à jamais sous la céleste voûte,
A franchir l'infini passait l'éternité[12]!

Et que les morts voyaient l'extase et la prière,
Nos deux rayons[13], pour eux grandir bien plus encor,
Et qu'ils étaient pareils à la mouche[14] ouvrière,
Au vol rayonnant, aux pieds d'or.

Qui, visitant les fleurs pleines de chastes gouttes,
Semble une âme visible en ce monde réel,
Et, leur disant tout bas quelque mystère à toutes,
Leur laisse le parfum en leur prenant le miel[15]!

Et qu'ainsi, faits vivants par le sépulcre même,
Nous irions tous un jour, dans l'espace vermeil[16],
Lire l'œuvre infinie et l'éternel poème,
Vers à vers, soleil à soleil!

Admirer tout système en ses formes fécondes,
Toute création dans sa variété,

Et, comparant à Dieu chaque face des mondes,
Avec l'âme de tout confronter leur beauté[17]!

Et que chacun ferait ce voyage des âmes,
Pourvu qu'il ait souffert, pourvu qu'il ait pleuré.
Tous! hormis les méchants, dont les esprits infâmes[18]
Sont comme un livre déchiré[19].

Ceux-là, Saturne, un globe horrible et solitaire[20],
Les prendra pour le temps où Dieu voudra punir[21]
Châtiés à la fois par le ciel et la terre,
Par l'aspiration et par le souvenir[22]!

III

Saturne[23]! sphère énorme! astre aux aspects funèbres!
Bagne du ciel! prison dont le soupirail luit!
Monde en proie à la brume, aux souffles, aux ténèbres!
Enfer fait d'hiver et de nuit!

Son atmosphère flotte en zones tortueuses.
Deux anneaux[24] flamboyants, tournant avec fureur,
Font, dans son ciel d'airain, deux arches monstrueuses
D'où tombe une éternelle et profonde terreur.

Ainsi qu'une araignée au centre de sa toile,
Il tient sept lunes d'or[25] qu'il lie à ses essieux;
Pour lui, notre soleil, qui n'est plus qu'une étoile[26],
Se perd, sinistre, au fond des cieux!

Les autres univers, l'entrevoyant dans l'ombre,
Se sont épouvantés de ce globe hideux[27].
Tremblants, ils l'ont peuplé de chimères sans nombre,
En le voyant errer formidable autour d'eux[28]!

IV

Oh! ce serait vraiment un mystère sublime
Que ce ciel si profond, si lumineux, si beau,
Qui flamboie à nos yeux ouvert comme un abîme,
Fût l'intérieur du tombeau[29]!

Que tout se révélât à nos paupières closes!
Que, morts, ces grands destins nous fussent réservés!..
Qu'en est-il de ce rêve et de bien d'autres choses?
Il est certain, Seigneur, que seul vous le savez[30].

V

Il est certain aussi que, jadis, sur la terre[31],
Le patriarche, ému d'un redoutable[32] effroi,
Et les saints qui peuplaient la Thébaïde austère
Ont fait des songes comme moi;

Que, dans sa solitude auguste, le prophète
Voyait, pour son regard plein d'étranges rayons,
Par la même fêlure aux réalités faite,
S'ouvrir le monde obscur des pâles visions;

Et qu'à l'heure où le jour devant la nuit recule,
Ces sages que jamais l'homme, hélas! ne comprit[33],
Mêlaient, silencieux, au morne crépuscule
Le trouble de leur sombre esprit;

Tandis que l'eau sortait des sources cristallines,
Et que les grands lions, de moments en moments,
Vaguement apparus au sommet des collines,
Poussaient dans le désert de longs rugissements[34]!

Avril 1839.

IV

ÉCRIT AU BAS D'UN CRUCIFIX[1]

Vous qui pleurez, venez à ce Dieu, car il pleure.
Vous qui souffrez, venez à lui, car il guérit.
Vous qui tremblez, venez à lui, car il sourit.
Vous qui passez, venez à lui, car il demeure.

Mars 1842.

V

QUIA PULVIS ES[1]

CEUX-CI partent, ceux-là demeurent[2].
Sous le sombre aquilon, dont les mille voix pleurent,
Poussière et genre humain, tout s'envole à la fois.
Hélas! le même vent souffle, en l'ombre où nous [sommes,
Sur toutes les têtes des hommes,
Sur toutes les feuilles des bois[3].

Ceux qui restent à ceux qui passent[4]
Disent : — Infortunés! déjà vos fronts s'effacent.
Quoi! vous n'entendrez[5] plus la parole et le bruit!
Quoi! vous ne verrez plus ni le ciel ni les arbres!
Vous allez dormir sous les marbres!
Vous allez tomber dans la nuit! —

Ceux qui passent à ceux qui restent
Disent : — Vous n'avez rien à vous! vos pleurs l'at- [testent!
Pour vous, gloire et bonheur sont des mots décevants.
Dieu donne aux morts les biens réels, les vrais [royaumes[6].
Vivants! vous êtes des fantômes;
C'est nous qui sommes les vivants[7]! —

Février 1843.

VI

LA SOURCE[1]

Un lion habitait près d'une source; un aigle
Y venait boire aussi.
Or, deux héros un jour, deux rois — souvent Dieu règle
La destinée ainsi —
Vinrent à cette source, où des palmiers attirent
Le passant hasardeux,
Et, s'étant reconnus, ces hommes se battirent
Et tombèrent tous deux.

L'aigle, comme ils mouraient, vint planer sur leurs têtes,
Et leur dit, rayonnant :
— Vous trouviez l'univers trop petit, et vous n'êtes
Qu'une ombre maintenant!

O princes! et vos os, hier pleins de jeunesse,
Ne seront plus demain
Que des cailloux mêlés, sans qu'on les reconnaisse,
Aux pierres du chemin!

Insensés! à quoi bon cette guerre âpre et rude,
Ce duel, ce talion?... —
Je vis en paix, moi, l'aigle, en cette solitude
Avec lui, le lion.

Nous venons tous deux boire à la même fontaine,
Rois dans les mêmes lieux;
Je lui laisse le bois, la montagne et la plaine,
Et je garde les cieux.

Octobre 1846.

VII

LA STATUE[1]

Quand l'Empire romain tomba désespéré,
— Car, ô Rome, l'abîme où Carthage a sombré
Attendait que tu la suivisses[2]! —
Quand, n'ayant rien en lui de grand qu'il n'eût brisé,
Ce monde agonisa, triste, ayant épuisé
Tous les Césars[3] et tous les vices;

Quand il expira, vide et riche comme Tyr[4];
Tas d'esclaves ayant pour gloire de sentir
Le pied du maître sur leurs nuques;
Ivre de vin, de sang et d'or; continuant
Caton par Tigellin[5], l'astre par le néant,
Et les géants par les eunuques;

Ce fut un noir spectacle et dont on s'enfuyait[6].
Le pâle cénobite y songeait, inquiet,
Dans les antres visionnaires[7];
Et, pendant trois cents ans, dans l'ombre on entendit
Sur ce monde damné, sur ce festin maudit[8],
Un écroulement[9] de tonnerres.

Et Luxure, Paresse, Envie, Orgie, Orgueil,
Avarice et Colère, au-dessus de ce deuil,
Planèrent avec des huées[10];
Et, comme des éclairs sous le plafond des soirs,
Les glaives monstrueux des sept archanges noirs
Flamboyèrent dans les nuées.

Juvénal[11], qui peignit ce gouffre universel,
Est statue aujourd'hui; la statue est de sel,
Seule sous le nocturne dôme;
Pas un arbre à ses pieds; pas d'herbe et de rameaux;
Et dans son œil sinistre on lit ces sombres mots :
Pour avoir regardé Sodôme[12].

Février 1843.

VIII

Je lisais[1]. Que lisais-je? Oh! le vieux livre austère,
Le poème éternel! — La Bible? — Non, la terre[2].
Platon, tous les matins, quand revit le ciel bleu,
Lisait les vers d'Homère[3], et moi les fleurs de Dieu.
J'épèle les buissons, les brins d'herbe, les sources;
Et je n'ai pas besoin d'emporter dans mes courses
Mon livre sous mon bras, car je l'ai sous mes pieds.
Je m'en vais devant moi dans les lieux non frayés,
Et j'étudie à fond le texte, et je me penche,
Cherchant à déchiffrer la corolle et la branche.
Donc, courbé[4], — c'est ainsi qu'en marchant je traduis
La lumière en idée, en syllabes les bruits, —
J'étais en train de lire un champ, page fleurie.
Je fus interrompu dans cette rêverie;
Un doux martinet noir avec un ventre blanc[5]
Me parlait; il disait : — O pauvre homme, tremblant
Entre le doute morne et la foi qui délivre,
Je t'approuve. Il est bon de lire dans ce livre.
Lis toujours, lis sans cesse, ô penseur agité,
Et que les champs profonds t'emplissent de clarté!
Il est sain de toujours feuilleter la nature,
Car c'est la grande lettre et la grande écriture;
Car la terre, cantique où nous nous abîmons[6],
A pour versets les bois et pour strophes les monts!
Lis. Il n'est rien dans tout ce que peut sonder l'homme
Qui, bien questionné[7] par l'âme, ne se nomme.
Médite. Tout est plein de jour, même la nuit[8];
Et tout ce qui travaille, éclaire, aime ou détruit,

A des rayons : la roue au dur moyeu, l'étoile,
La fleur, et l'araignée[9] au centre de sa toile.
Rends-toi compte de Dieu. Comprendre, c'est aimer[10].
Les plaines où le ciel aide l'herbe à germer,
L'eau, les prés, sont autant de phrases où le sage
Voit serpenter des sens qu'il saisit au passage.
Marche au vrai. Le réel, c'est le juste, vois-tu;
Et voir la vérité, c'est trouver la vertu.
Bien lire l'univers, c'est bien lire la vie.
Le monde est l'œuvre où rien ne ment et ne dévie.
Et dont les mots sacrés répandent de l'encens[11].
L'homme injuste est celui qui fait des contre-sens[12].
Oui[13], la création tout entière, les choses,
Les êtres, les rapports, les éléments, les causes[14],
Rameaux dont le ciel clair perce le réseau noir,
L'arabesque des bois sur les cuivres du soir,
La bête, le rocher, l'épi d'or, l'aile peinte[15],
Tout cet ensemble obscur, végétation sainte,
Compose en se croisant ce chiffre[16] énorme : DIEU.
L'éternel est écrit dans ce qui dure peu;
Toute l'immensité, sombre, bleue, étoilée[17],
Traverse l'humble fleur, du penseur contemplée[18];
On voit les champs, mais c'est de Dieu qu'on s'éblouit.
Le lis que tu comprends en toi s'épanouit;
Les roses que tu lis s'ajoutent à ton âme[19].
Les fleurs chastes, d'où sort une invisible[20] flamme.
Sont les conseils que Dieu sème sur le chemin;
C'est l'âme qui les doit cueillir, et non la main.
Ainsi tu fais; aussi l'aube est sur ton front sombre;
Aussi tu deviens bon, juste et sage; et dans l'ombre
Tu reprends la candeur[21] sublime du berceau. —
Je répondis : — Hélas! tu te trompes, oiseau.
Ma chair, faite de cendre[22], à chaque instant succombe;
Mon âme ne sera blanche que dans la tombe;
Car l'homme, quoi qu'il fasse, est aveugle ou mé-
Et je continuai la lecture du champ. [chant[23]. —

Juillet 1843.

IX

JEUNE fille, la grâce[1] emplit tes dix-sept ans.
Ton regard dit : Matin, et ton front dit : Printemps.
Il semble que ta main porte un lis invisible[2].
Don Juan te voit passer et murmure : « Impossible! »
Sois belle. Sois bénie, enfant, dans ta beauté.
La nature s'égaye à toute ta clarté;
Tu fais une lueur sous les arbres; la guêpe
Touche ta joue en fleur de son aile de crêpe;
La mouche à tes yeux vole ainsi qu'à des flambeaux[3].
Ton souffle est un encens qui monte au ciel. Lesbos
Et les marins d'Hydra[4], s'ils te voyaient sans voiles,
Te prendraient pour l'Aurore[5] aux cheveux pleins [d'étoiles.
Les êtres de l'azur froncent leur pur sourcil,
Quand l'homme, spectre obscur du mal et de l'exil[6],
Ose approcher ton âme, aux rayons fiancée.
Sois belle. Tu te sens par l'ombre caressée,
Un ange vient baiser ton pied quand il est nu[7],
Et c'est ce qui te fait ton sourire ingénu.

Février 1843.

X

AMOUR[1]

Amour! « Loi », dit Jésus. « Mystère », dit Platon.
Sait-on quel fil nous lie au firmament[2]? Sait-on
Ce que les mains de Dieu dans l'immensité sèment[3]?
Est-on maître d'aimer? pourquoi deux êtres s'aimen
Demande à l'eau qui court, demande à l'air qui fuit,
Au moucheron qui vole à la flamme la nuit[4],
Au rayon d'or qui vient[5] baiser la grappe mûre!
Demande à ce qui chante, appelle, attend, murmure!
Demande aux nids profonds qu'avril met en émoi!
Le cœur éperdu crie : Est-ce que je sais, moi?
Cette femme a passé : je suis fou. C'est l'histoire[6].
Ses cheveux étaient blonds, sa prunelle était noire[7];
En plein midi, joyeuse, une fleur au corset,
Illumination du jour, elle passait;
Elle allait, la charmante, et riait, la superbe;
Ses petits pieds semblaient chuchoter avec l'herbe;
Un oiseau bleu[8] volait dans l'air, et me parla;
Et comment voulez-vous que j'échappe à cela?
Est-ce que je sais, moi? c'était au temps des roses;
Les arbres se disaient tout bas de douces choses;
Les ruisseaux l'ont voulu, les fleurs l'ont comploté.
J'aime! — O Bodin, Vouglans, Delancre[9]! prévôté
Bailliage, châtelet, grand'chambre, saint-office[10],
Demandez le secret de ce doux maléfice[11]
Aux vents, au frais printemps chassant l'hiver haga
Au philtre qu'un regard boit dans l'autre regard,
Au sourire qui rêve, à la voix qui caresse,
A ce magicien, à cette charmeresse!

Demandez aux sentiers traîtres qui, dans les bois,
Vous font recommencer les mêmes pas cent fois,
A la branche de mai, cette Armide[12] qui guette,
Et fait tourner sur nous en cercle sa baguette!
Demandez à la vie, à la nature, aux cieux,
Au vague enchantement des champs mystérieux!
Exorcisez le pré tentateur, l'antre, l'orme!
Faites, Cujas[13] au poing, un bon procès en forme
Aux sources dont le cœur écoute les sanglots[14],
Au soupir éternel des forêts et des flots.
Dressez procès-verbal contre les pâquerettes
Qui laissent les bourdons froisser leurs collerettes[15];
Instrumentez; tonnez. Prouvez que deux amants
Livraient leur âme aux[16] fleurs, aux bois, aux lacs dor-
[mants,
Et qu'ils ont fait un pacte avec la lune sombre,
Avec l'illusion, l'espérance aux yeux d'ombre,
Et l'extase chantant des hymnes inconnus[17],
Et qu'ils allaient tous deux, dès que brillait Vénus,
Sur l'herbe que la brise agite par bouffées,
Danser au bleu sabbat de ces nocturnes fées,
Éperdus, possédés d'un adorable ennui[18],
Elle n'étant plus elle et lui n'étant plus lui[19]!
Quoi! nous sommes encore aux temps où la Tournelle[20],
Déclarant la magie impie et criminelle,
Lui dressait un bûcher par arrêt de la cour,
Et le dernier sorcier qu'on brûle, c'est l'Amour!

Juillet 1843.

XI

?[1]

Une terre au flanc maigre, âpre, avare, inclément,
Où les vivants pensifs travaillent tristement[2],
Et qui donne à regret à cette race humaine
Un peu de pain pour tant de labeur et de peine;
Des hommes durs, éclos sur ces sillons ingrats[3];
Des cités d'où s'en vont, en se tordant les bras,
La charité, la paix, la foi, sœurs vénérables[4];
L'orgueil chez les puissants et chez les misérables[5];
La haine au cœur de tous; la mort, spectre sans yeux
Frappant sur les meilleurs des coups mystérieux;
Sur tous les hauts sommets[6] des brumes répandues;
Deux vierges, la justice et la pudeur, vendues[7];
Toutes les passions engendrant tous les maux[8];
Des forêts abritant des loups sous leurs rameaux;
Là le désert torride, ici les froids polaires;
Des océans émus de subites colères,
Pleins de mâts frissonnants[9] qui sombrent dans la nuit
Des continents couverts de fumée et de bruit,
Où, deux torches aux mains, rugit la guerre infâme[10]
Où toujours quelque part fume une ville en flamme,
Où se heurtent sanglants les peuples furieux[11]; —

Et que tout cela fasse un astre dans les cieux[12]!

Octobre 1840.

XII

EXPLICATION[1]

La terre est au soleil ce que l'homme est à l'ange.
L'un est fait de splendeur; l'autre est pétri de fange.
Toute étoile est soleil; tout astre est paradis.
Autour des globes purs sont les mondes maudits;
Et dans l'ombre, où l'esprit voit mieux que la lunette,
Le soleil paradis traîne l'enfer planète.
L'ange habitant de l'astre est faillible; et, séduit,
Il peut devenir l'homme habitant de la nuit.
Voilà ce que le vent m'a dit sur la montagne.

Tout globe obscur gémit; toute terre est un bagne
Où la vie en pleurant, jusqu'au jour du réveil,
Vient écrouer l'esprit qui tombe du soleil.
Plus le globe est lointain, plus le bagne est terrible.
La mort est là, vannant les âmes dans un crible,
Qui juge, et, de la vie invisible témoin,
Rapporte l'ange à l'astre ou le jette plus loin.

O globes sans rayons et presque sans aurores!
Énorme Jupiter fouetté de météores,
Mars qui semble de loin la bouche d'un volcan,
O nocturne Uranus, ô Saturne au carcan!
Châtiments inconnus! rédemptions! mystères!
Deuils! ô lunes encor plus mortes que les terres!
Ils souffrent; ils sont noirs; et qui sait ce qu'ils font?
L'ombre entend par moments leur cri rauque et pro-
[fond,

Comme on entend, le soir, la plainte des cigales.
Mondes spectres, tirant des chaînes inégales,
Ils vont, blêmes, pareils au rêve qui s'enfuit.
Rougis confusément d'un reflet dans la nuit,
Implorant un messie, espérant des apôtres,
Seuls, séparés, les uns en arrière des autres,
Tristes, échevelés par des souffles hagards,
Jetant à la clarté de farouches regards,
Ceux-ci, vagues, roulant dans les profondeurs morn
Ceux-là, presque engloutis dans l'infini sans bornes,
Ténébreux, frissonnants, froids, glacés, pluvieux,
Autour du paradis ils tournent envieux;
Et, du soleil, parmi les brumes et les ombres,
On voit passer au loin toutes ces faces sombres.

Novembre 1840.

XIII

LA CHOUETTE[1]

Une chouette était sur la porte clouée;
Larve de l'ombre au toit des hommes échouée.
La nature, qui mêle une âme aux rameaux verts,
Qui remplit tout, et vit, à des degrés divers,
Dans la bête sauvage et la bête de somme,
Toujours en dialogue avec l'esprit de l'homme,
Lui donne à déchiffrer les animaux, qui sont
Ses signes, alphabet formidable et profond;
Et, sombre, ayant pour mots[2] l'oiseau, le ver, l'insecte,
Parle deux langues : l'une, admirable et correcte,
L'autre, obscur bégaîment. L'éléphant aux pieds lourds,
Le lion, ce grand front de l'antre, l'aigle, l'ours,
Le taureau, le cheval, le tigre au bond superbe,
Sont le langage altier et splendide, le verbe;
Et la chauve-souris, le crapaud, le putois,
Le crabe, le hibou, le porc, sont le patois.
Or, j'étais là, pensif, bienveillant, presque tendre,
Épelant ce squelette, et tâchant de comprendre
Ce qu'entre les trois clous où son spectre pendait,
Aux vivants, aux souffrants, au bœuf triste, au baudet[3],
Disait, hélas! la pauvre et sinistre chouette,
Du côté noir de l'être informe silhouette.

*

Elle disait :

« Sur son front sombre[4]
Comme la brume se répand!

Il remplit tout le fond de l'ombre.
Comme sa tête morte pend!
De ses yeux coulent ses pensées[5].
Ses pieds troués, ses mains percées
Bleuissent à l'air glacial.
Oh! comme il saigne dans le gouffre!
Lui qui faisait le bien, il souffre
Comme moi qui faisais le mal[6].

« Une lumière à son front tremble.
Et la nuit dit au vent : « Soufflons
« Sur cette flamme! » et, tous ensemble,
Les ténèbres, les aquilons,
La pluie et l'horreur, froides bouches,
Soufflent, hagards, hideux, farouches,
Et dans la tempête et le bruit
La clarté reparaît grandie... —
Tu peux éteindre un incendie,
Mais pas une auréole, ô nuit[7]!

« Cette âme arriva sur la terre,
Qu'assombrit le soir incertain;
Elle entra dans l'obscur mystère
Que l'homme[8] appelle son destin;
Au mensonge, aux forfaits sans nombre,
A tout l'horrible essaim de l'ombre,
Elle livrait de saints combats[9];
Elle volait, et ses prunelles
Semblaient deux lueurs éternelles
Qui passaient dans la nuit d'en bas.

« Elle allait parmi les ténèbres[10],
Poursuivant, chassant, dévorant
Les vices, ces taupes funèbres,
Le crime, ce phalène errant[11];
Arrachant de leurs trous la haine,
L'orgueil, la fraude qui se traîne,
L'âpre envie, aspic du chemin,

Les vers de terre et les vipères,
Que la nuit cache dans les pierres
Et le mal dans le cœur humain!

« Elle cherchait ces infidèles,
L'Achab, le Nemrod, le Mathan[12],
Que, dans son temple et sous ses ailes,
Réchauffe le faux dieu Satan,
Les vendeurs cachés sous les porches[13],
Le brûleur allumant ses torches
Au même feu que l'encensoir[14];
Et, quand elle l'avait trouvée,
Toute la sinistre couvée
Se hérissait sous l'autel noir.

« Elle allait, délivrant les hommes
De leurs ennemis ténébreux;
Les hommes, noirs comme nous[15] sommes,
Prirent l'esprit luttant pour eux;
Puis ils clouèrent, les infâmes,
L'âme qui défendait leurs âmes,
L'être dont l'œil jetait du jour;
Et leur foule, dans sa démence,
Railla cette chouette immense
De la lumière et de l'amour[16]!

« Race qui frappes et lapides[17],
Je te plains! hommes, je vous plains!
Hélas! je plains vos poings stupides,
D'affreux clous et de marteaux pleins!
Vous persécutez pêle-mêle
Le mal, le bien, la griffe et l'aile[18],
Chasseurs sans but, bourreaux sans yeux!
Vous clouez de vos mains mal sûres
Les hiboux au seuil des masures,
Et Christ sur la porte des cieux! »

Mai 1843.

XIV

A LA MÈRE DE L'ENFANT MORT[1]

OH ! vous aurez trop dit au pauvre petit ange
Qu'il est d'autres anges là-haut,
Que rien ne souffre au ciel, que jamais rien n'y chang
Qu'il est doux d'y rentrer bientôt;

Que le ciel est un dôme aux merveilleux pilastres[2],
Une tente aux riches couleurs,
Un jardin bleu rempli de lis qui sont des astres,
Et d'étoiles qui sont des fleurs[3];

Que c'est un lieu joyeux plus qu'on ne saurait dire,
Où toujours, se laissant charmer,
On a les chérubins pour jouer et pour rire,
Et le bon Dieu pour nous aimer;

Qu'il est doux d'être un cœur qui brûle comme u
Et de vivre, en toute saison, [cierg
Près de l'enfant Jésus et de la sainte Vierge
Dans une si belle maison!

Et puis vous n'aurez pas assez dit, pauvre mère,
A ce fils si frêle et si doux,
Que vous étiez à lui dans cette vie amère,
Mais aussi qu'il était à vous;

Que, tant qu'on est petit, la mère sur nous veille,
Mais que plus tard on la défend;
Et qu'elle aura besoin, quand elle sera vieille,
D'un homme qui soit son enfant;

Vous n'aurez point assez dit à cette jeune âme
Que Dieu veut qu'on reste ici-bas,
La femme guidant l'homme et l'homme aidant la femme,
Pour les douleurs et les combats;

Si bien qu'un jour, ô deuil! irréparable perte!
Le doux être s'en est allé!... —
Hélas! vous avez donc laissé la cage ouverte,
Que votre oiseau s'est envolé[4]!

Avril 1843.

XV

ÉPITAPHE[1]

Il vivait, il jouait, riante créature.
Que te sert d'avoir pris cet enfant, ô nature?
N'as-tu pas les oiseaux peints de mille couleurs[2],
Les astres, les grands bois, le ciel bleu, l'onde amère[3]
Que te sert d'avoir pris cet enfant à sa mère,
Et de l'avoir caché sous des touffes de fleurs[4]?

Pour cet enfant de plus tu n'es pas plus peuplée,
Tu n'es pas plus joyeuse, ô nature étoilée!
Et le cœur de la mère en proie à tant de soins,
Ce cœur où toute joie engendre une torture,
Cet abîme aussi grand que toi-même, ô nature[5],
Est vide et désolé pour cet enfant de moins!

Mai 1843.

XVI

LE MAÎTRE D'ÉTUDES[1]

Ne le tourmentez pas, il souffre[2]. Il est celui
Sur qui, jusqu'à ce jour, pas un rayon n'a lui;
Oh! ne confondez pas l'esclave avec le maître[3]!
Et, quand vous le voyez dans vos rangs apparaître,
Humble et calme, et s'asseoir la tête dans ses mains,
Ayant peut-être en lui l'esprit des vieux Romains
Dont il vous dit les noms, dont il vous lit les livres,
Écoliers, frais enfants de joie et d'aurore ivres,
Ne le tourmentez pas! soyez doux, soyez bons.
Tous nous portons la vie et tous nous nous courbons;
Mais, lui, c'est le flambeau qui la nuit se consomme[4];
L'ombre le tient captif, et ce pâle jeune homme,
Enfermé plus que vous, plus que vous enchaîné,
Votre frère, écoliers, et votre frère aîné,
Destin tronqué, matin noyé dans les ténèbres,
Ayant l'ennui[5] sans fin devant ses yeux funèbres,
Indigent, chancelant, et cependant vainqueur,
Sans oiseaux dans son ciel, sans amours dans son cœur,
A l'heure du plein jour, attend que l'aube naisse.
Enfance, ayez pitié de la sombre jeunesse!

Apprenez à connaître, enfants qu'attend l'effort,
Les inégalités des âmes et du sort;
Respectez-le deux fois, dans le deuil qui le mine,
Puisque de deux sommets, enfants, il vous domine,
Puisqu'il est le plus pauvre et qu'il est le plus grand.
Songez que, triste, en butte au souci dévorant,
A travers ses douleurs, ce fils de la chaumière

Vous verse la raison, le savoir, la lumière,
Et qu'il vous donne l'or, et qu'il n'a pas de pain.
Oh! dans la longue salle aux tables de sapin,
Enfants, faites silence à la lueur des lampes!
Voyez, la morne angoisse a fait blêmir ses tempes :
Songez qu'il saigne, hélas! sous ses pauvres habits.
L'herbe[6] que mord la dent cruelle des brebis,
C'est lui; vous riez, vous, et vous lui rongez l'âme.
Songez qu'il agonise, amer, sans air, sans flamme;
Que sa colère dit : Plaignez-moi; que ses pleurs
Ne peuvent pas couler devant vos yeux railleurs!
Aux heures du travail votre ennui le dévore,
Aux heures du plaisir vous le rongez encore;
Sa pensée, arrachée et froissée, est à vous,
Et, pareille au papier qu'on distribue à tous,
Page blanche d'abord, devient lentement noire.
Vous feuilletez son cœur, vous videz sa mémoire;
Vos mains, jetant chacune un bruit, un trouble, un mot,
Et raturant l'idée en lui dès qu'elle éclôt,
Toutes en même temps dans son esprit écrivent.
Si des rêves, parfois, jusqu'à son front arrivent,
Vous répandez votre encre à flots sur cet azur;
Vos plumes, tas d'oiseaux hideux au vol obscur,
De leurs mille becs noirs lui fouillent la cervelle.
Le nuage d'ennui passe et se renouvelle.
Dormir, il ne le peut; penser, il ne le peut.
Chaque enfant est un fil dont son cœur sent le nœud.
Oui, s'il veut songer, fuir, oublier, franchir l'ombre,
Laisser voler son âme aux chimères sans nombre,
Ces écoliers joueurs, vifs, légers, doux, aimants,
Pèsent sur lui, de l'aube au soir, à tous moments,
Et le font retomber des voûtes immortelles;
Et tous ces papillons sont le plomb de ses ailes[7].
Saint et grave martyr changeant de chevalet,
Crucifié par vous, bourreaux charmants[8], il est
Votre souffre-douleurs et votre souffre-joies;
Ses nuits sont vos hochets et ses jours sont vos proies
Il porte sur son front votre essaim orageux;

Il a toujours vos bruits, vos rires et vos jeux,
Tourbillonnant sur lui comme une âpre tempête.
Hélas! il est le deuil dont vous êtes la fête;
Hélas! il est le cri dont vous êtes le chant.

Et, qui sait? sans rien dire, austère, et se cachant
De sa bonne action comme d'une mauvaise,
Ce pauvre être qui rêve accoudé sur sa chaise,
Mal nourri, mal vêtu, qu'un mendiant plaindrait,
Peut-être a des parents qu'il soutient en secret,
Et fait de ses labeurs, de sa faim, de ses veilles,
Des siècles dont sa voix vous traduit les merveilles,
Et de cette sueur qui coule sur sa chair,
Des rubans au printemps, un peu de feu l'hiver,
Pour quelque jeune sœur ou quelque vieille mère;
Changeant en goutte d'eau la sombre larme amère;
De sorte que, vivant à son ombre sans bruit,
Une colombe vient la boire dans la nuit[9]!
Songez que pour cette œuvre, enfants, il se dévoue,
Brûle ses yeux, meurtrit son cœur, tourne la roue,
Traîne la chaîne! hélas, pour lui, pour son destin,
Pour ses espoirs perdus à l'horizon lointain,
Pour ses vœux, pour son âme aux fers, pour sa prunelle,
Votre cage d'un jour est prison éternelle!
Songez que c'est sur lui que marchent tous vos pas!
Songez qu'il ne rit pas, songez qu'il ne vit pas!
L'avenir, cet avril plein de fleurs, vous convie[10];
Vous vous envolerez demain en pleine vie;
Vous sortirez de l'ombre, il restera. Pour lui,
Demain sera muet et sourd comme aujourd'hui;
Demain, même en juillet, sera toujours décembre,
Toujours l'étroit préau, toujours la pauvre chambre,
Toujours le ciel glacé, gris, blafard, pluvieux;
Et, quand vous serez grands, enfants, il sera vieux.
Et, si quelque heureux vent ne souffle et ne l'emporte,
Toujours il sera là, seul sous la sombre porte,
Gardant les beaux enfants sous ce mur redouté,
Ayant tout de leur peine et rien de leur gaîté.

Oh! que votre pensée aime, console, encense
Ce sublime forçat du bagne d'innocence!
Pesez ce qu'il prodigue avec ce qu'il reçoit.
Oh! qu'il se transfigure à vos yeux, et qu'il soit
Celui qui vous grandit, celui qui vous élève,
Qui donne à vos raisons les deux tranchants du glaive,
Art et science, afin qu'en marchant au tombeau[11],
Vous viviez pour le vrai, vous luttiez pour le beau!
Oh! qu'il vous soit sacré dans cette tâche auguste
De conduire à l'utile, au sage, au grand, au juste,
Vos âmes en tumulte à qui le ciel sourit!
Quand les cœurs sont troupeau, le berger est esprit.

Et, pendant qu'il est là, triste, et que dans la classe[12]
Un chuchotement vague endort son âme lasse,
Oh! des poètes purs entr'ouverts sur vos bancs,
Qu'il[13] sorte, dans le bruit confus des soirs tombants,
Qu'il sorte de Platon, qu'il sorte d'Euripide,
Et de Virgile, cygne errant du vers limpide,
Et d'Eschyle, lion du drame monstrueux[14],
Et d'Horace, et d'Homère à demi dans les cieux,
Qu'il sorte, pour sa tête aux saints travaux baissée,
Pour l'humble défricheur de la jeune pensée,
Qu'il sorte, pour ce front qui se penche et se fend[15]
Sur ce sillon humain qu'on appelle l'enfant,
De tous ces livres pleins de hautes harmonies,
La bénédiction sereine des génies!

Juin 1843.

XVII

CHOSE VUE UN JOUR DE PRINTEMPS[1]

ENTENDANT des sanglots, je poussai cette porte.
Les quatre enfants pleuraient et la mère était morte.
Tout dans ce lieu lugubre effrayait le regard.
Sur le grabat gisait le cadavre hagard;
C'était déjà la tombe et déjà le fantôme.
Pas de feu; le plafond laissait passer le chaume.
Les quatre enfants songeaient comme quatre vieillards.
On voyait, comme une aube à travers des brouillards,
Aux lèvres de la morte un sinistre sourire[2];
Et l'aîné, qui n'avait que six ans, semblait dire :
« Regardez donc cette ombre où le sort nous a mis! »

Un crime en cette chambre avait été commis.
Ce crime, le voici : — Sous le ciel qui rayonne,
Une femme est candide, intelligente, bonne;
Dieu, qui la suit d'en haut d'un regard attendri,
La fit pour être heureuse. Humble, elle a pour mari[3]
Un ouvrier; tous deux, sans aigreur, sans envie,
Tirent d'un pas égal le licou de la vie.
Le choléra[4] lui prend son mari; la voilà
Veuve avec la misère et quatre enfants qu'elle a.
Alors, elle se met au labeur comme un homme.
Elle est active, propre, attentive, économe;
Pas de drap à son lit, pas d'âtre à son foyer;
Elle ne se plaint pas, sert qui veut l'employer,
Ravaude de vieux bas, fait des nattes de paille,
Tricote, file, coud, passe les nuits, travaille

Pour nourrir ses enfants; elle est honnête enfin.
Un jour, on va chez elle, elle est morte de faim.

Oui, les buissons étaient remplis de rouges-gorges,
Les lourds marteaux sonnaient dans la lueur des forges [5],
Les masques abondaient dans les bals, et partout
Les baisers soulevaient la dentelle du loup;
Tout vivait; les marchands comptaient de grosses [sommes;
On entendait rouler les chars, rire les hommes;
Les wagons ébranlaient les plaines; le steamer
Secouait son panache au-dessus de la mer;
Et, dans cette rumeur de joie et de lumière [6],
Cette femme étant seule au fond de sa chaumière,
La faim, goule effarée aux hurlements plaintifs [7],
Maigre et féroce, était entrée à pas furtifs,
Sans bruit, et l'avait prise à la gorge, et tuée [8].

La faim, c'est le regard de la prostituée [9],
C'est le bâton ferré du bandit, c'est la main
Du pâle enfant volant un pain sur le chemin,
C'est la fièvre du pauvre oublié, c'est le râle
Du grabat naufragé dans l'ombre sépulcrale.
O Dieu! la sève abonde, et, dans ses flancs troublés,
La terre est pleine d'herbe et de fruits et de blés,
Dès que l'arbre a fini, le sillon recommence;
Et, pendant que tout vit, ô Dieu, dans ta clémence [10],
Que la mouche connaît la feuille du sureau,
Pendant que l'étang donne à boire au passereau,
Pendant que le tombeau nourrit les vautours chauves
Pendant que la nature, en ses profondeurs fauves [11],
Fait manger le chacal, l'once et le basilic,
L'homme expire! — Oh! la faim, c'est le crime public
C'est l'immense assassin [12] qui sort de nos ténèbres.

Dieu! pourquoi l'orphelin, dans ses langes funèbres
Dit-il : « J'ai faim! » L'enfant, n'est-ce pas un oiseau [13]
Pourquoi le nid a-t-il ce qui manque au berceau [14]?

Avril 1840.

XVIII

INTÉRIEUR[1]

La querelle irritée, amère, à l'œil ardent,
Vipère dont la haine empoisonne la dent[2],
Siffle et trouble le toit d'une pauvre demeure.
Les mots heurtent les mots. L'enfant s'effraie et pleure.
La femme et le mari laissent l'enfant crier.

— D'où viens-tu? — Qu'as-tu fait? — Oh! mauvais
[ouvrier!
Il vit dans la débauche et mourra sur la paille.
— Femme vaine et sans cœur qui jamais ne travaille!
— Tu sors du cabaret? — Quelque[3] amant est venu?
— L'enfant pleure, l'enfant a faim, l'enfant est nu.
Pas de pain. — Elle a peur de salir ses mains blanches!
— Où cours-tu tous les jours? — Et toi, tous les di-
[manches?
— Va boire! — Va danser! — Il n'a ni feu ni lieu!
— Ta fille seulement ne sait pas prier Dieu!
— Et ta mère, bandit, c'est toi qui l'as tuée!
— Paix! — Silence, assassin! — Tais-toi, prostituée!

Un beau soleil couchant, empourprant le taudis[4],
Embrasait la fenêtre et le plafond, tandis
Que ce couple hideux, que rend deux fois infâme
La misère du cœur et la laideur de l'âme,
Étalait son ulcère et ses difformités
Sans honte, et sans pudeur montrait ses nudités.

Et leur vitre, où pendait un vieux haillon de toile,
Était, grâce au soleil, une éclatante étoile
Qui, dans ce même instant, vive et pure lueur,
Éblouissait au loin quelque passant rêveur!

Septembre 1841.

XIX

BARAQUES DE LA FOIRE[1]

LION! j'étais pensif, ô bête prisonnière,
Devant la majesté de ta grave crinière[2];
Du plafond de ta cage elle faisait un dais[3].
Nous songions tous les deux, et tu me regardais[4].
Ton regard était beau, lion. Nous autres hommes[5],
Le peu que nous faisons et le rien que nous sommes,
Emplit notre pensée, et dans nos regards vains
Brillent nos plans chétifs que nous croyons divins,
Nos vœux, nos passions que notre orgueil encense,
Et notre petitesse, ivre de sa puissance;
Et, bouffis d'ignorance ou gonflés de venin,
Notre prunelle éclate et dit : Je suis ce nain!
Nous avons dans nos yeux notre moi misérable.
Mais la bête qui vit sous le chêne et l'érable,
Qui paît le thym, ou fuit dans les halliers profonds,
Qui dans les champs, où nous, hommes, nous étouf-
[fons[6],
Respire, solitaire, avec l'astre et la rose,
L'être sauvage, obscur et tranquille qui cause
Avec la roche énorme et les petites fleurs[7],
Qui, parmi les vallons et les sources en pleurs,
Plonge son mufle roux aux herbes non foulées,
La brute qui rugit sous les nuits constellées,
Qui rêve et dont les pas fauves et familiers
De l'antre formidable ébranlent les piliers,
Et qui se sent à peine en ces profondeurs sombres,
A sous son fier sourcil les monts, les vastes ombres,

Les étoiles, les prés, le lac serein, les cieux,
Et le mystère obscur des bois silencieux[8],
Et porte en son œil calme, où l'infini commence,
Le regard éternel de la nature immense[9].

Juin 1842.

XX

INSOMNIE[1]

Quand une lueur pâle à l'orient se lève,
Quand la porte du jour, vague et pareille au rêve,
Commence à s'entr'ouvrir et blanchit l'horizon,
Comme l'espoir blanchit le seuil d'une prison[2],
Se réveiller, c'est bien, et travailler, c'est juste.
Quand le matin à Dieu chante son hymne auguste,
Le travail, saint tribut dû par l'homme mortel,
Est la strophe sacrée au pied du sombre autel;
Le soc murmure un psaume; et c'est un chant[3] sublime
Qui, dès l'aurore, au fond des forêts, sur l'abîme,
Au bruit de la cognée, au choc des avirons,
Sort des durs matelots et des noirs bûcherons[4].

Mais, au milieu des nuits, s'éveiller! quel mystère!
Songer, sinistre et seul, quand tout dort sur la terre!
Quand pas un œil vivant ne veille, pas un feu;
Quand les sept chevaux d'or du grand chariot bleu
Rentrent à l'écurie et descendent au pôle[5],
Se sentir dans son lit soudain toucher l'épaule
Par quelqu'un d'inconnu qui dit : Allons! c'est moi!
Travaillons! — La chair gronde et demande pourquoi[6].
— Je dors. Je suis très las de la course dernière;
Ma paupière est encor du somme prisonnière;
Maître mystérieux, grâce! que me veux-tu?
Certe, il faut que tu sois un démon bien têtu
De venir m'éveiller toujours quand tout repose!
Aie un peu de raison. Il est encor nuit close;

Regarde, j'ouvre l'œil puisque cela te plaît;
Pas la moindre lueur aux fentes du volet;
Va-t'en! je dors, j'ai chaud, je rêve à ma maîtresse.
Elle faisait flotter[7] sur moi sa longue tresse,
D'où pleuvaient sur mon front des astres et des fleurs
Va-t'en, tu reviendras demain, au jour, ailleurs.
Je te tourne le dos, je ne veux pas! décampe!
Ne pose pas ton doigt de braise sur ma tempe[8].
La biche illusion[9] me mangeait dans le creux
De la main; tu l'as fait enfuir. J'étais heureux,
Je ronflais comme un bœuf; laisse-moi. C'est stupide
Ciel! déjà ma pensée, inquiète et rapide,
Fil sans bout, se dévide et tourne à ton fuseau.
Tu m'apportes un vers, étrange et fauve oiseau
Que tu viens de saisir dans les pâles nuées.
Je n'en veux pas. Le vent, de ses tristes huées,
Emplit l'antre des cieux; les souffles, noirs dragons,
Passent en secouant ma porte sur ses gonds.
— Paix-là! va-t'en, bourreau! quant au vers, je le
[lâche. -
Je veux toute la nuit dormir comme un vieux lâche[1]
Voyons, ménage un peu ton pauvre compagnon.
Je suis las, je suis mort, laisse-moi dormir!

— No
Est-ce que je dors, moi? dit l'idée implacable.
Penseur, subis ta loi; forçat, tire ton câble.
Quoi! cette bête a goût au vil foin du sommeil!
L'orient est pour moi toujours clair et vermeil.
Que m'importe le corps! qu'il marche, souffre et meur
Horrible esclave, allons, travaille! c'est mon heure.

Et l'ange étreint Jacob, et l'âme tient le corps[11];
Nul moyen de lutter; et tout revient alors,
Le drame commencé dont l'ébauche frissonne,
Ruy Blas, Marion, Job, Sylva, son cor qui sonne[12],
Ou le roman pleurant avec des yeux humains,
Ou l'ode qui s'enfonce en deux profonds chemins,

Dans l'azur près d'Horace et dans l'ombre avec Dante[13];
Il faut dans ces labeurs rentrer la tête ardente;
Dans ces grands horizons subitement rouverts,
Il faut de strophe en strophe, il faut de vers en vers,
S'en aller devant soi, pensif, ivre de l'ombre;
Il faut[14], rêveur nocturne en proie à l'esprit sombre,
Gravir le dur sentier de l'inspiration;
Poursuivre la lointaine et blanche vision,
Traverser, effaré, les clairières désertes,
Le champ plein de tombeaux, les eaux, les herbes vertes,
Et franchir la forêt, le torrent, le hallier,
Noir cheval galopant sous le noir cavalier[15].

1843, nuit.

XXI

ÉCRIT SUR LA PLINTHE D'UN BAS-RELIEF ANTIQUE

— A MADEMOISELLE LOUISE B.[1] —

La musique est dans tout. Un hymne sort du monde[2]
Rumeur de la galère aux flancs lavés par l'onde,
Bruits des villes, pitié de la sœur pour la sœur,
Passion des amants jeunes et beaux, douceur
Des vieux époux usés ensemble par la vie,
Fanfare de la plaine émaillée et ravie,
Mots échangés le soir sur les seuils fraternels[3],
Sombre tressaillement des chênes éternels,
Vous êtes l'harmonie et la musique même!
Vous êtes les soupirs qui font le chant suprême[4]!
Pour notre âme, les jours, la vie et les saisons,
Les songes de nos cœurs, les plis des horizons,
L'aube et ses pleurs, le soir et ses grands incendies,
Flottent dans un réseau de vagues mélodies[5];
Une voix dans les champs nous parle, une autre voi
Dit à l'homme autre chose et chante dans les bois.
Par moment, un troupeau bêle, une cloche tinte[6].
Quand par l'ombre, la nuit, la colline est atteinte,
De toutes parts on voit danser et resplendir[7],
Dans le ciel étoilé du zénith au nadir,
Dans la voix des oiseaux, dans le cri des cigales[8],
Le groupe éblouissant des notes inégales.
Toujours avec notre âme un doux bruit[9] s'accoupla;
La nature nous dit : Chante! et c'est pour cela
Qu'un statuaire ancien sculpta sur cette pierre[10]
Un pâtre sur sa flûte abaissant sa paupière[11].

Juin 1833.

XXII

La clarté du dehors[1] ne distrait pas mon âme.
La plaine chante et rit comme une jeune femme;
Le nid palpite dans les houx;
Partout la gaîté luit dans les bouches ouvertes[2];
Mai, couché dans la mousse au fond des grottes vertes,
Fait aux amoureux les yeux doux[3].

Dans les champs de luzerne et dans les champs de fèves,
Les vagues[4] papillons errent pareils aux rêves;
Le blé vert sort des sillons bruns;
Et les abeilles d'or courent à la pervenche,
Au thym, au liseron, qui tend son urne blanche
A ces buveuses de parfums[5].

La nue étale au ciel ses pourpres et ses cuivres;
Les arbres, tout gonflés de printemps, semblent ivres;
Les branches, dans leurs doux ébats,
Se jettent les oiseaux du bout de leurs raquettes[6];
Le bourdon galonné fait aux roses coquettes
Des propositions tout bas.

Moi, je laisse voler les senteurs et les baumes,
Je laisse chuchoter les fleurs, ces doux fantômes[7],
Et l'aube dire : Vous vivrez!
Je regarde en moi-même, et, seul, oubliant l'heure,
L'œil plein des visions de l'ombre intérieure,
Je songe aux morts, ces délivrés[8]!

Encore un peu de temps[9], encore, ô mer superbe,
Quelques reflux; j'aurai ma tombe aussi dans l'herbe,
Blanche au milieu du frais gazon,
A l'ombre de quelque arbre où le lierre s'attache;
On y lira : — Passant, cette pierre te cache
La ruine d'une prison[10].

Ingouville, mai 1843.

XXIII

LE REVENANT[1]

MÈRES en deuil, vos cris là-haut sont entendus.
Dieu, qui tient dans sa main tous les oiseaux perdus[2],
Parfois au même nid rend la même colombe.
O mères, le berceau communique à la tombe.
L'éternité contient plus d'un divin secret.

La mère dont je vais vous parler demeurait
A Blois[3]; je l'ai connue en un temps plus prospère;
Et sa maison touchait à celle de mon père.
Elle avait tous les biens que Dieu donne ou permet.
On l'avait mariée à l'homme qu'elle aimait.
Elle eut un fils; ce fut une ineffable joie.

Ce premier-né couchait dans un berceau de soie;
Sa mère l'allaitait; il faisait un doux bruit
A côté du chevet nuptial; et, la nuit,
La mère ouvrait son âme aux chimères sans nombre,
Pauvre mère, et ses yeux resplendissaient dans l'ombre,
Quand, sans souffle, sans voix, renonçant au sommeil,
Penchée, elle écoutait dormir l'enfant vermeil.
Dès l'aube, elle chantait, ravie et toute fière.

Elle se renversait sur sa chaise en arrière,
Son fichu laissant voir son sein gonflé de lait,
Et souriait au faible enfant, et l'appelait
Ange, trésor, amour; et mille folles choses[4].
Oh! comme elle baisait ces beaux petits pieds roses!
Comme elle leur parlait! l'enfant, charmant et nu,

Riait, et, par ses mains sous les bras soutenu,
Joyeux, de ses genoux montait jusqu'à sa bouche.

Tremblant comme le daim qu'une feuille effarouche,
Il grandit. Pour l'enfant, grandir, c'est chanceler.
Il se mit à marcher, il se mit à parler,
Il eut trois ans; doux âge, où déjà la parole,
Comme le jeune oiseau, bat de l'aile et s'envole[5].
Et la mère disait : « Mon fils! » et reprenait :
« Voyez comme il est grand! il apprend; il connaît
Ses lettres. C'est un diable! Il veut que je l'habille
En homme; il ne veut plus de ses robes de fille;
C'est déjà très méchant, ces petits hommes-là!
C'est égal, il lit bien; il ira loin; il a
De l'esprit; je lui fais épeler l'Évangile. » —
Et ses yeux adoraient cette tête fragile,
Et, femme heureuse, et mère au regard triomphant,
Elle sentait son cœur battre dans son enfant.

Un jour, — nous avons tous de ces dates funèbres! —
Le croup, monstre hideux, épervier des ténèbres[6],
Sur la blanche maison brusquement s'abattit,
Horrible, et, se ruant sur le pauvre petit,
Le saisit à la gorge; ô noire maladie!
De l'air par qui l'on vit sinistre perfidie[7]!
Qui n'a vu se débattre, hélas! ces doux enfants
Qu'étreint le croup féroce en ses doigts étouffants!
Ils luttent; l'ombre emplit lentement leurs yeux d'ange,
Et de leur bouche froide il sort un râle étrange,
Et si mystérieux, qu'il semble qu'on entend,
Dans leur poitrine, où meurt le souffle haletant,
L'affreux coq du tombeau chanter son aube obscure[8].
Tel qu'un fruit qui du givre a senti la piqûre,
L'enfant mourut. La mort entra comme un voleur[9]
Et le prit. — Une mère, un père, la douleur,
Le noir cercueil, le front qui se heurte aux murailles,
Les lugubres sanglots qui sortent des entrailles,

Oh! la parole expire où commence le cri;
Silence aux mots humains!

La mère au cœur meurtri,
Pendant qu'à ses côtés pleurait le père sombre,
Resta trois mois sinistre, immobile dans l'ombre,
L'œil fixe, murmurant on ne sait quoi d'obscur,
Et regardant toujours le même angle du mur.
Elle ne mangeait pas; sa vie était sa fièvre;
Elle ne répondait à personne; sa lèvre
Tremblait; on l'entendait, avec un morne effroi,
Qui disait à voix basse à quelqu'un : — Rends-le-
[moi[10]! —
Et le médecin dit au père : — Il faut distraire
Ce cœur triste, et donner à l'enfant mort un frère. —
Le temps passa; les jours, les semaines, les mois.

Elle se sentit mère une seconde fois.

Devant le berceau froid de son ange éphémère,
Se rappelant l'accent dont il disait : — Ma mère, —
Elle songeait, muette, assise sur son lit.
Le jour où, tout à coup, dans son flanc tressaillit
L'être inconnu promis à notre aube mortelle,
Elle pâlit. — Quel est cet étranger? dit-elle.
Puis elle cria, sombre et tombant à genoux :
— Non, non, je ne veux pas! non! tu serais jaloux!
O mon doux endormi, toi que la terre glace,
Tu dirais : « On m'oublie; un autre a pris ma place;
« Ma mère l'aime, et rit; elle le trouve beau,
« Elle l'embrasse, et, moi, je suis dans mon tombeau! »
Non, non! —

Ainsi pleurait cette douleur profonde.

Le jour vint; elle mit un autre enfant au monde,
Et le père joyeux cria : — C'est un garçon.
Mais le père était seul joyeux dans la maison;

La mère restait morne, et la pâle accouchée,
Sur l'ancien souvenir tout entière penchée,
Rêvait; on lui porta l'enfant sur un coussin;
Elle se laissa faire et lui donna le sein;
Et tout à coup, pendant que, farouche, accablée,
Pensant au fils nouveau moins qu'à l'âme envolée,
Hélas! et songeant moins aux langes qu'au linceul,
Elle disait : — Cet ange en son sépulcre est seul!
— O doux miracle! ô mère au bonheur revenue! —
Elle entendit, avec une voix bien connue,
Le nouveau-né parler dans l'ombre entre ses bras,
Et tout bas murmurer : — C'est moi. Ne le dis pas.

Août 1843.

XXIV

AUX ARBRES[1]

Arbres de la forêt, vous connaissez mon âme!
Au gré des envieux[2] la foule loue et blâme;
Vous me connaissez, vous! — vous m'avez vu souvent,
Seul dans vos profondeurs, regardant et rêvant.
Vous le savez, la pierre où court un scarabée[3],
Une humble goutte d'eau de fleur en fleur tombée,
Un nuage, un oiseau, m'occupent tout un jour.
La contemplation m'emplit le cœur d'amour[4].
Vous m'avez vu cent fois, dans la vallée obscure,
Avec ces mots que dit l'esprit à la nature,
Questionner tout bas vos rameaux palpitants,
Et du même regard poursuivre en même temps,
Pensif, le front baissé, l'œil dans l'herbe profonde[5],
L'étude d'un atome et l'étude du monde[6].
Attentif à vos bruits qui parlent tous un peu,
Arbres, vous m'avez vu fuir l'homme et chercher Dieu[7]!
Feuilles qui tressaillez à la pointe des branches,
Nids dont le vent au loin sème les plumes blanches,
Clairières, vallons verts[8], déserts sombres et doux,
Vous savez que je suis calme et pur comme vous.
Comme au ciel vos parfums, mon culte à Dieu s'élance,
Et je suis plein d'oubli comme vous de silence[9]!
La haine sur mon nom répand en vain son fiel;
Toujours, — je vous atteste, ô bois aimés du ciel! —
J'ai chassé loin de moi toute pensée amère,
Et mon cœur est encor tel que le fit ma mère[10]!

Arbres de ces grands bois qui frissonnez toujours[11],
Je vous aime, et vous, lierre au seuil des antres sourds,
Ravins où l'on entend filtrer les sources vives,
Buissons que les oiseaux pillent, joyeux convives!
Quand je suis parmi vous, arbres de ces grands bois,
Dans tout ce qui m'entoure et me cache à la fois,
Dans votre solitude où je rentre en moi-même[12],
Je sens quelqu'un[13] de grand qui m'écoute et qui [m'aime!

Aussi, taillis sacrés[14] où Dieu même apparaît,
Arbres religieux[15], chênes, mousses, forêt,
Forêt! c'est dans votre ombre et dans votre mystère,
C'est sous votre branchage auguste[16] et solitaire,
Que je veux abriter mon sépulcre[17] ignoré,
Et que je veux dormir quand je m'endormirai[18].

Juin 1843.

XXV

L'ENFANT, voyant l'aïeule[1] à filer occupée,
Veut faire une quenouille à sa grande poupée.
L'aïeule s'assoupit un peu; c'est le moment.
L'enfant vient par derrière et tire doucement
Un brin de la quenouille où le fuseau tournoie,
Puis s'enfuit triomphante[2], emportant avec joie
La belle laine d'or que le safran jaunit,
Autant qu'en pourrait prendre un oiseau pour son nid.

Cauteretz, août 1843.

XXVI

JOIES DU SOIR[1]

Le soleil, dans les monts où sa clarté s'étale,
Ajuste à son arc d'or sa flèche horizontale[2];
Les hauts taillis sont pleins de biches et de faons;
Là rit dans les rochers, veinés comme des marbres,
Une chaumière heureuse; en haut, un bouquet d'arbres;
Au-dessous, un bouquet d'enfants[3].

C'est l'instant de songer aux choses redoutables.
On entend les buveurs danser autour des tables[4];
— Tandis que, gais, joyeux, heurtant les escabeaux,
Ils mêlent aux refrains leurs amours peu farouches,
Les lettres des chansons qui sortent de leurs bouches
Vont écrire autour d'eux leurs noms sur leurs tom-
[beaux[5].

— Mourir! demandons-nous, à toute heure, en nous-
[même :
— Comment passerons-nous le passage suprême? —
Finir avec grandeur est un illustre effort[6].
Le moment est lugubre et l'âme est accablée;
Quel pas[7] que la sortie! — Oh! l'affreuse vallée
Que l'embuscade de la mort!

Quel frisson dans les os[8] de l'agonisant blême!
Autour de lui tout marche et vit, tout rit, tout aime;
La fleur luit, l'oiseau chante en son palais d'été,
Tandis que le mourant, en qui décroît la flamme,
Frémit sous ce grand ciel, précipice de l'âme,
Abîme effrayant d'ombre et de tranquillité[9]!

Souvent, me rappelant le front étrange et pâle
De tous ceux que j'ai vus à cette heure fatale,
Êtres qui ne sont plus, frères, amis, parents[10],
Aux instants où l'esprit à rêver se hasarde[11],
Souvent je mc suis dit : Qu'est-ce donc qu'il regarde
Cet œil effaré des mourants[12]?

Que voit-il?... — O terreur! de ténébreuses routes,
Un chaos composé de spectres et de doutes,
La terre vision, le ver réalité[13],
Un jour[14] oblique et noir[15] qui, troublant l'âme errante,
Mêle au dernier rayon dc la vie expirante
Ta première lueur, sinistre éternité!

On croit sentir dans l'ombre une horrible piqûre[16].
Tout ce qu'on fit s'en va comme une fête obscure,
Et tout ce qui riait[17] devient peine ou remord.
Quel moment, même, hélas! pour l'âme la plus haute,
Quand le vrai tout à coup paraît, quand la vie ôtc
Son masque, et dit : « Je suis la mort[18]! »

Ah! si tu fais trembler même un cœur sans reproche,
Sépulcre! le méchant avec horreur t'approche.
Ton seuil profond lui semble une rougeur de feu[19];
Sur ton vide pour lui quand ta pierre se lève,
Il s'y penche; il y voit, ainsi que dans un rêve,
La face vague et sombre et l'œil fixe de Dieu[20].

Biarritz, juillet 1843.

XXVII

J'AIME l'araignée[1] et j'aime l'ortie,
Parce qu'on les hait;
Et que rien n'exauce et que tout châtie
Leur morne souhait;

Parce qu'elles sont maudites, chétives[2],
Noirs êtres rampants;
Parce qu'elles sont les tristes captives
De leur guet-apens;

Parce qu'elles sont prises dans leur œuvre;
O sort! fatals nœuds!
Parce que l'ortie est une couleuvre,
L'araignée un gueux[3];

Parce qu'elles ont l'ombre des abîmes,
Parce qu'on les fuit,
Parce qu'elles sont toutes deux victimes
De la sombre nuit.

Passants, faites grâce à la plante obscure,
Au pauvre animal.
Plaignez la laideur, plaignez la piqûre,
Oh! plaignez le mal!

Il n'est rien qui n'ait sa mélancolie;
Tout veut un baiser.
Dans leur fauve horreur, pour peu qu'on oublie
De les écraser,

Pour peu qu'on leur jette un œil moins superbe,
Tout bas, loin du jour,
La vilaine bête et la mauvaise herbe
Murmurent : Amour[4]!

Juillet 1842.

XXVIII

LE POÈTE[1]

SHAKSPEARE songe; loin du Versaille éclatant,
Des buis taillés, des ifs peignés, où l'on entend
Gémir la tragédie éplorée et prolixe[2],
Il contemple la foule avec son regard fixe[3],
Et toute la forêt frissonne devant lui[4].
Pâle, il marche, au dedans de lui-même ébloui[5];
Il va, farouche[6], fauve, et, comme une crinière,
Secouant sur sa tête un haillon de lumière.
Son crâne transparent est plein d'âmes, de corps,
De rêves, dont on voit la lueur du dehors;
Le monde tout entier passe à travers son crible;
Il tient toute la vie en son poignet terrible;
Il fait sortir de l'homme un sanglot surhumain.
Dans ce génie étrange[7] où l'on perd son chemin,
Comme dans une mer, notre esprit parfois sombre;
Nous sentons, frémissants, dans son théâtre sombre,
Passer sur nous le vent de sa bouche soufflant,
Et ses doigts nous ouvrir et nous fouiller le flanc.
Jamais il ne recule; il est géant; il dompte
Richard-Trois[8], léopard, Caliban, mastodonte;
L'idéal est le vin que verse ce Bacchus.
Les sujets monstrueux qu'il a pris et vaincus
Râlent autour de lui, splendides ou difformes;
Il étreint Lear, Brutus, Hamlet, êtres énormes,
Capulet, Montaigu, César, et, tour à tour,
Les stryges dans le bois, le spectre[9] sur la tour;
Et, même après Eschyle[10], effarant Melpomène,
Sinistre, ayant aux mains des lambeaux d'âme humaine,

De la chair d'Othello, des restes de Macbeth,
Dans son œuvre, du drame effrayant alphabet[11],
Il se repose; ainsi le noir lion des jongles
S'endort dans l'antre immense avec du sang aux
[ongles[12].

Paris, avril 1835.

XXIX

LA NATURE[1]

LA terre est de granit, les ruisseaux sont de marbre[2];
C'est l'hiver; nous avons bien froid. Veux-tu, bon arbre,
Être dans mon foyer la bûche de Noël?
— Bois, je viens de la terre, et, feu, je monte au ciel[3].
Frappe, bon bûcheron. Père, aïeul, homme, femme,
Chauffez au feu vos mains, chauffez à Dieu votre âme.
Aimez, vivez. — Veux-tu, bon arbre, être timon
De charrue? — Oui, je veux creuser le noir limon,
Et tirer l'épi d'or de la terre profonde.
Quand le soc a passé, la plaine devient blonde,
La paix aux doux yeux sort du sillon entr'ouvert.
Et l'aube en pleurs sourit[4]. — Veux-tu, bel arbre vert.
Arbre du hallier sombre où le chevreuil s'échappe,
De la maison de l'homme être le pilier? — Frappe.
Je puis porter les toits, ayant porté les nids.
Ta demeure est sacrée, homme, et je la bénis;
Là, dans l'ombre et l'amour, pensif, tu te recueilles;
Et le bruit des enfants ressemble au bruit des feuilles.
— Veux-tu, dis-moi, bon arbre, être mât de vaisseau?
— Frappe, bon charpentier. Je veux bien être oiseau.
Le navire est pour moi, dans l'immense mystère,
Ce qu'est pour vous la tombe; il m'arrache à la terre,
Et, frissonnant[5], m'emporte à travers l'infini.
J'irai voir ces grands cieux d'où l'hiver est banni,
Et dont plus d'un essaim[6] me parle à son passage.
Pas plus que le tombeau n'épouvante le sage,
Le profond Océan, d'obscurité vêtu[7],
Ne m'épouvante point : oui, frappe. — Arbre, veux-tu

Être gibet? — Silence, homme! va-t'en cognée!
J'appartiens à la vie, à la vie indignée!
Va-t'en, bourreau! va-t'en, juge! fuyez, démons!
Je suis l'arbre des bois, je suis l'arbre des monts;
Je porte les fruits mûrs [8], j'abrite les pervenches;
Laissez-moi ma racine et laissez-moi mes branches!
Arrière! hommes, tuez! ouvriers du trépas,
Soyez sanglants, mauvais, durs; mais ne venez pas,
Ne venez pas, traînant des cordes et des chaînes,
Vous chercher un complice au milieu des grands chênes!
Ne faites pas servir à vos crimes, vivants,
L'arbre mystérieux à qui parlent les vents [9]!
Vos lois portent la nuit sur leurs ailes funèbres.
Je suis fils du soleil, soyez fils des ténèbres.
Allez-vous-en [10]! laissez l'arbre dans ses déserts.
A vos plaisirs, aux jeux, aux festins, aux concerts,
Accouplez l'échafaud et le supplice [11]; faites.
Soit. Vivez et tuez. Tuez, entre deux fêtes,
Le malheureux, chargé de fautes et de maux;
Moi, je ne mêle pas de spectre à mes rameaux!

Janvier 1843.

XXX

MAGNITUDO PARVI[1]

I

Le jour mourait; j'étais près des mers, sur la grève.
Je tenais par la main ma fille, enfant qui rêve,
Jeune esprit qui se tait!
La terre, s'inclinant comme un vaisseau qui sombre,
En tournant dans l'espace allait plongeant dans l'ombre
La pâle nuit montait.

La pâle nuit levait son front dans les nuées;
Les choses s'effaçaient, blêmes, diminuées,
Sans forme et sans couleur;
Quand il monte de l'ombre, il tombe de la cendre;
On sentait à la fois la tristesse descendre
Et monter la douleur.

Ceux dont les yeux pensifs contemplent la nature
Voyaient l'urne d'en haut, vague rondeur obscure,
Se pencher dans les cieux,
Et verser sur les monts, sur les campagnes blondes,
Et sur les flots confus pleins de rumeurs profondes,
Le soir silencieux!

Les nuages rampaient le long des promontoires;
Mon âme, où se mêlaient ces ombres et ces gloires,
Sentait confusément
De tout cet océan, de toute cette terre,
Sortir sous l'œil de Dieu je ne sais quoi d'austère,
D'auguste et de charmant!

J'avais à mes côtés ma fille bien-aimée.
La nuit se répandait ainsi qu'une fumée.
Rêveur, ô Jéhovah,
Je regardais en moi, les paupières baissées,
Cette ombre qui se fait aussi dans nos pensées
Quand ton soleil s'en va!

Soudain l'enfant bénie, ange au regard de femme,
Dont je tenais la main et qui tenait mon âme,
Me parla, douce voix!
Et, me montrant l'eau sombre et la rive âpre et brune,
Et deux points lumineux qui tremblaient sur la dune :
— Père, dit-elle, vois,

Vois donc, là-bas, où l'ombre aux flancs des coteaux [rampe,
Ces feux jumeaux briller comme une double lampe
Qui remuerait au vent!
Quels sont ces deux foyers qu'au loin la brume voile?
— L'un est un feu de pâtre et l'autre est une étoile;
Deux mondes, mon enfant!

II

*

Deux mondes! — l'un est dans l'espace,
Dans les ténèbres de l'azur,
Dans l'étendue où tout s'efface,
Radieux gouffre! abîme obscur!
Enfant, comme deux hirondelles,
Oh! si tous deux, âmes fidèles,
Nous pouvions fuir à tire-d'ailes,
Et plonger dans cette épaisseur
D'où la création découle,
Où flotte, vit, meurt, brille et roule
L'astre imperceptible à la foule,
Incommensurable au penseur;

Si nous pouvions franchir ces solitudes mornes,
Si nous pouvions passer les bleus septentrions,
Si nous pouvions atteindre au fond des cieux sans bornes
Jusqu'à ce qu'à la fin, éperdus, nous voyions,
Comme un navire en mer croît, monte, et semble éclore,
Cette petite étoile, atome de phosphore,
Devenir par degrés un monstre de rayons;

S'il nous était donné de faire
Ce voyage démesuré,
Et de voler, de sphère en sphère,
A ce grand soleil ignoré;
Si, par un archange qui l'aime,
L'homme aveugle, frémissant, blême,
Dans les profondeurs du problème,
Vivant, pouvait être introduit;
Si nous pouvions fuir notre centre,
Et, forçant l'ombre où Dieu seul entre,
Aller voir de près dans leur antre
Ces énormités de la nuit;

Ce qui t'apparaîtrait te ferait trembler, ange!
Rien, pas de vision, pas de songe insensé,
Qui ne fût dépassé par ce spectacle étrange,
Monde informe, et d'un tel mystère composé,
Que son rayon fondrait nos chairs, cire vivante,
Et qu'il ne resterait de nous dans l'épouvante
Qu'un regard ébloui sous un front hérissé!

*

O contemplation splendide[2]!
Oh! de pôles, d'axes, de feux,
De la matière et du fluide,
Balancement prodigieux!
D'aimant qui lutte, d'air qui vibre,
De force esclave et d'éther libre,
Vaste et magnifique équilibre!

Monde rêve! idéal réel[3]!
Lueurs! tonnerres! jets de soufre!
Mystère qui chante et qui souffre[4]!
Formule nouvelle du gouffre!
Mot nouveau du noir livre ciel!

Tu verrais! — un soleil; autour de lui des mondes,
Centres eux-mêmes, ayant des lunes autour d'eux;
Là, des fourmillements de sphères vagabondes[5];
Là, des globes jumeaux qui tournent deux à deux;
Au milieu, cette étoile, effrayante, agrandie;
D'un coin de l'infini formidable incendie,
Rayonnement sublime ou flamboiement hideux[6]!

Regardons, puisque nous y sommes[7]!
Figure-toi! figure-toi!
Plus rien des choses que tu nommes!
Un autre monde! une autre loi!
La terre a fui dans l'étendue;
Derrière nous elle est perdue!
Jour nouveau! nuit inattendue!
D'autres groupes d'astres au ciel!
Une nature qu'on ignore,
Qui, s'ils voyaient sa fauve[8] aurore,
Ferait accourir Pythagore
Et reculer Ézéchiel[9]!

Ce qu'on prend pour un mont est une hydre[10]; ces [arbres
Sont des bêtes; ces rocs hurlent avec fureur;
Le feu chante; le sang coule aux veines des marbres.
Ce monde est-il le vrai? le nôtre est-il l'erreur?
O possibles qui sont pour nous les impossibles!
Réverbérations des chimères visibles!
Le baiser de la vie ici nous fait horreur[11].

Et, si nous pouvions voir les hommes,
Les ébauches, les embryons,

Qui sont là ce qu'ailleurs nous sommes[12],
Comme, eux et nous, nous frémirions!
Rencontre inexprimable et sombre!
Nous nous regarderions dans l'ombre
De monstre à monstre, fils du nombre
Et du temps qui s'évanouit;
Et, si nos langages funèbres
Pouvaient échanger leurs algèbres,
Nous dirions : « Qu'êtes-vous, ténèbres? »
Ils diraient : « D'où venez-vous, nuit[13]? »

*

Sont-ils aussi des cœurs, des cerveaux, des entrailles?
Cherchent-ils comme nous le mot jamais trouvé?
Ont-ils des Spinosa qui frappent aux murailles[14],
Des Lucrèce niant tout ce qu'on a rêvé,
Qui, du noir infini feuilletant les registres,
Ont écrit : Rien, au bas de ses pages sinistres;
Et, penchés sur l'abîme, ont dit : « L'œil est crevé[15]! »

Tous ces êtres, comme nous-même,
S'en vont en pâles tourbillons;
La création mêle et sème
Leur cendre à de nouveaux sillons;
Un vient, un autre le remplace,
Et passe sans laisser de trace;
Le souffle les crée et les chasse;
Le gouffre en proie aux quatre vents[16],
Comme la mer aux vastes lames,
Mêle éternellement ses flammes
A ce sombre écroulement d'âmes,
De fantômes et de vivants!

L'abîme semble fou sous l'ouragan de l'être[17].
Quelle tempête autour de l'astre radieux!
Tout ne doit que surgir, flotter et disparaître,
Jusqu'à ce que la nuit ferme à son tour ses yeux;

Car, un jour, il faudra que l'étoile aussi tombe;
L'étoile voit neiger les âmes dans la tombe,
L'âme verra neiger les astres dans les cieux[18]!

*

Par instants, dans le vague espace,
Regarde, enfant! tu vas la voir!
Une brusque planète passe;
C'est d'abord au loin un point noir;
Plus prompte que la trombe folle,
Elle vient, court, approche, vole;
A peine a lui son auréole,
Que déjà, remplissant le ciel,
Sa rondeur farouche commence
A cacher le gouffre en démence,
Et semble ton couvercle immense,
O puits du vertige éternel[19]!

C'est elle! éclair! voilà sa livide surface
Avec tous les frissons de ses océans verts!
Elle apparaît, s'en va, décroît, pâlit, s'efface,
Et rentre, atome obscur, aux cieux d'ombre couverts,
Et tout s'évanouit, vaste aspect, bruit sublime... —
Quel est ce projectile inouï de l'abîme?
O boulets monstrueux qui sont des univers!

Dans un éloignement nocturne,
Roule avec un râle effrayant
Quelque épouvantable Saturne
Tournant son anneau flamboyant;
La braise en pleut comme d'un crible;
Jean de Patmos, l'esprit terrible,
Vit en songe cet astre horrible
Et tomba presque évanoui;
Car, rêvant sa noire épopée,
Il crut, d'éclairs enveloppée,

Voir fuir une roue, échappée
Au sombre char d'Adonaï[20]!

Et, par instants encor, — tout va-t-il se dissoudre? —
Parmi ces mondes, fauve, accourant à grand bruit,
Une comète aux crins de flamme, aux yeux de foudre,
Surgit, et les regarde, et, blême, approche et luit;
Puis s'évade en hurlant, pâle et surnaturelle,
Traînant sa chevelure éparse derrière elle,
Comme une Canidie[21] affreuse qui s'enfuit.

Quelques-uns de ces globes meurent[22];
Dans le semoun et le mistral
Leurs mers sanglotent, leurs flots pleurent;
Leur flanc crache un brasier central.
Sphères par la neige engourdies,
Ils ont d'étranges maladies,
Pestes, déluges, incendies,
Tremblements profonds et fréquents;
Leur propre abîme les consume;
Leur haleine flamboie et fume;
On entend de loin dans leur brume
La toux lugubre des volcans.

*

Ils sont! ils vont! ceux-ci brillants, ceux-là difformes
Tous portant des vivants et des créations!
Ils jettent dans l'azur des cônes d'ombre énormes,
Ténèbres qui des cieux traversent les rayons,
Où le regard, ainsi que des flambeaux farouches
L'un après l'autre éteints par d'invisibles[23] bouches,
Voit plonger tour à tour les constellations!

Quel Zorobabel formidable,
Quel Dédale vertigineux[24],
Cieux! a bâti dans l'insondable
Tout ce noir chaos lumineux?

Soleils, astres aux larges queues,
Gouffres! ô millions de lieues!
Sombres architectures bleues!
Quel bras a fait, créé, produit
Ces tours d'or que nuls yeux ne comptent,
Ces firmaments qui se confrontent,
Ces Babels d'étoiles qui montent
Dans ces Babylones de nuit[25]?

Qui, dans l'ombre vivante et l'aube sépulcrale,
Qui, dans l'horreur fatale et dans l'amour profond,
A tordu ta splendide et sinistre spirale,
Ciel, où les univers se font et se défont?
Un double précipice à la fois les réclame.
« Immensité! » dit l'être. « Éternité! » dit l'âme.
A jamais! le sans fin roule dans le sans fond[26].

*

L'Inconnu, celui dont maint sage
Dans la brume obscure a douté,
L'immobile et muet visage,
Le voilé de l'éternité,
A, pour montrer son ombre au crime,
Sa flamme au juste magnanime,
Jeté pêle-mêle à l'abîme
Tous ses masques, noirs ou vermeils;
Dans les éthers inaccessibles,
Ils flottent, cachés ou visibles;
Et ce sont ces masques terribles
Que nous appelons les soleils!

Et les peuples ont vu passer dans les ténèbres
Ces spectres de la nuit que nul ne pénétra;
Et flamines, santons, brahmanes, mages, guèbres,
Ont crié : Jupiter! Allah! Vishnou! Mithra!

Un jour, dans les lieux bas, sur les hauteurs[27] suprêmes,
Tous ces masques hagards s'effaceront d'eux-mêmes;
Alors, la face immense et calme apparaîtra[28]!

III

*

Enfant! l'autre de ces deux mondes,
C'est le cœur d'un homme! — parfois,
Comme une perle au fond des ondes,
Dieu cache une âme au fond des bois.

Dieu cache un homme sous les chênes;
Et le sacre en d'austères lieux
Avec le silence des plaines,
L'ombre des monts, l'azur des cieux!

O ma fille! avec son mystère
Le soir envahit pas à pas
L'esprit d'un prêtre involontaire,
Près de ce feu qui luit là-bas!

Cet homme, dans quelque ruine,
Avec la ronce et le lézard,
Vit sous la brume et la bruine,
Fruit tombé de l'arbre hasard!

Il est devenu presque fauve;
Son bâton est son seul appui.
En le voyant, l'homme se sauve;
La bête seule vient à lui.

Il est l'être crépusculaire.
On a peur de l'apercevoir;
Pâtre tant que le jour l'éclaire,
Fantôme dès que vient le soir.

La faneuse dans la clairière
Le voit quand il fait, par moment,
Comme une ombre hors de sa bière,
Un pas hors de l'isolement.

Son vêtement dans ces décombres,
C'est un sac de cendre et de deuil,
Linceul troué par les clous sombres
De la misère, ce cercueil.

Le pommier lui jette ses pommes;
Il vit dans l'ombre enseveli;
C'est un pauvre homme loin des hommes,
C'est un habitant de l'oubli;

C'est un indigent sous la bure,
Un vieux front de la pauvreté,
Un haillon dans une masure,
Un esprit dans l'immensité!

*

Dans la nature transparente,
C'est l'œil des regards ingénus,
Un penseur à l'âme ignorante,
Un grave marcheur aux pieds nus!

Oui, c'est un cœur, une prunelle,
C'est un souffrant, c'est un songeur,
Sur qui la lueur éternelle
Fait trembler sa vague rougeur.

Il est là, l'âme aux cieux ravie,
Et, près d'un branchage enflammé,
Pense, lui-même par la vie
Tison à demi consumé.

Il est calme en cette ombre épaisse;
Il aura bien toujours un peu
D'herbe pour que son bétail paisse,
De bois pour attiser son feu.

Nos luttes, nos chocs, nos désastres,
Il les ignore; il ne veut rien
Que, la nuit, le regard des astres,
Le jour, le regard de son chien.

Son troupeau gît sur l'herbe unie;
Il est là, lui, pasteur, ami,
Seul éveillé, comme un génie
A côté d'un peuple endormi.

Ses brebis, d'un rien remuées,
Ouvrant l'œil près du feu qui luit,
Aperçoivent sous les nuées
Sa forme droite dans la nuit;

Et, bouc qui bêle, agneau qui danse,
Dorment dans les bois hasardeux
Sous ce grand spectre Providence
Qu'ils sentent debout auprès d'eux.

*

Le pâtre songe, solitaire,
Pauvre et nu, mangeant son pain bis;
Il ne connaît rien de la terre
Que ce que broute la brebis.

Pourtant, il sait que l'homme souffre;
Mais il sonde l'éther profond.
Toute solitude est un gouffre,
Toute solitude est un mont.

Dès qu'il est debout sur ce faîte,
Le ciel reprend cet étranger;
La Judée avait le prophète,
La Chaldée avait le berger.

Ils tâtaient le ciel l'un et l'autre;
Et, plus tard, sous le feu divin,
Du prophète naquit l'apôtre,
Du pâtre naquit le devin.

La foule raillait leur démence;
Et l'homme dut, aux jours passés,
A ces ignorants la science,
La sagesse à ces insensés.

La nuit voyait, témoin austère,
Se rencontrer sur les hauteurs,
Face à face dans le mystère,
Les prophètes et les pasteurs.

— Où marchez-vous, tremblants prophètes?
— Où courez-vous, pâtres troublés?
Ainsi parlaient ces sombres têtes,
Et l'ombre leur criait : Allez!

Aujourd'hui, l'on ne sait plus même
Qui monta le plus de degrés
Des Zoroastres au front blême
Ou des Abrahams effarés.

Et, quand nos yeux, qui les admirent,
Veulent mesurer leur chemin,
Et savoir quels sont ceux qui mirent
Le plus de jour dans l'œil humain,

Du noir passé perçant les voiles,
Notre esprit flotte sans repos
Entre tous ces compteurs d'étoiles
Et tous ces compteurs de troupeaux.

*

Dans nos temps, où l'aube enfin dore
Les bords du terrestre ravin,
Le rêve humain s'approche encore
Plus près de l'idéal divin.

L'homme que la brume enveloppe,
Dans le ciel que Jésus ouvrit,
Comme à travers un télescope
Regarde à travers son esprit.

L'âme humaine, après le Calvaire,
A plus d'ampleur et de rayon;
Le grossissement de ce verre
Grandit encor la vision.

La solitude vénérable
Mène aujourd'hui l'homme sacré
Plus avant dans l'impénétrable,
Plus loin dans le démesuré.

Oui, si dans l'homme, que le nombre
Et le temps trompent tour à tour,
La foule dégorge de l'ombre,
La solitude fait le jour.

Le désert au ciel nous convie.
O seuil de l'azur! l'homme seul,
Vivant qui voit hors de la vie,
Lève d'avance son linceul.

Il parle aux voix que Dieu fit taire,
Mêlant sur son front pastoral
Aux lueurs troubles de la terre
Le serein rayon sépulcral.

Dans le désert, l'esprit qui pense
Subit par degrés sous les cieux
La dilatation immense
De l'infini mystérieux.

Il plonge au fond. Calme, il savoure
Le réel, le vrai, l'élément.
Toute la grandeur qui l'entoure
Le pénètre confusément.

Sans qu'il s'en doute, il va, se dompte,
Marche, et, grandissant en raison,
Croît comme l'herbe aux champs, et monte
Comme l'aurore à l'horizon.

Il voit, il adore, il s'effare;
Il entend le clairon du ciel,
Et l'universelle fanfare
Dans le silence universel.

Avec ses fleurs au pur calice,
Avec sa mer pleine de deuil,
Qui donne un baiser de complice
A l'âpre bouche de l'écueil,

Avec sa plaine, vaste bible,
Son mont noir, son brouillard fuyant,
Regards du visage invisible,
Syllabes du mot flamboyant;

Avec sa paix, avec son trouble,
Son bois voilé, son rocher nu,
Avec son écho qui redouble
Toutes les voix de l'inconnu,

La solitude éclaire, enflamme,
Attire l'homme aux grands aimants,
Et lentement compose une âme
De tous les éblouissements!

L'homme en son sein palpite et vibre,
Ouvrant son aile, ouvrant ses yeux,
Étrange oiseau d'autant plus libre
Que le mystère le tient mieux.

Il sent croître en lui, d'heure en heure,
L'humble foi, l'amour recueilli,
Et la mémoire antérieure
Qui le remplit d'un vaste oubli.

Il a des soifs inassouvies;
Dans son passé vertigineux,
Il sent revivre d'autres vies;
De son âme il compte les nœuds.

Il cherche au fond des sombres dômes
Sous quelles formes il a lui;
Il entend ses propres fantômes
Qui lui parlent derrière lui.

Il sent que l'humaine aventure
N'est rien qu'une apparition;
Il se dit : — Chaque créature
Est toute la création.

Il se dit : — Mourir, c'est connaître;
Nous cherchons l'issue à tâtons.
J'étais, je suis, et je dois être.
L'ombre est une échelle. Montons. —

Il se dit : — Le vrai, c'est le centre.
Le reste est apparence ou bruit.
Cherchons le lion, et non l'antre;
Allons où l'œil fixe reluit. —

Il sent plus que l'homme en lui naître;
Il sent, jusque dans ses sommeils,
Lueur à lueur, dans son être,
L'infiltration des soleils.

Ils cessent d'être son problème;
Un astre est un voile. Il veut mieux;
Il reçoit de leur rayon même
Le regard qui va plus loin qu'eux.

*

Pendant que, nous, hommes des villes,
Nous croyons prendre un vaste essor
Lorsqu'entre en nos prunelles viles
Le spectre d'une étoile d'or;

Que, savants dont la vue est basse,
Nous nous ruons et nous brûlons
Dans le premier astre qui passe,
Comme aux lampes les papillons,

Et qu'oubliant le nécessaire,
Nous contentant de l'incomplet,
Croyant éclairés, ô misère!
Ceux qu'éclaire le feu follet,

Prenant pour l'être et pour l'essence
Les fantômes du ciel profond,
Voulant nous faire une science
Avec des formes qui s'en vont,

Ne comprenant, pour nous distraire
De la terre, où l'homme est damné,
Qu'un autre monde, sombre frère
De notre globe infortuné,

Comme l'oiseau né dans la cage,
Qui, s'il fuit, n'a qu'un vol étroit,
Ne sait pas trouver le bocage,
Et va d'un toit à l'autre toit;

Chercheurs que le néant captive,
Qui, dans l'ombre, avons en passant
La curiosité chétive
Du ciron pour le ver luisant,

Poussière admirant la poussière,
Nous poursuivons obstinément,
Grains de cendre, un grain de lumière
En fuite dans le firmament!

Pendant que notre âme humble et lasse
S'arrête au seuil du ciel béni,
Et va becqueter dans l'espace
Une miette de l'infini,

Lui, ce berger, ce passant frêle,
Ce pauvre gardeur de bétail
Que la cathédrale éternelle
Abrite sous son noir portail,

Cet homme qui ne sait pas lire,
Cet hôte des arbres mouvants,
Qui ne connaît pas d'autre lyre
Que les grands bois et les grands vents,

Lui, dont l'âme semble étouffée,
Il s'envole, et, touchant le but,
Boit avec la coupe d'Orphée
A la source où Moïse but[29]!

Lui, ce pâtre, en sa Thébaïde,
Cet ignorant, cet indigent,
Sans docteur, sans maître, sans guide,
Fouillant, scrutant, interrogeant

De sa roche où la paix séjourne,
Les cieux noirs, les bleus horizons,
Double ornière où sans cesse tourne
La roue énorme des saisons;

Seul, quand mai vide sa corbeille,
Quand octobre emplit son panier;
Seul, quand l'hiver[30] à notre oreille
Vient siffler, gronder, et nier;

Quand sur notre terre, où se joue
Le blanc flocon flottant sans bruit,
La mort, spectre vierge, secoue,
Ses ailes pâles dans la nuit;

Quand, nous glaçant jusqu'aux vertèbres,
Nous jetant la neige en rêvant,
Ce sombre cygne des ténèbres
Laisse tomber sa plume au vent;

Quand la mer tourmente la barque;
Quand la plaine est là, ressemblant
A la morte dont un drap marque
L'obscur profil sinistre et blanc;

Seul sur cet âpre monticule,
A l'heure où, sous le ciel dormant,
Les méduses du crépuscule
Montrent leur face vaguement;

Seul la nuit, quand dorment ses chèvres,
Quand la terre et l'immensité
Se referment comme deux lèvres
Après que le psaume est chanté;

Seul, quand renaît le jour sonore,
A l'heure où sur le mont lointain
Flamboie et frissonne l'aurore,
Crête rouge du coq matin;

Seul, toujours seul, l'été, l'automne;
Front sans remords et sans effroi
A qui le nuage qui tonne
Dit tout bas : Ce n'est pas pour toi!

Oubliant dans ces grandes choses
Les trous de ses pauvres habits,
Comparant la douceur des roses
A la douceur de la brebis,

Sondant l'être, la loi fatale;
L'amour, la mort, la fleur, le fruit;
Voyant l'auréole idéale
Sortir de toute cette nuit,

Il sent, faisant passer le monde
Par sa pensée à chaque instant,
Dans cette obscurité profonde
Son œil devenir éclatant;

Et, dépassant la créature,
Montant[31] toujours, toujours accru,
Il regarde tant la nature,
Que la nature a disparu!

Car, des effets allant aux causes,
L'œil perce et franchit le miroir,
Enfant; et contempler les choses,
C'est finir par ne plus les voir.

La matière tombe détruite
Devant l'esprit aux yeux de lynx;
Voir, c'est rejeter; la poursuite
De l'énigme est l'oubli du sphynx[32].

Il ne voit plus le ver qui rampe[33],
La feuille morte émue au vent,
Le pré, la source où l'oiseau trempe
Son petit pied rose en buvant;

Ni l'araignée, hydre étoilée[34],
Au centre du mal se tenant,
Ni l'abeille, lumière ailée,
Ni la fleur, parfum rayonnant;

Ni l'arbre où sur l'écorce dure
L'amant grave un chiffre d'un jour,
Que les ans font croître à mesure
Qu'ils font décroître son amour.

Il ne voit plus la vigne mûre,
La ville, large toit fumant,
Ni la campagne, ce murmure,
Ni la mer, ce rugissement;

Ni l'aube dorant les prairies,
Ni le couchant aux longs rayons,
Ni tous ces tas de pierreries
Qu'on nomme constellations,

Que l'éther de son ombre couvre,
Et qu'entrevoit notre œil terni
Quand la nuit curieuse entr'ouvre
Le sombre écrin de l'infini;

Il ne voit plus Saturne pâle[35],
Mars écarlate, Arcturus bleu,
Sirius, couronne d'opale,
Aldebaran, turban de feu;

Ni les mondes, esquifs sans voiles,
Ni, dans le grand ciel sans milieu,
Toute cette cendre d'étoiles;
Il voit l'astre unique; il voit Dieu!

*

Il le regarde, il le contemple;
Vision que rien n'interrompt!
Il devient tombe, il devient temple[36];
Le mystère flambe à son front[37].

Œil serein dans l'ombre ondoyante,
Il a conquis, il a compris,
Il aime; il est l'âme voyante
Parmi nos ténébreux esprits.

Il marche, heureux et plein d'aurore,
De plain-pied avec l'élément;
Il croit, il accepte. Il ignore
Le doute, notre escarpement;

Le doute, qu'entourent les vides,
Bord que nul ne peut enjamber,
Où nous nous arrêtons stupides,
Disant : Avancer, c'est tomber!

Le doute, roche où nos pensées
Errent loin du pré qui fleurit,
Où vont et viennent, dispersées,
Toutes ces chèvres de l'esprit!

Quand Hobbes dit : « Quelle est la base? »
Quand Locke dit : « Quelle est la loi? »
Que font à sa splendide extase
Ces dialogues de l'effroi?

Qu'importe à cet anachorète
De la caverne Vérité,
L'homme qui dans l'homme s'arrête,
La nuit qui croit à sa clarté?

Que lui fait la philosophie,
Calcul, algèbre, orgueil puni,
Que sur les cimes pétrifie
L'effarement de l'infini!

Lueurs que couvre la fumée!
Sciences disant : Que sait-on?
Qui, de l'aveugle Ptolémée,
Montent au myope Newton!

Que lui font les choses bornées,
Grands, petits, couronnes, carcans?
L'ombre qui sort des cheminées
Vaut l'ombre qui sort des volcans.

Que lui font la larve et la cendre,
Et, dans les tourbillons mouvants,
Toutes les formes que peut prendre
L'obscur nuage des vivants?

Que lui fait l'assurance triste
Des créatures dans leurs nuits?
La terre s'écriant : J'existe!
Le soleil répliquant : Je suis!

Quand le spectre, dans le mystère,
S'affirme à l'apparition,
Qu'importe à cet œil solitaire
Qui s'éblouit du seul rayon?

Que lui fait l'astre, autel et prêtre
De sa propre religion,
Qui dit : Rien hors de moi! — quand l'être
Se nomme Gouffre et Légion!

Que lui font, sur son sacré faîte,
Les démentis audacieux
Que donne aux soleils la comète,
Cette hérésiarque des cieux?

Que lui fait le temps, cette brume?
L'espace, cette illusion?
Que lui fait l'éternelle écume
De l'océan Création?

Il boit, hors de l'inabordable,
Du surhumain, du sidéral,
Les délices du formidable,
L'âpre ivresse de l'idéal;

Son être, dont rien ne surnage,
S'engloutit dans le gouffre bleu;
Il fait ce sublime naufrage;
Et, murmurant sans cesse : — Dieu, —

Parmi les feuillages farouches,
Il songe, l'âme et l'œil là-haut,
A l'imbécillité des bouches
Qui prononcent un autre mot!

*

Il le voit, ce soleil unique,
Fécondant, travaillant, créant,
Par le rayon qu'il communique
Égalant l'atome au géant,

Semant de feux, de souffles, d'ondes,
Les tourbillons d'obscurité,
Emplissant d'étincelles mondes
L'épouvantable immensité,

Remuant, dans l'ombre et les brumes,
De sombres forces dans les cieux
Qui font comme des bruits d'enclumes
Sous des marteaux mystérieux,

Doux pour le nid du rouge-gorge,
Terrible aux satans qu'il détruit;
Et, comme aux lueurs d'une forge,
Un mur s'éclaire dans la nuit,

On distingue en l'ombre où nous sommes,
On reconnaît dans ce bas lieu,
A sa clarté parmi les hommes,
L'âme qui réverbère Dieu!

Et ce pâtre devient auguste;
Jusqu'à l'auréole monté,
Étant le sage, il est le juste;
O ma fille, cette clarté

Sœur du grand flambeau des génies,
Faite de tous les rayons purs
Et de toutes les harmonies
Qui flottent dans tous les azurs,

Plus belle dans une chaumière,
Éclairant hier par demain,
Cette éblouissante lumière,
Cette blancheur du cœur humain

S'appelle en ce monde, où l'honnête
Et le vrai des vents est battu,
Innocence avant la tempête,
Après la tempête vertu!

*

Voilà donc ce que fait la solitude à l'homme;
Elle lui montre Dieu, le dévoile et le nomme;
Sacre l'obscurité,
Pénètre de splendeur le pâtre qui s'y plonge,
Et, dans les profondeurs de son immense songe.
T'allume, ô vérité!

Elle emplit l'ignorant de la science énorme;
Ce que le cèdre voit, ce que devine l'orme,
Ce que le chêne sent,
Dieu, l'être, l'infini, l'éternité, l'abîme,
Dans l'ombre elle le mêle à la candeur sublime
D'un pâtre frémissant.

L'homme n'est qu'une lampe, elle en fait une étoile.
Et ce pâtre devient, sous son haillon de toile,
Un mage; et, par moments,
Aux fleurs, parfums du temple, aux arbres, noirs
Apparaît couronné d'une tiare d'astres, [pilastres,
Vêtu de flamboiements[38]!

Il ne se doute pas de cette grandeur sombre :
Assis près de son feu que la broussaille encombre,
Devant l'être béant,
Humble, il pense; et, chétif, sans orgueil, sans envie,
Il se courbe, et sent mieux, près du gouffre de vie,
Son gouffre de néant.

Quand il sort de son rêve, il revoit la nature[39].
Il parle à la nuée, errant à l'aventure,
Dans l'azur émigrant;
Il dit : « Que ton encens est chaste, ô clématite! »
Il dit au doux oiseau : « Que ton aile est petite,
« Mais que ton vol est grand! »

Le soir, quand il voit l'homme aller vers les villages,
Glaneuses, bûcherons qui traînent des feuillages,
Et les pauvres chevaux
Que le laboureur bat et fouette avec colère,
Sans songer que le vent va le rendre à son frère
Le marin sur les flots;

Quand il voit les forçats passer, portant leur charge,
Les soldats, les pêcheurs pris par la nuit au large,
Et hâtant leur retour,
Il leur envoie à tous, du haut du mont nocturne,
La bénédiction qu'il a puisée à l'urne
De l'insondable amour!

Et, tandis qu'il est là, vivant sur sa colline,
Content, se prosternant dans tout ce qui s'incline,
Doux rêveur bienfaisant,
Emplissant le vallon, le champ, le toit de mousse,
Et l'herbe et le rocher de la majesté douce
De son cœur innocent,

S'il passe par hasard, près de sa paix féconde,
Un de ces grands esprits en butte aux flots du monde
Révolté devant eux,

Qui craignent à la fois, sur ces vagues funèbres,
La terre de granit et le ciel de ténèbres,
L'homme ingrat, Dieu douteux[40];

Peut-être, à son insu, que ce pasteur paisible,
Et dont l'obscurité rend la lueur visible,
Homme heureux sans effort,
Entrevu par cette âme en proie au choc de l'onde,
Va lui jeter soudain quelque clarté profonde
Qui lui montre le port!

Ainsi ce feu peut-être, aux flancs du rocher sombre,
Là-bas est aperçu par quelque nef qui sombre
Entre le ciel et l'eau;
Humble, il la guide au loin de son reflet rougeâtre,
Et du même rayon dont il réchauffe un pâtre,
Il sauve un grand vaisseau!

IV

Et je repris, montrant à l'enfant adorée
L'obscur feu du pasteur et l'étoile sacrée :

De ces deux feux, perçant le soir qui s'assombrit,
L'un révèle un soleil, l'autre annonce un esprit.
C'est l'infini que notre œil sonde;
Mesurons tout à Dieu, qui seul crée et conçoit!
C'est l'astre qui le prouve et l'esprit qui le voit;
Une âme est plus grande qu'un monde.

Enfant, ce feu de pâtre à cette âme mêlé,
Et cet astre, splendeur du plafond constellé[41]
Que l'éclair et la foudre gardent,
Ces deux phares du gouffre où l'être flotte et fuit,
Ces deux clartés du deuil, ces deux yeux de la nuit,
Dans l'immensité se regardent.

Ils se connaissent; l'astre envoie au feu des bois
Toute l'énormité de l'abîme à la fois,
Les baisers de l'azur superbe,
Et l'éblouissement des visions d'Endor[42];
Et le doux feu de pâtre envoie à l'astre d'or
Le frémissement du brin d'herbe.

Le feu de pâtre dit : — La mère pleure, hélas!
L'enfant a froid, le père a faim, l'aïeul est las;
Tout est noir; la montée est rude;
Le pas tremble, éclairé par un tremblant flambeau;
L'homme au berceau chancelle et trébuche au tombeau. —
L'étoile répond : — Certitude!

De chacun d'eux s'envole un rayon fraternel,
L'un plein d'humanité, l'autre rempli de ciel;
Dieu les prend, et joint leur lumière,
Et sa main, sous qui l'âme, aigle de flamme, éclôt,
Fait du rayon d'en bas et du rayon d'en haut
Les deux ailes de la prière[43].

Ingouville, août 1839.

LIVRE QUATRIÈME

PAUCA MEAE [1]

I

PURE Innocence[1]! Vertu sainte[2]!
O les deux sommets d'ici-bas!
Où croissent, sans ombre et sans crainte,
Les deux palmes des deux combats!

Palme du combat Ignorance[3]!
Palme du combat Vérité!
L'âme, à travers sa transparence,
Voit trembler leur double clarté.

Innocence! Vertu! sublimes
Même pour l'œil mort du méchant!
On voit dans l'azur ces deux cimes,
L'une au levant, l'autre au couchant.

Elles guident la nef qui sombre;
L'une est phare, et l'autre est flambeau;
L'une a le berceau dans son ombre,
L'autre en son ombre a le tombeau[4].

C'est sous la terre infortunée
Que commence, obscure à nos yeux,
La ligne de la destinée;
Elles l'achèvent dans les cieux.

Elles montrent, malgré les voiles
Et l'ombre du fatal milieu[5],
Nos âmes touchant les étoiles
Et la candeur mêlée au bleu.

Elles éclairent les problèmes;
Elles disent le lendemain;
Elles sont les blancheurs suprêmes
De tout le sombre gouffre humain[6].

L'archange effleure de son aile
Ce faîte où Jéhovah s'assied;
Et sur cette neige éternelle
On voit l'empreinte d'un seul pied.

Cette trace qui nous enseigne,
Ce pied blanc, ce pied fait de jour,
Ce pied rose, hélas! car il saigne,
Ce pied nu, c'est le tien, amour[7]!

Janvier 1843.

II

15 FÉVRIER 1843[1]

AIME celui qui t'aime, et sois heureuse en lui.
— Adieu! — sois son trésor, ô toi qui fus le nôtre[2]!
Va, mon enfant béni[3], d'une famille à l'autre.
Emporte le bonheur et laisse-nous l'ennui!

Ici, l'on te retient; là-bas, on te désire.
Fille, épouse[4], ange, enfant, fais ton double devoir.
Donne-nous un regret, donne-leur un espoir,
Sors[5] avec une larme! entre avec un sourire!

Dans l'église, 15 février 1843.

4 SEPTEMBRE 1843

. . . .

III

TROIS ANS APRÈS[1]

Il est temps que je me repose;
Je suis terrassé par le sort.
Ne me parlez pas d'autre chose[2]
Que des ténèbres où l'on dort!

Que veut-on que je recommence?
Je ne demande désormais
A la création immense
Qu'un peu de silence et de paix!

Pourquoi m'appelez-vous encore?
J'ai fait ma tâche et mon devoir[3].
Qui travaillait avant l'aurore,
Peut s'en aller avant le soir.

A vingt ans, deuil et solitude!
Mes yeux, baissés vers le gazon,
Perdirent la douce habitude
De voir ma mère à la maison.

Elle nous quitta pour la tombe;
Et vous savez bien qu'aujourd'hui
Je cherche, en cette nuit qui tombe,
Un autre ange qui s'est enfui[4]!

Vous savez que je désespère,
Que ma force en vain se défend,
Et que je souffre comme père,
Moi qui souffris tant comme enfant[5]!

—

Mon œuvre n'est pas terminée,
Dites-vous. Comme Adam banni,
Je regarde ma destinée,
Et je vois bien que j'ai fini.

L'humble enfant que Dieu m'a ravie
Rien qu'en m'aimant savait m'aider;
C'était le bonheur de ma vie
De voir ses yeux me regarder[6].

Si ce Dieu n'a pas voulu clore
L'œuvre qu'il me fit commencer[7],
S'il veut que je travaille encore,
Il n'avait qu'à me la laisser!

Il n'avait qu'à me laisser vivre
Avec ma fille à mes côtés,
Dans cette extase où je m'enivre
De mystérieuses clartés!

Ces clartés, jour d'une autre sphère,
O Dieu jaloux, tu nous les vends!
Pourquoi m'as-tu pris la lumière
Que j'avais parmi les vivants?

As-tu donc pensé, fatal maître,
Qu'à force de te contempler,
Je ne voyais plus ce doux être[8],
Et qu'il pouvait bien s'en aller!

T'es-tu dit que l'homme, vaine ombre,
Hélas! perd son humanité
A trop voir cette splendeur sombre
Qu'on appelle la vérité?

Qu'on peut le frapper sans qu'il souffre,
Que son cœur est mort dans l'ennui[9],
Et qu'à force de voir le gouffre,
Il n'a plus qu'un abîme en lui?

Qu'il va, stoïque, où tu l'envoies,
Et que désormais, endurci,
N'ayant plus ici-bas de joies,
Il n'a plus de douleurs aussi[10]?

As-tu pensé qu'une âme tendre
S'ouvre à toi pour se mieux fermer,
Et que ceux qui veulent comprendre
Finissent par ne plus aimer?

O Dieu! vraiment, as-tu pu croire
Que je préférais, sous les cieux,
L'effrayant rayon de ta gloire
Aux douces lueurs de ses yeux!

Si j'avais su tes lois moroses[11],
Et qu'au même esprit enchanté
Tu ne donnes point ces deux choses,
Le bonheur et la vérité[12],

Plutôt que de lever tes voiles,
Et de chercher, cœur triste et pur,
A te voir au fond des étoiles,
O Dieu sombre d'un monde obscur,

J'eusse aimé mieux, loin de ta face,
Suivre, heureux, un étroit chemin,
Et n'être qu'un homme qui passe
Tenant son enfant par la main!

Maintenant, je veux qu'on me laisse!
J'ai fini! le sort est vainqueur.
Que vient-on rallumer sans cesse
Dans l'ombre qui m'emplit le cœur?

Vous qui me parlez, vous me dites
Qu'il faut, rappelant ma raison,
Guider les foules décrépites
Vers les lueurs de l'horizon;

Qu'à l'heure où les peuples se lèvent,
Tout penseur suit un but profond;
Qu'il se doit à tous ceux qui rêvent,
Qu'il se doit à tous ceux qui vont!

Qu'une âme, qu'un feu pur anime,
Doit hâter, avec sa clarté,
L'épanouissement sublime
De la future humanité;

Qu'il faut prendre part, cœurs fidèles,
Sans redouter les océans,
Aux fêtes des choses nouvelles,
Aux combats des esprits géants!

Vous voyez des pleurs sur ma joue,
Et vous m'abordez mécontents,
Comme par le bras on secoue
Un homme qui dort trop longtemps.

Mais songez à ce que vous faites!
Hélas! cet ange au front si beau,
Quand vous m'appelez à vos fêtes,
Peut-être a froid dans son tombeau.

Peut-être, livide et pâlie,
Dit-elle dans son lit étroit :
« Est-ce que mon père m'oublie
« Et n'est plus là, que j'ai si froid[13]? »

Quoi! lorsqu'à peine je résiste
Aux choses dont je me souviens,
Quand je suis brisé, las et triste,
Quand je l'entends qui me dit : « Viens! »

Quoi! vous voulez que je souhaite,
Moi, plié par un coup soudain[14],
La rumeur qui suit le poète,
Le bruit que fait le paladin!

Vous voulez que j'aspire encore
Aux triomphes doux et dorés[15]!
Que j'annonce aux dormeurs l'aurore!
Que je crie : « Allez! espérez[16]! »

Vous voulez que, dans la mêlée,
Je rentre ardent parmi les forts,
Les yeux à la voûte étoilée... —
Oh! l'herbe épaisse où sont les morts[17]!

Novembre 1846.

IV

Oh! je fus comme fou[1] dans le premier moment,
Hélas! et je pleurai trois jours amèrement[2].
Vous tous à qui Dieu prit votre chère espérance,
Pères, mères, dont l'âme a souffert ma souffrance,
Tout ce que j'éprouvais, l'avez-vous éprouvé?
Je voulais me briser le front sur le pavé;
Puis je me révoltais, et, par moments, terrible,
Je fixais mes regards sur cette chose horrible,
Et je n'y croyais pas, et je m'écriais : Non!
— Est-ce que Dieu permet de ces malheurs[3] sans nom
Qui font que dans le cœur le désespoir se lève? —
Il me semblait que tout n'était qu'un affreux rêve,
Qu'elle ne pouvait pas m'avoir ainsi quitté,
Que je l'entendais rire en la chambre à côté,
Que c'était impossible enfin qu'elle fût morte,
Et que j'allais la voir entrer par cette porte!

Oh! que de fois j'ai dit : Silence! elle a parlé!
Tenez! voici le bruit de sa main sur la clé!
Attendez! elle vient! laissez-moi, que j'écoute[4]!
Car elle est quelque part dans la maison sans doute

Jersey, Marine-Terrace, 4 septembre 1852.

V

Elle avait pris ce pli[1] dans son âge enfantin
De venir dans ma chambre un peu chaque matin;
Je l'attendais ainsi qu'un rayon qu'on espère;
Elle entrait et disait : « Bonjour, mon petit père; »
Prenait ma plume, ouvrait mes livres, s'asseyait
Sur mon lit, dérangeait mes papiers, et riait,
Puis soudain s'en allait comme un oiseau qui passe.
Alors, je reprenais, la tête un peu moins lasse,
Mon œuvre interrompue, et, tout en écrivant,
Parmi mes manuscrits je rencontrais souvent
Quelque arabesque folle et qu'elle avait tracée,
Et mainte page blanche entre ses mains froissée
Où, je ne sais comment, venaient mes plus doux vers[2].
Elle aimait Dieu, les fleurs, les astres, les prés verts[3],
Et c'était un esprit avant d'être une femme.
Son regard reflétait la clarté de son âme[4].
Elle me consultait sur tout à tous moments.
Oh! que de soirs d'hiver radieux et charmants[5],
Passés à raisonner langue, histoire et grammaire,
Mes quatre enfants groupés sur mes genoux, leur mère
Tout près, quelques amis causant au coin du feu!
J'appelais cette vie être content de peu[6]!
Et dire qu'elle est morte! hélas! que Dieu m'assiste!
Je n'étais jamais gai quand je la sentais triste[7];
J'étais morne au milieu du bal le plus joyeux[8]
Si j'avais, en partant, vu quelque ombre en ses yeux.

Novembre 1846, jour des morts.

VI

QUAND nous habitions[1] tous ensemble
Sur nos collines[2] d'autrefois,
Où l'eau court, où le buisson tremble,
Dans la maison qui touche aux bois,

Elle avait dix ans, et moi trente;
J'étais pour elle l'univers.
Oh! comme l'herbe est odorante
Sous les arbres profonds et verts!

Elle faisait mon sort prospère,
Mon travail léger, mon ciel bleu.
Lorsqu'elle me disait : Mon père,
Tout mon cœur s'écriait : Mon Dieu!

A travers mes songes sans nombre,
J'écoutais son parler joyeux,
Et mon front s'éclairait dans l'ombre
A la lumière de ses yeux[3].

Elle avait l'air d'une princesse
Quand je la tenais par la main;
Elle cherchait des fleurs sans cesse
Et des pauvres dans le chemin.

Elle donnait comme on dérobe,
En se cachant aux yeux de tous.
Oh! la belle petite robe
Qu'elle avait, vous rappelez-vous[4]?

Le soir, auprès de ma bougie,
Elle jasait[5] à petit bruit,
Tandis qu'à la vitre rougie
Heurtaient[6] les papillons de nuit[7].

Les anges se miraient en elle.
Que son bonjour était charmant!
Le ciel mettait dans sa prunelle
Ce regard qui jamais ne ment[8].

Oh! je l'avais, si jeune encore[9],
Vue apparaître en mon destin!
C'était l'enfant de mon aurore,
Et mon étoile du matin!

Quand la lune claire et sereine
Brillait aux cieux, dans ces beaux mois,
Comme nous allions dans la plaine!
Comme nous courions dans les bois!

Puis, vers la lumière isolée
Étoilant le logis obscur,
Nous revenions par la vallée
En tournant le coin du vieux mur;

Nous revenions, cœurs pleins de flamme,
En parlant des splendeurs du ciel[10].
Je composais cette jeune âme
Comme l'abeille fait son miel.

Doux ange[11] aux candides pensées,
Elle était gaie en arrivant... —
Toutes ces choses sont passées
Comme l'ombre et comme le vent[12]!

Villequier, 4 septembre 1844.

VII

Elle était pâle[1], et pourtant rose,
Petite avec de grands cheveux.
Elle disait souvent : Je n'ose,
Et ne disait jamais : Je veux.

Le soir, elle prenait ma Bible[2]
Pour y faire épeler sa sœur,
Et, comme une lampe paisible,
Elle éclairait ce jeune cœur[3].

Sur le saint livre que j'admire,
Leurs yeux purs venaient se fixer;
Livre où l'une apprenait à lire,
Où l'autre apprenait à penser!

Sur l'enfant, qui n'eût pas lu seule,
Elle penchait son front charmant,
Et l'on aurait dit une aïeule
Tant elle parlait doucement!

Elle lui disait : « Sois bien sage! »
Sans jamais nommer le démon[4];
Leurs mains erraient de page en page
Sur Moïse et sur Salomon,

Sur Cyrus qui vint de la Perse,
Sur Moloch et Léviathan[5],
Sur l'enfer que Jésus traverse,
Sur l'éden où rampe Satan[6]!

Moi, j'écoutais... — O joie immense
De voir la sœur près de la sœur[7]!
Mes yeux s'enivraient en silence
De cette ineffable[8] douceur[9].

Et, dans la chambre humble et déserte
Où nous sentions, cachés tous trois,
Entrer par la fenêtre ouverte
Les souffles des nuits et des bois[10],

Tandis que, dans le texte auguste,
Leurs cœurs, lisant avec ferveur,
Puisaient le beau, le vrai, le juste,
Il me semblait, à moi, rêveur,

Entendre chanter des louanges
Autour de nous, comme au saint lieu,
Et voir sous les doigts de ces anges
Tressaillir le livre de Dieu[11]!

Octobre 1846.

VIII

A qui donc sommes-nous?[1] Qui nous a? qui nous
Vautour fatalité[2], tiens-tu la race humaine? [mène
Oh! parlez, cieux vermeils,
L'âme sans fond tient-elle aux étoiles sans nombre?
Chaque rayon d'en haut est-il un fil de l'ombre[3]
Liant l'homme aux soleils?

Est-ce qu'en nos esprits, que l'ombre a pour repaires
Nous allons voir rentrer les songes de nos pères?
Destin, lugubre assaut!
O vivants, serions-nous l'objet d'une dispute?
L'un veut-il notre gloire, et l'autre notre chute?
Combien sont-ils là-haut[4]?

Jadis, au fond du ciel, aux yeux du mage sombre[5],
Deux joueurs effrayants apparaissaient dans l'ombre.
Qui craindre? qui prier?
Les Manès frissonnants, les pâles Zoroastres[6]
Voyaient deux grandes mains qui déplaçaient les astres
Sur le noir échiquier.

Songe horrible! le bien, le mal, de cette voûte
Pendent-ils sur nos fronts? Dieu, tire-moi du doute!
O sphinx, dis-moi le mot!
Cet affreux rêve pèse à nos yeux qui sommeillent,
Noirs vivants[7]! heureux ceux qui tout à coup s'éveillent
Et meurent en sursaut[8]!

Villequier, 4 septembre 1845.

IX

O souvenirs! printemps[1]! aurore[2]!
Doux rayon triste et réchauffant!
— Lorsqu'elle était petite encore,
Que sa sœur était tout enfant[3]... —

Connaissez-vous sur la colline[4]
Qui joint Montlignon à Saint-Leu,
Une terrasse qui s'incline[5]
Entre un bois sombre[6] et le ciel bleu?

— C'est là que nous vivions. — Pénètre[7],
Mon cœur, dans ce passé charmant! —
Je l'entendais sous ma fenêtre
Jouer le matin doucement[8].

Elle courait[9] dans la rosée,
Sans bruit, de peur de m'éveiller;
Moi, je n'ouvrais pas ma croisée,
De peur de la faire envoler.

Ses frères riaient[10]... — Aube pure!
Tout chantait sous ces frais berceaux[11],
Ma famille avec la nature,
Mes enfants avec les oiseaux! —

Je toussais, on devenait brave;
Elle montait à petits pas,
Et me disait d'un air très grave :
« J'ai laissé les enfants en bas. »

Qu'elle fût bien ou mal coiffée,
Que mon cœur fût triste ou joyeux,
Je l'admirais. C'était ma fée,
Et le doux astre de mes yeux!

Nous jouions toute la journée.
O jeux charmants! chers entretiens!
Le soir, comme elle était l'aînée,
Elle me disait : « Père, viens!

« Nous allons t'apporter ta chaise,
« Conte-nous une histoire, dis! » —
Et je voyais rayonner d'aise
Tous ces regards du paradis.

Alors[12], prodiguant les carnages[13],
J'inventais un conte profond[14]
Dont je trouvais les personnages
Parmi les ombres du plafond[15].

Toujours, ces quatre douces têtes
Riaient, comme à cet âge on rit,
De voir d'affreux géants très bêtes
Vaincus par des nains pleins d'esprit.

J'étais l'Arioste et l'Homère[16]
D'un poème éclos d'un seul jet;
Pendant que je parlais, leur mère
Les regardait rire, et songeait[17].

Leur aïeul[18], qui lisait dans l'ombre,
Sur eux parfois levait les yeux,
Et, moi, par la fenêtre sombre
J'entrevoyais un coin des cieux[19]!

Villequier, 4 septembre 1846.

X

PENDANT que le marin[1], qui calcule et qui doute,
Demande son chemin aux constellations;
Pendant que le berger, l'œil plein de visions,
Cherche au milieu des bois son étoile et sa route;
Pendant que l'astronome, inondé de rayons,

Pèse un globe[2] à travers des millions de lieues,
Moi, jc cherche autre chose en ce ciel vaste[3] et pur.
Mais que ce saphir sombre est un abîme obscur[4]!
On ne peut distinguer, la nuit, les robes bleues[5]
Des anges frissonnants qui glissent dans l'azur[6].

Avril 1847.

XI

On vit, on parle[1], on a le ciel et les nuages
Sur la tête; on se plaît aux livres des vieux sages;
On lit Virgile et Dante[2]; on va joyeusement
En voiture publique à quelque endroit charmant,
En riant aux éclats de l'auberge et du gîte;
Le regard d'une femme en passant vous agite;
On aime, on est aimé, bonheur qui manque aux rois[3]!
On écoute le chant des oiseaux dans les bois;
Le matin, on s'éveille, et toute une famille
Vous embrasse, une mère, une sœur, une fille!
On déjeune en lisant son journal. Tout le jour
On mêle à sa pensée espoir[4], travail, amour;
La vie arrive[5] avec ses passions troublées;
On jette sa parole aux sombres assemblées[6];
Devant le but qu'on veut et le sort qui vous prend,
On se sent faible et fort, on est petit et grand[7];
On est flot dans la foule, âme dans la tempête;
Tout vient et passe; on est en deuil, on est en fête[8];
On arrive, on recule, on lutte avec effort... —
Puis, le vaste et profond silence de la mort[9]!

11 juillet 1846, en revenant du cimetière.

XII

A QUOI SONGEAIENT LES DEUX CAVALIERS DANS LA FORÊT[1]

LA nuit était fort noire et la forêt très sombre.
Hermann à mes côtés me paraissait une ombre[2].
Nos chevaux galopaient. A la garde de Dieu[3]!
Les nuages du ciel ressemblaient à des marbres.
Les étoiles volaient dans les branches des arbres
Comme un essaim d'oiseaux de feu[4].

Je suis[5] plein de regrets[6]. Brisé par la souffrance,
L'esprit profond d'Hermann est vide d'espérance.
Je suis plein de regrets. O mes amours, dormez[7]!
Or, tout en traversant ces solitudes vertes[8],
Hermann me dit : « Je songe aux tombes entr'ouvertes. »
Et je lui dis : « Je pense aux tombeaux refermés[9] ! »

Lui regarde en avant : je regarde en arrière[10].
Nos chevaux galopaient à travers la clairière;
Le vent nous apportait de lointains angelus[11];
Il dit : « Je songe à ceux que l'existence afflige,
« A ceux qui sont, à ceux qui vivent. — Moi », lui dis-je,
« Je pense à ceux qui ne sont plus[12]! »

Les fontaines chantaient. Que disaient les fontaines?
Les chênes murmuraient. Que murmuraient les chênes?
Les buissons chuchotaient comme d'anciens amis[13].
Hermann me dit : « Jamais les vivants ne sommeillent.
« En ce moment, des yeux pleurent, d'autres yeux
[veillent. »
Et je lui dis : « Hélas! d'autres sont endormis[14]! »

Hermann reprit alors : « Le malheur, c'est la vie.
« Les morts ne souffrent plus. Ils sont heureux! j'envie
« Leur fosse où l'herbe pousse, où s'effeuillent les bois.
« Car la nuit les caresse avec ses douces flammes;
« Car le ciel rayonnant calme toutes les âmes
« Dans tous les tombeaux à la fois [15]! »

Et je lui dis : « Tais-toi! respect au noir mystère [16]!
« Les morts gisent couchés sous nos pieds dans la terre.
« Les morts, ce sont les cœurs qui t'aimaient autrefois!
« C'est ton ange expiré! c'est ton père et ta mère!
« Ne les attristons point par l'ironie amère.
« Comme à travers un rêve ils entendent nos voix [17]! »

Octobre 1853.

XIII

VENI, VIDI, VIXI[1]

J'AI bien assez vécu, puisque dans mes douleurs[2]
Je marche, sans trouver de bras qui me secourent[3],
Puisque je ris à peine aux enfants qui m'entourent,
Puisque je ne suis plus réjoui par les fleurs;

Puisqu'au printemps, quand Dieu met la nature en fête,
J'assiste, esprit sans joie, à ce splendide amour[4];
Puisque je suis à l'heure où l'homme fuit le jour,
Hélas! et sent de tout la tristesse secrète;

Puisque l'espoir serein[5] dans mon âme est vaincu;
Puisqu'en cette saison des parfums et des roses,
O ma fille! j'aspire à l'ombre où tu reposes,
Puisque mon cœur est mort, j'ai bien assez vécu.

Je n'ai pas refusé ma tâche sur la terre.
Mon sillon? Le voilà. Ma gerbe? La voici.
J'ai vécu souriant[6], toujours plus adouci,
Debout, mais incliné[7] du côté du mystère.

J'ai fait ce que j'ai pu; j'ai servi, j'ai veillé,
Et j'ai vu bien souvent qu'on riait de ma peine[8].
Je me suis étonné d'être un objet de haine,
Ayant beaucoup souffert et beaucoup travaillé.

Dans ce bagne terrestre où ne s'ouvre aucune aile,
Sans me plaindre, saignant, et tombant sur les mains[9],
Morne, épuisé, raillé par les forçats humains,
J'ai porté mon chaînon de la chaîne éternelle[10].

Maintenant, mon regard ne s'ouvre qu'à demi;
Je ne me tourne plus même quand on me nomme;
Je suis plein de stupeur et d'ennui, comme un homme
Qui se lève avant l'aube et qui n'a pas dormi[11].

Je ne daigne plus même, en ma sombre paresse[12],
Répondre à l'envieux dont la bouche me nuit.
O Seigneur! ouvrez-moi les portes de la nuit,
Afin que je m'en aille et que je disparaisse[13]!

Avril 1848.

XIV

DEMAIN, dès l'aube[1], à l'heure où blanchit la cam-
Je partirai. Vois-tu, je sais que tu m'attends. [pagne,
J'irai par la forêt, j'irai par la montagne.
Je ne puis demeurer loin de toi plus longtemps.

Je marcherai les yeux fixés sur mes pensées,
Sans rien voir au dehors, sans entendre aucun bruit,
Seul, inconnu, le dos courbé, les mains croisées,
Triste, et le jour pour moi sera comme la nuit.

Je ne regarderai ni l'or du soir qui tombe,
Ni les voiles au loin descendant vers Harfleur,
Et, quand j'arriverai, je mettrai sur ta tombe
Un bouquet de houx vert et de bruyère en fleur[2].

3 septembre 1847.

XV

A VILLEQUIER[1]

Maintenant que Paris, ses pavés et ses marbres[2],
Et sa brume et ses toits sont bien loin de mes yeux;
Maintenant que je suis sous les branches des arbres,
Et que je puis songer à la beauté des cieux;

Maintenant que du deuil qui m'a fait l'âme obscure
Je sors, pâle et vainqueur,
Et que je sens la paix de la grande nature
Qui m'entre dans le cœur;

Maintenant que je puis, assis au bord des ondes,
Ému par ce superbe et tranquille horizon,
Examiner en moi les vérités profondes
Et regarder les fleurs[3] qui sont dans le gazon;

Maintenant, ô mon Dieu! que j'ai ce calme sombre
De pouvoir désormais
Voir de mes yeux[4] la pierre où je sais que dans l'ombre
Elle dort pour jamais;

Maintenant qu'attendri par ces divins spectacles[5],
Plaines, forêts, rochers, vallons, fleuve argenté,
Voyant ma petitesse et voyant vos miracles,
Je reprends ma raison devant l'immensité;

Je viens à vous, Seigneur, père auquel il faut croire[6]
Je vous porte, apaisé,
Les morceaux de ce cœur tout plein de votre gloire
Que vous avez brisé;

Je viens à vous, Seigneur! confessant que vous êtes
Bon, clément, indulgent et doux, ô Dieu vivant!
Je conviens que vous seul savez ce que vous faites,
Et que l'homme n'est rien qu'un jonc qui tremble au vent[7];

Je dis que le tombeau qui sur les morts se ferme
Ouvre le firmament;
Et que ce qu'ici-bas nous prenons pour le terme
Est le commencement[8];

Je conviens à genoux que vous seul, père auguste,
Possédez l'infini, le réel, l'absolu;
Je conviens qu'il est bon, je conviens qu'il est juste
Que mon cœur ait saigné, puisque Dieu l'a voulu!

Je ne résiste plus à tout ce qui m'arrive
Par votre volonté.
L'âme de deuils en deuils, l'homme de rive en rive,
Roule à l'éternité.

Nous ne voyons jamais qu'un seul côté des choses[9];
L'autre plonge en la nuit d'un mystère effrayant.
L'homme subit le joug sans connaître les causes.
Tout ce qu'il voit est court, inutile et fuyant.

Vous faites revenir toujours la solitude
Autour de tous ses pas.
Vous n'avez pas voulu qu'il eût la certitude
Ni la joie ici-bas!

Dès qu'il possède un bien, le sort le lui retire.
Rien ne lui fut donné, dans ses rapides jours,
Pour qu'il s'en puisse faire une demeure, et dire :
C'est ici ma maison, mon champ et mes amours!

Il doit voir peu de temps tout ce que ses yeux voient;
Il vieillit sans soutiens.
Puisque ces choses sont, c'est qu'il faut qu'elles soient;
J'en conviens, j'en conviens!

Le monde est sombre, ô Dieu! l'immuable harmonie[10]
Se compose des pleurs aussi bien que des chants;
L'homme n'est qu'un atome en cette ombre infinie,
Nuit où montent les bons, où tombent les méchants[11].

Je sais que vous avez bien autre chose à faire
Que de nous plaindre tous,
Et qu'un enfant qui meurt, désespoir de sa mère,
Ne vous fait rien, à vous!

Je sais que le fruit tombe au vent qui le secoue;
Que l'oiseau perd sa plume et la fleur son parfum;
Que la création est une grande roue[12]
Qui ne peut se mouvoir sans écraser quelqu'un;

Les mois, les jours, les flots des mers, les yeux qui [pleurent[13],
Passent sous le ciel bleu;
Il faut que l'herbe pousse et que les enfants meurent[14];
Je le sais, ô mon Dieu!

Dans vos cieux, au delà de la sphère des nues,
Au fond de cet azur immobile et dormant,
Peut-être faites-vous des choses inconnues[15]
Où la douleur de l'homme entre comme élément[16].

Peut-être est-il utile à vos desseins sans nombre
Que des êtres charmants
S'en aillent, emportés par le tourbillon sombre[17]
Des noirs événements.

Nos destins ténébreux vont sous des lois immenses
Que rien ne déconcerte et que rien n'attendrit.
Vous ne pouvez avoir de subites clémences
Qui dérangent le monde, ô Dieu, tranquille esprit[18]!

Je vous supplie, ô Dieu! de regarder mon âme,
Et de considérer
Qu'humble comme un enfant et doux comme une [femme,
Je viens vous adorer!

Considérez encor que j'avais, dès l'aurore,
Travaillé, combattu, pensé, marché, lutté,
Expliquant la nature à l'homme qui l'ignore,
Éclairant toute chose avec votre clarté;

Que j'avais, affrontant la haine et la colère,
Fait ma tâche ici-bas,
Que je ne pouvais pas m'attendre à ce salaire,
Que je ne pouvais pas

Prévoir [19] que, vous aussi, sur ma tête qui ploie,
Vous appesantiriez votre bras triomphant [20],
Et que, vous qui voyiez comme j'ai peu de joie,
Vous me reprendriez si vite mon enfant!

Qu'une âme ainsi frappée à se plaindre est sujette,
Que j'ai pu blasphémer,
Et vous jeter mes cris comme un enfant qui jette
Une pierre à la mer!

Considérez qu'on doute, ô mon Dieu! quand on souffre,
Que l'œil qui pleure trop finit par s'aveugler,
Qu'un être que son deuil plonge au plus noir du gouffre,
Quand il ne vous voit plus, ne peut vous contempler [21],

Et qu'il ne se peut pas que l'homme, lorsqu'il sombre
Dans les afflictions,
Ait présente à l'esprit la sérénité sombre [22]
Des constellations!

Aujourd'hui, moi qui fus faible comme une mère [23],
Je me courbe à vos pieds devant vos cieux ouverts.
Je me sens éclairé dans ma douleur amère
Par un meilleur regard jeté sur l'univers.

Seigneur, je reconnais que l'homme est en délire,
S'il ose murmurer;
Je cesse d'accuser, je cesse de maudire,
Mais laissez-moi pleurer!

Hélas! laissez les pleurs couler de ma paupière,
Puisque vous avez fait les hommes pour cela!
Laissez-moi me pencher sur cette froide pierre
Et dire à mon enfant : Sens-tu que je suis là?

Laissez-moi lui parler, incliné sur ses restes,
Le soir, quand tout se tait,
Comme si, dans sa nuit rouvrant ses yeux célestes,
Cet ange m'écoutait!

Hélas! vers le passé tournant un œil d'envie,
Sans que rien ici-bas puisse m'en consoler,
Je regarde toujours ce moment de ma vie
Où je l'ai vue ouvrir son aile et s'envoler[24]!

Je verrai cet instant jusqu'à ce que je meure,
L'instant, pleurs superflus!
Où je criai : L'enfant que j'avais tout à l'heure,
Quoi donc! je ne l'ai plus!

Ne vous irritez pas que je sois de la sorte,
O mon Dieu! cette plaie a si longtemps saigné!
L'angoisse dans mon âme est toujours la plus forte,
Et mon cœur est soumis, mais n'est pas résigné.

Ne vous irritez pas! fronts que le deuil réclame,
Mortels sujets aux pleurs,
Il nous est malaisé de retirer notre âme
De ces grandes douleurs.

Voyez-vous, nos enfants nous sont bien nécessaires,
Seigneur; quand on a vu dans sa vie, un matin,
Au milieu des ennuis, des peines, des misères,
Et de l'ombre que fait sur nous notre destin,

Apparaître un enfant, tête chère et sacrée,
Petit être joyeux,
Si beau, qu'on a cru voir s'ouvrir à son entrée
Une porte des cieux;

Quand on a vu, seize[25] ans, de cet autre soi-même
Croître la grâce aimable et la douce raison,
Lorsqu'on a reconnu que cet enfant qu'on aime
Fait le jour dans notre âme et dans notre maison,

Que c'est la seule joie ici-bas[26] qui persiste
De tout ce qu'on rêva,
Considérez que c'est une chose bien triste
De le voir qui s'en va[27]!

Villequier, 4 septembre 1847.

XVI

MORS[1]

Je vis cette faucheuse. Elle était dans son champ.
Elle allait à grands pas moissonnant et fauchant,
Noir squelette laissant passer le crépuscule.
Dans l'ombre où l'on dirait que tout tremble et recule[2],
L'homme suivait des yeux les lueurs de la faulx[3].
Et les triomphateurs sous les arcs triomphaux[4]
Tombaient; elle changeait en désert Babylone,
Le trône en échafaud et l'échafaud en trône[5],
Les roses en fumier, les enfants en oiseaux[6],
L'or en cendre, et les yeux des mères en ruisseaux.
Et les femmes criaient : — Rends-nous ce petit être.
Pour le faire mourir, pourquoi l'avoir fait naître[7]? —
Ce n'était qu'un sanglot sur terre, en haut, en bas[8];
Des mains aux doigts osseux sortaient des noirs[9] grabats;
Un vent froid bruissait dans les linceuls sans nombre;
Les peuples éperdus semblaient sous la faulx sombre
Un troupeau[10] frissonnant qui dans l'ombre s'enfuit;
Tout était sous ses pieds deuil, épouvante et nuit.
Derrière elle, le front baigné de douces flammes,
Un ange souriant portait la gerbe d'âmes[11].

Mars 1854.

XVII

CHARLES VACQUERIE[1]

IL ne sera pas dit que ce jeune homme, ô deuil[2]!
Se sera de ses mains ouvert l'affreux cercueil
Où séjourne l'ombre abhorrée,
Hélas! et qu'il aura lui-même dans la mort
De ses jours généreux, encor pleins[3] jusqu'au bord,
Renversé la coupe[4] dorée,

Et que sa mère, pâle et perdant la raison,
Aura vu rapporter au seuil de sa maison,
Sous un suaire aux plis funèbres,
Ce fils, naguère encor pareil au jour qui naît,
Maintenant blême et froid, tel que la mort venait
De le faire pour les ténèbres;

Il ne sera pas dit qu'il sera mort ainsi,
Qu'il aura, cœur profond et par l'amour saisi,
Donné sa vie à ma colombe,
Et qu'il l'aura suivie au lieu morne et voilé,
Sans que la voix du père à genoux ait parlé
A cette âme dans cette tombe!

En présence de tant d'amour et de vertu,
Il ne sera pas dit que je me serai tu,
Moi qu'attendent les maux sans nombre!
Que je n'aurai point mis sur sa bière un flambeau,
Et que je n'aurai pas devant son noir tombeau
Fait asseoir une strophe sombre!

N'ayant pu la sauver, il a voulu mourir.
Sois béni, toi qui, jeune, à l'âge où vient s'offrir
L'espérance joyeuse encore,
Pouvant rester, survivre, épuiser tes printemps,
Ayant devant les yeux l'azur[5] de tes vingt ans
Et le sourire de l'aurore,

A tout ce que promet la jeunesse, aux plaisirs,
Aux nouvelles amours, aux oublieux désirs
Par qui toute peine est bannie,
A l'avenir, trésor des jours à peine éclos,
A la vie, au soleil, préféras sous les flots
L'étreinte de cette agonie!

Oh! quelle sombre joie à cet être charmant
De se voir embrassée au suprême moment,
Par ton doux désespoir fidèle!
La pauvre âme a souri dans l'angoisse, en sentant
A travers l'eau sinistre et l'effroyable instant
Que tu t'en venais avec elle!

Leurs âmes se parlaient sous les vagues rumeurs[6].
— Que fais-tu? disait-elle. — Et lui, disait: — Tu meurs;
Il faut bien aussi que je meure! —
Et, les bras enlacés[7], doux couple frissonnant,
Ils se sont en allés dans l'ombre; et, maintenant,
On entend le fleuve qui pleure.

Puisque tu fus si grand, puisque tu fus si doux
Que de vouloir mourir, jeune homme, amant, époux,
Qu'à jamais l'aube en ta nuit brille!
Aie à jamais sur toi l'ombre de Dieu penché!
Sois béni sous la pierre où te voilà couché!
Dors, mon fils, auprès de ma fille!

Sois béni! que la brise et que l'oiseau des bois,
Passants mystérieux, de leur plus douce voix

Te parlent dans ta maison sombre!
Que la source te pleure avec sa goutte d'eau!
Que le frais liseron se glisse en ton tombeau
Comme une caresse de l'ombre!

Oh! s'immoler, sortir avec l'ange qui sort,
Suivre ce qu'on aima dans l'horreur de la mort,
Dans le sépulcre ou sur les claies[8],
Donner ses jours, son sang et ses illusions!... —
Jésus baise en pleurant ces saintes actions
Avec les lèvres de ses plaies[9].

Rien n'égale ici-bas, rien n'atteint sous les cieux
Ces héros, doucement saignants et radieux,
Amour, qui n'ont que toi pour règle;
Le génie à l'œil fixe, au vaste élan vainqueur,
Lui-même est dépassé par ces essors du cœur;
L'ange vole plus haut que l'aigle[10].

Dors! — O mes douloureux et sombres bien-aimés[11]!
Dormez le chaste hymen du sépulcre! dormez!
Dormez au bruit du flot qui gronde,
Tandis que l'homme souffre, et que le vent lointain[12]
Chasse les noirs vivants[13] à travers le destin,
Et les marins à travers l'onde!

Ou plutôt [14], car la mort n'est pas un lourd sommeil,
Envolez-vous tous deux dans l'abîme vermeil,
Dans les profonds gouffres de joie,
Où le juste qui meurt semble un soleil levant,
Où la morte au front pâle est comme un lys vivant[15],
Où l'ange frissonnant flamboie!

Fuyez, mes doux oiseaux! évadez-vous tous deux
Loin de notre nuit froide et loin du mal hideux!
Franchissez l'éther d'un coup d'aile!

Volez loin de ce monde, âpre hiver sans clarté,
Vers cette radieuse et bleue éternité[16],
Dont l'âme humaine est l'hirondelle[17]!

O chers êtres absents[18], on ne vous verra plus[19]
Marcher au vert penchant des coteaux chevelus[20],
Disant tout bas de douces choses!
Dans le mois des chansons, des nids et des lilas,
Vous n'irez plus semant des sourires, hélas!
Vous n'irez plus cueillant des roses!

On ne vous verra plus, dans ces sentiers joyeux,
Errer, et, comme si vous évitiez les yeux
De l'horizon vaste et superbe,
Chercher l'obscur asile[21] et le taillis profond
Où passent des rayons qui tremblent et qui font
Des taches de soleil sur l'herbe[22]!

Villequier, Caudebec, et tous ces frais vallons,
Ne vous entendront plus vous écrier : « Allons,
« Le vent est bon, la Seine est belle! »
Comme ces lieux charmants vont être pleins d'ennui!
Les hardis goélands ne diront plus : C'est lui!
Les fleurs ne diront plus : C'est elle!

Dieu, qui ferme la vie et rouvre l'idéal,
Fait flotter à jamais votre lit nuptial[23]
Sous le grand dôme aux clairs pilastres[24];
En vous prenant la terre, il vous prit les douleurs;
Ce père souriant, pour les champs pleins de fleurs,
Vous donne les cieux remplis d'astres[25]!

Allez des esprits purs accroître la tribu.
De cette coupe[26] amère où vous n'avez pas bu,
Hélas! nous viderons le reste.
Pendant que nous pleurons, de sanglots abreuvés,
Vous, heureux, enivrés de vous-mêmes, vivez
Dans l'éblouissement céleste!

Vivez! aimez! ayez les bonheurs infinis.
Oh! les anges pensifs, bénissant et bénis,
Savent seuls, sous les sacrés voiles,
Ce qu'il entre d'extase, et d'ombre, et de ciel bleu,
Dans l'éternel baiser de deux âmes que Dieu
Tout à coup change en deux étoiles[27]!

Jersey, 4 septembre 1852.

LIVRE CINQUIÈME

EN MARCHE

I

A AUG. V.[1]

Et toi[2], son frère, sois le frère de mes fils.
Cœur fier, qui du destin relèves les défis[3],
Suis à côté de moi la voie inexorable.
Que ta mère au front gris[4] soit ma sœur vénérable!
Ton frère dort couché dans le sépulcre noir;
Nous, dans la nuit du sort, dans l'ombre du devoir,
Marchons à la clarté qui sort de cette pierre[5].
Qu'il dorme, voyant l'aube à travers sa paupière!
Un jour, quand on lira nos temps mystérieux,
Les songeurs attendris promèneront leurs yeux
De toi, le dévouement, à lui, le sacrifice.
Nous habitons du sphinx le lugubre édifice[6];
Nous sommes, cœurs liés au morne piédestal,
Tous la fatale énigme et tous le mot fatal[7].
Ah! famille! ah! douleur! ô sœur! ô mère! ô veuve[8]!
O sombres lieux, qu'emplit le murmure du fleuve!
Chaste tombe jumelle au pied du coteau vert!
Poète, quand mon sort s'est brusquement ouvert,
Tu n'as pas reculé devant les noires portes,
Et, sans pâlir, avec le flambeau que tu portes,
Tes chants, ton avenir que l'absence interrompt,
Et le frémissement lumineux de ton front,
Trouvant la chute belle et le malheur propice,
Calme, tu t'es jeté dans le grand précipice[9]!
Hélas! c'est par les deuils que nous nous enchaînons.
O frères, que vos noms soient mêlés à nos noms!
Dieu vous fait des rayons de toutes nos ténèbres[10].
Car vous êtes entrés sous nos voûtes funèbres;

Car vous avez été tous deux vaillants et doux;
Car vous avez tous deux, vous rapprochant de nous[11]
A l'heure où vers nos fronts roulait le gouffre d'ombre,
Accepté notre sort dans ce qu'il a de sombre,
Et suivi, dédaignant l'abîme et le péril,
Lui, la fille au tombeau, toi, le père à l'exil!

Jersey, Marine-Terrace, 4 septembre 1852.

II

AU FILS D'UN POÈTE[1]

ENFANT, laisse aux mers inquiètes
Le naufragé, tribun ou roi;
Laisse s'en aller les poètes!
La poésie est près de toi.

Elle t'échauffe, elle t'inspire,
O cher enfant, doux alcyon,
Car ta mère en est le sourire,
Et ton père en est le rayon.

Les yeux en pleurs[2], tu me demandes
Où je vais, et pourquoi je pars.
Je n'en sais rien; les mers sont grandes;
L'exil s'ouvre de toutes parts.

Ce que Dieu nous donne, il nous l'ôte.
Adieu, patrie! adieu, Sion!
Le proscrit n'est pas même un hôte,
Enfant, c'est une vision.

Il entre, il s'assied, puis se lève,
Reprend son bâton et s'en va.
Sa vie erre de grève en grève
Sous le souffle de Jéhovah.

Il fuit sur les vagues profondes,
Sans repos, toujours en avant.
Qu'importe ce qu'en font les ondes!
Qu'importe ce qu'en fait le vent!

Garde, enfant, dans ta jeune tête
Ce souvenir mystérieux,
Tu l'as vu dans une tempête
Passer comme l'éclair des cieux.

Son âme aux chocs habituée
Traversait l'orage et le bruit.
D'où sortait-il? De la nuée.
Où s'enfonçait-il? Dans la nuit.

Bruxelles, juillet 1852.

III

ÉCRIT EN 1846[1]

« ... Je vous ai vu enfant, monsieur, chez votre respectable mère, et nous sommes même un peu parents, je crois. J'ai applaudi à vos premières odes, *la Vendée, Louis XVII*... Dès 1827, dans votre ode dite *A la colonne,* vous désertiez les saines doctrines, vous abjuriez la légitimité; la faction libérale battait des mains à votre apostasie. J'en gémissais... Vous êtes aujourd'hui, monsieur, en démagogie pure, en plein jacobinisme. Votre discours d'anarchiste sur les affaires de Galicie est plus digne du tréteau d'une Convention que de la tribune d'une chambre des pairs. Vous en êtes à la carmagnole... Vous vous perdez, je vous le dis. Quelle est donc votre ambition? Depuis ces beaux jours de votre adolescence monarchique, qu'avez-vous fait? où allez-vous?... »

(Le marquis du C. d'E... — *Lettre à Victor Hugo* Paris, 1846.)

I

Marquis, je m'en souviens, vous veniez chez ma mère.
Vous me faisiez parfois réciter ma grammaire;
Vous m'apportiez toujours quelque bonbon exquis;
Et nous étions cousins quand on était marquis.
Vous étiez vieux, j'étais enfant; contre vos jambes
Vous me preniez, et puis, entre deux dithyrambes
En l'honneur de Coblentz[2] et des rois, vous contiez
Quelque histoire de loups, de peuples châtiés,

D'ogres, de jacobins[3], authentique et formelle,
Que j'avalais avec vos bonbons, pêle-mêle,
Et que je dévorais de fort bon appétit
Quand j'étais royaliste et quand j'étais petit.

J'étais un doux enfant, le grain d'un honnête homme.
Quand, plein d'illusions, crédule, simple, en somme,
Droit et pur, mes deux yeux sur l'idéal ouverts,
Je bégayais, songeur naïf, mes premiers vers,
Marquis, vous leur trouviez un arrière-goût fauve[4],
Les Grâces vous ayant nourri dans leur alcôve[5];
Mais vous disiez : « Pas mal! bien! c'est quelqu'un qui [naît! »
Et, souvenir sacré! ma mère rayonnait[6].

Je me rappelle encor de quel accent ma mère
Vous disait: « Bonjour. » Aube! avril! joie éphémère!
Où donc est ce sourire? où donc est cette voix?
Vous fuyez donc ainsi que les feuilles des bois,
O baisers d'une mère! aujourd'hui, mon front sombre,
Le même front, est là, pensif, avec de l'ombre[7],
Et les baisers de moins et les rides de plus!

Vous aviez de l'esprit, marquis. Flux et reflux,
Heur, malheur, vous avaient laissé l'âme assez nette[8]
Riche, pauvre, écuyer de Marie-Antoinette,
Émigré, vous aviez, dans ce temps incertain[9],
Bien supporté le chaud et le froid du destin.
Vous haïssiez Rousseau[10], mais vous aimiez Voltaire
Pigault-Lebrun allait à votre goût austère[11],
Mais Diderot était digne du pilori[12].
Vous détestiez, c'est vrai, madame Dubarry,
Tout en divinisant Gabrielle d'Estrée[13].
Pas plus que Sévigné, la marquise lettrée,
Ne s'étonnait de voir, douce femme rêvant,
Blêmir au clair de lune et trembler dans le vent,
Aux arbres du chemin, parmi les feuilles jaunes,
Les paysans pendus par ce bon duc de Chaulnes,

Vous ne preniez souci des manants qu'on abat
Par la force, et du pauvre écrasé sous le bât[14].
Avant quatre-vingt-neuf, galant incendiaire[15],
Vous portiez votre épée en quart de civadière[16];
La poudre blanchissait votre dos de velours;
Vous marchiez sur le peuple à pas légers — et lourds.

Quoique les vieux abus n'eussent rien qui vous blesse[17],
Jeune, vous aviez eu, vous, toute la noblesse,
Montmorency, Choiseul, Noaille, esprits charmants,
Avec la royauté des querelles d'amants[18];
Brouilles, roucoulements; Bérénice avec Tite[19].
La Révolution vous plut toute petite;
Vous emboîtiez le pas[20] derrière Talleyrand;
Le monstre vous sembla d'abord fort transparent,
Et vous l'aviez tenu sur les fonts de baptême.
Joyeux, vous aviez dit au nouveau-né : Je t'aime!
Ligue ou Fronde, remède au déficit, protêt[21],
Vous ne saviez pas trop au fond ce que c'était;
Mais vous battiez des mains gaîment, quand Lafayette
Fit à Léviathan sa première layette[22].
Plus tard, la peur vous prit quand surgit le flambeau[23].
Vous vîtes la beauté du tigre[24] Mirabeau.
Vous nous disiez, le soir, près du feu qui pétille,
Paris de sa poitrine arrachant la Bastille,
Le faubourg Saint-Antoine accourant en sabots,
Et ce grand peuple, ainsi qu'un spectre des tombeaux,
Sortant, tout effaré, de son antique opprobre,
Et le vingt juin, le dix août, le six octobre[25],
Et vous nous récitiez les quatrains que Boufflers[26]
Mêlait en souriant à ces blêmes éclairs[27].

Car vous étiez de ceux qui, d'abord, ne comprirent
Ni le flot, ni la nuit, ni la France, et qui rirent;
Qui prenaient tout cela pour des jeux innocents;
Qui, dans l'amas plaintif des siècles rugissants
Et des hommes hagards, ne voyaient qu'une meute;
Qui, légers, à la foule, à la faim, à l'émeute,

Donnaient à deviner l'énigme du salon;
Et qui, quand le ciel noir s'emplissait d'aquilon,
Quand, accroupie au seuil du mystère insondable,
La Révolution se dressait formidable,
Sceptiques, sans voir l'ongle et l'œil fauve qui luit,
Distinguant mal sa face étrange dans la nuit,
Presque prêts à railler l'obscurité difforme,
Jouaient à la charade avec le sphinx énorme.

Vous nous disiez : « Quel deuil! les gueux, les mécontents,
« Ont fait rage; on n'a pas su s'arrêter à temps.
« Une transaction eût tout sauvé peut-être.
« Ne peut-on être libre et le roi rester maître[28]?
« Le peuple conservant le trône eût été grand[29]. »
Puis vous deveniez triste et morne; et, murmurant :
« Les plus sages n'ont pu sauver ce bon vieux trône.
« Tout est mort; ces grands rois, ce Paris Babylone,
« Montespan et Marly, Maintenon et Saint-Cyr[30]! »
Vous pleuriez. — Et, grand Dieu! pouvaient-ils réussir,
Ces hommes qui voulaient, combinant vingt régimes,
La loi qui nous froissa, l'abus dont nous rougîmes,
Vieux codes, vieilles mœurs, droit divin, nation,
Chausser de royauté la Révolution[31]?
La patte du lion creva cette pantoufle!

II

Puis vous m'avez perdu de vue; un vent qui souffle
Disperse nos destins, nos jours, notre raison,
Nos cœurs, aux quatre coins du livide horizon;
Chaque homme dans sa nuit s'en va vers sa lumière.
La seconde âme en nous se greffe à la première;
Toujours la même tige avec une autre fleur.
J'ai connu le combat, le labeur, la douleur,
Les faux amis, ces nœuds qui deviennent couleuvres

J'ai porté deuils sur deuils; j'ai mis œuvres sur œuvres;
Vous ayant oublié, je ne le cache pas,
Marquis; soudain j'entends dans ma maison un pas,
C'est le vôtre, et j'entends une voix, c'est la vôtre,
Qui m'appelle apostat, moi qui me crus apôtre!
Oui, c'est bien vous; ayant peur jusqu'à la fureur,
Fronsac vieux, le marquis happé par la Terreur[32],
Haranguant à mi-corps dans l'hydre qui l'avale.
L'âge ayant entre nous conservé l'intervalle
Qui fait que l'homme reste enfant pour le vieillard,
Ne me voyant d'ailleurs qu'à travers un brouillard,
Vous criez, l'œil hagard et vous fâchant tout rouge :
« Ah! çà! qu'est-ce que c'est que ce brigand? Il bouge! »
Et du poing, non du doigt, vous montrez vos aïeux;
Et vous me rappelez ma mère, furieux[33]. [mie[34]! —
— Je vous baise, ô pieds froids de ma mère endor-
Et, vous exclamant : « Honte! anarchie! infamie!
« Siècle effroyable où nul ne veut se tenir coi! »
Me demandant comment, me demandant pourquoi,
Remuant tous les morts qui gisent sous la pierre,
Citant Lambesc, Marat, Charette et Robespierre[35],
Vous me dites d'un ton qui n'a plus rien d'urbain :
« Ce gueux est libéral! ce monstre est jacobin!
« Sa voix à des chansons de carrefour s'éraille.
« Pourquoi regardes-tu par-dessus la muraille?
« Où vas-tu? d'où viens-tu? qui te rend si hardi[36]?
« Depuis qu'on ne t'a vu, qu'as-tu fait? »

J'ai grandi.

Quoi! parce que je suis né dans un groupe d'hommes
Qui ne voyaient qu'enfers, Gomorrhes et Sodomes,
Hors des anciennes mœurs et des antiques fois;
Quoi! parce que ma mère, en Vendée autrefois,
Sauva dans un seul jour la vie à douze prêtres[37];
Parce qu'enfant sorti de l'ombre des ancêtres,
Je n'ai su tout d'abord que ce qu'ils m'ont appris,
Qu'oiseau dans le passé comme en un filet pris,

Avant de m'échapper à travers le bocage,
J'ai dû laisser pousser mes plumes dans ma cage;
Parce que j'ai pleuré, — j'en pleure encor, qui sait? —
Sur ce pauvre petit nommé Louis Dix-Sept[38];
Parce qu'adolescent, âme à faux jour guidée,
J'ai trop peu vu la France et trop vu la Vendée[39];
Parce que j'ai loué l'héroïsme breton,
Chouan et non Marceau, Stofflet et non Danton,
Que les grands paysans m'ont caché les grands hommes,
Et que j'ai fort mal lu, d'abord, l'ère où nous sommes,
Parce que j'ai vagi des chants de royauté,
Suis-je à toujours rivé dans l'imbécillité?
Dois-je crier : Arrière! à mon siècle; — à l'idée :
Non! — à la vérité : Va-t'en, dévergondée! —
L'arbre doit-il pour moi n'être qu'un goupillon?
Au sein de la nature, immense tourbillon,
Dois-je vivre, portant l'ignorance en écharpe,
Cloîtré dans Loriquet et muré dans Laharpe[40]?
Dois-je exister sans être et regarder sans voir?
Et faut-il qu'à jamais pour moi, quand vient le soir,
Au lieu de s'étoiler, le ciel se fleurdelise[41]?

III

Car le roi masque Dieu même dans son église,
L'azur.

IV

Écoutez-moi. J'ai vécu; j'ai songé.
La vie en larmes m'a doucement corrigé.
Vous teniez mon berceau dans vos mains, et vous fîtes
Ma pensée et ma tête en vos rêves[42] confites.
Hélas! j'étais la roue et vous étiez l'essieu.
Sur la vérité sainte, et la justice, et Dieu,
Sur toutes les clartés que la raison nous donne,
Par vous, par vos pareils, — et je vous le pardonne,

Marquis, — j'avais été tout de travers placé.
J'étais en porte-à-faux, je me suis redressé.
La pensée est le droit sévère de la vie.
Dieu prend par la main l'homme enfant, et le convie
A la classe qu'au fond des champs, au sein des bois[43],
Il fait dans l'ombre à tous les êtres à la fois.
J'ai pensé. J'ai rêvé près des flots, dans les herbes,
Et les premiers courroux de mes odes imberbes
Sont d'eux-même en marchant tombés derrière moi.
La nature devint ma joie et mon effroi;
Oui, dans le même temps où vous faussiez ma lyre,
Marquis, je m'échappais et j'apprenais à lire
Dans cet hiéroglyphe énorme : l'univers.
Oui, j'allais feuilleter les champs tout grands ouverts;
Tout enfant, j'essayais d'épeler cette bible
Où se mêle, éperdu, le charmant au terrible;
Livre écrit dans l'azur, sur l'onde et le chemin,
Avec la fleur, le vent, l'étoile; et qu'en sa main
Tient la création au regard de statue;
Prodigieux poème où la foudre accentue
La nuit, où l'océan souligne l'infini.
Aux champs, entre les bras du grand chêne béni,
J'étais plus fort, j'étais plus doux, j'étais plus libre;
Je me mettais avec le monde en équilibre;
Je tâchais de savoir, tremblant, pâle, ébloui,
Si c'est Non que dit l'ombre à l'astre qui dit Oui;
Je cherchais à saisir le sens des phrases sombres
Qu'écrivaient sous mes yeux les formes et les nombres;
J'ai vu partout grandeur, vie, amour, liberté;
Et j'ai dit : — Texte : Dieu; contre-sens : royauté. —

La nature est un drame avec des personnages :
J'y vivais; j'écoutais, comme des témoignages,
L'oiseau, le lis, l'eau vive et la nuit qui tombait.
Puis je me suis penché sur l'homme, autre alphabet.

Le mal m'est apparu, puissant, joyeux, robuste[44],
Triomphant; je n'avais qu'une soif : être juste;

Comme on arrête un gueux volant sur le chemin,
Justicier indigné, j'ai pris le cœur humain
Au collet, et j'ai dit : Pourquoi le fiel, l'envie,
La haine? Et j'ai vidé les poches de la vie.
Je n'ai trouvé dedans que deuil, misère, ennui.
J'ai vu le loup mangeant l'agneau, dire : Il m'a nui!
Le vrai boitant; l'erreur haute de cent coudées[45];
Tous les cailloux jetés à toutes les idées.
Hélas! j'ai vu la nuit reine, et, de fers chargés[46],
Christ, Socrate, Jean Huss, Colomb; les préjugés
Sont pareils aux buissons que dans la solitude
On brise pour passer : toute la multitude
Se redresse et vous mord pendant qu'on en courbe un
Ah! malheur à l'apôtre et malheur au tribun!
On avait eu bien soin de me cacher l'histoire;
J'ai lu; j'ai comparé l'aube avec la nuit noire
Et les quatre-vingt-treize aux Saint-Barthélemy[47];
Car ce quatre-vingt-treize où vous avez frémi,
Qui dut être, et que rien ne peut plus faire éclore,
C'est la lueur de sang qui se mêle à l'aurore.
Les Révolutions, qui viennent tout venger,
Font un bien éternel dans leur mal passager.
Les Révolutions ne sont que la formule
De l'horreur qui, pendant vingt règnes s'accumule.
Quand la souffrance a pris de lugubres ampleurs[48];
Quand les maîtres longtemps ont fait, sur l'homme en
Tourner le Bas-Empire avec le Moyen Age, [pleurs
Du midi dans le nord[49] formidable engrenage;
Quand l'histoire n'est plus qu'un tas noir de tombeaux
De Crécys, de Rosbachs[50], becquetés des corbeaux;
Quand le pied des méchants règne et courbe la tête
Du pauvre partageant dans l'auge avec la bête;
Lorsqu'on voit aux deux bouts de l'affreuse Babel[51]
Louis Onze et Tristan, Louis Quinze et Lebel;
Quand le harem[52] est prince et l'échafaud ministre;
Quand toute chair gémit; quand la lune sinistre
Trouve qu'assez longtemps l'herbe humaine a fléchi,
Et qu'assez d'ossements aux gibets ont blanchi;

Quand le sang de Jésus tombe en vain, goutte à goutte,
Depuis dix-huit cents ans, dans l'ombre qui l'écoute;
Quand l'ignorance a même aveuglé l'avenir;
Quand, ne pouvant plus rien saisir et rien tenir,
L'espérance n'est plus que le tronçon de l'homme[53];
Quand partout le supplice à la fois se consomme,
Quand la guerre est partout, quand la haine est partout,
Alors, subitement, un jour, debout, debout!
Les réclamations de l'ombre misérable,
La géante douleur, spectre incommensurable,
Sortent du gouffre; un cri s'entend sur les hauteurs[54];
Les mondes sociaux heurtent leurs équateurs;
Tout le bagne effrayant des parias se lève;
Et l'on entend sonner les fouets, les fers, le glaive,
Le meurtre, le sanglot, la faim, le hurlement,
Tout le bruit du passé, dans ce déchaînement!
Dieu dit au peuple : Va[55]! l'ardent tocsin qui râle,
Secoue avec sa corde obscure et sépulcrale
L'église et son clocher, le Louvre et son beffroi;
Luther brise le pape et Mirabeau le roi[56]!
Tout est dit. C'est ainsi que les vieux mondes croulent.
Oh! l'heure vient toujours! des flots sourds au loin [roulent.
A travers les rumeurs, les cadavres, les deuils,
L'écume, et les sommets qui deviennent écueils,
Les siècles devant eux poussent, désespérées,
Les Révolutions, monstrueuses marées,
Océans faits des pleurs de tout le genre humain.

V

Ce sont les rois qui font les gouffres[57]; mais la main
Qui sema, ne veut pas accepter la récolte;
Le fer dit que le sang qui jaillit, se révolte.

Voilà ce que m'apprit l'histoire. Oui, c'est cruel,
Ma raison a tué mon royalisme en duel[58].

Me voici jacobin. Que veut-on que j'y fasse?
Le revers du louis dont vous aimez la face,
M'a fait peur. En allant librement devant moi,
En marchant, je le sais, j'afflige votre foi,
Votre religion, votre cause éternelle,
Vos dogmes, vos aïeux, vos dieux, votre flanelle,
Et dans vos bons vieux os, faits d'immobilité,
Le rhumatisme[59] antique appelé royauté.
Je n'y puis rien. Malgré menins et majordomes[60],
Je ne crois plus aux rois propriétaires d'hommes;
N'y croyant plus, je fais mon devoir, je le dis.
Marc-Aurèle écrivait : « Je me trompai jadis[61];
« Mais je ne laisse pas, allant au juste, au sage,
« Mes erreurs d'autrefois me barrer le passage. »
Je ne suis qu'un atome, et je fais comme lui;
Marquis, depuis vingt ans, je n'ai, comme aujourd'hui[62],
Qu'une idée en l'esprit : servir la cause humaine.
La vie est une cour d'assises; on amène
Les faibles à la barre accouplés aux pervers.
J'ai, dans le livre, avec le drame, en prose, en vers,
Plaidé pour les petits et pour les misérables;
Suppliant les heureux et les inexorables;
J'ai réhabilité le bouffon, l'histrion[63],
Tous les damnés humains, Triboulet, Marion[64],
Le laquais, le forçat et la prostituée[65];
Et j'ai collé ma bouche à toute âme tuée,
Comme font les enfants, anges aux cheveux d'or,
Sur la mouche qui meurt, pour qu'elle vole encor[66].
Je me suis incliné sur tout ce qui chancelle,
Tendre, et j'ai demandé la grâce universelle;
Et, comme j'irritais beaucoup de gens ainsi,
Tandis qu'en bas peut-être on me disait : Merci,
J'ai recueilli souvent, passant dans les nuées,
L'applaudissement fauve et sombre des huées;
J'ai réclamé des droits pour la femme et l'enfant;
J'ai tâché d'éclairer l'homme en le réchauffant;
J'allais criant : Science! écriture! parole!
Je voulais résorber le bagne par l'école;

Les coupables pour moi n'étaient que des témoins[67].
Rêvant tous les progrès, je voyais luire moins
Que le front de Paris la tiare de Rome.
J'ai vu l'esprit humain libre, et le cœur de l'homme
Esclave; et j'ai voulu l'affranchir à son tour,
Et j'ai tâché de mettre en liberté l'amour[68].
Enfin, j'ai fait la guerre à la Grève homicide,
J'ai combattu la mort, comme l'antique Alcide[69];
Et me voilà; marchant toujours, ayant conquis,
Perdu, lutté, souffert. — Encore un mot, marquis,
Puisque nous sommes là causant entre deux portes.
On peut être appelé renégat de deux sortes :
En se faisant païen, en se faisant chrétien.
L'erreur est d'un aimable et galant entretien.
Qu'on la quitte, elle met les deux poings sur sa hanche.
La vérité, si douce aux bons, mais rude et franche,
Quand pour l'or, le pouvoir, la pourpre qu'on revêt,
On la trahit, devient le spectre du chevet.
L'une est la harengère, et l'autre est l'euménide[70].
Et ne nous fâchons point. Bonjour, Épiménide[71].

Le passé ne veut pas s'en aller. Il revient
Sans cesse sur ses pas, reveut, reprend, retient,
Use à tout ressaisir ses ongles noirs; fait rage;
Il gonfle son vieux flot, souffle son vieil orage,
Vomit sa vieille nuit, crie : A bas! crie : A mort!
Pleure[72], tonne, tempête, éclate, hurle, mord.
L'avenir souriant lui dit : Passe, bonhomme[73].

L'immense renégat d'Hier, marquis, se nomme
Demain; mai tourne bride et plante là l'hiver;
Qu'est-ce qu'un papillon? le déserteur du ver;
Falstaff se range? il est l'apostat des ribotes;
Mes pieds, ces renégats, quittent mes vieilles bottes;
Ah! le doux renégat des haines, c'est l'amour.
A l'heure où, débordant d'incendie et de jour,
Splendide, il s'évada de leurs cachots funèbres,
Le soleil frémissant renia les ténèbres[74].

O marquis peu semblable aux anciens barons loups,
O Français renégat du Celte, embrassons-nous[75].
Vous voyez bien, marquis, que vous aviez trop d'ire.

VI

Rien, au fond de mon cœur, puisqu'il faut le redire,
Non, rien n'a varié; je suis toujours celui
Qui va droit au devoir, dès que l'honnête a lui,
Qui, comme Job, frissonne aux vents, fragile arbuste[76],
Mais veut le bien, le vrai, le beau, le grand, le juste.
Je suis cet homme-là, je suis cet enfant-là.
Seulement, un matin, mon esprit s'envola,
Je vis l'espace large et pur qui nous réclame;
L'horizon a changé, marquis, mais non pas l'âme.
Rien au dedans de moi, mais tout autour de moi.
L'histoire m'apparut, et je compris la loi
Des générations, cherchant Dieu, portant l'arche,
Et montant l'escalier immense marche à marche[77].
Je restai le même œil, voyant un autre ciel.
Est-ce ma faute, à moi, si l'azur éternel
Est plus grand et plus bleu qu'un plafond de Versailles?
Est-ce ma faute, à moi, mon Dieu, si tu tressailles
Dans mon cœur frémissant, à ce cri : Liberté!
L'œil de cet homme a plus d'aurore et de clarté,
Tant pis! prenez-vous-en à l'aube solennelle.
C'est la faute au soleil et non à la prunelle.
Vous dites : Où vas-tu? Je l'ignore; et j'y vais[78].
Quand le chemin est droit, jamais il n'est mauvais.
J'ai devant moi le jour et j'ai la nuit derrière;
Et cela me suffit; je brise la barrière.
Je vois, et rien de plus; je crois, et rien de moins.
Mon avenir à moi n'est pas un de mes soins.
Les hommes du passé, les combattants de l'ombre,
M'assaillent; je tiens tête, et sans compter leur nombre,
A ce choc inégal et parfois hasardeux.

Mais, Longwood et Goritz* m'en sont témoins tous deux[79],
Jamais je n'outrageai la proscription sainte.
Le malheur, c'est la nuit; dans cette auguste enceinte,
Les hommes et les cieux paraissent étoilés.
Les derniers rois l'ont su quand ils s'en sont allés.
Jamais je ne refuse, alors que le soir tombe,
Mes larmes à l'exil, mes genoux à la tombe[80];
J'ai toujours consolé qui s'est évanoui;
Et, dans leurs noirs cercueils, leur tête me dit oui.
Ma mère aussi le sait! et de plus, avec joie,
Elle sait les devoirs nouveaux que Dieu m'envoie;
Car, étant dans la fosse, elle aussi voit le vrai.
Oui, l'homme sur la terre est un ange à l'essai;
Aimons! servons! aidons! luttons! souffrons! Ma mère
Sait qu'à présent je vis hors de toute chimère[81];
Elle sait que mes yeux au progrès sont ouverts,
Que j'attends les périls, l'épreuve, les revers,
Que je suis toujours prêt, et que je hâte l'heure
De ce grand lendemain : l'humanité meilleure!
Qu'heureux, triste, applaudi, chassé, vaincu, vainqueur,
Rien de ce but profond ne distraira mon cœur,
Ma volonté, mes pas, mes cris, mes vœux, ma flamme!
O saint tombeau, tu vois dans le fond de mon âme!

Oh! jamais, quel que soit le sort, le deuil, l'affront,
La conscience en moi ne baissera le front[82];
Elle marche sereine[83], indestructible et fière;
Car j'aperçois toujours, conseil lointain, lumière,
A travers mon destin, quel que soit le moment,
Quel que soit le désastre ou l'éblouissement,
Dans le bruit, dans le vent orageux qui m'emporte[84],
Dans l'aube, dans la nuit, l'œil de ma mère morte!

Paris, juin 1846.

* On n'a rien changé à ces vers, écrits en 1846. Aujourd'hui, l'auteur eût ajouté Claremont.

ÉCRIT EN 1855[1]

J'AJOUTE un post-scriptum après neuf ans. J'écoute;
Êtes-vous toujours là? Vous êtes mort sans doute,
Marquis; mais d'où je suis on peut parler aux morts[2].
Ah! votre cercueil s'ouvre : — Où donc es-tu? —
[Dehors.
Comme vous. — Es-tu mort? — Presque. J'habite
[l'ombre;
Je suis sur un rocher qu'environne l'eau sombre,
Écueil rongé des flots, de ténèbres chargé,
Où s'assied, ruisselant, le blême naufragé.
— Eh bien, me dites-vous, après? — La solitude
Autour de moi toujours a la même attitude;
Je ne vois que l'abîme, et la mer, et les cieux,
Et les nuages noirs qui vont silencieux;
Mon toit, la nuit, frissonne, et l'ouragan le mêle
Aux souffles effrénés de l'onde et de la grêle;
Quelqu'un semble clouer un crêpe à l'horizon[3];
L'insulte bat de loin le seuil de ma maison;
Le roc croule sous moi dès que mon pied s'y pose;
Le vent semble avoir peur de m'approcher, et n'ose
Me dire qu'en baissant la voix et qu'à demi
L'adieu mystérieux que me jette un ami.
La rumeur des vivants s'éteint diminuée.
Tout ce que j'ai rêvé s'est envolé, nuée!
Sur mes jours devenus fantômes, pâle et seul,
Je regarde tomber l'infini, ce linceul. —

Et vous dites : — Après? — Sous un mont qui sur-
[plombe,
Près des flots, j'ai marqué la place de ma tombe[4];
Ici, le bruit du gouffre est tout ce qu'on entend;
Tout est horreur et nuit. — Après? — Je suis content[5].

Jersey, janvier 1855.

IV

La source tombait[1] du rocher
Goutte à goutte à la mer affreuse.
L'Océan, fatal au nocher,
Lui dit : « Que me veux-tu, pleureuse?

« Je suis la tempête et l'effroi;
« Je finis où le ciel commence.
« Est-ce que j'ai besoin de toi,
« Petite, moi qui suis l'immense? »

La source dit au gouffre amer :
« Je te donne, sans bruit ni gloire,
« Ce qui te manque, ô vaste mer!
« Une goutte d'eau qu'on peut boire. »

Avril 1854.

V

A MADEMOISELLE LOUISE B.[1]

O vous l'âme profonde! ô vous la sainte lyre!
Vous souvient-il des temps d'extase et de délire,
Et des jeux triomphants,
Et du soir qui tombait des collines prochaines?
Vous souvient-il des jours? vous souvient-il des chênes[2]
Et des petits enfants?

Et vous rappelez-vous les amis, et la table,
Et le rire éclatant du père respectable,
Et nos cris querelleurs,
Le pré, l'étang, la barque, et la lune, et la brise[3],
Et les chants qui sortaient de votre cœur, Louise,
En attendant les pleurs!

Le parc avait des fleurs et n'avait pas de marbres.
Oh! comme il était beau, le vieillard, sous les arbres!
Je le voyais parfois
Dès l'aube sur un banc s'asseoir tenant un livre;
Je sentais, j'entendais l'ombre autour de lui vivre
Et chanter dans les bois!

Il lisait, puis dormait au baiser de l'aurore;
Et je le regardais dormir, plus calme encore
Que ce paisible lieu,
Avec son front serein d'où sortait une flamme,
Son livre ouvert devant le soleil, et son âme
Ouverte devant Dieu!

Et du fond de leur nid, sous l'orme et sous l'érable,
Les oiseaux admiraient sa tête vénérable,
Et, gais chanteurs tremblants,
Ils guettaient, s'approchaient, et souhaitaient dans [l'ombre
D'avoir, pour augmenter la douceur du nid sombre,
Un de ses cheveux blancs!

Puis il se réveillait, s'en allait vers la grille,
S'arrêtait pour parler à ma petite fille,
Et ces temps sont passés!
Le vieillard et l'enfant jasaient de mille choses...
Vous ne voyiez donc pas ces deux êtres, ô roses[4],
Que vous refleurissez!

Avez-vous bien le cœur, ô roses, de renaître
Dans le même bosquet, sous la même fenêtre?
Où sont-ils, ces fronts purs?
N'était-ce pas vos sœurs, ces deux âmes perdues
Qui vivaient, et se sont si vite confondues
Aux éternels azurs!

Est-ce que leur sourire, est-ce que leurs paroles,
O roses, n'allaient pas réjouir vos corolles
Dans l'air silencieux,
Et ne s'ajoutaient pas à vos chastes délices,
Et ne devenaient pas parfums dans vos calices,
Et rayons dans vos cieux?

Ingrates! vous n'avez ni regrets, ni mémoire.
Vous vous réjouissez dans toute votre gloire;
Vous n'avez point pâli.
Ah! je ne suis qu'un homme et qu'un roseau qui ploie
Mais je ne voudrais pas, quant à moi, d'une joie
Faite de tant d'oubli!

Oh! qu'est-ce que le sort a fait de tout ce rêve?
Où donc a-t-il jeté l'humble cœur qui s'élève[5],
Le foyer réchauffant,
O Louise, et la vierge, et le vieillard prospère,

Et tous ces vœux profonds, de moi pour votre père,
De vous pour mon enfant!

Où sont-ils, les amis de ce temps que j'adore?
Ceux qu'a pris l'ombre, et ceux qui ne sont pas encore
Tombés au flot sans bords;
Eux, les évanouis, qu'un autre ciel réclame,
Et vous, les demeurés, qui vivez dans mon âme,
Mais pas plus que les morts!

Quelquefois, je voyais, de la colline en face,
Mes quatre enfants jouer, tableau que rien n'efface!
Et j'entendais leurs chants;
Ému, je contemplais ces aubes de moi-même
Qui se levaient là-bas dans la douceur suprême
Des vallons et des champs!

Ils couraient, s'appelaient dans les fleurs; et les femmes
Se mêlaient à leurs jeux comme de blanches âmes;
Et tu riais, Armand[6]!
Et, dans l'hymen obscur qui sans fin se consomme[7],
La nature sentait que ce qui sort de l'homme
Est divin[8] et charmant!

Où sont-ils? Mère, frère, à son tour chacun sombre[9].
Je saigne et vous saignez. Mêmes douleurs! même
O jours trop tôt décrus! [ombre[10]!
Ils vont se marier; faites venir un prêtre;
Qu'il revienne! ils sont morts. Et, le temps d'apparaître,
Les voilà disparus!

Nous vivons tous penchés sur un océan triste.
L'onde est sombre. Qui donc survit? qui donc existe?
Ce bruit sourd, c'est le glas.
Chaque flot est une âme; et tout fuit. Rien ne brille.
Un sanglot dit : Mon père! un sanglot dit : Ma fille!
Un sanglot dit : Hélas[11]!

Marine-Terrace, juin 1855.

VI

A VOUS QUI ÊTES LA[1]

Vous, qui l'avez suivi dans sa blême vallée[2],
Au bord de cette mer d'écueils noirs constellée,
Sous la pâle nuée éternelle qui sort
Des flots, de l'horizon, de l'orage et du sort;
Vous qui l'avez suivi dans cette Thébaïde,
Sur cette grève nue, aigre, isolée et vide,
Où l'on ne voit qu'espace âpre et silencieux,
Solitude sur terre et solitude aux cieux;
Vous qui l'avez suivi dans ce brouillard qu'épanche
Sur le roc, sur la vague et sur l'écume blanche,
La profonde tempête aux souffles inconnus,
Recevez, dans la nuit où vous êtes venus,
O chers êtres! cœurs vrais, lierres de ses[3] décombres,
La bénédiction de tous ces déserts sombres!
Ces désolations vous aiment; ces horreurs,
Ces brisants[4], cette mer où les vents laboureurs
Tirent sans fin le soc monstrueux des nuages[5],
Ces houles revenant comme de grands rouages,
Vous aiment; ces exils sont joyeux de vous voir;
Recevez la caresse immense du lieu noir[6]!
O forçats de l'amour! ô compagnons, compagnes,
Qui l'aidez à traîner son boulet dans ces bagnes,
O groupe indestructible et fidèle entre tous
D'âmes et de bons cœurs et d'esprits fiers et doux,
Mère, fille, et vous, fils, vous ami, vous encore[7],
Recevez le soupir du soir vague[8] et sonore,
Recevez le sourire et les pleurs du matin,
Recevez la chanson des mers, l'adieu lointain

Du pauvre mât penché parmi les lames brunes!
Soyez les bienvenus pour l'âpre fleur des dunes,
Et pour l'aigle qui fuit les hommes importuns,
Ames, et que les champs vous rendent vos parfums,
Et que, votre clarté, les astres vous la rendent[9]!
Et qu'en vous admirant, les vastes flots demandent :
Qu'est-ce donc que ces cœurs qui n'ont pas de reflux[10]!

O tendres survivants de tout ce qui n'est plus!
Rayonnements masquant la grande éclipse à l'âme!
Sourires éclairant, comme une douce flamme,
L'abîme qui se fait, hélas! dans le songeur!
Gaîtés saintes chassant le souvenir rongeur!
Quand le proscrit saignant se tourne, âme meurtrie
Vers l'horizon, et crie en pleurant : « La patrie! »
La famille, mensonge auguste, dit : « C'est moi! »

Oh! suivre hors du jour, suivre hors de la loi,
Hors du monde, au delà de la dernière porte,
L'être mystérieux qu'un vent fatal emporte[11],
C'est beau. C'est beau de suivre un exilé! le jour
Où ce banni sortit de France, plein d'amour
Et d'angoisse, au moment de quitter cette mère,
Il s'arrêta longtemps sur la limite amère;
Il voyait, de sa course à venir déjà las,
Que dans l'œil des passants il n'était plus, hélas!
Qu'une ombre, et qu'il allait entrer au sourd royaume
Où l'homme qui s'en va flotte et devient fantôme;
Il disait aux ruisseaux : « Retiendrez-vous mon nom,
Ruisseaux? » Et les ruisseaux coulaient en disant : [« Non. »
Il disait aux oiseaux de France : « Je vous quitte,
Doux oiseaux; je m'en vais aux lieux où l'on meurt vite,
Au noir pays d'exil où le ciel est étroit;
Vous viendrez, n'est-ce pas, vous nicher dans mon toit? »
Et les oiseaux fuyaient au fond des brumes grises.
Il disait aux forêts : « M'enverrez-vous vos brises? »

Les arbres lui faisaient des signes de refus.
Car le proscrit est seul; la foule aux pas confus
Ne comprend que plus tard, d'un rayon éclairée,
Cet habitant du gouffre et de l'ombre sacrée.

Marine-Terrace, janvier 1855.

VII

POUR l'erreur[1], éclairer, c'est apostasier.
Aujourd'hui ne naît pas impunément d'hier.
L'aube sort de la nuit, qui la déclare ingrate.
Anitus criait : « Mort à l'apostat Socrate! »
Caïphe disait : « Mort au renégat Jésus! »
Courbant son front pendant que l'on crache dessus,
Galilée, apostat à la terre immobile,
Songe et la sent frémir sous son genou débile.
Destin! sinistre éclat de rire! En vérité,
J'admire, ô cieux profonds! que ç'ait toujours été
La volonté de Dieu qu'en ce monde où nous sommes
On donnât sa pensée et son labeur aux hommes,
Ses entrailles, ses jours et ses nuits, sa sueur,
Son sommeil, ce qu'on a dans les yeux de lueur,
Et son cœur et son âme, et tout ce qu'on en tire,
Sans reculer devant n'importe quel martyre,
Et qu'on se répandît, et qu'on se prodiguât,
Pour être au fond du gouffre appelé renégat!

Marine-Terrace, novembre 1854.

VIII

A JULES J. [1]*

Je dormais en effet, et tu me réveillas.
Je te criai : « Salut! » et tu me dis : « Hélas! »
Et cet instant fut doux, et nous nous embrassâmes;
Nous mêlâmes tes pleurs, mon sourire et nos âmes.

Ces temps sont déjà loin; où donc alors roulait[2]
Ma vie? et ce destin sévère qui me plaît,
Qu'est-ce donc qu'il faisait de cette feuille morte[3]
Que je suis, et qu'un vent pousse, et qu'un vent rem-[porte?
J'habitais au milieu des hauts pignons flamands;
Tout le jour, dans l'azur, sur les vieux toits fumants,
Je regardais voler les grands nuages ivres;
Tandis que je songeais, le coude sur mes livres,
De moments en moments, ce noir passant ailé,
Le temps, ce sourd tonnerre à nos rumeurs mêlé,
D'où les heures s'en vont en sombres étincelles,
Ébranlait sur mon front le beffroi de Bruxelles.
Tout ce qui peut tenter un cœur ambitieux
Était là, devant moi, sur terre et dans les cieux;
Sous mes yeux, dans l'austère et gigantesque place,
J'avais les quatre points cardinaux de l'espace,
Qui font songer à l'aigle, à l'astre, au flot, au mont,
Et les quatre pavés[4] de l'échafaud d'Egmont[5].

---

* Voir *Histoire de la Littérature dramatique,* tome IV, pages 413 et 414

Aujourd'hui, dans une île, en butte aux eaux sans
[nombre,
Où l'on ne me voit plus, tant j'y suis couvert d'ombre,
Au milieu de la vaste aventure des flots,
Des rocs, des mers, brisant barques et matelots,
Debout, échevelé sur le cap ou le môle
Par le souffle qui sort de la bouche du pôle,
Parmi les chocs, les bruits, les naufrages profonds,
Morne histoire d'écueils, de gouffres, de typhons,
Dont le vent est la plume et la nuit le registre,
J'erre, et de l'horizon je suis la voix sinistre[6].
Et voilà qu'à travers ces brumes et ces eaux,
Tes volumes exquis m'arrivent, blancs oiseaux,
M'apportant le rameau qu'apportent les colombes
Aux arches, et le chant que le cygne offre aux tombes[7],
Et jetant à mes rocs tout l'éblouissement
De Paris glorieux et de Paris charmant[8]!
Et je lis, et mon front s'éclaire, et je savoure
Ton style, ta gaîté, ta douleur, ta bravoure.
Merci, toi dont le cœur aima, sentit, comprit!
Merci, devin! merci, frère, poète, esprit[9],
Qui viens chanter cet hymne à côté de ma vie!
Qui vois mon destin sombre et qui n'as pas d'envie!
Et qui, dans cette épreuve où je marche, portant
L'abandon à chaque heure et l'ombre à chaque instant,
M'as vu boire le fiel sans y mêler la haine[10]!
Tu changes en blancheur la nuit de ma géhenne,
Et tu fais un autel de lumière inondé
Du tas de pierres noir dont on m'a lapidé[11].

Je ne suis rien; je viens et je m'en vais; mais gloire
A ceux qui n'ont pas peur des vaincus de l'histoire
Et des contagions du malheur toujours fui!
Gloire aux fermes penseurs inclinés sur celui
Que le sort, geôlier triste, au fond de l'exil pousse!
Ils ressemblent à l'aube, ils ont la force douce,
Ils sont grands; leur esprit parfois, avec un mot,
Dore en arc triomphal la voûte du cachot!

Le ciel s'est éclairci sur mon île sonore,
Et ton livre en venant a fait venir l'aurore;
Seul aux bois avec toi, je lis, et me souviens,
Et je songe, oubliant les monts diluviens,
L'onde, et l'aigle de mer qui plane sur mon aire;
Et, pendant que je lis, mon œil visionnaire,
A qui tout apparaît comme dans un réveil,
Dans les ombres que font les feuilles au soleil,
Sur tes pages où rit l'idée, où vit la grâce,
Croit voir se dessiner le pur profil d'Horace[12],
Comme si, se mirant au livre où je te voi,
Ce doux songeur ravi lisait derrière moi[13]!

Marine-Terrace, décembre 1854.

IX

LE MENDIANT[1]

Un pauvre homme passait dans le givre et le vent.
Je cognai sur ma vitre; il s'arrêta devant
Ma porte, que j'ouvris d'une façon civile.
Les ânes revenaient du marché de la ville,
Portant les paysans accroupis sur leurs bâts.
C'était le vieux qui vit dans une niche au bas
De la montée, et rêve, attendant, solitaire,
Un rayon du ciel triste, un liard de la terre,
Tendant les mains pour l'homme et les joignant pour Dieu.
Je lui criai : « Venez vous réchauffer un peu.
« Comment vous nommez-vous? » Il me dit : « Je me nomme
« Le pauvre. » Je lui pris la main : « Entrez, brave homme. »
Et je lui fis donner une jatte de lait.
Le vieillard grelottait de froid; il me parlait,
Et je lui répondais, pensif et sans l'entendre.
« Vos habits sont mouillés », dis-je, « il faut les étendre
« Devant la cheminée. » Il s'approcha du feu.
Son manteau, tout mangé des vers, et jadis bleu,
Étalé largement sur la chaude fournaise,
Piqué de mille trous par la lueur de braise,
Couvrait l'âtre, et semblait un ciel noir étoilé.
Et, pendant qu'il séchait ce haillon désolé
D'où ruisselaient la pluie et l'eau des fondrières,
Je songeais que cet homme était plein de prières,
Et je regardais, sourd à ce que nous disions,
Sa bure où je voyais des constellations.

Décembre 1834.

X

AUX FEUILLANTINES[1]

Mes deux frères et moi, nous étions tout enfants.
Notre mère disait : « Jouez, mais je défends
« Qu'on marche dans les fleurs et qu'on monte aux [échelles. »

Abel était l'aîné, j'étais le plus petit.
Nous mangions notre pain de si bon appétit,
Que les femmes riaient quand nous passions près d'elles.

Nous montions pour jouer au grenier du couvent.
Et, là, tout en jouant, nous regardions souvent,
Sur le haut d'une armoire, un livre inaccessible.

Nous grimpâmes un jour jusqu'à ce livre noir;
Je ne sais pas comment nous fîmes pour l'avoir,
Mais je me souviens bien que c'était une Bible.

Ce vieux livre sentait une odeur d'encensoir.
Nous allâmes ravis dans un coin nous asseoir;
Des estampes partout! quel bonheur! quel délire!

Nous l'ouvrîmes alors tout grand sur nos genoux,
Et, dès le premier mot, il nous parut si doux,
Qu'oubliant de jouer, nous nous mîmes à lire.

Nous lûmes tous les trois ainsi tout le matin,
Joseph, Ruth et Booz, le bon Samaritain,
Et, toujours plus charmés, le soir nous le relûmes.

Tels des enfants, s'ils ont pris un oiseau des cieux,
S'appellent en riant et s'étonnent, joyeux,
De sentir dans leur main la douceur de ses plumes.

Marine-Terrace, août 1855.

XI

PONTO[1]

Je dis à mon chien noir : « Viens, Ponto, viens-nous-en! »
Et je vais dans les bois, mis comme un paysan;
Je vais dans les grands bois, lisant dans les vieux livres.
L'hiver, quand la ramée est un écrin de givres,
Ou l'été, quand tout rit, même l'aurore en pleurs[2],
Quand toute l'herbe n'est qu'un triomphe de fleurs,
Je prends Froissart, Montluc, Tacite[3], quelque histoire,
Et je marche, effaré des crimes de la gloire.
Hélas! l'horreur partout, même chez les meilleurs!
Toujours l'homme en sa nuit trahi par ses veilleurs!
Toutes les grandes mains, hélas! de sang rougies!
Alexandre ivre et fou, César[4] perdu d'orgies,
Et, le poing sur Didier, le pied sur Vitikind,
Charlemagne souvent semblable à Charles-Quint[5];
Caton de chair humaine engraissant la murène[6];
Titus crucifiant Jérusalem[7]; Turenne,
Héros, comme Bayard et comme Catinat,
A Nordlingue, bandit dans le Palatinat[8];
Le duel de Jarnac, le duel de Carrouge[9];
Louis Neuf tenaillant les langues d'un fer rouge[10];
Cromwell trompant Milton, Calvin brûlant Servet[11].
Que de spectres, ô gloire! autour de ton chevet!
O triste humanité, je fuis dans la nature!
Et, pendant que je dis : « Tout est leurre, imposture

« Mensonge, iniquité, mal de splendeur vêtu[12] ! »
Mon chien Ponto me suit. Le chien, c'est la vertu
Qui, ne pouvant se faire homme, s'est faite bête[13].
Et Ponto me regarde avec son œil honnête[14].

Marine-Terrace, mars 1855.

XII

DOLOROSÆ[1]

Mère, voilà douze ans que notre fille est morte;
Et depuis, moi le père et vous la femme forte,
Nous n'avons pas été, Dieu le sait, un seul jour
Sans parfumer son nom de prière et d'amour.
Nous avons pris la sombre et charmante habitude
De voir son ombre vivre en notre solitude,
De la sentir passer et de l'entendre errer,
Et nous sommes restés à genoux à pleurer[2].
Nous avons persisté dans cette douleur douce,
Et nous vivons penchés sur ce cher nid de mousse
Emporté dans l'orage avec les deux oiseaux[3].
Mère, nous n'avons pas plié, quoique roseaux,
Ni perdu la bonté vis-à-vis l'un de l'autre,
Ni demandé la fin de mon deuil et du vôtre
A cette lâcheté qu'on appelle l'oubli.
Oui, depuis ce jour triste où pour nous ont pâli
Les cieux, les champs, les fleurs, l'étoile, l'aube pure
Et toutes les splendeurs de la sombre nature[4],
Avec les trois enfants qui nous restent, trésor
De courage et d'amour que Dieu nous laisse encor,
Nous avons essuyé des fortunes diverses,
Ce qu'on nomme malheur, adversité, traverses,
Sans trembler, sans fléchir, sans haïr les écueils,
Donnant aux deuils du cœur, à l'absence, aux cercueils

Aux souffrances dont saigne ou l'âme ou la famille,
Aux êtres chers enfuis ou morts, à notre fille,
Aux vieux parents repris par un monde meilleur,
Nos pleurs, et le sourire à toute autre douleur[5].

Marine-Terrace, août 1855.

XIII

PAROLES SUR LA DUNE[1]

MAINTENANT que mon temps décroît comme un flam-
Que mes tâches sont terminées; [beau[2],
Maintenant que voici que je touche au tombeau
Par les deuils et par les années,

Et qu'au fond de ce ciel que mon essor rêva[3],
Je vois fuir, vers l'ombre entraînées,
Comme le tourbillon[4] du passé qui s'en va,
Tant de belles heures sonnées;

Maintenant que je dis : — Un jour, nous triomphons
Le lendemain, tout est mensonge[5]! —
Je suis triste, et je marche au bord des flots profonds[6]
Courbé comme celui qui songe[7].

Je regarde, au-dessus du mont et du vallon,
Et des mers sans fin remuées[8],
S'envoler sous le bec du vautour aquilon[9],
Toute la toison des nuées[10];

J'entends le vent dans l'air, la mer sur le récif,
L'homme liant la gerbe mûre;
J'écoute, et je confronte en mon esprit pensif
Ce qui parle à ce qui murmure[11];

Et je reste parfois couché sans me lever[12]
Sur l'herbe rare de la dune,
Jusqu'à l'heure où l'on voit apparaître et rêver[13]
Les yeux sinistres de la lune[14].

Elle monte, elle jette un long rayon dormant [15]
A l'espace, au mystère, au gouffre;
Et nous nous regardons tous les deux fixement,
Elle qui brille et moi qui souffre [16].

Où donc s'en sont allés mes jours évanouis [17]?
Est-il quelqu'un qui me connaisse?
Ai-je encor quelque chose en mes yeux éblouis,
De la clarté de ma jeunesse [18]?

Tout s'est-il envolé? Je suis seul, je suis las;
J'appelle sans qu'on me réponde [19];
O vents! ô flots! ne suis-je aussi qu'un souffle, hélas!
Hélas! ne suis-je aussi qu'une onde [20]?

Ne verrai-je plus rien de tout ce que j'aimais?
Au dedans de moi le soir tombe [21].
O terre, dont la brume efface les sommets,
Suis-je le spectre, et toi la tombe [22]?

Ai-je donc vidé tout, vie, amour, joie, espoir?
J'attends, je demande, j'implore;
Je penche tour à tour mes urnes pour avoir
De chacune une goutte encore [23]!

Comme le souvenir est voisin du remord [24]!
Comme à pleurer tout nous ramène [25]!
Et que je te sens froide en te touchant, ô mort,
Noir verrou de la porte humaine [26]!

Et je pense, écoutant gémir le vent amer [27],
Et l'onde aux plis infranchissables [28];
L'été rit, et l'on voit sur le bord de la mer [29]
Fleurir le chardon bleu des sables [30].

5 août 1854, anniversaire de mon arrivée à Jersey.

XIV

CLAIRE P.[1]

Quel âge hier? Vingt ans. Et quel âge aujourd'hui?
L'éternité. Ce front pendant une heure a lui.
Elle avait les doux chants et les grâces superbes;
Elle semblait porter de radieuses gerbes[2];
Rien qu'à la voir passer, on lui disait : Merci!
Qu'est-ce donc que la vie, hélas! pour mettre ainsi
Les êtres les plus purs et les meilleurs en fuite?
Et, moi, je l'avais vue encor toute petite[3].
Elle me disait vous, et je lui disais tu.
Son accent ineffable avait cette vertu
De faire en mon esprit, douces voix éloignées,
Chanter le vague chœur de mes jeunes années.
Il n'a brillé qu'un jour, ce beau front ingénu[4].
Elle était fiancée à l'hymen inconnu.
A qui mariez-vous, mon Dieu, toutes ces vierges?
Un vague et pur reflet de la lueur des cierges
Flottait dans son regard céleste et rayonnant[5];
Elle était grande et blanche et gaie; et, maintenant,
Allez à Saint-Mandé, cherchez dans le champ sombre
Vous trouverez le lit de sa noce avec l'ombre;
Vous trouverez la tombe où gît ce lys vermeil[6];
Et c'est là que tu fais ton éternel sommeil,
Toi qui, dans ta beauté naïve et recueillie,
Mêlais à la madone auguste d'Italie
La Flamande qui rit à travers les houblons,
Douce Claire aux yeux noirs avec des cheveux blonds

Elle s'en est allée avant d'être une femme;
N'étant qu'un ange[8] encor; le ciel a pris son âme
Pour la rendre en rayons à nos regards en pleurs,
Et l'herbe, sa beauté, pour nous la rendre en fleurs[9].

Les êtres étoilés que nous nommons archanges
La bercent dans leurs bras au milieu des louanges,
Et, parmi les clartés, les lyres, les chansons,
D'en haut elle sourit à nous qui gémissons.
Elle sourit, et dit aux anges sous leurs voiles :
Est-ce qu'il est permis de cueillir des étoiles?
Et chante, et, se voyant elle-même flambeau,
Murmure dans l'azur : Comme le ciel est beau[10]!
Mais cela ne fait rien à sa mère qui pleure;
La mère ne veut pas que son doux enfant meure
Et s'en aille, laissant ses fleurs sur le gazon,
Hélas! et le silence au seuil de la maison!

Son père, le sculpteur, s'écriait : — Qu'elle est belle!
Je ferai sa statue aussi charmante qu'elle.
C'est pour elle qu'avril fleurit les verts sentiers.
Je la contemplerai pendant des mois entiers
Et je ferai venir du marbre de Carrare.
Ce bloc prendra sa forme éblouissante et rare;
Elle restera chaste et candide à côté.
On dira : « Le sculpteur a deux filles : Beauté
« Et Pudeur; Ombre et Jour; la Vierge et la Déesse;
« Quel est cet ouvrier de Rome ou de la Grèce
« Qui, trouvant dans son art des secrets inconnus,
« En copiant Marie, a su faire Vénus[11]? »

Le marbre restera dans la montagne blanche,
Hélas! car c'est à l'heure où tout rit, que tout penche;
Car nos mains gardent mal tout ce qui nous est cher;
Car celle qu'on croyait d'azur était de chair;
Et celui qui taillait le marbre était de verre;
Et voilà que le vent a soufflé[12], Dieu sévère[13],

Sur la vierge au front pur, sur le maître au bras fort
Et que la fille est morte, et que le père est mort[14]!

Claire, tu dors. Ta mère, assise sur ta fosse[15],
Dit : — Le parfum des fleurs est faux, l'aurore est fausse
L'oiseau qui chante au bois ment, et le cygne ment,
L'étoile n'est pas vraie au fond du firmament,
Le ciel n'est pas le ciel[16] et là-haut rien ne brille,
Puisque, lorsque je crie à ma fille : « Ma fille,
« Je suis là. Lève-toi! » quelqu'un le lui défend;
Et que je ne puis pas réveiller mon enfant! —

Juin 1854.

XV

A ALEXANDRE D.[1]

(Réponse a la dédicace
de son drame LA CONSCIENCE)

Merci du bord des mers à celui qui se tourne
Vers la rive où le deuil, tranquille et noir, séjourne,
Qui défait de sa tête, où le rayon descend,
La couronne, et la jette au spectre de l'absent,
Et qui, dans le triomphe et la rumeur, dédie
Son drame à l'immobile et pâle tragédie!

Je n'ai pas oublié le quai d'Anvers, ami,
Ni le groupe vaillant, toujours plus raffermi,
D'amis chers, de fronts purs, ni toi, ni cette foule.
Le canot du steamer soulevé par la houle
Vint me prendre, et ce fut un long embrassement.
Je montai sur l'avant du paquebot fumant,
La roue ouvrit la vague, et nous nous appelâmes :
— Adieu! — Puis, dans les vents, dans les flots, dans [les lames,
Toi debout sur le quai, moi debout sur le pont,
Vibrant comme deux luths dont la voix se répond,
Aussi longtemps qu'on put se voir, nous regardâmes
L'un vers l'autre, faisant comme un échange d'âmes;
Et le vaisseau fuyait, et la terre décrut;
L'horizon entre nous monta, tout disparut;

Une brume couvrit l'onde incommensurable;
Tu rentras dans ton œuvre éclatante, innombrable,
Multiple, éblouissante, heureuse, où le jour luit;
Et, moi, dans l'unité sinistre de la nuit.

Marine-Terrace, décembre 1854.

XVI

LUEUR AU COUCHANT[1]

LORSQUE j'étais en France, et que le peuple en fête
Répandait dans Paris sa grande joie honnête,
Si c'était un des jours glorieux et vainqueurs
Où les fiers souvenirs, désaltérant les cœurs,
S'offrent à notre soif comme de larges coupes,
J'allais errer tout seul parmi les riants groupes,
Ne parlant à personne et pourtant[2] calme et doux,
Trouvant ainsi moyen d'être un et d'être tous,
Et d'accorder en moi, pour une double étude,
L'amour du peuple avec mon goût de solitude[3].
Rêveur, j'étais heureux; muet, j'étais présent.
Parfois je m'asseyais un livre en main, lisant
Virgile, Horace, Eschyle, ou bien Dante, leur frère[4];
Puis je m'interrompais, et, me laissant distraire
Des poètes par toi, poésie, et content,
Je savourais l'azur, le soleil éclatant,
Paris, les seuils sacrés, et la Seine qui coule,
Et cette auguste paix qui sortait de la foule.
Dès lors pourtant des voix murmuraient : Anankè[5].
Je passais; et partout, sur le pont, sur le quai,
Et jusque dans les champs, étincelait le rire,
Haillon d'or que la joie en bondissant déchire[6].
Le Panthéon brillait[7] comme une vision.
La gaîté d'une altière et libre nation[8]
Dansait sous le ciel bleu dans les places publiques;
Un rayon qui semblait venir des temps bibliques[9]
Illuminait Paris calme et patriarcal;
Ce lion[10] dont l'œil met en fuite le chacal,

Le peuple des faubourgs se promenait tranquille.
Le soir, je revenais; et dans toute la ville,
Les passants, éclatant en strophes, en refrains,
Ayant leurs doux[11] instincts de liberté pour freins,
Du Louvre au Champ-de-Mars, de Chaillot à la Grève,
Fourmillaient; et, pendant que mon esprit, qui rêve[12]
Dans la sereine nuit des penseurs étoilés,
Et dresse ses rameaux à leurs lueurs mêlés,
S'ouvrait à tous ces cris charmants comme l'aurore,
A toute cette ivresse innocente et sonore,
Paisibles, se penchant, noirs et tout semés d'yeux,
Sous le ciel constellé, sur le peuple joyeux,
Les grands arbres pensifs des vieux Champs-Élysées,
Pleins d'astres, consentaient à s'emplir de fusées.
Et j'allais, et mon cœur chantait[13]; et les enfants
Embarrassaient mes pas de leurs jeux triomphants,
Où s'épanouissaient[14] les mères de famille;
Le frère avec la sœur, le père avec la fille,
Causaient; je contemplais tous ces hauts monuments
Qui semblent au songeur rayonnants ou fumants[15],
Et qui font de Paris la deuxième des Romes;
J'entendais près de moi rire[16] les jeunes hommes
Et les graves vieillards dire : « Je me souviens[17]. »
O patrie! ô concorde entre les citoyens[18]!

Marine-Terrace, juillet 1855.

XVII

MUGITUSQUE BOUM[1]

Mugissement des bœufs, au temps du doux[2] Virgile,
Comme aujourd'hui, le soir, quand fuit la nuit agile[3],
Ou, le matin, quand l'aube aux champs extasiés
Verse à flots la rosée et le jour, vous disiez :
« Mûrissez, blés mouvants[4]! prés, emplissez-vous
[d'herbes!
« Que la terre, agitant son panache de gerbes[5],
« Chante dans l'onde d'or d'une riche moisson[6]!
« Vis, bête; vis, caillou; vis, homme; vis, buisson[7];
« A l'heure où le soleil se couche, où l'herbe est pleine[8]
« Des grands fantômes noirs des arbres de la plaine
« Jusqu'aux lointains coteaux rampant et grandissant,
« Quand le brun laboureur[9] des collines descend
« Et retourne à son toit d'où sort une fumée,
« Que la soif de revoir sa femme bien-aimée
« Et l'enfant qu'en ses bras hier il réchauffait,
« Que ce désir, croissant à chaque pas qu'il fait,
« Imite dans son cœur l'allongement de l'ombre!
« Êtres! choses! vivez! sans peur, sans deuil, sans
[nombre[10]!
« Que tout s'épanouisse en sourire vermeil[11]!
« Que l'homme ait le repos et le bœuf le sommeil[12]!
« Vivez! croissez! semez le grain à l'aventure!
« Qu'on sente frissonner dans toute la nature,
« Sous la feuille des nids, au seuil blanc des maisons,
« Dans l'obscur tremblement des profonds[13] horizons,
« Un vaste emportement[14] d'aimer, dans l'herbe verte,
« Dans l'antre, dans l'étang, dans la clairière ouverte[15],

« D'aimer sans fin, d'aimer toujours, d'aimer encor[16],
« Sous la sérénité des sombres astres d'or[17] !
« Faites tressaillir l'air, le flot, l'aile, la bouche[18],
« O palpitations du grand amour farouche[19] !
« Qu'on sente le baiser de l'être illimité[20] !
« Et, paix, vertu, bonheur, espérance, bonté,
« O fruits divins, tombez des branches éternelles[21] ! »

Ainsi vous parliez, voix, grandes voix solennelles ;
Et Virgile écoutait comme j'écoute, et l'eau
Voyait passer le cygne[22] auguste, et le bouleau
Le vent, et le rocher l'écume, et le ciel sombre
L'homme... O nature ! abîme ! immensité de l'ombre[23] !

Marine-Terrace, juillet 1855.

XVIII

APPARITION[1]

Je vis un ange blanc qui passait sur ma tête;
Son vol éblouissant apaisait la tempête[2],
Et faisait taire au loin la mer pleine de bruit.
— Qu'est-ce que tu viens faire, ange, dans cette nuit?
Lui dis-je. Il répondit : — Je viens prendre ton âme.
Et j'eus peur, car je vis que c'était une femme[3];
Et je lui dis, tremblant et lui tendant les bras[4] :
— Que me restera-t-il? car tu t'envoleras.
Il ne répondit pas; le ciel que l'ombre assiège
S'éteignait... — Si tu prends mon âme, m'écriai-je,
Où l'emporteras-tu? montre-moi dans quel lieu.
Il se taisait toujours. — O passant du ciel bleu,
Es-tu la mort? lui dis-je, ou bien es-tu la vie[5]?
Et la nuit augmentait sur mon âme ravie[6],
Et l'ange devint noir, et dit : — Je suis l'amour[7].
Mais son front sombre était plus charmant que le jour[8],
Et je voyais, dans l'ombre où brillaient ses prunelles,
Les astres à travers les plumes de ses ailes[9].

Jersey, septembre 1855.

XIX

AU POÈTE QUI M'ENVOIE UNE PLUME D'AIGLE[1]

Oui, c'est une heure solennelle!
Mon esprit en ce jour serein[2]
Croit qu'un peu de gloire éternelle
Se mêle au bruit contemporain,

Puisque, dans mon humble retraite[3],
Je ramasse, sans me courber,
Ce qu'y laisse choir le poète,
Ce que l'aigle y laisse tomber!

Puisque sur ma tête fidèle
Ils ont jeté, couple vainqueur,
L'un, une plume de son aile,
L'autre, une strophe de son cœur!

Oh! soyez donc les bienvenues,
Plume! strophe! envoi glorieux!
Vous avez erré dans les nues,
Vous avez plané dans les cieux!

11 décembre.

XX

CÉRIGO[1]

I

Tout homme qui vieillit est ce roc solitaire[2]
Et triste[3], Cérigo, qui fut jadis Cythère,
Cythère aux nids charmants, Cythère aux myrtes verts[4],
La conque de Cypris sacrée au sein des mers.
La vie auguste[5], goutte à goutte, heure par heure,
S'épand sur ce qui passe et sur ce qui demeure;
Là-bas, la Grèce brille agonisante[6], et l'œil
S'emplit en la voyant de lumière et de deuil[7];
La terre luit; la nue est de l'encens qui fume;
Des vols d'oiseaux de mer se mêlent à l'écume;
L'azur frissonne; l'eau palpite; et les rumeurs
Sortent des vents, des flots, des barques, des rameurs[8];
Au loin court quelque voile hellène ou candiote[9].
Cythère est là, lugubre, épuisée, idiote[10],
Tête de mort du rêve amour, et crâne nu
Du plaisir, ce chanteur masqué, spectre inconnu[11].
C'est toi? qu'as-tu donc fait de ta blanche tunique[12]?
Cache ta gorge impure et ta laideur cynique,
O sirène ridée et dont l'hymne s'est tu!
Où donc êtes-vous, âme? étoile[13], où donc es-tu?
L'île qu'on adorait de Lemnos à Lépante[14],
Où se tordait d'amour la chimère rampante[15],
Où la brise baisait les arbres frémissants,
Où l'ombre disait : J'aime! où l'herbe avait des sens[16],
Qu'en a-t-on fait? où donc sont-ils, où donc sont-elles[17],
Eux, les olympiens, elles, les immortelles?

Où donc est Mars? où donc Éros? où donc Psyché?
Où donc le doux oiseau bonheur[18], effarouché?
Qu'en as-tu fait, rocher, et qu'as-tu fait des roses?
Qu'as-tu fait des chansons dans les soupirs écloses[19],
Des danses, des gazons, des bois mélodieux,
De l'ombre que faisait le passage des dieux?
Plus d'autels; ô passé[20]! splendeurs évanouies!
Plus de vierges au seuil des antres éblouies;
Plus d'abeilles buvant la rosée et le thym.
Mais toujours le ciel bleu[21]. C'est-à-dire, ô destin!
Sur l'homme, jeune ou vieux, harmonie ou souffrance,
Toujours la même mort et la même espérance.
Cérigo, qu'as-tu fait de Cythère? Nuit! deuil!
L'éden s'est éclipsé, laissant à nu l'écueil[22].
O naufragée, hélas! c'est donc là que tu tombes!
Les hiboux même ont peur de l'île des colombes.
Île, ô toi qu'on cherchait! ô toi que nous fuyons,
O spectre des baisers, masure des rayons[23],
Tu t'appelles oubli! tu meurs, sombre captive!
Et, tandis qu'abritant quelque yole[24] furtive,
Ton cap, où rayonnaient les temples fabuleux,
Voit passer à son ombre et sur les grands flots bleus
Le pirate qui guette ou le pêcheur d'éponges[25]
Qui rôde, à l'horizon Vénus fuit dans les songes.

II

Vénus[26]! Que parles-tu de Vénus? elle est là.
Lève les yeux. Le jour où Dieu la dévoila
Pour la première fois dans l'aube universelle,
Elle ne brillait pas plus qu'elle n'étincelle.
Si tu veux voir l'étoile, homme, lève les yeux.
L'île des mers s'éteint, mais non l'île des cieux;
Les astres sont vivants et ne sont pas des choses
Qui s'effeuillent, un soir d'été, comme les roses.
Oui, meurs, plaisir, mais vis, amour! ô vision,
Flambeau, nid[27] de l'azur dont l'ange est l'alcyon,

Beauté de l'âme humaine et de l'âme divine,
Amour, l'adolescent dans[28] l'ombre te devine,
O splendeur! et tu fais le vieillard lumineux[29].
Chacun de tes rayons tient un homme en ses nœuds.
Oh! vivez et brillez dans la brume qui tremble[30],
Hymens mystérieux, cœurs vieillissant ensemble,
Malheurs de l'un par l'autre avec joie adoptés[31],
Dévouement, sacrifice, austères voluptés,
Car vous êtes l'amour, la lueur éternelle!
L'astre sacré que voit l'âme, sainte prunelle[32],
Le phare de toute heure, et, sur l'horizon noir,
L'étoile du matin et l'étoile du soir!
Ce monde inférieur, où tout rampe et s'altère,
A ce qui disparaît et s'efface, Cythère,
Le jardin qui se change en rocher aux flancs nus;
La terre a Cérigo; mais le ciel a Vénus.

Juin 1855.

XXI

A PAUL M.

AUTEUR DU DRAME PARIS[1]

Tu graves au fronton sévère de ton œuvre
Un nom proscrit que mord en sifflant la couleuvre;
Au malheur, dont le flanc saigne et dont l'œil sourit[2],
A la proscription, et non pas au proscrit, [noire[3]
— Car le proscrit n'est rien que de l'ombre, moins
Que l'autre ombre qu'on nomme éclat, bonheur, vic-
A l'exil pâle et nu, cloué[4] sur des débris, [toire; —
Tu donnes ton grand drame où vit le grand Paris,
Cette cité de feu, de nuit, d'airain, de verre[5],
Et tu fais saluer par Rome le Calvaire[6].
Sois loué, doux penseur, toi qui prends dans ta main
Le passé, l'avenir, tout le progrès humain,
La lumière, l'histoire, et la ville, et la France[7],
Tous les dictames saints qui calment la souffrance,
Raison, justice, espoir, vertu, foi, vérité,
Le parfum poésie et le vin liberté,
Et qui sur le vaincu, cœur meurtri[8], noir fantôme,
Te penches, et répands l'idéal comme un baume!
Paul, il me semble, grâce à ce fier souvenir
Dont tu viens nous bercer, nous sacrer[9], nous bénir,
Que dans ma plaie, où dort la douleur, ô poète!
Je sens de la charpie avec un drapeau faite.

Marine-Terrace, août 1855.

XXII

JE payai le pêcheur[1] qui passa son chemin,
Et je pris cette bête horrible dans ma main;
C'était un être obscur comme l'onde en apporte,
Qui, plus grand, serait hydre, et, plus petit, cloporte;
Sans forme comme l'ombre, et, comme Dieu, sans nom.
Il ouvrait une bouche affreuse, un noir moignon
Sortait de son écaille; il tâchait de me mordre[2];
Dieu, dans l'immensité formidable de l'ordre,
Donne une place sombre à ces spectres hideux;
Il tâchait de me mordre, et nous luttions tous deux;
Ses dents cherchaient mes doigts qu'effrayait leur approche;
L'homme qui me l'avait vendu tourna la roche;
Comme il disparaissait, le crabe me mordit;
Je lui dis : « Vis! et sois béni, pauvre maudit[3]! »
Et je le rejetai dans la vague profonde,
Afin qu'il allât dire à l'océan[4] qui gronde,
Et qui sert au soleil de vase baptismal[5],
Que l'homme rend le bien au monstre pour le mal.

Jersey, grève d'Azette, juillet 1855.

XXIII

PASTEURS ET TROUPEAUX[1]

A MADAME LOUISE C.

Le vallon où je vais tous les jours est charmant,
Serein, abandonné, seul sous le firmament,
Plein de ronces en fleurs; c'est un sourire triste.
Il vous fait oublier que quelque chose existe,
Et, sans le bruit des champs remplis de travailleurs,
On ne saurait plus là si quelqu'un vit ailleurs.
Là, l'ombre fait l'amour; l'idylle naturelle
Rit; le bouvreuil avec le verdier s'y querelle[2],
Et la fauvette y met de travers son bonnet[3];
C'est tantôt l'aubépine et tantôt le genêt[4];
De noirs granits bourrus, puis des mousses riantes[5];
Car Dieu fait un poème avec des variantes;
Comme le vieil Homère, il rabâche parfois[6],
Mais c'est avec les fleurs, les monts, l'onde et les bois!
Une petite mare est là, ridant sa face[7],
Prenant des airs de flot[8] pour la fourmi qui passe,
Ironie étalée au milieu du gazon,
Qu'ignore l'océan grondant à l'horizon[9].
J'y rencontre parfois sur la roche hideuse[10] [deuse
Un doux être; quinze ans, yeux bleus, pieds nus, gar-
De chèvres, habitant, au fond d'un ravin noir,
Un vieux chaume croulant qui s'étoile[11] le soir;
Ses sœurs sont au logis et filent leur quenouille;
Elle essuie aux roseaux ses pieds que l'étang mouille[12];
Chèvres, brebis, béliers, paissent; quand, sombre
[esprit[13],

J'apparais, le pauvre ange a peur, et me sourit[14];
Et moi, je la salue, elle étant l'innocence.
Ses agneaux, dans le pré plein de fleurs qui l'encense[15],
Bondissent, et chacun, au soleil s'empourprant,
Laisse aux buissons, à qui la bise le reprend,
Un peu de sa toison, comme un flocon d'écume[16].
Je passe; enfant, troupeau, s'effacent dans la brume;
Le crépuscule étend sur les longs sillons gris[17]
Ses ailes de fantôme et de chauve-souris;
J'entends encore au loin dans la plaine ouvrière[18]
Chanter derrière moi la douce chevrière[19],
Et, là-bas, devant moi, le vieux gardien pensif
De l'écume, du flot, de l'algue, du récif,
Et des vagues sans trêve et sans fin remuées,
Le pâtre promontoire au chapeau de nuées[20],
S'accoude et rêve au bruit de tous les infinis[21],
Et, dans l'ascension des nuages bénis,
Regarde se lever la lune triomphale,
Pendant que l'ombre tremble, et que l'âpre rafale
Disperse à tous les vents avec son souffle amer
La laine des moutons sinistres de la mer[22].

Jersey, Grouville, avril 1855.

XXIV

J'ai cueilli cette fleur [1] pour toi sur la colline.
Dans l'âpre escarpement qui sur le flot s'incline,
Que l'aigle connaît seul et seul peut approcher,
Paisible, elle croissait aux fentes du rocher.
L'ombre baignait les flancs du morne promontoire;
Je voyais, comme on dresse au lieu d'une victoire
Un grand arc de triomphe éclatant et vermeil,
A l'endroit où s'était englouti le soleil,
La sombre nuit bâtir un porche de nuées.
Des voiles s'enfuyaient, au loin diminuées;
Quelques toits, s'éclairant au fond d'un entonnoir,
Semblaient craindre de luire et de se laisser voir.
J'ai cueilli cette fleur pour toi, ma bien-aimée.
Elle est pâle et n'a pas de corolle embaumée.
Sa racine n'a pris sur la crête des monts
Que l'amère senteur des glauques goémons;
Moi, j'ai dit : « Pauvre fleur, du haut de cette cime,
« Tu devais t'en aller dans cet immense abîme
« Où l'algue et le nuage et les voiles s'en vont.
« Va mourir sur un cœur, abîme plus profond.
« Fane-toi sur ce sein en qui palpite un monde.
« Le ciel, qui te créa pour t'effeuiller dans l'onde,
« Te fit pour l'océan, je te donne à l'amour. »
Le vent mêlait les flots; il ne restait du jour
Qu'une vague lueur, lentement effacée.
Oh! comme j'étais triste au fond de ma pensée
Tandis que je songeais, et que le gouffre noir
M'entrait dans l'âme avec tous les frissons du soir!

Ile de Serk, août 1855.

XXV[1]

O strophe[2] du poète, autrefois, dans les fleurs,
Jetant mille baisers à leurs mille couleurs,
Tu jouais, et d'avril tu pillais la corbeille[3];
Papillon pour la rose et pour la ruche abeille,
Tu semais de l'amour et tu faisais du miel;
Ton âme[4] bleue était presque mêlée au ciel;
Ta robe était d'azur[5] et ton œil de lumière;
Tu criais aux chansons, tes sœurs[6] : « Venez! chaumière,
« Hameau, ruisseau, forêt, tout chante. L'aube a lui! »
Et, douce, tu courais et tu riais. Mais lui,
Le sévère habitant de la blême[7] caverne
Qu'en haut le jour blanchit, qu'en bas rougit l'Averne[8],
Le poète qu'ont fait avant l'heure vieillard
La douleur dans la vie et le drame dans l'art[9],
Lui, le chercheur du gouffre obscur, le chasseur d'om-
Il a levé la tête un jour hors des décombres, [bres,
Et t'a saisie au vol dans l'herbe et dans les blés,
Et, malgré tes effrois et tes cris redoublés[10],
Toute en pleurs, il t'a prise à l'idylle joyeuse;
Il t'a ravie aux champs, à la source, à l'yeuse,
Aux amours dans les bois près des nids palpitants;
Et maintenant[11], captive et reine en même temps,
Prisonnière au plus noir de son âme profonde,
Parmi les visions qui flottent comme l'onde,
Sous son crâne à la fois céleste et souterrain,
Assise, et t'accoudant sur un trône d'airain[12],
Voyant dans ta mémoire, ainsi qu'une ombre vaine,
Fuir l'éblouissement du jour et de la plaine,

Par le maître gardée, et calme, et sans espoir,
Tandis que, près de toi[13], les drames, groupe noir,
Des sombres passions feuillettent le registre,
Tu rêves dans sa nuit, Proserpine sinistre[14].

Jersey, novembre 1854.

XXVI

LES MALHEUREUX[1]

A MES ENFANTS

Puisque déjà l'épreuve aux luttes vous convie[2],
O mes enfants! parlons un peu de cette vie.
Je me souviens qu'un jour, marchant dans un bois noir
Où des ravins creusaient un farouche entonnoir,
Dans un de ces endroits où sous l'herbe et la ronce
Le chemin disparaît et le ruisseau s'enfonce,
Je vis, parmi les grès, les houx, les sauvageons,
Fumer un toit bâti de chaumes et de joncs.
La fumée avait peine à monter dans les branches;
Les fenêtres étaient les crevasses des planches;
On eût dit que les rocs cachaient avec ennui
Ce logis tremblant, triste, humble; et que c'était lui
Que les petits oiseaux, sous le hêtre et l'érable,
Plaignaient, tant il était chétif et misérable!
Pensif, dans les buissons j'en cherchais le sentier.
Comme je regardais ce chaume, un muletier
Passa, chantant, fouettant quelques bêtes de somme.
« Qui donc demeure là? » demandai-je à cet homme.
L'homme, tout en chantant, me dit : « Un malheureux[3]. »
J'allai vers la masure au fond du ravin creux;
Un arbre, de sa branche où brillait une goutte[4],
Sembla se faire un doigt pour m'en montrer la route,
Et le vent m'en ouvrit la porte; et j'y trouvai
Un vieux, vêtu de bure, assis sur un pavé[5].

Ce vieillard, près d'un âtre où séchaient quelques toiles,
Dans ce bouge aux passants ouvert, comme aux étoiles,
Vivait, seul jour et nuit, sans clôture, sans chien,
Sans clef; la pauvreté garde ceux qui n'ont rien.

J'entrai; le vieux soupait d'un peu d'eau, d'une pomme;
Sans pain; et je me mis à plaindre ce pauvre homme.
— Comment pouvait-il vivre ainsi? Qu'il était dur
De n'avoir même pas un volet à son mur;
L'hiver doit être affreux dans ce lieu solitaire;
Et pas même un grabat! il couchait donc à terre?
Là! sur ce tas de paille, et dans ce coin étroit!
Vous devez être mal, vous devez avoir froid,
Bon père, et c'est un sort bien triste que le vôtre[6]!

« — Fils », dit-il doucement, « allez en plaindre un autre.
« Je suis dans ces grands bois et sous le ciel vermeil,
« Et je n'ai pas de lit, fils, mais j'ai le sommeil[7].
« Quand l'aube luit pour moi, quand je regarde vivre
« Toute cette forêt dont la senteur m'enivre,
« Ces sources et ces fleurs, je n'ai pas de raison
« De me plaindre, je suis le fils de la maison[8].
« Je n'ai point fait de mal. Calme, avec l'indigence
« Et les haillons, je vis en bonne intelligence,
« Et je fais bon ménage avec Dieu mon voisin.
« Je le sens près de moi dans le nid, dans l'essaim,
« Dans les arbres profonds où parle une voix douce,
« Dans l'azur où la vie à chaque instant nous pousse,
« Et dans cette ombre vaste et sainte où je suis né.
« Je ne demande à Dieu rien de trop, car je n'ai
« Pas grande ambition, et, pourvu que j'atteigne
« Jusqu'à la branche où pend la mûre ou la châtaigne[9]
« Il est content de moi, je suis content de lui.
« Je suis heureux. »

*

J'étais jadis, comme aujourd'hui[10]
Le passant qui regarde en bas, l'homme des songes.
Mes enfants, à travers les brumes, les mensonges,

Les lueurs des tombeaux, les spectres des chevets,
Les apparences d'ombre et de clarté, je vais
Méditant, et toujours un instinct me ramène
A connaître le fond de la souffrance humaine.
L'abîme des douleurs m'attire. D'autres sont
Les sondeurs frémissants de l'océan profond;
Ils fouillent, vent des cieux, l'onde que tu balaies;
Ils plongent dans les mers; je plonge dans les plaies.
Leur gouffre est effrayant, mais pas plus que le mien [11].
Je descends plus bas qu'eux, ne leur enviant rien,
Sachant qu'à tout chercheur Dieu garde une largesse,
Content s'ils ont la perle et si j'ai la sagesse.

Or, il semble, à qui voit tout ce gouffre en rêvant,
Que les justes, parmi la nuée et le vent,
Sont un vol frissonnant d'aigles et de colombes [12].

*

J'ai souvent, à genoux que je suis sur les tombes [13],
La grande vision du sort; et par moment
Le destin m'apparaît, ainsi qu'un firmament [14]
Où l'on verrait, au lieu des étoiles, des âmes.
Tout ce qu'on nomme angoisse, adversité, les flammes,
Les brasiers, les billots, bien souvent tout cela
Dans mon noir crépuscule, enfants, étincela.
J'ai vu, dans cette obscure et morne transparence,
Passer l'homme de Rome et l'homme de Florence,
Caton au manteau blanc, et Dante au fier sourcil [15],
L'un ayant le poignard au flanc, l'autre l'exil;
Caton était joyeux et Dante était tranquille.
J'ai vu Jeanne au poteau qu'on brûlait dans la ville,
Et j'ai dit : Jeanne d'Arc, ton noir bûcher fumant
A moins de flamboiement que de rayonnement [16].
J'ai vu Campanella songer [17] dans la torture,
Et faire à sa pensée une âpre nourriture
Des chevalets, des crocs, des pinces, des réchauds,
Et de l'horreur qui flotte au plafond des cachots.

J'ai vu Thomas Morus, Lavoisier, Loiserolle,
Jane Grey[18], bouche ouverte ainsi qu'une corolle,
Toi, Charlotte Corday, vous, madame Roland[19],
Camille Desmoulins, saignant et contemplant[20],
Robespierre à l'œil froid, Danton aux cris superbes;
J'ai vu Jean qui parlait au désert, Malesherbes[21],
Egmont[22], André Chénier, rêveur des purs sommets,
Et mes yeux resteront éblouis à jamais
Du sourire serein de ces têtes coupées.
Coligny[23], sous l'éclair farouche des épées,
Resplendissait devant mon regard éperdu.
Livide et radieux, Socrate m'a tendu
Sa coupe en me disant : — As-tu soif? bois la vie.
Huss[24], me voyant pleurer, m'a dit : — Est-ce d'envie
Et Thraséas[25], s'ouvrant les veines dans son bain,
Chantait : — Rome est le fruit du vieux rameau sabi
Le soleil est le fruit de ces branches funèbres
Que la nuit sur nous croise et qu'on nomme ténèbre
Et la joie est le fruit du grand arbre douleur. —
Colomb, l'envahisseur des vagues, l'oiseleur
Du sombre aigle Amérique, et l'homme que Dieu mèn
Celui qui donne un monde et reçoit une chaîne,
Colomb aux fers criait : — Tout est bien. En avan
Saint-Just[26] sanglant m'a dit : — Je suis libre et viva
Phocion[27] m'a jeté, mourant, cette parole :
— Je crois, et je rends grâce aux Dieux! — Savonarole
Comme je m'approchais du brasier d'où sa main
Sortait, brûlée et noire et montrant le chemin,
M'a dit, en faisant signe aux flammes de se taire :
— Ne crains pas de mourir. Qu'est-ce que cette terr
Est-ce ton corps qui fait ta joie et qui t'est cher?
La véritable vie est où n'est plus la chair.
Ne crains pas de mourir. Créature plaintive,
Ne sens-tu pas en toi comme une aile captive?
Sous ton crâne, caveau muré, ne sens-tu pas
Comme un ange enfermé qui sanglote tout bas[29]?
Qui meurt, grandit. Le corps, époux impur de l'âr
Plein des vils appétits d'où naît le vice infâme,

Pesant, fétide, abject, malade à tous moments,
Branlant sur sa charpente affreuse d'ossements,
Gonflé d'humeurs, couvert d'une peau qui se ride,
Souffrant le froid, le chaud, la faim, la soif aride,
Traîne un ventre hideux, s'assouvit, mange et dort.
Mais il vieillit enfin, et, lorsque vient la mort,
L'âme, vers la lumière éclatante et dorée,
S'envole, de ce monstre horrible délivrée[30]. —

Une nuit que j'avais, devant mes yeux obscurs[31],
Un fantôme de ville et des spectres de murs,
J'ai, comme au fond d'un rêve où rien n'a plus de forme,
Entendu, près des tours d'un temple au dôme énorme,
Une voix qui sortait de dessous un monceau
De blocs noirs d'où le sang coulait en long ruisseau;
Cette voix murmurait des chants et des prières.
C'était le lapidé qui bénissait les pierres;
Étienne le martyr[32], qui disait : — O mon front,
Rayonne! Désormais les hommes s'aimeront;
Jésus règne. O mon Dieu, récompensez les hommes!
Ce sont eux qui nous font les élus que nous sommes.
Joie! amour! pierre à pierre, ô Dieu, je vous le dis,
Mes frères m'ont jeté le seuil du paradis! —

*

Elle était là debout, la mère douloureuse[33].
L'obscurité farouche, aveugle, sourde, affreuse,
Pleurait de toutes parts autour du Golgotha.
Christ, le jour devint noir quand on vous en ôta,
Et votre dernier souffle emporta la lumière.
Elle était là debout près du gibet, la mère!
Et je me dis : Voilà la douleur! et je vins.
— Qu'avez-vous donc, lui dis-je, entre vos doigts [divins?
Alors, aux pieds du fils saignant du coup de lance,
Elle leva sa droite et l'ouvrit en silence,
Et je vis dans sa main l'étoile du matin[34].

Quoi! ce deuil-là, Seigneur, n'est pas même certain!
Et la mère, qui râle au bas de la croix sombre,
Est consolée, ayant les soleils dans son ombre,
Et, tandis que ses yeux hagards pleurent du sang,
Elle sent une joie immense en se disant :
— Mon fils est Dieu! mon fils sauve la vie au monde! —
Et pourtant où trouver plus d'épouvante immonde,
Plus d'effroi, plus d'angoisse et plus de désespoir
Que dans ce temps lugubre où le genre humain noi
Frissonnant du banquet autant que du martyre,
Entend pleurer Marie et Trimalcion rire[35]!

*

Mais la foule s'écrie[36] : — Oui, sans doute, c'est beau
Le martyre, la mort, quand c'est un grand tombeau!
Quand on est un Socrate, un Jean Huss, un Messie!
Quand on s'appelle vie, avenir, prophétie!
Quand l'encensoir s'allume au feu qui vous brûla,
Quand les siècles, les temps et les peuples sont là
Qui vous dressent, parmi leurs brumes et leurs voile
Un cénotaphe énorme au milieu des étoiles,
Si bien que la nuit semble être le drap du deuil,
Et que les astres sont les cierges du cercueil!
Le billot tenterait même le plus timide
Si sa bière dormait sous une pyramide.
Quand on marche à la mort, recueillant en chemin
La bénédiction de tout le genre humain,
Quand des groupes en pleurs baisent vos traces fièr
Quand on s'entend crier par les murs, par les pierr
Et jusque par les gonds du seuil de sa prison :
« Tu vas de ta mémoire éclairer l'horizon;
« Fantôme éblouissant, tu vas dorer l'histoire,
« Et, vêtu de ta mort comme d'une victoire,
« T'asseoir au fronton bleu des hommes immortels
Lorsque les échafauds ont des aspects d'autels,
Qu'on se sent admiré du bourreau qui vous tue,
Que le cadavre va se relever statue,

Mourant plein de clarté, d'aube, de firmament,
D'éclat, d'honneur, de gloire, on meurt facilement!
L'homme est si vaniteux, qu'il rit à la torture
Quand c'est une royale et tragique aventure,
Quand c'est une tenaille immense qui le mord.
Quand les durs instruments d'agonie et de mort
Sortent de quelque forge inouïe et géante,
Notre orgueil, oubliant la blessure béante,
Se console des clous en voyant le marteau.
Avoir une montagne auguste pour poteau[38],
Être battu des flots ou battu des nuées,
Entendre l'univers plein de vagues huées
Murmurer : — Regardez ce colosse! les nœuds,
Les fers et les carcans le font plus lumineux!
C'est le vaincu Rayon, le damné Météore!
Il a volé la foudre et dérobé l'aurore! —
Être un supplicié du gouffre illimité,
Être un titan cloué sur une énormité,
Cela plaît. On veut bien des maux qui sont sublimes;
Et l'on se dit : Souffrons, mais souffrons sur les cimes!

Eh bien, non! — Le sublime est en bas. Le grand choix,
C'est de choisir l'affront. De même que parfois
La pourpre est déshonneur, souvent la fange est lustre.
La boue imméritée atteignant l'âme illustre,
L'opprobre, ce cachot d'où l'auréole sort,
Le cul de basse-fosse où nous jette le sort,
Le fond noir de l'épreuve où le malheur nous traîne,
Sont le comble éclatant de la grandeur sereine.
Et, quand, dans le supplice où nous devons lutter,
Le lâche destin va jusqu'à nous insulter,
Quand sur nous il entasse outrage, rire, blâme,
Et tant de contre-sens entre le sort et l'âme
Que notre vie arrive à la difformité,
La laideur de l'épreuve en devient la beauté.
C'est Samson à Gaza, c'est Épictète[39] à Rome;
L'abjection du sort fait la gloire de l'homme.

Plus de brume ne fait que couvrir plus d'azur.
Ce que l'homme ici-bas peut avoir de plus pur,
De plus beau, de plus noble en ce monde où l'on pleure,
C'est chute, abaissement, misère extérieure,
Acceptés pour garder la grandeur du dedans.
Oui, tous les chiens de l'ombre autour de vous gron-[dants,
Le blâme ingrat, la haine aux fureurs coutumière,
Oui, tomber dans la nuit quand c'est pour la lumière
Faire horreur, n'être plus qu'un ulcère, indigner
L'homme heureux, et qu'on raille en vous voyant sai-[gner
Et qu'on marche sur vous, qu'on vous crache au visage
Quand c'est pour la vertu, pour le vrai, pour le sage
Pour le bien, pour l'honneur, il n'est rien de plus doux
Quelle splendeur qu'un juste abandonné de tous,
N'ayant plus qu'un haillon dans le mal qui le mine,
Et jetant aux dédains, au deuil, à la vermine,
A sa plaie, aux douleurs, de tranquilles défis!
Même quand Prométhée est là, Job, tu suffis
Pour faire le fumier plus haut que le Caucase.

Le juste, méprisé comme un ver qu'on écrase,
M'éblouit d'autant plus que nous le blasphémons.
Ce que les froids bourreaux à faces de démons
Mêlent avec leur main monstrueuse et servile
A l'exécution pour la rendre plus vile,
Grandit le patient au regard de l'esprit.
O croix! les deux voleurs sont deux rayons du Christ[4]

*

Ainsi, tous les souffrants m'ont apparu splendides,
Satisfaits, radieux, doux, souverains, candides,
Heureux[41], la plaie au sein, la joie au cœur; les uns
Jetés dans la fournaise et devenant parfums,

Ceux-là jetés aux nuits et devenant aurores;
Les croyants, dévorés dans les cirques sonores,
Râlaient un chant, aux pieds des bêtes étouffés;
Les penseurs souriaient aux noirs autodafés,
Aux glaives, aux carcans, aux chemises de soufre;
Et je me suis alors écrié : Qui donc souffre?
Pour qui donc, si le sort, ô Dieu, n'est pas moqueur,
Toute cette pitié que tu m'as mise au cœur?
Qu'en dois-je faire? à qui faut-il que je la garde?
Où sont les malheureux? — et Dieu m'a dit : — Regarde.

*

Et j'ai vu des palais, des fêtes, des festins[42],
Des femmes qui mêlaient leurs blancheurs aux satins,
Des murs hautains ayant des jaspes pour écorces,
Des serpents d'or roulés dans des colonnes torses,
Avec de vastes dais pendant aux grands plafonds;
Et j'entendais chanter : — Jouissons! triomphons[43]! —
Et les lyres, les luths, les clairons dont le cuivre
A l'air de se dissoudre en fanfare et de vivre,
Et l'orgue, devant qui l'ombre écoute et se tait,
Tout un orchestre énorme et monstrueux chantait;
Et ce triomphe était rempli d'hommes superbes
Qui riaient et portaient toute la terre en gerbes,
Et dont les fronts dorés, brillants, audacieux,
Fiers, semblaient s'achever en astres dans les cieux.
Et, pendant qu'autour d'eux des voix criaient : — Vic-
A jamais! à jamais force, puissance et gloire! [toire
Et fête dans la ville! et joie à la maison! —
Je voyais, au-dessus du livide horizon,
Trembler le glaive immense et sombre de l'archange[44].

Ils s'épanouissaient dans une aurore étrange,
Ils vivaient dans l'orgueil comme dans leur cité,
Et semblaient ne sentir que leur félicité.
Et Dieu les a tous pris alors l'un après l'autre[45],
Le puissant, le repu, l'assouvi qui se vautre,

Le czar dans son Kremlin, l'iman[46] au bord du Nil,
Comme on prend les petits d'un chien dans un chenil,
Et, comme il fait le jour[47] sous les vagues marines,
M'ouvrant avec ses mains ces profondes poitrines,
Et, fouillant de son doigt de rayons pénétré
Leurs entrailles, leur foie et leurs reins, m'a montré
Des hydres qui rongeaient le dedans de ces âmes[48].

Et j'ai vu tressaillir ces hommes et ces femmes;
Leur visage riant comme un masque est tombé,
Et leur pensée, un monstre effroyable et courbé,
Une naine hagarde, inquiète, bourrue,
Assise sous leur crâne affreux, m'est apparue[49].
Alors, tremblant, sentant chanceler mes genoux,
Je leur ai demandé : « Mais qui donc êtes-vous? »
Et ces êtres n'ayant presque plus face d'homme
M'ont dit : « Nous sommes ceux qui font le mal; et
[comm
« C'est nous qui le faisons, c'est nous qui le souffrons[50]!

*

Oh! le nuage vain des pleurs et des affronts[51]
S'envole, et la douleur passe en criant : Espère!
Vous me l'avez fait voir et toucher, ô vous, Père,
Juge, vous le grand juste et vous le grand clément!
Le rire du succès et du triomphe ment;
Un invisible doigt caressant se promène[52]
Sous chacun des chaînons de la misère humaine;
L'adversité soutient ceux qu'elle fait lutter;
L'indigence est un bien pour qui sait la goûter;
L'harmonie éternelle autour du pauvre vibre
Et le berce; l'esclave, étant une âme, est libre,
Et le mendiant dit : Je suis riche, ayant Dieu.
L'innocence aux tourments jette ce cri : C'est peu.
La difformité rit dans Ésope, et la fièvre
Dans Scarron[53]; l'agonie ouvre aux hymnes sa lèvr

Quand je dis : « La douleur est-elle un mal? » Zénon[54]
Se dresse devant moi, paisible, et me dit : « Non. »
Oh! le martyre est joie et transport, le supplice
Est volupté, les feux du bûcher sont délice,
La souffrance est plaisir, la torture est bonheur;
Il n'est qu'un malheureux : c'est le méchant, Seigneur[55].

*

Aux premiers jours du monde, alors que la nuée[56],
Surprise, contemplait chaque chose créée,
Alors que sur le globe, où le mal avait crû,
Flottait une lueur de l'Éden disparu,
Quand tout encor semblait être rempli d'aurore,
Quand sur l'arbre du temps[57] les ans venaient d'éclore,
Sur la terre, où la chair avec l'esprit se fond,
Il se faisait le soir un silence profond,
Et le désert, les bois, l'onde aux vastes rivages,
Et les herbes des champs, et les bêtes sauvages,
Émus, et les rochers, ces ténébreux cachots,
Voyaient, d'un antre obscur couvert d'arbres si hauts
Que nos chênes auprès sembleraient des arbustes,
Sortir deux grands vieillards, nus, sinistres, augustes.
C'étaient Ève aux cheveux blanchis, et son mari,
Le pâle Adam, pensif, par le travail meurtri,
Ayant la vision de Dieu sous sa paupière[58].
Ils venaient tous les deux s'asseoir sur une pierre,
En présence des monts fauves et soucieux,
Et de l'éternité formidable des cieux.
Leur œil triste rendait la nature farouche;
Et là, sans qu'il sortît un souffle de leur bouche,
Les mains sur leurs genoux et se tournant le dos[59],
Accablés comme ceux qui portent des fardeaux,
Sans autre mouvement de vie extérieure
Que de baisser plus bas la tête d'heure en heure,
Dans une stupeur morne et fatale absorbés,
Froids, livides, hagards, ils regardaient, courbés

Sous l'être illimité[60] sans figure et sans nombre,
L'un, décroître le jour, et l'autre, grandir l'ombre[61];
Et, tandis que montaient les constellations,
Et que la première onde aux premiers alcyons
Donnait sous l'infini le long baiser nocturne[62],
Et qu'ainsi que des fleurs tombant à flots d'une urne
Les astres fourmillants emplissaient le ciel noir,
Ils songeaient, et, rêveurs, sans entendre, sans voir,
Sourds aux rumeurs des mers d'où l'ouragan s'élance
Toute la nuit, dans l'ombre, ils pleuraient en silence
Ils pleuraient tous les deux, aïeux du genre humain,
Le père sur Abel, la mère sur Caïn.

Marine-Terrace, septembre 1855.

LIVRE SIXIÈME

AU BORD DE L'INFINI

I

LE PONT[1]

J'avais devant les yeux les ténèbres. L'abîme
Qui n'a pas de rivage et qui n'a pas de cime,
Était là, morne, immense; et rien n'y remuait.
Je me sentais perdu dans l'infini muet.
Au fond, à travers l'ombre, impénétrable voile,
On apercevait Dieu comme une sombre[2] étoile.
Je m'écriai : — Mon âme, ô mon âme! il faudrait,
Pour traverser ce gouffre où nul bord n'apparaît,
Et pour qu'en cette nuit jusqu'à ton Dieu tu marches,
Bâtir un pont géant sur des millions d'arches.
Qui le pourra jamais? Personne! ô deuil! effroi!
Pleure! — Un fantôme blanc se dressa devant moi
Pendant que je jetais sur l'ombre un œil d'alarme,
Et ce fantôme[3] avait la forme d'une larme[4];
C'était un front de vierge avec des mains d'enfant;
Il ressemblait au lys que la blancheur défend;
Ses mains en se joignant faisaient de la lumière[5].
Il me montra l'abîme où va toute poussière,
Si profond, que jamais un écho n'y répond;
Et me dit : — Si tu veux je bâtirai le pont.
Vers ce pâle inconnu je levai ma paupière[6].
— Quel est ton nom? lui dis-je. Il me dit : — La prière.

Jersey, décembre 1852.

II

IBO[1]

DITES, pourquoi, dans l'insondable
Au mur d'airain[2],
Dans l'obscurité formidable
Du ciel serein,

Pourquoi, dans ce grand sanctuaire
Sourd[3] et béni,
Pourquoi, sous l'immense suaire
De l'infini,

Enfouir vos lois éternelles[4]
Et vos clartés?
Vous savez bien que j'ai des ailes,
O vérités!

Pourquoi vous cachez-vous dans l'ombre
Qui nous confond?
Pourquoi fuyez-vous l'homme sombre
Au vol profond[5]?

Que le mal détruise ou bâtisse[6],
Rampe ou soit roi,
Tu sais bien que j'irai, Justice,
J'irai vers toi!

Beauté sainte, Idéal[7] qui germes
Chez les souffrants,
Toi par qui les esprits sont fermes
Et les cœurs grands,

Vous le savez, vous que j'adore,
Amour, Raison,
Qui vous levez comme l'aurore
Sur l'horizon,

Foi, ceinte d'un cercle d'étoiles,
Droit, bien de tous,
J'irai, Liberté qui te voiles,
J'irai vers vous!

Vous avez beau, sans fin, sans borne,
Lueurs de Dieu[8],
Habiter la profondeur morne [9]
Du gouffre bleu,

Ame à l'abîme habituée [10]
Dès le berceau,
Je n'ai pas peur de la nuée;
Je suis oiseau.

Je suis oiseau comme cet être [11]
Qu'Amos [12] rêvait,
Que saint Marc voyait apparaître
A son chevet,

Qui mêlait sur sa tête fière,
Dans les rayons,
L'aile de l'aigle à la crinière
Des grands lions.

J'ai des ailes. J'aspire au faîte;
Mon vol est sûr;
J'ai des ailes pour la tempête
Et pour l'azur.

Je gravis les marches sans nombre.
Je veux savoir;
Quand la science serait sombre
Comme le soir!

Vous savez bien que l'âme affronte
Ce noir degré,
Et que, si haut qu'il faut qu'on monte,
J'y monterai!

Vous savez bien que l'âme est forte
Et ne craint rien
Quand le souffle de Dieu l'emporte!
Vous savez bien

Que j'irai jusqu'aux bleus pilastres,
Et que mon pas,
Sur l'échelle qui monte aux astres[13],
Ne tremble pas!

L'homme, en cette époque agitée,
Sombre océan,
Doit faire comme Prométhée
Et comme Adam[14].

Il doit ravir au ciel austère
L'éternel feu;
Conquérir son propre mystère,
Et voler Dieu.

L'homme a besoin, dans sa chaumière,
Des vents battu,
D'une loi qui soit sa lumière
Et sa vertu.

Toujours ignorance et misère!
L'homme en vain fuit,
Le sort le tient; toujours la serre!
Toujours la nuit!

Il faut que le peuple s'arrache[15]
Au dur décret,
Et qu'enfin ce grand martyr sache
Le grand secret!

Déjà l'amour, dans l'ère obscure
Qui va finir,
Dessine la vague figure
De l'avenir.

Les lois de nos destins sur terre,
Dieu les écrit;
Et, si ces lois sont le mystère,
Je suis l'esprit[16].

Je suis celui que rien n'arrête,
Celui qui va[17],
Celui dont l'âme est toujours prête
A Jéhovah;

Je suis le poète farouche,
L'homme devoir,
Le souffle des douleurs, la bouche
Du clairon[18] noir;

Le rêveur qui sur ses registres
Met les vivants[19],
Qui mêle des strophes sinistres
Aux quatre vents[20];

Le songeur ailé, l'âpre athlète[21]
Au bras nerveux,
Et je traînerais la comète
Par les cheveux.

Donc, les lois de notre problème[22],
Je les aurai;
J'irai vers elles, penseur blême,
Mage effaré[23]!

Pourquoi cacher ces lois profondes[24]?
Rien n'est muré.
Dans vos flammes et dans vos ondes[25]
Je passerai;

J'irai lire la grande bible[26];
J'entrerai nu[27]
Jusqu'au tabernacle terrible
De l'inconnu,

Jusqu'au seuil de l'ombre et du vide,
Gouffres ouverts
Que garde la meute livide
Des noirs éclairs[28],

Jusqu'aux portes visionnaires[29]
Du ciel sacré[30];
Et, si vous aboyez, tonnerres,
Je rugirai[31].

Au dolmen de Rozel, janvier 1853.

III

UN spectre m'attendait[1] dans un grand angle d'ombre,
Et m'a dit :

— Le muet habite dans le sombre[2].
L'infini rêve, avec un visage irrité[3].
L'homme parle et dispute avec l'obscurité,
Et la larme de l'œil rit du bruit de la bouche[4].
Tout ce qui vous emporte est rapide et farouche[5].
Sais-tu pourquoi tu vis? sais-tu pourquoi tu meurs[6]?
Les vivants orageux passent dans les rumeurs,
Chiffres tumultueux, flots de l'océan Nombre[7].
Vous n'avez rien à vous qu'un souffle dans de l'ombre[8];
L'homme est à peine né, qu'il est déjà passé,
Et c'est avoir fini que d'avoir commencé.
Derrière le mur blanc, parmi les herbes vertes,
La fosse obscure attend l'homme, lèvres ouvertes.
La mort est le baiser de la bouche tombeau[9].
Tâche de faire un peu de bien, coupe un lambeau[10]
D'une bonne action dans cette nuit qui gronde;
Ce sera ton linceul dans la terre profonde.
Beaucoup s'en sont allés qui ne reviendront plus
Qu'à l'heure de l'immense et lugubre reflux[11];
Alors, on entendra des cris. Tâche de vivre;
Crois[12]. Tant que l'homme vit, Dieu pensif lit son livre.
L'homme meurt quand Dieu fait au coin du livre un pli[13].
L'espace sait, regarde, écoute. Il est rempli

D'oreilles sous la tombe, et d'yeux dans les ténèbres[14].
Les morts ne marchant plus, dressent leurs pieds
[funèbres;
Les feuilles sèches vont et roulent sous les cieux.
Ne sens-tu pas souffler le vent mystérieux[15]?

Au dolmen de Rozel, avril 1853.

IV

ÉCOUTEZ. Je suis Jean[1]. J'ai vu des choses sombres.
J'ai vu l'ombre infinie où se perdent les nombres[2],
J'ai vu les visions que les réprouvés font[3],
Les engloutissements[4] de l'abîme sans fond;
J'ai vu le ciel, l'éther, le chaos et l'espace.
Vivants! puisque j'en viens, je sais ce qui s'y passe;
Je vous affirme à tous, écoutez bien ma voix,
J'affirme même à ceux qui vivent dans les bois[5],
Que le Seigneur, le Dieu des esprits des prophètes,
Voit ce que vous pensez et sait ce que vous faites[6].
C'est bien. Continuez, grands, petits, jeunes, vieux!
Que l'avare soit tout à l'or, que l'envieux
Rampe et morde en rampant, que le glouton dévore,
Que celui qui faisait le mal, le fasse encore,
Que celui qui fut lâche et vil, le soit toujours!
Voyant vos passions, vos fureurs[7], vos amours,
J'ai dit à Dieu : « Seigneur, jugez où nous en sommes.
« Considérez la terre et regardez les hommes.
« Ils brisent tous les nœuds qui devaient les unir. »
Et Dieu m'a répondu : « Certes, je vais venir[8]! »

Serk, juillet 1853.

V

CROIRE, MAIS PAS EN NOUS[1]

PARCE qu'on a porté du pain, du linge blanc,
A quelque humble logis sous les combles tremblant
Comme le nid parmi les feuilles inquiètes;
Parce qu'on a jeté ses restes et ses miettes
Au petit enfant maigre, au vieillard pâlissant,
Au pauvre qui contient l'éternel tout-puissant[2];
Parce qu'on a laissé Dieu manger sous sa table[3],
On se croit vertueux, on se croit charitable!
On dit : « Je suis parfait! louez-moi; me voilà[4]! »
Et, tout en blâmant Dieu de ceci, de cela,
De ce qu'il pleut, du mal dont on le dit la cause,
Du chaud, du froid, on fait sa propre apothéose.
Le riche qui, gorgé, repu, fier, paresseux,
Laisse un peu d'or rouler de son palais sur ceux
Que le noir janvier glace et que la faim harcèle,
Ce riche-là, qui brille et donne une parcelle
De ce qu'il a de trop à qui n'a pas assez,
Et qui, pour quelques sous du pauvre ramassés,
S'admire et ferme l'œil sur sa propre misère,
S'il a le superflu, n'a pas le nécessaire :
La justice; et le loup rit dans l'ombre en marchant[5]
De voir qu'il se croit bon pour n'être pas méchant.
Nous bons! nous fraternels! ô fange et pourriture!
Mais tournez donc vos yeux vers la mère nature!
Que sommes-nous, cœurs froids où l'égoïsme bout,
Auprès de la bonté suprême éparse en tout?
Toutes nos actions ne valent pas la rose[6].
Dès que nous avons fait par hasard quelque chose,

Nous nous vantons, hélas! vains souffles qui fuyons!
Dieu donne l'aube au ciel sans compter les rayons[7],
Et la rosée aux fleurs sans mesurer les gouttes;
Nous sommes le néant; nos vertus tiendraient toutes
Dans le creux de la pierre où vient boire l'oiseau.
L'homme est l'orgueil du cèdre emplissant le roseau[8].
Le meilleur n'est pas bon vraiment, tant l'homme est
Et tant notre fumée[9] à nos vertus se mêle! [frêle
Le bienfait par nos mains pompeusement jeté
S'évapore aussitôt dans notre vanité;
Même en le prodiguant aux pauvres d'un air tendre,
Nous avons tant d'orgueil que notre or devient cendre;
Le bien que nous faisons est spectre comme nous.
L'Incréé, seul vivant, seul terrible et seul doux[10],
Qui juge, aime, pardonne, engendre, construit, fonde,
Voit nos hauteurs avec une pitié profonde.
Ah! rapides passants[11]! ne comptons pas sur nous,
Comptons sur lui. Pensons et vivons à genoux;
Tâchons d'être sagesse, humilité, lumière;
Ne faisons point un pas qui n'aille à la prière;
Car nos perfections rayonneront bien peu
Après la mort, devant l'étoile et le ciel bleu.
Dieu seul peut nous sauver. C'est un rêve de croire
Que nos lueurs d'en bas sont là-haut de la gloire;
Si lumineux qu'il ait paru dans notre horreur,
Si doux qu'il ait été pour nos cœurs pleins d'erreur,
Quoi qu'il ait fait, celui que sur la terre on nomme
Juste, excellent, pur, sage et grand, là-haut est l'homme,
C'est-à-dire la nuit en présence du jour;
Son amour semble haine auprès du grand amour;
Et toutes ses splendeurs, poussant des cris funèbres,
Disent en voyant Dieu : Nous sommes les ténèbres[12]!
Dieu, c'est le seul azur dont le monde ait besoin.
L'abîme en en parlant prend l'atome à témoin.
Dieu seul est grand[13]! c'est là le psaume du brin d'herbe;
Dieu seul est vrai! c'est là l'hymne du flot superbe;
Dieu seul est bon! c'est là le murmure des vents[14];
Ah! ne vous faites pas d'illusions, vivants!

Et d'où sortez-vous donc, pour croire que vous êtes
Meilleurs que Dieu, qui met les astres sur vos têtes[15],
Et qui vous éblouit, à l'heure du réveil,
De ce prodigieux sourire, le soleil[16]!

Marine-Terrace, décembre 1854.

VI

PLEURS DANS LA NUIT[1]

I

Je suis l'être incliné qui jette ce qu'il pense;
Qui demande à la nuit le secret du silence;
Dont la brume emplit l'œil;
Dans une ombre sans fond mes paroles descendent,
Et les choses sur qui tombent mes strophes rendent
Le son creux du cercueil.

Mon esprit, qui du doute a senti la piqûre,
Habite, âpre songeur, la rêverie obscure
Aux flots plombés et bleus,
Lac hideux où l'horreur tord ses bras, pâle nymphe,
Et qui fait boire une eau morte comme la lymphe[2]
Aux rochers scrofuleux.

Le Doute, fils bâtard de l'aïeule Sagesse,
Crie : — A quoi bon[3]? — devant l'éternelle largesse,
Nous fait tout oublier,
S'offre à nous, morne abri, dans nos marches sans nombre,
Nous dit : — Es-tu las? Viens! — et l'homme dort à l'ombre
De ce mancenillier[4].

L'effet pleure et sans cesse interroge la cause[5].
La création semble attendre quelque chose.
L'homme à l'homme est obscur.
Où donc commence l'âme? où donc finit la vie[6]?
Nous voudrions, c'est là notre incurable envie,
Voir par-dessus le mur.

Nous rampons, oiseaux pris sous le filet de l'être;
Libres et prisonniers, l'immuable pénètre
Toutes nos volontés;
Captifs sous le réseau des choses nécessaires,
Nous sentons se lier des fils à nos misères
Dans les immensités[7].

II

Nous sommes au cachot; la porte est inflexible;
Mais, dans une main sombre, inconnue, invisible,
Qui passe par moment,
A travers l'ombre, espoir des âmes sérieuses,
On entend le trousseau des clefs[8] mystérieuses
Sonner confusément.

La vision de l'être emplit les yeux de l'homme.
Un mariage obscur sans cesse se consomme[9]
De l'ombre avec le jour;
Ce monde, est-ce un éden tombé dans la géhenne?
Nous avons dans le cœur des ténèbres de haine
Et des clartés d'amour.

La création n'a qu'une prunelle trouble.
L'être éternellement montre sa face double,
Mal et bien, glace et feu;
L'homme sent à la fois, âme pure et chair sombre,
La morsure du ver de terre au fond de l'ombre
Et le baiser de Dieu.

Mais à de certains jours, l'âme est comme une veuve.
Nous entendons gémir les vivants dans l'épreuve.
Nous doutons, nous tremblons,
Pendant que l'aube épand ses lumières sacrées
Et que mai sur nos seuils mêle les fleurs dorées
Avec les enfants blonds.

Qu'importe la lumière, et l'aurore, et les astres,
Fleurs des chapiteaux bleus, diamants des pilastres
Du profond firmament,
Et mai qui nous caresse, et l'enfant qui nous charme,
Si tout n'est qu'un soupir, si tout n'est qu'une larme,
Si tout n'est qu'un moment!

III

Le sort nous use au jour, triste meule qui tourne.
L'homme inquiet et vain croit marcher, il séjourne;
Il expire en créant.
Nous avons la seconde et nous rêvons l'année;
Et la dimension de notre destinée,
C'est poussière et néant.

L'abîme, où les soleils sont les égaux des mouches,
Nous tient; nous n'entendons que des sanglots farouches
Ou des rires moqueurs;
Vers la cible d'en haut qui dans l'azur s'élève,
Nous lançons nos projets, nos vœux, l'espoir, le rêve,
Ces flèches de nos cœurs.

Nous voulons durer, vivre, être éternels. O cendre!
Où donc est la fourmi qu'on appelle Alexandre?
Où donc le ver César [10]?
En tombant sur nos fronts, la minute nous tue [11].
Nous passons, noir essaim, foule de deuil vêtue,
Comme le bruit d'un char.

Nous montons à l'assaut du temps comme une armée.
Sur nos groupes confus que voile la fumée
Des jours évanouis,
L'énorme éternité luit, splendide et stagnante;
Le cadran, bouclier de l'heure rayonnante,
Nous terrasse éblouis!

IV

A l'instant où l'on dit : Vivons! tout se déchire.
Les pleurs subitement descendent sur le rire.
Tête nue! à genoux! [morte[12].
Tes fils sont morts, mon père est mort, leur mère est
O deuil! qui passe là? C'est un cercueil qu'on porte.
A qui le portez-vous?

Ils le portent à l'ombre, au silence, à la terre;
Ils le portent au calme obscur, à l'aube austère,
A la brume sans bords,
Au mystère qui tord ses anneaux sous des voiles,
Au serpent inconnu qui lèche les étoiles
Et qui baise les morts[13]!

V

Ils le portent aux vers, au néant, à Peut-Être!
Car la plupart d'entre eux n'ont point vu le jour naître;
Sceptiques et bornés,
La négation morne et la matière hostile,
Flambeaux d'aveuglement, troublent l'âme inutile
De ces infortunés.

Pour eux le ciel ment, l'homme est un songe et croit
Ils ont beau feuilleter page à page le livre, [vivre;
Ils ne comprennent pas;
Ils vivent en hochant la tête, et, dans le vide.
L'écheveau ténébreux que le doute dévide
Se mêle sous leurs pas.

Pour eux l'âme naufrage avec le corps qui sombre.
Leur rêve a les yeux creux et regarde de l'ombre;

Rien est le mot du sort;
Et chacun d'eux, riant de la voûte étoilée,
Porte en son cœur, au lieu de l'espérance ailée,
Une tête de mort.

Sourds à l'hymne des bois, au sombre cri de l'orgue[14],
Chacun d'eux est un champ plein de cendre, une morgue
Où pendent des lambeaux,
Un cimetière où l'œil des frémissants poètes
Voit planer l'ironie et toutes ses chouettes,
L'ombre et tous ses corbeaux[15].

Quand l'astre et le roseau leur disent : Il faut croire[16];
Ils disent au jonc vert, à l'astre en sa nuit noire :
Vous êtes insensés!
Quand l'arbre leur murmure à l'oreille : Il existe;
Ces fous répondent : Non! et, si le chêne insiste,
Ils lui disent : Assez!

Quelle nuit! le semeur nié par la semence!
L'univers n'est pour eux qu'une vaste démence,
Sans but et sans milieu;
Leur âme, en agitant l'immensité profonde,
N'y sent même pas l'être, et dans le grelot monde
N'entend pas sonner Dieu[17]!

VI

Le corbillard franchit le seuil du cimetière.
Le gai matin, qui rit à la nature entière,
Resplendit sur ce deuil[18];
Tout être a son mystère où l'on sent l'âme éclore[19],
Et l'offre à l'infini; l'astre apporte l'aurore,
Et l'homme le cercueil.

Le dedans de la fosse apparaît, triste crèche.
Des pierres par endroits percent la terre fraîche;

Et l’on entend le glas;
Elles semblent s’ouvrir ainsi que des paupières[20],
Et le papillon blanc dit : « Qu’ont donc fait ces pierres? »
Et la fleur dit : « Hélas! »

VII

Est-ce que par hasard ces pierres sont punies[21],
Dieu vivant, pour subir de telles agonies?
Ah! ce que nous souffrons
N’est rien. — Plus bas que l’arbre en proie aux froides [bises,
Sous cette forme horrible, est-ce que les Cambyses,
Est-ce que les Nérons,

Après avoir tenu les peuples dans leur serre,
Et crucifié l’homme au noir gibet misère,
Mis le monde en lambeaux,
Souillé l’âme, et changé, sous le vent des désastres,
L’univers en charnier, et fait monter aux astres
La vapeur des tombeaux,

Après avoir passé joyeux dans la victoire,
Dans l’orgueil, et partout imprimé sur l’histoire
Leurs ongles furieux,
Et, monstres qu’entrevoit l’homme en ses léthargies[22],
Après avoir sur terre été les effigies[23]
Du mal mystérieux,

Après avoir peuplé les prisons élargies,
Et versé tant de meurtre aux vastes mers rougies,
Tant de morts, glaive au flanc,
Tant d’ombre, et de carnage, et d’horreurs inconnues,
Que le soleil, le soir, hésitait dans les nues
Devant ce bain sanglant!

Après avoir mordu le troupeau que Dieu mène,
Et tourné tour à tour de la torture humaine

L'atroce cabestan,
Et régné sous la pourpre et sous le laticlave[24],
Et plié six mille ans Adam[25], le vieil esclave,
Sous le vieux roi Satan,

Est-ce que le chasseur Nemrod, Sforce le pâtre,
Est-ce que Messaline, est-ce que Cléopâtre,
Caligula, Macrin,
Et les Achabs, par qui renaissaient les Sodomes,
Et Phalaris, qui fit du hurlement des hommes
La clameur de l'airain,

Est-ce que Charles Neuf, Constantin, Louis Onze,
Vitellius, la fange, et Busiris, le bronze,
Les Cyrus dévorants,
Les Égystes montrés du doigt par les Électres,
Seraient dans cette nuit, d'hommes devenus spectres,
Et pierres de tyrans?

Est-ce que ces cailloux, tout pénétrés de crimes,
Dans l'horreur étouffés, scellés dans les abîmes,
Enviant l'ossement,
Sans air, sans mouvement, sans jour, sans yeux, sans
Entre l'herbe sinistre et le cercueil farouche, [bouche,
Vivraient affreusement?

Est-ce que ce seraient des âmes condamnées,
Des maudits qui, pendant des millions d'années,
Seuls avec le remords,
Au lieu de voir, des yeux de l'astre solitaire,
Sortir les rayons d'or, verraient les vers de terre
Sortir des yeux des morts?

Homme et roche, exister, noir dans l'ombre vivante!
Songer, pétrifié dans sa propre épouvante!
Rêver l'éternité!
Dévorer ses fureurs, confusément rugies!
Être pris, ouragan de crimes et d'orgies,
Dans l'immobilité!

Punition! problème obscur! questions sombres!
Quoi! ce caillou dirait : — J'ai mis Thèbe en décombres!
J'ai vu Suse à genoux!
J'étais Bélus à Tyr! j'étais Sylla dans Rome! —
Noire captivité des vieux démons de l'homme!
O pierres, qu'êtes-vous?

Qu'a fait ce bloc, béant dans la fosse insalubre?
Glacé du froid profond de la terre lugubre,
Informe et châtié,
Aveugle, même aux feux que la nuit réverbère,
Il pense et se souvient... — Quoi! ce n'est que Tibère!
Seigneur, ayez pitié!

Ce dur silex[26] noyé dans la terre, âpre, fruste,
Couvert d'ombre, pendant que le ciel s'ouvre au juste
Qui s'y réfugia,
Jaloux du chien qui jappe et de l'âne qui passe,
Songe et dit : Je suis là! — Dieu vivant, faites grâce!
Ce n'est que Borgia!

O Dieu bon, penchez-vous sur tous ces misérables[27]!
Sauvez ces submergés, aimez ces exécrables[28]!
Ouvrez les soupiraux.
Au nom des innocents, Dieu, pardonnez aux crimes.
Père, fermez l'enfer. Juge, au nom des victimes,
Grâce pour les bourreaux!

De toutes parts s'élève un cri : Miséricorde[29]!
Les peuples nus, liés, fouettés à coups de corde,
Lugubres travailleurs,
Voyant leur maître en proie aux châtiments sublimes,
Ont pitié du despote, et, saignant de ses crimes,
Pleurent de ses douleurs;

Les pâles nations regardent dans le gouffre,
Et ces grands suppliants, pour le tyran qui souffre,

T'implorent, Dieu jaloux;
L'esclave mis en croix, l'opprimé sur la claie,
Plaint le satrape au fond de l'abîme, et la plaie
Dit : Grâce pour les clous[30]!

Dieu serein, regardez d'un regard salutaire
Ces reclus ténébreux qu'emprisonne la terre
Pleine d'obscurs verrous,
Ces forçats dont le bagne est le dedans des pierres,
Et levez, à la voix des justes en prières,
Ces effrayants écrous.

Père, prenez pitié du monstre et de la roche.
De tous les condamnés que le pardon s'approche!
Jadis, rois des combats,
Ces bandits sur la terre ont fait une tempête;
Étant montés plus haut dans l'horreur que la bête,
Ils sont tombés plus bas[31].

Grâce pour eux! clémence, espoir, pardon, refuge,
Au jonc qui fut un prince, au ver qui fut un juge[32]!
Le méchant, c'est le fou.
Dicu, rouvrez au maudit! Dieu, relevez l'infâme!
Rendez à tous l'azur. Donnez au tigre une âme,
Des ailes au caillou!

Mystèrc! obsession de tout esprit qui pense!
Échelle de la peine et de la récompense!
Nuit qui monte en clarté!
Sourire[33] épanoui sur la torture amère!
Vision du sépulcre! êtes-vous la chimère,
Ou la réalité[34]?

VIII

La fosse, plaie au flanc de la terre, est ouverte,
Et, béante, elle fait frissonner l'herbe verte

Et le buisson jauni;
Elle est là, froide, calme, étroite, inanimée,
Et l'âme en voit sortir, ainsi qu'une fumée,
L'ombre de l'infini.

Et les oiseaux de l'air, qui, planant sur les cimes,
Volant sous tous les cieux, comparent les abîmes
Dans les courses qu'ils font,
Songent au noir Vésuve, à l'Océan superbe,
Et disent, en voyant cette fosse dans l'herbe :
Voici le plus profond!

IX

L'âme est partie, on rend le corps à la nature.
La vie a disparu sous cette créature;
Mort, où sont tes appuis?
Le voilà hors du temps, de l'espace et du nombre.
On le descend avec une corde dans l'ombre
Comme un seau dans un puits.

Que voulez-vous puiser dans ce puits formidable?
Et pourquoi jetez-vous la sonde[35] à l'insondable?
Qu'y voulez-vous puiser?
Est-ce l'adieu lointain et doux de ceux qu'on aime?
Est-ce un regard? hélas! est-ce un soupir suprême?
Est-ce un dernier baiser?

Qu'y voulez-vous puiser, vivants, essaim frivole?
Est-ce un frémissement du vide où tout s'envole,
Un bruit, une clarté,
Une lettre du mot que Dieu seul peut écrire?
Est-ce, pour le mêler à vos éclats de rire,
Un peu d'éternité?

Dans ce gouffre où la larve entr'ouvre son œil ter
Dans cette épouvantable et livide citerne,

Abîme de douleurs,
Dans ce cratère obscur des muettes demeures,
Que voulez-vous puiser, ô passants de peu d'heures,
Hommes de peu de pleurs[36]?

Est-ce le secret sombre? est-ce la froide goutte
Qui, larme du néant, suinte de l'âpre voûte
Sans aube et sans flambeau?
Est-ce quelque lueur effarée et hagarde?
Est-ce le cri jeté par tout ce qui regarde
Derrière le tombeau?

Vous ne puiserez rien. Les morts tombent. La fosse
Les voit descendre, avec leur âme juste ou fausse,
Leur nom, leurs pas, leur bruit.
Un jour, quand souffleront les célestes haleines,
Dieu seul remontera toutes ces urnes pleines
De l'éternelle nuit.

X

Et la terre, agitant la ronce à sa surface,
Dit : — L'homme est mort; c'est bien; que veut-on que j'en fasse?
Pourquoi me le rend-on? —
Terre! fais-en des fleurs! des lys que l'aube arrose!
De cette bouche aux dents béantes, fais la rose
Entr'ouvrant son bouton!

Fais ruisseler ce sang dans tes sources d'eaux vives,
Et fais-le boire aux bœufs mugissants, tes convives;
Prends ces chairs en haillons;
Fais de ces seins bleuis sortir des violettes,
Et couvre de ces yeux que t'offrent les squelettes
L'aile des papillons.

Fais avec tous ces morts une joyeuse vie.
Fais-en le fier torrent qui gronde et qui dévie.

La mousse aux frais tapis!
Fais-en des rocs, des joncs, des fruits, des vignes mûres,
Des brises, des parfums, des bois pleins de murmures,
Des sillons pleins d'épis!

Fais-en des buissons verts, fais-en de grandes herbes!
Et qu'en ton sein profond d'où se lèvent les gerbes,
A travers leur sommeil,
Les effroyables morts sans souffle et sans paroles
Se sentent frissonner dans toutes ces corolles
Qui tremblent au soleil!

XI

La terre, sur la bière où le mort pâle écoute,
Tombe, et le nid gazouille, et, là-bas, sur la route
Siffle le paysan;
Et ces fils, ces amis que le regret amène,
N'attendent même pas que la fosse soit pleine
Pour dire : Allons-nous-en!

Le fossoyeur, payé par ces douleurs hâtées,
Jette sur le cercueil la terre à pelletées.
Toi qui, dans ton linceul,
Rêvais le deuil sans fin, cette blanche colombe,
Avec cet homme allant et venant sur ta tombe,
O mort, te voilà seul!

Commencement de l'âpre et morne solitude!
Tu ne changeras plus de lit ni d'attitude;
L'heure aux pas solennels
Ne sonne plus pour toi; l'ombre te fait terrible;
L'immobile suaire a sur ta forme horrible
Mis ses plis éternels[37].

Et puis le fossoyeur s'en va boire la fosse.
Il vient de voir des dents que la terre déchausse,

Il rit, il mange, il mord;
Et prend, en murmurant des chansons hébétées,
Un verre dans ses mains à chaque instant heurtées
Aux choses de la mort.

Le soir vient; l'horizon s'emplit d'inquiétude[38];
L'herbe tremble et bruit comme une multitude;
Le fleuve blanc reluit;
Le paysage obscur prend les veines des marbres[39];
Ces hydres que, le jour, on appelle des arbres,
Se tordent dans la nuit.

Le mort est seul. Il sent la nuit qui le dévore[40].
Quand naît le doux matin, tout l'azur de l'aurore,
Tous ses rayons si beaux,
Tout l'amour des oiseaux et leurs chansons sans nombre,
Vont aux berceaux dorés; et, la nuit, toute l'ombre
Aboutit aux tombeaux.

Il entend des soupirs dans les fosses voisines;
Il sent la chevelure affreuse des racines
Entrer dans son cercueil;
Il est l'être vaincu dont s'empare la chose;
Il sent un doigt obscur, sous sa paupière close,
Lui retirer son œil.

Il a froid; car le soir, qui mêle à son haleine
Les ténèbres, l'horreur, le spectre et le phalène,
Glace ces durs grabats;
Le cadavre, lié de bandelettes blanches,
Grelotte, et dans sa bière entend les quatre planches
Qui lui parlent tout bas.

L'une dit : — Je fermais ton coffre-fort. — Et l'autre
Dit : — J'ai servi de porte au toit qui fut le nôtre. —
L'autre dit : — Aux beaux jours,
La table où rit l'ivresse et que le vin encombre,
C'était moi. — L'autre dit : — J'étais le chevet sombre
Du lit de tes amours[41].

Allez, vivants! riez, chantez; le jour flamboie.
Laissez derrière vous, derrière votre joie
Sans nuage et sans pli,
Derrière la fanfare et le bal qui s'élance,
Tous ces morts qu'enfouit dans la fosse silence
Le fossoyeur oubli[42]!

XII

Tous y viendront.

XIII

Assez! et levez-vous de table.
Chacun prend à son tour la route redoutable[43];
Chacun sort en tremblant;
Chantez, riez; soyez heureux, soyez célèbres;
Chacun de vous sera bientôt dans les ténèbres
Le spectre au regard blanc[44].

La foule vous admire et l'azur vous éclaire;
Vous êtes riche, grand, glorieux, populaire,
Puissant, fier, encensé[45];
Vos licteurs[46] devant vous, graves, portent la hache;
Et vous vous en irez sans que personne sache
Où vous avez passé.

Jeunes filles, hélas! qui donc croit à l'aurore?
Votre lèvre pâlit pendant qu'on danse encore
Dans le bal enchanté;
Dans les lustres blêmis on voit grandir le cierge;
La mort met sur vos fronts ce grand voile de vierge
Qu'on nomme éternité[47].

Le conquérant, debout dans une aube enflammée,
Penche, et voit s'en aller son épée en fumée;

L'amante avec l'amant
Passe; le berceau prend une voix sépulcrale;
L'enfant rose devient larve[48] horrible, et le râle
Sort du vagissement.

Ce qu'ils disaient hier, le savent-ils eux-mêmes?
Des chimères, des vœux, des cris, de vains problèmes!
O néant inouï!
Rien ne reste; ils ont tout oublié dans la fuite
Des choses que Dieu pousse et qui courent si vite
Que l'homme est ébloui!

O promesses! espoirs! cherchez-les dans l'espace.
La bouche qui promet est un oiseau[49] qui passe.
Fou qui s'y confierait!
Les promesses s'en vont où va le vent des plaines,
Où vont les flots, où vont les obscures haleines
Du soir dans la forêt!

Songe à la profondeur du néant où nous sommes.
Quand tu seras couché sous la terre où les hommes
S'enfoncent pas à pas,
Tes enfants, épuisant les jours que Dieu leur compte,
Seront dans la lumière ou seront dans la honte;
Tu ne le sauras pas[50]!

Ce que vous rêvez tombe avec ce que vous faites.
Voyez ces grands palais; voyez ces chars de fêtes
Aux tournoyants essieux;
Voyez ces longs fusils[51] qui suivent le rivage;
Voyez ces chevaux, noirs comme un héron sauvage[52]
Qui vole sous les cieux,

Tout cela passera comme une voix chantante.
Pyramide, à tes pieds tu regardes la tente,
Sous l'éclatant zénith;
Tu l'entends frissonner au vent comme une voile,
Chéops, et tu te sens, en la voyant de toile,
Fière d'être en granit;

Et toi, tente, tu dis : Gloire à la pyramide!
Mais, un jour, hennissant comme un cheval numide,
L'ouragan libyen
Soufflera sur ce sable où sont les tentes frêles,
Et Chéops roulera pêle-mêle avec elles
En s'écriant : Eh bien[53]!

Tu périras, malgré ton enceinte murée,
Et tu ne seras plus, ville, ô ville sacrée,
Qu'un triste amas fumant,
Et ceux qui t'ont servie et ceux qui t'ont aimée
Frapperont leur poitrine en voyant la fumée
De ton embrasement[54].

Ils diront : — O douleur! ô deuil! guerre civile!
Quelle ville a jamais égalé cette ville[55]?
Ses tours montaient dans l'air;
Elle riait aux chants de ses prostituées;
Elle faisait courir ainsi que des nuées[56]
Ses vaisseaux sur la mer.

Ville! où sont tes docteurs qui t'enseignaient à lire[57]?
Tes dompteurs de lions qui jouaient de la lyre[58],
Tes lutteurs jamais las?
Ville! est-ce qu'un voleur, la nuit, t'a dérobée?
Où donc est Babylone? Hélas! elle est tombée!
Elle est tombée, hélas[59]!

On n'entend plus chez toi le bruit que fait la meule.
Pas un marteau n'y frappe un clou. Te voilà seule.
Ville, où sont tes bouffons?
Nul passant désormais ne montera tes rampes;
Et l'on ne verra plus la lumière des lampes
Luire sous tes plafonds[60].

Brillez pour disparaître et montez pour descendre.
Le grain de sable dit dans l'ombre au grain de cendre

Il faut tout engloutir.
Où donc est Thèbes? dit Babylone pensive.
Thèbes demande : Où donc est Ninive? et Ninive
S'écrie : Où donc est Tyr[61]?

En laissant fuir les mots de sa langue prolixe,
L'homme s'agite et va, suivi par un œil fixe[62];
Dieu n'ignore aucun toit;
Tous les jours d'ici-bas ont des aubes funèbres;
Malheur à ceux qui font le mal dans les ténèbres
En disant : Qui nous voit[63]?

Tous tombent; l'un au bout d'une course insensée,
L'autre à son premier pas; l'homme sur sa pensée,
La mère sur son nid;
Et le porteur de sceptre et le joueur de flûte
S'en vont; et rien ne dure; et le père qui lutte
Suit l'aïeul qui bénit.

Les races vont au but qu'ici-bas tout révèle.
Quand l'ancienne commence à pâlir, la nouvelle
A déjà le même air;
Dans l'éternité, gouffre où se vide la tombe,
L'homme coule sans fin, sombre fleuve qui tombe
Dans une sombre mer.

Tout escalier, que l'ombre ou la splendeur le couvre,
Descend au tombeau calme, et toute porte s'ouvre
Sur le dernier moment;
Votre sépulcre emplit la maison où vous êtes;
Et tout plafond, croisant ses poutres sur nos têtes,
Est fait d'écroulement.

Veillez, veillez[64]! Songez à ceux que vous perdîtes;
Parlez moins haut, prenez garde à ce que vous dites,
Contemplez à genoux;
L'aigle trépas du bout de l'aile nous effleure[65];
Et toute notre vie, en fuite heure par heure,
S'en va derrière nous.

O coups soudains! départs vertigineux! mystère!
Combien qui ne croyaient parler que pour la terre,
Front haut, cœur fier, bras fort,
Tout à coup, comme un mur subitement s'écroule,
Au milieu d'une phrase adressée à la foule,
Sont entrés dans la mort,

Et, sous l'immensité qui n'est qu'un œil sublime,
Ont pâli, stupéfaits de voir, dans cet abîme
D'astres et de ciel bleu,
Où le masqué[66] se montre, où l'inconnu se nomme,
Que le mot qu'ils avaient commencé devant l'homme
S'achevait devant Dieu!

Un spectre au seuil de tout tient le doigt sur sa bouche.
Les morts partent. La nuit de sa verge les touche.
Ils vont, l'antre est profond,
Nus, et se dissipant, et l'on ne voit rien luire.
Où donc sont-ils allés? On n'a rien à vous dire.
Ceux qui s'en vont, s'en vont.

Sur quoi donc marchent-ils? sur l'énigme, sur l'ombre
Sur l'être. Ils font un pas : comme la nef qui sombre
Leur blancheur disparaît;
Et l'on n'entend plus rien dans l'ombre inaccessible,
Que le bruit sourd que fait dans le gouffre invisible
L'invisible forêt.

L'infini, route noire et de brume remplie,
Et qui joint l'âme à Dieu, monte, fuit, multiplie[67]
Ses cintres[68] tortueux,
Et s'efface... — et l'horreur effare nos pupilles
Quand nous entrevoyons les arches et les piles
De ce pont monstrueux.

O sort! obscurité! nuée! on rêve, on souffre.
Les êtres, dispersés à tous les vents du gouffre,

Ne savent ce qu'ils font[69].
Les vivants sont hagards. Les morts sont dans leurs [couches.
Pendant que nous songeons, des pleurs, gouttes [farouches,
Tombent du noir plafond[70].

XIV

On brave l'immuable[71]; et l'un se réfugie
Dans l'assoupissement[72], et l'autre dans l'orgie.
Cet autre va criant :
— A bas vertu, devoir et foi! l'homme est un ventre! —
Dans ce lugubre esprit, comme un tigre en son antre,
Habite le néant.

Écoutez-le : — Jouir est tout. L'heure est rapide.
Le sacrifice est fou, le martyre est stupide;
Vivre est l'essentiel.
L'immensité ricane et la tombe grimace.
La vie est un caillou[73] que le sage ramasse
Pour lapider le ciel. —

Il souffle, forçat noir, sa vermine[74] sur l'ange.
Il est content, il est hideux; il boit, il mange;
Il rit, la lèvre en feu,
Tous les rires que peut inventer la démence;
Il dit tout ce que peut dire en sa haine immense
Le ver de terre à Dieu.

Il dit : Non! à celui sous qui tremble le pôle.
Soudain l'ange muet met la main sur l'épaule
Du railleur effronté;
La mort derrière lui surgit pendant qu'il chante;
Dieu remplit tout à coup cette bouche crachante
Avec l'éternité.

XV

Qu'est-ce que tu feras de tant d'herbes fauchées,
O vent? que feras-tu des pailles desséchées
Et de l'arbre abattu?
Que feras-tu de ceux qui s'en vont avant l'heure,
Et de celui qui rit et de celui qui pleure,
O vent, qu'en feras-tu?

Que feras-tu des cœurs! que feras-tu des âmes?
Nous aimâmes, hélas! nous crûmes, nous pensâmes :
Un moment nous brillons;
Puis, sur les panthéons ou sur les ossuaires,
Nous frissonnons, ceux-ci drapeaux, ceux-là suaires,
Tous, lambeaux et haillons!

Et ton souffle nous tient, nous arrache et nous ronge!
Et nous étions la vie, et nous sommes le songe!
Et voilà que tout fuit!
Et nous ne savons plus qui nous pousse et nous mène,
Et nous questionnons en vain notre âme pleine
De tonnerre et de nuit[75]!

O vent, que feras-tu de ces tourbillons d'êtres,
Hommes, femmes, vieillards, enfants, esclaves, maîtres
Souffrant, priant, aimant,
Doutant, peut-être cendre et peut-être semence,
Qui roulent, frémissants et pâles, vers l'immense
Évanouissement!

XVI

L'arbre Éternité vit sans faîte et sans racines.
Ses branches sont partout, proches du ver, voisines

Du grand astre doré;
L'espace voit sans fin croître la branche Nombre,
Et la branche Destin, végétation sombre,
Emplit l'homme effaré.

Nous la sentons ramper et grandir sous nos crânes,
Lier Deutz à Judas, Nemrod à Schinderhannes[76],
Tordre ses mille nœuds,
Et, passants pénétrés de fibres éternelles,
Tremblants, nous la voyons croiser dans nos prunelles
Ses fils vertigineux.

Et nous apercevons, dans le plus noir de l'arbre,
Les Hobbes contemplant[77] avec des yeux de marbre,
Les Kant aux larges fronts;
Leur cognée à la main, le pied sur les problèmes,
Immobiles; la mort a fait des spectres blêmes
De tous ces bûcherons.

Ils sont là, stupéfaits et chacun sur sa branche.
L'un se redresse, et l'autre, épouvanté, se penche.
L'un voulut, l'autre osa,
Tous se sont arrêtés en voyant le mystère.
Zénon rêve tourné vers Pyrrhon, et Voltaire
Regarde Spinosa[78].

Qu'avez-vous donc trouvé, dites, chercheurs sublimes?
Quels nids avez-vous vus, noirs comme des abîmes,
Sur ces rameaux noueux?
Cachaient-ils des essaims d'ailes sombres ou blanches?
Dites, avez-vous fait envoler de ces branches
Quelque aigle monstrueux?

De quelqu'un qui se tait nous sommes les ministres[79];
Le noir réseau du sort trouble nos yeux sinistres;
Le vent nous courbe tous;

L'ombre des mêmes nuits mêle toutes les têtes.
Qui donc sait le secret? le savez-vous, tempêtes?
Gouffres, en parlez-vous?

Le problème muet gonfle la mer sonore[80],
Et, sans cesse oscillant, va du soir à l'aurore
Et de la taupe au lynx;
L'énigme aux yeux profonds nous regarde obstinée;
Dans l'ombre nous voyons sur notre destinée
Les deux griffes du sphinx[81].

Le mot, c'est Dieu[82]. Ce mot luit dans les âmes veuves
Il tremble dans la flamme; onde, il coule en tes fleuves
Homme, il coule en ton sang;
Les constellations le disent au silence;
Et le volcan, mortier de l'infini, le lance
Aux astres en passant.

Ne doutons pas. Croyons. Emplissons l'étendue
De notre confiance, humble, ailée, éperdue.
Soyons l'immense Oui.
Que notre cécité ne soit pas un obstacle;
A la création donnons ce grand spectacle
D'un aveugle ébloui.

Car, je vous le redis, votre oreille étant dure,
Non est un précipice. O vivants! rien ne dure;
La chair est aux corbeaux;
La vie autour de vous croule comme un vieux cloître
Et l'herbe est formidable, et l'on y voit moins croîtr
De fleurs que de tombeaux.

Tout, dès que nous doutons, devient triste et farouch
Quand il veut, spectre gai, le sarcasme à la bouche
Et l'ombre dans les yeux,
Rire avec l'infini, pauvre âme aventurière,
L'homme frissonnant voit les arbres en prière
Et les monts sérieux;

Le chêne ému fait signe au cèdre qui contemple;
Le rocher rêveur semble un prêtre dans le temple
Pleurant un déshonneur;
L'araignée, immobile au centre de ses toiles,
Médite; et le lion, songeant sous les étoiles,
Rugit : Pardon, Seigneur!

Jersey, cimetière de Saint-Jean, avril 1854.

VII

Un jour[1], le morne[2] esprit, le prophète sublime
Qui rêvait à Patmos,
Et lisait, frémissant[3], sur le mur de l'abîme
De si lugubres mots[4],

Dit à son aigle[5] : « O monstre! il faut que tu m'em-
Je veux voir Jéhovah. » [portes;
L'aigle obéit. Des cieux ils franchirent les portes;
Enfin, Jean arriva;

Il vit l'endroit sans nom dont nul archange n'ose
Traverser le milieu,
Et ce lieu redoutable était plein d'ombre[6], à cause
De la grandeur de Dieu.

Jersey, septembre 1855.

VIII

CLAIRE[1]

Quoi donc! la vôtre aussi! la vôtre suit la mienne!
O mère au cœur profond, mère, vous avez beau
Laisser la porte ouverte afin qu'elle revienne[2],
Cette pierre là-bas dans l'herbe est un tombeau!

La mienne disparut dans les flots qui se mêlent;
Alors, ce fut ton tour, Claire, et tu t'envolas.
Est-ce donc que là-haut dans l'ombre elles s'appellent,
Qu'elles s'en vont ainsi l'une après l'autre, hélas?

Enfant qui rayonnais, qui chassais la tristesse,
Que ta mère jadis berçait de sa chanson,
Qui d'abord la charmas avec ta petitesse
Et plus tard lui remplis de clarté l'horizon,

Voilà donc que tu dors sous cette pierre grise[3]!
Voilà que tu n'es plus, ayant à peine été!
L'astre attire le lys[4], et te voilà reprise,
O vierge, par l'azur, cette virginité[5]!

Te voilà remontée au firmament sublime,
Échappée aux grands cieux comme la grive aux bois[6],
Et, flamme, aile, hymne, odeur, replongée à l'abîme
Des rayons, des amours, des parfums et des voix!

Nous ne t'entendrons plus rire en notre nuit noire.
Nous voyons seulement, comme pour nous bénir,
Errer dans notre ciel et dans notre mémoire
Ta figure, nuage, et ton nom, souvenir[7]!

Pressentais-tu déjà ton sombre épithalame[8]?
Marchant sur notre monde à pas silencieux,
De tous les idéals tu composais ton âme,
Comme si tu faisais un bouquet pour les cieux!

En te voyant si calme et toute lumineuse,
Les cœurs les plus saignants ne haïssaient plus rien[9].
Tu passais parmi nous comme Ruth la glaneuse,
Et, comme Ruth[10] l'épi, tu ramassais le bien.

La nature, ô front pur, versait sur toi sa grâce,
L'aurore sa candeur, et les champs leur bonté;
Et nous retrouvions, nous sur qui la douleur passe,
Toute cette douceur dans toute ta beauté[11]!

Chaste, elle paraissait ne pas être autre chose
Que la forme qui sort des cieux éblouissants[12];
Et de tous les rosiers elle semblait la rose,
Et de tous les amours elle semblait l'encens.

Ceux qui n'ont pas connu cette charmante fille
Ne peuvent pas savoir ce qu'était ce regard
Transparent comme l'eau qui s'égaye et qui brille
Quand l'étoile surgit sur l'océan hagard.

Elle était simple, franche, humble, naïve et bonne;
Chantant à demi-voix son chant d'illusion,
Ayant je ne sais quoi dans toute sa personne
De vague et de lointain comme la vision[13].

On sentait qu'elle avait peu de temps sur la terre,
Qu'elle n'apparaissait que pour s'évanouir,
Et qu'elle acceptait peu sa vie involontaire;
Et la tombe semblait par moments l'éblouir.

Elle a passé dans l'ombre où l'homme se résigne;
Le vent sombre soufflait; elle a passé sans bruit,
Belle, candide, ainsi qu'une plume de cygne
Qui reste blanche, même en traversant la nuit[14]!

Elle s'en est allée à l'aube qui se lève,
Lueur dans le matin, vertu dans le ciel bleu [15],
Bouche qui n'a connu que le baiser du rêve,
Ame qui n'a dormi que dans le lit de Dieu [16]!

Nous voici maintenant en proie aux deuils sans bornes,
Mère, à genoux tous deux sur des cercueils sacrés,
Regardant à jamais dans les ténèbres mornes
La disparition [17] des êtres adorés!

Croire qu'ils resteraient! quel songe! Dieu les presse.
Même quand leurs bras blancs sont autour de nos cous,
Un vent du ciel profond fait frissonner sans cesse [18]
Ces fantômes [19] charmants que nous croyons à nous.

Ils sont là, près de nous, jouant sur notre route;
Ils ne dédaignent pas notre soleil obscur,
Et derrière eux, et sans que leur candeur s'en doute,
Leurs ailes font parfois de l'ombre sur le mur.

Ils viennent sous nos toits; avec nous ils demeurent;
Nous leur disons : Ma fille! ou : Mon fils! ils sont doux,
Riants, joyeux, nous font une caresse, et meurent. —
O mère, ce sont là les anges, voyez-vous!

C'est une volonté du sort, pour nous sévère,
Qu'ils rentrent vite au ciel resté pour eux ouvert;
Et qu'avant d'avoir mis leur lèvre à notre verre [20],
Avant d'avoir rien fait et d'avoir rien souffert,

Ils partent radieux; et qu'ignorant l'envie,
L'erreur, l'orgueil, le mal, la haine, la douleur,
Tous ces êtres bénis [21] s'envolent de la vie
A l'âge où la prunelle innocente est en fleur [22]!

Nous qui sommes démons [23] ou qui sommes apôtres,
Nous devons travailler, attendre, préparer;
Pensifs, nous expions pour nous-même ou pour d'autres;
Notre chair doit saigner, nos yeux doivent pleurer.

Eux, ils sont l'air qui fuit, l'oiseau qui ne se pose
Qu'un instant, le soupir qui vole, avril vermeil
Qui brille et passe; ils sont le parfum de la rose
Qui va rejoindre aux cieux le rayon du soleil!

Ils ont ce grand dégoût mystérieux de l'âme
Pour notre chair coupable et pour notre destin;
Ils ont, êtres rêveurs qu'un autre azur réclame,
Je ne sais quelle soif de mourir le matin!

Ils sont l'étoile d'or se couchant dans l'aurore,
Mourant pour nous, naissant pour l'autre firmament;
Car la mort, quand un astre en son sein vient éclore,
Continue, au delà, l'épanouissement!

Oui, mère, ce sont là les élus du mystère,
Les envoyés divins, les ailés, les vainqueurs,
A qui Dieu n'a permis que d'effleurer la terre
Pour faire un peu de joie à quelques pauvres cœurs [24].

Comme l'ange à Jacob, comme Jésus à Pierre [25],
Ils viennent jusqu'à nous qui loin d'eux étouffons,
Beaux, purs, et chacun d'eux portant sous sa paupière
La sereine clarté des paradis profonds.

Puis, quand ils ont, pieux, baisé toutes les plaies,
Pansé notre douleur, azuré nos raisons,
Et fait luire un moment l'aube à travers nos claies,
Et chanté la chanson du ciel dans nos maisons [26],

Ils retournent là-haut parler à Dieu des hommes,
Et, pour lui faire voir quel est notre chemin [27],
Tout ce que nous souffrons et tout ce que nous sommes,
S'en vont avec un peu de terre dans la main.

Ils s'en vont; c'est tantôt l'éclair qui les emporte,
Tantôt un mal [28] plus fort que nos soins superflus.
Alors, nous, pâles, froids, l'œil fixé sur la porte [29],
Nous ne savons plus rien, sinon qu'ils ne sont plus.

Nous disons : — A quoi bon l'âtre sans étincelles?
A quoi bon la maison où ne sont plus leurs pas?
A quoi bon la ramée où ne sont plus les ailes?
Qui donc attendons-nous s'ils ne reviendront pas? —

Ils sont partis, pareils au bruit qui sort des lyres[30].
Et nous restons là, seuls, près du gouffre où tout fuit,
Tristes; et la lueur de leurs charmants sourires
Parfois nous apparaît vaguement dans la nuit[31].

Car ils sont revenus, et c'est là le mystère;
Nous entendons quelqu'un flotter, un souffle errer,
Des robes effleurer notre seuil solitaire,
Et cela fait alors que nous pouvons pleurer[32].

Nous sentons frissonner leurs cheveux dans notre
[ombre;
Nous sentons, lorsqu'ayant la lassitude en nous,
Nous nous levons après quelque prière sombre,
Leurs blanches mains toucher doucement nos genoux[33].

Ils nous disent tout bas de leur voix la plus tendre :
« Mon père! encore un peu! ma mère! encore un jour!
« M'entends-tu? je suis là, je reste pour t'attendre
« Sur l'échelon d'en bas de l'échelle d'amour[34].

« Je t'attends pour pouvoir nous en aller ensemble[35].
« Cette vie est amère, et tu vas en sortir.
« Pauvre cœur, ne crains rien, Dieu vit! la mort ras-
« Tu redeviendras ange ayant été martyr[36]. » [semble.

Oh! quand donc viendrez-vous? vous retrouver, c'est
[naître.
Quand verrons-nous, ainsi qu'un idéal flambeau,
La douce étoile mort, rayonnante, apparaître
A ce noir horizon qu'on nomme le tombeau[37]?

Quand nous en irons-nous où vous êtes, colombes !
Où sont les enfants morts et les printemps enfuis,
Et tous les chers amours dont nous sommes les tombes,
Et toutes les clartés dont nous sommes les nuits ?

Vers ce grand ciel clément où sont tous les dictames[38],
Les aimés, les absents, les êtres purs et doux,
Les baisers des esprits et les regards des âmes[39],
Quand nous en irons-nous ? quand nous en irons-nous ?

Quand nous en irons-nous où sont l'aube et la foudre ?
Quand verrons-nous, déjà libres, hommes encor,
Notre chair ténébreuse en rayons se dissoudre,
Et nos pieds faits de nuit éclore en ailes d'or[40] ?

Quand nous enfuirons-nous dans la joie infinie
Où les hymnes vivants sont des anges voilés,
Où l'on voit, à travers l'azur de l'harmonie,
La strophe bleue errer sur les luths étoilés[41] ?

Quand viendrez-vous chercher notre humble cœur qui sombre ?
Quand nous reprendrez-vous à ce monde charnel,
Pour nous bercer ensemble aux profondeurs de l'ombre
Sous l'éblouissement du regard éternel[42] ?

Décembre 1846.

IX

A LA FENÊTRE PENDANT LA NUIT[1]

I

Les étoiles, points d'or, percent les branches noires;
Le flot huileux et lourd décompose ses moires
Sur l'océan blêmi;
Les nuages ont l'air d'oiseaux prenant la fuite[2];
Par moments le vent parle, et dit des mots sans suite,
Comme un homme endormi[3].

Tout s'en va. La nature est l'urne mal fermée.
La tempête est écume et la flamme est fumée[4].
Rien n'est hors du moment,
L'homme n'a rien qu'il prenne, et qu'il tienne, et qu'il garde.
Il tombe heure par heure, et, ruine, il regarde
Le monde, écroulement.

L'astre est-il le point fixe en ce mouvant problème?
Ce ciel que nous voyons fut-il toujours le même?
Le sera-t-il toujours?
L'homme a-t-il sur son front des clartés éternelles[5]?
Et verra-t-il toujours les mêmes sentinelles
Monter aux mêmes tours[6]?

II

Nuits, serez-vous pour nous toujours ce que vous êtes[7]?
Pour toute vision, aurons-nous sur nos têtes

Toujours les mêmes cieux?
Dis, larve[8] Aldebaran, réponds, spectre Saturne,
Ne verrons-nous jamais sur le masque nocturne
S'ouvrir de nouveaux yeux?

Ne verrons-nous jamais briller de nouveaux astres?
Et des cintres nouveaux, et de nouveaux pilastres
Luire à notre œil mortel,
Dans cette cathédrale aux formidables porches
Dont le septentrion éclaire avec sept torches[9],
L'effrayant maître-autel?

A-t-il cessé, le vent qui fit naître ces roses,
Sirius, Orion, toi, Vénus, qui reposes[10]
Notre œil dans le péril[11]?
Ne verrons-nous jamais sous ces grandes haleines
D'autres fleurs de lumière éclore dans les plaines
De l'éternel avril?

Savons-nous où le monde en est de son mystère?
Qui nous dit, à nous, joncs du marais, vers de terre[12]
Dont la bave reluit,
A nous qui n'avons pas nous-mêmes notre preuve[13],
Que Dieu ne va pas mettre une tiare[14] neuve
Sur le front de la nuit?

III

Dieu n'a-t-il plus de flamme à ses lèvres profondes[15]?
N'en fait-il plus jaillir des tourbillons de mondes?
Parlez, Nord et Midi!
N'emplit-il plus de lui sa création sainte?
Et ne souffle-t-il plus que d'une bouche éteinte
Sur l'être refroidi?

Quand les comètes[16] vont et viennent, formidables,
Apportant la lueur des gouffres insondables

A nos fronts soucieux,
Brûlant, volant, peut-être âmes, peut-être mondes [17],
Savons-nous ce que font toutes ces vagabondes
Qui courent dans nos cieux?

Qui donc a vu la source et connaît l'origine?
Qui donc, ayant sondé l'abîme, s'imagine
En être mage et roi?
Ah! fantômes humains, courbés sous les désastres!
Qui donc a dit : — C'est bien, Éternel. Assez d'astres.
N'en fais plus. Calme-toi [18]! —

L'effet séditieux limiterait la cause?
Quelle bouche ici-bas peut dire à quelque chose :
Tu n'iras pas plus loin?
Sous l'élargissement sans fin, la borne plie;
La création vit, croît et se multiplie;
L'homme n'est qu'un témoin.

L'homme n'est qu'un témoin frémissant d'épouvante [19].
Les firmaments sont pleins de la sève vivante
Comme les animaux.
L'arbre prodigieux croise, agrandit, transforme [20],
Et mêle aux cieux profonds, comme une gerbe énorme,
Ses ténébreux rameaux.

Car la création est devant, Dieu derrière.
L'homme, du côté noir de l'obscure barrière,
Vit, rôdeur curieux [21];
Il suffit que son front se lève pour qu'il voie [22]
A travers la sinistre et morne claire-voie [23]
Cet œil mystérieux [24].

IV

Donc ne nous disons pas : — Nous avons nos étoiles [25] —
Des flottes de soleils peut-être à pleines voiles

Viennent en ce moment;
Peut-être que demain le Créateur terrible,
Refaisant notre nuit, va contre un autre crible[26]
Changer le firmament.

Qui sait? que savons-nous? sur notre horizon sombre,
Que la création impénétrable encombre
De ses taillis sacrés[27],
Muraille obscure où vient battre le flot de l'être,
Peut-être allons-nous voir brusquement apparaître
Des astres effarés;

Des astres éperdus arrivant des abîmes,
Venant des profondeurs ou descendant des cimes,
Et, sous nos noirs arceaux,
Entrant en foule, épars, ardents, pareils au rêve,
Comme dans un grand vent s'abat sur une grève
Une troupe d'oiseaux[28];

Surgissant, clairs flambeaux, feux purs, rouges fournaises
Aigrettes de rubis ou tourbillons de braises[29],
Sur nos bords[30], sur nos monts,
Et nous pétrifiant de leurs aspects étranges;
Car dans le gouffre énorme il est des mondes anges
Et des soleils démons!

Peut-être en ce moment, du fond des nuits funèbres,
Montant vers nous, gonflant ses vagues de ténèbres
Et ses flots de rayons,
Le muet Infini[31], sombre mer ignorée,
Roule vers notre ciel une grande marée
De constellations[32]!

Marine-Terrace, avril 1854.

X

ÉCLAIRCIE[1]

L'OCÉAN resplendit sous sa vaste nuée[2].
L'onde, de son combat sans fin exténuée,
S'assoupit, et, laissant l'écueil se reposer,
Fait de toute la rive un immense baiser.
On dirait qu'en tous lieux, en même temps, la vie[3]
Dissout le mal, le deuil, l'hiver, la nuit, l'envie[4],
Et que le mort couché dit au vivant debout :
Aime! et qu'une âme obscure, épanouie en tout[5],
Avance doucement sa bouche vers nos lèvres.
L'être, éteignant dans l'ombre et l'extase ses fièvres,
Ouvrant ses flancs, ses seins, ses yeux, ses cœurs épars,
Dans ses pores profonds reçoit de toutes parts
La pénétration de la sève sacrée[6].
La grande paix d'en haut vient comme une marée[7].
Le brin d'herbe palpite aux fentes du pavé[8];
Et l'âme a chaud. On sent que le nid[9] est couvé.
L'infini semble plein d'un frisson de feuillée[10].
On croit être à cette heure où la terre éveillée[11]
Entend le bruit que fait l'ouverture du jour,
Le premier pas du vent, du travail, de l'amour,
De l'homme, et le verrou de la porte sonore[12],
Et le hennissement du blanc cheval aurore[13].
Le moineau d'un coup d'aile[14], ainsi qu'un fol esprit[15],
Vient taquiner le flot monstrueux qui sourit;
L'air joue avec la mouche et l'écume avec l'aigle[16];
Le grave laboureur fait ses sillons et règle
La page où s'écrira le poème des blés;
Des pêcheurs sont là-bas sous un pampre attablés;

L'horizon semble un rêve éblouissant où nage
L'écaille de la mer, la plume du nuage,
Car l'Océan est hydre et le nuage oiseau [17].
Une lueur, rayon vague, part du berceau
Qu'une femme balance au seuil d'une chaumière,
Dore les champs, les fleurs, l'onde et devient lumière
En touchant un tombeau qui dort près du clocher [18].
Le jour plonge au plus noir du gouffre, et va chercher [19]
L'ombre, et la baise au front sous l'eau sombre et [hagarde.
Tout est doux, calme, heureux, apaisé; Dieu regarde [20].

Marine-Terrace, juillet 1855.

XI

Oh ! par nos vils plaisirs [1], nos appétits, nos fanges,
Que de fois nous devons vous attrister, archanges!
C'est vraiment une chose amère de songer
Qu'en ce monde où l'esprit n'est qu'un morne étranger,
Où la volupté rit, jeune, et si décrépite!
Où dans les lits profonds l'aile d'en bas palpite [2],
Quand, pâmé, dans un nimbe ou bien dans un éclair,
On tend sa bouche ardente aux coupes de la chair
A l'heure où l'on s'enivre aux lèvres d'une femme,
De ce qu'on croit l'amour, de ce qu'on prend pour [l'âme,
Sang du cœur, vin des sens âcre et délicieux,
On fait rougir là-haut quelque passant des cieux!

Juin 1855.

XII

AUX ANGES QUI NOUS VOIENT[1]

— PASSANT[2], qu'es-tu? je te connais.
Mais, étant spectre, ombre et nuage[3],
Tu n'as plus de sexe ni d'âge.
— Je suis ta mère, et je venais[4]!

— Et toi dont l'aile hésite et brille,
Dont l'œil est noyé de douceur,
Qu'es-tu, passant? — Je suis ta sœur.
— Et toi, qu'es-tu? — Je suis ta fille.

— Et toi, qu'es-tu, passant? — Je suis
Celle à qui tu disais : « Je t'aime! »
— Et toi? — Je suis ton âme même. —
Oh! cachez-moi, profondes nuits[5]!

Juin 1855.

XIII

CADAVER [1]

O mort! heure splendide! ô rayons mortuaires!
Avez-vous quelquefois soulevé des suaires?
Et, pendant qu'on pleurait, et qu'au chevet du lit,
Frères, amis, enfants, la mère qui pâlit,
Éperdus, sanglotaient dans le deuil qui les navre,
Avez-vous regardé sourire le cadavre?
Tout à l'heure il râlait, se tordait, étouffait;
Maintenant il rayonne. Abîme! qui donc fait
Cette lueur qu'a l'homme en entrant dans les ombres?
Qu'est-ce que le sépulcre? et d'où vient, penseurs sombres,
Cette sérénité formidable des morts?
C'est que le secret s'ouvre et que l'être est dehors;
C'est que l'âme — qui voit, puis brille, puis flamboie, —
Rit, et que le corps même a sa terrible joie.
La chair se dit : — Je vais être terre, et germer,
Et fleurir comme sève, et, comme fleur, aimer!
Je vais me rajeunir dans la jeunesse énorme
Du buisson, de l'eau vive, et du chêne, et de l'orme,
Et me répandre aux lacs, aux flots, aux monts, aux prés,
Aux rochers, aux splendeurs des grands couchants pourprés,
Aux ravins, aux halliers, aux brises de la nue,
Aux murmures profonds de la vie inconnue!
Je vais être oiseau, vent, cri des eaux, bruit des cieux,
Et palpitation du tout prodigieux! —
Tous ces atomes las, dont l'homme était le maître,
Sont joyeux d'être mis en liberté dans l'être,
De vivre, et de rentrer au gouffre qui leur plaît.
L'haleine, que la fièvre aigrissait et brûlait,

Va devenir parfum, et la voix harmonie;
Le sang va retourner à la veine infinie,
Et couler, ruisseau clair, aux champs où le bœuf roux
Mugit le soir avec l'herbe jusqu'aux genoux[2];
Les os ont déjà pris la majesté des marbres;
La chevelure sent le grand frisson des arbres,
Et songe aux cerfs errants, au lierre, aux nids chantants
Qui vont l'emplir du souffle adoré du printemps.
Et voyez le regard, qu'une ombre étrange voile,
Et qui, mystérieux, semble un lever d'étoile!

Oui, Dieu le veut, la mort, c'est l'ineffable chant[3]
De l'âme et de la bête à la fin se lâchant;
C'est une double issue ouverte à l'être double.
Dieu disperse, à cette heure inexprimable et trouble,
Le corps dans l'univers et l'âme dans l'amour.
Une espèce d'azur que dore un vague jour,
L'air de l'éternité, puissant, calme, salubre,
Frémit et resplendit sous le linceul lugubre;
Et des plis du drap noir tombent tous nos ennuis.
La mort est bleue. O mort! ô paix! l'ombre des nuits,
Le roseau des étangs, le roc du monticule,
L'épanouissement sombre du crépuscule,
Le vent, souffle farouche ou providentiel,
L'air, la terre, le feu, l'eau, tout, même le ciel,
Se mêle à cette chair qui devient solennelle.
Un commencement d'astre éclôt dans la prunelle.

Au cimetière, août 1855.

XIV

O gouffre! l'âme plonge[1] et rapporte le doute[2].
Nous entendons sur nous les heures, goutte à goutte,
Tomber comme l'eau sur les plombs[3];
L'homme est brumeux, le monde est noir, le ciel est sombre;
Les formes de la nuit vont et viennent dans l'ombre;
Et nous, pâles, nous contemplons.

Nous contemplons[4] l'obscur, l'inconnu, l'invisible.
Nous sondons le réel, l'idéal, le possible,
L'être, spectre toujours présent.
Nous regardons trembler l'ombre indéterminée.
Nous sommes accoudés sur notre destinée[5],
L'œil fixe et l'esprit frémissant[6].

Nous épions des bruits dans ces vides funèbres;
Nous écoutons le souffle[7], errant dans les ténèbres,
Dont frissonne[8] l'obscurité;
Et, par moments, perdus dans les nuits insondables,
Nous voyons s'éclairer de lueurs formidables
La vitre de l'éternité[9].

Marine-Terrace, septembre 1853.

XV

A CELLE QUI EST VOILÉE[1]

Tu me parles du fond d'un rêve
Comme une âme parle aux vivants.
Comme l'écume de la grève,
Ta robe flotte dans les vents.

Je suis l'algue des flots sans nombre,
Le captif du destin vainqueur;
Je suis celui que toute l'ombre
Couvre sans éteindre son cœur.

Mon esprit ressemble à cette île,
Et mon sort à cet océan;
Et je suis l'habitant tranquille
De la foudre et de l'ouragan.

Je suis le proscrit qui se voile,
Qui songe, et chante loin du bruit,
Avec la chouette et l'étoile,
La sombre chanson de la nuit.

Toi, n'es-tu pas, comme moi-même,
Flambeau dans ce monde âpre et vil.
Ame, c'est-à-dire problème,
Et femme, c'est-à-dire exil?

Sors du nuage, ombre charmante.
O fantôme, laisse-toi voir!
Sois un phare dans ma tourmente,
Sois un regard dans mon ciel noir!

Cherche-moi parmi les mouettes!
Dresse un rayon sur mon récif,
Et, dans mes profondeurs muettes,
La blancheur de l'ange pensif!

Sois l'aile qui passe et se mêle
Aux grandes vagues en courroux.
Oh! viens! tu dois être bien belle,
Car ton chant lointain est bien doux;

Car la nuit engendre l'aurore;
C'est peut-être une loi des cieux
Que mon noir destin fasse éclore
Ton sourire mystérieux!

Dans ce ténébreux monde où j'erre,
Nous devons nous apercevoir,
Toi, toute faite de lumière,
Moi, tout composé de devoir!

Tu me dis de loin quc tu m'aimes,
Et que, la nuit, à l'horizon,
Tu viens voir sur les grèves blêmes
Le spectre blanc de ma maison.

Là, méditant sous le grand dôme,
Près du flot sans trêve agité,
Surprise de trouver l'atome
Ressemblant à l'immensité,

Tu compares, sans me connaître[2],
L'onde à l'homme, l'ombre au banni,
Ma lampe étoilant ma fenêtre
A l'astre étoilant l'infini[3]!

Parfois, comme au fond d'une tombe,
Je te sens sur mon front fatal,
Bouche de l'Inconnu d'où tombe
Le pur baiser de l'Idéal.

A ton souffle, vers Dieu poussées[4],
Je sens en moi, douce frayeur,
Frissonner toutes mes pensées,
Feuilles de l'arbre intérieur[5].

Mais tu ne veux pas qu'on te voie;
Tu viens et tu fuis tour à tour;
Tu ne veux pas te nommer joie,
Ayant dit : Je m'appelle amour[6].

Oh! fais un pas de plus! viens, entre,
Si nul devoir ne le défend;
Viens voir mon âme dans son antre,
L'esprit lion, le cœur enfant;

Viens voir le désert où j'habite,
Seul sous mon plafond effrayant;
Sois l'ange chez le cénobite,
Sois la clarté chez le voyant.

Change en perles dans mes décombres
Toutes mes gouttes de sueur!
Viens poser sur mes œuvres sombres
Ton doigt d'où sort une lueur[7]!

Du bord des sinistres ravines
Du rêve et de la vision,
J'entrevois les choses divines... —
Complète l'apparition[8]!

Viens voir le songeur qui s'enflamme
A mesure qu'il se détruit,
Et de jour en jour dans son âme
A plus de mort et moins de nuit!

Viens! viens dans ma brume hagarde[9],
Où naît la foi, d'où l'esprit sort,
Où confusément je regarde
Les formes obscures du sort.

Tout s'éclaire aux lueurs funèbres;
Dieu, pour le penseur attristé,
Ouvre toujours dans les ténèbres
De brusques gouffres de clarté[10].

Avant d'être sur cette terre[11],
Je sens que jadis j'ai plané;
J'étais l'archange solitaire,
Et mon malheur, c'est d'être né.

Sur mon âme, qui fut colombe,
Viens, toi qui des cieux as le sceau[12].
Quelquefois une plume tombe[13]
Sur le cadavre d'un oiseau[14].

Oui, mon malheur irréparable,
C'est de pendre aux deux éléments[15],
C'est d'avoir en moi, misérable,
De la fange et des firmaments!

Hélas! hélas! c'est d'être un homme;
C'est de songer que j'étais beau,
D'ignorer comment je me nomme,
D'être un ciel et d'être un tombeau!

C'est d'être un forçat[16] qui promène
Son vil labeur sous le ciel bleu;
C'est de porter la hotte humaine
Où j'avais vos ailes, mon Dieu!

C'est de traîner de la matière;
C'est d'être plein, moi, fils du jour,
De la terre du cimetière,
Même quand je m'écrie : Amour[17]!

Marine-Terrace, janvier 1854.

XVI

HORROR[1]

I

Esprit mystérieux qui, le doigt sur ta bouche,
Passes... ne t'en va pas! parle à l'homme farouche[2]
Ivre d'ombre et d'immensité[3],
Parle-moi, toi, front blanc qui dans ma nuit te penches;
Réponds-moi, toi qui luis et marches sous les branches
Comme un souffle de la clarté!

Est-ce toi que chez moi minuit parfois apporte?
Est-ce toi qui heurtais l'autre nuit à ma porte[4],
Pendant que je ne dormais pas?
C'est donc vers moi que vient lentement ta lumière?
La pierre de mon seuil peut-être est la première[5]
Des sombres marches du trépas.

Peut-être qu'à ma porte ouvrant sur l'ombre immense[6]
L'invisible escalier des ténèbres[7] commence;
Peut-être, ô pâles échappés,
Quand vous montez du fond de l'horreur sépulcrale
O morts, quand vous sortez de la froide spirale,
Est-ce chez moi que vous frappez!

Car la maison d'exil, mêlée aux catacombes[8],
Est adossée au mur de la ville des tombes.
Le proscrit est celui qui sort;
Il flotte submergé comme la nef qui sombre;
Le jour le voit à peine et dit : Quelle est cette ombre
Et la nuit dit : Quel est ce mort[9]?

Sois la bienvenue, ombre! ô ma sœur! ô figure
Qui me fais signe alors que sur l'énigme obscure
Je me penche, sinistre et seul;
Et qui viens, m'effrayant de ta lueur sublime,
Essuyer sur mon front la sueur de l'abîme
Avec un pan de ton linceul[10]!

II

Oh! que le gouffre est noir[11] et que l'œil est débile!
Nous avons devant nous le silence immobile.
Qui sommes-nous? où sommes-nous?
Faut-il jouir? faut-il pleurer? Ceux qu'on rencontre
Passent. Quelle est la loi[12]? La prière nous montre
L'écorchure de ses genoux[13].

D'où viens-tu? — Je ne sais. — Où vas-tu? — Je l'ignore.
L'homme ainsi parle à l'homme et l'onde au flot sonore.
Tout va, tout vient, tout ment, tout fuit.
Parfois nous devenons pâles, hommes et femmes,
Comme si nous sentions se fermer sur nos âmes
La main de la géante nuit.

Nous voyons fuir la flèche et l'ombre est sur la cible[14].
L'homme est lancé. Par qui? vers qui? Dans l'invisible.
L'arc ténébreux siffle dans l'air.
En voyant ceux qu'on aime en nos bras se dissoudre,
Nous demandons si c'est pour la mort, coup de foudre,
Qu'est faite, hélas! la vie éclair[15]!

Nous demandons, vivants douteux qu'un linceul couvre,
Si le profond tombeau qui devant nous s'entr'ouvre,
Abîme, espoir, asile, écueil[16],
N'est pas le firmament plein d'étoiles sans nombre,
Et si tous les clous d'or qu'on voit au ciel dans l'ombre
Ne sont pas les clous du cercueil[17]?

Nous sommes là; nos dents tressaillent, nos vertèbres
Frémissent; on dirait parfois que les ténèbres,
O terreur! sont pleines de pas[18].
Qu'est-ce que l'ouragan, nuit? — C'est quelqu'un qui passe.
Nous entendons souffler les chevaux de l'espace[19]
Traînant le char qu'on ne voit pas.

L'ombre semble absorbée en une idée unique.
L'eau sanglote; à l'esprit la forêt communique
Un tremblement contagieux[20];
Et tout semble éclairé, dans la brume où tout penche,
Du reflet que ferait la grande pierre blanche
D'un sépulcre prodigieux.

III

La chose est pour la chose ici-bas un problème.
L'être pour l'être est sphinx. L'aube au jour paraît blême
L'éclair est noir pour le rayon.
Dans la création vague et crépusculaire,
Les objets effarés qu'un jour sinistre éclaire
Sont l'un pour l'autre vision.

La cendre ne sait pas ce que pense le marbre[21];
L'écueil écoute en vain le flot; la branche d'arbre[22]
Ne sait pas ce que dit le vent.
Qui punit-on ici? Passez sans vous connaître[23]!
Est-ce toi le coupable, enfant qui viens de naître?
O mort, est-ce toi le vivant[24]?

Nous avons dans l'esprit des sommets, nos idées,
Nos rêves, nos vertus, d'escarpements bordées,
Et nos espoirs construits si tôt[25];
Nous tâchons d'appliquer à ces cimes étranges
L'âpre échelle de feu par où montent les anges;
Job est en bas, Christ est en haut[26].

Nous aimons. A quoi bon? Nous souffrons. Pour quoi
Je préfère mourir et m'en aller. Préfère. [faire?
Allez, choisissez vos chemins.
L'être effrayant se tait au fond du ciel nocturne[27],
Et regarde tomber de la bouche de l'urne
Le flot livide des humains.

Nous pensons. Après? Rampe, esprit! garde tes chaînes.
Quand vous vous promenez le soir parmi les chênes
Et les rochers aux vagues yeux,
Ne sentez-vous pas l'ombre où vos regards se plongent
Reculer? Savez-vous seulement à quoi songent
Tous ces muets mystérieux?

Nous jugeons. Nous dressons l'échafaud. L'homme
[tue[28]
Et meurt. Le genre humain, foule d'erreur vêtue[29],
Condamne, extermine, détruit,
Puis s'en va. Le poteau du gibet, ô démence[30]!
O deuil! est le bâton de cet aveugle immense
Marchant dans cette immense nuit.

Crime! enfer! quel zénith effrayant que le nôtre,
Où les douze Césars toujours l'un après l'autre[31]
Reviennent, noirs soleils errants! [borne,
L'homme, au-dessus de lui, du fond des maux sans
Voit éternellement tourner dans son ciel morne
Ce zodiaque de tyrans.

IV

Depuis quatre mille ans[32] que, courbé sous la haine,
Perçant sa tombe avec les débris de sa chaîne,
Fouillant le bas, creusant le haut,
Il cherche à s'évader à travers la nature,
L'esprit forçat n'a pas encor fait d'ouverture
A la voûte du ciel cachot[33].

Oui, le penseur en vain, dans ses essors funèbres,
Heurte son âme d'ombre[34] au plafond de ténèbres;
Il tombe, il meurt; son temps est court[35];
Et nous n'entendons rien, dans la nuit qu'il nous lègue
Que ce que dit tout bas la création bègue
A l'oreille du tombeau sourd.

Nous sommes les passants, les foules et les races.
Nous sentons, frissonnants, des souffles sur nos faces
Nous sommes le gouffre agité;
Nous sommes ce que l'air chasse au vent de son aile
Nous sommes les flocons de la neige éternelle
Dans l'éternelle obscurité.

Pour qui luis-tu, Vénus? Où roules-tu, Saturne[36]?
Ils vont : rien ne répond dans l'éther taciturne[37].
L'homme grelotte[38], seul et nu.
L'étendue aux flots noirs[39] déborde, d'horreur pleine
L'énigme a peur du mot; l'infini semble à peine
Pouvoir contenir l'inconnu[40].

Toujours la nuit! jamais l'azur! jamais l'aurore!
Nous marchons. Nous n'avons point fait un pas encore[41]
Nous rêvons ce qu'Adam rêva[42];
La création flotte et fuit, des vents battue[43];
Nous distinguons dans l'ombre une immense statue
Et nous lui disons : Jéhovah[44]!

Marine-Terrace, nuit du 30 mars 1854.

XVII

DOLOR[1]

CRÉATION ! figure en deuil! Isis[2] austère!
Peut-être l'homme est-il son trouble et son mystère?
Peut-être qu'elle nous craint tous[3],
Et qu'à l'heure où, ployés sous notre loi mortelle,
Hagards et stupéfaits, nous tremblons devant elle,
Elle frissonne devant nous!

Ne riez point[4]. Souffrez gravement. Soyons dignes,
Corbeaux, hiboux, vautours, de redevenir cygnes[5]!
Courbons-nous sous l'obscure loi.
Ne jetons pas le doute aux flots comme une sonde.
Marchons sans savoir où, parlons sans qu'on réponde,
Et pleurons sans savoir pourquoi.

Homme, n'exige pas qu'on rompe le silence[6];
Dis-toi : Je suis puni. Baisse la tête et pense.
C'est assez de ce que tu vois.
Une parole peut sortir du puits farouche;
Ne la demande pas. Si l'abîme est la bouche[7],
O Dieu, qu'est-ce donc que la voix?

Ne nous irritons pas. Il n'est pas bon de faire,
Vers la clarté qui luit au centre de la sphère,
A travers les cieux transparents,
Voler l'affront, les cris, le rire et la satire,
Et que le chandelier à sept branches[8] attire
Tous ces noirs phalènes errants[9].

Nais[10], grandis, rêve, souffre, aime, vis, vieillis, tombe.
L'explication sainte et calme est dans la tombe[11].
O vivants! ne blasphémons point.
Qu'importe à l'Increé, qui, soulevant ses voiles,
Nous offre le grand ciel, les mondes, les étoiles,
Qu'une ombre lui montre le poing?

Nous figurons-nous donc qu'à l'heure où tout le prie[12],
Pendant qu'il crée et vit, pendant qu'il approprie
A chaque astre une humanité[13],
Nous pouvons de nos cris troubler sa plénitude,
Cracher notre néant jusqu'en sa solitude[14],
Et lui gâter l'éternité?

Être! quand dans l'éther tu dessinas les formes,
Partout où tu traças les orbites énormes
Des univers qui n'étaient pas,
Des soleils ont jailli, fleurs de flamme[15], et sans nombre,
Des trous qu'au firmament, en s'y posant dans l'ombre,
Fit la pointe de ton compas[16]!

Qui sommes-nous[17]? La nuit, la mort, l'oubli, personne.
Il est. Cette splendeur suffit pour qu'on frissonne.
C'est lui l'amour, c'est lui le feu.
Quand les fleurs en avril éclatent pêle-mêle,
C'est lui. C'est lui[18] qui gonfle, ainsi qu'une mamelle[19]
La rondeur de l'océan bleu[20].

Le penseur cherche l'homme et trouve de la cendre.
Il trouve l'orgueil froid, le mal, l'amour à vendre,
L'erreur, le sac d'or effronté,
La haine et son couteau, l'envie et son suaire,
En mettant au hasard la main dans l'ossuaire
Que nous nommons humanité.

Parce que nous souffrons, noirs et sans rien connaître
Stupide, l'homme dit : — Je ne veux pas de l'Être!

Je souffre; donc, l'Être n'est pas! —
Tu n'admires que toi, vil passant, dans ce monde!
Tu prends pour de l'argent, ô ver, ta bave immonde[21]
Marquant la place où tu rampas!

Notre nuit veut rayer ce jour qui nous éclaire[22];
Nous crispons sur ce nom nos doigts pleins de colère;
Rage d'enfant qui coûte cher!
Et nous nous figurons, race imbécile et dure[23],
Que nous avons un peu de Dieu dans notre ordure
Entre notre ongle et notre chair!

Nier l'Être! à quoi bon? L'ironie âpre et noire[24]
Peut-elle se pencher sur le gouffre et le boire,
Comme elle boit son propre fiel?
Quand notre orgueil le tait, notre douleur le nomme.
Le sarcasme peut-il, en crevant l'œil à l'homme,
Crever les étoiles au ciel?

Ah! quand nous le frappons, c'est pour nous qu'est la [plaie.
Pensons, croyons. Voit-on l'océan qui bégaie[25],
Mordre avec rage son bâillon?
Adorons-le dans l'astre, et la fleur, et la femme.
O vivants, la pensée est la pourpre de l'âme;
Le blasphème en est le haillon[26].

Ne raillons pas. Nos cœurs sont les pavés du temple,
Il nous regarde, lui que l'infini contemple.
Insensé qui nie et qui mord!
Dans un rire imprudent, ne faisons pas, fils d'Ève,
Apparaître nos dents devant son œil qui rêve,
Comme elles seront dans la mort.

La femme nue[27], ayant les hanches découvertes,
Chair qui tente l'esprit, rit sous les feuilles vertes;
N'allons pas rire à son côté.
Ne chantons pas : — Jouir est tout[28]. Le ciel est vide,
La nuit a peur, vous dis-je! elle devient livide
En contemplant l'immensité.

O douleur! clef des cieux! l'ironie est fumée[29].
L'expiation rouvre une porte fermée;
Les souffrances sont des faveurs.
Regardons, au-dessus des multitudes folles,
Monter vers les gibets et vers les auréoles
Les grands sacrifiés rêveurs.

Monter, c'est s'immoler. Toute cime est sévère.
L'Olympe lentement se transforme en Calvaire;
Partout le martyre est écrit;
Une immense croix gît dans notre nuit profonde;
Et nous voyons saigner aux quatre coins du monde
Les quatre clous de Jésus-Christ[30].

Ah! vivants, vous doutez! ah! vous riez, squelettes!
Lorsque l'aube apparaît, ceinte de bandelettes[31]
D'or, d'émeraude et de carmin,
Vous huez, vous prenez, larves que le jour dore,
Pour la jeter au front céleste de l'aurore,
De la cendre dans votre main.

Vous criez : — Tout est mal. L'aigle vaut le reptile;
Tout ce que nous voyons n'est qu'une ombre inutile.
La vie au néant nous vomit.
Rien avant, rien après. Le sage doute et raille. —
Et, pendant ce temps-là, le brin d'herbe tressaille,
L'aube pleure, et le vent gémit[32].

Chaque fois qu'ici-bas l'homme, en proie aux désastres,
Rit, blasphème, et secoue, en regardant les astres,
Le sarcasme, ce vil lambeau,
Les morts se dressent froids au fond du caveau sombre,
Et de leur doigt de spectre écrivent — DIEU — dans [l'ombre,
Sous la pierre de leur tombeau[33].

Marine-Terrace, 31 mars 1854.

XVIII

HÉLAS ! tout est sépulcre[1]. On en sort, on y tombe[2] :
La nuit est la muraille immense de la tombe.
Les astres, dont luit la clarté,
Orion, Sirius, Mars, Jupiter, Mercure,
Sont les cailloux qu'on voit dans ta tranchée obscure,
O sombre fosse Éternité[3] !

Une nuit, un esprit me parla dans un rêve,
Et me dit : — Je suis aigle en un ciel où se lève
Un soleil qui t'est inconnu.
J'ai voulu soulever un coin du vaste voile ;
J'ai voulu voir de près ton ciel et ton étoile ;
Et c'est pourquoi je suis venu ;

Et, quand j'ai traversé les cieux grands et terribles,
Quand j'ai vu le monceau des ténèbres horribles
Et l'abîme énorme où l'œil fuit,
Je me suis demandé si cette ombre où l'on souffre
Pourrait jamais combler ce puits, et si ce gouffre
Pourrait contenir cette nuit !

Et, moi, l'aigle lointain, épouvanté, j'arrive.
Et je crie, et je viens m'abattre sur ta rive,
Près de toi, songeur sans flambeau[4].
Connais-tu ces frissons, cette horreur, ce vertige,
Toi, l'autre aigle de l'autre azur ? — Je suis, lui dis-je,
L'autre ver de l'autre tombeau[5].

Au dolmen de la Corbière, juin 1855.

XIX

VOYAGE DE NUIT[1]

On conteste, on dispute, on proclame, on ignore.
Chaque religion est une tour sonore[2];
Ce qu'un prêtre édifie, un prêtre le détruit;
Chaque temple, tirant sa corde dans la nuit,
Fait, dans l'obscurité sinistre et solennelle,
Rendre un son différent à la cloche éternelle[3].
Nul ne connaît le fond, nul ne voit le sommet[4].
Tout l'équipage humain semble en démence; on met
Un aveugle en vigie, un manchot à la barre,
A peine a-t-on passé du sauvage au barbare,
A peine a-t-on franchi le plus noir de l'horreur,
A peine a-t-on, parmi le vertige et l'erreur,
Dans ce brouillard où l'homme attend, songe et soupire,
Sans sortir du mauvais, fait un pas hors du pire,
Que le vieux temps revient et nous mord les talons[5],
Et nous crie : Arrêtez! Socrate dit : Allons[6]!
Jésus-Christ dit : Plus loin! et le sage et l'apôtre[7]
S'en vont se demander dans le ciel l'un à l'autre
Quel goût a la ciguë et quel goût a le fiel.
Par moments, voyant l'homme ingrat, fourbe et cruel[8],
Satan lui prend la main sous le linceul de l'ombre.
Nous appelons science[9] un tâtonnement sombre.
L'abîme, autour de nous, lugubre tremblement[10],
S'ouvre et se ferme; et l'œil s'effraie également
De ce qui s'engloutit et de ce qui surnage.
Sans cesse le progrès, roue au double engrenage,
Fait marcher quelque chose en écrasant quelqu'un[11].
Le mal peut être joie, et le poison parfum.

Le crime avec la loi, morne et mélancolique,
Lutte; le poignard parle, et l'échafaud réplique[12].
Nous entendons, sans voir la source ni la fin,
Derrière notre nuit, derrière notre faim,
Rire l'ombre Ignorance et la larve Misère.
Le lys a-t-il raison? et l'astre est-il sincère[13]?
Je dis oui, tu dis non. Ténèbres et rayons
Affirment à la fois. Doute, Adam[14]! nous voyons
De la nuit dans l'enfant, de la nuit dans la femme;
Et sur notre avenir nous querellons notre âme;
Et, brûlé, puis glacé, chaos, semoun, frimas[15],
L'homme de l'infini traverse les climats[16].
Tout est brume; le vent souffle avec des huées,
Et de nos passions arrache des nuées[17];
Rousseau dit : L'homme monte; et de Maistre : Il descend[18]!
Mais, ô Dieu! le navire énorme et frémissant,
Le monstrueux vaisseau sans agrès et sans voiles,
Qui flotte, globe noir, dans la mer des étoiles,
Et qui porte nos maux, fourmillement humain,
Va, marche, vogue et roule, et connaît son chemin;
Le ciel sombre, où parfois la blancheur semble éclore[19],
A l'effrayant roulis mêle un frisson d'aurore,
De moment en moment le sort est moins obscur,
Et l'on sent bien qu'on est emporté vers l'azur[20].

Marine-Terrace, octobre 1855.

XX

RELLIGIO[1]

L'OMBRE venait; le soir tombait, calme et terrible.
Hermann me dit : — Quelle est ta foi, quelle est ta bible
Parle. Es-tu ton propre géant?
Si tes vers ne sont pas de vains flocons d'écume,
Si ta strophe n'est pas un tison noir qui fume
Sur le tas de cendre Néant,

Si tu n'es pas une âme en l'abîme engloutie,
Quel est donc ton ciboire et ton eucharistie?
Quelle est donc la source où tu bois? —
Je me taisais; il dit : — Songeur qui civilises,
Pourquoi ne vas-tu pas prier dans les églises? —
Nous marchions tous deux dans les bois.

Et je lui dis : — Je prie. — Hermann dit : — Dans qu
[temple
Quel est le célébrant que ton âme contemple,
Et l'autel qu'elle réfléchit?
Devant quel confesseur la fais-tu comparaître?
— L'église, c'est l'azur, lui dis-je; et quant au prêtre...-
En ce moment le ciel blanchit.

La lune à l'horizon montait, hostie énorme;
Tout avait le frisson, le pin, le cèdre et l'orme,

Le loup, et l'aigle, et l'alcyon;
Lui montrant l'astre d'or sur la terre obscurcie,
Je lui dis : — Courbe-toi. Dieu lui-même officie,
Et voici l'élévation.

Marine-Terrace, octobre 1855.

XXI

SPES[1]

De partout, de l'abîme où n'est pas Jéhovah[2],
Jusqu'au zénith, plafond où l'espérance va
Se casser l'aile[3] et d'où redescend la prière[4],
En bas, en haut, au fond, en avant, en arrière,
L'énorme obscurité qu'agitent tous les vents,
Enveloppe, linceul, les morts et les vivants,
Et sur le monstrueux, sur l'impur, sur l'horrible,
Laisse tomber les pans de son rideau terrible;
Si l'on parle à la brume effrayante qui fuit,
L'immensité dit : Mort! L'éternité dit : Nuit[5]!
L'âme, sans lire un mot, feuillette un noir registre[6];
L'univers tout entier est un géant sinistre[7];
L'aveugle est d'autant plus[8] affreux qu'il est plus grand
Tout semble le chevet d'un immense mourant;
Tout est l'ombre; pareille au reflet d'une lampe,
Au fond, une lueur imperceptible rampe;
C'est à peine un coin blanc, pas même une rougeur[9]
Un seul homme debout, qu'ils nomment le songeur,
Regarde la clarté du haut de la colline[10];
Et tout, hormis le coq à la voix sibylline[11],
Raille et nie; et, passants confus, marcheurs nombreux[12]
Toute la foule éclate en rires ténébreux
Quand ce vivant, qui n'a d'autre signe lui-même
Parmi tous ces fronts noirs que d'être le front blême[13]
Dit en montrant ce point vague et lointain qui luit :
Cette blancheur est plus que toute cette nuit[14]!

Janvier 1856.

XXII

CE QUE C'EST QUE LA MORT[1]

Ne dites pas : mourir; dites : naître. Croyez.
On voit ce que je vois et ce que vous voyez;
On est l'homme mauvais que je suis, que vous êtes;
On se rue aux plaisirs, aux tourbillons, aux fêtes;
On tâche d'oublier le bas[2], la fin, l'écueil,
La sombre[3] égalité du mal et du cercueil;
Quoique le plus petit vaille le plus prospère;
Car tous les hommes sont les fils du même père;
Ils sont la même larme et sortent du même œil[4].
On vit, usant ses jours à se remplir d'orgueil;
On marche[5], on court, on rêve, on souffre, on penche, [on tombe[6],
On monte. Quelle est donc cette aube? C'est la tombe.
Où suis-je? Dans la mort. Viens! Un vent inconnu
Vous jette au seuil des cieux. On tremble; on se voit nu,
Impur, hideux, noué des mille nœuds funèbres
De ses torts, de ses maux honteux, de ses ténèbres;
Et soudain on entend quelqu'un dans l'infini
Qui chante, et par quelqu'un[7] on sent qu'on est béni,
Sans voir la main d'où tombe à notre âme méchante
L'amour, et sans savoir quelle est la voix qui chante[8].
On arrive homme, deuil, glaçon, neige; on se sent
Fondre[9] et vivre; et, d'extase et d'azur s'emplissant,
Tout notre être frémit de la défaite étrange
Du monstre qui devient dans la lumière un ange[10].

Au dolmen de la tour Blanche, jour des Morts, novembre 1854.

XXIII

LES MAGES[1]

I

Pourquoi donc faites-vous des prêtres[2]
Quand vous en avez parmi vous?
Les esprits conducteurs des êtres
Portent un signe sombre et doux[3].
Nous naissons tous ce que nous sommes.
Dieu de ses mains sacre des hommes
Dans les ténèbres des berceaux;
Son effrayant doigt invisible[4]
Écrit sous leur crâne la bible[5]
Des arbres, des monts et des eaux.

Ces hommes, ce sont les poètes;
Ceux dont l'aile monte et descend[6];
Toutes les bouches inquiètes
Qu'ouvre le verbe frémissant;
Les Virgiles[7], les Isaïes;
Toutes les âmes envahies
Par les grandes brumes du sort;
Tous ceux en qui Dieu se concentre;
Tous les yeux où la lumière entre,
Tous les fronts[8] d'où le rayon sort.

Ce sont ceux qu'attend Dieu propice[9]
Sur les Horebs et les Thabors[10];
Ceux que l'horrible précipice
Retient blêmissants à ses bords;

Ceux qui sentent la pierre vivre;
Ceux que Pan formidable enivre;
Ceux qui sont tout pensifs devant
Les nuages, ces solitudes
Où passent en mille attitudes
Les groupes sonores du vent[11].

Ce sont les sévères artistes[12] 4
Que l'aube attire à ses blancheurs,
Les savants, les inventeurs tristes,
Les puiseurs d'ombre[13], les chercheurs,
Qui ramassent dans les ténèbres[14]
Les faits, les chiffres, les algèbres,
Le nombre où tout est contenu[15],
Le doute où nos calculs succombent,
Et tous les morceaux noirs qui tombent
Du grand fronton de l'inconnu!

Ce sont les têtes fécondées[16] 5
Vers qui monte et croît pas à pas
L'océan confus des idées,
Flux que la foule ne voit pas,
Mer de tous les infinis pleine,
Que Dieu suit, que la nuit amène[17],
Qui remplit l'homme de clarté,
Jette aux rochers[18] l'écume amère,
Et lave les pieds nus d'Homère
Avec un flot d'éternité[19]!

Le poète s'adosse à l'arche[20]. 6
David chante et voit Dieu de près[21];
Hésiode médite et marche,
Grand prêtre fauve des forêts[22];
Moïse, immense créature,
Étend ses mains sur la nature[23];
Manès[24] parle au gouffre puni,
Écouté des astres sans nombre... —
Génie! ô tiare de l'ombre!
Pontificat de l'infini[25]!

L'un à Patmos, l'autre à Tyane[26]; 7
D'autres criant : Demain! demain!
D'autres qui sonnent la diane
Dans les sommeils du genre humain;
L'un fatal, l'autre qui pardonne;
Eschyle en qui frémit Dodone[27],
Milton, songeur de Whitehall[28],
Toi, vieux Shakspeare, âme éternelle;
O figures dont la prunelle
Est la vitre de l'idéal[29]!

Avec sa spirale sublime[30], 8
Archimède sur son sommet[31]
Rouvrirait le puits de l'abîme[32]
Si jamais Dieu le refermait;
Euclide a les lois sous sa garde;
Kopernic[33] éperdu regarde,
Dans les grands cieux aux mers pareils,
Gouffre où voguent des nefs sans proues,
Tourner toutes ces sombres roues
Dont les moyeux sont des soleils[34].

Les Thalès, puis les Pythagores[35]; 9
Et l'homme, parmi ses erreurs,
Comme dans l'herbe les fulgores[36],
Voit passer ces grands éclaireurs.
Aristophane rit des sages[37];
Lucrèce, pour franchir les âges,
Crée un poème dont l'œil luit,
Et donne à ce monstre sonore
Toutes les ailes de l'aurore,
Toutes les griffes de la nuit[38].

Rites profonds de la nature[39]! 10
Quelques-uns de ces inspirés
Acceptent l'étrange aventure
Des monts noirs et des bois sacrés;

Ils vont aux Thébaïdes[40] sombres,
Et, là, blêmes dans les décombres[41],
Ils courbent le tigre fuyant[42],
L'hyène rampant sur le ventre,
L'océan, la montagne et l'antre,
Sous leur sacerdoce effrayant!

Tes cheveux sont gris sur l'abîme[43], 11
Jérôme, ô vieillard du désert[44]!
Élie, un pâle esprit t'anime,
Un ange épouvanté te sert[45].
Amos[46], aux lieux inaccessibles,
Des sombres clairons invisibles
Ton oreille entend les accords;
Ton âme, sur qui Dieu surplombe,
Est déjà toute dans la tombe,
Et tu vis absent de ton corps.

Tu gourmandes l'âme échappée[47], 12
Saint Paul, ô lutteur redouté,
Immense apôtre de l'épée,
Grand vaincu de l'éternité!
Tu luis, tu frappes, tu réprouves;
Et tu chasses du doigt ces louves,
Cythérée, Isis, Astarté[48];
Tu veux punir et non absoudre[49],
Géant, et tu vois dans la foudre
Plus de glaive que de clarté.

Orphée[50] est courbé sur le monde; 13
L'éblouissant est ébloui;
La création est profonde
Et monstrueuse[51] autour de lui;
Les rochers, ces rudes hercules,
Combattent dans les crépuscules
L'ouragan, sinistre inconnu;
La mer en pleurs dans la mêlée
Tremble, et la vague échevelée
Se cramponne à leur torse nu.

Baruch[52] au juste dans la peine 14
Dit : — Frère! vos os sont meurtris;
Votre vertu dans nos murs traîne
La chaîne affreuse du mépris;
Mais comptez sur la délivrance,
Mettez en Dieu votre espérance,
Et de cette nuit du destin,
Demain, si vous avez su croire,
Vous vous lèverez plein de gloire,
Comme l'étoile du matin! —

L'âme des Pindares se hausse[53] 15
A la hauteur des Pélions;
Daniel chante dans la fosse
Et fait sortir Dieu des lions[54].
Tacite sculpte l'infamie[55];
Perse, Archiloque et Jérémie[56]
Ont le même éclair dans les yeux;
Car le crime à sa suite attire
Les âpres chiens de la satire
Et le grand tonnerre des cieux.

Et voilà les prêtres du rire[57], 16
Scarron, noué dans les douleurs,
Ésope, que le fouet déchire,
Cervante aux fers, Molière en pleurs!
Le désespoir et l'espérance!
Entre Démocrite et Térence,
Rabelais[58], que nul ne comprit;
Il berce Adam pour qu'il s'endorme,
Et son éclat de rire énorme
Est un des gouffres de l'esprit!

Et Plaute, à qui parlent les chèvres[59], 17
Arioste chantant Médor[60],
Catulle, Horace, dont les lèvres
Font venir les abeilles d'or[61];
Comme le double Dioscure,
Anacréon près d'Épicure[62],

Bion, tout pénétré de jour,
Moschus, sur qui l'Etna flamboie[63],
Voilà les prêtres de la joie!
Voilà les prêtres de l'amour!

Gluck et Beethoven sont à l'aise 18
Sous l'ange où Jacob se débat;
Mozart sourit, et Pergolèse
Murmure ce grand mot : Stabat[64]!
Le noir cerveau de Piranèse[65]
Est une béante fournaise
Où se mêlent l'arche et le ciel,
L'escalier, la tour, la colonne;
Où croît, monte, s'enfle et bouillonne
L'incommensurable Babel!

L'envie à leur ombre ricane. 19
Ces demi-dieux signent leur nom,
Bramante sur la Vaticane[66],
Phidias sur le Parthénon;
Sur Jésus dans sa crèche blanche,
L'altier Buonarotti se penche
Comme un mage et comme un aïeul,
Et dans tes mains, ô Michel-Ange,
L'enfant devient spectre, et le lange
Est plus sombre que le linceul[67]!

Chacun d'eux écrit un chapitre[68] 20
Du rituel[69] universel[70];
Les uns sculptent le saint pupitre,
Les autres dorent le missel;
Chacun fait son verset du psaume;
Lysippe, debout sur l'Ithome[71],
Fait sa strophe en marbre serein,
Rembrandt à l'ardente paupière[72],
En toile, Primatice en pierre[73],
Job en fumier, Dante en airain[74].

Et toutes ces strophes ensemble[75] 21
Chantent l'être et montent à Dieu;
L'une adore et luit, l'autre tremble;
Toutes sont les griffons de feu;
Toutes sont le cri des abîmes,
L'appel d'en bas, la voix des cimes,
Le frisson de notre lambeau[76],
L'hymne instinctif ou volontaire,
L'explication du mystère
Et l'ouverture[77] du tombeau!

A nous qui ne vivons qu'une heure[78], 22
Elles font voir les profondeurs,
Et la misère intérieure,
Ciel, à côté de vos grandeurs!
L'homme, esprit captif, les écoute[79],
Pendant qu'en son cerveau le doute,
Bête aveugle aux lueurs d'en haut,
Pour y prendre l'âme indignée,
Suspend sa toile d'araignée
Au crâne, plafond du cachot[80].

Elles consolent, aiment, pleurent, 23
Et, mariant l'idée aux sens,
Ceux qui restent à ceux qui meurent,
Les grains de cendre aux grains d'encens,
Mêlant le sable aux pyramides,
Rendent en même temps humides,
Rappelant à l'un que tout fuit,
A l'autre sa splendeur première,
L'œil de l'astre dans la lumière,
Et l'œil du monstre dans la nuit[81]!

II

Oui[82], c'est un prêtre que Socrate! 24
Oui, c'est un prêtre que Caton[83]!
Quand Juvénal fuit Rome ingrate,
Nul sceptre ne vaut son bâton[84];
Ce sont des prêtres, les Tyrtées,
Les Solons aux lois respectées[85],
Les Platons et les Raphaëls[86]!
Fronts d'inspirés, d'esprits, d'arbitres!
Plus resplendissants que les mitres
Dans l'auréole des Noëls[87]!

Vous voyez, fils de la nature[88], 25
Apparaître à votre flambeau
Des faces de lumière pure,
Larves du vrai, spectres du beau;
Le mystère, en Grèce, en Chaldée[89],
Penseurs, grave à vos fronts l'idée
Et l'hiéroglyphe à vos murs;
Et les Indes et les Égyptes
Dans les ténèbres de vos cryptes
S'enfoncent en porches obscurs!

Quand les cigognes du Caystre[90] 26
S'envolent aux souffles des soirs;
Quand la lune apparaît sinistre
Derrière les grands dômes noirs;
Quand la trombe aux vagues s'appuie;
Quand l'orage, l'horreur, la pluie,
Que tordent les bises d'hiver,
Répandent avec des huées
Toutes les larmes des nuées
Sur tous les sanglots de la mer;

Quand dans les tombeaux les vents jouent 27
Avec les os des rois défunts;

Quand les hautes herbes secouent
Leur chevelure de parfums;
Quand sur nos deuils et sur nos fêtes
Toutes les cloches des tempêtes
Sonnent au suprême[91] beffroi
Quand l'aube étale ses opales[92],
C'est pour ces contemplateurs pâles
Penchés[93] dans l'éternel effroi!

Ils savent ce que le soir calme[94]
Pense des morts qui vont partir;
Et ce que préfère la palme[95],
Du conquérant ou du martyr;
Ils entendent ce que murmure
La voile, la gerbe, l'armure[96],
Ce que dit, dans le mois joyeux
Des longs jours et des fleurs écloses,
La petite bouche des roses[97]
A l'oreille immense des cieux.

Les vents, les flots, les cris sauvages[98],
L'azur, l'horreur du bois jauni[99],
Sont les formidables breuvages
De ces altérés d'infini;
Ils ajoutent, rêveurs austères,
A leur âme tous les mystères,
Toute la matière[100] à leurs sens;
Ils s'enivrent de l'étendue;
L'ombre est une coupe tendue
Où boivent ces sombres passants[101].

Comme ils regardent, ces messies[102]!
Oh! comme ils songent effarés!
Dans les ténèbres épaissies
Quels spectateurs[103] démesurés!
Oh! que de têtes stupéfaites!
Poètes, apôtres[104], prophètes,

Méditant, parlant, écrivant,
Sous des suaires, sous des voiles,
Les plis des robes pleins d'étoiles,
Les barbes au gouffre du vent[105] !

III

Savent-ils ce qu'ils font eux-mêmes, 31
Ces acteurs du drame profond ?
Savent-ils leur propre problème ?
Ils sont. Savent-ils ce qu'ils sont ?
Ils sortent du grand vestiaire
Où, pour s'habiller de matière,
Parfois l'ange même est venu.
Graves, tristes, joyeux, fantasques,
Ne sont-ils pas les sombres masques
De quelque prodige inconnu ?

La joie ou la douleur les farde ; 32
Ils projettent confusément,
Plus loin que la terre blafarde,
Leurs ombres sur le firmament ;
Leurs gestes étonnent l'abîme ;
Pendant qu'aux hommes, tourbe infime,
Ils parlent le langage humain,
Dans des profondeurs qu'on ignore,
Ils font surgir l'ombre ou l'aurore,
Chaque fois qu'ils lèvent la main.

Ils ont leur rôle ; ils ont leur forme ; 33
Ils vont, vêtus d'humanité,
Jouant la comédie énorme[106]
De l'homme et de l'éternité ;
Ils tiennent la torche ou la coupe[107] ;
Nous tremblerions si dans leur groupe,

Nous, troupeau, nous pénétrions!
Les astres d'or et la nuit sombre
Se font des questions dans l'ombre
Sur ces splendides histrions.

IV

Ah! ce qu'ils font est l'œuvre auguste.
Ces histrions sont les héros!
Ils sont le vrai, le saint, le juste,
Apparaissant à nos barreaux.
Nous sentons, dans la nuit mortelle,
La cage en même temps que l'aile;
Ils nous font espérer un peu;
Ils sont lumière et nourriture;
Ils donnent aux cœurs la pâture,
Ils émiettent aux âmes Dieu!

Devant notre race asservie
Le ciel se tait, et rien n'en sort.
Est-ce le rideau de la vie?
Est-ce le voile de la mort?
Ténèbres! l'âme en vain s'élance,
L'Inconnu garde le silence,
Et l'homme, qui se sent banni,
Ne sait s'il redoute ou s'il aime
Cette lividité suprême
De l'énigme et de l'infini.

Eux, ils parlent à ce mystère!
Ils interrogent l'éternel,
Ils appellent le solitaire,
Ils montent, ils frappent au ciel[108],
Disent : Es-tu là[109]? dans la tombe,
Volent, pareils à la colombe

Offrant le rameau qu'elle tient,
Et leur voix est grave, humble ou tendre[110],
Et par moments on croit entendre
Le pas sourd de quelqu'un qui vient[111].

V

Nous vivons, debout à l'entrée 37
De la mort, gouffre illimité,
Nus, tremblants, la chair pénétrée
Du frisson de l'énormité;
Nos morts sont dans cette marée;
Nous entendons, foule égarée
Dont le vent souffle le flambeau,
Sans voir de voiles ni de rames,
Le bruit que font ces vagues d'âmes
Sous la falaise du tombeau.

Nous regardons la noire écume, 38
L'aspect hideux, le fond bruni[112];
Nous regardons la nuit, la brume,
L'onde du sépulcre infini;
Comme un oiseau de mer effleure
La haute rive où gronde et pleure
L'océan plein de Jéhovah[113],
De temps en temps, blanc et sublime,
Par-dessus le mur de l'abîme
Un ange paraît et s'en va[114].

Quelquefois une plume tombe[115] 39
De l'aile où l'ange se berçait;
Retourne-t-elle dans la tombe?
Que devient-elle? On ne le sait.
Se mêle-t-elle à notre fange?
Et qu'a donc crié cet archange?

A-t-il dit non? a-t-il dit oui?
Et la foule cherche, accourue,
En bas la plume disparue,
En haut l'archange évanoui!

Puis, après qu'ont fui comme un rêve
Bien des cœurs morts, bien des yeux clos,
Après qu'on a vu sur la grève
Passer des flots, des flots, des flots,
Dans quelque grotte fatidique,
Sous un doigt de feu [116] qui l'indique,
On trouve un homme surhumain
Traçant des lettres enflammées [117]
Sur un livre plein de fumées,
La plume de l'ange à la main!

Il songe, il calcule, il soupire,
Son poing puissant sous son menton [118];
Et l'homme dit : Je suis Shakspeare [119].
Et l'homme dit : Je suis Newton.
L'homme dit : Je suis Ptolémée [120];
Et dans sa grande main fermée
Il tient le globe de la nuit.
L'homme dit : Je suis Zoroastre [121];
Et son sourcil abrite un astre,
Et sous son crâne un ciel bleuit [122]!

VI

Oui, grâce aux penseurs, à ces sages,
A ces fous qui disent : Je vois [123]!
Les ténèbres sont des visages,
Le silence s'emplit de voix!
L'homme, comme âme, en Dieu palpite,
Et, comme être, se précipite [124]

Dans le progrès audacieux;
Le muet[125] renonce à se taire;
Tout luit; la noirceur de la terre
S'éclaire à la blancheur des cieux.

Ils tirent de la créature 43
Dieu par l'esprit et le scalpel;
Le grand caché de la nature
Vient hors de l'antre à leur appel;
A leur voix, l'ombre symbolique[126]
Parle, le mystère s'explique,
La nuit est pleine d'yeux de lynx[127];
Sortant de force, le problème
Ouvre les ténèbres lui-même,
Et l'énigme éventre le sphinx.

Oui, grâce à ces hommes suprêmes, 44
Grâce à ces poètes vainqueurs,
Construisant des autels poèmes
Et prenant pour pierres les cœurs,
Comme un fleuve d'âme commune,
Du blanc pilône à l'âpre rune,
Du brahme au flamine romain,
De l'hiérophante au druide,
Une sorte de Dieu fluide
Coule aux veines du genre humain[128].

VII

Le noir cromlech, épars dans l'herbe, 45
Est sur le mont silencieux;
L'archipel est sur l'eau superbe;
Les pléiades sont dans les cieux;
O mont! ô mer! voûte sereine!
L'herbe, la mouette, l'âme humaine,

Que l'hiver désole ou poursuit,
Interrogent, sombres proscrites,
Ces trois phrases dans l'ombre écrites
Sur les trois pages de la nuit.

— O vieux cromlech de la Bretagne,
Qu'on évite comme un récif,
Qu'écris-tu donc sur la montagne?
— Nuit! répond le cromlech pensif.
— Archipel où la vague fume,
Quel mot jettes-tu dans la brume?
— Mort! dit la roche à l'alcyon.
— Pléiades qui percez nos voiles,
Qu'est-ce que disent vos étoiles?
— Dieu! dit la constellation.

C'est, ô noirs témoins de l'espace,
Dans trois langues le même mot!
Tout ce qui s'obscurcit, vit, passe,
S'effeuille et meurt, tombe là-haut [129].
Nous faisons tous la même course.
Être abîme, c'est être source [130].
Le crêpe de la nuit en deuil,
La pierre de la tombe obscure,
Le rayon de l'étoile pure
Sont les paupières du même œil!

L'unité reste, l'aspect change [131];
Pour becqueter le fruit vermeil,
Les oiseaux volent à l'orange
Et les comètes au soleil;
Tout est l'atome et tout est l'astre;
La paille porte, humble pilastre,
L'épi d'où naissent les cités;
La fauvette à la tête blonde
Dans la goutte d'eau boit un monde... —
Immensités! immensités!

Seul, la nuit, sur sa plate-forme[132], 49
Herschell poursuit l'être central[133]
A travers la lentille énorme,
Cristallin de l'œil sidéral[134];
Il voit en haut Dieu dans les mondes,
Tandis que, des hydres profondes[135]
Scrutant les monstrueux combats,
Le microscope formidable,
Plein de l'horreur de l'insondable,
Regarde l'infini d'en bas!

VIII

Dieu, triple feu, triple harmonie[136], 50
Amour, puissance, volonté,
Prunelle énorme d'insomnie,
De flamboiement et de bonté,
Vu dans toute l'épaisseur noire,
Montrant ses trois faces de gloire
A l'âme, à l'être, au firmament[137],
Effarant les yeux et les bouches,
Emplit les profondeurs farouches
D'un immense éblouissement.

Tous ces mages, l'un qui réclame[138], 51
L'autre qui voulut ou couva,
Ont un rayon qui de leur âme
Va jusqu'à l'œil de Jéhovah;
Sur leur trône leur esprit songe;
Une lueur qui d'en haut plonge,
Qui descend du ciel sur les monts
Et de Dieu sur l'homme qui souffre,
Rattache au triangle du gouffre
L'escarboucle des Salomons.

IX

Ils parlent à la solitude[139], 52
Et la solitude comprend;
Ils parlent à la multitude,
Et font écumer ce torrent;
Ils font vibrer les édifices;
Ils inspirent les sacrifices
Et les inébranlables fois;
Sombres, ils ont en eux, pour muse,
La palpitation confuse
De tous les êtres à la fois.

Comment naît un peuple? Mystère[140]! 53
A de certains moments, tout bruit
A disparu; toute la terre
Semble une plaine de la nuit;
Toute lueur s'est éclipsée;
Pas de verbe, pas de pensée,
Rien dans l'ombre et rien dans le ciel,
Pas un œil n'ouvre ses paupières... —
Le désert blême est plein de pierres,
Ézéchiel! Ézéchiel!

Mais un vent sort des cieux sans bornes, 54
Grondant comme les grandes eaux[141],
Et souffle sur ces pierres mornes,
Et de ces pierres fait des os;
Ces os frémissent, tas sonore;
Et le vent souffle, et souffle encore
Sur ce triste amas agité,
Et de ces os il fait des hommes,
Et nous nous levons et nous sommes,
Et ce vent, c'est la liberté[142]!

Ainsi s'accomplit la genèse 55
Du grand rien d'où naît le grand tout[143].

Dieu pensif dit : Je suis bien aise[144]
Que ce qui gisait soit debout.
Le néant dit : J'étais souffrance;
La douleur dit : Je suis la France[145]!
O formidable vision!
Ainsi tombe le noir suaire[146];
Le désert devient ossuaire,
Et l'ossuaire nation.

X

Tout est la mort, l'horreur, la guerre; 56
L'homme par l'ombre est éclipsé;
L'Ouragan[147] par toute la terre
Court comme un enfant insensé.
Il brise à l'hiver les feuillages,
L'éclair aux cimes, l'onde aux plages[148],
A la tempête le rayon;
Car c'est l'ouragan qui gouverne
Toute cette étrange caverne[149]
Que nous nommons Création.

L'ouragan, qui broie et torture[150], 57
S'alimente, monstre croissant,
De tout ce que l'âpre nature
A d'horrible et de menaçant;
La lave en feu le désaltère;
Il va de Quito, blanc cratère
Qu'entoure un éternel glaçon,
Jusqu'à l'Hékla, mont, gouffre et geôle,
Bout de la mamelle du pôle
Que tette ce noir nourrisson[151]!

L'ouragan est la force aveugle, 58
L'agitateur du grand linceul[152];
Il rugit, hurle, siffle, beugle,
Étant toute l'hydre à lui seul;

Il flétrit ce qui veut éclore;
Il dit au printemps, à l'aurore,
A la paix, à l'amour : Va-t'en!
Il est rage et foudre; il se nomme
Barbarie et crime pour l'homme,
Nuit pour les cieux, pour Dieu Satan.

C'est le souffle de la matière[153],
De toute la nature craint;
L'Esprit, ouragan de lumière,
Le poursuit, le saisit, l'étreint;
L'Esprit terrasse, abat, dissipe
Le principe par le principe;
Il combat, en criant : Allons!
Les chaos par les harmonies,
Les éléments[154] par les génies,
Par les aigles les aquilons!

Ils sont là, hauts de cent coudées,
Christ en tête, Homère[155] au milieu,
Tous les combattants des idées,
Tous les gladiateurs de Dieu;
Chaque fois qu'agitant le glaive,
Une forme du mal se lève
Comme un forçat dans son préau[156],
Dieu, dans leur phalange[157] complète,
Désigne quelque grand athlète
De la stature du fléau[158].

Surgis, Volta! dompte en ton aire[159]
Les Fluides, noir phlégéton[160]!
Viens, Franklin! voici le Tonnerre[161].
Le Flot gronde; parais, Fulton!
Rousseau! prends corps à corps la Haine.
L'Esclavage agite sa chaîne;
O Voltaire! aide au paria!
La Grève rit, Tyburn[162] flamboie,
L'affreux chien Montfaucon[163] aboie,
On meurt... — Debout, Beccaria!

Il n'est rien que l'homme ne tente[164]. 62
La foudre craint cet oiseleur.
Dans la blessure palpitante
Il dit : Silence! à la douleur[165].
Sa vergue peut-être est une aile;
Partout où parvient sa prunelle,
L'âme emporte ses pieds de plomb;
L'étoile, dans sa solitude,
Regarde avec inquiétude
Blanchir la voile de Colomb[166].

Près de la science l'art flotte, 63
Les yeux sur le double horizon;
La poésie est un pilote;
Orphée accompagne Jason.
Un jour, une barque perdue
Vit à la fois dans l'étendue
Un oiseau dans l'air spacieux,
Un rameau dans l'eau solitaire;
Alors, Gama cria : La terre!
Et Camoëns cria : Les cieux[167]!

Ainsi s'entassent les conquêtes. 64
Les songeurs sont les inventeurs[168].
Parlez, dites ce que vous êtes,
Forces, ondes, aimants, moteurs!
Tout est stupéfait dans l'abîme[169],
L'ombre, de nous voir sur la cime,
Les monstres, qu'on les ait bravés
Dans les cavernes étonnées,
Les perles, d'être devinées[170],
Et les mondes d'être trouvés!

Dans l'ombre immense du Caucase[171], 65
Depuis des siècles, en rêvant,
Conduit par les hommes d'extase,
Le genre humain marche en avant;
Il marche sur la terre; il passe,
Il va, dans la nuit, dans l'espace,

Dans l'infini, dans le borné,
Dans l'azur, dans l'onde irritée [172],
A la lueur de Prométhée,
Le libérateur enchaîné!

XI

Oh! vous êtes les seuls pontifes,
Penseurs, lutteurs des grands espoirs,
Dompteurs des fauves hippogriffes [173],
Cavaliers des pégases noirs!
Ames devant Dieu toutes nues,
Voyants des choses inconnues,
Vous savez la religion [174]!
Quand votre esprit veut fuir dans l'ombre [175],
La nuée aux croupes sans nombre [176]
Lui dit : Me voici, Légion [177]!

Et, quand vous sortez du problème,
Célébrateurs, révélateurs [178]!
Quand, rentrant dans la foule blême,
Vous redescendez des hauteurs,
Hommes que le jour divin gagne,
Ayant mêlé sur la montagne
Où montent vos chants et nos vœux,
Votre front au front de l'aurore,
O géants! vous avez encore
De ses rayons dans les cheveux [179]!

Allez tous à la découverte!
Entrez au nuage grondant!
Et rapportez à l'herbe verte,
Et rapportez au sable ardent,
Rapportez, quel que soit l'abîme,
A l'Enfer, que Satan opprime,

Au Tartare, où saigne Ixion[180],
Aux cœurs bons, à l'âme méchante,
A tout ce qui rit, mord ou chante,
La grande bénédiction[181]!

Oh! tous à la fois, aigles, âmes[182], 69
Esprits, oiseaux, essors, raisons,
Pour prendre en vos serres les flammes,
Pour connaître les horizons,
A travers l'ombre et les tempêtes,
Ayant au-dessus de vos têtes
Mondes et soleils, au-dessous
Inde, Égypte, Grèce et Judée[183],
De la montagne et de l'idée,
Envolez-vous! envolez-vous!

N'est-ce pas que c'est ineffable[184] 70
De se sentir immensité,
D'éclairer ce qu'on croyait fable
A ce qu'on trouve vérité,
De voir le fond du grand cratère,
De sentir en soi du mystère
Entrer tout le frisson obscur,
D'aller aux astres, étincelle,
Et de se dire : Je suis l'aile!
Et de se dire : J'ai l'azur!

Allez, prêtres! allez, génies! 71
Cherchez la note humaine[185], allez,
Dans les suprêmes symphonies
Des grands abîmes étoilés!
En attendant l'heure dorée,
L'extase de la mort sacrée[186],
Loin de nous, troupeaux soucieux,
Loin des lois que nous établîmes[187],
Allez goûter, vivants sublimes,
L'évanouissement des cieux[188]!

Janvier 1856.

XXIV

EN FRAPPANT A UNE PORTE[1]

J'ai perdu mon père et ma mère,
Mon premier né, bien jeune, hélas!
Et pour moi la nature entière
Sonne le glas.

Je dormais entre mes deux frères;
Enfants, nous étions trois oiseaux;
Hélas! le sort change en deux bières
Leurs deux berceaux.

Je t'ai perdue, ô fille chère,
Toi qui remplis, ô mon orgueil,
Tout mon destin de la lumière
De ton cercueil!

J'ai su monter, j'ai su descendre.
J'ai vu l'aube et l'ombre en mes cieux.
J'ai connu la pourpre, et la cendre
Qui me va mieux.

J'ai connu les ardeurs profondes,
J'ai connu les sombres amours;
J'ai vu fuir les ailes, les ondes,
Les vents, les jours.

J'ai sur ma tête des orfraies[2];
J'ai sur tous mes travaux l'affront[3],
Aux pieds la poudre, au cœur des plaies,
L'épine au front.

J'ai des pleurs à mon œil qui pense,
Des trous à ma robe en lambeau;
Je n'ai rien à la conscience[4];
Ouvre, tombeau.

Marine-Terrace, 4 septembre 1855.

XXV

NOMEN, NUMEN, LUMEN[1]

QUAND il eut terminé, quand les soleils épars,
Éblouis[2], du chaos montant de toutes parts,
Se furent tous rangés à leur place profonde[3],
Il sentit le besoin de se nommer au monde;
Et l'être formidable et serein[4] se leva;
Il se dressa sur l'ombre et cria : JÉHOVAH !
Et dans l'immensité ces sept lettres tombèrent;
Et ce sont, dans les cieux que nos yeux réverbèrent[5],
Au-dessus de nos fronts tremblants sous leur rayon,
Les sept astres géants du noir septentrion.

Minuit, au dolmen du Faldouet, mars 1855.

XXVI

CE QUE DIT LA BOUCHE D'OMBRE[1]

L'HOMME[2] en songeant descend au gouffre universel[3].
J'errais près du dolmen qui domine Rozel,
A l'endroit où le cap se prolonge en presqu'île.
Le spectre m'attendait; l'être sombre et tranquille
Me prit par les cheveux dans sa main qui grandit,
M'emporta sur le haut du rocher, et me dit :

*

Sache que tout connaît sa loi, son but, sa route;
Que, de l'astre au ciron[4], l'immensité s'écoute;
Que tout a conscience en la création;
Et l'oreille pourrait avoir sa vision,
Car les choses et l'être[5] ont un grand dialogue.
Tout parle; l'air qui passe et l'alcyon qui vogue,
Le brin d'herbe, la fleur, le germe, l'élément.
T'imaginais-tu donc l'univers autrement[6]?
Crois-tu que Dieu, par qui la forme sort du nombre[7],
Aurait fait à jamais sonner la forêt sombre,
L'orage, le torrent roulant de noirs limons,
Le rocher dans les flots, la bête dans les monts,
La mouche, le buisson, la ronce où croît la mûre,
Et qu'il n'aurait rien mis dans l'éternel murmure?
Crois-tu que l'eau du fleuve et les arbres des bois,
S'ils n'avaient rien à dire, élèveraient la voix?
Prends-tu le vent des mers pour un joueur de flûte[8]?
Crois-tu que l'océan, qui se gonfle et qui lutte,

Serait content d'ouvrir sa gueule jour et nuit
Pour souffler dans le vide une vapeur de bruit,
Et qu'il voudrait rugir, sous l'ouragan qui vole,
Si son rugissement n'était une parole?
Crois-tu que le tombeau, d'herbe et de nuit vêtu,
Ne soit rien qu'un silence? et te figures-tu
Que la création profonde, qui compose
Sa rumeur des frissons du lys et de la rose[9],
De la foudre, des flots, des souffles du ciel bleu,
Ne sait ce qu'elle dit quand elle parle à Dieu?
Crois-tu qu'elle ne soit qu'une langue épaissie?
Crois-tu que la nature énorme balbutie,
Et que Dieu se serait, dans son immensité,
Donné pour tout plaisir, pendant l'éternité,
D'entendre bégayer[10] une sourde-muette?
Non, l'abîme est un prêtre et l'ombre est un poète;
Non, tout est une voix et tout est un parfum;
Tout dit dans l'infini quelque chose à quelqu'un;
Une pensée emplit le tumulte superbe.
Dieu n'a pas fait un bruit sans y mêler le Verbe.
Tout, comme toi, gémit, ou chante comme moi[11];
Tout parle. Et maintenant, homme, sais-tu pourquoi
Tout parle? Écoute bien. C'est que vents, ondes, [flammes,
Arbres, roseaux, rochers, tout vit!
Tout est plein d'âmes[12].

Mais comment? Oh! voilà le mystère inouï.
Puisque tu ne t'es pas en route évanoui,
Causons[13].

*

Dieu n'a créé que l'être impondérable.
Il le fit radieux, beau, candide, adorable,
Mais imparfait; sans quoi, sur la même hauteur,
La créature étant égale au créateur,
Cette perfection, dans l'infini perdue,
Se serait avec Dieu mêlée et confondue,

Et la création, à force de clarté,
En lui serait rentrée et n'aurait pas été.
La création sainte où rêve le prophète,
Pour être, ô profondeur! devait être imparfaite.

Donc, Dieu fit l'univers, l'univers fit le mal.

L'être créé, paré du rayon baptismal[14],
En des temps dont nous seuls conservons la mémoire,
Planait dans la splendeur sur des ailes de gloire;
Tout était chant, encens, flamme, éblouissement;
L'être errait, aile d'or, dans un rayon charmant,
Et de tous les parfums tour à tour était l'hôte;
Tout nageait, tout volait.

Or, la première faute
Fut le premier poids.
Dieu sentit une douleur.
Le poids prit une forme, et, comme l'oiseleur
Fuit emportant l'oiseau qui frissonne et qui lutte,
Il tomba, traînant l'ange éperdu dans sa chute.
Le mal était fait. Puis tout alla s'aggravant [15];
Et l'éther[16] devint l'air, et l'air devint le vent;
L'ange[17] devint l'esprit, et l'esprit devint l'homme.
L'âme tomba, des maux multipliant la somme,
Dans la brute, dans l'arbre, et même, au-dessous d'eux,
Dans le caillou pensif, cet aveugle[18] hideux.
Êtres vils qu'à regret les anges énumèrent!
Et de tous ces amas des globes se formèrent,
Et derrière ces blocs naquit la sombre nuit[19].
Le mal, c'est la matière[20]. Arbre noir, fatal fruit.

*

Ne réfléchis-tu pas lorsque tu vois ton ombre[21]?
Cette forme de toi, rampante, horrible, sombre,
Qui, liée à tes pas comme un spectre vivant,
Va tantôt en arrière et tantôt en avant,

Qui se mêle à la nuit, sa grande sœur funeste,
Et qui contre le jour, noire et dure, proteste,
D'où vient-elle? De toi, de ta chair, du limon
Dont l'esprit se revêt en devenant démon;
De ce corps qui, créé par ta faute première,
Ayant rejeté Dieu, résiste à la lumière;
De ta matière, hélas! de ton iniquité.
Cette ombre dit : — Je suis l'être d'infirmité;
Je suis tombé déjà; je puis tomber encore. —
L'ange laisse passer à travers lui l'aurore[22];
Nul simulacre obscur ne suit l'être aromal[23];
Homme, tout ce qui fait de l'ombre a fait le mal[24].

*

Maintenant, c'est ici le rocher fatidique,
Et je vais t'expliquer tout ce que je t'indique;
Je vais t'emplir les yeux de nuit et de lueurs.
Prépare-toi, front triste, aux funèbres sueurs.
Le vent d'en haut sur moi passe, et, ce qu'il m'arrache,
Je te le jette; prends, et vois[25].

Et, d'abord, sache
Que le monde où tu vis est un monde effrayant[26]
Devant qui le songeur, sous l'infini ployant,
Lève les bras au ciel et recule terrible[27].
Ton soleil est lugubre et ta terre est horrible.
Vous habitez le seuil du monde châtiment.
Mais vous n'êtes pas hors de Dieu complètement;
Dieu, soleil dans l'azur, dans la cendre étincelle,
N'est hors de rien, étant la fin universelle;
L'éclair est son regard, autant que le rayon;
Et tout, même le mal, est la création,
Car le dedans du masque est encor la figure[28].

— O sombre aile invisible à l'immense envergure!
Esprit! esprit! esprit! m'écriai-je éperdu.
Le spectre poursuivit sans m'avoir entendu :

*

Faisons un pas de plus dans ces choses profondes.

Homme, tu veux, tu fais, tu construis et tu fondes[29],
Et tu dis : — Je suis seul, car je suis le penseur.
L'univers n'a que moi dans sa morne épaisseur.
En deçà, c'est la nuit; au delà, c'est le rêve.
L'idéal est un œil que la science crève.
C'est moi qui suis la fin et qui suis le sommet. —
Voyons; observes-tu le bœuf qui se soumet?
Écoutes-tu le bruit de ton pas sur les marbres?
Interroges-tu l'onde? et, quand tu vois des arbres,
Parles-tu quelquefois à ces religieux[30]?
Comme sur le versant d'un mont prodigieux,
Vaste mêlée aux bruits confus, du fond de l'ombre,
Tu vois monter à toi la création sombre.
Le rocher est plus loin, l'animal est plus près.
Comme le faîte altier et vivant, tu parais!
Mais, dis, crois-tu que l'être illogique nous trompe?
L'échelle que tu vois, crois-tu qu'elle se rompe?
Crois-tu, toi dont les sens d'en haut sont éclairés,
Que la création qui, lente et par degrés,
S'élève à la lumière, et, dans sa marche entière,
Fait de plus de clarté luire moins de matière
Et mêle plus d'instincts[31] au monstre décroissant,
Crois-tu que cette vie énorme, remplissant
De souffles le feuillage et de lueurs la tête,
Qui va du roc à l'arbre et de l'arbre à la bête,
Et de la pierre à toi monte insensiblement,
S'arrête sur l'abîme à l'homme, escarpement?
Non, elle continue, invincible, admirable,
Entre dans l'invisible et dans l'impondérable,
Y disparaît pour toi, chair vile, emplit l'azur
D'un monde éblouissant, miroir du monde obscur,
D'êtres voisins de l'homme et d'autres qui s'éloignent,
D'esprits purs, de voyants dont les splendeurs témoi-
[gnent,

D'anges faits de rayons comme l'homme d'instincts;
Elle plonge à travers les cieux jamais atteints[32],
Sublime ascension d'échelles étoilées,
Des démons enchaînés monte aux âmes ailées,
Fait toucher le front sombre au radieux orteil[33],
Rattache l'astre esprit à l'archange soleil,
Relie, en traversant des millions de lieues,
Les groupes constellés et les légions bleues,
Peuple le haut, le bas, les bords et le milieu,
Et dans les profondeurs s'évanouit en Dieu!

Cette[34] échelle apparaît vaguement dans la vie[35]
Et dans la mort. Toujours les justes l'ont gravie :
Jacob en la voyant, et Caton sans la voir.
Ses échelons sont deuil, sagesse, exil, devoir.

Et cette échelle vient de plus loin que la terre.
Sache qu'elle commence aux mondes du mystère,
Aux mondes des terreurs et des perditions;
Et qu'elle vient, parmi les pâles visions,
Du précipice où sont les larves et les crimes[36],
Où la création, effrayant les abîmes,
Se prolonge dans l'ombre en spectre indéfini[37].
Car, au-dessous du globe où vit l'homme banni,
Hommes, plus bas que vous, dans le nadir livide,
Dans cette plénitude horrible qu'on croit vide,
Le mal, qui par la chair, hélas! vous asservit,
Dégorge une vapeur monstrueuse qui vit!
Là, sombre et s'engloutit, dans des flots de désastres,
L'hydre[38] Univers tordant son corps écaillé d'astres;
Là, tout flotte et s'en va dans un naufrage obscur;
Dans ce gouffre sans bord, sans soupirail, sans mur,
De tout ce qui vécut pleut sans cesse la cendre;
Et l'on voit tout au fond, quand l'œil ose y descendre,
Au delà de la vie, et du souffle et du bruit,
Un affreux soleil noir[39] d'où rayonne la nuit!

*

Donc, la matière pend à l'idéal, et tire[40]
L'esprit vers l'animal, l'ange vers le satyre,
Le sommet vers le bas, l'amour vers l'appétit.
Avec le grand qui croule elle fait le petit.

Comment de tant d'azur tant de terreur s'engendre,
Comment le jour fait l'ombre et le feu pur la cendre,
Comment la cécité peut naître du voyant,
Comment le ténébreux descend du flamboyant,
Comment du monstre esprit naît le monstre matière,
Un jour, dans le tombeau, sinistre vestiaire[41],
Tu le sauras; la tombe est faite pour savoir;
Tu verras; aujourd'hui, tu ne peux qu'entrevoir;
Mais, puisque Dieu permet que ma voix t'avertisse,
Je te parle[42].

Et, d'abord, qu'est-ce que la justice?
Qui la rend? qui la fait? où? quand? à quel moment?
Qui donc pèse la faute? et qui le châtiment?

*

L'être créé se meut dans la lumière immense[43].

Libre, il sait où le bien cesse, où le mal commence[44];
Il a ses actions pour juges.

Il suffit
Qu'il soit méchant ou bon; tout est dit. Ce qu'on fit,
Crime, est notre geôlier, ou, vertu, nous délivre.
L'être ouvre à son insu de lui-même le livre;
Sa conscience calme y marque avec le doigt
Ce que l'ombre lui garde ou ce que Dieu lui doit.
On agit, et l'on gagne ou l'on perd à mesure;
On peut être étincelle ou bien éclaboussure;
Lumière ou fange, archange au vol d'aigle ou bandit;
L'échelle vaste est là. Comme je te l'ai dit,

Par des zones sans fin la vie universelle
Monte, et par des degrés innombrables ruisselle,
Depuis l'infâme nuit jusqu'au charmant azur.
L'être en la traversant devient mauvais ou pur.
En haut plane la joie; en bas l'horreur se traîne.
Selon que l'âme, aimante, humble, bonne, sereine,
Aspire à la lumière et tend vers l'idéal,
Ou s'alourdit, immonde, au poids croissant du mal,
Dans la vie infinie on monte et l'on s'élance,
Ou l'on tombe; et tout être est sa propre balance.

Dieu ne nous juge point. Vivant tous à la fois,
Nous pesons, et chacun descend selon son poids.

*

Homme! nous n'approchons que les paupières closes[45]
De ces immensités d'en bas.

Viens, si tu l'oses!
Regarde dans ce puits morne et vertigineux,
De la création compte les sombres nœuds[46],
Viens, vois, sonde :

Au-dessous de l'homme qui contemple
Qui peut être un cloaque ou qui peut être un temple,
Être en qui l'instinct vit dans la raison dissous,
Est l'animal courbé vers la terre; au-dessous
De la brute est la plante inerte, sans paupière
Et sans cris; au-dessous de la plante est la pierre;
Au-dessous de la pierre est le chaos sans nom.

Avançons dans cette ombre et sois mon compagnon

*

Toute faute qu'on fait est un cachot qu'on s'ouvre[47]
Les mauvais, ignorant quel mystère les couvre[48],

Les êtres de fureur, de sang, de trahison,
Avec leurs actions bâtissent leur prison;
Tout bandit, quand la mort vient lui toucher l'épaule
Et l'éveille, hagard, se retrouve en la geôle
Que lui fit son forfait derrière lui rampant;
Tibère en un rocher, Séjan dans un serpent[49].

L'homme marche sans voir ce qu'il fait dans l'abîme.
L'assassin pâlirait s'il voyait sa victime;
C'est lui. L'oppresseur vil, le tyran sombre et fou,
En frappant sans pitié sur tous, forge le clou
Qui le cloucra dans l'ombre au fond de la matière.

Les tombeaux sont les trous du crible cimetière[50],
D'où tombe, graine obscure en un ténébreux champ,
L'effrayant tourbillon des âmes.

*

Tout méchant
Fait naître en expirant le monstre de sa vie,
Qui le saisit. L'horreur par l'horreur est suivie.
Nemrod gronde enfermé dans la montagne à pic[51];
Quand Dalila descend dans la tombe, un aspic
Sort des plis du linceul, emportant l'âme fausse;
Phryné meurt, un crapaud[52] saute hors de la fosse;
Ce scorpion au fond d'une pierre dormant,
C'est Clytemnestre aux bras d'Égisthe son amant;
Du tombeau d'Anitus il sort une ciguë[53];
Le houx sombre et l'ortie à la piqûre aiguë
Pleurent quand l'aquilon les fouette, et l'aquilon
Leur dit : Tais-toi, Zoïle! et souffre, Ganelon[54]!
Dieu livre, choc affreux dont la plaine au loin gronde,
Au cheval Brunchaut le pavé Frédégonde[55];
La pince qui rougit dans le brasier hideux
Est faite du duc d'Albe et de Philippe Deux[56];
Farinace[57] est le croc des noires boucheries;
L'orfraie au fond de l'ombre a les yeux de Jeffryes[58];

Tristan est au secret dans le bois d'un gibet[59].
Quand tombent dans la mort tous ces brigands, Macbeth,
Ezzelin, Richard Trois, Carrier, Ludovic Sforce,
La matière leur met la chemise de force.
Oh! comme en son bonheur, qui masque un sombre
Messaline ou l'horrible Isabeau[60] frémirait [arrêt,
Si, dans ses actions du sépulcre voisines,
Cette femme sentait qu'il lui vient des racines,
Et qu'ayant été monstre, elle deviendra fleur!
A chacun son forfait! à chacun sa douleur!
Claude est l'algue[61] que l'eau traîne de havre en havre;
Xercès est excrément, Charles Neuf est cadavre[62];
Hérode, c'est l'osier des berceaux vagissants;
L'âme du noir Judas, depuis dix-huit cents ans,
Se disperse et renaît dans les crachats[63] des hommes;
Et le vent qui jadis soufflait sur les Sodomes[64]
Mêle, dans l'âtre abject et sous le vil chaudron,
La fumée Érostrate à la flamme Néron.

*

Et tout, bête, arbre et roche, étant vivant sur terre,
Tout est monstre, excepté l'homme, esprit solitaire.

L'âme que sa noirceur chasse du firmament
Descend dans les degrés divers du châtiment
Selon que plus ou moins d'obscurité la gagne.
L'homme en est la prison, la bête en est le bagne[65],
L'arbre en est le cachot, la pierre en est l'enfer.
Le ciel d'en haut, le seul qui soit splendide et clair,
La suit des yeux dans l'ombre, et, lui jetant l'aurore
Tâche, en la regardant, de l'attirer encore[66].
O chute! dans la bête, à travers les barreaux
De l'instinct, obstruant de pâles soupiraux,
Ayant encor la voix, l'essor et la prunelle,
L'âme entrevoit de loin la lueur éternelle;
Dans l'arbre elle frissonne, et, sans jour et sans yeux,
Sent encor dans le vent quelque chose des cieux;
Dans la pierre elle rampe, immobile, muette,

Ne voyant même plus l'obscure silhouette
Du monde qui s'éclipse et qui s'évanouit,
Et face à face avec son crime dans la nuit.
L'âme en ces trois cachots traîne sa faute noire.
Comme elle en a la forme, elle en a la mémoire;
Elle sait ce qu'elle est; et, tombant sans appuis,
Voit la clarté décroître à la paroi du puits;
Elle assiste à sa chute; et, dur caillou qui roule,
Pense : Je suis Octave[67]; et, vil chardon qu'on foule,
Crie au talon : Je suis Attila[68] le géant;
Et, ver de terre au fond du charnier[69], et rongeant
Un crâne infect et noir, dit : Je suis Cléopâtre.
Et, hibou, malgré l'aube, ours, en bravant le pâtre,
Elle accomplit la loi qui l'enchaîne d'en haut;
Pierre, elle écrase; épine, elle pique; il le faut.
Le monstre est enfermé dans son horreur vivante.
Il aurait beau vouloir dépouiller l'épouvante;
Il faut qu'il reste horrible et reste châtié;
O mystère! le tigre a peut-être pitié!
Le tigre sur son dos, qui peut-être eut une aile[70],
A l'ombre des barreaux de la cage éternelle;
Un invisible fil lie aux noirs échafauds
Le noir corbeau dont l'aile est en forme de faulx;
L'âme louve ne peut s'empêcher d'être louve,
Car le monstre est tenu, sous le ciel qui l'éprouve,
Dans l'expiation par la fatalité.
Jadis, sans la comprendre et d'un œil hébété[71],
L'Inde a presque entrevu[72] cette métempsycose.
La ronce devient griffe, et la feuille de rose
Devient langue de chat, et, dans l'ombre et les cris,
Horrible, lèche et boit le sang de la souris;
Qui donc connaît le monstre appelé mandragore[73]?
Qui sait ce que, le soir, éclaire le fulgore[74],
Être en qui la laideur devient une clarté?
Ce qui se passe en l'ombre où croît la fleur d'été
Efface la terreur des antiques avernes[75].
Étages effrayants! cavernes sur cavernes.
Ruche obscure du mal[76], du crime et du remord!

Donc, une bête va, vient, rugit, hurle, mord;
Un arbre est là, dressant ses branches hérissées,
Une dalle s'effondre au milieu des chaussées
Que la charrette écrase et que l'hiver détruit,
Et, sous ces épaisseurs de matière et de nuit,
Arbre, bête, pavé, poids que rien ne soulève,
Dans cette profondeur terrible, une âme rêve!

Que fait-elle? Elle songe à Dieu!

*

Fatalité[77]!
Échéance! retour! revers! autre côté!
O loi! pendant qu'assis à table, joyeux groupes[78],
Les pervers, les puissants, vidant toutes les coupes,
Oubliant qu'aujourd'hui par demain est guetté,
Étalent leur mâchoire en leur folle gaîté,
Voilà ce qu'en sa nuit muette et colossale,
Montrant comme eux ses dents tout au fond de la salle
Leur réserve la mort, ce sinistre rieur!

Nous avons, nous, voyants du ciel supérieur,
Le spectacle inouï de vos régions basses.
O songeur, fallait-il qu'en ces nuits tu tombasses!
Nous écoutons le cri de l'immense malheur.
Au-dessus d'un rocher, d'un loup ou d'une fleur,
Parfois nous apparaît l'âme à mi-corps sortie, [tie
Pauvre ombre en pleurs qui lutte, hélas! presque englou
Le loup la tient, le roc étreint ses pieds qu'il tord,
Et la fleur implacable et féroce la mord.
Nous entendons le bruit du rayon que Dieu lance,
La voix de ce que l'homme appelle le silence,
Et vos soupirs profonds, cailloux désespérés!
Nous voyons la pâleur de tous les fronts murés.
A travers la matière, affreux caveau sans portes,
L'ange est pour nous visible avec ses ailes mortes.
Nous assistons aux deuils, au blasphème, aux regret
Aux fureurs; et, la nuit, nous voyons les forêts,

D'où cherchent à s'enfuir les larves enfermées,
S'écheveler dans l'ombre en lugubres fumées.
Partout, partout, partout! dans les flots, dans les bois [79],
Dans l'herbe en fleurs, dans l'or qui sert de sceptre aux [rois,
Dans le jonc dont Hermès se fait une baguette [80],
Partout le châtiment contemple, observe ou guette,
Sourd aux questions, triste, affreux, pensif, hagard;
Et tout est l'œil d'où sort ce terrible regard.

O châtiment! dédale aux spirales funèbres [81]!
Construction d'en bas qui cherche les ténèbres,
Plonge au-dessous du monde et descend dans la nuit,
Et, Babel renversée [82], au fond de l'ombre fuit!

L'homme qui plane et rampe, être crépusculaire,
En est le milieu.

*

L'homme est clémence et colère;
Fond vil du puits, plateau radieux de la tour;
Degré d'en haut pour l'ombre, et d'en bas pour le jour.
L'ange y descend, la bête après la mort y monte;
Pour la bête, il est gloire, et, pour l'ange, il est honte;
Dieu mêle en votre race, hommes infortunés,
Les demi-dieux punis aux monstres pardonnés [83].

De là vient que, parfois, — mystère que Dieu mène! —
On entend d'une bouche en apparence humaine
Sortir des mots pareils à des rugissements,
Et que, dans d'autres lieux et dans d'autres moments,
On croit voir sur un front s'ouvrir des ailes d'ange.

Roi forçat, l'homme, esprit, pensc, et, matière, mange [84].
L'âme en lui ne se peut dresser sur son séant.
L'homme, comme la brute abreuvé de néant,
Vide toutes les nuits le verre noir du somme.
La chaîne de l'enfer, liée au pied de l'homme,

Ramène chaque jour vers le cloaque impur
La beauté, le génie, envolés dans l'azur,
Mêle la peste au souffle idéal des poitrines,
Et traîne, avec Socrate, Aspasie aux latrines[85].

*

Par un côté pourtant l'homme est illimité[86].
Le monstre a le carcan, l'homme a la liberté.
Songeur, retiens ceci : l'homme est un équilibre.
L'homme est une prison où l'âme reste libre.
L'âme, dans l'homme, agit, fait le bien, fait le mal,
Remonte vers l'esprit, retombe à l'animal;
Et, pour que, dans son vol vers les cieux, rien ne lie
Sa conscience ailée et de Dieu seul remplie,
Dieu, quand une âme éclôt dans l'homme au bien
Casse en son souvenir le fil de son passé; [poussé
De là vient que la nuit en sait plus que l'aurore.
Le monstre se connaît lorsque l'homme s'ignore.
Le monstre est la souffrance, et l'homme est l'action
L'homme est l'unique point de la création
Où, pour demeurer libre en se faisant meilleure,
L'âme doive oublier sa vie antérieure.
Mystère! au seuil de tout l'esprit rêve ébloui.
L'homme ne voit pas Dieu, mais peut aller à lui,
En suivant la clarté du bien, toujours présente[87];
Le monstre, arbre, rocher ou bête rugissante,
Voit Dieu, c'est là sa peine, et reste enchaîné loin.

L'homme a l'amour pour aile, et pour joug le besoin
L'ombre est sur ce qu'il voit par lui-même semée;
La nuit sort de son œil ainsi qu'une fumée;
Homme, tu ne sais rien; tu marches, pâlissant!
Parfois le voile obscur qui te couvre, ô passant!
S'envole et flotte au vent soufflant d'une autre sphère
Gonfle un moment ses plis jusque dans la lumière,
Puis retombe sur toi, spectre, et redevient noir.
Tes sages, tes penseurs ont essayé de voir;

Qu'ont-ils vu? qu'ont-ils fait? qu'ont-ils dit, ces fils
Rien... [d'Ève[88]?

Homme! autour de toi la création rêve.
Mille êtres inconnus t'entourent dans ton mur.
Tu vas, tu viens, tu dors sous leur regard obscur,
Et tu ne les sens pas vivre autour de ta vie :
Toute une légion d'âmes t'est asservie;
Pendant qu'elle te plaint, tu la foules aux pieds.
Tous tes pas vers le jour sont par l'ombre épiés.
Ce que tu nommes chose, objet, nature morte[89],
Sait, pense, écoute, entend. Le verrou de ta porte
Voit arriver ta faute et voudrait se fermer.
Ta vitre connaît l'aube, et dit : Voir! croire! aimer!
Les rideaux de ton lit frissonnent de tes songes.
Dans les mauvais desseins quand, rêveur, tu te plonges,
La cendre dit au fond de l'âtre sépulcral :
Regarde-moi; je suis ce qui reste du mal.
Hélas! l'homme imprudent trahit, torture, opprime.
La bête en son enfer voit les deux bouts du crime;
Un loup pourrait donner des conseils à Néron.
Homme! homme! aigle aveuglé[90], moindre qu'un mou-
[cheron!
Pendant que dans ton Louvre ou bien dans ta chaumière,
Tu vis, sans même avoir épelé la première[91]
Des constellations, sombre alphabet qui luit
Et tremble sur la page immense de la nuit,
Pendant que tu maudis et pendant que tu nies,
Pendant que tu dis : Non[92]! aux astres; aux génies :
Non! à l'idéal : Non! à la vertu : Pourquoi?
Pendant que tu te tiens en dehors de la loi,
Copiant les dédains inquiets ou robustes
De ces sages qu'on voit rêver dans les vieux bustes,
Et que tu dis : Que sais-je? amer, froid, mécréant,
Prostituant ta bouche au rire du néant,
A travers le taillis de la nature énorme,
Flairant l'éternité de son museau difforme, [Dieu[93].
Là, dans l'ombre, à tes pieds, homme, ton chien voit

Ah ! je t'entends. Tu dis : — Quel deuil ! la bête est peu,
L'homme n'est rien. O loi misérable ! ombre ! abîme ! —

*

O songeur ! cette loi misérable est sublime[94].
Il faut donc tout redire à ton esprit chétif !
A la fatalité, loi du monstre captif,
Succède le devoir, fatalité de l'homme[95].
Ainsi de toutes parts l'épreuve se consomme,
Dans le monstre passif, dans l'homme intelligent,
La nécessité morne en devoir se changeant,
Et l'âme, remontant à sa beauté première,
Va de l'ombre fatale à la libre lumière.
Or, je te le redis, pour se transfigurer,
Et pour se racheter, l'homme doit ignorer.
Il doit être aveuglé par toutes les poussières.
Sans quoi, comme l'enfant guidé par des lisières,
L'homme vivrait, marchant droit à la vision[96].
Douter est sa puissance et sa punition.
Il voit la rose, et nie ; il voit l'aurore, et doute ;
Où serait le mérite à retrouver sa route,
Si l'homme, voyant clair, roi de sa volonté,
Avait la certitude, ayant la liberté[97] ?
Non. Il faut qu'il hésite en la vaste nature,
Qu'il traverse du choix l'effrayante aventure,
Et qu'il compare au vice agitant son miroir,
Au crime, aux voluptés, l'œil en pleurs du devoir ;
Il faut qu'il doute ! Hier croyant, demain impie ;
Il court du mal au bien ; il scrute, sonde, épie,
Va, revient, et, tremblant, agenouillé, debout,
Les bras étendus, triste, il cherche Dieu partout[98] ;
Il tâte l'infini jusqu'à ce qu'il l'y sente[99] ;
Alors, son âme ailée éclate frémissante ;
L'ange éblouissant luit dans l'homme transparent[100].
Le doute le fait libre[101], et la liberté, grand.
La captivité sait ; la liberté suppose[102],
Creuse, saisit l'effet, le compare à la cause,

Croit vouloir le bien-être et veut le firmament;
Et, cherchant le caillou, trouve le diamant[103].
C'est ainsi que du ciel l'âme à pas lents s'empare.

Dans le monstre, elle expie; en l'homme, elle répare.

*

Oui, ton fauve univers est le forçat de Dieu.
Les constellations, sombres lettres de feu[104],
Sont les marques du bagne[105] à l'épaule du monde.
Dans votre région tant d'épouvante abonde,
Que, pour l'homme, marqué lui-même du fer chaud,
Quand il lève les yeux vers les astres, là-haut,
Le cancer resplendit, le scorpion flamboie,
Et dans l'immensité le chien sinistre aboie[106]!
Ces soleils inconnus se groupent sur son front
Comme l'effroi, le deuil, la menace et l'affront;
De toutes parts s'étend l'ombre incommensurable[107];
En bas l'obscur, l'impur, le mauvais, l'exécrable,
Le pire, tas hideux, fourmillent; tout au fond,
Ils échangent entre eux dans l'ombre ce qu'ils font[108];
Typhon donne l'horreur, Satan donne le crime;
Lugubre intimité du mal et de l'abîme!
Amours de l'âme monstre et du monstre univers!
Baiser triste! et l'informe engendré du pervers[109],
La matière, le bloc, la fange, la géhenne,
L'écume, le chaos, l'hiver, nés de la haine,
Les faces de beauté qu'habitent des démons,
Tous les êtres maudits, mêlés aux vils limons,
Pris par[110] la plante fauve et la bête féroce,
Le grincement de dents, la peur, le rire atroce,
L'orgueil, que l'infini courbe sous son niveau,
Rampent, noirs prisonniers[111], dans la nuit, noir caveau.
La porte, affreuse et faite avec de l'ombre, est lourde;
Par moments, on entend, dans la profondeur sourde,
Les efforts que les monts, les flots, les ouragans,
Les volcans, les forêts, les animaux brigands,

Et tous les monstres font pour soulever le pêne[112];
Et sur cet amas d'ombre, et de crime, et de peine,
Ce grand ciel formidable est le scellé[113] de Dieu.

Voilà pourquoi, songeur dont la mort est le vœu,
Tant d'angoisse est empreinte au front des cénobites!

Je viens de te montrer le gouffre. Tu l'habites[114].

*

Les mondes, dans la nuit que vous nommez l'azur[115],
Par les brèches que fait la mort blême à leur mur,
Se jettent en fuyant l'un à l'autre des âmes.

Dans votre globe où sont tant de geôles infâmes,
Vous avez des méchants de tous les univers,
Condamnés qui, venus des cieux les plus divers,
Rêvent dans vos rochers, ou dans vos arbres ploient;
Tellement stupéfaits de ce monde qu'ils voient,
Qu'eussent-ils la parole, ils ne pourraient parler.
On en sent quelques-uns frissonner et trembler.
De là les songes vains du bonze et de l'augure[116].

Donc, représente-toi cette sombre figure :
Ce gouffre, c'est l'égout du mal universel.
Ici vient aboutir de tous les points du ciel
La chute des punis, ténébreuse traînée.
Dans cette profondeur, morne, âpre, infortunée,
De chaque globe il tombe un flot vertigineux
D'âmes, d'esprits malsains et d'êtres vénéneux,
Flot que l'éternité voit sans fin se répandre.
Chaque étoile au front d'or qui brille, laisse pendre[11]
Sa chevelure d'ombre en ce puits effrayant.
Ame immortelle, vois, et frémis en voyant :
Voilà le précipice exécrable où tu sombres[118].

*

Oh! qui que vous soyez, qui passez dans ces ombres,
Versez votre pitié sur ces douleurs sans fond!
Dans ce gouffre, où l'abîme en l'abîme se fond,
Se tordent les forfaits, transformés en supplices,
L'effroi, le deuil, le mal, les ténèbres complices[119],
Les pleurs sous la toison, le soupir expiré
Dans la fleur, et le cri dans la pierre muré!
Oh! qui que vous soyez, pleurez sur ces misères!
Pour Dieu seul, qui sait tout, elles sont nécessaires[120];
Mais vous pouvez pleurer sur l'énorme cachot
Sans déranger le sombre équilibre d'en haut!
Hélas! hélas! hélas! tout est vivant! tout pense!
La mémoire est la peine, étant la récompense[121].

Oh! comme ici l'on souffre et comme on se souvient[122]!
Torture de l'esprit que la matière tient!
La brute et le granit, quel chevalet pour l'âme!
Ce mulet fut sultan, ce cloporte était femme.
L'arbre est un exilé, la roche est un proscrit.
Est-ce que, quelque part, par hasard, quelqu'un rit
Quand ces réalités sont là, remplissant l'ombre?
La ruine, la mort, l'ossement, le décombre,
Sont vivants. Un remords songe dans un débris.
Pour l'œil profond qui voit, les antres sont des cris.
Hélas! le cygne est noir, le lys songe à ses crimes;
La perle est nuit; la neige est la fange des cimes;
Le même gouffre, horrible et fauve, et sans abri,
S'ouvre dans la chouette et dans le colibri;
La mouche, âme, s'envole et se brûle à la flamme;
Et la flamme, esprit, brûle avec angoisse une âme;
L'horreur fait frissonner les plumes de l'oiseau;
Tout est douleur.

Les fleurs souffrent sous le ciseau[123],
Et se ferment ainsi que des paupières closes[124] :
Toutes les femmes sont teintes du sang des roses[125];

La vierge au bal, qui danse, ange aux fraîches couleurs,
Et qui porte en sa main une touffe de fleurs,
Respire en souriant un bouquet d'agonies.
Pleurez sur les laideurs et les ignominies[126],
Pleurez sur l'araignée immonde, sur le ver,
Sur la limace au dos mouillé comme l'hiver,
Sur le vil puceron qu'on voit aux feuilles pendre,
Sur le crabe hideux, sur l'affreux scolopendre,
Sur l'effrayant crapaud, pauvre monstre aux doux yeux,
Qui regarde toujours le ciel mystérieux[127] !
Plaignez l'oiseau de crime et la bête de proie.
Ce que Domitien, César, fit avec joie[128],
Tigre, il le continue avec horreur. Verrès,
Qui fut loup sous la pourpre, est loup dans les forêts;
Il descend, réveillé, l'autre côté du rêve :
Son rire, au fond des bois, en hurlement s'achève;
Pleurez sur ce qui hurle et pleurez sur Verrès.
Sur ces tombeaux vivants, marqués d'obscurs arrêts,
Penchez-vous attendri! versez votre prière!
La pitié fait sortir des rayons de la pierre.
Plaignez le louveteau, plaignez le lionceau.
La matière, affreux bloc, n'est que le lourd monceau
Des effets monstrueux, sortis des sombres causes.
Ayez pitié! voyez des âmes dans les choses[129].
Hélas! le cabanon subit aussi l'écrou;
Plaignez le prisonnier, mais plaignez le verrou;
Plaignez la chaîne au fond des bagnes insalubres;
La hache et le billot sont deux êtres lugubres;
La hache souffre autant que le corps, le billot
Souffre autant que la tête; ô mystères d'en haut!
Ils se livrent une âpre et hideuse bataille;
Il ébrèche la hache et la hache l'entaille;
Ils se disent tout bas l'un à l'autre : Assassin!
Et la hache maudit les hommes, sombre essaim,
Quand, le soir, sur le dos du bourreau, son ministre,
Elle revient dans l'ombre, et luit, miroir sinistre,
Ruisselante de sang et reflétant les cieux;
Et, la nuit, dans l'étal morne et silencieux,

Le cadavre au cou rouge, effrayant, glacé, blême,
Seul, sait ce que lui dit le billot, tronc lui-même[130].
Oh! que la terre est froide et que les rocs sont durs!
Quelle muette horreur dans les halliers obscurs!
Les pleurs noirs de la nuit sur la colombe blanche
Tombent; le vent met nue et torture la branche;
Quel monologue affreux dans l'arbre aux rameaux
[verts[131]!
Quel frisson dans l'herbe! Oh! quels yeux fixes ouverts
Dans les cailloux profonds, oubliettes des âmes[132]!
C'est une âme que l'eau scie en ses froides lames;
C'est une âme que fait ruisseler le pressoir.
Ténèbres! l'univers est hagard. Chaque soir,
Le noir horizon monte et la nuit noire tombe;
Tous deux, à l'occident, d'un mouvement de tombe[133],
Ils vont se rapprochant, et, dans le firmament,
O terreur! sur le jour, écrasé lentement,
La tenaille de l'ombre effroyable se ferme.
Oh! les berceaux font peur. Un bagne est dans un germe.
Ayez pitié, vous tous et qui que vous soyez!
Les hideux châtiments, l'un sur l'autre broyés,
Roulent, submergeant tout, excepté les mémoires[134].

Parfois on voit passer dans ces profondeurs noires[135]
Comme un rayon lointain de l'éternel amour;
Alors, l'hyène Atrée et le chacal Timour,
Et l'épine Caïphe et le roseau Pilate,
Le volcan Alaric à la gueule écarlate,
L'ours Henri Huit, pour qui Morus en vain pria,
Le sanglier Selim et le porc Borgia,
Poussent des cris vers l'Être adorable; et les bêtes
Qui portèrent jadis des mitres sur leurs têtes,
Les grains de sable rois, les brins d'herbe empereurs,
Tous les hideux orgueils et toutes les fureurs,
Se brisent; la douceur saisit le plus farouche;
Le chat lèche l'oiseau, l'oiseau baise la mouche[136];
Le vautour dit dans l'ombre au passereau : Pardon!
Une caresse sort du houx et du chardon;

Tous les rugissements se fondent en prières;
On entend s'accuser de leurs forfaits les pierres;
Tous ces sombres cachots qu'on appelle les fleurs
Tressaillent; le rocher se met à fondre en pleurs;
Des bras se lèvent hors de la tombe dormante;
Le vent gémit, la nuit se plaint, l'eau se lamente,
Et, sous l'œil attendri qui regarde d'en haut,
Tout l'abîme n'est plus qu'un immense sanglot.

*

Espérez! espérez! espérez, misérables[137]!
Pas de deuil infini, pas de maux incurables,
Pas d'enfer éternel[138]!
Les douleurs vont à Dieu, comme la flèche aux cibles;
Les bonnes actions sont les gonds invisibles
De la porte du ciel[139].

Le deuil est la vertu, le remords est le pôle
Des monstres garrottés dont le gouffre est la geôle;
Quand, devant Jéhovah,
Un vivant reste pur dans les ombres charnelles,
La mort, ange attendri, rapporte ses deux ailes
A l'homme qui s'en va[140].

Les enfers se refont édens; c'est là leur tâche.
Tout globe est un oiseau que le mal tient et lâche.
Vivants, je vous le dis,
Les vertus, parmi vous, font ce labeur auguste
D'augmenter sur vos fronts le ciel; quiconque est juste
Travaille au paradis[141].

L'heure approche. Espérez. Rallumez l'âme éteinte[142]!
Aimez-vous! aimez-vous! car c'est la chaleur sainte,
C'est le feu du vrai jour.
Le sombre univers, froid, glacé, pesant, réclame
La sublimation de l'être par la flamme,
De l'homme par l'amour[143]!

Déjà, dans l'océan d'ombre[144] que Dieu domine,
L'archipel ténébreux des bagnes s'illumine;
Dieu, c'est le grand aimant;
Et les globes, ouvrant leur sinistre prunelle[145],
Vers les immensités[146] de l'aurore éternelle
Se tournent lentement!

Oh! comme vont chanter toutes les harmonies,
Comme rayonneront dans les sphères bénies
Les faces de clarté,
Comme les firmaments se fondront en délires,
Comme tressailleront toutes les grandes lyres
De la sérénité[147],

Quand, du monstre matière ouvrant toutes les serres,
Faisant évanouir en splendeurs les misères,
Changeant l'absinthe en miel,
Inondant de beauté la nuit diminuée,
Ainsi que le soleil tire à lui la nuée
Et l'emplit d'arcs-en-ciel,

Dieu, de son regard fixe[148] attirant les ténèbres,
Voyant vers lui, du fond des cloaques funèbres
Où le mal le pria,
Monter l'énormité[149], bégayant des louanges,
Fera rentrer, parmi les univers archanges,
L'univers paria!

On verra palpiter les fanges éclairées[150],
Et briller les laideurs les plus désespérées
Au faîte le plus haut,
L'araignée éclatante au seuil des bleus pilastres,
Luire, et se redresser, portant des épis d'astres[151],
La paille du cachot!

La clarté montera dans tout comme une sève[152];
On verra rayonner au front du bœuf qui rêve

Le céleste croissant;
Le charnier chantera dans l'horreur qui l'encombre,
Et sur tous les fumiers apparaîtra dans l'ombre
Un Job resplendissant!

O disparition de l'antique anathème[153]!
La profondeur disant à la hauteur : Je t'aime!
O retour du banni!
Quel éblouissement au fond des cieux sublimes[154]!
Quel surcroît de clarté que l'ombre des abîmes
S'écriant : Sois béni!

On verra le troupeau des hydres formidables
Sortir, monter du fond des brumes insondables
Et se transfigurer;
Des étoiles éclore aux trous noirs de leurs crânes,
Dieu juste! et, par degrés devenant diaphanes,
Les monstres s'azurer!

Ils viendront, sans pouvoir ni parler ni répondre,
Éperdus! on verra des auréoles fondre
Les cornes de leur front;
Ils tiendront dans leur griffe, au milieu des cieux calmes,
Des rayons frissonnants semblables à des palmes;
Les gueules baiseront[155]!

Ils viendront! ils viendront, tremblants, brisés d'extase,
Chacun d'eux débordant de sanglots comme un vase,
Mais pourtant sans effroi;
On leur tendra les bras de la haute demeure,
Et Jésus, se penchant sur Bélial qui pleure[156],
Lui dira : C'est donc toi!

Et vers Dieu par la main il conduira ce frère!
Et, quand ils seront près des degrés de lumière
Par nous seuls aperçus,
Tous deux seront si beaux, que Dieu dont l'œil flamboie
Ne pourra distinguer, père ébloui de joie,
Bélial de Jésus[157]!

Tout sera dit. Le mal expirera, les larmes
Tariront; plus de fers, plus de deuils, plus d'alarmes;
L'affreux gouffre inclément
Cessera d'être sourd, et bégaiera[158] : Qu'entends-je?
Les douleurs finiront dans toute l'ombre : un ange
Criera : Commencement[159] !

Jersey, 1855.

A CELLE QUI EST RESTÉE EN FRANCE[1]

I

METS-TOI sur ton séant, lève tes yeux, dérange[2]
Ce drap glacé qui fait des plis sur ton front d'ange,
Ouvre tes mains, et prends ce livre : il est à toi.

Ce livre où vit mon âme, espoir, deuil, rêve, effroi,
Ce livre qui contient le spectre[3] de ma vie,
Mes angoisses, mon aube, hélas! de pleurs suivie,
L'ombre et son ouragan, la rose et son pistil,
Ce livre azuré, triste, orageux, d'où sort-il?
D'où sort le blême éclair qui déchire la brume?
Depuis quatre ans, j'habite un tourbillon d'écume[4];
Ce livre en a jailli. Dieu dictait, j'écrivais[5];
Car je suis paille[6] au vent : Va! dit l'esprit. Je vais.
Et, quand j'eus terminé ces pages, quand ce livre
Se mit à palpiter, à respirer, à vivre,
Une église des champs que le lierre verdit[7],
Dont la tour sonne l'heure à mon néant, m'a dit :
Ton cantique est fini; donne-le-moi, poète.
Je le réclame, a dit la forêt inquiète[8];
Et le doux pré fleuri m'a dit : Donne-le-moi.
La mer, en le voyant frémir, m'a dit : Pourquoi
Ne pas me le jeter, puisque c'est une voile!
C'est à moi qu'appartient cet hymne, a dit l'étoile.
Donne-le-nous, songeur, ont crié les grands vents.
Et les oiseaux m'ont dit : Vas-tu pas[9] aux vivants
Offrir ce livre, éclos si loin de leurs querelles?
Laisse-nous l'emporter dans nos nids sur nos ailes!

Mais le vent n'aura point mon livre, ô cieux profonds!
Ni la sauvage mer, livrée aux noirs typhons,
Ouvrant et refermant ses flots, âpres embûches;
Ni la verte forêt qu'emplit un bruit de ruches,
Ni l'église où le temps fait tourner son compas[10];
Le pré ne l'aura pas, l'astre ne l'aura pas,
L'oiseau ne l'aura pas, qu'il soit aigle ou colombe,
Les nids ne l'auront pas; je le donne à la tombe[11].

II

Autrefois, quand septembre en larmes revenait[12],
Je partais, je quittais tout ce qui me connaît,
Je m'évadais; Paris s'effaçait; rien, personne!
J'allais, je n'étais plus qu'une ombre qui frissonne,
Je fuyais, seul, sans voir, sans penser, sans parler,
Sachant bien que j'irais où je devais aller;
Hélas! je n'aurais pu même dire : Je souffre!
Et, comme subissant l'attraction d'un gouffre,
Que le chemin fût beau, pluvieux, froid, mauvais,
J'ignorais, je marchais devant moi, j'arrivais.
O souvenirs! ô forme horrible[13] des collines!
Et, pendant que la mère et la sœur, orphelines,
Pleuraient dans la maison, je cherchais le lieu noir
Avec l'avidité morne du désespoir;
Puis j'allais au champ triste à côté de l'église;
Tête nue, à pas lents, les cheveux dans la bise,
L'œil aux cieux[14], j'approchais; l'accablement soutient;
Les arbres murmuraient : C'est le père qui vient[15]!
Les ronces écartaient leurs branches desséchées;
Je marchais à travers les humbles croix penchées,
Disant je ne sais quels doux et funèbres mots;
Et je m'agenouillais au milieu des rameaux
Sur la pierre qu'on voit blanche dans la verdure.
Pourquoi donc dormais-tu d'une façon si dure,
Que tu n'entendais pas lorsque je t'appelais?

Et les pêcheurs passaient en traînant leurs filets,
Et disaient : Qu'est-ce donc que cet homme qui songe?
Et le jour, et le soir, et l'ombre qui s'allonge,
Et Vénus[16], qui pour moi jadis étincela,
Tout avait disparu que j'étais encor là.
J'étais là, suppliant celui qui nous exauce;
J'adorais, je laissais tomber sur cette fosse,
Hélas! où j'avais vu s'évanouir mes cieux,
Tout mon cœur goutte à goutte en pleurs silencieux;
J'effeuillais de la sauge et de la clématite;
Je me la rappelais quand elle était petite,
Quand elle m'apportait des lys et des jasmins,
Ou quand elle prenait ma plume dans ses mains,
Gaie, et riant d'avoir de l'encre à ses doigts roses;
Je respirais les fleurs sur cette cendre écloses[17],
Je fixais mon regard sur ces froids gazons verts,
Et par moments, ô Dieu, je voyais, à travers
La pierre du tombeau, comme une lueur d'âme[18]!

Oui, jadis, quand cette heure en deuil qui me réclame
Tintait dans le ciel triste et dans mon cœur saignant[19],
Rien ne me retenait, et j'allais; maintenant,
Hélas!... — O fleuve! ô bois! vallons dont je fus l'hôte,
Elle sait, n'est-ce pas? que ce n'est pas ma faute
Si, depuis ces quatre ans, pauvre cœur sans flambeau,
Je ne suis pas allé prier sur son tombeau!

III

Ainsi, ce noir chemin que je faisais, ce marbre
Que je contemplais, pâle, adossé contre un arbre,
Ce tombeau sur lequel mes pieds pouvaient marcher
La nuit, que je voyais lentement approcher,
Ces ifs, ce crépuscule avec ce cimetière,
Ces sanglots[20], qui du moins tombaient sur cette pierre
O mon Dieu, tout cela, c'était donc du bonheur[21]!

Dis, qu'as-tu fait pendant tout ce temps-là? — Seigneur,
Qu'a-t-elle fait? — Vois-tu la vie en vos demeures[22]?
A quelle horloge d'ombre as-tu compté les heures?
As-tu sans bruit parfois poussé l'autre endormi[23]?
Et t'es-tu, m'attendant, réveillée à demi?
T'es-tu, pâle, accoudée à l'obscure fenêtre
De l'infini, cherchant dans l'ombre à reconnaître
Un passant, à travers le noir cercueil mal joint,
Attentive, écoutant si tu n'entendais point
Quelqu'un marcher vers toi dans l'éternité sombre?
Et t'es-tu recouchée ainsi qu'un mât qui sombre[24],
En disant : Qu'est-ce donc? mon père ne vient pas!
Avez-vous tous les deux parlé de moi tout bas?

Que de fois j'ai choisi, tout mouillés de rosée,
Des lys dans mon jardin, des lys dans ma pensée[25]!
Que de fois j'ai cueilli de l'aubépine en fleur!
Que de fois j'ai, là-bas, cherché la tour d'Harfleur[26],
Murmurant : C'est demain que je pars! et, stupide,
Je calculais le vent et la voile rapide,
Puis ma main s'ouvrait triste, et je disais : Tout fuit!
Et le bouquet tombait, sinistre, dans la nuit!
Oh! que de fois, sentant qu'elle devait m'attendre,
J'ai pris ce que j'avais dans le cœur de plus tendre
Pour en charger quelqu'un qui passerait par là!

Lazare ouvrit les yeux quand Jésus l'appela[27];
Quand je lui parle, hélas! pourquoi les ferme-t-elle?
Où serait donc le mal quand de l'ombre mortelle[28]
L'amour violerait deux fois le noir secret,
Et quand, ce qu'un dieu fit, un père le ferait?

IV

Que ce livre, du moins, obscur message, arrive,
Murmure, à ce silence, et, flot, à cette rive!
Qu'il y tombe, sanglot, soupir, larme d'amour!
Qu'il entre en ce sépulcre où sont entrés un jour

Le baiser, la jeunesse, et l'aube, et la rosée,
Et le rire adoré de la fraîche épousée,
Et la joie, et mon cœur, qui n'est pas ressorti!
Qu'il soit le cri d'espoir qui n'a jamais menti,
Le chant du deuil, la voix du pâle[29] adieu qui pleure,
Le rêve dont on sent l'aile qui nous effleure!
Qu'elle dise : Quelqu'un est là; j'entends du bruit!
Qu'il soit comme le pas de mon âme en sa nuit!

Ce livre, légion[30] tournoyante et sans nombre
D'oiseaux blancs dans l'aurore et d'oiseaux noirs dans [l'ombre,
Ce vol de souvenirs fuyant à l'horizon,
Cet essaim que je lâche au seuil de ma prison,
Je vous le confie, air, souffles, nuée, espace!
Que ce fauve océan qui me parle à voix basse,
Lui soit clément, l'épargne et le laisse passer[31]!
Et que le vent ait soin de n'en rien disperser,
Et jusqu'au froid caveau fidèlement apporte
Ce don mystérieux de l'absent à la morte!

O Dieu! puisqu'en effet, dans ces sombres feuillets,
Dans ces strophes qu'au fond de vos cieux je cueillais,
Dans ces chants murmurés comme un épithalame
Pendant que vous tourniez les pages de mon âme,
Puisque j'ai, dans ce livre, enregistré mes jours,
Mes maux, mes deuils, mes cris dans les problèmes [sourds,
Mes amours, mes travaux, ma vie heure par heure;
Puisque vous ne voulez pas encor que je meure,
Et qu'il faut bien pourtant que j'aille lui parler;
Puisque je sens le vent de l'infini souffler
Sur ce livre qu'emplit l'orage et le mystère;
Puisque j'ai versé là toutes vos ombres, terre,
Humanité, douleur, dont je suis le passant;
Puisque de mon esprit, de mon cœur, de mon sang,
J'ai fait l'âcre[32] parfum de ces versets funèbres,
Va-t'en, livre, à l'azur, à travers les ténèbres[33]!

Fuis vers la brume où tout à pas lents est conduit!
Oui, qu'il vole à la fosse, à la tombe, à la nuit,
Comme une feuille d'arbre ou comme une âme
[d'homme[34]!
Qu'il roule au gouffre où va tout ce que la voix nomme!
Qu'il tombe au plus profond du sépulcre hagard,
A côté d'elle, ô mort! et que, là, le regard[35],
Près de l'ange qui dort, lumineux et sublime,
Le voie épanoui, sombre fleur de l'abîme!

V

O doux commencements d'azur qui me trompiez!
O bonheurs! je vous ai durement expiés;
J'ai le droit aujourd'hui d'être, quand la nuit tombe,
Un de ceux qui se font écouter de la tombe,
Et qui font, en parlant aux morts blêmes et seuls,
Remuer lentement les plis noirs des linceuls,
Et dont la parole, âpre ou tendre, émeut les pierres,
Les grains dans les sillons, les ombres dans les bières,
La vague et la nuée, et devient une voix
De la nature, ainsi que la rumeur des bois.
Car voilà, n'est-ce pas, tombeaux? bien des années,
Que je marche au milieu des croix infortunées[36],
Échevelé parmi les ifs et les cyprès,
L'âme au bord de la nuit, et m'approchant tout près;
Et quc je vais, courbé sur le cercueil austère,
Questionnant le plomb, les clous, le ver de terre
Qui pour moi sort des yeux de la tête de mort,
Le squelette qui rit, le squclette qui mord,
Les mains aux doigts noueux, les crânes, les poussières,
Et les os des genoux qui savent des prières!

Hélas! j'ai fouillé tout. J'ai voulu voir le fond,
Pourquoi le mal en nous avec le bien se fond,
J'ai voulu le savoir. J'ai dit : Que faut-il croire?
J'ai creusé la lumière, et l'aurore, et la gloire,

L'enfant joyeux, la vierge et sa chaste frayeur,
Et l'amour, et la vie, et l'âme, — fossoyeur.

Qu'ai-je appris? J'ai, pensif, tout saisi sans rien prendre;
J'ai vu beaucoup de nuit et fait beaucoup de cendre.
Qui sommes-nous? que veut dire ce mot : Toujours?
J'ai tout enseveli, songes, espoirs, amours,
Dans la fosse que j'ai creusée en ma poitrine.
Qui donc a la science[37]? où donc est la doctrine?
Oh! que ne suis-je encor le rêveur d'autrefois[38],
Qui s'égarait dans l'herbe, et les prés, et les bois,
Qui marchait souriant, le soir, quand le ciel brille,
Tenant la main petite et blanche de sa fille,
Et qui, joyeux, laissant luire le firmament,
Laissant l'enfant parler, se sentait lentement
Emplir de cet azur et de cette innocence!

Entre Dieu qui flamboie et l'ange qui l'encense[39],
J'ai vécu, j'ai lutté, sans crainte, sans remord.
Puis ma porte soudain s'ouvrit devant la mort,
Cette visite brusque et terrible de l'ombre.
Tu passes en laissant le vide et le décombre,
O spectre! tu saisis mon ange et tu frappas.
Un tombeau fut dès lors le but de tous mes pas.

VI

Je ne puis plus[40] reprendre aujourd'hui dans la plaine
Mon sentier d'autrefois qui descend vers la Seine;
Je ne puis plus aller où j'allais; je ne puis,
Pareil à la laveuse assise au bord du puits[41],
Que m'accouder au mur de l'éternel abîme;
Paris m'est éclipsé par l'énorme Solime[42];
La haute Notre-Dame[43] à présent, qui me luit,
C'est l'ombre ayant deux tours, le silence et la nuit,
Et laissant des clartés trouer ses fatals voiles[44];
Et je vois sur mon front un panthéon[45] d'étoiles;

Si j'appelle Rouen, Villequier, Caudebec,
Toute l'ombre me crie : Horeb, Cédron, Balbeck[46]!
Et, si je pars, m'arrête à la première lieue[47],
Et me dit : Tourne-toi vers l'immensité bleue!
Et me dit : Les chemins où tu marchais sont clos.
Penche-toi sur les nuits, sur les vents, sur les flots!
A quoi penses-tu donc? que fais-tu, solitaire?
Crois-tu donc sous tes pieds avoir encor la terre?
Où vas-tu de la sorte et machinalement?
O songeur! penche-toi sur l'être et l'élément!
Écoute la rumeur des âmes dans les ondes!
Contemple, s'il te faut de la cendre, les mondes;
Cherche au moins la poussière immense, si tu veux
Mêler de la poussière à tes sombres cheveux,
Et regarde, en dehors de ton propre martyre,
Le grand néant, si c'est le néant qui t'attire!
Sois tout à ces soleils où tu remonteras!
Laisse là ton vil coin de terre. Tends les bras,
O proscrit de l'azur, vers les astres patries[48]!
Revois-y refleurir tes aurores flétries;
Deviens le grand œil fixe ouvert sur le grand tout[49].
Penche-toi sur l'énigme où l'être se dissout,
Sur tout ce qui naît, vit, marche, s'éteint, succombe,
Sur tout le genre humain et sur toute la tombe!

Mais[50] mon cœur toujours saigne et du même côté.
C'est en vain que les cieux, les nuits, l'éternité,
Veulent distraire une âme et calmer un atome.
Tout l'éblouissement des lumières du dôme
M'ôte-t-il une larme? Ah! l'étendue a beau
Me parler, me montrer l'universel tombeau,
Les soirs sereins, les bois rêveurs, la lune amie[51];
J'écoute, et je reviens à la douce endormie.

VII

Des fleurs! oh! si j'avais des fleurs! si je pouvais
Aller semer des lys sur ces deux froids chevets!

Si je pouvais couvrir de fleurs mon ange pâle[52]!
Les fleurs sont l'or, l'azur, l'émeraude, l'opale!
Le cercueil au milieu des fleurs veut se coucher;
Les fleurs aiment la mort, et Dieu les fait toucher
Par leur racine aux os, par leur parfum aux âmes!
Puisque je ne le puis, aux lieux que nous aimâmes,
Puisque Dieu ne veut pas nous laisser revenir,
Puisqu'il nous fait lâcher ce qu'on croyait tenir,
Puisque le froid destin, dans ma geôle profonde,
Sur la première porte en scelle une seconde,
Et, sur le père triste et sur l'enfant qui dort,
Ferme l'exil après avoir fermé la mort,
Puisqu'il est impossible à présent que je jette
Même un brin de bruyère à sa fosse muette,
C'est bien le moins qu'elle ait mon âme, n'est-ce pas?
O vent noir dont j'entends sur mon plafond le pas!
Tempête, hiver, qui bats ma vitre de ta grêle!
Mers, nuits! et je l'ai mise en ce livre pour elle!

Prends ce livre; et dis-toi : Ceci vient du vivant[53]
Que nous avons laissé derrière nous, rêvant.
Prends. Et quoique de loin, reconnais ma voix, âme!
Oh! ta cendre est le lit de mon reste de flamme;
Ta tombe est mon espoir, ma charité, ma foi;
Ton linceul toujours flotte entre la vie et moi.
Prends ce livre[54], et fais-en sortir un divin psaume[55]!
Qu'entre tes vagues mains il devienne fantôme[56]!
Qu'il blanchisse, pareil à l'aube qui pâlit[57],
A mesure que l'œil de mon ange le lit,
Et qu'il s'évanouisse, et flotte, et disparaisse[58],
Ainsi qu'un âtre[59] obscur qu'un souffle errant caresse,
Ainsi qu'une lueur qu'on voit passer le soir,
Ainsi qu'un tourbillon de feu de l'encensoir,
Et que, sous ton regard éblouissant et sombre,
Chaque page s'en aille en étoiles dans l'ombre[60]!

VIII

Oh! quoi que nous fassions et quoi que nous disions[61],
Soit que notre âme plane au vent des visions,
Soit qu'elle se cramponne à l'argile natale,
Toujours nous arrivons à ta grotte fatale,
Gethsémani, qu'éclaire une vague lueur!
O rocher de l'étrange et funèbre sueur!
Cave[62] où l'esprit combat le destin! ouverture
Sur les profonds effrois de la sombre nature!
Antre d'où le lion sort rêveur, en voyant
Quelqu'un de plus sinistre et de plus effrayant,
La douleur, entrer, pâle, amère, échevelée!
O chute! asile! ô seuil de la trouble vallée
D'où nous apercevons nos ans fuyants et courts,
Nos propres pas marqués dans la fange des jours,
L'échelle où le mal pèse et monte, spectre louche[63],
L'âpre frémissement de la palme farouche,
Les degrés noirs tirant en bas les blancs degrés,
Et les frissons aux fronts des anges effarés!

Toujours nous arrivons à cette solitude,
Et, là, nous nous taisons, sentant la plénitude[64]!

Paix à l'Ombre! Dormez! dormez! dormez! dormez!
Êtres, groupes confus lentement transformés!
Dormez, les champs! dormez, les fleurs! dormez, les [tombes!
Toits, murs, seuils des maisons, pierres des catacombes,
Feuilles au fond des bois, plumes au fond des nids,
Dormez! dormez, brins d'herbe, et dormez, infinis!
Calmez-vous, forêts, chêne, érable, frêne, yeuse!
Silence sur la grande horreur religieuse[65],
Sur l'Océan qui lutte et qui ronge son mors,
Et sur l'apaisement insondable des morts[66]!
Paix à l'obscurité muette et redoutée!
Paix au doute effrayant, à l'immense ombre athée[67],

A toi, nature, cercle et centre, âme et milieu,
Fourmillement de tout, solitude de Dieu[68]!
O générations aux brumeuses haleines,
Reposez-vous! pas noirs qui marchez dans les plaines!
Dormez, vous qui saignez; dormez, vous qui pleurez!
Douleurs, douleurs, douleurs, fermez vos yeux sacrés!
Tout est religion et rien n'est imposture[69].
Que sur toute existence et toute créature,
Vivant du souffle humain ou du souffle animal,
Debout au seuil du bien, croulante au bord du mal,
Tendre ou farouche, immonde ou splendide, humble ou
[grande,
La vaste paix des cieux de toutes parts descende!
Que les enfers dormants rêvent les paradis!
Assoupissez-vous, flots, mers, vents, âmes, tandis
Qu'[70]assis[71] sur la montagne en présence de l'Être,
Précipice où l'on voit pêle-mêle apparaître
Les créations, l'astre et l'homme, les essieux
De ces chars de soleils que nous nommons les cieux
Les globes, fruits vermeils des divines ramées,
Les comètes d'argent dans un champ noir semées,
Larmes blanches du drap mortuaire des nuits,
Les chaos, les hivers, ces lugubres ennuis,
Pâle, ivre d'ignorance, ébloui de ténèbres[72],
Voyant dans l'infini s'écrire des algèbres,
Le contemplateur, triste et meurtri, mais serein[73],
Mesure le problème aux murailles d'airain[74],
Cherche à distinguer l'aube à travers les prodiges[75],
Se penche, frémissant, au puits des grands vertiges[76]
Suit de l'œil des blancheurs qui passent, alcyons,
Et regarde, pensif, s'étoiler[77] de rayons,
De clartés, de lueurs, vaguement enflammées,
Le gouffre monstrueux plein d'énormes fumées[78].

Guernesey, 2 novembre 1855, jour des morts.

NOTES

NOTE PRÉLIMINAIRE

Les Contemplations, chef-d'œuvre lyrique de V. Hugo, ont à ce titre été l'objet de maints commentaires : à l'édition critique en trois volumes de J. Vianey, aux trois fascicules de R. Journet et G. Robert, à la récente édition de J. Seebacher dans la Bibliothèque de Cluny (en attendant celle de P. Albouy dans la Bibliothèque de la Pléiade), si l'on ajoute les notes innombrables jointes aux extraits à l'usage des classes (les *Œuvres choisies* de Victor Hugo par P. Moreau et J. Boudout méritent une mention particulière), les précieuses gloses que recèlent les thèses monumentales de J.-B. Barrère et de P. Albouy, sans parler d'une profusion d'articles, de comptes rendus et d'essais, celui qui prétend procurer une édition nouvelle se trouve, plus perplexe que Jean Valjean, aux prises avec une tempête sous son crâne. Peut-il se contenter d'ajouter quelques remarques, quelques trouvailles personnelles à cette masse de commentaires? de rectifier tel renseignement, telle interprétation erronés? Peut-il, avec l'aide d'autrui, faire la somme de toutes les connaissances acquises sur le sujet?

En raison de la diversité même de l'inspiration et des moyens d'expression qui caractérise cette œuvre, j'ai pris le parti de donner la plus grande place possible à l'annotation et d'étudier systématiquement chaque poème : circonstances de sa genèse, rapports avec les œuvres contemporaines de Hugo, avec les procès-verbaux des séances de spiritisme, justification de la date fictive, de la place dans le recueil, explication des allusions, rapprochements avec d'autres vers du poète, recherche des sources, analyse de la structure, des thèmes, des procédés... Cependant, malgré le volume insolite des notes, j'ai dû sacrifier une grande partie de cette documentation, et, tenant compte de la qualité des lecteurs à laquelle est destinée la nouvelle édition des Classiques Garnier, j'ai évité tout excès d'érudition.

Les spécialistes devront donc se reporter aux études antérieures :

1° L'édition Vianey est à consulter pour l'histoire de la publication des *Contemplations* et la revue de presse.

2° Les trois fascicules de Journet et Robert :

a) *Le Manuscrit des Contemplations* contient un relevé exhaustif des variantes du manuscrit, et sous forme d'appendice, une reprise plus strictement stylistique du travail de R. Glotz, *Essai sur la psychologie des variantes des Contemplations;*

b) *Les Notes sur les Contemplations* sont suivies d'un index irremplaçable pour toute étude de vocabulaire et de thématique. Ce fascicule contient également une table des notes concernant les faits de grammaire, de style et de versification, indispensable pour une étude stylistique;

c) *Autour des Contemplations* constitue le corpus des plans et ébauches des *Contemplations,* et offre en outre un relevé des variantes des diverses éditions qui, on le sait, présentent peu d'intérêt, puisque le texte de ces rééditions n'a pas été revu par le poète.

3° L'édition procurée par J. Seebacher contient une chronologie de la vie et de l'œuvre de Hugo qui offre l'état présent des recherches, en attendant l'établissement du « calendrier » de V. Hugo et la nouvelle édition de la *Correspondance.*

4° La première section du second volume de la thèse de J.-B. Barrère, *la Fantaisie de Victor Hugo,* retrace en détail la vie intérieure du poète pendant le séjour à Jersey avec plus de précision et de nuance que l'Introduction de l'édition Vianey.

Comme Vianey, je suis resté fidèle à la première édition parisienne.

Selon l'usage de la Collection, j'ai fait un choix des variantes. Celles-ci, étant le plus souvent l'objet d'un commentaire esthétique, ont été insérées dans les notes.

Pour *les Mages,* les strophes ont été numérotées.

ABRÉVIATIONS UTILISÉES DANS LES NOTES

A. G. P. = *Art d'être Grand-père.*
O. B. = *Odes et Ballades.*
O. = *Orientales.*
F. A. = *Feuilles d'automne.*
C. C. = *Chants du crépuscule.*
V. I. = *Voix intérieures.*
R. *O.* = *Rayons et Ombres.*
Ch. = *Châtiments.*
C. ou *Cont.* = *Contemplations.*
L. S. = *Légende des siècles.*
C. R. B. = *Chansons des Rues et des Bois.*
4V. = *Quatre Vents de l'Esprit.*
T. L. = *Toute la lyre.*
D. G. = *Dernière Gerbe.*
Cor. = *Correspondance.*
W. S. = *William Shakespeare.*
Fant. = *la Fantaisie de Victor Hugo.*
V. = Vianey.
ms. = manuscrit.
vol. = volume.
v. = vers.
J.-R. = Journet et Robert.
ad. marg. = addition marginale.
I. N. = édition de l'Imprimerie Nationale.
cor. = correction.

N. B. Conformément aux principes de la Collection, l'orthographe et la ponctuation ont été modernisées dans les cas où l'usage du XIXe siècle diffère du nôtre (par ex. : poète au lieu de poëte).

NOTE SUR LE TITRE

Le titre *Contemplations* rime avec de nombreux titres du XIXe siècle *Méditations* (Lamartine) ; *Consolations* (Sainte-Beuve) ; *Élévations* (Vigny) ; *Illuminations* (Rimbaud) ; *Divagations* (Mallarmé).

Les érudits nous apprennent que Lamartine avait songé à ce titre avant d'adopter celui qui le rendit célèbre, et que deux illustres inconnus, au moins, avaient publié avant Hugo un recueil de vers ainsi intitulé.

Le poète des *Contemplations* est l'héritier de Rousseau et de George Sand. Entre les deux éditions de *Lélia,* celle-ci fit paraître dans la *Revue des Deux Mondes,* sous le titre *Contemplation,* le chapitre LVIII de la deuxième version, admirable évocation d'un lever de soleil, suivie d'une méditation lyrique.

Ce titre convient parfaitement au recueil de Hugo. Puisque son adoption remonte aux environs de 1840, nous citerons ici deux textes particulièrement suggestifs. Des bords du Rhin, le 10 septembre 1840, Hugo envoya à Léopoldine un lavis, « Ce que je vois de ma fenêtre ». Sous le dessin se lit cette inscription au crayon : « L'âme des poètes n'a que deux attitudes : contempler et prier. Quand leur pensée ne plane pas, elle s'agenouille. Et tous les sentiments humains sont là ; la contemplation contient la joie ; la prière contient la tristesse ; la prière et la contemplation contiennent l'amour. »

Sur une convocation de l'Académie du 3 octobre 1843 (donc moins d'un mois après le drame de Villequier), Hugo a écrit cette note (ms. 24.793) : « L'âme existe et la preuve c'est que nous contemplons la création et que nous contemplons le créateur. » *Les Contemplations* prouvent l'existence de l'âme.

En dehors du titre, le substantif *contemplation* est employé trois fois dans le recueil ; le substantif *contemplateur,* deux fois ; le verbe *contempler,* trente-deux fois. P. Moreau a analysé finement le concept dans *les Contemplations ou le Temps retrouvé.* Pourquoi affirmer cependant : « La contemplation est... un regard, mais un regard tourné vers l'intérieur ? » Comment ne pas citer en guise de réponse le couplet de Péguy dans le *Dialogue de l'histoire et de l'âme païenne :* « Lui, il portait ses deux yeux, les yeux aux lourdes paupières, aux deux poches dessous, les yeux sinon les plus profonds, du moins les plus profondément voyants qui se soient jamais ouverts sur le monde charnel, — qui sur la création se soient jamais posés. » L'infini dans les cieux, l'infini des mers, l'infini de l'âme sont les objets privilégiés de la contemplation ; mais le regard de Hugo se pose sur tout. Comme Gœthe distingue trois formes de vénération (dans la « Province pédagogique » de *Wilhelm Meister*), Hugo joint à la vénération pour ce qui est au-dessus de nous, à la vénération pour ce qui est à notre niveau, la vénération pour ce qui est au-dessous de nous, et qui implique non seulement de « reconnaître les souffrances et la mort comme quelque chose de divin », mais même de vénérer ce qui est un objet de rebut, de haine ou d'épouvante.

La contemplation m'emplit le cœur d'amour,

proclame Hugo.

Parce que tout est plein d'âmes, tout dans la création est apte à contempler. C'est pourquoi tout aboutit à des échanges de regards. Hugo étant toujours plus complexe qu'on ne dit, la pratique de la contemplation, le passage de la contemplation à la méditation, tels qu'on peut les définir d'après *Saturne, Magnitudo parvi, A celle qui est restée en France,* se révèlent d'une grande subtilité. Que l'on se reporte donc aux commentaires de ces pièces. Notons ici que si Dieu voit dès qu'il regarde, le poète ne devient voyant qu'au prix d'un effort ; la contemplation est un exercice qui se prolonge ; elle exige du temps, la fixité du regard ; elle provoque dans l'âme vertige et effroi, mais elle apporte la sérénité, lorsqu'elle se métamorphose en extase, lors donc qu'elle atteint son point de perfection, car elle a pour fin de mener le poète par-delà une apparence, par-delà un seuil. En même temps qu'elle prouve l'existence de l'âme, elle révèle en s'y conformant le principe de toute vie spirituelle : Si le grain ne meurt... Il faut ne plus voir les choses pour voir Dieu ; il faut que l'œil du corps s'éteigne, pour que l'œil de l'esprit s'allume.

Remarquons enfin, encore que les distinguos multipliés par Hugo (contemplation et prière, contemplation et pensée, contemplation et rêve, rêve et songe) ne soient pas aisés à accorder, que la contemplation est le propre du voyant et que le voyant s'oppose au penseur, mais que, selon une note d'*Océan,* « il y a eu des hommes comme Orphée et Moïse, en qui le penseur était doublé du voyant ». Hugo évidemment se rangeait parmi eux.

P. 3. PRÉFACE

1. *Dates :* ms. Guernesey.
vol. Guernesey, mars 1856.

C'est le 31 octobre 1855 que Hugo quitte Jersey. Il datera de Guernesey et l'épilogue du recueil et la préface, celle-ci étant censée écrite au dernier moment. Mais dès le 2 septembre 1855 on lit dans une lettre de Hugo à Janin : « *Les Contemplations,* comme je le dis dans la préface, pourraient être intitulées *Mémoires.* C'est toute ma vie, vingt-cinq ans, *grande mortalis aevi spatium,* comme dit Tacite, racontés et exprimés par le côté intime et avec l'espèce de réalité qu'admet le vers. »
Le 14 janvier 1855, il avait ajouté en *post-scriptum* à une lettre à É. Deschanel : « Ce sera un livre à part que ces *Contemplations.* Si jamais il y aura eu un miroir d'âme, ce sera ce livre-là. »
Que Hugo ait longtemps réfléchi à ce qu'il voulait faire, ressassant idées et images, la chose va de soi. Mais la lettre à Janin semble bien indiquer que la préface était rédigée avant le départ de Jersey.

Grande mortalis aevi spatium : espace considérable de la vie humaine, selon la traduction de Sainte-Beuve (*Chateaubriand et son groupe littéraire,* Première leçon), ou longue partie de la vie humaine, selon la traduction de Chateaubriand (*Vie de Rancé,* Avertissement). L'expression de Tacite figure dans la *Vie d'Agricola* (III), où elle ne s'applique qu'à une durée de quinze ans. Hugo était grand lecteur de Tacite, mais il est tentant de penser qu'il s'est rappelé ce mot parce que celui qui voulait « être Chateaubriand ou rien » avait une fois de plus Chateaubriand présent à l'esprit (Sainte-Beuve lui-même ne note-t-il pas que « le mot n'a retenti pour tous que depuis que le grand Écho l'a répété »). Il est évident que lorsque Hugo écrit que *les Contemplations* pourraient être intitulées *Mémoires* ou que « le livre doit être lu comme on lirait le livre d'un mort », il songe aux *Mémoires d'outre-tombe.*
Une variante de la *Préface* n'en pose pas moins une difficulté. Hugo avait écrit au début du quatrième paragraphe : « Ce sont en effet tou*tes* les mémoires vagues, rian*tes* ou funèbres, que peut contenir une conscience, reven*ues* et rappel*ées* rayon à rayon... » Dans sa *Fantaisie de V. Hugo* (II, 99), J.-B. Barrère s'autorise de cette variante pour conclure que dans l'expression *Mémoires d'une âme* (Hugo) « entendait le mot mémoires primitivement au féminin et sans capitale »; et il ajoute : « Beaucoup moins défini qu'une autobiographie en vers suggérée par le mot *Mémoires,* c'est plutôt, comme Hugo l'écrit peu après à É. Deschanel, « un miroir d'âme », les reflets d'une vie dans sa mémoire, les réflexions du monde changeant dans une sensibilité qui elle-même se modifie avec l'âge ». Il est difficile de partager ce point de vue (ni P. Moreau ni J. Seebacher ne le font) : *mémoire* au sens de souvenir ne s'em-

ploie pas couramment au féminin pluriel; même si Hugo l'emploie ainsi dans la phrase rejetée, il ne s'ensuit pas que *mémoires* dans *mémoires d'une âme* soit aussi au féminin; le fait que Hugo ait corrigé sa phrase invite aussi bien à conclure qu'il n'a pas voulu employer à quelques lignes d'intervalle le mot *mémoires* dans deux genres différents. En outre, il n'est pas nécessaire d'entendre « autobiographie en vers » dans un sens rigide.

Pour ma part, je mettrai l'accent sur le mot *âme,* qui est un mot-clé de Hugo. En 1821 (il avait dix-neuf ans), il écrivait à la Fiancée : « Adèle, la poésie, c'est l'âme, le génie, c'est l'âme, ce qu'on appelle *mon talent* n'est autre chose que *mon âme...* » Il n'est pas abusif de prétendre et qu'il songeait au précédent de Chateaubriand et qu'il était résolu à faire autre chose. Quoi? Précisément : les Mémoires d'une *âme*. Son livre retracera donc un itinéraire spirituel.

On ne peut reprocher au préfacier de juxtaposer des métaphores incohérentes : le lecteur est tenté cependant de s'attacher selon son propre tempérament soit à l'image du *miroir* formé de l'eau profonde et triste amassée au fond d'une âme, soit au rappel et au retour des *fantômes,* mêlés dans la même nuée sombre, soit au *Soul's progress.*

J.-R. observent curieusement que la première série d'images se lie à l'expérience amoureuse de Hugo. En février 1838, Hugo écrivait à Juliette au sujet des lettres mêmes de sa bien-aimée : « Notre *vie* est là, *déposée* jour par jour, pensée par pensée : tout ce que tu as rêvé est là. Tout ce que tu as souffert est là. Ce sont surtout de petits *miroirs* charmants dont chacun reflète un côté de ta belle *âme.* »

Plus inquiétante est l'incohérence de Hugo lorsqu'il veut traduire en image la structure de son livre. En effet, il montre à la fois que ce livre est en deux parties, qu'à *Autrefois* s'oppose *Aujourd'hui,* au berceau le cercueil, à l'espérance le deuil, à la Foule la Solitude; il se plaît à séparer les deux parties par un abîme. Mais en même temps il esquisse une dialectique à trois temps : le sourire — le sanglot — le bruit du clairon de l'abîme; ou encore : l'agitation de la vie — le repos du sacrifice — la contemplation; ou encore, et c'est là sans doute la véritable structure de l'œuvre : la lumière et la joie — l'invasion de l'ombre — l'azur d'une vie meilleure; autrement dit la vie — la mort — la renaissance. Plus qu'une vision antithétique, donc tragique, du monde, c'est une vision dialectique, donc progressiste et optimiste, qui caractérise Hugo.

La seconde partie de la préface développe une idée que l'on peut juger banale, mais qu'il est bon de rappeler, ne serait-ce que pour souligner le sectarisme des critiques qui condamnaient chez les romantiques, et Hugo en particulier, l'hypertrophie du Moi. Hugo a toujours pensé, comme le prouvent, avant même cette préface, celle des *Chants du crépuscule* et celle des *Rayons et des Ombres* que son *individualité* n'offrait d'intérêt que dans la mesure où elle était « un reflet de ce qui est général ». Ainsi à l'opposé de Rousseau qui s'acharnait à montrer qu'il n'était pas un homme comme les autres, le grand romantique proclame que la destinée est une, que tous les hommes ont la même histoire.

Dans *Autour des Contemplations* (p. 25), J.-R. reproduisent un fragment de préface pour *les Contemplations d'Olympio,* qu'ils datent de la période 1840-1845. « Il vient une certaine heure dans la vie où, l'horizon s'agrandissant sans cesse, un homme se sent trop petit pour continuer de parler en son nom. Il crée alors, poète, philosophe ou penseur, une figure dans laquelle il se personnifie et s'incarne, c'est encore l'homme, mais ce n'est plus le moi. »

J.-R. ont tort, semble-t-il, de retrouver là un des thèmes essentiels de la préface de 1856 : « Ah! insensé... » De bonne heure, certes, Hugo avait formulé en un vers blanc l'idée-mère de la préface de 1856 :

> Chacun trouve son moi dans le moi d'un poète;

mais dans le fragment reproduit s'exprime une idée différente, et à mon sens, plus riche et plus juste : Olympio est le moi *personnifié*. Hugo l'a écartée, préférant citer Térence et se rallier au lieu commun classique : *Homo sum*. Il est permis de le regretter.

Dans *les Contemplations,* Hugo continue de parler en son nom peut-être parce qu'il a découvert qu'Olympio ne suffisait pas à personnifier son moi : d'où la note fameuse :

> Mon moi se décompose en Olympio : la lyre.
> Herman : l'amour.
> Maglia : le rire.
> Hierro : le combat.

Alors il a fait de sa destinée un mythe dont il est le héros, et qui, comme tout mythe, a pour autrui une valeur d'archétype.

On peut appliquer à cette œuvre lyrique ce que le romancier dira plus tard de *l'Homme qui rit :* « Dans l'intention de l'auteur, ce livre est un drame, le drame de l'Ame. »

Le 27 novembre 1856, Hugo écrivait à Hetzel : « Je suis content que la préface vous aille. Elle dit en effet avec simplicité le livre. La dernière partie (qui est la principale, VIe livre) y est indiquée, et, je crois, expliquée d'un mot : clairon de l'abîme. C'est en effet là le fin de mon âme... »

. 5. UN JOUR, JE VIS...

Dates : ms. 15 juin 1839.
vol. juin 1839.

Ainsi, longtemps avant l'exil, Hugo a adopté la manière apocalyptique (je vis... j'entendis une voix), qui se retrouve du reste dans d'autres poèmes de cette époque : *Caeruleum mare* (*R. O.*, 25 mars 1839) et *Saturne* (*C.*, 30 avril 1839). Longtemps avant l'exil il se présente comme « un somnambule de la mer ». Sainte-Beuve s'était

montré bon prophète, lorsqu'il avait écrit dans la dédicace de *Consolations* (1830) : « Quand vous avez eu assez pleuré, vous vou êtes retiré à Patmos avec votre aigle, et vous avez vu clair dans le plus effrayants symboles. »
Extase, pièce célèbre des *Orientales,* a été rapprochée de ce poème mais en dépit de la reprise : « C'est le Seigneur... », le mouvemen n'est pas le même :

Et les étoiles d'or... disaient...
Et les flots bleus... disaient :
C'est le Seigneur, le Seigneur Dieu.

En revanche, *la Pente de la Rêverie* (*F. A.*, XXIX), ce poèm capital selon Baudelaire, offre déjà l'assimilation de l'homme à u navire :

Oh! cette double mer du temps et de l'espace
Où le navire humain toujours passe et repasse...

L'étude chronologique des *C.* prouve que dans des poèmes écrit à des dates voisines, Hugo reprend les mêmes images, si différer que soit le contexte. Le 15 mai 1839, l'image du vaisseau avait ét développée dans *Lettre* (II, VI, v. 36-44).
Dans les *Cahiers de l'Association internationale des Études française* (juillet 1954, nº 6, pp. 86-89), et dans *l'Œuvre et ses techniques* (pp. 10 105), G. Michaud a commenté ce poème, en le comparant a poème des *Fleurs du mal, la Musique.* Son but est de démontrer qu « le Symbolisme a en fait renouvelé et transformé la matière poé tique ». Pour rendre évident l'apport réel du Symbolisme, il su dans son évolution le traitement d'une image, celle du navire.
« C'est comme une recette, dit-il, du poème hugolien : la cuisir poétique se fait ici au grand jour. D'abord une perception : le navir image sur la rétine du poète. Puis le passage explicite du visib à l'invisible, de la nature au surnaturel : « Une voix dont mes yeu « Ne voyaient pas la bouche. » Puis une analyse sur le mode lyriqu soit, mais une analyse quand même de l'état poétique : « Tu rêv « près des ondes », et de l'acte poétique : « Poète, tu *fais* bien. « Tu tires des mers bien des choses... », cet acte consistant, par rêve, à extraire de la réalité sa signification profonde. — Applic tion : signification cachée et symbolique de l'univers, mais sous forme d'une comparaison très explicite, répétée avec une insistan qui ne laisse guère de champ à la rêverie du lecteur et qui, malg les qualités lyriques et rythmiques du poème, ne lui confè qu'un bien faible pouvoir de suggestion. »
Suit un commentaire enthousiaste de *la Musique,* où Baudelai est loué d'avoir retardé l'apparition du mot « vaisseau » jusqu'a dixième vers. « En retardant son apparition, le poète a conféré à métaphore, un pouvoir de suggestion considérablement accru, sug

gestion grâce à laquelle l'image du navire s'agrandit aux dimensions d'un symbole. »

Il paraît naïf de louer Baudelaire, parce qu'il ne « nomme » pas le vaisseau avant le vers 10, alors qu'il a employé auparavant l'expression technique « mettre à la voile ». Quant au commentaire de notre poème, faut-il en souligner la partialité? Mais il est bon que dès le début du recueil, le lecteur se pose le problème esthétique : en quoi consiste l'art de la suggestion dans la poétique hugolienne? La pièce datant de 1839, le lecteur devra se demander en outre si de 1839 à 1855, l'art de Hugo ne s'est pas enrichi ou nuancé. Le fait d'avoir choisi pour abaisser Hugo un poème de 1839, dans un recueil publié un an avant *les Fleurs du mal,* révèle d'une autre manière la mauvaise foi de la critique hugophobe.

Il y a dans la poétique de Hugo, selon le distinguo proposé par J.-L. Austin, *symbolique* (cf. le témoignage de Sainte-Beuve cité plus haut, et le jugement même de G. Michaud) et *symbolisme.* Ce symbolisme, pour le critique hugophobe, « ne laisse guère de champ à la rêverie du lecteur ».

Le critique sans parti pris est non seulement sensible à la manière apocalyptique, mais il découvre des effets poétiques qui ne s'expliquent pas seulement par l'imitation de la Bible.

2. Il admirera le pouvoir de suggestion de l'expression hardie « enveloppé de vents, de vagues et d'étoiles », en raison de l'hétérogénéité des compléments rattachés au seul participe « enveloppé », ce participe passé s'opposant en outre au participe présent : « gonflant ».

3. Il admirera le pouvoir de suggestion de la tournure négative : « une voix dont mes yeux / Ne voyaient pas la bouche », inspirée par *les Actes des Apôtres,* IX, 7 : « entendant bien la voix, mais ne voyant personne ».

4. Il admirera le pouvoir de suggestion des expressions vagues : l'*autre* abîme, tu *fais bien,* bien *des choses,* au prosaïsme insolent et qui se lie avec bonheur à l'image de la pêche proposée avec une discrétion louable et à l'ambiguïté de l'épithète « profondes ».

5. Il admirera le pouvoir de suggestion de la répétition « C'est le Seigneur » qui n'est pas un effet oratoire, mais la traduction expressive de l'extase.

6. Il admirera le pouvoir de suggestion de l'antithèse finale, si puissante dans sa sobriété. Le tête à tête de l'homme et du Seigneur s'évoque avec une force extraordinaire, puisque le Seigneur est partout, et que l'homme n'est qu'un point mobile et minuscule. Et la Voix qui parle à l'oreille est d'autant plus troublante qu'elle est à la fois mystérieuse et familière.

Ce poème apocalyptique n'en présente pas moins une composition rigoureuse : les trois éléments de la première strophe : vents, vagues, étoiles, sont repris dans la quatrième : mer, vent, astre. Le vent, qui est aussi le souffle, apparaît comme le moyen terme entre les deux abîmes.

Dans la thématique du recueil, la mer, les étoiles et le vent occupent la première place. Le poème liminaire justifie cette place privilégiée : les trois éléments symbolisent mieux que tout autre le Seigneur, et ils enveloppent l'homme. Un lien entre l'aventure humaine et Dieu est suggéré dès l'abord.
C'est donc avec raison que Hugo a choisi cette pièce ancienne comme poème liminaire.
Un point reste énigmatique : Pourquoi en 1840, Hugo, rassemblant les poèmes des *Rayons et les Ombres,* n'a-t-il pas retenu cette pièce?

LIVRE PREMIER

AURORE

P. 9. I, 1. A MA FILLE

1. *Dates :* ms. 5 juin 1839. Pièce écrite dix jours avant le poème liminaire annoncé par les deux vers :

> Dieu nous éclaire, à chacun de nos pas,
> Sur ce qu'il est et sur ce que nous sommes;

et trois jours après la pièce XXXIX des *R. O., A L.,* fort proche de celle-ci par le thème, le ton et le rythme (décasyllabe).
vol. Paris, octobre 1842. Hugo a-t-il voulu rapprocher le poème de l'époque du mariage de sa fille?
Après le poème liminaire où l'homme est mis en présence du Seigneur, le premier poème comme le dernier est une adresse du père à sa fille. Il lui enseigne ici la résignation, le pieux conformisme à la loi sainte, le commandement d'amour. Le poème liminaire résumait la métaphysique du recueil, celui-ci en résume la morale : la Pitié suprême.

2. Ce thème de la retraite est un lieu commun romantique. Hugo allait le reprendre en mai 1840 dans la préface des *R. O.* et en 184 dans V, XIX, 5 (dans mon humble retraite).
3. Souvenir biblique : *Job,* VIII, 9, et *Ps.,* CXLIII, 5.
4. *Peu de chose* à rapprocher de *bien des choses* dans la pièce précédente
5. Dans *Hernani,* Don Carlos devenu empereur renonce à l'amour Mais dans *Être aimé* du *Théâtre en liberté* (1874), le roi gémit :

> Sais-tu ce qui me manque et ce qui, nuit et jour,
> Se refuse à ma soif ardente? C'est l'amour!

6. Ce puits toujours vide est un souvenir déformé du tonneau des Danaïdes.

7. Les « phares » de Hugo aspirent donc à l'ombre.
8. *Vains* = vides (sens latin), d'où le rapprochement avec *sonores* qui acquiert une valeur péjorative.
9. A cette variation sur les pleurs de la rosée on peut comparer et préférer la conclusion du poème des *R. O.* mentionné plus haut :

Toute larme, enfant,
Lave quelque chose.

— Hugo, plus que tout autre poète, est le poète de la mort. En ce poème assez fade, on écoutera la note pathétique.
On notera aussi la répétition du mot *front* (v. 5 et 26). Dans la thématique du recueil le front et les yeux sont les parties privilégiées du visage. Dès le poème liminaire, le poète-héros est appelé *poète au triste front* comme Achille aux pieds légers (sur le complexe du front, voir *Psychanalyse de V. H.*, pp. 15 et 19). C'est le trait commun entre la fille et son père prestigieux, et malgré la résignation qui est prêchée, ces deux fronts se lèvent.

P. 11. I, II. LE POÈTE S'EN VA...

1. *Dates :* ms. 31 octobre 1843, soit deux mois après la mort de Léopoldine. A rapprocher ce poème fantaisiste du vers 12 d'*A Villequier*, on voit que le Hugo réel est distinct du personnage mythique qu'il crée.
   vol. Les Roches, juin 1831. Allusion au premier séjour fait par Hugo chez ses amis Bertin, aux Roches, près de Jouy-en-Josas dans la charmante vallée de la Bièvre. Lire dans *F. A.* le poème XXXIV, *Bièvre*. C'est là que Hugo eut la révélation de la sérénité, de l'amitié du poète et de la nature; mais le poème des *F. A.* dit plus :

   Un de ces lieux qu'enfant j'aimais et je rêvais.

   Le souvenir virgilien du chanteur reconnu et salué par la nature (*Buc.*, VI, 27; *Géor.*, IV, 509) s'associe aux gentillesses un peu mignardes, aux joailleries chères à Gautier, aux déguisements de style oriental que l'on verrait volontiers traduits par un dessinateur. Hugo joue sur l'opposition de *petit* et de *grand* (6 et 12, 8, 17), de la fleur et de l'arbre.
   Le poème est fait de deux dizains juxtaposés, formés chacun d'une seule phrase souple qui aboutit symétriquement aux paroles prononcées par les petites fleurs et par les grands arbres. Les premières parlent comme des belles; les autres, comme des vieillards. En même temps sont suggérés les deux aspects complémentaires du poète : l'amoureux et le rêveur, le sylvain et le songeur.
2. Les deux premiers vers par leur élévation contrastent avec l'enjouement de la suite, mais c'est précisément l'association de cette ferveur et de cet enjouement qui caractérise le poète. En outre les

deux derniers vers reviennent à la tonalité initiale : la nature *contemple* le poète qui rêve. Ce simple exemple suffit à montrer l'art de la composition dans les *Contemplations*.

3. *Profonds :* adjectif fréquent chez Hugo, à la valeur imprécise surtout lorsqu'il s'applique aux arbres : songe-t-il aux racines? au feuillage? Applique-t-il à l'arbre l'épithète qui convient à la forêt? Il y a à la fois métonymie et hypallage; sans parler de la nuance anthropomorphique et analogique : les arbres sont des penseurs.
4. Parmi les arbres, Hugo préférait les ormes et les saules. Voir dans *Bièvre :*

   Là, des saules pensifs qui pleurent sur la rive.
5. *Uléma :* chez les musulmans docteur de la loi. *Muphti :* chef religieux. Pourquoi cette note orientale? Le poète des *Orientales* se parodierait-il lui-même?

P. 12. I, III. MES DEUX FILLES

1. *Dates :* ms. 10 juin 1842.
   vol. La Terrasse, près Enghien, juin 1842.

   L'écriture du ms. étant de 1855, J.-B. Barrère doute de cette date et propose celle du 19 mars 1855, la même que celle de I, IV. J.-R. ne s'avouent pas convaincus : le ms. peut être une mise au net de 1855.

   La date de 1842 n'en pose pas moins un problème biographique. En vol. est ajoutée cette précision : La Terrasse, près Enghien. En 1842 comme en 1840, les Hugo ont séjourné à Saint-Prix, mais c'est en 1840 que le séjour se place au château. L'idée d'une chose vue lors d'une visite n'est pas inadmissible.
2. Première réd. *A la vague lueur du soir,* le poème précédent s'achevant (v. 19) par « la sereine lueur », N. Parfait en juillet 1855 signala la chose à Hugo. Il lui proposait de déplacer la pièce. C'est alors que le poète fit la réponse mémorable : « Les pièces de ce diable de recueil sont comme les pierres d'une voûte. Impossible de les déplacer. » Mais approuvant l'observation, il modifia le premier hémistiche.
3. En 1842, Léopoldine allait avoir dix-huit ans, Adèle douze. Cette même année, Th. Pavie écrivait à son frère : « La Didine est bien belle; la Dédé toute jolie déjà. »
4. V. accumule les exemples pour prouver que la comparaison des papillons à des fleurs était banale (Bernardin de Saint-Pierre, Delille, Chateaubriand, Lamartine : « papillons, fleurs ailées »), et non moins banale la comparaison inverse des fleurs à des papillons (Saint-Amant, Gautier et Chateaubriand encore).

   Le rapprochement le plus intéressant est à faire avec *le Triomphe de Pétrarque* de Gautier (description d'un tableau de L. Boulanger exposé au salon de 1836) :

   Une grêle de fleurs jonchait partout le sol,
   Et l'on eût dit, au bout de leurs tiges pliantes,
   Des papillons peureux suspendus dans leur vol.

Gautier en effet justifie comme Hugo la comparaison en immobilisant les papillons. Mais Hugo donne à la comparaison une résonance poétique combien plus charmante : les papillons sont immobilisés, non par la peur, mais par une contemplation extatique. Hugo, cela va sans dire, avait depuis longtemps rapproché fleurs et papillons. Dès 1834 dans le poème XXVII des *C. C.*, il écrivait :

La pauvre fleur disait au papillon céleste...
Et nous nous ressemblons, et l'on dit que nous sommes
Fleurs tous deux !

Dans *Feuilles paginées* (vers 1832 selon J.-R.), Hugo notait ce mot : « les fleurs, dit l'enfant, c'est des papillons qui poussent. » Et le 5 septembre 1837, il inscrivait cette formule *(France et Belgique)* : « La fleur s'envole et devient papillon. »
Les commentateurs voient dans cette pièce un quadro à la Chénier. P. Moreau vante son « tour simple et exquis ». Il convient de mettre en valeur l'imagination mythique de Hugo qui spontanément a recours à la personnification et à la métamorphose.
En outre le poème est un dizain formé d'une seule phrase (voir le poème précédent). On retrouve cette forme (qui a presque la valeur d'une forme fixe) dans les œuvres de Sainte-Beuve : le célèbre *Vœu* des *Poésies de J. Delorme* (le rapprochement semble d'autant plus justifié que l'exclamation : ô douceur ! (v. 3) rappelle une autre pièce du même recueil, *la Veillée,* dédiée précisément à V. Hugo à l'occasion de la naissance de François-Victor :

Vous vous tournez souvent pour revoir, ô douceur !
Le nouveau-né, la mère, et le frère et la sœur),

dans *les Fleurs du mal :*

Je n'ai pas oublié, voisine de la ville...

dans les *Poésies* de Mallarmé : *Soupir.*
Il y a quelque chose de mallarméen dans ce poème gracieux à « la joliesse un peu précieuse ». Dans *Mallarmé et la morte qui parle* (pp. 56-57), je notais déjà : « Mallarmé certes n'aurait pas toléré l'antithèse prosaïque de la grande et de la petite, ni le parallèle sans nuance du second vers. Mais ce poème a exactement la même longueur que *Soupir.* Mais ce poème, comme *Soupir,* est fait d'une seule phrase. Mais ce poème est un tableau impressionniste, symphonie en blanc plus délicate que celle de Gautier : le cygne, la colombe, l'œillet, les papillons, le marbre reflètent en quelque sorte la blancheur idéale des fillettes, tandis que — ô merveille — l'extase métamorphose la fleur en insecte ailé. »
Ce poème est à rapprocher de I, VII, où l'on retrouve une métamorphose et les papillons. Le titre de cette pièce *Vere novo* a été emprunté à Hugo par Mallarmé.

Les trois dizains de Hugo, Baudelaire et Mallarmé décrivent un effet de lumière dû au soleil couchant.

P. 13. I, IV. LE FIRMAMENT EST PLEIN...

1. *Dates :* ms. 19 mars 1855. Ce poème se place chronologiquement entre III, x et II, I. Il suffit de se reporter à l'un et l'autre poème pour constater que ce triptyque est de même facture et de même ton. Tous les trois sont écrits en alexandrins à rimes plates, mais très disloqués conformément au ton familier de l'épître. On notera cependant de subtiles recherches harmoniques : *joyeux-joue; effluves-effusions*. L'inspiration n'en demeure pas moins haute et large : Tout vit, tout parle et aime.

vol. Les dates fictives au contraire sont distantes l'une de l'autre. Ici : La Terrasse, avril 1840. On consultera d'A. Rey : *Hugo à Saint-Prix. Revue historique de Versailles,* 1900, et *la Famille Hugo dans la vallée de Montmorency,* 1912. D'une façon plus vague, c'est l'époque où Hugo va publier *les Rayons et les Ombres : Spectacle rassurant* (XVII) commence par le vers célèbre : « Tout est lumière, tout est joie » (à rapprocher du vers 2). Mais la comparaison entre la pièce des *R. O.* et celle des *C.* prouve combien la manière de Hugo a changé. Quand il assistera encore à la comédie dans l'herbe et dans les feuilles, on sentira frémir la vie dans toute sa plénitude, et le visionnaire épique et apocalyptique impose sa présence : l'oreille du ciel est *immense;* le zénith, *formidable;* les constellations sont des *hydres*.

J.-R. ont soulevé le problème suivant : le 22 mars 1855, Jésus-Christ, parlant par le truchement de la table, déclare au terme d'une longue envolée : « Ô hommes, tout aime. Ô bêtes, tout aime. Ô plantes, tout aime. Ô pierres, tout aime. Ô mondes, tout aime. Le firmament, ô vivants, est un pardon infranchissable. Et maintenant mourez. » Hugo, prenant alors la parole, demande : « Connais-tu des vers que j'ai faits il y a dix-huit mois et terminés ces jours-ci et qui sont par le fond et par beaucoup de détails identiques à ce que tu viens de nous dire? » Il s'agit, semble-t-il, écrivent les commentateurs de ce poème daté du 19 mars; il aurait donc été écrit en grande partie vers octobre 1853. A mon avis il ne s'agit pas de ce poème-ci, où il n'y a pas à proprement parler de variations sur *tout aime,* mais de III, x, le poème achevé immédiatement avant (il est daté du 5 mars) qui s'intitule *Amour* et commence précisément par les mots : « Amour! « Loi », *dit Jésus.* »

2. Il faut sans doute prendre l'expression *qu'a donc* avec la valeur familière de *qu'est-ce que tu as?* mais au vers suivant, Hugo répond à la question en donnant au verbe *avoir* le sens de *posséder*.
3. La description devient de plus en plus anthropomorphique : l'antre *pleure,* le vent *lit,* l'oiseau *parle*.
4. Les protes, selon la *Cor.* avec Meurice, s'obstinèrent à imprimer *ombrelles* jusque dans le tirage définitif. Il fallut faire un carton.

5. Comme dans le poème précédent, encore une symphonie en blanc : pour Hugo il y a correspondance entre blanc, amour et clémence.
6. Ce poème au magnifique crescendo évoque la venue du soir, et l'imagination du poète nous fait assister à un prodigieux échange : l'azur est un œil qui admire le spectacle de la terre, le ciel est une oreille qui écoute l'hosanna de la terre. Mais à la nuit tombante, c'est la terre qui devient un œil et *contemple* la nuit et son rayonnement. A l'hosanna de la terre font pendant les *effluves* du sombre et du profond.
7. Vers 36-39 : bel exemple de style typiquement hugolien : emploi de l'adjectif substantivé et emploi impressionniste de l'abstrait.
8. Cl. Grillet estime que la présence de Satan prouve que Hugo se rappelle les paysages printaniers du *Paradis perdu*.
Le sens de *rêve* est mystérieux, et de l'interprétation qu'on lui donne dépend le sens du poème entier. Faut-il, comme M. J. Seebacher (*C.*, I, p. 244), respecter ce mystère : « Il importe que le sens de ce dernier vers ne soit pas précisé. Qu'il s'agisse de méchanceté diabolique ou de nostalgie luciférienne, l'une ne peut aller sans l'autre. L'essentiel est de bien faire voir que ce *rêve* tient au passé aussi bien qu'à l'avenir »? Faut-il comme Lanson, cité par V., prétendre que, selon le procédé cher à Hugo qui oppose le dernier vers du poème à tout ce qui précède, Satan seul est étranger à la joie, en proie à l'envie et rêvant de vengeance? Au mouvement centrifuge qui anime la création s'oppose un mouvement centripète de concentration en soi. A l'appui de cette interprétation, on peut citer les vers 117-118 de *la Vision d'où est sorti ce livre* dans la *L. S.*

> Je regardais rôder, noir, riant, l'œil en feu,
> Satan, ce braconnier de la forêt de Dieu.

Mais J.-R. dans *Autour des Contemplations* (p. 93) produisent une ébauche de ce vers final où l'on voit qu'avant d'adopter *rêve,* Hugo avait essayé *souffre* et *pleure*. Cette attitude de Satan serait cette fois en accord avec celle que lui prête Hugo dans *la Fin de Satan* et en particulier dans le passage achevé le 20 janvier 1854. Le verbe *pleure* nous invite à faire un rapprochement avec le vers 15. Satan l'envieux fait pendant au vieux antre. Il pleure, comme lui attendri. Si en choisissant le mot *rêve* Hugo laisse le lecteur perplexe, ce verbe pouvait avoir pour le poète une résonance optimiste — et c'est à cette interprétation que je me rallie en définitive — : voir en particulier II, IX, *En écoutant les oiseaux,* pièce achevée le 10 juin 1855 :

> Et que le dur tronc d'arbre a des airs attendris;
> Et que l'épervier rêve, oubliant la perdrix.

Le rêve de Satan a la même portée que le sommeil de Satan dans le poème apocalyptique. Sous une forme à la fois hyperbolique et paradoxale est suggérée l'extase nocturne : lui, l'envieux, à cette heure bénie, est en train de rêver.

P. 15. I, v. A ANDRÉ CHÉNIER

1. *Dates :* ms. 14 octobre 1854. Sont datés du même jour *Vere novo* (I, XII) et *les Oiseaux* (I, XVIII). La veille est, selon le ms., la date d'achèvement de *Ce que dit la Bouche d'Ombre*. Du lendemain date *Oui, je suis le rêveur* (I, XXVII).
Tous ces poèmes sont liés. Le vers 7 de notre poème

Où des pleurs souriaient dans l'œil bleu des pervenches

est à rapprocher du premier vers de *Vere novo :*

Comme le matin rit sur les roses en pleurs !

Nous retrouvons Rabelais au vers 22 de ce poème et au vers 10 de I, XXVII. Surtout dans I, v, un bouvreuil fait la leçon au poète; dans I, XII, c'est un houx; dans I, XXVII, le thème est généralisé :

J'ai souvent...
Des conversations avec les giroflées;
Je reçois des conseils du lierre et du bleuet.

Enfin, au rapprochement de Rabelais et de Dante correspond dans I, XVIII, le rapprochement de Rabelais et d'Orphée.
Selon V., Hugo « éprouvait le besoin de s'expliquer à lui-même comment, aussitôt après avoir composé des poèmes si graves et si sublimes, il pouvait rire ainsi sur sa lyre ». Mais à propos de *Ce que dit la Bouche d'Ombre,* J.-B. Barrère note que dans le poème apocalyptique lui-même la fantaisie n'est pas absente. Ainsi ce mélange était constant.
vol. Les Roches, juillet 1830. Date fictive déconcertante, puisque le premier séjour aux Roches est de 1831. Si le poète veut nous rappeler l'époque des *Feuilles d'automne,* les poèmes écrits en 1830 sont de mai et juin et non de juillet.
Pourquoi mettre sa poétique sous le patronage de Chénier? Dans *la Revue de Paris,* le 15 mai 1856, G. Planche ne manque pas de critiquer la chose, Chénier n'ayant « jamais rêvé l'alliance de Rabelais et de Dante ». Mais V., d'une part, note que dès l'article de 1819 sur Chénier recueilli dans *Littérature et Philosophie mêlées,* Hugo relevait dans un tableau de Thésée tuant un centaure « la trivialité dans la grandeur »; d'autre part, qu'en 1852 Leconte de Lisle a publié les *Poèmes antiques* où il se pose en héritier de Chénier, mais d'un Chénier qui ignore la détente : Hugo lui ferait en quelque sorte la leçon.
Les variantes sont importantes : au vers 3, Hugo avait d'abord

écrit *Ami*. L'idée de faire intervenir Chénier lui serait-elle venue après coup? J.-R. observent que la correction est de la même encre que le texte.

Le vers 6 se présentait d'abord sous la forme : *Au fond d'un taillis sombre*. La correction : *j'habitais un parc sombre...* établit un lien entre ce poème et la pièce XIX des *R. O.*, *Ce qui se passait aux Feuillantines,* où les jeunes roses parlèrent à la mère du poète. Mais alors le jardin était qualifié de radieux paradis (v. 130). Désormais le parc est sombre. Le livre (v. 5), qui était d'abord *le grand livre obscur,* devient *le livre effrayant*. Ces notations sont caractéristiques de l'exil.

2. C'est l'imitation de la nature qui conduit le poète à mêler le rire aux larmes, et qui le persuade qu'on peut rester grand en éclatant de rire.

3. Rien de commun avec le rire homérique qui secoue les Olympiens dans *la Satyre.*

4. A rapprocher du vers 23 de *Ce que dit la Bouche d'Ombre :*

> Prends-tu le vent des mers pour un joueur de flûte?

Mais si les joueurs de flûte accompagnent les pleureuses, ce n'est pas en ce sens que Hugo traite le vent de joueur de flûte. Il s'agit du reste d'une correction tardive pour *le flot en démence*. Au vers 20, au lieu de *flot,* le ms. portait le *bois profond.*

5. Au chant XXXIII de l'*Inferno,* Ugolin se repaît éternellement du crâne de son ennemi.

Grandgousier, père de Gargantua, personnifie la gloutonnerie.

6. Si le rire s'oppose au deuil, l'énormité de l'un correspond à l'immensité de l'autre. C'est donc l'excès, le manque de sobriété qui justifie le mélange de tons.

Ces idées seront reprises et approfondies dans *William Shakespeare.*

Il y a dans ce poème un étonnant changement de ton, et, pour reprendre l'expression du vers 13, le poète regonfle son chant après l'avoir dégonflé. On appréciera le passage de la fantaisie facile :

> Un bouvreuil qui faisait le feuilleton du bois

à l'imagination étrange et purement poétique :

> L'azur luit, quand parfois la gaîté le déchire.

P. 16. I, VI. LA VIE AUX CHAMPS

1. *Dates :* ms. 2 août 1846.
   vol. La Terrasse, août 1840.

La date fictive nous invite à rapprocher cette pièce de IV, V. Dans la fiction comme dans la réalité, c'est un poème d'août, du mois aux belles soirées.

Au vers 42, *J'aime le rire* justifie la place de cette pièce aussitôt après I, V.

2. V. remarque que pour Hugo tout est livre. Ici, c'est l'homme; dans le poème précédent, c'étaient les forêts et les eaux. Dans *Alpes et Pyrénées* (septembre 1839), il ira jusqu'à écrire : *Une place publique est un livre.*
3. Le rouleau du *volumen* est fermé par un sceau.
4. Le *serein :* vapeur qui se dépose après le coucher du soleil en été.
5. Dans le poème précédent, Hugo remontait jusqu'à son enfance pour expliquer les caractères de son imagination. Ici, il souligne la permanence de l'esprit d'enfance en lui.
6. Selon la date fictive, le poème est antérieur à la mort de Léopoldine.
7. Les enfants se comportent comme les fleurs dans I, II.
8. Dans la pièce des *V. I.*, *A des oiseaux envolés* (v. 66-67), d'une inspiration analogue, on lit :

> L'éclat de rire franc, sincère, épanoui,
> Qui met subitement des perles sur les lèvres.

Mais d'un poème à l'autre, la notation devient plus poétique : la spiritualité qui baigne ce poème-ci se traduit par l'union remarquable du visible et de l'invisible (effet préparé au vers 44 et souligné par un chiasme).

9. Sous une forme badine, c'est l'idée que le poète et le prêtre ont la même fonction, le poète, qui se comportait d'abord comme un père, s'identifie à Jocelyn faisant le catéchisme.
10. Il y a deux espèces de pleurs comme il y a deux espèces de rires, ou plutôt rires et pleurs sont transmués par la bonté.
11. Reprise du leitmotiv moral qui est le motif majeur du recueil : la bonté, c'est notre vie.
12. Par voie de conséquence, l'origine du mal, l'existence des méchants deviennent l'obstacle métaphysique à réduire.
Vers 1846, Hugo s'essayait à traduire en vers des fragments bibliques. Dans *Autour des Contemplations,* p. 151, J.-R. citent cette traduction du verset de *l'Ecclésiastique* (XV, 12, trad. Sacy) : « Ne dites point : C'est lui qui m'a jeté dans l'égarement; car les méchants ne lui sont pas nécessaires. »

> N'accusez jamais Dieu, pervers! Ô Dieu, nul homme
> n'a droit, en choisissant sa route, en y marchant,
> de dire que c'est toi qui l'as rendu méchant,
> car le méchant, Seigneur, ne t'est pas nécessaire.

13. *Maudit qu'il faut enfin bénir :* même effet dans V, XXII, 14. Entendre sans doute qu'il faut bénir ce peuple maudit, parce que de lui est sorti le Christ.
14. L'évocation de l'Égypte frappe par sa couleur noire. Dans *le Feu du Ciel* (*O.,* I), Hugo, célébrant l'Égypte au temps de sa splendeur, la montrait riante. Mais ici il oppose l'Égypte à la Grèce rayonnant jusque dans l'avenir, et l'Égypte devient le pays de la mort. « L'Égypte est un vaste tombeau », écrit Nerval débarquant

à Alexandrie. En 1862, Laprade dans *Psyché* met l'accent sur un autre aspect :

> Ces sphinx, me regardant de leurs yeux immobiles,
> Ces figures sans voix, ces monstres me *font peur*.

15. Mercure = Thot, selon Moreri.
16. Le Sphinx de Gizèh ne sera dégagé qu'à la fin du siècle.
17. On notera dans ce poème et les procédés destinés à « dégonfler » le chant : termes et tournures familiers, dislocation du vers, répétitions (v. 16-17 et 64-66) et l'inattendu changement de ton; dans la deuxième partie, on assiste à une invasion des adjectifs hugoliens : *sinistre, sombre, effrayant, monstrueux, obscur, énorme, horrible, farouche*. Un rapprochement suggestif est à faire avec *le Mendiant* (V, IX). Dès le début, à des vers prosaïques (v. 1-2) succèdent des vers lyriques où Dieu se manifeste (v. 3-4) : cf. dans *le Mendiant* un effet identique au vers 9. A la fin le poète rêve, et perdant de vue son auditoire, il laisse son imagination vagabonder, et ainsi, dans les deux cas, le poème s'achève sur une vision qui ouvre au lecteur des perspectives immenses. Dans *le Mendiant,* c'est le ciel constellé. Ici, c'est une scène de gigantomachie : le voyageur de nuit en proie à l'épouvante distingue aux lueurs des étoiles, une scène gigantesque et terrifiante. Le poème familier se métamorphose en poème fantastique.
Cette pièce fut fort admirée en 1856. Le 4 mai, *l'Artiste* la citait *in extenso*.

P. 19. I, VII. RÉPONSE A UN ACTE D'ACCUSATION

1. *Dates :* ms. 24 octobre 1854.
vol. Paris, janvier 1834.
Ce poème d'octobre 1854 est le premier en date d'une série de pièces consacrées au souvenir des luttes littéraires : I, IX; III, XXVIII; I, VIII; V, XXV; puis des luttes politiques : V, VII; V, III; I, XXVI. Comme il est manifeste que la composition de la première a entraîné celle des autres, il est indispensable d'insister sur la genèse de ce poème. D'autant plus que le problème est loin d'être clair, les historiens n'ayant pas réussi à se mettre d'accord. (Pour plus de détails, voir Vianey et Journet-Robert.)
P. Berret dans un article de la *Revue universitaire* (1913, II, pp. 48-57) : *Une méthode critique pour l'explication des Contemplations,* puis Vianey dans son édition estiment que ces poèmes ont été suscités par la lecture des tomes III et IV de l'*Histoire de la littérature dramatique*, de Janin. Une difficulté se présente aussitôt : c'est le 26 décembre 1854 que Hugo remercie Janin pour l'envoi de ses volumes (donc deux mois après l'achèvement du poème). En outre, c'est le 18 novembre seulement que la *Bibliographie de la France* annonce les deux volumes, et c'est le 1er décembre que le *Journal des Débats,* qui est le journal de Janin, rend compte de l'ouvrage récemment paru.

Berret et Vianey éludent la difficulté : Janin ayant promis à Mme Hugo le premier exemplaire de son *Histoire,* il aurait envoyé à Hugo les pages tout fraîchement imprimées, mais il ne s'agit que d'une hypothèse.

J.-R. ne nient pas l'influence de l'ouvrage de Janin sur la rédaction de V, XXVII dans *Toute la Lyre* et de V, VIII dans *les Contemplations* (ébauché précisément en décembre 1854). Mais ils rattachent notre poème à l'effet produit sur Hugo par une représentation de *Ruy Blas* à Jersey le 16 janvier 1854. Selon le *Journal d'Adèle,* à la date du 17 janvier, le poète aurait déclaré : « *Ruy Blas* me fait penser à mes années de lutte dans la littérature... » On ne peut s'empêcher de remarquer que, de janvier à octobre, beaucoup de temps s'est écoulé.

Janin avait publié en mars 1853 les deux premiers tomes de son *Histoire de la littérature dramatique.* Dès avril, il annonce à Hugo que le tome III lui sera consacré. Dans une lettre du 2 juillet 1854, Mme Hugo écrit à Janin : « J'ai lu et relu vos feuilletons en volume. J'ai eu *toute une illumination de mon passé.* Ce qui est derrière nous me revient. » Il est vraisemblable qu'elle fit partager son émotion à son mari. Les lettres d'août de Janin annoncent une fois de plus « son » Victor Hugo, c'est-à-dire les tomes III et IV de son *Histoire.* Hugo et sa femme attendent avec impatience les volumes, comme le prouve leur réponse à Janin.

Ainsi au cours de la période précédant les poèmes d'octobre et novembre, Hugo se penchait sur son passé de polémiques littéraires. Il n'est pas nécessaire de chercher un petit fait pour expliquer l'ébranlement de son imagination.

J.-R. soulignent que la mémoire du poète était très précise : même s'il n'avait pas à Jersey les factums de jadis, il ne pouvait pas ne pas se rappeler les attaques dont il avait été l'objet.

Pour étayer sa thèse, V. relève dans Janin les pamphlets dirigés contre Hugo et mentionnés dans l'*Histoire de la littérature dramatique.* Au premier abord comment ne pas être frappé, lorsqu'on lit au début de la lettre polémique adressée par Alexandre Duval à Victor Hugo : « Vous me trouvez sans doute bien téméraire d'avoir dirigé contre vous une *accusation...* » Mais on s'aperçoit vite qu'il n'y a pas de rapports entre l' « accusation » d'avoir « perdu l'art dramatique et miné le théâtre français », et la réponse qui touche à la langue et à la versification. La lettre de Duval d'autre part est de 1833. Quant au pamphlet de Gay, si le premier chapitre est bien consacré aux *Révolutions de la langue poétique,* il remonte à 1830.

Or, Hugo a donné comme date fictive à sa *Réponse :* janvier 1834. Pour le biographe informé cette date ne pose pas de problème. C'est en janvier 1834 que Hugo publie son *Étude sur Mirabeau,* en mars 1834 qu'il publie *Littérature et philosophie mêlées.* Le début de cette année constituait à ses yeux un tournant de sa vie, comme le prouve ce passage de *V. H. raconté par un témoin de sa vie :* « Au commencement de 1834, M. V. Hugo fit l'*Étude sur Mirabeau,* décidément révolutionnaire. Ses idées avaient marché depuis ses premières odes, si aveuglément royalistes. Il éprouva le besoin de mesurer la route qu'il avait parcourue, de jeter un coup d'œil sur les étapes de son esprit, de confronter son présent à son passé et de se rendre compte de lui-même. Sûr de n'avoir jamais obéi qu'à ses convictions et n'ayant rien à renier ni à cacher, il fit cet examen de conscience en public dans *Littérature et philosophie mêlées*. » Dans ce recueil, la confusion entre les deux révolutions est déjà indiquée.

Si l'on veut absolument trouver une source, c'est en vérité la préface de Delille à la traduction des *Géorgiques* — citée plus bas — qui semble la mieux faite pour susciter la réplique de Hugo. En outre, H. Temple Patterson a découvert un précurseur de Hugo en la personne de Sébastien Mercier : celui-ci publia en 1801, *Néologie ou Vocabulaire de mots nouveaux*. Mercier est un « insurgent » : « Il y a dans notre langue, disait un royaliste, une hiérarchie de style, parce que les mots y sont classés, comme les sujets dans une monarchie. » Tandis que Delille ne s'insurge pas, Mercier au contraire est en état d'insurrection permanent. On relève assurément avec étonnement dans cette *Néologie* certains des mots les plus surprenants de Hugo dans I, VII, I, VIII, V, III et I, XXVI : *bastringue, encanaille, fleurdeliser, matassin, ravageur, songeur, vagir, vibrer*. Mercier s'attaque aux mêmes représentants d'une tradition périmée : sinon « les Batteux », du moins « les Brossettes »; Laharpe est sa bête noire (*Remarques linguistiques sur quatre poèmes de V. H., Le Français moderne*, XXIII, 1955, pp. 105-122). H. Temple Patterson a élargi cette étude dans : *Poetic Genesis : Sebastien Mercier into Victor Hugo, Studies on Voltaire*, XI. La dette de Hugo à Mercier est considérable, mais entre les songes et les visions de l'auteur de *Mon bonnet de nuit* et de celui des *Contemplations* il y a une différence essentielle : l'un est poète, l'autre ne l'est pas.

2. *Ancien* justifie la forme archaïque ironiquement employée : *françois*.
3. Hugo vu par ses adversaires est l'antithèse de Dieu disant : Que la lumière soit.
4. Même si *dogme* est pris au sens large, le poète n'en est pas moins à la fois l'ennemi des académies, des conservatoires, des églises. Cf. v. 13.
5. *Vidé l'urne des nuits* : ne pas y voir une plaisanterie grossière.
6. *Racca*. Cf. *Matthieu*, V, 22 : « Celui qui dira à son frère : Raca, méritera d'être condamné par le conseil. » Raca dans la trad. Sacy ne prend qu'un *c*.
7. On voit que le poète est conscient de l'ampleur de ce débat sur la liberté. S'il le réduit à un problème de forme, c'est volontairement.
8. *Abominable homme* : souvenir de Molière (*Tartuffe*, IV, 6).
9. Vers 19-27. *Ad. marg.* tardive (cf. lettre à Noël Parfait du 12 juillet 1855) qui insiste sur l'idée qu'il a saccagé le fond autant que la forme.
10. *Débordé* : « Déchaînez les mots, ils vous mènent. » J.-B. Barrère, R. H. L. F., 1956, nº 1, p. 60.

11. *Causons.* Cet impératif se retrouve au vers 51 de *Ce que dit la Bouche d'Ombre.* En dépit des apparences, les deux poèmes sont de même ton.
12. Vers 34 *sqq.* selon Guiard (*Virgile et Victor Hugo,* p. 6), ce développement s'inspire du *Discours préliminaire* à la traduction des *Géorgiques* (Delille, *O. C.,* 1824, II, pp. XXIV-XXVIII) : « Chez les Romains le peuple était roi; par conséquent les expressions qu'il employait partageaient sa noblesse. Il n'y avait pas de ces termes bas dont les grands dédaignassent de se servir; et des expressions populaires n'auraient pas signifié, comme parmi nous, des expressions triviales... Parmi nous, la barrière qui sépare les grands du peuple a séparé leur langage; les préjugés ont avili les mots comme les hommes, et il y a eu, pour ainsi dire, des termes nobles et des termes roturiers. » Hugo refuse ce que Delille accepte. Il rejette la périphrase que Delille prône : « De là, la nécessité d'avoir recours à la lenteur des périphrases, enfin d'être long de peur d'être bas. »
13. *Grimaud :* nom donné aux écoliers des basses classes.
14. Héroïnes des tragédies de Racine et de Voltaire.
15. Cf. vers 37 : licence poétique pour Londres et Versailles.
16. *Vaugelas* (1585-1650), illustre grammairien, auteur des *Remarques sur la langue française,* qui n'avait rien d'un inquisiteur. Hugo dans ce poème se souvient de Molière qu'il oppose à Racine et en particulier des *Femmes savantes : grimaud* est employé par Molière au vers 1015; *Vaugelas* est cité au vers 462; *l'ithos* et *le pathos* au vers 972. Cf. également les notes 88 et 102.
17. L'emploi de la « métaphore maxima » est fréquent dans ce poème : *borne Aristote, bagne Lexique, lanterne esprit, balance hémistiche, cage césure.*
18. *F. :* la marque infamante ne signifie pas Forçat, ni Fugitif, mais Familier.
19. Le romantique est indulgent pour Corneille, mais sans pitié pour Voltaire, commentateur de Corneille. Voltaire dénonce avec une sévérité chicanière les négligences ou le mélange des tons qui déparent, selon lui, les tragédies du grand Corneille.
20. *Bonhomme* au sens classique : homme qui commence à vieillir. Hugo se souvient-il de la phrase célèbre de Dangeau mentionné au vers 144 : « La cour apprit à Chambord la mort du bonhomme Corneille? » Mais il y ajoute, comme le prouve l'adjectif *humble,* l'idée d'humilité.
21. *Tropes :* terme de rhétorique : figures, tours.
22. Dans la préface d'*Hernani,* Hugo, plus sage, écrivait : « Dans les lettres, comme dans la société, point d'étiquette, point d'anarchie : des lois. Ni talons rouges ni bonnets rouges. »
23. *Sénateur :* l'ancien régime n'avait pas de sénateurs. Hugo mélange le sénat et le peuple romain d'une part, d'autre part la noblesse et la roture.
24. Première rédaction : *onde* en accord avec *tempête.* — *Ombres* est suggéré par *fond, encrier* et s'accorde avec *noir.* Le poète évoque,

non pas une tempête dans un verre d'eau, mais une tempête dans un encrier.

25. En dépit du mot *essaim,* le poète voit des oiseaux blancs qui se posent sur les rochers noirs.

26. Vers très remanié : après avoir d'abord cité parmi les tropes, la catachrèse, l'hyperbole et la litote, il y substitue l'hypallage et la litote, puis réussit à ajouter la syllepse.

27. *Borne* ridiculise l'auteur de la *Rhétorique* et de la *Poétique* (cf. Lamartine jugeant Guizot), mais en même temps telle scène révolutionnaire est suggérée : on songe à Camille Desmoulins haranguant le peuple.

28. Aux sonorités des noms propres, la verve de Hugo associe des effets d'allitération : en*va*hisseurs, ra*va*geurs ; *t*igres, *t*ou*t*ous.

29. La pratique est toujours plus timide que la théorie. Au vers 674 de *Ce que dit la Bouche d'Ombre,* on lit : le *porc* Borgia. Dans *Sultan Mourad (L. S.),* Hugo ne nomme pas davantage le cochon par son nom.

30. *Guichardin* (1483-1540), historien florentin, auteur d'une *Histoire d'Italie,* dont Montaigne loue la liberté de jugement. *Vitellius* n'eut qu'un règne éphémère en 69, mais cet empereur obèse se distingua par ses débauches et ses cruautés. Cf. Tacite, *Histoires,* I-III.

31. Gradation plaisante : *explicite* (employé ici au sens actif et non passif = qui énonce formellement) est pire que *fauve.*

32. *Épithètes :* allusion aux *chiens dévorants* du songe d'Athalie.

33. La mention de la *génisse* après *cochon* s'explique-t-elle par allusion à la *IX*[e] *Réflexion sur Longin* de Boileau?

34. *Bérénice :* est-ce une nouvelle pointe contre Racine?

35. *Pinde :* sommet de Thessalie consacré aux Muses.

36. Vers 91-118. Longue addition marginale aux variations de plus en plus délirantes : Je violai du vers le cadavre fumant.

37. *Myrtil* est un nom de berger et non de bergère. Cf. *Pastor fido* de Guarini ou *Mélicerte* de Molière.

38. Vers 92-98 : le vers 92 fait allusion à *Hernani* (mais on sait qu'après la première représentation : *Quelle heure est-il?* fut remplacé par : *Est-il minuit?*), le vers 97, à *Cromwell,* opposé à *Mithridate.* La question se trouve dans *Hamlet.*

39. Au lieu de *Laïs,* le ms. portait d'abord *Phryné.* Laïs est encore un souvenir des *Femmes savantes :* voir le madrigal de Trissotin.

40. *Restaut* (1696-1764), grammairien français, auteur de *Principes généraux et raisonnés de la grammaire française.*

41. Depuis *France et Belgique* (28 août 1837) : « Remplacer des perruques par des crinières, c'est bien flamand », jusqu'à *William Shakespeare :* « On ne porte plus de ces grandes crinières-là ; les lions sont perruques », Hugo a ainsi joué avec cette antithèse.

42. Antithèse analogue. Cf. *Ch.,* III, XIV :

> Il y mit un lion, il y trouve un caniche.

43. *Lhomond* (1727-1794), auteur du *De Viris* et d'une célèbre grammaire latine.

44. *Bouhours* (1628-1702), jésuite, critique et grammairien, ami de Racine et de Boileau, auteur des *Entretiens d'Ariste et d'Eugène.* — *Batteux* (1713-1780), érudit, professeur au Collège de France, publia entre autres ouvrages une étude sur les quatre *Poétiques* d'Aristote, d'Horace, de Vida, de Boileau. — *Brossette* (1671-1743), érudit, ami de Boileau dont il publia les *Œuvres avec des éclaircissements historiques.*

45. *Poucettes :* lien pour attacher les pouces d'un prisonnier. Cf. menottes.

46. Souvenir de *la Marseillaise,* chant révolutionnaire comme le *Ça ira* et *la Carmagnole.*

47. Vers devenu proverbe : Campistron (1656-1723), auteur de tragédies à succès : *Virginie, Andronic, Alcibiade, Tiridate.* L'image reste vague : champignons ou vermine?

48. Allusion au mot d'ordre révolutionnaire : Guerre aux châteaux, paix aux chaumières!
Dès la préface des *Odes et Ballades* (1826), Hugo faisait ce distinguo capital : « Plus on dédaigne la rhétorique, plus il sied de respecter la grammaire. » Mais ce poète, respectueux de la syntaxe comme Mallarmé, n'en a pas moins usé à satiété de toutes les figures de rhétorique. Ce vers est commenté par G. Venzac, dans *les Premiers Maîtres de Hugo,* pp. 339 et *sqq.*

49. *Athos, ithos, pathos.* Jeu plaisant de sonorités qui associe le nom d'une montagne célèbre de Grèce transformé en nom commun, aux deux termes de rhétorique employés par Vadius au vers 972 des *Femmes savantes* et qui désignent deux catégories d'effets oratoires : l'ithos (caractère) groupant les effets simples, le pathos (passion) les effets violents.

50. *Matassins,* selon Littré « danseurs qui portaient des corselets, des morions dorés, des sonnettes aux jambes, et l'épée à la main avec un bouclier ». Cf. *Monsieur de Pourceaugnac,* acte I, fin. Les matassins qui dansent « à l'entour de M. de Pourceaugnac » tiennent, au lieu d'une épée, une seringue.
Cathos est une des Précieuses ridicules.

51. *Dumarsais* (1676-1756), grammairien, auteur du *Traité des tropes* (v. 63), collaborateur de *l'Encyclopédie.* — *Bastringue :* se dit d'un bal de guinguette, mais s'emploie au figuré au sens de vacarme.

52. Vers difficile à interpréter. Pour donner un clystère au grammairien plus ridicule que Pourceaugnac, les matassins prennent en guise de liquide les *ondes du Permesse.* Ce ruisseau de Béotie était consacré aux muses, et les poètes y buvaient l'inspiration!

53. *Syllabe :* nouvelle allusion aux *Femmes savantes,* v. 913 : Mais le plus beau projet de notre académie, dit Philaminte

... C'est le retranchement de ces syllabes sales,
Qui dans les plus beaux mots produisent des scandales.

54. *Déterrer :* de même que jeter au vent les cendres est un geste profanateur du révolutionnaire : on déterra les rois à Saint-Denis.

55. *Songe d'Athalie* et *Récit de Théramène* sont deux morceaux ridicules de la tragédie classique. — Dans une première rédaction, Hugo attaquait Auger, le secrétaire perpétuel de l'Académie française au temps de la Restauration, qui avait fait l'éloge de Boileau : et l'astre Auger s'en obscurcit. — *S'obscurcit :* est-ce avec la valeur de « se voila la face », comme le soleil après le crime d'Atrée, ou de « fut éclipsé »?

56. Énorme et *rugissant :* rappel des vers 106-108.

57. Nouvelle attaque contre Boileau.

58. Cf. le vers 88 : nouvelle allusion au *Ça ira*. Hugo avait d'abord écrit *règle* et non *lettre*. Il ne pensait donc pas à l'opposition de l'esprit et de la lettre.

59. Hugo avait d'abord écrit *Marat*. *Danton* au physique puissant convient mieux ici.

60. *Rapière :* plus qu'à l'époque de Boileau, le lecteur pense à celle de Richelieu.

61. Il y a deux *Dangeau,* le courtisan, auteur de *Mémoires*, l'abbé, grammairien. Pour Lanson et Journet-Robert, il s'agirait ici de l'abbé et, Richelet (1631-1698) étant lui-même un grammairien, Hugo ferait donc un massacre de grammairiens. Mais pourquoi pas le courtisan, si soucieux de l'étiquette, à qui Boileau encore a dédié sa satire sur la noblesse? Après le courtisan, le grammairien : c'est une liquidation de l'ancien régime.

62. Au vers 122, nous passions de 1789 à 1793, il y avait donc un crescendo de violence. La prise de la Bastille correspond à 1789; la suite *(j'ai fait plus)* à 1793.

63. La tour de Babel, née de l'orgueil, engendre une postérité orgueilleuse. Cette autre tour est l'ordre alphabétique. Le poète révolté démolit cette tour comme il a démoli la bastille des rimes.

64. *Ad. marg.* qui insiste avec une verve de plus en plus effrénée sur le rôle personnel du poète révolutionnaire, mais au vers 179 il rendra hommage à ses alliés.

65. Élargissement soudain du thème et rappel de la grande idée-force du romantisme : l'unité. Tout se tient.

66. *Papa,* sans doute un vocatif à l'adresse de l'accusateur. Ce vocatif insolite est-il la preuve que Hugo pensait à la lettre de Duval qui écrivait : « Je vous ai bien dit, Monsieur... que mon langage serait celui d'un père à son fils? »

67. Première rédaction : *Despréaux* remplacé par un nouveau nom de grammairien : *Beauzée* (1717-1789), auteur d'une *Grammaire générale* et continuateur de Dumarsais à *l'Encyclopédie*.

67 bis. Nous rétablissons le pluriel d'après le ms. (originale : *Fleur-de-lys*).

68. Il y a deux *Tristan,* le prévôt de Louis XI à la sinistre renommée, le poète du XVIIe siècle (1601-1655), académicien, poète précieux, auteur de tragédies, « précurseur de Racine » selon le titre d'une étude qui lui est consacrée. De qui s'agit-il? Les commentateurs sont partagés. V. et J.-R. optent pour le premier que l'on retrouve

en V, III, 244. Hugo condamnerait à la fois le despotisme politique et le despotisme littéraire et l'effet serait analogue à celui du vers 145. Seebacher et moi-même optons pour le second, le mouvement de la phrase et l'ensemble du poème semblant le désigner.

69. *Jacobin, hyène, hydre :* l'association du jacobin à ce fauve et à ce monstre est fort suggestive. *Anarchie* répond à *esclave*. Mais en quoi consiste de la part de Hugo la libération du pronom personnel, du participe et du verbe?

70. *Reum confitentem*. La locution : *Habemus confitentem reum* est empruntée à l'exorde du *Pro Ligario* de Cicéron.

71. Mais dans II, VII, la cerise est encore le fruit vermeil.

72. *Mâchoire* au figuré et familier : « homme d'un esprit lourd sans intelligence ».

73. *Calliope :* muse de la poésie héroïque; *Euterpe,* de la musique; *Polymnie,* de la poésie lyrique.

74. De part et d'autre de la césure, les hémistiches sont comme deux plateaux en équilibre. Dans la préface de *Néologie,* Mercier déclare : « L'hémistiche, renfermé dans une mesure constante, devient assommant. »

75. Vers 183 et *sqq*. Cf. I, XXVI, vers 44-46 et 84, et *T. L.*, IV, XV. Métaphore habilement filée : le vers comparé au volant de plumes qui va d'une raquette à l'autre se métamorphose en oiseau qui s'échappe et vole. On lit dans *Néologie* de Mercier, au mot *incendiaire :* « Ce mot s'envole et se renvoie, comme le volant qui passe d'une raquette à une autre. »

76. Règle et ciseau introduisent une nouvelle image : celle du bâtisseur. Mercier déclare dans la préface de sa *Néologie :* « C'est le ciseau académique qui fait tomber nos antiques richesses... L'homme qui veut enrichir sa langue vaut mieux à lui seul que toute une académie à *règle* et à compas. » (Cf. v. 79.)

77. Vers 194-195 : alliance remarquable du *vrai* et de l'*imagination* qui sont les aspects complémentaires de la poésie.

78. Vers 197-198 : variation insolite de l'expression *Janus bifrons*. — *Rit* s'applique à la poésie comique et satirique; *soupire,* à la poésie tragique et élégiaque; *chante,* à la poésie lyrique et épique. A la triade, Hugo substitue aussitôt les deux masques : la comédie et le drame, le grotesque et le sublime, Plaute et Shakespeare, Horace et Job.

79. *Mob :* mot anglais = le peuple, mais avec une nuance péjorative.

80. *Sa :* à quel mot rattacher l'adjectif possessif se demande V. A la raison d'Horace à qui il arrive de s'égarer ou à la poésie qui est *fureur?* Il n'y a pas à hésiter. C'est la seconde construction qui est la bonne, cf. v. 203.

81. Première rédaction : Reparaît, ressaisit les âmes; son domaine. Sous cette forme, la longue tirade était faite d'une suite de relatives sans verbe principal. *La muse* récapitule les sujets antérieurs : le vrai,

l'imagination, la poésie, et la phrase est dès lors correcte. Le thème lui-même est un souvenir d'Horace.

82. *Lyre* est substitué à *flamme*. On peut préférer la première version; mais Hugo dut s'apercevoir qu'il avait employé *flammes* au vers 218.

83. Le procédé qui consiste à mettre en relief une qualité de l'objet par un substantif abstrait, selon J.-R. qui en relèvent des exemples multiples dans les *C.*, est une élégance de notre poésie classique.

84. Si les préjugés sont des *madrépores*, les mots sont des *flots*.

85. On notera dans ce poème l'obsession du *front* : vers 31, 183, 197, 208, 233.

86. La Révolution donc est triple; elle s'étend de la littérature au droit et à la philosophie.

Thibaudet découvrait chez Hugo la vocation au monologue. Ce poème, remarquable exemple de fantaisie verbale, prouve la parenté du poète et d'Aïrolo dans le *Théâtre en liberté*. C'est un développement à variations : le poète revient sans fin sur l'idée, mais nous étonne toujours par la multiplication et la diversité des exemples, par le jaillissement perpétuel des images, comparaisons et métaphores, si abondant qu'elles finissent par se mêler. Seul un goût borné peut critiquer ces mélanges. La verve du bonimenteur qui se grise de mots abonde en effets métriques : enjambements et rejets, en allitérations, assonances, rimes insolites, fracas des noms propres et des mots étrangers. Mais ce monologue est un monologue lyrique : c'est l'imagination qui donne en fait à cette verve facile et volontairement grosse sa tonalité originale. Les mots sont vivants. L'imagination mythique du poète transforme sa polémique en satire épique.

Deux points sont à souligner :

1° Seul un esprit prévenu pourrait reprocher à Hugo son indigence d'idées. C'est à dessein qu'il restreint le problème : il n'aperçoit pas moins que tout est un, qu'une révolution fait tache d'huile. Il sait que la poésie marie le vrai à l'imagination. Divisant pour régner, il dissocie l'école classique. S'il critique Boileau, Racine et Voltaire, il se réclame de Molière, en particulier de l'auteur des *Femmes savantes,* dont il écrit en quelque sorte une suite, et du grand Corneille.

2° Le poème n'est pas humoristique de bout en bout, car à la fin le ton change. Jusqu'au vers 190, Hugo donne un exemple de la poésie qui *raille;* de 191 à la fin, un exemple de la poésie qui *croit*. Ce poème a donc la même structure que le poème précédent. Le changement de ton aboutit à une vision, et un ouragan d'étincelles accompagne un essor, un envol. Dieu se manifeste à la fin, et sa présence provoque la métamorphose du mot en idée. Il y a « transposition du fait à l'idéal ». D'après le *Journal d'Adèle,* à la suite d'une lecture de cette pièce, « M. Auguste constate que cette espèce de plaisanterie est la meilleure; elle raille en glorifiant l'idéal, ce qui est le contraire des satires de de Musset... »

P. 27. I, VIII. SUITE

1. *Dates :* ms. 3 novembre 1854.
vol. Jersey, juin 1855.
Alors qu'il l'avait achevé une semaine environ après le précédent, Hugo donne comme date fictive à ce poème, celle même où il avait achevé la *Réponse...* C'est avec la même intention qu'il datera de 1855 la Suite d'*Écrit en 1846*. Il nous invite à mesurer le chemin parcouru.
Le ton est celui sur lequel s'arrêtait la *Réponse...* mais encore plus inspiré.
2. A rapprocher de V, XIX. — *Aile,* complément du nom *envergure.*
3. Première rédaction : Le terme, borne et type, on ne sait d'où venu. Hugo soulignait le double sens du mot *terme.* — *Type* à la fois au sens d'archétype et d'empreinte.
4. *Montant et descendant :* image caractéristique de la vision hugolienne, cf. *Mages,* v. 12.
5. Le sens n'est donc trouvé qu'après coup : le mot crée l'idée.
6. Dans une première rédaction on lisait après le vers 10, les vers 79-83.
7. *Fée ou bacchante :* deux créations de l'imagination, l'une médiévale, l'autre antique.
8. *Néron :* voir dans les *Odes et Ballades,* le *Chant de fête de Néron.*
9. *Charles IX,* le responsable de la Saint-Barthélemy, un roi monstrueux pour Hugo. Parmi les vers dont il est l'auteur, sont surtout connus ceux qu'il a adressés en hommage à Ronsard.
10. *Multiple :* se dit d'un nombre qui en contient un autre plusieurs fois. Dans les *C.* nombreux sont les exemples de cette imagination mathématique.
11. *Moulé :* se rapporte à *lui* (v. 22).
12. *Le creux du crâne :* sur le thème du crâne, lire l'étude de P. Moreau dans *Hommage à V. H.*, Strasbourg, 1962 : *Paysages introspectifs chez V. H.* « Les boîtes crâniennes... furent, pour ce génie dont le vaste front excita la verve des caricaturistes, des temples, des voûtes, des cavernes, des mondes : sortes de caisses de résonance, en même temps que de théâtres ou d'écrans où se jouent des drames, se peignent des décors, se déploient des mouvements. Cette imagination puissamment matérielle n'a jamais distingué l'univers psychique de la chambre obscure où aboutissent les excitations extérieures et d'où part le réseau des volontés et des actes... le creux de cette mystérieuse cavité est à la fois un moule, une voûte et un souterrain inquiétant... » (*Op. cit.*, pp. 9-10.)
13. L'image sera reprise au vers 37 avec le mot *troupeau.* Dans *les Mages* (v. 88-89), griffes et ailes sont attribuées au poème de Lucrèce.
14. Admirable exemple de poésie orphique dont Hugo est dans le romantisme le représentant inégalé.
15. Vers 34-44 : bel exemple d'anaphore : *c'est que* est repris cinq fois. Ce procédé est caractéristique du lyrisme des *C.*

16. Souvenir de l'évangile de Luc (VIII, 30) : « Jésus lui demanda : Quel est ton nom? Il lui dit : Je m'appelle Légion, parce que plusieurs démons étaient entrés dans cet homme », d'où le vers 108. Ce passage a beaucoup frappé Hugo. Voir *les Mages,* v. 660, et dans *Dieu, l'Esprit humain,* v. 33 :

Je suis l'Esprit humain. Mon nom est Légion

Cf. encore en style parodique *Ch.,* VI, XVI, 35.
On voit que ce nom de démon s'applique à la fois à l'Esprit et au Mot. Il est possible que Légion ait été suscité par l'image militaire « garde une région ».
17. *Nain caché sous les langues :* image étonnante. Faut-il au vers suivant deviner, cachée elle aussi, l'image d'un roi et de son bouffon qui serait le véritable maître.
Dans les *Odes,* V, XXV, 144, Hugo compare ses vers à des « nains fantastiques ».
18. *Béatrix,* l'inspiratrice de Dante. — *Lycoris :* Gallus ayant été abandonné par cette belle courtisane, Virgile lui adressa sa dixième églogue. Hugo aime ce nom harmonieux, cf. I, XIII, 60, et II, XIX, 24.
19. C'est au pied du Pausilippe à Naples que se trouve le tombeau de Virgile. Le « Campo-Santo » ne saurait être le Campo Santo de Pise décoré de fresques par Orcagna et qui a inspiré Barbier, Baudelaire et Hugo lui-même *(Les Quatre Jours d'Elciis)*. A Ravenne où il est enterré, Dante n'est pas dans un Campo Santo, mais dans un mausolée.
20. Dans ce poème comme dans le précédent emploi fréquent de la « métaphore maxima ». Cf. encore v. 52, 92, 98.
21. Hugo mentionne un représentant des civilisations grecque, hindoue et judéo-chrétienne. Manou, fils de Brama, est l'auteur supposé des *Lois de Manou,* un des livres sacrés de l'Inde.
22. Sans doute souvenir d'une représentation plastique de saint Jean écrivant *l'Apocalypse.* — *Patmos* est l'une des îles Sporades où saint Jean fut exilé par Domitien. Pour Hugo, Jersey était à Patmos ce que lui-même était à saint Jean. Le mot de Sainte-Beuve cité dans les notes de la Pièce liminaire rend cette prétention excusable, et impardonnable le mot méchant de Veuillot : Jocrisse à Patmos, et les variations postérieures : Homais ou Matamore à Patmos.
23. *Stryge :* vampire nocturne.
24. La scène du figuier maudit (*Marc,* XI, 14) est-elle ici transposée?
25. *S'exfolie :* Littré cite cette phrase de Bernardin de Saint-Pierre : « Le roc est un granit tendre qui s'exfolie. » Se dit d'un corps dont les parties se détachent par parcelles ou par lamelles. J.-R. citent une pensée de Joubert où le mot est employé au sens figuré : « C'est par exfoliation que l'enveloppe corporelle se dissipe. »
26. Il y a deux Caton, deux Brutus, deux Zénon, deux Jean : d'où l'équivoque des allusions. Sans doute s'agit-il de Caton d'Utique qui se tua pour ne pas céder à César, de Brutus meurtrier de César

et neveu du même Caton, de Zénon d'Élée qui mourut courageusement pour ne pas céder à la tyrannie. Cf. V, XXVI, v. 83 et 331. Le *non* attribué à Caton est attribué à Zénon dans *les Malheureux*. Le ms. prouve que le poète hésite toujours sur le choix des noms propres. Au lieu de Brutus, Colomb, il avait d'abord écrit : Socrate, Jean.

27. Allusion à la statue du commandeur.

28. La magnifique périphrase fait pardonner à Hugo son infidélité au vers 150 de la *Réponse*...

29. Vers 64-70 : *ad. marg.* Dans la première rédaction, on lisait :

(v. 64) Quand l'erreur fait des nœuds dans l'homme, il les délie.
Il entr'ouvre dans l'ombre où les morts ont leur lit
Une lèvre de pierre et don Juan pâlit.

30. Voir dans la *Réponse*... le vers 52 pour *marque*.

31. Voir dans *la Fin de Satan* les deux épisodes *Nemrod* et *le Gibet*.

32. *Tibère :* commentaire étonnant de V. : « Sur toi, Tibère, que les premiers chrétiens ont aimé. » Mais pour Hugo, Tibère est un monstre : la parole du Christ brille même sur cet empereur plein de haine.

33. Vers 79-102 : addition en deux temps : déplacement des vers 79-83 après que furent ajoutés les vers 83-102.
Procédé de développement à rapprocher de la fin des *Malheureux*.

34. Souvenir de la Pentecôte : le Saint-Esprit descendit sur les Apôtres sous forme de langue de feu.

35. Le ms. porte effa*c*e et non effa*r*e.

36. *A toi les yeux, à moi les fronts.* On a peine à accorder ce partage avec : *Éclaire le dehors, j'éclaire le dedans,* d'autant plus que selon l'expression consacrée, les yeux sont les miroirs de l'âme.

37. L'image de la toile d'araignée est chère au poète, mais habituellement elle illustre l'idée de Fatalité.

38. Allusion au début de la *Genèse :* Or, Dieu dit : « Que la lumière soit faite», dont nous trouvions une transposition dans la *Réponse*... (V. 4.) Hugo se plaît à imaginer comme dans les cosmogonies, des généalogies mythiques : Puisque Dieu parle, la parole est antérieure non seulement à l'âme de l'homme, mais à la lumière primigène.

39. Hugo récupère la version abandonnée du vers 64.

40. *Ver dans le fruit* rompt la suite des idées. Partout ailleurs la puissance du mot est présentée comme bienfaisante. L'expression, qui est proverbiale, ne peut être interprétée dans un sens optimiste.

41. Allusion à deux scènes bibliques : les trompettes de Jéricho qui ont inspiré à Hugo le poème célèbre des *Châtiments :* « Sonnez, sonnez toujours, clairons de la pensée... » et le festin de Balthazar *(Livre de Daniel)* où une main mystérieuse trace sur le mur les mots Mané, Thécel, Pharès, qui annoncent la chute du roi.

Sur le ms. en marge des vers 107-110, Hugo a noté les vers d'Ennius :

Tunc tuba terribili sonitu : Taratantara dixit!

42. *Vertu* est substitué à *chaleur*. Selon Littré, dans le langage alchimique, *vertu céleste* désigne la chaleur naturelle de la matière.

43. Adaptation du début de l'Évangile de Jean : « Et le verbe était Dieu... Toutes choses ont été faites par lui; et rien de ce qui a été fait n'a été fait sans lui. En lui était la vie, et la vie était la lumière des hommes. »
Au souvenir de l'Évangile se mêle sans doute celui de la formule *Nomina, numina,* qui a tant frappé Hugo. *Son nom* daté de 1823 a pour épigraphe *nomen aut numen.* — Voir également VI, xxv.
Comme dans le poème précédent où Dieu était évoqué en conclusion, Dieu est le mot de la fin, mais il est amené d'une façon plus audacieuse.
Ce poème devait provoquer les sarcasmes des hugophobes, mais nous ne sommes plus à l'époque de Faguet. Hugo, il est vrai, n'était plus le même qu'au temps des *Odes* où il écrivait : « La poésie n'est pas dans la forme des idées, mais dans les idées elles-mêmes. » Il est maintenant plus près de Mallarmé enseignant à Degas qu'on ne fait pas des vers avec des idées mais avec des mots.
L'abondance des images ne rend pas facile la tâche de l'exégète. Hugo certes ramène parfois le problème du langage à la proportion : le mot est à l'idée ce que le corps est à l'âme; ou encore il se contente de paraphraser en termes brillants l'idée banale que les « slogans » sont efficaces.
Mais joignant en quelque sorte l'exemple au précepte, il s'élève grâce au délire verbal à un état de lucidité.
Comme un cabaliste, Hugo veut-il qu'il y ait correspondance magique entre les choses et les noms qui les désignent?
Comme un lecteur fervent du *Cratyle* veut-il qu'il y ait des noms naturels aux choses? Il importe davantage de mettre l'accent sur ce qui le distingue. S'il est évident que le problème du langage hanta les romantiques (de Saint-Martin à Ballanche, Bonald, Maistre, Lamennais et combien d'illustres inconnus), Hugo, une fois de plus, n'eut pas le simple écho sonore.
Pour Hugo, comme pour Bonald, le mot n'est pas un signe conventionnel. Mais à partir de là les points de vue divergent. Jamais Bonald n'admettrait que les mots créent les idées : or c'est là le point de vue hugolien.
En opposition au mythe de la *Genèse* qui veut qu'Adam soit « celui qui nomme », le mot déclare : Adam n'est pas mon père.
Le mot est le verbe. J.-R. citent une formule de Lamennais extraite de son *Esquisse d'une philosophie* (II, 222) qui semble bien proche de la pensée de Hugo : « Toute parole n'est qu'un écoulement, une participation de la parole infinie, de Verbe divin. » Mais pour un

chrétien et surtout pour un martiniste, la parole n'est plus la parole de l'Esprit puisque l'homme par sa faute a perdu ses privilèges. Hugo laisse au contraire au mot sa vertu primitive. Le mot reste le Verbe.

A. Breton nous a appris que Hugo était surréaliste quand il n'était pas bête. Comment ne pas citer ici le manifeste fameux : « On commençait à se défier des mots, on venait tout à coup de s'apercevoir qu'ils demandaient à être traités autrement que ces petits auxiliaires pour lesquels on les avait toujours pris... On les avait vidés de leur pensée, et l'on attendait sans trop y croire qu'ils commandassent la pensée. Aujourd'hui, c'est chose faite. » Comme Mallarmé, comme Breton, Hugo nous invite à céder l'initiative aux mots.

Mais plutôt que des surréalistes, apôtres de l'automatisme, nous ferions de lui un frère de Milosz, et de tous « ceux que la prière a conduits à la méditation sur l'origine du langage ».

P. 30. I, IX. LE POÈME ÉPLORÉ...

1. *Dates :* ms. 1er novembre 1854.
vol. Paris, janvier 1834.

Ce poème fut achevé un jour avant III, XXVIII, deux jours avant I, VIII. Shakespeare passe de ce poème-ci à III, XXVIII ; saint Jean et Eschyle à I, VIII, et dans cette dernière pièce on retrouvera le vocatif *ma sœur,* soudain poétisé.

La date fictive est la même que celle de la *Réponse...,* mais on peut penser à l'époque où *Marie Tudor* venait de quitter la scène, où Hugo publiait son drame avec une préface où il comparait précisément Corneille, Molière et Shakespeare. Mais, il faut le souligner, il faisait l'éloge du public.

Ici le point de vue a changé. Le poème dénonce l'erreur du public, qui, après un moment d'émotion, se reprend à l'idée que l'auteur le fait « marcher ».

Après un début polémique, le poème s'épanouit en un exposé esthétique où Hugo, sans le dire, se range parmi les grands dramaturges et les grands poètes.

Avant et pendant le Romantisme, le rapport entre le poète et ses créations avait donné lieu à des thèses antagonistes. V. cite Diderot : « Pourquoi chercher l'auteur dans ses personnages ? Qu'a de commun Racine avec *Athalie,* Molière avec le *Tartuffe ?* » *(De la poésie dramatique) ;* et Lamennais : « Ne croyez pas... que (le poète) se soit tour à tour identifié à ses personnages si divers : non, il les a regardés d'en haut, son œil indifférent a pénétré en eux, dans les plis et replis inconnus à eux-mêmes, et comme un miroir reflète les objets, sa calme intelligence reflète cette vive image de l'homme, tel qu'il est, tel qu'il sera toujours. » (*Esquisse...,* III.)

Hugo soutient la thèse opposée. Mais il ne se contente pas de dire que le poète tire ses personnages de lui-même, entendons qu'il

confesse par leur intermédiaire ses propres angoisses; il montre que si un personnage est vivant, c'est que le poète lui insuffle sa propre vie; il montre que le génie est, plus que les autres, homme. Cette idée est longuement commentée dans *William Shakespeare :* « Ce qui vous trouble, c'est qu'ils sont des hommes plus que vous; ils sont trop des hommes, pour ainsi dire. Là où vous avez la parcelle, ils ont le tout; ils portent dans leur vaste cœur l'humanité entière, et ils sont vous plus que vous-même. »
Donc au public qui doute de sa sincérité, Hugo ne se contente pas de répliquer qu'il est sincère. Son point de vue est beaucoup plus large. Mais ses idées ne sont pas exposées méthodiquement. Il nous jette en vrac des intuitions, illustrées par des images pathétiques.

2. *Se lamente, souffre :* expressions hardies soulignées par le rejet : l'œuvre s'identifie à son créateur.
3. *Accoudée :* aux balcons des loges.
4. Cette foule bourgeoise parle comme un académicien épris de rhétorique : répétition de *faux,* antithèse de *rit* et de *pleurer,* chiasme du vers 7.
5. Pour le poète, l'opposition de l'esprit et du cœur est factice. Comme celle même de l'œuvre et de son créateur.
6. Exemple type de jaillissement des images. L'œuvre brûle, saigne et enlace comme une hydre.
7. Sans doute un souvenir du *Pélican* de Musset.
8. Allusion à Prométhée.
9. Molière comme Shakespeare crée son œuvre avec sa propre souffrance. Alceste lui sert de porte-parole pour dénoncer et la coquetterie des femmes et le mensonge de la société.
10. *Genèse* invite à chercher, sous-jacents, les souvenirs bibliques d'où l'*argile sacrée* pétrie au vers 17. *Genèse* signifie création.
11. Allusion voilée au supplice de Prométhée.
12. Corneille, vieux Romain parmi les Français, est un lieu commun. Cf. par exemple le jugement de Voltaire.
13. *Catons* au pluriel. S'agit-il des deux Catons à la fois? Cf. I, VII, 65. — *Le mâle ennui* est à rapprocher de la mâle gaieté de Musset, qui figure, on le sait, dans un poème consacré à Molière.
14. La pâleur est un trait commun à tous les héros romantiques.
15. Allusion au premier acte du drame où Hamlet voit apparaître le spectre de son père. La pâleur est dans Shakespeare et la lune aussi, mais réduite à de furtives lueurs.
16. Molière, qui tenait le rôle d'Argan, est mort pendant la quatrième représentation du *Malade imaginaire.* — *Rêve* traduit romantiquement l'adjectif imaginaire.
17. La mer est *brumeuse,* comme au vers 14 le poète travaille dans l'*ombre,* comme au vers 16 le sommet est *noir.* Mais on peut penser aux tempêtes de *l'Odyssée.*
18. Sur saint Jean, cf. I, VIII, 50. Image hardie : Hugo, qui au vers 13 montrait le poète tressaillant dans sa création, nous montre ici la création tressaillant dans le poète.

19. Allusion à *l'Orestie* et à *Prométhée enchaîné.*
20. Première rédaction : *à Jupiter athée.* Cette version était à la fois cacophonique et contraire à la vérité, car si le Prométhée romantique était devenu l'incarnation de la Révolte, on ne peut taxer Eschyle d'impiété. Mais pour Hugo, Jupiter évoquait Napoléon III. Le 1er février 1855, Hugo reprendra dans *Lorsque j'étais enfant...* (*T. L.*, IV, XIV) la rime écartée ici :

J'essayais d'expliquer... pourquoi je n'étais pas athée
Au génie; et pourquoi j'admirais Prométhée.

La comparaison des deux poèmes est du reste bien suggestive.
21. Sur le thème du *crâne,* voir I, VIII, 22 (note).
Mais on sait que selon la légende un aigle prit le crâne d'Eschyle pour un rocher.
On notera dans ce poème d'apparence incohérente comment la fin est préparée par une première allusion à Prométhée au vers 16, et une deuxième au vers 23. C'est donc ce mythe qui est le mythe essentiel : le philanthrope est persécuté. Une vision syncrétiste rapproche au vers 17 Prométhée et Jéhovah.
Il y a enfin correspondance entre le crâne géant et le globe terrestre.

P. 32. I, X. A MADAME D. G. DE G.

1. *Dates :* ms. 27 août 1840
vol. Paris, 1840 — Jersey, 1855.
La double date est authentique.
C'est le 29 juin 1855 que Delphine Gay de Girardin mourut d'un cancer. Le 3 juillet, Hugo écrit à Noël Parfait : « Mme de Girardin! Quel malheur! Il y a deux ans, elle était ici avec lord Raglan. Les voilà morts tous deux presque au même moment. Pourquoi cette conjonction de fatalité entre ce lord quelconque et cette grande âme? — Je viens d'écrire à Émile de Girardin. Nous sommes navrés de cette mort. »
En septembre 1853, en effet, Mme de Girardin avait passé quelques jours à Jersey. Le 4 octobre, Hugo écrivait à P. Meurice : « Elle a été charmante et très brave. Elle a grimpé, elle a dégringolé; elle s'est plongée au fond de Plémont, héroïquement, comme Madame Paul. » Elle avait fait mieux encore, puisque c'est elle qui enseigna aux exilés la pratique des tables tournantes. Son rôle dans la genèse du recueil est donc primordial.
La pièce écrite le 27 août 1840, et que Delphine connaissait sans doute, figurait-elle déjà dans le recueil? Hugo du moins la modifia après la mort, surpris qu'avec si peu de corrections il puisse transformer la pièce. Le 8 juillet 1855, il écrivait à N. Parfait : « Je recommande à votre attention fraternelle [...] la pièce à Madame de Girardin qui, avec quelques mots et quelques vers changés, se trouve

comme faite pour sa mort (Noble femme et que je regrette profondément). »
Cette mort lui inspira un autre poème daté du 16 juillet 1855 et recueilli dans *T. L.* (V, XXIII).
Voici, d'après le ms. la première version :

V. 1. Souvent, songeant à vous, je dis : Vivez, Madame!
V. 2. Le salon vous attend! le concert vous réclame!
V. 4. Soyez heureuse et belle
V. 13. Puis, tout à coup, devant ma pensée inquiète,
V. 14. Vous vous transfigurez et je vous dis : Poète!
V. 15. Inspire-moi! Génie! Ange mystérieux!
V. 23. Car, le front incliné sous les rameaux penchants,
V. 24. Tu songes, et ta lyre a de sublimes chants
V. 25. Car le sombre océan...

Le poème primitif, on le voit, opposait la femme du monde et la femme poète. Au prix de quelques corrections, il oppose désormais la femme brillante et la morte; mais comme Hugo demandait à la poétesse de l'inspirer, qu'il la traitait déjà d'ange et la tutoyait, il n'a pas eu de peine à conserver le texte primitif.
Hugo connaissait Delphine depuis 1821. Tous les jeunes romantiques ont admiré et courtisé l'éblouissante jeune fille. Après son mariage avec Girardin, elle assura à Hugo l'appui de *la Presse,* le journal de son mari. Après le coup d'État, Hugo, qui avait tenté de défendre l'attitude de Girardin aux yeux de ses compagnons d'exil, perdit peu à peu ses illusions; mais son amitié pour Delphine n'en souffrit pas.
Delphine, poète et auteur dramatique *(La joie fait peur),* a écrit des *Lettres parisiennes* sous le pseudonyme masculin de vicomte de Launay.

2. Cf. VI, IX, 31, où les astres sont des roses.
3. Marceline Desbordes-Valmore écrivit à la nouvelle de cette mort :

   La mort vient de fermer les plus beaux yeux du monde.

   et Hugo dans le poème de *T. L.* mentionné plus haut :

   Beaux yeux clos...

4. Cf. dans le même poème :

   L'autre année, elle y vint lire :
   Et m'éclaira d'un sourire
   L'horizon.

5. Dans ce poème encore, Hugo dit à la mort :

   Il est temps que je m'en aille.

6. *Bouche profonde.* C'est le *profundo... ore* des *Odes* d'Horace (IV, II, 7-8), mais doté d'un sens différent : il ne s'agit plus d'abondance mais de profondeur, celle-ci étant elle-même ambiguë. Cf. les « pères profonds » du *Cimetière marin.*
7. Quelle est la valeur de *ou?* Les deux philosophes sont-ils interchangeables ou bien représentent-ils deux attitudes opposées : *Descartes,* la croyance en un Dieu personnel, *Spinoza,* le panthéisme?
La religion de Delphine était peu orthodoxe. Elle avait subi l'influence de sa mère, Sophie Gay, adepte fervente de la métempsycose. V. cite une lettre de Sophie à Hugo qui lui avait adressé un exemplaire des *R. O.*, datée du 22 mai 1840 : (la fille aînée de la duchesse de Gramont lisant un poème du nouveau recueil), la duchesse s'écrie : « Ah! j'en suis sûre, Victor Hugo a été Mère. » Il ne faut pas, on le voit, faire dater de l'exil les contacts de Hugo avec l'occulte.
8. Voir en VI, IX, 83, l'image analogue du crible. — En 1856, ce *plafond troué* fut jugé ridicule.
9. J.-R. observent que « la répétition de l'adjectif est une élégance de notre poésie classique ». Procédé cher à Delille.

P. 34. I, XI. LISE

1. *Dates :* ms. mai 1843.
vol. même date.
Ce poème aurait donc été écrit *avant* le voyage aux Pyrénées et en Espagne. On le verrait mieux écrit en mai 1853. Hugo a raconté en effet à deux reprises comment en se rendant à Madrid en 1811, il s'était, au cours de l'arrêt à Bayonne au mois d'avril, épris d'une jeune fille, Rose. 1° Cf. la lettre à L. Boulanger écrite de Bayonne le 26 juillet 1843 recueillie dans *Alpes et Pyrénées* (reproduite intégralement par V.) qui attribue à Rose « quatorze ou quinze ans ». 2° Cf. *Hugo raconté par un témoin de sa vie* (XVI) qui attribue à Rose dix ans. « Mais, dit le texte, dix ans pour une fille, c'est comme quinze pour un garçon. » Ainsi les vers ont précédé les récits en prose, et il faut admettre que le souvenir de l'idylle de 1811 s'est réveillé à la seule idée d'un passage par Bayonne.
L'héroïne ne s'appelle pas Rose. V. suppose que le prénom de Lise est né d'un jeu de mots, la jeune fille disant souvent à Victor : « viens que je te *lise* quelque chose! » L'âge des protagonistes est modifié : Victor n'a plus neuf ans mais douze et Lise est plus âgée que Rose. La scène qui se déroule à l'église se situe simplement en prose sur le seuil de la maison.
Sur le thème des amours enfantines, lire le chapitre de J.-B. Barrère dans *Fantaisie de V. H.* (III, 86-93); mais il conviendrait de tenir davantage compte de l'âge du héros, et de ne pas mettre sur le même plan le nigaud de I, XV, l'adolescent de I, XVI et l'enfant précoce de ce poème.
Il convient en revanche de rapprocher le poème en l'honneur de

Lise de ceux inspirés par Pepita (voir *Quatre Vents,* III, XII, et *Art d'être grand-père,* IX, poèmes de janvier 1855).

2. Cf. R. O., *Sagesse :*

> Quoiqu'il n'ait que neuf ans, il explique Tacite.

3. *L'aube.* La lettre à Boulanger s'achève sur ces mots : « C'est là que j'ai vu poindre, dans le coin le plus obscur de mon âme, cette première lueur inexprimable, aube divine de l'âme. »
4. C'est volontairement que Hugo donne à ce poème l'apparence d'une romance un peu vieillotte.
Le type de cette strophe est exceptionnel. Dans II, XXVIII, le quatrain initial est à rimes embrassées.
Dans son étude sur les *Strophes* (p. 291), Martinon note : « C'est dans ce rythme que Millevoye et ses contemporains écrivaient des romances à refrains variés, telle que *Harold aux longs cheveux.* » Mais la strophe de Millevoye n'est pas identique à celle-ci, le distique final y faisant office de refrain.

P. 36. I, XII. VERE NOVO

1. *Dates :* ms. 14 octobre 1854. La veille, Hugo a achevé *Ce que dit la Bouche d'Ombre;* du même jour sont datés I, XVIII, et I, V; du 15, I, XXVII. Mais le 10 octobre, il avait écrit I, XIV, *A Granville,* dont le titre primitif était *Vere novo* et où figurait ce vers :

> Il neige des papillons (v. 71).

vol. mai 1831. C'est l'époque où Hugo va faire jouer *Marion de Lorme,* et écrit une variante au dénouement plus optimiste. Remarquons surtout que le poète, qui écrit en octobre un poème printanier, laisse croire que les poèmes printaniers sont écrits au mois de mai.
Le titre. Vianey rattache le titre à Virgile, *Géorgiques,* I, 43. Mais J.-B. Barrère (R. H. L. F., octobre-décembre 1951, p. 447) observe que dans le *Gradus ad Parnassum,* conservé à Hauteville House, cette formule est attribuée également à Calpurnius Siculus. J.-R. ajoutent que dans un *Gradus* de 1812 « elle figure en tête d'une série où plusieurs vers commencent par ces deux mots ». Il n'est donc pas sûr que le titre soit emprunté à Virgile : dans *les Géorgiques,* du reste, le printemps est l'époque du travail et non de l'amour.
2. *Et l'aube en pleurs sourit,* écrit Hugo dans III, XXIX.
3. *Charmants, petits,* les adjectifs donnent le ton de la pièce. Cf. III, XXII :

> Le bourdon galonné fait aux roses coquettes
> Des propositions tout bas.

4. « Traduisez : que les amants écrivent aux belles », se croyait obligé d'expliquer Caro dans la *Revue contemporaine* du 15 juin 1856.
5. Ne pas exagérer l'importance de cette réflexion sur la fragilité de l'amour : il s'agit de préparer l'image finale.
6. Tout est plein d'âme.
7. Voir une autre variation sur les billets doux en II, I.

Exemple de poème suggéré par une image. Les papillons font penser à des bouts de papier blanc, dans *Quatrevingt-treize* (III, III, 6) : « Georgette, pensive, regarde ces essaims de petits papiers blancs se disperser à tous les souffles de l'air, et dit : — Papillon. » L'image évoque alors ce que J.-B. Barrère appelle « la Comédie dans l'herbe » : les insectes et les fleurs, « ce motif découlant des *Magnificences microscopiques* et du *Vere novo* dont il est une illustration combinée ». (*Fantaisie de V. H.*, III, pp. 131-143 et 182-189.) Enfin les bouts de papier blanc deviennent des billets doux.

P. 37. I, XIII. A PROPOS D'HORACE

1. *Dates :* ms. 31 mai 1855 (et 2 juin 1855).
   vol. Paris, mai 1831.

La première est la même que celle de I, XII; la seconde évoque l'époque d'*Angelo,* et aussi des « pièces amoureuses élégiaques » des R. O.

Ces dates ne sont pas faciles à accorder, comme pour tous les poèmes faits de morceaux disparates. Dans le classement des pièces du livre I joint sur le ms. au titre *Aurore* et qui doit dater de juin 1855, le poème s'intitule simplement *Horace,* mais forme deux pièces. La seconde était constituée par le développement final : vers 179-214, et le vers 179 se présentait ainsi :

> Un jour quand l'idéal rayonnera pour tous.

C'est au bas de ce fragment que Hugo inscrivit la note : « Aujourd'hui 31 mai 1855, j'écris cette pièce, la dernière de celle que je destine à compléter *les Contemplations.* Il y a deux ans, jour pour jour, le 31 mai 1853, j'écrivais la dernière pièce des *Châtiments.* » Mais, comme le prouve la lettre à Hetzel datée du même jour Hugo envisagera aussitôt un recueil plus ample.

La première pièce était elle-même formée de deux fragments : l'un remontant à 1846, comprenant les vers 1 à 70 et intitulé d'abord *Dessus de porte;* l'autre datant de l'exil et allant du vers 71 au vers 154. Une date a été raturée au bas de ce fragment : 2 juin 1855, selon J.-R. Cette date semble plutôt celle où le raccord a été fait que celle où le second fragment a été écrit. Enfin à une date postérieure incertaine, les deux fragments ont été soudés et, non sans tâtonnements (pour plus de détails, voir J.-R., *Manuscrit des C.*, p. 24) Hugo a écrit le morceau de liaison, vers 155-179.

L'ensemble se tient malgré tout : il est vrai qu'il s'agit d'un développement à tiroirs :

> Et, là, je m'écriais... Puis j'ajoutais...
> Et, ma rage croissant, je reprenais.

Ce poème est loin de valoir les poèmes précédents. Si, ici encore, la satire s'épanouit en effusion lyrique, celle-ci manque d'envolée, celle-là de verve. Seul, le « poème antique » (vers 36-48) est une parfaite réussite.

En tant que document, ce poème présente un double intérêt : 1° Il est la preuve que Hugo « aima toujours Horace » (*Lettres romanes*, J. Marmier : *V. Hugo et Horace après 1840*, 1er mai 1964). J.-B. Barrère (*op. cit.*, I, 361) cite ce fragment suggestif du reliquat de *Lit. et phil. mêlées* : « Or, nous voulons Virgile, nous, mais nous voulons Horace aussi. Virgile est une moitié de l'art. Horace est l'autre. C'est une loi digne de méditation et d'étude que celle qui place constamment auprès des poètes divins les poètes humains, à côté de Virgile, Horace, à côté de Racine, Molière. » 2° Il contient une attaque violente contre les éducateurs congréganistes, l'argument essentiel étant le vers 70, au parallélisme éloquent :

> Grimauds hideux qui n'ont...
> Jamais eu de maîtresse et jamais eu d'idée!

L'époque évoquée ici serait celle où il a suivi les cours de la pension Cordier et Decotte : mais il a gardé indiscutablement un bon souvenir de ses maîtres (voir la thèse de G. Venzac : *les Premiers Maîtres de V. H.*). Il ne s'agit donc pas de souvenirs personnels. Au vers 10, au lieu de *seize*, le ms. portait *vingt*, ce qui confirme la chose. Hugo manifestement cherche le scandale.

2. *L'Ode à Plancus* est la septième du livre I. *L'Épître aux Pisons* est plus connue sous le titre d'*Art poétique* (elle compte 476 vers!).
3. *Armide*, héroïne de la *Jérusalem délivrée* du Tasse; *Haydée*, héroïne du *Don Juan* de Byron, représentent deux types de femmes : la femme fatale et la femme dévouée.
4. *Aux buttes :* première rédaction : *au* moulin *Saint-Gervais*. Allusion au moulin de la Galette et aux Buttes qui deviendront les Buttes Chaumont.
5. *Ad. marg.* de l'écriture de l'exil. Souvenir nostalgique.
6. *La mère Saguet :* ce cabaret n'était pas situé à la Courtille, le quartier évoqué plus haut, mais rue du Moulin-de-Beurre. Le poète ne le connaissait pas encore quand il était écolier; ce fut son frère Abel qui le découvrit plus tard et mérita le nom de Napoléon de la mère Saguet. Voir au musée V.-Hugo, une eau-forte d'après Bonington représentant ce cabaret (n° 664). Cf. dans *les Misérables*, éd. Garnier, I, 783. (Grantaire savait qu'on trouvait) « des poulets à la crapaudine chez la mère Saguet », et surtout *ibid.*, I, 704

« L'hôtesse syrienne a plus de grâce que la mère Saguet, mais, si Virgile hantait le cabaret romain, David d'Angers, Balzac et Charlet se sont attablés à la gargote parisienne. »
Le cabaret disparut précisément en 1855.

7. Souvenir d'Horace : *Odes,* I, IX, v. 19 et *sqq.*
8. Souvenir d'Horace : *Odes,* I, XXXIII, v. 13-16.
9. Allusion à l'*Ode* III, VIII.
10. Allusions aux *Odes* les plus célèbres (Horace possédait, dit-on, une villa à Tivoli).
11. Allusion à la *Satire* I, 8, traduite à la pension Cordier.
12. Allusion à l'*Ode* II, XIX, v. 29-32.
13. *Iambes :* pied formé d'une brève et d'une longue, élément du sénaire ïambique, vers de la tragédie.
14. Le Silène digérant dans sa grotte est virgilien (*Buc.,* VI, v. 14-17).
15. Allusion à l'*Ode* III, XVIII.
16. Allusion à l'*Ode* I, XX.
17. *Glycère* a été souvent chantée par Horace (I, XIX, XXX, et III, XIX). Mais c'est dans l'*Ode* I, XXXIII, que l'on trouve ensemble les noms de Lycoris et de Glycère.
18. *Flaccus* est le *cognomen* d'Horace.
19. Allusion à l'*Ode à Lydie,* traduite à la pension Cordier.
20. En particulier dans *la Critique de l'École des femmes* et *le Misanthrope*.
21. *Dressé sur son séant* expliqué plus loin par *endormeurs !*
22. Hésitation sur les noms propres : *Lucrèce* a été remplacé par *Sophocle :* deux Grecs, deux Latins, et surtout trois auteurs de théâtre, dont deux de comédies.
23. *Exeat :* billet de sortie.
24. *Opium :* employé avec la même valeur que dans la célèbre formule : « La religion, opium du peuple. »
25. *Humaine :* l'homme est pareil à un livre sacré.
26. Encore deux Grecs et deux Latins.
27. Les souvenirs de Tite-Live (*Histoire,* V, 27) sont moins précis que ceux d'Horace. C'est pendant que Camille assiégeait Falériess, et non Véies, qu'un maître d'école vint lui livrer les écoliers qui étaient les fils des patriciens. Camille le fit ramener dans la ville par ses élèves armés de verges. Camille, selon Tite-Live, venait de prendre Véies, d'où la confusion des noms.
28. Voir dans *les Misérables,* III, I, 10, éd. Garnier, 700 : « le gamin de Paris aujourd'hui, comme autrefois le graeculus de Rome, c'est le peuple enfant ayant au front la ride du monde vieux... » *Graeculus* n'a jamais signifié gamin, mais Hugo ne voit que le diminutif : « *Homuncio,* dirait Plaute » *(Misérables)*. Hugo s'est vanté dans son roman (p. 695) d'avoir été le premier à employer le mot *gamin.* Mais il figurait dès 1803 dans le *Dictionnaire* de Boiste.
29. *Mannequin :* sans doute un épouvantail.
30. Hésitation sur les noms propres. Hugo avait d'abord repris avec chiasme les noms du vers 60; puis il leur substitua Phyllodoce et

Néère; puis dans l'édition il remplaça Néère par Xantis. Sans doute pour mieux rappeler le vers 336 du chant IV des *Géorgiques.*

31. Première rédaction : *aux jésuites du coin.*

32. *Tarentule :* grosse araignée.

33. *Agricola,* général romain qui acheva la conquête de la Grande-Bretagne. Il était le beau-père de Tacite, qui a écrit sa biographie.

34. Première rédaction : *Virgile.*

35. Union des contraires, puisqu'un *dadais* désigne un *jeune* nigaud.

36. Hésitation sur les noms propres : première rédaction : *Labarpe* et *Laporte. Labarpe* (1739-1803), l'auteur du *Cours de littérature,* s'était converti. *Nonotte* (1711-1793), jésuite, adversaire de Voltaire. Quant à *Laporte,* est-ce l'érudit Laporte du Theil?

37. *Égueulés :* ébréchés du bord.

38. Allusion au *Confiteor* que l'on récite quand on se confesse : « Mea culpa, mea culpa, mea maxima culpa. » Le nom est à l'ablatif. L'emploi du pluriel est d'un effet burlesque.

39. *Tuentibus hircis,* dit Virgile (*Buc.,* III, 8).

40. Première rédaction : *ces clercs de Loyola.* (Ici comme au vers 120 Hugo n'a pas maintenu son attaque contre les jésuites.)

41. *Couleurs dures, nuances crues* s'oppose, semble-t-il, à *vapeurs, illusions, rêves.* Veut-il dire que ces correcteurs critiquent *tout?*

42. *Ignorantin :* nom que prenaient les Frères de Saint-Jean de Dieu, mais qu'on donnait par ironie aux Frères des écoles chrétiennes. — Première rédaction : *Sous prétexte d'ôter des fautes de latin.*
Ici, la version corrigée introduit une attaque nouvelle.

43. En quoi le *prisme* s'oppose-t-il aux *culs de bouteille?* Est-ce parce que le prisme est en cristal? qu'il a une forme régulière? qu'il fait apparaître un arc-en-ciel?
H. Temple Patterson montre d'une façon convaincante que l'image du *prisme* provient de Mercier pour symboliser le génie créateur (*op. cit.,* pp. 59 et 214).

44. Après les auteurs de grammaire dont Huet est le symbole, voici les auteurs de manuels de mathématiques, Bezout et Boisbertrand. Parmi les livres de Hauteville House, J.-B. Barrère mentionne le *Cours de mathématiques* de Bezout (*art. cit.*). Sur les études en mathématiques de Hugo, consulter G. Venzac (*op. cit.,* p. 410).

45. L'enfant poète détestant les mathématiques est un cliché. Ailleurs, au contraire, Hugo posera au poète mathématicien. Dans le carnet 13.447 de la B. N. se lit cette note de Hugo : « J'ai fait dans ma jeunesse quatre ans de mathématiques. Mon professeur, M. Lefebvre de Courcy, me demandait un jour : « Eh bien, Monsieur, « que pensez-vous des X et des Y? » Je lui ai répondu : « C'est « bas de plafond. »

46. *Chevalet :* instrument de torture en forme d'X ou d'Y sur lequel on attachait les esclaves.

47. *De là mes cris,* imité de *Inde irae.*

48. Première rédaction : *Le maître, constructeur des esprits.*
Hugo a tenu à nommer l'instituteur.

49. La nature est un livre : l'image traditionnelle est renouvelée. Pour Hugo, la création est une figure en deuil.
Dans le dernier vers, le génitif est difficile à interpréter : l'*alphabet* au sens d'abécédaire serait formé de grandes lettres d'ombre.
Cette fin rachète un développement qui est assurément un des plus mauvais du recueil. Caro notait en 1856 : « Quel style étrange! » Il n'est pas besoin d'ajouter qu'alors le poème fit scandale et le même Caro déclare : « Nous ne pouvons pas admettre la plaisanterie de M. Hugo dans ces pages grotesquement furibondes... »

P. 44. I, XIV. A GRANVILLE, EN 1836

1. *Dates :* ms. 10 octobre 1854.
Écrit pendant la mise au net de *Ce que dit la Bouche d'Ombre,* en même temps que VI, XX, *Relligio* et I, XV, *la Coccinelle.* Plus que le contraste avec le grand poème apocalyptique, il faut souligner la parenté d'inspiration : la nature est animée; tout vit, tout aime. La parenté est plus frappante encore avec *Relligio,* puisque les deux poèmes transforment le spectacle de la nature en office religieux. Le vieux mont devenu évêque dit la messe; dans VI, XX, c'est Dieu qui officie, et la lune est l'hostie qu'il élève. Comme dans I, XV, nous retrouvons l'heptasyllabe léger; mais le quatrain n'est pas identique : ici, rimes croisées; là, rimes embrassées.
Vere novo était le titre primitif. Mais le mois de juin n'évoque pas le printemps.
vol. Granville, juin 1836.
Granville est un port sur la Manche. Hugo y passa le 29 juin 1836 au cours d'un voyage en Normandie et en Bretagne en compagnie de Juliette et de C. Nanteuil. Cette promenade est racontée dans une lettre à Adèle datée du 30 *(France et Belgique).* Venant de Coutances, il décrit les chaumières transformées par le renouveau : « A chaque hoquet du printemps une chaumière fleurit. » V. souligne le fait qu'à Granville Hugo a été frappé par la *sacra fames* qui oblige oiseaux et insectes à s'entre-dévorer. Ainsi avec le temps et malgré le deuil, son humeur ne serait pas devenue plus sombre. Disons plutôt que le poète, pour ménager un contraste, efface de son passé les notes sombres.
L'évocation de Jersey (v. 45 et *sqq.*) prouve bien qu'il s'agit d'un poème de l'exil, mais dès 1836, de Granville, il avait aperçu Jersey, et des enfants bateliers voulaient même l'y mener.
Sur les vingt strophes, neuf ont été ajoutées après coup. « L'exemple de ce beau poème, observent J.-R., montre bien comment procède l'imagination : mise en mouvement, elle continue à travailler, à peu près sur le même plan; on ne peut pas dire que les neuf strophes ajoutées (5, 6, 7, 12, 13, 14, 16, 17, 18) font entendre, sauf peut-être la seizième, une note vraiment nouvelle. Pourtant la plus rapide comparaison permet de saisir combien le poème achevé a gagné par la seule vertu d'un développement plus ample, dont l'aisance tran-

quille et gaie paraît celle-là même des jeux de la Nature. » (*Le Manuscrit des C.*, p. 201.)

Pour V., *A Granville* était la première œuvre poétique de Hugo où apparaissait avec éclat sa fantaisie. Il oubliait *la Forêt mouillée,* datée du 14 mai 1854.

On lira avec profit dans le chapitre capital de J.-B. Barrère, *le Temps des Contemplations* (*Fantaisie,* II, 63-136), les pages consacrées à la *Deuxième série de la fantaisie pastorale* (93 et *sqq.*) dont ce poème fait partie, mais également, p. 89, la réponse à la question : quelle est la part de Jersey dans cette inspiration; p. 123, la comparaison entre Hugo et Gautier; p. 129, la comparaison entre Hugo et Grandville, le dessinateur des *Fleurs animées* et d'*Un autre monde*. (Voir dans ce dernier recueil : *la Fête des fleurs.*) « En vérité, on pourrait se demander, conclut ingénieusement J.-B. Barrère, si Hugo n'a pas *in petto* voulu jouer sur le nom de cette plage normande qu'il avait effectivement visitée, pour adresser cet hommage déguisé à l'inspiration d'un artiste dont il n'a pu ignorer les dessins. »

2. *Rossignol de muraille,* nom vulgaire du rouge-queue, genre d'oiseau passereau.
3. Cf. Virgile, *Buc.*, VI, 14-17 et dans la pièce précédente, v. 55. Pour *Grandgousier,* cf. I, v, 23.
4. Après les amours des oiseaux, la fantaisie du poète imagine les coquetteries des fleurs à l'adresse des oiseaux.
5. Le règne minéral lui-même participe à la fête.
6. *L'ancien zéphyr fabuleux :* allusion à la poésie classique.
7. J.-B. Barrère a bien montré (*op. cit.*, II, 18-26) les réactions successives de Hugo devant Jersey. A la bonne impression de l'arrivée avait succédé une période de « noir » coïncidant avec l'hiver et l'obsession de l'exil. Marine Terrace prend alors l'aspect d'un tombeau. Le printemps de 1853 apporte une détente. Mais l'hiver revint plus lugubre encore, l'hiver de *Dolor, Horror*. Puis de nouveau Jersey reprend « le visage de son éternel printemps », et c'est ainsi que, le 19 mars 1854, Hugo esquisse dans une lettre à Villemain le parallèle qu'il ne cessera d'amplifier (bien qu'il n'ait de la Grèce et de la Sicile qu'une idée livresque) : « Savez-vous ce que c'est que Jersey? Prenez une carte de l'archipel et cherchez-y Lemnos. Lemnos c'est Jersey. » Le 14 juin 1860, revenant à Jersey, d'où il était parti, le poète devait déclarer : « Ce que j'aime dans Jersey, je vais vous le dire. J'en aime tout. »
8. *Bion,* bucolique grec né à Smyrne, contemporain de Théocrite, né lui-même à Syracuse.
9. *Moschus,* autre bucolique syracusain.
10. Dans *les Mages,* v. 168, on lit : « Moschus, sur qui l'Etna flamboie. » Dans la *L. S.*, *Tout le passé et tout l'avenir,* v. 330, on retrouve l'image de la cheminée : « Ta cheminée, ô sombre Hékla! »
    Hugo a-t-il pensé au titre de Dickens : *le Grillon du foyer?*
11. Cette strophe, selon J.-R., fait entendre un accent différent à cause du couple *sombre-ombre*. Cette note rappelle la fin du poème pré-

cédent évoquant les jambages *noirs* de l'alphabet de la nature.

12. Les parfums parlent : image plus hardie que celle des *Correspondances*.

13. « Autour de ces touffes flottait sans cesse une neige vivante de papillons blancs. » *(Le Rhin.)*

14. *Sourire d'émail.* Cf.

> Sur l'horizon lugubre apparaît le matin,
> Face rose qui rit avec des dents de perles.

15. « Je regardais les collines du bout de la plaine, qu'une immense bruyère violette recouvrait à moitié comme un camail d'évêque. » *(Le Rhin.)*

Cette pièce charmante ne fut pas comprise en 1856. Pontmartin n'y voit qu'une poésie « raffinée, quintessenciée et mignarde». Caro juge que la fin est une plaisanterie. Or, nous avons là un nouvel exemple de ces changements de ton *in extremis* caractéristiques de la structure du poème lyrique hugolien. Un sentiment fervent de la vie universelle, que la fantaisie traduit sous une forme joyeuse, s'épanouit en une personnification de caractère religieux. La Nature est non seulement un temple, mais une cathédrale.

Une critique de Caro en 1856 mérite d'être rappelée ici : « Le sentiment de la nature... perd tout son charme en s'exagérant. On répand à flots dans le monde l'âme humaine... On ne s'aperçoit pas qu'on ravit à la nature son prestige et son attrait, le mystère... Voilà ce que ne semble pas avoir compris M. Victor Hugo. » Or, comme pour répondre d'avance à ce reproche, Hugo avait ajouté la strophe 16 : La nature est sombre parce qu'elle est mystérieuse.

P. 47. I, xv. LA COCCINELLE

1. *Dates :* ms. 10 octobre 1854.
   vol. Paris, mai 1830.

   Écrit le même jour que le poème précédent (voir ci-dessus). Ce n'est pas, comme le veut V., la première en date des *C. R. B.*, puisque de septembre datent : *Pourquoi va-t-on dans les prairies...* (*C. R. B.*, reliquat) et *Or nous cueillions ensemble la pervenche...* (*T. L.*, VI, xx.)

   La date fictive évoque le printemps de 1830 après la bataille d'*Hernani,* mais le poème lui-même nous ramène à l'époque où Hugo avait seize ans. En 1818, Eugène et Victor ayant quitté la pension Cordier habitent avec leur mère, rue des Petits-Augustins. Adèle habite toujours rue du Cherche-Midi. Mme Hugo allait presque tous les soirs rendre visite à Mme Foucher. Mais s'agit-il de la fiancée?

2. *Cou de neige :* légèrement parodique.

3. Notation aussi charmante que juste.

4. La coccinelle est appelée, on le sait, bête à bon Dieu. Ce jeu de mots mit en 1856 G. Planche en fureur : « *La Coccinelle* serait un charmant enfantillage, si le récit ne se terminait par un jeu de mots qui dépasse les bornes de la puérilité. »

P. 48. I, XVI. VERS 1820

1. *Dates :* ms. 18 octobre 1854.
vol. pas de date.
Écrit huit jours après la pièce précédente. L'absence de date fictive signifie-t-elle que ce poème est censé écrit à l'époque du titre, donc quand Victor avait dix-huit ans?
2. Première rédaction : *Thérèse.* Pourquoi le changement de prénom? Hugo a-t-il voulu éviter une confusion avec l'héroïne de *la Fête chez Thérèse?*
Le 9 avril 1855, Denise reparaîtra dans une pièce recueillie dans *T. L.* (VI, XLII) et qui rappelle *la Coccinelle* (outre les rimes *farouche-bouche,* cf. : « Elle était Belle et j'étais Bête »).
3. *Fait sa tartine,* argot de journaliste : tartine = article.
4. Sur le récit de Théramène, voir *Réponse...,* v. 131-132.
5. Sur une feuille (ms. 13.364 f° 49), Hugo avait noté ce vers :

A l'âge où la prunelle ignorante est en fleur,

qui devint dans une première rédaction du vers 11 :

A l'âge où la prunelle innocente est en fleur.

Après un nouvel essai de variantes : « Tu ris à ta fenêtre, arrosant une fleur », le vers revêt sa forme définitive. Cependant le vers écarté sera récupéré. Sur le même folio, on lit : « J'ai mis ce vers dans *les Contemplations, Claire,* v. 84 » (poème achevé en décembre 1854).

P. 49. I, XVII. A M. FROMENT MEURICE

1. *Dates :* ms. 22 octobre 1841.
vol. Paris, octobre 1841.
Hugo vient d'être reçu à l'Académie française, il rédige la conclusion politique du *Rhin.*
Paul Meurice avait un demi-frère, François, Désiré, Froment Meurice, orfèvre et joaillier en vogue, qui obtint un grand succès à l'exposition de Londres en 1851. Né la même année que V. Hugo, il mourut subitement en 1855. Son frère Paul demanda au poète d'insérer ce poème ancien dans *les Contemplations.*
La parenté des artistes est affirmée, cependant qu'est niée la distinction entre arts majeurs et mineurs. Hugo envisage une collaboration des arts entre eux, fondée sur l'unité de l'Art et la mission commune aux artistes.

2. L'*Art* de Gautier est de 1857. Hugo ne professe pas l'Art pour l'Art. Il invite au contraire le joaillier à « penser».
3. *Beauté :* la femme, comme le prouve la suite.
4. *Benvenuto Cellini,* orfèvre illustre de la Renaissance (1500-1571), dont la vie passionnée fascina les romantiques : cf. l'opéra de Berlioz. Dans *Léone Leoni* (dont l'héroïne est la fille d'un joaillier), G. Sand écrit : (Léone Leoni) « nous parla des travaux d'orfèvrerie qu'il avait eu l'occasion de voir dans ses voyages, et nous vanta surtout les œuvres de son compatriote Cellini, qu'il plaça près de Michel-Ange ».
5. « Ce qui est bon vaut ce qui est bon», écrira Flaubert. Pour Hugo tout est grand, et c'est la présence d'une âme qui fonde cette grandeur.
   En 1856, A. de Vaucelle écrivait dans *l'Artiste* au sujet des *C. :* « Tout cela n'est pas seulement écrit, mais encore chanté, ciselé et peint. M. Victor Hugo, on le sait, est le Froment Meurice de la poésie. »

P. 51. I, XVIII. LES OISEAUX

1. *Dates :* ms. 14 octobre 1854.
   vol. Paris, mai 1835.
   Écrit le même jour que I, v et I, XII.
   Même date fictive que I, XIII, et, comme I, XII, daté de mai à cause du vers 45.
2. *Concert :* accord entre le poète et la nature, entre le poète et les morts.
3. *Ombre,* au sens figuré. Cf. front ténébreux (v. 6).
4. *Moineaux francs :* moineaux véritables.
5. Antithèse entre l'instant et l'éternité, comme entre la raison et la démence (v. 36), la nuit et la lumière (v. 44), l'ombre et la joie (v. 5 et 32, v. 31 et 35).
6. *Harpies :* monstres ailés avec un visage de femme et un corps de vautour. Dans *l'Énéide,* les harpies souillent les mets des compagnons d'Énée.
7. Question pleine d'humour qu'explique la référence pédante qui précède.
8. Scène à la *Gulliver*.
9. Le sage rit : la leçon du houx complète celle du bouvreuil, d'ordre littéraire. Dieu veut que rire et deuil soient liés.
10. *Nous :* le houx s'identifie aux morts.
11. Vers 29-44 : *ad. marg.* en deux temps : 36-44 furent ajoutés ensuite.
12. Sans doute les draperies de pierre.
13. *Orthographe :* façon plaisante de dire qu'ils aperçoivent le mensonge des épitaphes.
14. *Hôte :* « Il est de la maison. »
15. Tout le poème est fait pour la scène finale : l'imagination en vient

à cette idée bizarre : le tombeau éclatant de rire parce que les oiseaux lisent l'épitaphe vantant les vertus du mort.

Mallarmé, écrivant dans la *Prose pour des Esseintes :* « avant qu'un sépulcre ne rie... », se souvenait-il de cette fin? J.-R. citent ce passage du ms. 13.430 :

Jadis, je ne sais où, dans un livre quelconque,
J'ai dit des moineaux francs, ces ricaneurs hardis,
Jouant sur les tombeaux comme un tas de bandits :
— Ils font rire la tombe en lisant l'épitaphe.

Pour les commentateurs, ces vers dateraient de 1854.

P. 53. I, XIX. VIEILLE CHANSON DU JEUNE TEMPS

1. *Dates :* ms. nuit du 18 janvier 1855.
   vol. Paris, juin 1831.

« Les pièces composées en janvier, déclare V., me paraissent être des conclusions ou des prologues »; mais il est obligé d'ajouter en note : « Exceptons I, XIX du 18 janvier et I, XXIII du 22. » Ce poème est un *vere novo.*

Le 26 janvier 1856 — donc avant la publication du recueil — P. Meurice écrit à Hugo : « Cette ravissante chanson si jeune a mis tout le monde en goût et en émoi. » Le 5 février, Hugo répond : « Je suis charmé que cette petite *Rose* des *Contemplations* vous ait fait plaisir. Il y a aussi quelques idylles au commencement pour faire contrepoids aux apocalypses de la fin. » On voit donc pourquoi l'idylle a été écrite à cette date tardive, et il est inutile de se demander s'il s'agit d'un souvenir personnel.

Il y a une Rose dans *V. H. raconté,* « la fille du maître d'école », que Victor enfant regardait mettre ses bas. Mais Victor avait quatre ou cinq ans. La date fictive nous ramène au premier séjour aux Roches chez Bertin; mais le poème nous ramène à l'époque où le poète avait seize ans. Comme dans I, XV, l'évocation du passé se fait en deux temps.

V. est tenté de rapprocher la scène de l'épisode célèbre des *Confessions* de Rousseau : la cueillette des cerises.

2. Ces deux beaux vers font résonner une note nouvelle, qui contraste avec le badinage de la troisième strophe.

Sourds : employé avec sa valeur classique de « peu sonore, silencieux ».

P. 55. I, XX. A UN POÈTE AVEUGLE

1. *Dates :* ms. et vol. Paris, mai 1842.

V. n'avait pas su identifier le poète aveugle. J.-R. ont résolu cette difficulté grâce à l'étude des manuscrits (*Autour des Contemplations,* pp. 27-29).

Dans une liste des pièces que le poète se proposait de recopier en vue d'une publication est mentionnée la pièce *à Baour,* avec le chiffre 8 indiquant le nombre des vers.

Il s'agit donc de Baour-Lormian (1770-1854). La nouvelle de sa mort a pu décider Hugo à inclure ce bref poème dans le recueil. Baour, hostile au Romantisme et à son chef, fut toujours l'adversaire de celui-ci à l'Académie; dès quatorze ans, Hugo l'avait ridiculisé dans un conte satirique. Qu'ils se soient rapprochés vers 1842 (Hugo est académicien depuis un an) n'a rien de surprenant. Mais ce point reste à éclaircir. Peut-être Hugo lui a t-il pardonné en raison de son culte pour Job.

Baour fait « allusion à sa cécité dans la préface de *Job* qu'il publia en 1847 » (J.-R., *op. cit.,* p. 28).

Dans un article publié en 1846 pour la réception de Vitet à l'Académie, Sainte-Beuve rapporte cette anecdote sous forme de note : « A Baour-Lormian qui se plaignait d'être aveugle, (Soumet) disait : « Quoi! La Mothe a été aveugle! Homère a été aveugle! Delille a été aveugle! Milton a été aveugle, et Lormian veut y voir. »

J.-R. ont remarqué qu'en 1842 précisément une édition des *Pensées* de Joubert reproduisait (I, 381) la formule du *Banquet* de Platon : « Les yeux de l'esprit deviennent plus perçants à l'âge où les yeux du corps s'affaiblissent. »

P. 56. I, xxi. ELLE ÉTAIT DÉCHAUSSÉE...

1. *Dates :* ms. 16 avril 1853, Jersey.
vol. Mont.-l'Am., juin 183..

Selon l'heureuse formule de V., « chez l'exilé, le faune a précédé le mage ». Le printemps à Jersey suscite la fantaisie du poète, et cela à l'époque même où il achève *les Châtiments.*

La date fictive est laissée dans le vague, comme dans les poèmes inspirés par Juliette. Mais le lieu, Montfort-l'Amaury, était un coin de banlieue aimé de Hugo depuis son adolescence : en août 1821, il y avait séjourné chez Saint-Valry; l'*Ode* V, xviii, *Aux ruines de M.-l'A.,* datée d'octobre 1825, a été écrite après un nouveau séjour.

De Faguet à Proust, cette pièce a été admirée. Les vers 5-6 en particulier étaient goûtés de ce dernier (*Chroniques,* p. 224); alors qu'il sacrifie Hugo à Baudelaire, il n'hésite pas à écrire : « Je ne peux pas dire que Baudelaire surpasse Hugo dans la peinture de l'amour. »

Certaines réactions de la critique en 1856 méritent d'être relevées. Caro cite la pièce et ajoute, gêné : « J'applaudirais si cette pièce était signée Parny ou même Béranger, mais (...) il me déplaît que (celui qui se prétend) le Penseur, sacré par Dieu sur les hauteurs, s'amuse à recommencer les Oaristys dans les hautes herbes. »

La réaction de Guttinguer est plus amusante encore : admirateur de Hugo, il ne laisse pas d'être choqué : alors, pour excuser le Penseur, il cherche un sens symbolique, et il voit dans la pièce une allégorie figurant la rencontre et l'union du poète et de la démocratie.

Consulter dans *la Fantaisie de V. H.* (III) les variations sur le thème : « Apparition d'une belle enfant sauvage » (v. 30-36) et « les pieds nus » (v. 37-40).

J.-R. ne manquent pas d'invoquer Stendhal et sa distinction des quatre sortes d'amour (*De l'Amour,* I, 1) :

« 3° L'amour physique. A la chasse, trouver une belle et fraîche paysanne qui fuit dans le bois. Tout le monde connaît l'amour fondé sur ce genre de plaisir; quelque sec et malheureux que soit le caractère, on commence par là à seize ans. »

Mais le poète donne à cette forme d'amour une tout autre résonance. D'abord parce que la nature est associée à l'idylle. Ensuite, parce qu'il fait sentir admirablement jusque dans l' « amour physique » « comme une stupeur inquiète » (F. Gregh). Cf. les vers 5, 9 et 15 (effarée).

P. 57. I, XXII. LA FÊTE CHEZ THÉRÈSE

1. *Dates :* ms. 16 février 1840.
   vol. avril 18..

La date fictive, comme pour les poèmes de *l'Ame en fleur,* est laissée dans le vague.

La date du ms. ne tient pas compte des corrections postérieures. Or, ces corrections sont capitales.

Les vers 1-8 sont une *ad.* postérieure que J.-R. datent de 1854-1855, et J.-B. Barrère de juin 1855. Ils remplacent deux vers qui, dès 1840, ont subi plusieurs remaniements :

a) Version primitive :

> La duchesse Laura, brune à l'œil bien ouvert
> Nous avait conviés dans son beau jardin vert.

b) Première correction (le mot initial manque dans le ms.) :

> (Cette) blonde duchesse aux yeux de diamant
> Nous avait conviés dans son jardin charmant.

c) Deuxième correction :

> La duchesse Thérèse, etc.

D'autre part, le titre a été modifié.

En 1840, le poème s'intitulait *Trumeau.*

Dans le classement des pièces du livre I, ms. joint au titre de ce livre (et qui date de 1854-1855), le poème figure sous un nouveau nom : *Dessus de porte.*

Le titre définitif apparaît dans l'édition originale.

Les vers 33-36 et 65-66 sont des *ad. marg.*, mais de la même époque que la rédaction initiale.
Ce poème a été longuement commenté par J.-B. Barrère : *Fantaisie de V. H.*, I, 354-395 (en particulier 376-384). Le lecteur doit se reporter à cette étude aussi complète que délicate.
La Fête chez Thérèse a fait couler beaucoup d'encre : qui était Laura? et Thérèse? Pourquoi ce changement de prénom? Pourquoi surtout le changement de la couleur des cheveux?
Dans son étude sur *V. H. et Madame Biard* (1927), L. Guimbaud avait prétendu en dépit de la chronologie que cette dernière était à l'origine de la pièce : Mme Biard était blonde. Cette thèse a été ruinée par P. Souchon dans un article du *Mercure de France* (1er mai 1939, pp. 554 et *sq.*). *Quelle fut l'inspiratrice de la Fête chez Thérèse?* Dans un billet daté du 17 février 1840, Juliette demande à Victor d'apporter « le reste de mon cher Trumeau... ». Le poète aurait offert le poème à la brune Juliette le 16 février, date sacrée, anniversaire du début de leur liaison.
Pourquoi alors le changement du premier vers? A-t-il voulu brouiller les pistes avec la complicité de Juliette? offrir le poème à une autre femme? à Mme Biard qui avait pour pseudonyme Thérèse de Blaru. La chose n'est pas impossible.
Autre problème : même si le poème a été offert à Juliette, est-il sûr qu'elle en soit l'inspiratrice? Dans *le Figaro littéraire* du 3 septembre 1949, Maurice Rat formule l'hypothèse ingénieuse que Laura désignerait la duchesse Laure d'Abrantès. Au temps de sa splendeur elle avait donné des fêtes costumées à la Folie Saint-James de Neuilly. Elle était morte en 1838, et sa mort avait été marquée par un scandale : le Conseil Municipal de Paris lui ayant refusé un coin de terre au Père-Lachaise. Hugo indigné avait écrit le poème recueilli dans les R. *O.*, *A Laure, duchesse d'A.*, daté du 12 mars 1840 (M. Rat n'hésitant pas à dater le poème de février pour rendre sa thèse plus convaincante). Tout cela n'est qu'hypothétique.
Concluons à la fois que nous continuons d'ignorer l'origine de la pièce, mais qu'il n'est pas nécessaire de supposer que Hugo assista à cette fête costumée pour écrire son poème. Cette discussion à la vérité est un peu vaine, et il importe davantage d'apprécier l'originalité et le charme du poème.
Ajoutons seulement que dans *les Jardins de la margrave Sybille* (*T. L.*, II, 27), Hugo, qui manifestement démarque ce poème-ci, a fait place à Thérèse, tandis qu'en I, XVI, il a tenu, nous l'avons dit, à remplacer Thérèse par Denise.

2. La version définitive par son caractère volontairement simple est à rapprocher de la description de la fête donnée le 6 juillet 1847 au bois de Vincennes figurant dans *Choses vues* (I, 222) : « C'était beau et charmant. »
3. Souvenir de la chanson du roi Henri citée dans *le Misanthrope,* mais à rapprocher aussi d'*Hernani* (342-343) :

Si j'étais Dieu le père et si j'avais deux fils,
Je ferais l'aîné Dieu, le second roi de France.

4. Peut-on conclure des vers 4-6 que l'héroïne était une authentique duchesse?
5. Pour Guimbaud, ces *yeux de diamant* suffisaient à identifier Mme Biard. Mais il est dit de Juliette dans *V. I.*, XII :

Ses yeux où l'on voyait luire son cœur brûlant.

6. On notera la suite d'adjectifs : *exquise* (v. 1), *charmant* (v. 8), *magique* (v. 27), *gracieux* (v. 57), *serein, pur* (v. 59), *simple* et *beau* (v. 65).
7. Cf. dans Barrère, *op. cit.*, I, p. 383, une remarquable analyse de l'emploi de l'article défini dans ce poème : « Au pluriel, s'il rend un effet de masse uniforme, il implique du même coup que les caractères des personnages déguisés s'arrêtent au type de leur domino. Plus paradoxalement qu'à l'ordinaire, il recouvre une profonde indétermination. »
8. Selon V., « la fête est italienne : le berger Amintas est le héros de la pastorale du Tasse; Léonore est un nom fréquent dans le roman italien; les monsignores sont des prélats italiens; le nain est un personnage de Paul Véronèse ». Certes, mais les prélats comme les nains sont représentatifs de la fantaisie romantique (cf. Musset, Gautier et Hugo).
9. Le nom de l'auteur comique latin reprend sa désinence latine d'où une impression de dépaysement. Plaute représente la comédie en général.
10. *Temple d'amour :* décor caractéristique du XVIIIe siècle galant.
11. *Treillage :* assemblage de lattes en treillis.
12. On peut voir à la Maison V.-Hugo un dessin d'É. Bayard fait d'après cette description. Tel commentateur (le poète F. Gregh) voit des obscurités dans ce passage : mais les invités « sous leurs déguisements fantasques » sont groupés sur la scène ou autour d'elle. Au vers 26, *actrices* désignent les invités.
13. *Manteau d'arlequin :* encadrement intérieur de la scène, formé de deux châssis latéraux, sur lesquels repose un châssis horizontal, l'ensemble simulant une draperie.
14. On pense au célèbre tableau de Botticelli.
15. Du vers 30 au vers 46 : *Pulcinella* n'est pas Polichinelle : il n'a pas de bosse.

Trivelin, « intrigant spirituel, tantôt valet, tantôt aventurier. Il jouait sous l'habit et le masque d'Arlequin, mais sans la batte traditionnelle » (A. Adam).

Faquin, de l'italien *facchino,* portefaix, d'où : impertinent et bas.

Colombine, tantôt fille de Pantalon, tantôt courtisée par lui; partenaire de Pierrot et d'Arlequin.

Pantalon, vieillard libidineux, avare, burlesque. Sa « pantalonnade » est à rapprocher de la conclusion du *Vin des chiffonniers* (dans sa version définitive) :

Dieu... avait fait le sommeil;
L'homme ajouta le Vin, fils sacré du Soleil!

Scaramouche, rôle créé par l'illustre mime napolitain Tiberio Furelli. Entièrement vêtu de noir (« le ciel s'est habillé ce soir en Scaramouche », écrit Molière), il n'a pas la batte qui appartient à Arlequin, mais une guitare et une longue épée.

Alcantor, personnage du *Mariage forcé.*

Arbate, la plupart des commentateurs voient en lui le confident de Mithridate dans la tragédie de Racine. Et Molière? Arbate est le gouverneur d'Euryale dans *la Princesse d'Élide.* Cette pièce suit *le Mariage forcé* dans le *Théâtre* de Molière. — Est-il certain en outre que *tragique* et *triste* soient employés par antiphrase? Alcantor, père de Dorimène et d'Alcidas, envoie celui-ci venger sa sœur abandonnée par Sganarelle. Arbate, gouverneur d'Euryale, sympathise à l'humeur sombre de son élève.

Crispin, valet fripon, vêtu de vêtements noirs et d'une fraise blanche.

Carlino, surnom du célèbre Arlequin Bertinozzi (1713-1783).

De Scaramouche à Crispin nous passons du XVIIe au XVIIIe siècle : c'est la caractéristique de tout ce poème.

16. Vers 47 et *sqq.* La nature n'est pas un temple, mais un théâtre : le soleil est le lustre, le gazon un tapis, les arbres les coulisses : mélange heureux d'artifice et de vérité.
17. *Ébéniers :* il s'agit du faux ébénier, qui est une sorte de cytise. Les fleurs cessent d'être des fleurs pour devenir des *falbalas,* c'est-à-dire des volants d'étoffe.
18. La fête galante doit son charme à cette fusion harmonieuse.
19. La pièce est une farce italienne.
20. On a fait un sort particulier à ce singe, car Mme Biard avait une guenon appelée Mouniss! Mais, sous Louis XV, les « singeries » étaient à la mode.
21. Première rédaction : Rien de plus, rien de moins. Écoutait qui voulait. Le poète dut s'apercevoir qu'il n'avait pas respecté l'alternance des rimes. La rédaction définitive brise le rythme.
22. Les vers 69-70 semblent bien inspirés par des tableaux ou des gravures de Lancret, de Fragonard.
23. *Paon :* le paon est un motif idéal pour tapisserie. Il y avait un paon sur une tapisserie à Hauteville House.
24. *Abbé violet :* un des monsignores du vers 14.

Dans les *C. R. B.* (I, VI, 20) :

Un bateau passe. Il porte un groupe
Où chante un prélat violet.

Il s'agit selon le texte d'un tableau

«qui dans ma mansarde
Suspend Venise à quatre clous ».

L'abbé violet paraît bien être le souvenir d'un tableau.

25. Ce poème décrit le passage du jour à la nuit, du bruit au silence, suivi d'un retour à la clarté et au bruit; le tout accompagné d'un jeu subtil de couleurs : dans la première partie le vert domine (cf. var. du début, v. 24, 49) se découpant sur l'azur du ciel. Au premier plan, contraste du blanc et du noir. La première partie s'achève sur un épanouissement coloré que précède un déchaînement sonore : au singe faisant rage avec ses timbales correspond le paon faisant la roue, cependant que le teint éclatant de Thérèse éclipse celui des roses. Puis, une transition délicate — la touche violette associée au murmure du couplet qui n'est plus que fredonné — nous conduit à la nuit et au silence. C'est alors qu'au silence succèdent le chant du rossignol et le rire des femmes; à la nuit le bleu lunaire.

Comme dans le recueil tout entier, il n'y a pas simple opposition entre la lumière et l'ombre, mais transition vers un état idéal : la nuit fait place à une clarté diffuse.

26. On admirera la hardiesse de l'expression *molle raison* plus audacieuse encore que les *rêveuses gambades* de Carlino (v. 46).

27. Chateaubriand avait déjà noté « le jour bleuâtre et velouté de la lune ».

« Ces vers, conclut P. Moreau, fondent en une sorte de paysage introspectif, les nuances de la lumière et celles des sentiments... Tout ce finale substitue peu à peu à la nature stylisée et apprêtée du début, une nature vraie et profonde, qui garde encore cependant je ne sais quoi d'une lumière de théâtre. » Mais surtout, comme dans les poèmes précédents, le poète invite le lecteur à quitter la terre pour contempler un paysage céleste.

Dès 1856, Laurent-Pichat déclarait du poème : « Il brille comme un Watteau. » On ajoutera plus tard qu'il servit de modèle à Verlaine pour ses *Fêtes galantes*.

Tout cela est par trop simpliste, comme l'a démontré péremptoirement J.-B. Barrère. *La Fête chez Thérèse,* « fête galante », n'est ni un exemple unique dans l'œuvre de Hugo ni une création originale à l'époque. Gautier, Nerval, Banville, Musset en poésie, Janin, Nerval encore en prose ont été inspirés par les « fêtes galantes » du XVIIIe siècle et en particulier par l'*Embarquement pour Cythère* de Watteau. La « transposition d'art » chère à Gautier donnait naturellement naissance à ces fêtes galantes (en vers), dès que l'art du XVIIIe siècle a été à la mode. Mais plus encore que la transposition d'art, c'est l'évocation nostalgique et charmante du passé qui attire les poètes. J.-B. Barrère, voulant préciser davantage l'évolution du thème chez Hugo, constate qu'après 1840-1850, le poète s'en tient moins aux évocations historiques comme dans *Passé* (*V. I.*, XVI), mais qu'il peuple davantage ses parcs en fête de créatures de légende ou d'imagination.

En outre, il n'est pas possible de réduire *la Fête chez Thérèse* à une transposition d'art. Il faut y voir une synthèse subtile de traits empruntés au XVIIe et au XVIIIe siècle. « Ce Watteau, tout autant que Watteau le peintre, incline... vers ce XVIIe siècle du *Passé* et du *Faune,* des cours de Fontainebleau, Saint-Germain et Versailles au temps des rois Henri IV, Louis XIII et Louis XIV que rappelle au surplus le souvenir de la chanson d'Alceste. » (*Op. cit.,* p. 382.)

Enfin « quand on compare aux déjà nombreux *Pastels* et *Rococo* de Gautier, de Nerval, qui s'intercalent ici ou là avant *Thérèse* dans la chronologie de ces premières « fêtes galantes », une autre différence frappe : on constate que cette pièce a bien près de cent vers, quand les autres n'en dépassent pas vingt, et que c'était une gageure, que V. Hugo a tenue, de prétendre prolonger aussi longtemps une aussi intemporelle tapisserie » (*op. cit.,* p. 384).

C'est pourquoi « la pièce n'est pas conçue à la manière statique d'un tableau, mais comme une comédie, ou mieux, comme un ballet ».

On conclura avec J.-B. Barrère que sa complexité même explique « l'éclat unique de cette pièce qui miroite par tous ses vers comme par autant de facettes » *(op. cit., ibid.).*

P. 60. I, XXIII. L'ENFANCE

1. *Dates :* ms. 22 janvier 1855.
vol. Paris, janvier 1835.

Le poème est écrit le surlendemain de la mort de Mme Ginestat (V. écrit Ginistet; J.-R., dans *le Manuscrit des C.,* p. 30, Ginestet). Pourquoi dater de 1835 un poème de circonstance écrit à Jersey? Selon V., Hugo avait besoin de grossir le livre I.

J.-R., dans *Autour des C.,* p. 87, reproduisent un texte différent des deux premières strophes :

Le doux enfant chantait; la mère exténuée
Expirait, gémissant de voir jaunir les bois;
La mort au-dessus d'elle errait dans la nuée;
J'entendais le grand râle et la petite voix.

L'enfant, tout frêle, avait cinq ans; encor plus frêle
Sa mère lui disait : mon trésor! mon amour!
Mon bonheur! — Et pensif, je les écoutais : elle,
Toussant toute la nuit; lui, chantant tout le jour.

Le copiste inconnu ajoute : « La dernière strophe est semblable au texte publié. Jersey, 22 janvier 1855, surlendemain de la mort de Mme Ginestat. L'original est au dos de vers inédits qui entreront dans *Toute la Lyre* ou *Dernière Gerbe.* Mme Ginestat était une voisine de V. H. à Jersey. Elle est morte poitrinaire, laissant un petit enfant, et cette mort a inspiré ces vers. »

Il existe encore deux ébauches de ce poème. Dans la deuxième on lit le vers :

Se lamentait ainsi que le vent dans les arbres.

2. *Rires :* même association du rire et de la mort que dans I, XVIII.
3. Cf. V, XVII, 32-33 :

Et, paix, vertu, bonheur, espérance, bonté;
O fruits divins,

« L'idée, qui est celle de la fécondité et peut-être de la bienfaisance de la douleur et de la mort, apporte, dans cette scène vécue, une note chrétienne. » (P. Moreau.) Mais l'idée essentielle est que la Providence épargne la souffrance à l'enfant incapable de la supporter.

P. 61. I, XXIV. HEUREUX L'HOMME...

1. *Dates :* ms. 19 septembre 1846.
vol. Paris, septembre 1842 et *(ne varietur)* 1846.
Composé après l'anniversaire de la mort de Léopoldine le 4 septembre. Ce jour-là il avait écrit VI, VII où il évoquait Jean emporté par son aigle jusqu'au lieu redoutable, où se cache Jéhovah.
Le 4 octobre 1847, il écrira : *Demain dès l'aube...* qui n'est pas sans rapport avec ce poème-ci :

Vers 2. Qui, tel qu'un voyageur qui *part*
Vers 4. *Dès l'aube.*

La date fictive situe ce poème avant la mort de Léopoldine. La correction de cette date ne s'explique pas, puisqu'il s'agit d'un poème d'*Autrefois*.
2. Vers 6-8 : correspondance entre la nature et l'âme, le concret et l'abstrait, naturelle chez le poète.
3. Il ne s'agit pas d'un poncif hérité du premier romantisme mais d'une croyance profonde.

P. 62. I, XXV. UNITÉ

1. *Dates :* ms., 2 juillet 1853 Jersey.
vol. Granville, juillet 1836.
Cf. I, XIV, daté de Granville, juin 1836. Selon la lettre du 5 septembre 1837 recueillie dans *France et Belgique,* le poète voit dans la « nature entière » une « unité ravissante ».
Pour V. « l'unité de la nature — le grand dogme de la philosophie fouriériste — était bien déjà en 1836 un motif chez Hugo. Il le reprendra souvent dans *le Rhin* en 1838-1839. L'unité de la nature ne cessa point d'être un de ses thèmes favoris. Il est fréquent dans *les C.* Voir, par ex., tout le poème *Pasteurs et Troupeaux;* les vers 471-475 des *Mages;* les vers 28-30 de III, VIII, etc. ».

Il est absurde de ne mentionner ici que Fourier. La vision analogique de l'univers est commune à tous les théosophes et à tous les poètes.

2. *Splendeurs* : emploi typique de l'abstrait.
3. Hugo avait d'abord écrit *pâquerette*. V. explique la correction en remarquant que la pâquerette, ayant de très nombreux pétales, ressemble moins à un soleil que la marguerite proprement dite! Moreau remarque qu'il est « peu vraisemblable de faire monter au-dessus d'un mur une pâquerette éclose au bord d'un champ »! Je remarquerai pour ma part que les deux noms de fleurs se ressemblent mais que margue*ri*te comporte le son *i* qui permet un effet d'échos : ho*ri*zon, margue*ri*te, g*ri*s.

   Pour Hugo, le soleil est une fleur et la fleur est un soleil. V. cite plusieurs textes de Bernardin de Saint-Pierre où le soleil est rapproché des radiées, et par ex. : « Rien dans le monde n'est plus beau que le soleil, et rien n'y est plus répété que sa forme et sa lumière... La terre sombre et brute [...] nous présente les formes de son disque et de ses rayons dans les disques et les pétales d'une multitude de radiées dont elle est couverte. » (*Études...*, X, *Des consonances, Œuvres,* 1830, X, 94-95.)
4. On dit en général « folle avoine », mais l'inversion de l'adjectif lui restitue une valeur affective assortie à *croulant* et *gris*.
5. « *Candide* signifie à la fois blanche, éclatante, ingénue. *Auréole* dit à la fois la forme de la fleur, son éclat, sa sainteté. *Épanouissait* la montre à la fois bien ouverte et joyeuse. Tous les mots sont donc riches de sens. » (Vianey.)

   De même que le soleil se penche sur la terre brunie, la marguerite illumine le mur gris. C'est partout la même bonté, l'*immense bonté* de *Booz endormi*.
6. *Éternel,* adopté après une hésitation entre *splendide* et *éclatant*. C'est à dessein donc qu'il a choisi l'épithète, dont l'effet est redoublé au vers 9 par *immortelle*. Plus la marguerite apparaît petite, faible, misérable, éphémère, plus sa réplique apparaît sublime.
7. Le sens même de cette réplique n'est pas clair. Dans un univers harmonieusement organisé, l'être qui semble disgracié a aussi sa part de grâce. C'est donc un hommage à la Providence qui fait écho à l'hommage de I, XXIII.

   Si donc la vision de Hugo est antithétique (opposition du grand et du petit, de l'immortel et du mortel), elle est complétée par un besoin d'unité, par la tendance commune à tous les poètes à concilier les contraires.

   Mais il est facile de déceler aussi dans ces vers « la pensée démocratique, la glorification des petits, proclamés les égaux des grands » (P. Moreau). Il y a dans la réplique un peu de défi. Cette pièce n'est-elle pas de l'époque des *Châtiments?*

   La réplique est une déformation plaisante de la formule célèbre du Corrège devant un tableau de Raphaël : " *Anch'io son'pittore.* "

   La forme de cette pièce est intéressante : encore un dizain comme

I, III, mais qui cette fois est une fable. « C'est une idée qui tout d'abord étonne, note Renouvier, celle de Victor Hugo fabuliste : il a pourtant composé de vraies fables, avec leurs moralités... Elles sont aussi jolies qu'on en ait jamais fait, seulement avec une touche de sublime, au lieu de basse morale mondaine. » (*V. H. le poète*, p. 20.) Pour un autre exemple de fable, voir V, IV.

P. 63. I, XXVI. QUELQUES MOTS A UN AUTRE

1. *Dates :* ms. 17 novembre.
vol. Paris, novembre 1834.

C'est novembre 1854 qu'il faut comprendre. Le 12, Hugo avait achevé la pièce V, III, réponse à un ultra qui lui reprochait d'être « libéral ». Le 17, Hugo répond « à un autre » qui est censé lui reprocher d'être « romantique ». Le début de cette pièce fait donc allusion à *Écrit en 1846* et la présente comme une suite (v. 11-12). Malgré ce, Hugo lui attribue la date fictive de novembre 1834. Distraction? ou volonté de faire de cette pièce une suite de la *Réponse*... datée de janvier 1834? En défendant la révolution romantique, Hugo ne fait en effet que reprendre le thème développé dans la *Réponse*..., achevée dans la réalité le 24 octobre. Mais il amorce aussi celui d'*A propos d'Horace :*

O cancres! qui mettez
Une soutane aux dieux de l'éther irrités,
Un béguin à Diane...
(I, XIII, 71.)

et

Sur l'aube nue et blanche, entr'ouvrant sa fenêtre,
Faut-il plisser la brume honnête et prude, et mettre
Une feuille de vigne à l'astre dans l'azur?
(I, XXVI, 109.)

ou

Vous mettez une jupe au Cupidon bouffi...
(*Ibid.*, 124.)

Qui est l' « autre »? Pour V., on pourrait penser à Duval qui dans sa *Lettre à Hugo* de 1833 insiste volontiers sur son âge : d'où le *Géronte* du vers 19, à rapprocher du *papa* de la *Réponse*... (v. 159). J.-R. ont dépouillé *la Quotidienne* comme y invitait le vers 30, mais au cours des années 1833-1834 critiques et louanges sont mêlées. On n'y trouve pas d'attaque en force (à l'exception d'un article sur *Lucrèce Borgia*, le 11 février 1834).
J.-R. se rabattent alors sur une *Lettre* à Hugo de Ch. Farcy, parue

en 1830, où Farcy, partant de la formule de Hugo dans la préface aux *Poésies* de Ch. Dovalle : « Le romantisme, c'est le libéralisme en littérature », démontre le danger d'une telle conception, qui risque de provoquer « le règne de la médiocrité soutenue par la camaraderie littéraire » et « la recherche du trivial et du bizarre ». Mais Hugo pensait-il à un texte précis? à un adversaire défini? Il est sûr qu'il donne à ces attaques un ton qu'elles ne pouvaient avoir avant 1848.

Les vers 25-28 et 77-86 sont des *ad.* marginales, ainsi que les vers 135-136 et 95-98.

2. *Hier... aujourd'hui,* l'opposition qui fait la structure du livre est une forme de vision, la vision binoculaire que Thibaudet découvrait chez Flaubert : d'où les *deux* sentiers, les *deux* talons, l'*autre* côté.
3. *Je suis le ténébreux* est le résultat de la cor. des vers 9-10 :

> Sur mon autre côté lancez l'autre tonnerre.
> Donc je suis l'assassin de tout ce qu'on vénère...

L'hémistiche célèbre de Nerval hantait-il la mémoire de Hugo? *El Desdichado* avait été publié pour la première fois dans *le Mousquetaire* le 10 décembre 1853. Mais peut-être ne s'agit-il que d'une coïncidence?

4. *Bonhomme :* cf. I, VII, 59.
5. *Géronte,* personnage traditionnel de la comédie, vieillard quinteux faible et ridicule (voir *les Fourberies de Scapin*).
6. Image plaisante : *l'Art poétique,* qui est Boileau, prend le petit poète sur ses genoux et lui donne à manger et à boire.
7. Comparaison parodique : cf. Boileau, *Sat.* III, 152 :

> Comme un recteur suivi des quatre Facultés.

8. *La Quotidienne :* journal de la Restauration et de la monarchie de Juillet, monarchiste et religieux. Il n'existait plus en 1854.
9. *Calepin :* carnet de notes.
10. *Bouhours :* cf. I, VII, 113. — *Rapin* (1621-1687), jésuite, auteur de poésies latines et de *Réflexions sur la Poétique d'Aristote.*
11. Cf. I, VII, 65 :

> Je fis souffler un vent révolutionnaire.

12. *Pinde :* cf. I, VII, 88.
13. Les romantiques sont des fauves : une école de peintres a pris ce nom.
14. Richelet : cf. I, VII, 144.
15. *Magister dixit :* expression des Scolastiques au Moyen Age lorsqu'ils se retranchaient derrière l'autorité d'Aristote.
16. *Hippocrène :* fontaine des Muses sur l'Hélicon (v. 76). — Voir

dans *William Shakespeare* (seconde partie, livre premier) le développement copieux où Hugo se moque des tenants de la sobriété en art : « Si jamais un homme a pu mériter la bonne note : *Il est sobre,* c'est, à coup sûr, W. Shakespeare. »

17. *Quintilien :* rhéteur latin du Ier siècle de notre ère, auteur de *l'Institution oratoire.*
18. *Leibniz* (1646-1716) découvrit en même temps que Newton les bases du calcul différentiel. Ridiculisé par Voltaire dans *Candide :* d'où sa place ici. — *Végèce* (IVe siècle après J.-C.), auteur de l'*Epitome rei militaris.*
19. On notera avec quelque ironie que la deuxième partie des *C. R. B.* s'intitule *Sagesse.*
20. *Domino :* l'image du bal masqué est aussitôt abandonnée pour une métaphore prolongée, inspirée par le souvenir de Végèce : ce ne sera pas la guerre selon les règles, mais l'insurrection.
21. Allusion au vers de Boileau :

    Que toujours le bon sens s'accorde avec la rime.

22. *Laharpe :* cf. I, XIII, 130.
    Renouvier, dans *V. Hugo le poète* (p. 72), écrit : « Ces insurgées, qui ne sont pas autrement qualifiées, sont sans doute les images qui s'élèvent dans l'esprit laissé à ses pentes naturelles. » Mais ces insurgées sont *la* langue, *la* rime, *la* raison!
23. *Brûlot :* navire empli de matières inflammables pour brûler les vaisseaux ennemis.
24. *L'Idée aux yeux divins :* cf. I, VII, 71 : l'idée au vol pur.
25. *Couvent :* suggéré par *capuchon, froc.*
26. *Pirates :* suggéré par *brûlot.*
27. Allusion à la règle des trois unités dont l'origine est grecque.
28. La rime était bête fauve; le vers est ici chien méchant.
29. Sur l'opposition de Racine et de Molière, cf. I, VII, 54-55.
30. Le dramaturge baroque Rotrou est préféré à Ducis, fade adaptateur de Shakespeare.
31. Allusion à son drame échevelé : *Lucrèce Borgia,* joué avec un succès éclatant en 1833.
32. Hugo joint l'exemple au précepte. Mais d'autres ont fait mieux.
33. Reprise du développement de I, VII, 40 et *sqq.*, d'où le vers 91.
34. *Papavoine,* meurtrier de deux petits garçons dont le crime fit sensation en 1824. Son nom devait plaire à Hugo.
    Érostrate, incendiaire célèbre qui mit le feu au temple d'Éphèse, une des Sept Merveilles du monde.
    Attila, après l'assassin et l'incendiaire, le fléau de Dieu.
35. Sur les trois saluts, voir par ex. *le Bourgeois gentilhomme.*
36. *Sincère :* latinisme : pur, sans mélange, ou plutôt non trafiqué.
37. *Sévère* remplace *splendide* à cause de la cacophonie : *splendide idéal.* Cf. II, XV, 14 :

La pensée est un vin dont les rêveurs sont ivres.

38. Musset écrivait dans *Rolla :*

Regrettez-vous le temps où les Nymphes lascives
Ondoyaient au soleil parmi les fleurs des eaux.

39. *Pégase :* le cheval ailé avait d'un coup de sabot fait jaillir sur l'*Hélicon,* le *mont béni,* la fontaine des Muses, appelée en son honneur *Hippocrène.*
40. Vers étonnant où le génitif possède une valeur d'autant plus suggestive que l'on hésite sur le sens du génitif et sur la nature du mot *infini* (substantif selon J.-R.). L'imagination de Hugo se plaît à agrandir démesurément l'être ou l'objet qu'il prend pour terme de comparaison : d'où *immense.*
41. Diogène le *cynique* dit à Alexandre : « Retire-toi de mon *soleil.* » Cette anecdote est-elle à l'origine de ce vers?
42. Cf. dans *le Satyre* le beau vers :

La grenade montrant sa chair sous sa tunique.

43. *Calliope :* muse de la poésie épique et de l'éloquence.
44. Le romantisme ne renie pas l'inspiration grecque. Il rend à la poésie grecque dénaturée par les cuistres sa valeur.
Un *ancien d'hier* signifie ou que cet ancien n'est pas ancien (hier = récent) ou que cet ancien est démodé (hier ≠ aujourd'hui).
45. *Titon du Tillet* (1677-1762), ami de Boileau, voulut faire élever un monument à la gloire des écrivains du siècle de Louis XIV (d'où sans doute le vers 152). Le modèle en bronze réalisé par Garnier fut l'objet en 1727 d'une *Description* par Titon. Voltaire s'en moqua à cause de la place accordée à bien des médiocres. Voir dans *C. R. B.,* I, V, I, III :

Le Parnasse en pain de sucre
Fait par Titon du Tillet.

46. Les ménades sont transformées en danseuses de bal public (le cancan, selon Littré, est une danse inconvenante); Apollon, en Peau Rouge. Hugo s'amuse, mais il suit la tradition burlesque, qui va être renouvelée par Offenbach. La richesse des rimes suffit à tout expliquer.
47. A rapprocher du vers 54.
48. Vers difficile à interpréter : au siècle précédent qui ignorait la liberté, il avait été page, fonction qui implique une idée de dépendance (d'où l'expression être hors de page).
49. *Corybante :* prêtre de Cybèle.
50. Reprise plaisante de la comparaison des vers 22-24.
51. *Voltaire.* Alors que le goût de Voltaire était critiqué en I, VII, 58, ici Voltaire, en tant qu'adversaire de Leibniz et de Titon du Tillet,

devient l'allié. On peut hésiter sur la construction : *grand homme et peu voltairien* ne qualifie pas *Voltaire,* mais *vous* au vers suivant. Être *voltairien,* c'est ne pas être « assommant ».

52. *Batteux :* cf. I, VII, 113.

53. *Tancrède :* Hugo a hésité entre *Mérope* et *Tancrède,* tragédies de Voltaire. Voltaire est opposé à Shakespeare comme Racine à Molière. On voit ce que Hugo apprécie ou méprise dans Voltaire.

54. Sur le thème de la perruque, cf. I, VII, 106.

Cette pièce est loin de valoir la *Réponse...* Qui voudrait reprocher à Hugo de ne savoir se borner, puisque sa verve lui a permis d'écrire les vers 83-84?

P. 68. I, XXVII. OUI, JE SUIS LE RÊVEUR...

1. *Dates :* ms. 15 octobre 1854.
vol. Les Roches, août 1835.

Après l'achèvement de *Ce que dit la Bouche d'Ombre,* le 13 octobre, Hugo, en verve, écrit le 14, I, XII; I, XVIII, et I, V; le 15, ce poème-ci, *Dans ma stalle* (*T. L.,* II, XXI) et *le Monde, fête ou deuil* (*Dernière Gerbe,* LXXXIX). Sauf le dernier (où cependant le monde devient un théâtre), tous ces poèmes sont écrits dans le même ton fantaisiste.

La date fictive situe le poème dans le même décor que I, V (cf. plus haut). Quant à l'année, c'est celle où Juliette était installée aux Metz, tandis que Hugo et les siens séjournaient chez Bertin aux Roches. Mais le séjour réel se place en septembre et non en août. V. observe avec raison que si les longues conversations du poète et de la nature remontent bien à cette date (cf. *A Olympio,* dans *V. I.,* v. 15-19), le poème porte la marque de l'époque où il a été écrit : « étalage d'humour et d'érotisme », « souffle vraiment lucrétien de certains vers (25-27) », prise de conscience de la mission du poète-mage. — Ce poème fut cité par Janin dès le 21 avril 1856 pour préparer la sortie des *Contemplations.*

2. Le début du vers semble une reprise de I, II :

C'est lui, c'est le rêveur.

3. Dans *R. O.,* XVII, on trouve déjà :

La giroflée avec l'abeille
Folâtre, en baisant le vieux mur.

Ce n'est pas le thème des « fleurs animées » qui fait l'originalité de cette pièce.

4. Dans *V. I.,* XIX, 135 :

Tout donne des conseils au penseur, jeune ou vieux.

Remarque analogue : la nature parlante et bonne conseillère est un thème antérieur à l'exil.

5. Le poète est une sorte de « médium ».
6. Les dix premiers vers sont une *ad. marg.* postérieure au 15 octobre (ce jour-là, la pièce ne comptait que 34 vers). Le premier vers était :

   Tout me parle; et j'entends ce qu'Orphée entendit,

   suivi du vers 12. Le poème semblait alors un satellite de *Ce que dit la Bouche d'Ombre*. L'addition, nettement fantaisiste, donne une autre tonalité à l'ensemble, ou plutôt la fin (v. 30 et *sqq.*), selon la forme sonate, chère à Hugo, fera retour au ton initial.
7. *Rire et pleurer*. Cf. I, v, *A André Chénier*.
   Le rapprochement de Rabelais et Orphée correspond au rapprochement de Rabelais et Dante dans I, v, écrit la veille.
   Cf. dans *T. L.*, IV, I (écrit le 5 novembre 1853) :

   Les cimes des forêts gravement remuées,
   Les antres, les rochers, les lis, les flots marins,
   Dialoguaient avec Orphée aux yeux sereins.

8. Pour comprendre *métempsycose*, se reporter au grand exposé doctrinal qu'il vient d'achever : *Ce que dit la Bouche d'Ombre*.
9. *Basse :* contrebasse.
10. Ce vers remarquable rappelle celui de *Mon enfance* (*Odes*, V, IX) :

    J'aurais été soldat, si je n'étais poète;

    il contient en outre un aveu beaucoup plus suggestif. Satyre, faune, sylvain, Hugo est un païen, une force de la nature, et aussi une bête en rut; mais le songe le ramène au « calme », et, comme il nous y invite lui-même dans de nombreux poèmes, détourne son regard de la terre pour lui faire « contempler le ciel ».
11. Sans doute une variation sur l'expression : « On entendrait voler une mouche. »
12. « Le brin d'herbe est fréquent dans les paysages de Hugo », note V. Cf. VI, x, 15. C'est l'infiniment petit, mais vibrant d'un *éternel* émoi. Le poète ne veut pas dire seulement que le brin d'herbe est toujours agité; il est un signe de vie de la nature éternelle.
13. Effet à la *Gulliver*, cf. v. 2 : les *petites* fleurs; v. 33 : les *petits* oiseaux.
14. Cet ami discret et sûr, malgré qu'il en ait, joue plutôt le rôle du « faune voyeur ». Voir dans Barrère, *op. cit.*, III, pp. 24-29. Pour échapper à ce reproche, le poète écrira dans les *C. R. B.*, I, II, VII :

    Le hallier sauvage est bien aise
    Sous l'œil serein de Jéhovah,
    Quand un papillon déniaise
    Une violette, et s'en va.

15. Hugo avait d'abord écrit : le *dandy papillon*. L'expression lui parut-elle trop hardie? Ce n'est pas le seul exemple de timidité.
16. Nous sommes bien à l'époque d'Offenbach : ce n'est pas Orphée aux enfers, c'est Orphée aux bois.
Voir dans Barrère, *op. cit.*, III, de nombreux exemples de « variations sur le thème *vere novo* » : 1° Conseils de la nature (pp. 146-148). 2° Libertinage de la nature (pp. 162-164).

P. 70. I, XXVIII. IL FAUT QUE LE POÈTE...

1. *Dates :* ms. 19 mai 1847.
vol. Paris, mai 1842.
La date fictive est la même que pour I, XX : quelques semaines après la publication des *R. O.* et du *Rhin*.
2. *Épris d'ombre et d'azur*. Le poète aime tout. Est-ce une allusion au titre *les Rayons et les Ombres?*
3. *Doux*. Dans *R. O.*, I, Hugo définissant *la Fonction du poète* écrivait :

Homme, il est doux comme une femme.

Dans le même recueil, le bref poème XXXII fait du poète :

... Cet homme pensif, mystérieux et doux.

4. *Marche devant tous :* « Cette idée est dans la plupart des préfaces de Hugo » (Vianey).
5. Dans III, VIII, 27, Hugo écrira plus fermement :

Médite. Tout est plein de jour, même la nuit.

6. *Humble et haute :* même effet qu'aux vers 1 et 13.
7. Cf. en V, XXV une autre personnification de la strophe. Ici, souvenir de Virgile : *pictaeque volucres* (*Géorgiques*, III, 243).
8. *Un vers fauve :* « fauve », adjectif plutôt que substantif, sur le modèle de bête fauve.
Cf. en I, XXVI, 42 :

Le Pinde entend rugir leurs rimes bêtes fauves.

Ce poème n'oppose pas simplement au poète doux le poète terrible. Le poète doux est un chanteur mystérieux, épris à la fois d'ombre et d'azur. Hugo est toujours plus complexe qu'on ne dit. La place de ce poème après le précédent est non moins significative. Le cycle du lion joue un rôle important dans la création poétique de Jersey : mais on voit que le thème était déjà apparu en 1847. Le 25 avril 1854, le lion d'Androclès dictant un poème par le truchement de la table, demanda à Hugo la permission de lui emprunter un hémistiche inconnu des auditeurs. Hugo accepte et note en marge du procès-verbal : « L'hémistiche *les coquettes nocturnes* fait en effet partie d'une pièce que je n'ai lue à personne et qui est dans un livre connu de moi seul. Il en est de même du vers cité par le drame : « Charmantes où soudain on rencontre un lion », qui fait également partie d'une pièce inédite et absolument inconnue de qui que ce soit qui m'entoure. »

Le procès-verbal de la séance à laquelle cette note fait allusion n'a pas été retrouvé.

P. 71. I, XXIX. HALTE EN MARCHANT

1. *Dates :* ms. 17 avril puis 7 mai 1855.
vol. Forêt de Compiègne, juin 1837.

Ce poème a été écrit en deux temps. Après le vers 37 le manuscrit porte, rayée, la date du 17 avril. La fin (v. 37-74) a été ajoutée le 7 mai.

Le 17 mars 1855, Hugo avait écrit *Dieu ne frappe qu'en haut* (*4 V.*, III, II), où il développait l'idée : « Les élus, ce sont les réprouvés. » On y trouvait déjà les rimes : *génies-gémonies,* le rapprochement d'*affront* et de *crachat,* les exemples de *Dante, Milton* et *Aristide*. Entre les deux fragments de notre poème, Hugo avait achevé *les Mages* (le 24 avril) et (le 10 mai) *la Chouette*. L'idée du martyre l'obsède donc au cours de cette période, et du martyre par excellence : le drame du calvaire.

Certes Hugo depuis 1830 ne cessait de se considérer comme un persécuté : *F. A.,* XI; *C. C.,* XVI; *V. I.,* XXIX et XXX; R. *O.,* I. Il est plus intéressant de noter que le poème des *Châtiments, A quatre prisonniers* (IV, XII) s'achevait déjà par une légende « en marge de » la Passion : le crachat d'un bourreau du Christ devenait une étoile.

L'idéologie de Hugo n'a rien d'original : le thème traité ici est un poncif romantique. En voici une preuve frappante : en 1830, dans *la Silhouette,* Balzac publiait un article : *Des artistes,* où on lit : « Le Dante en exil, Cervantès à l'hôpital, Milton dans une chaumière, le Corrège expirant de fatigue sous le poids d'une somme en cuivre, le Poussin ignoré, Napoléon à Sainte-Hélène, sont des images du grand et divin tableau que présente le Christ sur la Croix, mourant pour renaître, laissant sa dépouille mortelle pour régner dans les cieux. Homme et Dieu : homme d'abord, Dieu après; homme pour le grand nombre; Dieu pour quelques fidèles; peu compris, puis tout à coup adoré; enfin ne devenant Dieu que quand il s'est baptisé dans son sang. » (Conard, *O. D.,* I, 357.)

Mais c'est la mise en œuvre du poème qui importe : la fusion des deux fragments est parfaitement réalisée.

Le poème a la démarche naturelle d'une promenade (de cette promenade en forêt de Compiègne, au mois de juin 1837, nous ne savons rien).

1° Il commence par une description extérieure : la brume se dissipe et midi découvre un paysage où la fantaisie caractéristique du premier livre apparaît discrètement (v. 4 et 11-13); cette description possède une valeur symbolique : c'est le destin du martyre que préfigure la disparition du brouillard.

2° Suit une scène d'intérieur avec deux motifs chers au poète : « la chaumière heureuse » et « l'apparition d'une belle enfant sauvage » (cf. Barrère, *op. cit.,* III, pp. 170-172 et 30-36).

Une gravure représentant la flagellation attire le regard du poète qui se sépare du groupe pour penser (même attitude dans *le Mendiant*).

3° Le poète méditant songe que le martyre fait la gloire du prophète persécuté et le sacre.

4° Une légende en marge de la Passion et en rapport avec la chose vue donne au poème une conclusion lumineuse, les *rayons* dans la main du bourreau répondant au midi *rayonnant.*

Un heureux changement de ton fait passer le discours lyrique de la fantaisie à la fureur poétique et visionnaire.

2. *Arrachement.* Emploi typique du substantif abstrait. Comme le soulignent J.-R., il ne s'agit pas de remplacer par un nom abstrait un adjectif, procédé en usage dans la poésie classique. Le substantif tient lieu d'un verbe : et cet emploi est original. *Arrachement* est un terme technique en maçonnerie et en architecture, mais Hugo ne semble pas jouer sur ce sens.
3. Voir dans I, II, les remarques sur les ormes et les saules (v. 15).
4. V. cite un texte de Bernardin de Saint-Pierre où l'on retrouve le même anthropomorphisme sentimental : « Ils (les arbres) semblent animés de passion : l'un s'incline profondément auprès de son voisin comme devant un supérieur; l'autre semble vouloir l'embrasser comme un ami. » (*Harmonies...,* I). — *A la bonne foi :* formule d'accord dite en se serrant les mains.
5. Impression ambiguë : *amour effroi.* Hugo ne tombe jamais dans la fadeur du chromo.
6. *Bouge :* logement obscur et malpropre métamorphosé par la lumière et la nature.
7. C'est l'enseigne de l'auberge.
8. *Berge :* ici talus.
9. Encore une impression ambiguë.
10. Thème déjà souligné dans I, XXIII et I, XXV.
11. *Crèche,* après le vieux saint, le temple, Dieu, la note évangélique délicatement suggérée.
12. Cf. *4 V.,* les yeux profonds et bleus comme des firmaments.
13. *Serges* comme *futaine* (v. 27) : étoffes communes.
14. Rapports de couleurs très heureux : au noir (v. 6) s'opposent le vert (v. 16, 25) et le bleu (v. 13, 30). Ici le rouge et le noir se métamorphosent en bleu et blanc.
15. « Un jeune homme inondé des pleurs de la victoire », écrit Nerval.
16. *Deuil :* non pas la perte des êtres chers, comme il est dit dans la préface; mais la douleur causée par une calamité.

17. *Gémonies :* l'escalier du mont Capitolin où l'on exposait à Rome les cadavres des suppliciés.
18. Construction particulièrement tourmentée : double opposition *(lueur, feu follet)* à *auréole,* la seconde compliquée d'une inversion.
19. Selon le ms. : Toujours au même sort le même but ramène. Les commentateurs estiment cette leçon préférable et se demandent si dans toutes les éditions, la leçon corrigée n'est pas le résultat d'une erreur. Ce but, peut-on dire pourtant, est le gouffre où tombent les bons.
20. Dante fut proscrit. Socrate fut condamné à mort. Scipion l'Africain mourut en exil. Milton mourut pauvre et oublié. Thomas Morus fut décapité. Eschyle, dit-on, quitta Athènes, ulcéré par le triomphe de Sophocle.
21. *Planantes :* participe présent employé adjectivement, fréquent dans la poésie romantique. Mais Chénier l'employait aussi et même Racine.
22. *Aristide* fut banni par Thémistocle; *Jean Huss* fut condamné au feu par le concile de Constance (cf. *la Pitié suprême*).
23. Ce vil manteau était au contraire un manteau de roi.
24. Première rédaction : Et cria : je vais vendre à Caïphe cela.

On peut regretter la correction.

Ce poème occupe une place privilégiée : il est la conclusion du premier livre. Le titre, que justifie l'anecdote évoquée, peut s'appliquer aussi à l'itinéraire spirituel retracé dans *les Contemplations*. Le poète se recueille avant de repartir, et ce recueillement entraîne un changement de ton notoire : le thème du martyre fait entendre son accord dissonant, à la fois éclatant et triste.

LIVRE DEUXIÈME

L'ÂME EN FLEUR

P. 77. II, I. PREMIER MAI

---

1. *Dates :* ms. 29 mars 1855.
vol. Saint-Germain, 1er mai 18..

En mars 1855 l'idée du recueil ayant pris forme, on peut penser que cette pièce a été écrite pour faire partie du livre II. Dans ce livre, les dates fictives ne comportent pas de millésime complet. En revanche le lieu est souvent précisé, mais il n'est pas facile de saisir l'allusion.

Si ce livre est consacré à la passion amoureuse, s'il est un hommage discret à Juliette, il va de soi qu'elle peut ne pas être dans la réalité la seule inspiratrice.

Le thème développé dans cette poésie : l'invitation à l'amour par la nature printanière est celui qui a le plus inspiré le poète : voir en particulier *la Forêt mouillée.*

Cette pièce est un florilège des leitmotive favoris du poète célébrant Floréal, recensés par J.-B. Barrère (*op. cit.*, III) : conspiration amoureuse; libertinage de la nature : parmi les lieux privilégiés : les antres; parmi les acteurs privilégiés : les oiseaux moqueurs. L'humanisation de la nature s'accompagne de fantaisie : les antres font la bouche en cœur; la campagne adresse des missives tendres au mois de mai; les fleurs qui émaillent la campagne sont comparées aux traces que laissent sur un buvard les billets doux. La rime *buvard-bavard* fait songer au fameux chapitre des *Misérables*.

2. Fantaisie grammaticale (cf. Rochette, *l'Esprit de V. Hugo*, pp. 125-127) chère au poète et qu'il a attribuée dans *l'Homme qui rit* à son héros Ursus.
3. *En train de :* disposé à.
4. Dans I, VIII, le poète se dit épris d'ombre et d'azur. Ici c'est l'amour qui est à la fois gai et triste. Le 1er mai de Hugo n'est pas tout rose.
5. *Les loups* à la fin de l'énumération confirme la remarque précédente.
6. Première rédaction :

> La nature fredonne un chant qu'elle improvise
> Et prend une chaumière et son cœur pour devise.

La version définitive souligne l'idée d'un échange. C'est le poète qui inspire l'arbre, et le thème optimiste nie la tristesse d'Olympio :

> L'arbre où fut notre chiffre est mort ou renversé.

7. Ce vers était suivi d'abord des vers 25-32. Après le vers 32, venaient les vers 9-24, et le poème s'achevait sur l'image du buvard.
Le développement à partir du vers 8 suivait dans l'ordre : *a)* les sons, *b)* les parfums, *c)* les couleurs. Hugo a cru bon de modifier l'ordre et d'achever à la fois sur les sons et sur une évocation plus vaste, où le mouvement s'associe aux sensations auditives et suggère l'idée d'un chœur dansant qui entraîne toute la campagne.
8. *Lascives :* latinisme : *lascivis hederis,* qui se joue capricieusement.
9. Voir en I, XII, une autre variation sur les billets doux.
10. *Molles* = douces.
11. *Quatre vents :* les quatre vents correspondent aux quatre points cardinaux. Expression souvent employée par le poète qui en a fait le titre d'un recueil : Hugo est le poète du vent.
Ce poème est une préface qui annonce le motif essentiel du livre : Tout conjugue le verbe aimer.
Dans *C. C.*, XXXI, Hugo invitait déjà Juliette à écouter l'appel :

> Puisque mai tout en fleurs dans les prés nous réclame,
> Viens!

V. cite de Gautier *le Triomphe de Pétrarque*. Il vaut la peine de reproduire ce passage pour que soit rendue sensible la différence de ton :

> Le printemps parfumé, beau comme un jeune amant,
> Avec ses bras de lis environnant la terre,
> Aux avances des fleurs répondait doucement.
> . . . .
> Les bouvreuils réjouis sifflaient leurs plus beaux airs :
> Tout riait, tout chantait, tout palpitait des ailes,
> Et les échos charmés disaient des fins de vers.

L'emploi de la *terza rima* dans une telle évocation est un contresens rythmique.

P. 79. II, II. MES VERS FUIRAIENT...

1. *Dates :* ms. 22 mars 1841 (l'année semble ajoutée après coup).
vol. Paris, mars 18..
Ni le jardin si beau (v. 2), ni le foyer qui rit (v. 6) ne conviennent à Juliette. Mme Biard au contraire avait une villa avec un jardin et était mère de deux enfants. Mais si la date de 1841 est exacte, la pièce est antérieure à la liaison. Résignons-nous à ignorer le nom de la véritable inspiratrice.
« Hugo, note V., à la date où il écrit cette pièce, aime les chansons en trois couplets. » Cf. II, x, la plus ancienne, qui ne comporte pas de refrain. Au contraire dans II, II, IV et XIII, chaque couplet comporte une fin qui constitue un refrain ingénieux.

P. 80. II, III. LE ROUET D'OMPHALE

1. *Dates :* ms. 20 juin 1843.
vol. juin 18..
C'est le 18 juillet que Hugo partira pour l'Espagne avec Juliette. Pourquoi ce pastiche de l'alexandrinisme à la Chénier figure-t-il dans ce livre? V. cite un passage du *V. Hugo intime* de Mme Richard Lesclide (1903) : « Vous oubliez, Monsieur, dit un jour, au cours d'une discussion, Mme Drouet au poète, que vous avez filé à mes pieds... C'est vrai, Madame, mais de temps en temps, je vous prenais la jambe, répondit le Maître humblement. »
Ainsi Hugo-Hercule opposerait à ses travaux victorieux sa défaite par Juliette-Omphale. Mais dans les *Mélanges Huguet,* Ascoli a démontré avec brio que l'inspiratrice était Mme Biard!
Le commentaire de V. mérite d'être cité. Il montre comment l'influence de Virgile et de Chénier, et le désir de les imiter sont perturbés par le « romantisme » de Hugo et ses poncifs ou ses tics. Dès sa jeunesse, Hugo avait traduit en vers le passage de *l'Énéide* (VIII) où Hercule triomphe du noir Cacus : les « travaux » mentionnés dans cette pièce figurent tous dans le texte de Virgile (VIII,

202, 295, 298, 300). Dans le *Cahier de vers français* figure un *Hercule amoureux,* imité du latin en 1816. Ce texte reste inconnu.

« De Chénier viennent : l'artifice des reprises (il est dans l'atrium, il est dans l'atrium; la quenouille, la quenouille; vingt fantômes, vingt monstres; tous... et tous); les inversions (v. 21); le rejet *Crie* du v. 8; cf. *Aveugle,* v. 252 :

> L'entraîne, et quand sa bouche, ouverte avec effort,
> Crie, il y plonge ensemble et la flamme et la mort;

probablement le fil « souple et lié » du vers 23, qui me paraît suggéré par le petit poème de la génisse pourpre (éd. Dimoff, *Bucoliques,* p. 236) :

> Tu ne presseras point sa féconde mamelle
> A moins qu'avec adresse un de ses pieds lié
> Sous un cuir souple et lent ne demeure plié.

« De Chénier vient encore l'allure épique des vers 17 et suivants; l'idée d'insérer dans le poème comme épisode la description d'une sculpture : le choix, pour le sujet de cette sculpture, de l'aventure d'Europe enlevée par le taureau : de cette aventure il y a trois versions dans *les Bucoliques.* » V. énumère ensuite les traits proprement *hugoliens :* l'abondance des antithèses, le caractère énorme et difforme des ennemis d'Hercule, le caractère sanglant de leurs blessures, la vie prêtée aux choses inanimées (la mer, le rouet, les boîtes), le caractère mystérieux et fantastique de la scène. Ajoutons la série complète des qualificatifs hugoliens : *odieux, effroyable, énorme, difforme, affreux, noir* (2 fois), *horrible, terrible...*

Mais les remarques ne rendent pas compte de l'art subtil de ce poème, à la structure remarquable.

Hercule n'est pas nommé, Omphale n'est nommée que dans le titre. Ils sont représentés par deux objets : le rouet, la massue, et celle-ci même n'est présente que par la marque qu'elle a laissée au front des monstres.

Le poème comprend deux parties symétriques de douze vers chacune, le rouet faisant la liaison. La première située dans l'atrium est colorée à plaisir *(blanc, noir, lapis, blanc, rose, pourpre, or).* La seconde, située au fond du palais, est plongée dans la pénombre. La première est paisible comme une nature morte; dans la seconde rôdent des monstres sanglants.

Deux points sont particulièrement délicats à interpréter. Alors que le rouet au second vers est dépeint sous l'aspect d'une roue agile, le texte insiste ensuite à trois reprises (v. 12, 16, 23) sur le fait que ce rouet *dort,* est *endormi,* qu'un fil *pend.* « Agile » n'était donc qu'une épithète de nature. Le poète souligne au contraire l'inertie du rouet, et met en contraste ce sommeil paisible, et la veille inquiète des monstres vaincus. Faut-il aller plus loin? Il n'est dit nulle part

qu'Hercule *filait* aux pieds d'Omphale. En revanche, le repos du rouet signifie qu'Omphale ne file pas. Hugo veut-il suggérer qu'Hercule et Omphale sont en train de s'aimer? Il n'est pas suggéré non plus qu'Hercule vaincu par l'amour se considère comme humilié. Le rouet est plus fort que la massue : d'où l'humiliation des monstres. D'autre part, faut-il chercher une relation stricte entre le sujet de la sculpture et le sujet du poème? Certains commentateurs ont mis les trois éléments de l'une et l'autre scène en rapports : Europe = Omphale; Hercule = Jupiter métamorphosé en taureau; l'Océan monstrueux = les monstres. Europe est à la fois sans espoir et épouvantée : il faudrait voir là un avertissement qu'Omphale devrait méditer. Pour Spitzer, « baissant les yeux » traduirait même l'humiliation d'Europe, caressée par les monstres. Ces commentaires sont abusifs : les deux dieux rendent hommage à la femme, l'un (le ciel) l'emporte, l'autre (la mer) lui baise les pieds.
Lorsque Vacquerie avait célébré le mariage de son frère avec Léopoldine, il avait écrit ces vers (dont nous ne vantons pas la poésie) :

Comme le fleuve va vous inviter sans cesse
Aux courses en bateau,
Et, quand il te tiendra, de quelle lèvre tendre
Il baisera la main que tu laisseras pendre
Dans la fraîcheur de l'eau.

On pourrait aussi bien prétendre que la femme est invitée à ne plus s'inquiéter, puisque le monde entier est en adoration devant elle. Ce poème célèbre le triomphe de l'amour.

2. *Atrium :* anachronique puisque latin.
3. *Quenouille :* le rouet du titre est non moins anachronique; les Anciens ne connaissaient que la quenouille.
4. L'école d'*Égine* est pour Hugo la plus ancienne des écoles de sculpture en Grèce. — *Plinthe :* la paroi du socle du rouet est orné d'un bas-relief.
5. *Europe* fut enlevée par Jupiter métamorphosé en taureau. Il la transporta de Phénicie en Crète.
6. Dès 1819, dans un article sur Chénier, Hugo citait avec admiration le passage de *l'Aveugle* où figure ce remarquable rejet.
7. La version définitive a été introduite dans l'édition. La première rédaction portait : mille autres douces choses. Hugo s'aperçut que dans IV, XXIII, 23, il y avait déjà *mille douces choses* rimant avec *pieds roses. Douces* soulignait le contraste entre les deux tableaux. *Demi-closes,* qui qualifie d'ordinaire des lèvres ou des paupières, suggère avec bonheur l'idée du sommeil. Tout dort.
8. *Peintes* pour teintes est un latinisme. — *Milet,* ville d'Ionie, célèbre par ses étoffes.
9. *Cependant* = pendant ce temps. Le temps est suspendu.
10. *Vingt* a une valeur hyperbolique (cf. *en foule*).
11. *Lion néméen* au lieu de lion de Némée est un latinisme.

12. *Noir :* sur la répétition de l'adjectif, voir la note 9 de I, x.
13. *Les typhons des eaux.* Cette expression, et la suite, a dérouté les commentateurs. Pourquoi ce pluriel, alors qu'il n'existe qu'un Typhon, géant et demi-frère de Géryon, le même que Typhée mentionné par Virgile? Pourquoi *des eaux,* alors que ce fils de la Terre personnifie un volcan? On a cité ce vers de Lucain (*Pharsale,* VII, 156) :

Et trabibus mixtis avidas typhonas aquarum

où *typhonas* signifie « tourbillons » (mais la leçon commune est *siphonas*). On a supposé que dans l'esprit de Hugo se mêlaient au Typhoeus de Virgile le « typhon » d'origine chinoise désignant un violent ouragan de l'océan Indien (ce mot était en usage dès le XVIIIe siècle), et le typhon égyptien, divinité figurée souvent sous les traits d'un crocodile ou d'un hippopotame. Dans *les Soirées de Saint-Pétersbourg* (4e entretien), le comte ayant cité un passage de Plutarque (*De Is. et Os.,* LIII) où sont cités Mercure et Typhon, le sénateur observe : « Ce mot de Typhon qui fut dans l'antiquité l'emblème de tout mal et spécialement de tout fléau temporel... » Si l'on cherche d'autres emplois de typhon dans l'œuvre de Hugo, il apparaît que ce nom évoque toujours pour lui *les eaux.* Dans *le Satyre* (v. 283) :

Puis il dit l'Océan, typhon couvert de baves.

Dans *les Temps paniques* (v. 79) :

Et bouleversant tout, ondes, souffles, typhons...

Dans *la Fin de Satan (le Glaive),* le vers :

La bataille où les dieux vainquirent les typhons

prouve d'autre part que le nom commun s'emploie au pluriel pour désigner les géants fils de la Terre.
14. La relative est au présent. Ce présent contribue à accroître l'impression fantastique et terrifiante produite par cette évocation des monstres.

Dès 1856, la pièce fut admirée. Elle a été beaucoup commentée depuis. En dehors de l'article d'Ascoli, figurant dans les *Mélanges Huguet* (1940), *A propos du Rouet d'Omphale,* signalons deux importants articles en allemand :
de H. Heiss, *V. H. Gedicht vom Spinnrad der Omphale,* dans *Archiv für das studium der neueren Sprachen,* 165. Band N. S. 65. Band, 1934, pp. 60-76;
et de L. Spitzer (à propos du précédent article), *Zu V. H. 'S « le Rouet d'Omphale »,* dans *Romanische Literatur-Studien,* 1936-1956,

pp. 277-285, exemples très instructifs de commentaires critiques différents de la méthode française.

P. 81. II, IV. CHANSON

1. *Dates :* ms. 12 juillet 1846.
vol. mai 18..

La veille, Hugo avait accompagné au cimetière de Saint-Mandé le cercueil de Claire, la fille de Juliette, et il avait écrit pour celle-ci la pièce XI du livre IV. Le lendemain, il aurait donc écrit cette chanson d'amour.

Que le poète passe de la douleur à la joie, n'a rien que de naturel. Qu'il essaie de consoler Juliette en lui rappelant le pouvoir qu'elle a sur son amant, n'a rien que de très humain.

Mais s'agit-il de Juliette, nous dit-on? Est-ce que, le 18, Juliette ne se plaignait pas de l'absence de Victor : « L'astre de mon bonheur décline de plus en plus et bientôt il n'en restera plus rien que le souvenir et les regrets... » (P. Souchon, *Mille et Une Lettres,* p. 330.) Mais faut-il prendre cette plainte au tragique? Et à qui attribuer « ce rêve angélique et tendre »? Cf. II, XXI.

P. 82. II, V. HIER AU SOIR

1. *Dates :* ms. 4 juin 1843 (et en surcharge 4 juin 1833).
vol. mai 18...

Pourquoi ce changement de date sur le manuscrit, et probablement après l'exil? La pièce avait été écrite au moment du départ pour l'Espagne avec Juliette, quelques jours avant *le Rouet d'Omphale.* Vianey a remarqué ingénieusement que dans les *C. C.,* la pièce XXI datée du 21 mai 1833 et inspirée par Juliette débute par un mouvement analogue :

> *Hier la nuit d'été* qui nous prêtait ses voiles
> Était digne de toi tant elle avait d'étoiles.

Que conclure? Il est tout à fait exceptionnel que la date du manuscrit soit changée pour une date fictive.

L'âme chante et son chant de madrigal devient prière, lorsque dans le silence et la nuit s'exhale l'odeur du printemps. Elle souhaite une alliance entre la terre et le ciel, entre les yeux aimés et les étoiles. Le rythme souligne admirablement cette élévation du cœur. Hugo a rarement utilisé la strophe de cinq vers : dans IV, x, la disposition des rimes n'est pas la même. Dans le poème XVI des *V. I.,* on la retrouve exactement, mais dans un quintil d'heptasyllabes.

P. 83. II, vi. LETTRE

1. *Dates :* ms. 15 mai 1839.
   vol. Près le Tréport, juin 18..

Il ne semble pas qu'en mai 1839 Hugo soit allé sur la côte de la Manche. Il passa au Tréport en août 1835 et en septembre 1837 avec Juliette. Quant à un séjour chez un maître d'école, il n'y est fait allusion nulle part.

Cette variante moderne de l'épître classique (voir à titre de comparaison l'*Épître à Lamoignon* de Boileau) se présente non pas comme un paysage impressionniste croqué d'après nature, mais comme un savant amalgame de notations diverses, remontant à des époques différentes.

On trouvera dans *l'Art d'être grand-père* (I, xi, *Fenêtres ouvertes*) un exemple de la manière impressionniste de Hugo.

Il a écrit d'autres *Lettres* en vers : *Toute la Lyre,* II, iii, et V, xxv; *Chansons des Rues et des Bois,* II, xx (où à la fin « un bateau passe »).

2. *Ocres et craies* déjà rapprochées dans *Bièvre* (*F. A.,* XXXIV), dont l'inspiration et la composition annoncent en 1831 cette pièce-ci :

> Dans l'ombre, un mur de craie et des toits noirs de suie;
> Les ocres des ravins, déchirés par la pluie. (V. 16-17.)

L'ocre est une argile rougeâtre.

3. L'imagination de Hugo lie le *Caystre,* fleuve d'Asie Mineure, cité par Virgile (*Géorg.*, I, 383-384), au *Gange,* fleuve de l'Inde.

> Les aigles sur les bords du Gange et du Caystre
> Sont effrayants.

4. *Angles,* terme géométrique qui contraste avec *façonnés à la pelle.*
5. *Premiers plans :* surprenant, puisqu'il s'agit des plans lointains.
6. « Les ormes seuls ont de la fantaisie », note Hugo dans *le Rhin.*
7. Dans ce poème descriptif où le poète semblait se soucier de noter les couleurs et surtout les formes, les silhouettes des objets, sa fantaisie lui fait malgré tout animer la nature : il ne se contente pas ici de décrire l'arbre en lutte contre le vent.
8. *Dorures.* Cf. faisan doré.
9. *Promener :* emploi archaïque devenu incorrect.
10. Dans le *Manuscrit des C.* (p. 205), J.-R. reproduisent cette ébauche :

> Tout le jour chez mon hôte
> C'était un bruit d'enfants épelant à voix haute.

Sur cette « feuille paginée » figure une allusion à la publication de *Marion de Lorme :* l'ébauche remonterait donc à 1831-1832.

11. *Verdier :* passereau verdâtre.

12. Le poète qui tutoyait la destinataire au vers 1 lui dit vous au vers 34. Le changement de personne s'accompagne d'un changement de ton. De même la mer qui était présente aux vers 17 et 24 est évoquée à nouveau, mais « superbement ».
13. Avant Proust, Hugo a noté l'effet d'optique des voiles des navires au-dessus des maisons. Cf. *Voyage en Belgique,* 8 septembre.
14. *Le long du quai,* imité par Sully Prudhomme dans *les Berceaux.*
15. Hugo enfant traduisant en vers l'épisode de Cacus dans *l'Énéide* avait écrit :

Un roc, triste séjour des sinistres oiseaux.

J.-R. reproduisent dans *Autour des C.* (v. 54) cette autre ébauche :

à mon départ
aucun mauvais présage n'avait manqué
ni...
ni...
ni l'importunité des sinistres oiseaux.

Souvenir virgilien : *Importunaeque velucres signa dabant* (*Géorg.*, I, 470). La description qui semble apparemment désordonnée est faite pour opposer au modeste tableau de la vie quotidienne le vaste horizon. Si le poète est sensible à la douceur d'une vie paisible, il ne peut pas oublier l'appel du large. La description s'épanouit en tableau symbolique où nous retrouvons l'emblème du poème liminaire : le navire qui est l'homme. Faut-il comprendre que le poète a beau rêver aux douceurs du port (et l'amour est une de ces douceurs), il est fait pour fuir par tous les vents traqué? Le vent joue ici un rôle essentiel comme dans le poème liminaire.
Mais l'opposition entre la vie simple et tranquille et la vie orageuse ne se traduit pas sous forme d'antithèse. Hugo n'a pas toujours recours à l'antithèse, et ce poème à la structure voilée en fournit un bel exemple.

P. 85. II, VII. NOUS ALLIONS AU VERGER...

1. *Dates :* ms. 5 juin 1853 J.
vol. Triel, juillet 18..

Cette pièce se rattache à la *Première Série de la fantaisie pastorale (printemps 1853),* selon J.-B. Barrère (*op. cit.,* II, 44), après que Hugo eut passé son hiver « à faire des vers sombres ». Elle est située fictivement aux environs de Paris. « Le 5 juin, à l'idylle de la rivière du 16 avril, fait pendant l'idylle du verger; à la belle déchaussée, la cueilleuse de bigarreaux, aussi provocante et « farouche » à la fois; toutes deux renvoyées au passé, au prétérit la première, celle-ci à l'imparfait qui suggère la répétition et estompe l'identification; toutes deux attribuées aux environs de Paris, à

Montfort la première, celle-ci à Triel... » (Barrère, *op. cit.*, II, 58.) Mais le souvenir de la jeune Juliette est également présent : Th. Gautier écrivait d'elle, lorsqu'il rendait compte de *Lucrèce Borgia :* « Les bras sont d'une perfection tout antique chez Mlle Juliette. » Cette scène fait songer à la célèbre scène des *Confessions,* à la scène moins connue de la cueillette des fraises dans *Albertus* (LII), mais il ne faut pas oublier la cueillette des prunes dans *les Bucoliques* de Virgile (VIII). La présence de Virgile néanmoins ne laisse pas de surprendre, surtout si nous l'associons à Dante descendant aux enfers. Mais, comme l'a bien vu Chabert, Hugo « a transformé l'auteur des *Églogues* en un *magister amandi,* et il se couvre de son autorité chaque fois qu'apparaît un tableau égrillard sensuel ». Dans le *Groupe des Idylles* de la *L. S.,* Virgile déclare à la première personne :

> Les filles aux yeux bleus courent dans mes églogues...
> Le passant ne pourra rencontrer mon idylle
> Sans trouble...

Le thème de cette pièce sera repris le 12 juillet 1859 dans *C. R. B.,* I, VI.

2. « Un poète si sûr de sa virtuosité n'a pas sans malice consenti la faiblesse de faire rimer *Paros* avec *bigarreaux.* » (Barrère, II, 59.)
3. A rapprocher dans *la Fête chez Thérèse* de la note plus troublante :

> .....et sur leurs gorges blanches
> Les actrices sentaient errer l'ombre des branches...

4. *Vermeil* et *feu :* voir dans Barrère (*op. cit.*, III, 108-109), *Fleurs et fruits de feu,* un florilège de variations sur ce motif.
5. *Chantait :* la pièce XXVI des *F. A.* dédiée à Mlle J. commence par ces vers :

> Chantez ! Chantez ! jeune inspirée,
> La femme qui chante est sacrée...
> La femme qui chante est bénie...

Le 9 juillet 1834, V. Hugo écrivait sur un agenda de Juliette : « Quand je t'entends chanter, ma Juliette, tout ce qu'il y a en moi de pensées douces et tendres dresse la tête et écoute. Je suis heureux... » (P. Souchon, *Pages d'amour de V. H.,* 92.)

6. *Diane farouche :* la chaste Diane intervenant dans cette scène sensuelle surprend. Pour J.-R., « comme celle d'un Virgile indulgent aux jeux de l'amour, le poète réussit à faire accepter l'image d'une Diane qui ne peut s'y refuser; cette pièce prend peut-être ainsi plus de relief ». Mais peut-être faut-il voir dans cette comparaison à Diane farouche un effet analogue à celui recherché dans I, XXI, par les adjectifs *pensive, effarée et sauvage :*

Et la belle folâtre alors devint pensive...
La belle fille heureuse, effarée et sauvage...

Hugo ne songe pas à rivaliser avec l'auteur des *Poèmes antiques*, Leconte de Lisle. « Si Hugo se proposait quelque modèle d'émulation, pensons-nous avec M. J.-B. Barrère, ce serait Chénier. » Caro en 1856 songea à Parny.

A cette même date, la pièce scandalisa Barbey d'Aurevilly qui renonça à citer cette « priapée ».

P. 86. II, VIII. TU PEUX, COMME IL TE PLAIT...

1. *Dates :* ms. 16 juin 1855.
vol. Paris, juin 18..

Les 16, 17 et 18 juin, Hugo écrit à la suite les pièces VIII, XXVII, XVIII et XXIII du livre II. Le dernier poème en particulier est une variation sur un thème analogue : l'âme reflète l'état du ciel. Ici, l'âme de l'amant reflète l'humeur de l'aimée. D'où, comme dans II, VI, un jeu sur les *tu* et les *vous*.

2. Dans *le Cantique de Bethphagé :*

C'est lui qui me fait gaie ou sombre.

3. Vers 5-8 : *ad. marg.* Cet effet particulièrement recherché d'une préciosité bizarre est exceptionnel chez Hugo. L'effet est à la fois plus subtil et plus poétique dans III, IX :

Il semble que ta main porte un lys invisible.

4. Sur le *regard suprême,* cf. I, XXI, 5.
5. Vers heureux qui sauve ce poème de la banalité.
6. *Mais :* développement en deux parties et en antithèse, auquel Hugo a recours quand il cède à la facilité.
7. Voir dans *Autour des C.,* p. 76, une ébauche de ce poème que J.-R. datent de 1848-1850. Les derniers vers se présentent alors sous la forme :

Joyeux, j'ai dix-huit ans, triste, j'en ai soixante.

Le 2 mars 1851, Juliette écrivait au poète : « Tu m'as rendue bien heureuse mon Victor adoré, et je me semble rajeunie de seize ans, tant le bonheur influe sur toute ma pauvre organisation. »

Le 28 juin 1855, Hugo écrivait à N. Parfait : « Je vous envoie une intercalation, la pièce *Tu peux comme il te plaît me faire jeune ou vieux,* qui entre dans le livre II sous le numéro VIII et rejette au chiffre IX la pièce *En écoutant les oiseaux.* » Selon J.-R., il se serait aperçu que dans II, VII et II, IX, on retrouvait la rime *farouche-bouche.*

P. 88. II, IX. EN ÉCOUTANT LES OISEAUX

1. *Dates :* ms. 10 juin 1855.
vol. Caudebec, septembre 183.
Comme tous les poèmes de juin 1855, ce poème célèbre des *Harmonies*. Les oiseaux répètent les soupirs des amants et les répètent comme s'ils en étaient les auteurs. Ce thème curieux apparaissait déjà dans II, I :

L'arbre où j'ai, l'autre automne, écrit une devise,
La redit pour son compte, et croit qu'il l'improvise.

La date factice fait-elle allusion au passage de Hugo à Caudebec en 1834, quand il allait rejoindre Juliette en Bretagne (dans la réalité ce passage a lieu au mois d'août)? Le vers 8 dit bien que les amants sont séparés.
2. Vers 23 et *sqq*. Variations fantaisistes et poétiques sur le thème d'Orphée charmant les fauves et les pierres. Hugo y ajoute le thème du plagiat, celui de l'ironie du moineau qui d'un mot annonce le rôle du Merle dans le *Chantecler* de Rostand, celui des rêves étranges des rochers qui ont une âme, le parallèle enfin entre oiseaux et anges.
3. *Chènevis :* graine de chanvre. — *Les* désigne les oiseaux. La correction de la tournure est douteuse, puisque c'est au dernier vers que l'on trouve le nom pluriel que le pronom représente. Jusqu'au vers 27, le poète désignait les oiseaux par *vous*. Au vers 30, *l'oiseau* est au singulier.

P. 90. II, X. MON BRAS PRESSAIT...

1. *Dates :* ms. Étampes, 25 août 1834.
vol. Forêt de Fontainebleau, juillet 18..
Si la date du ms. est authentique, c'est la pièce la plus ancienne des *Contemplations,* écrite au retour de Bretagne, quand Hugo était allé chercher Juliette en fuite.
J.-R. mettent en doute l'authenticité de cette date : 1° D'après la *Cor.* (I, 542), les amants n'étaient plus à Étampes le 25 août. La mention de la forêt de Fontainebleau dans le volume semblerait plus exacte. 2° L'examen du ms. amène à constater que l'écriture de la date et celle du poème ne sont pas les mêmes; que l'écriture du poème est d'une époque postérieure à 1834 (vers 1840, selon J.-R.); que l'écriture de la date et mention de lieu est d'une époque encore plus récente (peut-être de l'exil).
Le mystère n'a fait que s'accroître à la suite de la découverte par J.-L. Mercié d'une version inédite de la pièce adressée en 1846 par Hugo à Mme Clara Duchastel (voir l'étude de J.-L. Mercié : *Victor Hugo et une inconnue : Clara Duchastel*. Archives des lettres modernes, 67, pp. 12-24). Cette version en effet est, au dire des experts (papier, écriture), postérieure à la version du manuscrit,

alors que son infériorité poétique inviterait plutôt à la considérer comme une première rédaction.

Dans cette version inédite, Hugo ne s'adresse pas directement à la femme aimée. Les possessifs sont à la troisième personne : vers 1, *sa;* vers 3, *son.*

La troisième strophe se présente sous la forme suivante :

> Elle, ange pur qui se dévoile,
> Me regardait dans cette nuit
> Avec son beau regard d'étoile
> Qui m'éblouit.

Plus importante que la substitution de la troisième personne à la deuxième, est au vers 10 la substitution du démonstratif *cette* au possessif *ma,* exigée par la versification. La chanson retombe dans la banalité. Car, si comme le veut V., « la pièce porte bien la marque de son temps : la femme-ange, l'œil-étoile, la taille-roseau, le sein-oiseau, la promenade au déclin du jour, l'amour, mystère incompréhensible : rien de plus habituel chez les romantiques à cette date que ces images, ce décor, cette psychologie », il est préférable de montrer comment Hugo échappe à la fadeur. Ce poème évoque une fois de plus le passage du jour à la nuit; et la « contemplation » du ciel nocturne aboutit à une « apparition » et à une « métamorphose ». Mais surtout le possessif singulier « *ma* nuit » oppose le poète à la femme. C'est déjà la visite de l'ange à Satan dans la nuit (cf. les remarques sur le poème suivant, *in fine*). Le 21 mai 1844, Hugo écrivait à Juliette : « Ton regard est si charmant, ton sourire est si ineffable et si doux, tu répands autour de toi un tel rayonnement de grâce, de dévouement et d'amour que j'oublie mon deuil et que je sors de *ma nuit* en te regardant. »

La pièce VI, LVI, de *Toute la lyre :* Je pressais ton bras qui tremble, est datée du 30 mars 1844.

Ainsi il faudrait admettre que Hugo, envoyant cette pièce à une tierce personne, n'a pas hésité à la détériorer. Cette conclusion ne laisse pas de choquer, non du point de vue moral ou psychologique, mais du point de vue esthétique.

Dans V, XIX, le poète se corrige en passant de la troisième à la première personne.

P. 91. II, XI. LES FEMMES SONT SUR LA TERRE

1. *Dates :* ms. 7 avril 1855.
   vol. Paris, avril 18..

C'est le 22 avril que Hugo écrit à un poète non identifié : « J'achève de dorer quelques étoiles au ciel un peu sombre des *Contemplations.* » Cette pièce, comme toutes celles écrites d'avril à juin, répond à cette intention.

2. La première strophe est une *ad. marg.* — En dépit des apparences,

ce poème est en rapport étroit avec le précédent : la femme-ange joue un rôle d'intercesseur : c'est elle qui *idéalise* tout. Le développement rapproche des idées discordantes au premier abord, mais qui attestent une harmonie universelle (v. 9 et 21-22) : l'âme reçoit en offrande de tout ce qui brille le parfum et la couleur; mais en même temps tout objet qui charme ou rêve tient des femmes sa clarté.

3. Dans *les Mages* dont s'achève la mise au point, Hugo parle au vers 279 de « la petite bouche des roses ».
4. J.-R. reproduisent cette note des *Feuilles paginées* (qu'ils datent des environs de 1835) : « La perle est une maladie du coquillage qui la contient. L'amour aussi est une maladie et une perle. »
5. La fin du poème à partir du vers 23 pose un problème : faut-il prendre les présents et en particulier celui du vers 26 : mon amour qui te *fuit,* pour un véritable présent, ou bien faut-il faire passer la phrase au conditionnel?
Dans le premier cas : *mon amour qui te fuit* deviendrait l'élément essentiel du poème qui du coup acquerrait un autre sens. Ce serait un appel à l'aide (cf. dans II, x, la correction de *cette* nuit en *ma* nuit).
Pour le dernier vers, cf. également le commentaire de II, x. Nous retrouvons plus ou moins voilé l'archétype de la Belle et de la Bête. On est tenté de penser qu'une angoisse transparaît en dépit du poète qui voudrait écrire des chansons.

P. 93. II, XII. ÉGLOGUE

1. *Dates :* ms. 28 septembre 1846.
vol. septembre 18..
Écrit entre la pièce I, XIII, de *Toute la lyre* (22 septembre) et III, VI, des *Contemplations* (4 octobre). Le premier poème annonce celui-ci : le calife punit les gens de la montagne comme Jupiter le titan. Voir surtout les vers 6-7, le vautour décharné... joyeux, le bec ouvert.
Le titre primitif était : *Bas-relief.*
2. Souvenir virgilien plaisamment adapté (*Buc.,* II, 21) :

Mille meae Siculis errant in montibus agnae.

3. *Offensât :* archaïsme accordé au ton de ce poème.
4. Ce titan serait le Typhon dont il a été parlé à propos de II, III.
La tonalité de ce poème est très singulière : rien de commun ni avec les poèmes antiques ni avec les madrigaux précieux. Après l'évocation idyllique d'une promenade imaginaire, nous passons sans transition de l'idylle à l'horreur sacrée, puis, non moins brusquement, nous débouchons en pleine mythologie.
L'hésitation du poète sur le dénouement est aussi significative : il

avait substitué à la version primitive (à laquelle il s'est finalement rallié) cette conclusion où la femme n'était plus la protagoniste :

Et ce géant nous dit : Craignez qu'on ne vous voie!
Cherchez un antre afin d'y cacher votre joie!
Voyez mon sort! fuyez. Vous auriez votre tour!
Car les dieux envieux qui m'ont fait disparaître
Et qui furent jaloux de ma grandeur, peut-être
Seraient jaloux de votre amour!

L'amour serait donc analogue à la révolte du titan et faudrait-il voir là l'indice d'une mauvaise conscience? A l'affirmation de la Providence, qui caractérisait la fin du livre premier, s'oppose la crainte du Dieu jaloux. Mais le principe « cache ta vie » semble offrir une solution provisoire.
Le thème de l'amour caché sera développé dans II, xvi.

P. 94. II, xiii. VIENS! — UNE FLÛTE INVISIBLE

1. *Dates :* ms. 8 septembre 1846.
vol. Les Metz, août 18..
Écrit vingt jours avant le précédent : déjà la flûte et les bergers ont la tonalité bucolique.
Si la date fictive nous rappelle les séjours de Hugo et de Juliette dans la vallée de la Bièvre, qui furent, selon V., le plus beau moment de leur amour, une chronologie plus stricte notera que pendant le mois d'août, il n'y eut aucun séjour connu.
Nouvel exemple de chanson en trois couplets avec variations. Chaque strophe oppose la chanson qui sera tour à tour la plus paisible, la plus joyeuse, la plus charmante à un soupir de flûte, à l'eau ridée et sombre, au souci de l'aimée.
2. Souvenir de Catulle : *Vivamus, mea Lesbia, atque amemus.*
Ce chant annonce les rythmes fluides de Verlaine. Voir dans Barrère (*Fantaisie,* III, pp. 18-19) un florilège de vers consacrés par Hugo au chant des flûtes.

P. 95. II, xiv. BILLET DU MATIN

1. *Dates :* ms. 14 avril 1855.
vol. Paris, juin 18..
Ce poème est censé rapporter un rêve de Hugo, et les premiers vers laissent entendre que les deux amants avaient l'habitude de rêver de conserve. Le 31 juillet 1851, Juliette écrivait à Victor ces lignes, dont le poème semble la paraphrase : « Encore ce gribouillis, mon cher petit homme, et puis je me déciderai à me coucher, dans l'espoir de rêver de toi. Tu devrais en faire autant de ton côté pour que nos deux âmes, débarrassées de l'étreinte incommode des

corps pendant le sommeil, se mêlent et se confondent en songe. » — Ce rêve est un rêve d'immortalité, à rapprocher de II, XIX :

Car nous irons dans la sphère
De l'éther pur;
La femme y sera lumière,
Et l'homme azur.

Les deux amants sont sûrs de vivre ensemble au paradis après la mort. Ils sont sûrs de garder la mémoire. Ce thème banal est varié d'une façon heureuse :
Au vers 18, Hugo répète avec moins de fermeté :

Vivants! vous êtes des fantômes;
C'est nous qui sommes les vivants!
(III, v, 17-18.)

Puis deux thèmes sont juxtaposés d'une façon assez incohérente : d'une part, le poète reprend à sa manière la notion de corps glorieux :

Tout ce que, l'un de l'autre, ici-bas nous aimâmes
Composait notre corps de flamme et de rayons...

d'autre part, lorsque le dialogue devient duo (du vers 21 à la fin) il formule une théorie beaucoup plus audacieuse :

C'est nous-mêmes qui sommes
Tout ce qui nous semblait, sur la terre des hommes,
Bon, juste, grand, sublime, ineffable et charmant...

mais l'énumération qui suit retient surtout ce qui charme.

2. *La lumière sonore chantait*. Cf. Ballanche : « J'entendis alors un son, mais un son intellectuel, et ce son me parut être la parole de la lumière. »

3. On est un peu surpris qu'au paradis, Hugo parle comme en I, XXI,

Veux-tu nous en aller sous les arbres profonds?

mais celui qui connaît la littérature illuministe (et Swedenborg en particulier) sait que les amours célestes restent charnelles.

4. Le paradis est un astre. Hugo fait sienne la théorie de l'immortalité dans les astres.

5. Le mot de la fin est le même qu'en I, VIII : Le verbe, c'est Dieu. Notre amour, c'est Dieu. Hugo affirme la valeur absolue non seulement de l'Amour, mais de *leur* amour.

P. 97. II, xv. PAROLES DANS L'OMBRE

1. *Dates :* ms. 3 novembre 1846.
vol. Paris, octobre 18..
Pièce écrite aussitôt après IV, v : « Elle avait pris ce pli... » On découvre avec surprise des traits communs entre la visite de Léopoldine à son père au travail, et la présence de Juliette auprès de son amant au travail. Cf. les vers 12 :

> Et mainte page blanche entre ses mains froissée

et 5 :

> prenait ma plume.

Hugo travaillait le soir chez Juliette, qui lui avait ménagé un coin près de son lit. Hugo s'absorbait dans son travail. Juliette le contemplait : « Pendant que tu écris auprès de moi, mon adoré, déclare-t-elle dans un billet du 8 novembre 1841, je te donne ma pensée, mon cœur, mon admiration, mon amour. » Mais il lui arrivait aussi de se plaindre parce que son poète, occupé à écrire, l'oubliait.
Parmi les titres écartés pour ce livre II, on notera : *Ce qu'on murmure dans l'ombre,* proche du titre de cette pièce.
2. *Vous êtes mon lion :* souvenir d'*Hernani,* III, iv, où doña Sol s'écrie : « Vous êtes mon lion superbe et généreux. » Dans une lettre de 1835, Juliette appelle Victor : mon beau lion.
3. Vers magnifique à rapprocher de I, xxvi, 100-101.
4. La nuance insolite introduite au vers 19 par la proposition finale ôte à cet échange de regards toute banalité.

P. 98. II, xvi. L'HIRONDELLE AU PRINTEMPS...

1. *Dates :* ms. pas de date (vers 1840, selon J.-R.).
vol. Fontainebleau, juin 18..
Même localisation que dans II, x.
Petite pièce typique de la composition hugolienne : deux parties parallèles : 1° l'oiseau; 2° l'homme.
Dans chaque partie, un nouveau parallèle : *a)* les rues; *b)* les bois.
Le dernier vers condense le parallèle en une formule.
2. Première rédaction :

> Le vif oiseau de l'air cherche les vieilles tours,
> Le vif oiseau de l'air cherche, ô ma bien-aimée.

Cette reprise était imitée de Chénier.
Puis le poète oppose *l'hirondelle* et *le ramier.*
Enfin *l'hirondelle* et *la fauvette.*

Aux vers 4, 8, 9, 12 et 13 nous retrouvons des adjectifs accouplés. Vianey y voit encore l'indice d'une influence de Chénier.
Sur le thème des amours cachées, cf. II, XII.

P. 99. II, XVII. SOUS LES ARBRES

1. *Dates :* ms. 21 octobre 1854.
vol. juin 18...
Écrit après I, XXVII et I, XVI, où se trouvent évoquées les promenades sous les arbres du poète rêveur et du vieux pédagogue.
Description avec *travelling :* nous suivons les personnages qui marchent en parlant, comme dans IV, XII et VI, XX.
2. Les éd. Hachette de 1868, Lemerre de 1875, et de l'Imprimerie Nationale donnent : *se taisaient.*
3. *La corbeille de Flore,* image classique, devient *la corbeille de mai.* En V, XXV, nous retrouverons la corbeille d'avril (v. 3); en III, XXX, la corbeille de mai (v. 516).
C'est la femme qui connaît le nom des fleurs : variation heureuse sur la parenté de la fleur et de la femme. Aux vers 19-20, nouvelle variation soulignée par l'opposition hugolienne entre *petite* âme et *grand* parfum.
4. *Mot à mot :* image scolaire fréquente chez le poète. L'homme devient l'élève de la femme.
5. La *nuit* a été substituée au *soir*. Ce poème, une fois encore, décrit le passage du jour à la nuit : les étoiles remplacent les fleurs, l'invasion de l'ombre rend le poète *pensif,* et la vue des étoiles incite à la prière. Le 29 octobre 1854, quelques jours après, donc, Juliette écrit à Victor : « Je prie pour toi et pour moi. »
Si *le Mendiant* a bien été achevé la veille (21 octobre), il y a une composition analogue dans les deux poèmes.
Le 20 mai 1839, Hugo écrivait à Juliette : « Continue ton ascension, ma bien-aimée! Tu as le pied sur l'échelle des anges. »
6. Le *chêne, noir pilastre* rappelle les *vivants piliers* des *Correspondances* de Baudelaire. Un pilastre est un pilier engagé dans un mur.
Cf. *Magnitudo parvi* (v. 731) :

> Aux fleurs, parfums du temple, aux arbres, noirs pilastres.

C'est donc le parfum de la strophe précédente qui a suscité l'image du temple.
7. Hugo avait d'abord écrit *dans sa niche* et non *comme un chien.* La correspondance non seulement souligne le parallélisme, mais précise l'image et met l'accent sur l'humilité de Juliette.
Pendant toute la liaison, celle-ci gardera dans ses lettres la même attitude : « Je voudrais te lécher les pieds comme un pauvre chien que je suis » (21 septembre 1835); « Je voudrais te servir à genoux, t'envelopper de soins et de caresses et baiser la trace de tes chers petits pieds » (25 septembre 1853). Mais dans le poème, le poète

la montre à la fois en bas et en haut : si l'amour fait d'elle un chien, la prière fait d'elle une étoile.

P. 100. II, XVIII. JE SAIS BIEN QU'IL EST D'USAGE

1. *Dates :* ms. 17 juin 1855.
vol. Chelles, septembre 18..

Pièce achevée le même jour que II, XXVII, et un jour avant II, XXIII. Ces trois pièces sont écrites en quatrains d'heptasyllabes à rimes croisées et, comme on le verra, des strophes sont passées de l'une à l'autre.

Le poème est situé à Chelles, près de Meaux : les ruines de la célèbre abbaye de Chelles ont été dessinées par Hugo en 1845 (voir le dessin à la Maison Victor-Hugo). C'est à cette époque, en effet, que Victor et Juliette, après le scandale Biard, fréquentèrent la région.

Le poème aurait-il été écrit dès cette époque? Ch. Peyre en 1955 l'a prétendu (*V. Hugo et Montfermeil,* in *le Vieux Montfermeil,* nº 9). Il est sûr que le poème a été ébauché à une date antérieure, cette ébauche étant faite d'une strophe supprimée :

> Le jour où nous nous aimâmes
> Semble renaître à nos yeux.
> Avril sourit dans nos âmes,
> Comme il sourit dans les cieux.

qu'on retrouvera, revue et corrigée dans II, XXIII (str. 6), et de la dernière strophe actuelle. J.-R. datent cette ébauche de mai 1843, comme II, XXII. (Si la strophe n'est pas identique, le papier et l'écriture sont bien les mêmes.)

La rédaction de la partie intermédiaire a été, elle-même, mise au point en plusieurs étapes : quatre strophes de II, XXVII faisaient d'abord partie de cette pièce-ci (v. 5-8, 17-20 et 25-32); lorsqu'elles ont été supprimées, elles ont été remplacées par les vers 49-60.

La comparaison de la gloire et de l'amour est un lien commun que Hugo avait développé par exemple dans *R. O.,* XXIV, *C. C.,* XXI, *V. I.,* XVII, poèmes composés pour Juliette. Mais le thème précis développé ici ressemble davantage à *F. A.,* IV.

2. Dans *F. A.,* IV, Hugo écrivait :

> Hélas! Plus de grandeur contient plus de néant.

Ce n'est pas la même idée ici en dépit des apparences. Si l'on explique ce vers, qui n'est pas clair, par la suite (v. 7-8), *rêve* = gloire, *néant* = fait avec de la nuit. Comprenons qu'il rêve d'anéantir plus de monde.

3. *Noire.* Selon P. Moreau (*Œuvres choisies,* II, 1026), *noir* dans le

vocabulaire hugolien n'a pas la valeur péjorative de *sombre :* « Lorsqu'il dit de Roland et d'Olivier : Ils luttent, noirs..., il n'enlève rien à leur grandeur. »

4. La roue de la Fortune suggère l'image d'un char romain à deux roues, et ces deux roues symbolisent les vicissitudes de la fortune, comme semblent le signifier les noms propres choisis : ces alliés sont devenus adversaires : une bataille est victoire pour l'un, défaite pour l'autre.
5. *Pharsale :* défaite de *Pompée,* victoire de *César.*
   Trasimène : défaite de *Flaminius,* victoire d'*Annibal.*
6. *Nérons :* « Horace, *Odes,* IV, IV, célèbre la gloire des Nérons, dont le descendant Tibère fut adopté par Auguste. Un Néron aurait vaincu Hasdrubal. » (Vianey.) Mais peut-être le pluriel désigne-t-il les guerriers sanguinaires dont Néron, plus ou moins heureusement choisi, serait le type : dans *la Fin de Satan,* Nemrod joue ce rôle.
7. *Nains géants :* antithèse qui plaisait à Hugo. On la retrouve ailleurs appliquée à Marat : « Il est le nain géant. »
8. L'expression biblique : « Dieu des armées », est modernisée.
9. Reprise sur un ton bon enfant de l'opposition entre le Dieu jaloux et la Providence.
10. Dans II, XXVI, Hugo écrit :

    Dieu veut qu'on ait aimé.

11. La liaison entre la terre et le ciel est un des motifs les plus chers à l'auteur de *Booz endormi.* A la fin de II, XVII, on trouvait un effet analogue.
12. Dans cette admirable strophe, Hugo formule l'idée capitale que pour le poète le merveilleux réside dans la nature même.
13. Dans le ms. il n'y a pas de virgule après *bien.*
14. La pyramide et la tour fabuleuse, symboles de l'orgueil humain.
15. Pour l'homme dont la vie est brève, les valeurs sûres sont l'amour mais aussi la beauté de la nature.
    Structure en trois mouvements de tonalité différente :
    a) l'opinion commune; *b)* l'opinion du poète; *c)* la conséquence introduite par le « si bien que » cher à Hugo, mais mêlant avec bonheur les thèmes des deux premiers mouvements.

P. 103. II, XIX. N'ENVIONS RIEN

1. *Dates :* ms. 20 août 1854.
   vol. août 18..
   Pièce écrite à une époque voisine de *Ibo* (24 juillet) et d'*Inscription de Sépulcre* (*T. L.,* III, XLII, 26 juillet).
   La strophe n'est pas exactement celle de *Ibo :* ici, les vers longs sont des heptasyllabes. On retrouve cette strophe-ci dans *A. G. P.,* XVI, I.

Les strophes des vers 1-4 et 21-24 sont des *ad. marg.* postérieures au 20 août.

La femme, comparant la beauté de la femme à la fleur, le génie de l'homme à l'oiseau, envie la fleur et l'oiseau. Mais le poète répond que la mort fonde la grandeur de l'homme et de la femme.

2. *Lycoris :* cf. I, XIII, 60.
3. *Houris :* femmes du paradis de Mahomet.
4. *Moins d'ailes :* sans doute allusion aux chérubins.

Les chérubins brûlants qu'enveloppent six ailes,

écrit Vigny.

Le poème de *Toute la lyre* mentionné ci-dessus, qui est un poème désespéré, s'achève sur une affirmation spiritualiste analogue :

Azur! Azur! Azur! Dieu vivant! J'ai des ailes!
O bleu profond de l'infini!

P. 105. II, XX. IL FAIT FROID

1. *Dates :* ms. 31 décembre 1838.
   vol. décembre 18..

Voir dans les lettres à Juliette Drouet présentées par J. Gaudon (Pauvert, 1964) la lettre accompagnant ce poème. La version jointe à la lettre est conforme à la première rédaction du ms., et présente donc quelques variantes (pp. 58-60). Le titre est postérieur : il se présente d'abord sous la forme : *Il fait froid et l'on te hait.*

La lettre permet de comprendre l'allusion : « Tu venais de me raconter toutes ces paroles de haine échappées de ces fangeuses coulisses, c'était cette dernière nuit, je marchais sur le pavé couvert de givre avec une brume glacée qui me piquait le visage, j'ai fait ces vers. Ils sont un peu tristes, mon pauvre ange, mais je crois qu'ils contiennent cependant un bon conseil, et une vraie consolation. On nous hait, il faut nous aimer. »

2. Si le prêtre et l'autel sont suspectés, Dieu est avec ceux qui aiment.
3. Une virgule à la fin du vers dans l'édition de Bruxelles. Pas de virgule sur le ms.
4. Première rédaction :

Qu'en ta pensée où tout est beau
Rien ne s'altère et ne recule.

C'est le 8 novembre qu'avait eu lieu la première de *Ruy Blas*. Pour Juliette, qui aurait voulu jouer le rôle de la reine, c'était un souvenir pénible. Le dernier jour de cette année funeste, Victor s'efforce de la consoler et, en disant le prix des vertus, il lui montre qu'il est d'autres voies que la carrière théâtrale.

P. 107. II, XXI. IL LUI DISAIT...

1. *Dates :* ms. 27 juillet 1846.
vol. juillet 18..

C'est le 11 juillet que Claire, la fille de Juliette, a été inhumée à Saint-Mandé. Le deuil a rapproché les amants, et le poète souhaite fuir avec Juliette, loin de la ville. C'était aussi le rêve de celle-ci. Cette lassitude de la ville à cause des obligations mondaines, le poète l'avait déjà exprimée, dans *les Feuilles d'Automne* par exemple. La maison petite, les arbres, les fleurs, les oiseaux qui chantent ont fait penser au rêve de Des Grieux. Mais le début donne à ce rêve une tout autre portée. Les amants ont l'âme pleine de foi; ils sont « ivres de douce extase et de mélancolie ».

P. 108. II, XXII. AIMONS TOUJOURS...

1. *Dates :* ms. mai 1843.
vol. mai 18..

Le 21 mai 1843 pour la Sainte-Julie, jour de la fête de Juliette, Victor lui adresse une version abrégée de ce poème. Voir les *Lettres à Juliette Drouet* (*op. cit.*, pp. 72-73).

Cette version était formée de 7 strophes : vers 13-16; 17-20; 21-24; 49-64, conformes à la version définitive. Ainsi les premières rédactions seraient antérieures à la lettre, qui apparaît comme une mise au net intermédiaire.

Dans le ms., les vers 29-48 sont une *ad. marg.*

Le début a été très remanié, en particulier la première strophe :

2. Qui n'aime plus n'a plus d'espoir.

3. L'amour, c'est le soupir du soir.

Pour J.-R. la mise en place des strophes ne daterait que de l'exil. Nouveau parallèle entre l'amour et la gloire, et définition de l'amour fondée sur l'échange : la femme rafraîchit le front génial, le poète comprend les extases de la femme.

Comme I, XIX, le poème s'achève sur une promesse d'immortalité. C'est assurément une des pièces les moins réussies.

Voir dans les *C. C.* la pièce XXI écrite pour la fête de Juliette, dix ans avant, le 21 mai 1833.

P. 111. II, XXIII. APRÈS L'HIVER

1. *Dates :* ms. 18 juin 1855.
vol. juin 18..

Cf. plus haut le commentaire de II, XVIII.

Selon J.-R. (*Autour des Cont.*, p. 104), « le ms. du recueil montre une véritable osmose entre les ébauches (antérieures à l'exil) des trois poèmes en quatrains d'heptasyllabes : II, XVIII, XXIII et XXVII. En juin 1855, le poète reprend, répartit et amplifie ces premiers éléments ».

Les mêmes commentateurs dans *le Manuscrit des Cont.*, p. 49, estiment que la pièce n'a d'abord compté que trois strophes : la première (v. 1-4), la cinquième (v. 17-20), la neuvième (v. 33-36), strophes antérieures à l'exil (peut-être 1843). Deux séries d'*ad.* datent de l'exil, d'une part : vers 9-16, 36-48, 53-60; d'autre part vers 5-8 et 21-32. Les vers 21-24 figurèrent d'abord dans II, XVIII.

Cette pièce est une sorte de réponse à II, XX : *Il fait froid.*

2. Dans II, XVII, même opposition entre haut et bas, même parallélisme entre fleur et astre.
3. Première rédaction : le jour où nous nous aimâmes. Ce ne peut être une allusion au début de leurs amours, puisque la date sacrée est le 16 (ou le 17) février.
4. Même analogie dans le *Théâtre en liberté* :

> Viens! aimons-nous. Le rire et les pleurs apparaissent
> En perles dans ta bouche, en perles dans tes yeux.

5. L'allusion à Adam et Ève conduit C. Grillet à retrouver ici une influence de Milton qui décrit dans *le Paradis perdu* l'éveil de la nature à l'aube des temps. C'est déjà le décor du *Sacre de la femme.*
6. *Clartés et parfums nous-mêmes.* Cf. II, XIV :

> Nous sommes le sourire de l'aube et l'odeur de la rose.

7. Première rédaction :

> La jeune aube est ma maîtresse

à rapprocher de la première rédaction des vers 13-14 de II, XXII :

> Aime! en ton matin, douce femme,
> Deux aurores se confondront.

La correction est heureuse qui ménage un parallélisme entre étoile et soleil.

8. *Rayons.* S'agit-il, comme *Unité* invite à le penser (Et moi j'ai des *rayons* aussi), des pétales de la fleur? Ou, comme les vers 55 et 56 le suggèrent, les humains transmettent-ils aux fleurs l'ardeur du soleil et de l'étoile?

Cette irradiation infinie de l'amour inspire mieux le poète que le poncif de l'amour béni de Dieu.

P. 114. II, XXIV. QUE LE SORT...

1. *Dates :* ms. 21 mai 1840.
vol. octobre 18..

Il existe deux copies manuscrites de ce court poème. Or, les dates jointes au texte ne sont pas les mêmes : l'une porte : 10 octobre 1842, l'autre : 21 mai 1840. Comme la première date semble ajoutée après coup et coïncide pour le mois avec la date fictive, les commentateurs préfèrent la seconde : le poème aurait été écrit pour la fête de Juliette en 1840.

Pourquoi alors cette date de 1842?

Pourquoi au vers 13 cette allusion à « nos deuils funèbres »? Le texte primitif disait seulement « après nos jours funèbres ». La correction serait-elle postérieure à la mort de Léopoldine et de Claire? Mais selon J.-R. le ms. daté de 1842 porte *deuils* et semble, par le papier et l'écriture, contemporain de l'autre (le voisinage de *jours* et *nuits* était à vrai dire maladroit).

Ce texte d'un intérêt secondaire constitue donc une énigme.

La strophe, selon Vianey, réunit les deux quatrains qui terminent la troisième *ode* du livre V dans les *O. B. : Au vallon de Chérizy*.

P. 115. II, XXV. JE RESPIRE OÙ TU PALPITES

1. *Dates :* ms. 1er décembre (sans autre indication) — 1854 selon J.-R.
vol. août 18..

Comme toutes les pièces en quatrains d'heptasyllabes, celle-ci fut faite en plusieurs temps :

Trois strophes ont été ajoutées après le 1er décembre à choisir parmi les *ad. marg. :* vers 9-16; 37-40; 49-52.

Après le vers 8, venait la strophe des vers 61-64 qui a été déplacée : *a)* elle a d'abord été la strophe de conclusion; *b)* dans l'édition, elle a été insérée avant les deux dernières strophes actuelles.

Dans l'incertitude des dates, il est impossible de savoir à la suite de quelle crise ou scène cette pièce a été écrite : les lettres de Juliette prouvent que ces scènes, avec menace de séparation, n'étaient pas exceptionnelles. Il est inutile, comme le fait V., de chercher ici un souvenir de la grande fuite de 1834.

Le poème développe à la fois un thème général :

L'amour fait comprendre à l'âme
L'univers, sombre et béni.

et un thème particulier : celui de la femme auxiliatrice.

2. Parallélisme de la terre et du ciel, de la poésie et de la prière comme dans II, XVII, 23-24.
3. Parallélisme de l'étoile et de la fleur comme dans II, XXIII.

P. 118. II, XXVI. CRÉPUSCULE

1. *Dates :* ms. 20 février 1854, Jersey.
vol. Chelles, août 18..

Écrit avant la série lugubre *Mors, Dolor, Horror* de l'hiver 1854. Le 10 février, Hugo avait affirmé son optimisme dans le poème III, LXI, de *Toute la Lyre* (comparer au vers 1 de *Crépuscule* le vers 10 de ce poème :

L'étang n'exhale plus le souffle de la tombe.)

Mais l'exécution de Tapner réveille son angoisse.
Le 19, Molière, Eschyle s'étaient manifestés par l'intermédiaire de la table, puis, après le départ de Hugo, l'ombre du Sépulcre et Aristophane. Charles Hugo avait demandé à l'ombre du Sépulcre : « Si ces révélations doivent être publiées un jour, veux-tu nous indiquer le titre que nous devons donner au livre? » Et l'ombre avait répondu : *les Vents du tombeau.*
Vacquerie avait ensuite questionné Aristophane. Celui-ci, après avoir souhaité être interrogé en vers par le poète absent, ajouta :

Il dort. Je vais aller coucher dans son esprit...
De sorte que demain à l'heure du réveil
Il verra sur la fleur de son esprit posée
Une strophe par nous inspirée au sommeil,
A la fois goutte d'encre et goutte de rosée.

Qui appelles-tu *nous*? demanda Vacquerie. Aristophane répondit : Les morts.
La date fictive situe le poème à Chelles comme II, XVIII (voir plus haut) : c'est en août 1845 qu'aurait eu lieu l'excursion. Les commentateurs remarquent que le mois d'août n'est pas le mois des fraises.
La strophe des vers 21-24 est une *ad. marg.* postérieure. Pour J.-R., « cette addition élargit le cadre et donne, semble-t-il, au paysage plus de gravité et d'amour ». En fait cette strophe n'est pas de même ton que les autres, car dans toutes le poète unissait l'amour et la mort.

Strophe I : *suaire* et *Vénus*
— II : *Vénus* et *sépulcres*
— III : *tombe* et *aimez-vous*
— IV : *tombe* et *amour*
— V : *morts, tombeau* et *belles*
— VII : *aimez-vous, baisers* et *morts.*

Vianey était choqué par *Crépuscule :* « Aucun romantique n'a peut-être poussé aussi loin qu'elle l'est ici, l'idée malsaine *(sic)* de la divinité de l'amour. » Notons que le texte dit seulement : Dieu veut qu'on ait aimé.

Nous admirerons dans cette pièce l'évocation poétique d'un paysage crépusculaire. Voici un étang, des bois, un cimetière, des prés avec un faucheur tardif. Mais Vénus, l'étoile du berger, apparaît, et dans cette clarté vague la scène devient fantastique : la nature s'anime; l'herbe s'éveille et parle; la tombe parle et tressaille. A la dernière strophe la scène devient merveilleuse : un ange passe.

Le thème majeur de ce livre II : Dieu veut qu'on ait aimé, est formulé par les morts interprètes de la volonté divine, et combiné avec une idée neuve : les morts transforment l'amour en prière. D'où en conclusion l'union fascinante des prières et des baisers.

Dans cette pièce si belle, l'Indécis au Précis se joint. Le poète unit avec un art raffiné les interrogations, les exclamations et les répétitions envoûtantes : Avez-vous vu Vénus (v. 4 et 5); qui passez (v. 6 et 14); l'herbe... sépulcres; le brin d'herbe... la tombe (v. 8 et 9); dans l'ombre (v. 6-18); fait tressaillir (v. 19-20); le vent... les vents (v. 19-28); Dieu (v. 13-20); amants, aimez, aimez-vous, ont aimé, aimez-vous (v. 6, 10, 11, 13, 25).

Les oppositions sont plus rares qu'à l'accoutumée : le blanc et le noir, le sommeil et le réveil, les morts et les vivants, mais surtout elles semblent atténuées, le mouvement gagnant peu à peu le paysage et le cimetière, lorsque le vent se lève : les amants *passent,* l'étang *frissonne,* le vers luisant *erre,* le brin d'herbe *tressaille,* l'étoile s'épanouit comme une fusée, tandis que le faucheur va et vient, l'ange enfin prend son essor.

Rarement poète a su suggérer par des notations aussi simples la parenté troublante de l'amour et de la mort.

La pensée de la mort suscitant une invitation à l'amour est un motif favori de Ronsard. On voit par comparaison combien la poésie romantique a renouvelé et enrichi ce lieu commun. Cette pièce a été commentée par M. Laurent dans *l'École* (17 février 1962) : « Épicurisme mystique chez Victor Hugo : *Crépuscule.* »

P. 120. II, XXVII. LA NICHÉE SOUS LE PORTAIL

1. *Dates :* ms. 17 juin 1855.
   vol. Lagny, juin 18..

Pièce achevée le même jour que II, XVIII. La quatrième strophe faisait partie d'une ébauche où elle était jointe à trois strophes de II, XXIII (v. 13-16, 21-24 et 9-12). D'autre part les strophes des vers 5-8, 17-20, 25-32 figuraient d'abord dans II, XVIII, après le vers 49.

La date fictive situe la scène à Lagny, comme II, XVIII, était située à Chelles. Nous restons dans l'arrondissement de Meaux.

2. Cf. le début de la pièce célèbre des *F. A.,* XXXVII : « Ma fille, va prier... » et aussi la strophe des vers 354-358 :

Bien souvent Dieu repousse
Du pied les hautes tours;
Mais dans le nid de mousse
Où chante une voix douce
Il regarde toujours.

3. En décrivant, dans *le Rhin,* la cathédrale de Cologne, Hugo notait : « La douce *maçonnerie* des nids d'hirondelles se mêle de toutes parts comme un correctif charmant à cette sévère architecture. »
4. *Le plus d'azur* rappelle *innocent* du vers 4.
5. Les *mais* de la première et de la dernière strophe résument le poème. Cf. dans la note 2 un autre exemple de *mais* et dans les *C. R. B.,* I, VI, XI, *le Nid :*

Les églises sont sublimes...
Mais le nid chante et vaut mieux.

Ils correspondent aux « je préfère » de II, XVIII :

Je préfère
Au Dieu des grands capitaines,
Le Dieu des petits oiseaux.

Comme dans *Unité* qui mettait en parallèle la petite fleur et le soleil immense, ici le petit nid est comparé à la grande cathédrale.
Après *Crépuscule,* le poète redit avec grâce que Dieu veut que l'on aime et que sa bonté s'étend au nid où l'on aime comme à l'église où l'on prie.
Le dernier vers au génitif ambigu (le nid appartient à Dieu, ou est l'œuvre de Dieu lui-même par opposition à la cathédrale œuvre des hommes) est une heureuse clausule.
« C'est surtout, remarque J.-B. Barrère, une « chose vue ». Le spectacle d'un nid est pour Hugo une occasion d'admirer la prévoyance de la nature et les miracles de l'instinct qui supplée à la technique de l'homme. Que ce soit à Cologne ou à Reims, le contraste de l'architecture naturelle avec la « sévère architecture » des cathédrales le plonge dans une rêverie fertile en rapprochements et en oppositions. » (*Op. cit.,* III, pp. 209-210, où le titre de ce poème est donné au chapitre.)
Ici l'on doit apprécier surtout la leçon jointe à la chose vue, et le ton sur lequel elle est faite. La fantaisie s'allie avec un bonheur rare à l'émotion religieuse :

Elle sent la chaleur douce
Des ailes de Jésus-Christ.

P. 122. II, XXVIII. UN SOIR QUE JE REGARDAIS LE CIEL

1. *Dates :* ms. 26 janvier 1846.
vol. Montf., septembre 18..
Brux., janvier 18..

Poème isolé dans le premier semestre de 1846, dont le second semestre devait être si fécond. On ne sait dans quelles circonstances il fut écrit.

La date fictive est exceptionnellement double; le poète est censé contempler à Bruxelles un souvenir heureux de naguère; mais les dates comme les lieux étant désignés en abrégé, une grande incertitude subsiste. Pour la première : s'agit-il de Montfort-l'Amaury ou de Montfermeil? V. penche pour la première solution; J.-R. pour la seconde (il s'agit alors de l'excursion de 1845 postérieure au scandale Biard). Pour la deuxième, à quel événement du séjour à Bruxelles a-t-il fait allusion? Le proscrit était arrivé à Bruxelles le 12 décembre 1851, Juliette l'y avait rejoint le 17. C'est en janvier 1852 qu'il s'installe sur la Grand'Place. Mais l'événement reste mystérieux.

Tous les commentateurs sont d'accord pour penser que l'exil donnait à la dernière strophe une résonance qu'elle ne pouvait avoir à l'époque de sa rédaction.

Les strophes des vers 13-18, 31-34, 55-60 sont des *ad. marg.* contemporaines — selon J.-R. — de l'ensemble. Mais les corrections sont de l'écriture de l'exil.

Les deux parties du poème opposent au chant d'amour de la femme l'action délétère du temps.

Dans la première, Juliette, qui en II, XI, jalousait le travail du poète, jalouse le ciel qui absorbe le regard du penseur.

2. Alternance de *vous* et de *tu* comme dans II, XIII et comme dans les lettres réelles de Juliette.
3. Parallèle entre deux infinis : l'azur et l'âme.
4. Le ms. donne *et* et non *est* comme certaines éditions.
5. Idée nouvelle : l'éloignement du ciel, la proximité de la femme prouvent les desseins de la Providence.
6. Dans II, XXII, c'est lui qui disait à Juliette : « Aimons toujours! »
7. Dans II, V, c'est lui qui disait : « Les astres rayonnaient moins que votre regard. »
8. Dans II, XXII, c'est lui qui disait : « L'amour fait songer, vivre et croire. »
9. Vers peu clair : l'amour satisfait à la fois le cœur et l'esprit.
10. Cette harmonie a été célébrée tout au long de ce livre : il ne s'agit pas de l'accord des amants, mais de la complicité de la nature.

La deuxième partie est marquée par un changement de ton et l'on songe à la *Tristesse d'Olympio* qui s'achève aussi sur un appel au souvenir. Les yeux, le regard jouent un grand rôle dans ce poème et dans l'amour de Juliette et de Victor. Mais au vers 60, c'est l'œil de l'esprit qui s'ouvre pour contempler.

Ainsi le livre s'achève non seulement sur une note triste, mais dans la conclusion de ce poème reparaît le thème majeur du recueil : la contemplation du passé disparu. Le lecteur s'arrête au bord de la mer sombre et le souvenir du roi de Thulé mystérieusement lié au drame de Villequier, au départ pour l'exil, crée un frisson d'angoisse.

Ce sizain de décasyllabes n'est pas la strophe du *Cimetière marin,* la strophe commençant par les deux vers à rimes plates.

LIVRE TROISIÈME

LES LUTTES ET LES RÊVES

P. 127. III, 1. ÉCRIT SUR UN EXEMPLAIRE DE LA DIVINA COMMEDIA

1. *Dates :* ms. Jersey, 22 juillet 1853.
vol. juillet 1843.
Écrit avant l'ère des tables tournantes, qui commence le 11 septembre 1853. Dès la séance du 13, Dante se manifesta dans la table. Le 24 février, Hugo avait achevé *la Vision de Dante.*
La date fictive nous reporte dix ans avant. C'est le mois du départ pour le voyage en Espagne.
Le titre primitif était *Dante.*
2. *Grand manteau :* la toge devenue noire par un bel effet de contre-jour.
3. *Brillants :* Hugo a hésité entre *sombres* et *brillants.* On voit par cet exemple comment la technique poétique — ici le rejet — donne du relief à l'épithète la plus banale. — *Sauvages :* préparation de la suite (lien).
4. *Échelle des êtres :* l'expression est dans *la Chute d'un ange.* Ici, Hugo se contente de reprendre la hiérarchie traditionnelle des quatre règnes : minéral *(montagne),* végétal *(chêne),* animal *(lion),* homme *(Dante).* Fabre d'Olivet, Ballanche, Leroux faisaient de l'homme un règne à part qu'ils appelaient règne hominal.
5. *Étrange :* sens classique. Une nuance d'admiration se mêle à l'impression de surprise.
6. Ce poème illustre surtout la croyance en la métempsycose, et c'est à dessein qu'il est placé en tête de ce livre. Cette métempsycose est ascendante, et l'on notera l'analogie entre les divers avatars : il s'agit toujours d'une éminence : la montagne est un sommet; le chêne est à la fois le roi des végétaux et le chêne sacré de Dodone; le lion est le roi des animaux; Dante le prince des poètes.
Vianey note même : « Ce poème-ci est aussi, sans doute, comme un résumé de l'histoire religieuse de l'humanité : après avoir demandé des oracles à la montagne et à l'arbre, les hommes doivent en demander au véritable interprète de la Divinité : au poète, Dante ou Hugo. »
Mais il vaut mieux voir dans cette suite de métamorphoses une définition du poète qui est à la fois un géant, un prophète, un fauve. Hugo s'identifiait à Dante, proscrit comme lui. *Les Châtiments*

faisaient de lui l'héritier de l'auteur de *l'Enfer*. « Dante fouette avec des flammes », lit-on dans *William Shakespeare.*
Le culte pour Dante ne datait pas de l'exil. Cf., dans les *V. I., Après une lecture de Dante,* heureuse définition de la dualité du poète qui est à la fois Dante et Virgile.
Sur *Dante en France,* consulter l'ouvrage de Courson.
Le jeune Mallarmé, grand admirateur de Hugo, écrira à la manière de ce poème : *Sur un exemplaire des Contemplations.*

P. 128. III, II. MELANCHOLIA

1. *Dates :* ms. 9 juillet.
vol. Paris, juillet 1838.
Il n'y a pas dans les *R. O.* de poème écrit à cette date qui rappelle celui-ci. Hugo a-t-il voulu laisser entendre que l'inspiration humanitaire était ancienne chez lui (voir plus bas les commentaires du 8e épisode)?
Titre : c'est, on le sait, celui d'une gravure de Dürer fort admirée des romantiques et qui avait inspiré à Gautier en particulier un poème publié en 1845.
Le poème de Hugo a été écrit en plusieurs étapes :
Selon J.-R., les vers 1-94 et 104-146 datent d'avant l'exil, probablement vers 1846. Ont été écrites en exil l'*ad. marg.* des vers 95-103 et la conclusion des vers 147 à la fin, achevée le 9 juillet sans doute de l'année 1854.
Le Journal d'Adèle conservé à la Maison Victor-Hugo contient des précisions intéressantes sur la genèse du poème : le jour de Noël 1855, Hugo va chercher un poème pour lire aux siens. « La pièce que je vais vous lire, nous dit-il, m'est venue à la Chambre des Pairs, et même je l'y avais déjà commencée sur ce papier... (Adèle résume le poème à sa manière, mentionnant trois épisodes : la jeune fille, le cheval, le travail des enfants.) Après nous avoir lu cette pièce, mon père nous dit que c'était elle qui contenait le germe du roman inédit *Misérables* que les pauvres petits enfants pâlis sous le travail de la dure machine dont ils parlent *(sic)* dans cette pièce, lui avait *(sic)* donné l'idée de préparer une loi d'amélioration à la Chambre des Pairs pour alléger le sort de ces malheureux innocents. Mais 1848 était venu, avait dispersé la Chambre des Pairs aux quatre vents de la Révolution de Février, et la Constituante dont mon père était membre avait oublié les enfants pour s'occuper des parents. » (Cité d'après J.-R., *Notes sur les Contemplations,* p. 86.)
La pièce est faite d'une juxtaposition de tableaux. L'absence de transition entre ceux-ci, et le changement de décors produisent sur le lecteur un choc émouvant.
1er épisode : vers 1-12. Misère de la femme.
Hugo, en même temps qu'il dénonce l'injustice sociale, l'influence néfaste du cabaret, condamne la foule que la plainte de la misérable

fait rire. « Dans quatre épisodes sur cinq, note V., c'est à la foule que Hugo en veut surtout. »

2e épisode : vers 13-48. Misère de l'ouvrière obligée de se prostituer. On songe évidemment à Fantine. Détail curieux : au lieu de la croix du père au vers 35, Hugo lui faisait vendre ses cheveux pour avoir un peu de pain... Sans doute a-t-il voulu ne pas donner l'impression de se répéter.

Le thème de la prostituée n'était pas nouveau chez lui : voir dans *Choses vues* à la date du 9 janvier 1841, et dans les recueils poétiques : *C. C.*, VI, *Sur le bal de l'Hôtel de Ville,* et XIV, *Oh! n'insultez jamais une femme qui tombe!* et surtout *R. O.*, IV, *Regard jeté dans une mansarde* (où figurent déjà la croix du père et Satan); il est vrai que Hugo insiste sur l'influence de ce suppôt de Satan qu'est Voltaire (v. 113)!

2. Allusion à *la Cigale et la Fourmi.*
3. *Griffe :* le ms. porte bien *sa* griffe. — Personnification discrète de la faim transformée en bête.
4. Première rédaction : Satan est déjà là qui lui parle à l'oreille. Hugo manifestement a voulu éliminer le merveilleux.
5. On notera une fois de plus le « complexe du front », cf. vers 13, 64, 80, 204.
6. *Deuil :* au singulier dans le ms. Hugo le mettra au pluriel à partir de l'édition Hachette, 1863.
7. Hugo, poète de l'enfance, sait comme La Fontaine que cet âge est sans pitié.
8. *Courbe... brise :* c'est l'homme qui est le roseau et la femme le chêne.

3e épisode : vers 49-60. Injustice de la justice.

Selon *Choses vues* (22 février 1846), Hugo aurait été témoin du vol du pain, scène reprise dans *les Misérables.* Au voleur de pain, transformé en spectre de la misère, il opposait dans *Choses vues* une femme jouant avec un enfant dans une berline armoriée. Le contraste ici est plus significatif. Le juré qui juge le voleur est lui-même un voleur, mais riche. V. cite un passage du *Peuple* de Michelet, où les commerçants sont présentés sous ce jour défavorable : « Ils vendaient à faux teint, à faux poids, à fausse mesure. »

9. D'après le ms., si ce Christ romantique a toujours été *pâle,* il a été tour à tour *sévère, sinistre, livide* et *pensif.*

Opposition saisissante entre le message évangélique et la pratique du monde qui se dit chrétien, gâtée, il est vrai, par le jeu de mots burlesque du vers 60.

4e épisode : vers 61-112. Le génie persécuté.

C'est le thème qui inspire Vigny dans *Stello,* mais ce génie persécuté n'est autre que Hugo lui-même : il est poète, il est orateur politique. Dès 1846 à la Chambre des Pairs, Hugo avait été humilié par ses insuccès d'orateur. Cette blessure ne fera que s'envenimer et aboutira aux compensations sublimes de *la Légende des siècles* et de *l'Homme qui rit.* D'autre part (v. 97-103), il justifie ses revirements politiques qui l'avaient rendu suspect (mais il s'agit là d'une *ad.*

tardive). Il s'efforce cependant d'atténuer la ressemblance. Au vers 85, la version « Ou, ministre, il prodigue... » est substituée à « Homme d'État, il donne... »

10. Cor. caractéristique : première rédaction :

L'âge vient. Il souffrait du foie ou du poumon.

Au réalisme, Hugo, timide, préfère le vague.

11. Même effet qu'au vers 32 : la misère, démon,...
12. L'humour noir de cette conclusion est heureusement associé à la personnification mythologique.

5ᵉ épisode : vers 113-146. L'enfance malheureuse.
Hugo avait déjà déploré la misère des enfants (*R. O., Rencontre)*. Ici apparaît un thème plus précis : l'exploitation du travail des enfants par l'industrie. Ce fléau social avait été condamné avant Hugo par Lamennais; il venait de l'être en 1846 par Michelet dans *le Peuple*. La comparaison avec Michelet déjà faite à propos du 3ᵉ épisode semble bien prouver que la lecture de cet ouvrage a dû inspirer Hugo en 1846.
Le problème n'en était pas moins pour lui très personnel, puisqu'il heurtait à la fois sa croyance au Progrès et en la Providence. Ce n'est pas tant la souffrance présente de l'enfant qui l'émeut, que la menace pesant sur son avenir : il risque d'être déformé physiquement et intellectuellement.

13. Première rédaction : Travail fatal qu'à tort on a cru nécessaire. Hugo pour ne pas se contredire (v. 144-145) corrige le vers et l'édulcore.
14. L'expression célèbre *bellaque matribus detestata* est ici habilement reprise.
15. Hugo n'envisage pas la suppression du travail.

6ᵉ épisode : vers 147-179. La souffrance de l'animal.
La pitié pour les animaux manifestée avant l'exil (*Alpes et Pyrénées,* 10 octobre 1843) prend à Jersey une profondeur due aux spéculations théosophiques du poète sur l'âme des bêtes : l'animal voit Dieu. D'où le vers 176 :

Il regarde quelqu'un de sa prunelle trouble.

Ce développement de 1855 est à rapprocher de III, XVII et de V, XXII, et des poèmes de *la Légende : le Crapaud* et *Sultan Mourad*. Dans *Dieu,* l'Ange déclare :

Est-ce que cette rosse efflanquée, et qu'on tire
Par la bride au charnier, passe sans te rien dire?

16. *Porcherons :* ancien quartier au nord-ouest de Paris célèbre par ses cabarets (le plus fameux appartenait à Ramponeaux).
17. Dans *France-Belgique* (21 octobre 1839), Hugo écrivait du conducteur de sa diligence : « Ce n'est plus une créature humaine. C'est un manche de fouet vivant. »

L'épisode de 1855 se distingue de ceux de 1846 par une virtuosité plus grande dans l'utilisation des rejets, des allitérations, du rythme de la phrase.

Lors de la publication en 1856, cet épisode eut grand succès.

7e épisode : vers 180-205. Ce développement en 1855 mêle plusieurs motifs : l'avocat véreux; le journaliste cagot; l'opinion hostile à l'amour libre; puis la satire se généralise et vise toutes les formes d'oppression d'une opinion viciée, pour s'achever sur le triomphe de l'hypocrite.

18. Faut-il tenter de justifier ce vers, parce qu'il semble dire le contraire de ce que le poète veut dire? La valeur de la cause est fonction du sac : il ne voit que ce sac.

19. Ici encore Hugo doit penser à lui-même, aux attaques que lui valurent ses liaisons adultères : voir III, x.

20. En 1855, Hugo ne parle plus seulement de *griffe* comme au vers 27. L'opinion est devenue *chatte* et *tigresse*.

21. Pourquoi consacrer un alexandrin unique à ce thème neuf? Mais dans le 8e épisode, un thème analogue sera amplifié. D'où la discrétion du poète en ce passage.

22. V. rappelle que Veuillot dans ses *Études sur V. Hugo* estime que *fiente* n'était pas le mot propre. S'était-il reconnu dans les vers 186-187 et voulait-il se venger? « Il y a décidément des mots que l'on ne peut pas écrire et l'on arrive toujours à reconnaître que le lecteur français veut être respecté. » Hugo ayant assimilé le puissant à un paon (ou à un dindon), le mot *fiente* est tout à fait à sa place.

22 bis. Nous rétablissons le pluriel d'après le ms. (originale : *coin*).

23. Si l'on se rappelle la conclusion de *la Rose de l'Infante,* la réponse ici a une valeur hyperbolique.

8e épisode : vers 206-253. La misère de l'ancien combattant.

Hugo évoque ici la misère du soldat de Napoléon devenu vieux. Il ne s'agit pas de n'importe quel « grognard » comme dans *le Médecin de campagne* de Balzac. Il s'agit d'un paysan champenois qui prit les armes en 1814 pour lutter contre l'envahisseur. A ce paysan, Hugo avait déjà rendu hommage dans *le Rhin* lorsqu'il décrivait son passage en Champagne, et l'on peut se demander si *Melancholia* n'est pas daté de 1838 précisément en souvenir de ce voyage. Dans *le Peuple,* Michelet rendait également hommage au paysan qui est un grand soldat.

24. Dans les vers 215 et *sqq.*, de 1855, le « populisme » de Hugo prend un aspect fantastique.

25. J.-R. se demandent si ce développement ne ferait pas allusion à la fortune des Rothschild.

26. Les spéculations du profiteur de guerre remontent plus haut que 1814 : allusion à la campagne de Russie, au passage de la Berezina, à la bataille des nations.

27. Shaylock, héros du *Marchand de Venise*. L'orthographe imite la prononciation anglaise.

Conclusion : vers 254-336.

L'optique change dans cette conclusion hallucinante. Le poète n'a plus la même vision simpliste du *vulgum,* des badauds, du public, de l'opinion, qui était la sienne dans les épisodes de 1846. Les foules sont comparées à des champs retournés par la charrue de la douleur. D'une façon assez incohérente, Hugo insiste d'abord sur le fait que « l'épi peut faire peur à ceux qui l'ont semé », et reprend à son compte le distinguo habituel entre *peuple* et *populace,* puis il envisage un mélange de chaos et de grandeur; mais à la fin le pessimisme l'emporte et les malheureux sont peints comme reclus dans le malheur, sans possibilité d'échapper à la fatalité de la misère.

28. *Fauve :* épithète de *misère* (v. 268). Hugo avait d'abord écrit *triste.*

29. Le ms. porte *une morne chimère;* l'éd. *ne varietur : une horrible chimère;* l'éd. originale : *une aveugle chimère.*

30. A partir du vers 270, évocation saisissante des « bas-fonds » qui va amener en antithèse une description de la *surface* où tout est lumière et joie.

31. Tout est poussière. Mais la lumière fait briller cette poussière, tandis que la nuit enveloppe les misérables dans leur enfer (v. 293).

32. Le riche, selon Hugo, s'efforce d'oublier l'existence de la misère. Quand le riche oublie le pauvre, c'est comme si Jésus n'avait pas existé. Il y a deux Lazare dans *les Évangiles :* Lazare le ressuscité, et Lazare le pauvre de la parabole du mauvais riche (*Luc,* XVI). C'est à ce dernier qu'il est fait allusion.

3. Depuis les *C. C.,* où il condamnait le bal de l'Hôtel de Ville, Hugo ne cesse de condamner les fêtes des riches. Toute évocation de fête comporte en surimpression l'image du festin de Balthazar. L'admirable évocation du bal donne à la conclusion un rythme de plus en plus suggestif et aussi un ton ambigu :

> Éden étrange *fait de lumière et de nuit.*

4. Dans *Choses vues,* Hugo note l'effet d'un lustre « monstrueux » sur le calme des danseurs.

5. Une des illustrations les plus étonnantes de la symbolique de l'arbre. Cf. dans *Pleurs dans la nuit* l'Arbre Éternité.

6. Après l'éden du bal, l'enfer du jeu.

7. A nouveau la scène réaliste tourne à l'hallucination. Les joueurs sont des spectres, comme le vieux soldat était un fantôme. Au vers 298, si le laquais était *ce spectre galonné du pauvre,* l'intention était plus satirique que fantasmagorique.

8. Ces deux vers ont été interprétés de deux façons différentes : 1° Selon V., « le poète, qui va bientôt achever *les Misérables,* rend les riches responsables des fautes populaires et leur fait craindre le retour de la guillotine ». Les vers 258-260 semblent justifier cette glose. 2° Selon les autres commentateurs, et en particulier J.-R., « l'échafaud dont la vision surgit brutalement protège ceux que favorise l'injustice sociale ». La guillotine est le symbole même de l'injustice sociale. Cette dernière interprétation nous semble la bonne (cf. III, XXIX, 45).

9. Ce seul vers sert d'antithèse à tout le développement, selon un

procédé cher au poète. Il fuit l'horreur de la vie urbaine pour aller chercher refuge dans les bois.

L'antithèse figurait déjà dans les *F. A.: Ce qu'on entend sur la montagne.* Le problème sera repris au livre V dans *les Malheureux,* et le poète s'efforcera de ne pas répondre à la question par une dérobade.

P. 138. III, III. SATURNE

1. *Dates :* ms. 30 avril 1839.
vol. avril 1839.
Les deux dates coïncident : 1839. Ainsi ce poème des *Contemplations* aurait pu paraître dans *les Rayons et les Ombres.* Pourquoi le poète l'a-t-il gardé dans son tiroir? Selon V., il risquait de faire double emploi avec *Caeruleum mare* (daté du 25 mars 1839).
2. Le poème liminaire, écrit quelques semaines après celui-ci, évoquera également la triple face de l'énigme : *le vent, la vague, l'étoile* ici la *plante* tient la place du vent.
L'image du puits suggérée discrètement deviendra une image favorite du poète exilé.
3. Dès 1839, Hugo emploie le mot *voyant.* Le temps n'est plus où l'on attribuait à Rimbaud le lancement de ce terme pour désigner le poète. Le terme est d'origine biblique : « Celui qui s'appell aujourd'hui prophète s'appelait alors le voyant. » (*Rois,* I, IX, 9 trad. Sacy.)
4. Au vers 7, le songeur *médite,* au vers 11, il *contemple.* Peut-on distinguer les deux attitudes? Dans la strophe 2, il s'agit d'une introspection, d'une activité réflexive. La méditation est une recherch de Dieu; la contemplation, un sondage du destin.
5. *Pourvu que...* Ici l'opération mentale apparaît plus complexe. L vue d'un paysage, quel qu'il soit, déclenche *tout à coup* une illumination. Les figures claires qui se détachent alors dans la chambr noire de l'esprit fascinent l'œil intérieur.
6. Dans *Caeruleum mare* (v. 114), « l'œil de notre esprit ».
7. Ce premier développement est fait d'une seule phrase souple, ave enjambement de la quatrième strophe sur la cinquième.
8. Ainsi le *doute* est à l'origine de l'expérience décrite plus haut. L vers 1 unissait les contraires : *brume* et *lumière.* De même au vers 1 les *clartés* sont *effrayantes,* car c'est la misère de la condition humain qui apparaît clairement au cours de cette expérience. D'où, selo les individus, des réactions non moins contraires : *calme* ou *remord.*
9. L'objet privilégié de la contemplation est *la nuit étoilée.* Cf. *F. A* XXI et dans ce recueil, II, XXVIII; III, XXX, 81; VI, IX.
10. Donc Hugo, comme Pascal, ressent de l'effroi devant la nuit étoilée. Ce vers décrit proprement l'horreur sacrée.
11. Le poète imaginant la vie posthume attribue d'abord à l'âme mémoire.
12. L'autre thème développé ici n'a rien d'original : qu'il se présen sous la forme vague d'une éternité passée dans les astres, ou sou

la forme plus précise d'une éternité passée à voyager d'astre en astre. Cf. *Paroles d'un croyant,* XIII : « Dégagé des entraves terrestres, je m'en allais de monde en monde », et avant Lamennais, Bernardin de Saint-Pierre ou Lamartine, sans parler de Fourier.

13. *Rayons.* Première rédaction : *ailes.* Voir à la fin de *Magnitudo parvi* une nouvelle variation sur les deux rayons qui deviennent des ailes.

14. Pourquoi *mouche* et non *abeille?*

15. Les relations des insectes et des fleurs sont dépouillées ici de toute touche libertine, mais prennent un aspect mystérieux.

16. Le voyage d'astre en astre va encore se préciser.
Nous avions appris dans I, IV, que la création est un *poème inouï.* En III, VIII, Hugo emploie comme ici l'expression de *poème éternel.* Mais tantôt la *Création* désigne simplement la terre comme dans III, VIII, tantôt l'univers comme ici.

17. Cette strophe décrit plus ou moins adroitement l'opération intellectuelle qui tient la place de la « vision béatifique ». Dans *Caeruleum mare,* le poète disait plus simplement :

> Nous irons voir de monde en monde
> S'épanouir ton unité!

Pour Hugo, l'unité de Dieu est l'âme de tout : on saisit ici nettement le point de passage entre monothéisme et panthéisme.

18. Vers charnière qui introduit la deuxième partie du développement. Hugo, dès 1839, est préoccupé par le destin posthume du *méchant,* donc par les châtiments d'outre-tombe.

19. Comparaison étrange et saisissante.

20. Selon le ms. *solitaire. Salutaire* dans l'éd. *ne varietur.*

21. Hugo hostile à l'éternité de l'enfer ne saurait envisager qu'une expiation temporaire. Saturne est l'équivalent du Purgatoire.

22. Ce vers explique le vers 59 assez déroutant : les âmes douées de mémoire regrettent les crimes commis par elles sur la terre et aspirent à une destinée meilleure dans le ciel.

23. *Saturne* a toujours été une planète mal famée, à l'influence néfaste. Hugo, comme Chateaubriand ou Lamartine, partage cette croyance. Dans *le Rhin,* lettre IV (29 juillet 1838), il écrit : « Cette planète monstre, ce monstre effrayant et mystérieux que nous nommons Saturne. » Là où Hugo semble original, c'est lorsqu'il choisit la planète comme prison et bagne pour les âmes des méchants...
Voir dans *Magnitudo parvi* l'admirable strophe des vers 176-187 et *Abîme* dans *la Légende des siècles :* évocation de Saturne en 1853. *Inferi* (écrit en 1854 et recueilli dans *la Légende*) présente une autre conception : ce sont tous les astres morts, et non plus seulement Saturne, qui servent de prison et de bagne. Dans III, XII, *Explication,* écrit après *Inferi,* la théorie devient plus hallucinante encore : les astres morts sont punis pour des raisons à jamais mystérieuses. D'où au vers 19 l'expression :

> O Saturne au carcan!

24. On dit *l'*anneau de Saturne. En fait la planète en a trois, mais le troisième, l'anneau de crêpe, ne fut découvert qu'en 1850.
25. On compte en général *sept* satellites de Saturne. Dans *Abîme,* Hugo mentionne encore sept lunes colossales. Ces satellites ne sont pas visibles à l'œil nu. Lorsque Hugo dans *Alpes et Pyrénées* déclare : « Au-dessus des trois dents de son sommet, Saturne, avec *quatre belles étoiles d'or* au milieu desquelles il est placé, dessine dans le ciel un magnifique sablier », il ne parle pas des satellites.
26. A l'aphélie, Saturne est à 1.509 millions de kilomètres du soleil.
27. La mauvaise réputation de la planète maléfique s'étend aux autres univers.
28. J.-R. notent avec raison que « le ton de la partie III est assez proche de certains fragments de *Magnitudo parvi* mis au net probablement en 1846 », par ex. les vers 93-100 (1re version).
29. Le ms. donne : l'intérieur *du* tombeau et non d'un tombeau comme *ne varietur.*
La traduction en image rend l'idée particulièrement saisissante. « Conjecture formidable, remarque Albouy (*op. cit.,* p. 390), et qui ne lâchera plus le poète visionnaire. » Cf. *Dernière Gerbe,* XCV :

Le sépulcre géant d'étoiles se compose...

30. Aux vers 33-40, le poète semblait formuler sa croyance de façon plus ferme.
31. C'est le thème de *Magnitudo parvi,* mais selon J.-R. cette esquisse est « extrêmement pâle ». Cf. également la section II des *Mages.*
32. *Redoutable* substitué à *extatique* semble ambigu : pour lui-même sans doute plutôt que pour les autres.
33. Dans *les Mages,* c'est Rabelais *que nul ne comprit.*
34. « La clarté du dehors ne distrait pas mon âme », déclare Hugo dans III, xxii. Tandis que tout est lumière et joie, le poète, « l'œil plein des visions de l'ombre intérieure », songe aux morts. Mais l'intention n'est peut-être pas la même ici. Si V. conclut que « ni les voix des sources cristallines, ni le rugissement des lions ne tirent donc les contemplateurs de leur rêve silencieux », J.-R. observaient avec raison qu' « il n'y a pas contradiction mais accord profond entre les bruits et le rêve intérieur ». Tandis que les sages sont incompris des autres hommes, la nature (les éléments et les animaux) fait à leurs méditations sombres comme un accompagnement musical.

P. 142. III, iv. ÉCRIT AU BAS D'UN CRUCIFIX

1. *Dates :* ms. nuit du 4 au 5 mars 1847.
vol. mars 1842.
On ignore tout des circonstances pour lesquelles ce quatrain fut écrit. Seul anniversaire notable : 10 ans avant, en février 1837 Eugène mourait à l'asile.

Titre : dans la table dressée par Hugo, la pièce s'intitule *Crucifix*. Souvenirs des *Évangiles,* du Sermon sur la montagne en particulier. *Mat.,* V, 4 : Bienheureux ceux *qui pleurent,* parce qu'ils seront consolés. V, 10 : Bienheureux ceux *qui souffrent* persécution pour la justice, parce que le royaume des Cieux est à eux. XI, 28 : *Venez à moi, vous* tous *qui* êtes fatigués et qui êtes chargés, et je vous soulagerai. — *Luc,* VI, 21 : Vous êtes bienheureux, *vous qui pleurez* maintenant, *parce que* vous rirez. VI, 18 : Et ils étaient *guéris.*

C'est le troisième vers qui paraît le moins fidèle à l'esprit et à la lettre de l'Écriture : « Le fils de l'homme n'a jamais ri », ni souri.

Pour le quatrième, Hugo semble combiner l'antienne : O *vos* omnes *qui transitis per viam,* et l'ultime verset de *Mat.,* XXVIII, 20 : « Et voici que je *serai toujours avec* vous jusqu'à la consommation des siècles » (trad. Sacy).

On remarquera la substitution de *venez* à allez.

Pièce mise en musique par Faure.

Ce quatrain, qui eut tant de succès, suscita le 4 mai 1856 une lettre de Michelet qui, lui, le jugeait de trop. « Le monde que vous nourrissez de votre œuvre vous prie de penser à lui. Je crois qu'il vous prierait aussi de lui sacrifier quelques lignes, les six *(sic)* vers au crucifix. On nous en frappe sur la tête, c'est pour nous le casse-tête indécis. »

Le 9 mai, Hugo adressa à Michelet cette réponse capitale. « Ce que vous me dites du *Crucifix* est vrai. Il est de fer maintenant, et l'on en martèle les crânes pour y tuer l'idée. Mon sentiment est le même que le vôtre, et je vous approuve et je vous seconde de mon mieux dans votre grande lutte contre la forme vieillie et devenue spectre. Seulement, — et vous ne me blâmerez pas en cela, — je ne puis oublier que Jésus a été une incarnation saignante du progrès; je le retire au prêtre, je détache le martyr du crucifix, et je décloue le Christ du christianisme. Cela fait, je me tourne vers ce qui n'est plus qu'un gibet, le gibet actuel de l'humanité, et je jette le cri de guerre; et je dis comme Voltaire : « Écrasons l'infâme! », et je dis comme Michelet : « Détruisons l'ennemi! »

« Quant à ce mot *Dieu,* ou demi-Dieu, appliqué à un homme, si vous allez jusqu'à *ce que dit la bouche d'ombre,* vous verrez, — et vous pressentez certainement, même sans lire cela, — dans quel sens je l'emploie. »

Fait-il allusion aux vers :

> L'homme ne voit pas Dieu, mais peut aller à lui
> En suivant la clarté du bien, toujours présente.

P. 143. III, v. QUIA PULVIS ES

1. *Dates :* ms. 3 février 1842, corrigé en 1843.
vol. février 1843.

Méditation sur la mort, écrite douze jours avant le mariage de

Léopoldine, si la date corrigée est exacte, et qui prit rétrospectivement une valeur pathétique extraordinaire.
Titre : ne figure pas sur le ms. mais sur une feuille d'épreuves. Extrait de la formule religieuse de l'imposition des Cendres empruntée elle-même à la *Genèse* (III, 19) : *memento, homo, quia pulvis es.* On peut traduire : parce que tu es poussière.

2. *Partent, demeurent :* litotes pour *mourir, vivre.* L'équivoque est maintenue jusqu'à la fin : *s'envole, s'effacent, dormir, tomber.* On remarquera les ressemblances de vocabulaire entre cette pièce et le quatrain précédent : *demeurent, pleurent, qui passent, Dieu.*
3. Images d'origine biblique.
Racine écrit dans *Esther* (v. 367-368) :

> Qu'ils soient comme la poudre et la paille légère
> Que le vent chasse devant lui!

et Lamartine dans *Pensée des morts (Harmonies) :*

> Un vent qui vient de la tombe
> Moissonne aussi les vivants.

Mais, tout autant qu'à la Bible, on peut penser à la littérature gréco-latine : *Iliade,* VI, 145-149, ou *Énéide,* VI, 309-310.
4. Jusqu'à la fin, exemple de développement parfaitement symétrique : dialogue contradictoire avec échange de répliques aboutissant au renversement final, où pour la première fois les mots *morts* et *vivants* figurent dans leur nudité.
5. Éd. *ne varietur : entendez* (faute d'impression).
6. V. se demande si par *vrais royaumes,* Hugo ne ferait pas allusion à la mort du duc d'Orléans qui l'avait tant frappé en juillet 1842. Mais il se souvient surtout du mot du Christ : « Mon royaume n'est pas de ce monde. »
7. En 1854, Hugo demandera dans *Horror :*

> O mort, est-ce toi le vivant?

Dans le *Voyage en Orient* (Garnier, II, 77), G. de Nerval écrit : « C'est nous, vivants, qui marchons dans un monde de fantômes. » Ce chapitre a été publié pour la première fois en 1844. Il s'agit donc d'une simple rencontre.
On peut rapprocher ce poème-ci de IV, XII, écrit antérieurement. Mais l'accent est mis sur l'idée que les morts ne souffrent plus, comme dans le poème des *V. I., A Eugène, vicomte H. :* « Là, tu reposes, toi! »

P. 144. III, VI. LA SOURCE

1. *Dates :* ms. 4 octobre 1846.
vol. octobre 1846.
C'est le seul poème d'*Autrefois* dont la date fictive soit postérieure à 1843, sans doute par suite d'une distraction du poète.

Ce poème est une fable comme I, xxv, mais écrit dans la strophe lyrique des stances à Du Périer.

Cette fable est une condamnation de la guerre. Quelques jours plus tôt, le 14 juillet, Hugo écrivait : *La guerre qui est dans l'avenir importune les devins* (*Toute la lyre,* III, xxiii) dont le ms. porte en tête : Afrique, Alger, et le 20 octobre, III, xi, où il condamnait encore « la guerre infâme ». Cf. également Journet-Robert, *Autour des Contemplations,* p. 155 : *Choses de la Bible, Jérémie,* IV, 16-21.

Dans cette fable, ce sont encore les animaux qui font la leçon à l'homme; il ne s'agit pas d'une convention comme dans les *Fables* de La Fontaine, mais d'une croyance en la voyance de l'animal. On voit mal quelle application concrète pourrait avoir cette fable, s'il n'était pas question de guerre coloniale : laisser la terre au légitime propriétaire et garder le ciel, c'est-à-dire l'influence spirituelle. L'ultime résistance d'Abd el-Kader et l'affaire de Sidi-Brahim seraient-elles à l'origine de ce poème?

P. 145. III, vii. LA STATUE

1. *Dates :* ms. 7 février 1855.
vol. février 1843.

L'année fatidique 1843 devient pour Hugo la grande année : il y rattache tout, y compris l'inspiration satirique. Ce poème a été écrit après l'achèvement de *Magnitudo parvi.*

Titre : dans un sommaire du livre III, le poème est intitulé *Juvénal. La Statue* fait allusion à l'épisode biblique de la femme de Loth changée en statue de sel.

2. Philosophie pessimiste de l'histoire.

3. *Césars :* nom commun sans majuscule dans le manuscrit. C'est le Hugo des *Châtiments* et non le Hugo de 1843 qui peut se permettre cet effet, comme du reste tout ce parallèle entre la décadence des deux empires.

4. *Tyr :* la métropole par excellence. Dans *la Fin de Satan,* le Paris futur est désigné par la périphrase : la plus grande des Tyrs. Sa chute, que sa richesse même explique, est aussi exemplaire que celle de Babylone.

5. *Tigellin,* préfet du prétoire dont l'influence sur Néron fut pernicieuse, condamné à la fois par Tacite et Juvénal (*Sat.*, I, 155). — *Caton :* la mention de Carthage nous invite à choisir entre les deux Caton celui qui répétait : « *Delenda Carthago.* »

6. *On s'enfuyait :* préparation du dénouement et allusion à la satire la plus célèbre de Juvénal.

7. A rapprocher du poème de *Toute la lyre : La guerre qui est dans l'avenir importune les devins,* mentionné dans le commentaire précédent.

8. *Festin maudit :* allusion voilée au festin de Balthazar (et à la fois, puisqu'il y a dans ce poème parallélisme entre la Bible et Rome, au festin de Trimalcion), d'où au vers 22 : *éclairs sous le plafond.*

9. Emploi typique du substantif au lieu du verbe.

10. Le même thème est repris dans le bref poème de *Toute la lyre,* I, VIII : « Quand ce vieux monde dut périr... » Les sept péchés capitaux y sont énumérés (l'Avarice y figure, remplacée ici par l'Orgie), et les sept démons qui les incarnent sont rapprochés des sept collines de Rome.

11. Sur V. Hugo et Juvénal, cf. *R. H. L. F.,* 1909, pp. 259-284, article d'A. Collignon.

Tout ce poème associe l'inspiration apocalyptique au souvenir de Juvénal. Selon V., « Juvénal, étant pour lui un des grands génies de l'humanité, est nécessairement un génie apocalyptique ». En outre, dans *la Pitié suprême,* XIV, il rapproche Patmos, lieu d'exil de saint Jean, de Syène, lieu d'exil de Juvénal. On peut remarquer encore que d'après l'exégèse traditionnelle, saint Jean dans l'*Apocalypse* aurait annoncé la chute de l'Empire romain.

La conclusion suggère un parallèle aboutissant au dernier vers d'un syncrétisme hardi, entre la femme de Loth, transformée en statue de sel pour avoir regardé Sodome, et Juvénal transformé lui aussi par le poète en statue, se dressant seule dans un univers mort.

V. estime que la formule élogieuse appliquée à Juvénal, par Afranius : *Quidquid loquitur merum est sal,* a permis le rapprochement. L'explication paraît inutilement compliquée.

Dans la Bible, la métamorphose de la femme de Loth est une punition de la désobéissance. Cet aspect du mythe est laissé de côté. L'imagination visionnaire de Hugo transforme admirablement le thème.

12. Dans la première édition, Sodome a un accent circonflexe pour rimer avec dôme. Mais dans V, III par exemple (v. 137-138), on trouve Sodomes sans accent et rimant avec hommes. Si Hugo n'a pas fait rimer ici Sodome et Rome, il est évident que cette rime était à l'origine du poème.

P. 147. III, VIII. JE LISAIS...

1. *Dates :* ms. 24 janvier 1855.
vol. juillet 1843.

La date fictive nous ramène à l'année fatidique, aux environs de la date réelle de III, XXIV, *Aux arbres.*

Titre : sur un plan des *C.* s'intitulait *la Lecture du champ.*

Cette pièce a été écrite en deux temps : elle formait d'abord un bref poème complet composé des vers 13-22 et 51-64, et daté du 24 janvier. Les deux *ad.* des vers 1-12 et 23-50 ont été faits à l'encre bleue très peu de temps après. Les vers 31-34 constituent une *ad.* à l'intérieur des vers 23-50.

Pourquoi ce poème admirable, où le « symbolisme » de Hugo est formulé avec autant de délicatesse que de ferveur, ne jouit-il pas du même prestige que le sonnet *Correspondances?*

Il se décompose en quatre mouvements :

a) La Nature est un livre. Ce thème est un lieu commun : la métaphore est filée, variée avec une virtuosité sans égale. Curtius, dans

Europaïsche Literatur und lateinisches Mittelalter (v. 321-327), montre l'origine lointaine de la métaphore et son succès continu depuis le Moyen Age.

Barrère, dans sa *Fantaisie de V. H.* (III, 127-130), remarque que « Hugo en a fait un tel usage qu'il s'est acquis presque un droit sur elle... Elle touche à l'occultisme, et cette origine n'est pas étrangère à la prédilection que le poète montre pour cette expression et à la valeur qu'il lui donne entre 1830 et 1840. Après 1850, elle se nourrit d'une intimité avec la nature, d'une connaissance de sa richesse, qu'elle est chargée de résumer ».

b) Hugo écoute la leçon que lui fait un oiseau. Voir un motif analogue dans I, v (leçon du bouvreuil), I, xviii (leçon du houx). Par la voix de l'oiseau sont proférées des idées essentielles : tout est plein de jour, même la nuit. Comprendre, c'est aimer. Voir la vérité, c'est trouver la vertu.

c) Hugo contredit l'oiseau en confessant qu'il est l'esclave de son corps charnel, qu'on ne peut sur terre éliminer entièrement la méchanceté et le doute.

d) Le dernier vers montre qu'il ne désespère pas, puisqu'il continue la lecture du champ, qui est une quête de Dieu.

Ce poème, par sa structure même, illustre parfaitement l'état d'esprit du « pauvre homme » qu'il était certains jours « tremblant entre le doute morne et la foi qui délivre ».

2. « Plongé dans la lecture de la nature comme le vieux puritain dans la méditation de la Bible, je cherche Dieu. Ami, chacun a son livre... » (*Le Rhin,* octobre 1838.) L'idée est la même, mais ici l'expression souligne l'opposition.
3. Après la Bible, Homère. Ce qui prouve que l'opposition précédente n'était pas dictée par l'hostilité au livre sacré des chrétiens.
4. *Courbé :* cf. ailleurs, III, xxiv, « le front baissé » et V, xiii, « courbé comme celui qui songe ».
5. Faut-il voir une correspondance entre l'oiseau noir et blanc et l'homme partagé entre le doute et la foi?
6. Seul emploi du verbe *s'abîmer* dans le recueil, rendu hardi par sa relation avec *cantique*. Littré donne comme exemple d'emploi figuré, « s'abîmer dans l'étude ». Il y aurait ici une ellipse doublée d'un jeu de mots : nous nous abîmons dans la terre qui est un cantique.
7. L'oiseau, remarque V., est socratique : il importe de *bien questionner*.
8. Cette hyperbole résume la vision du monde du poète, et nous fait assister sur l'antithèse-mère (jour et nuit) à l'opération dialectique qui constitue l'activité suprême de l'imagination : la conciliation des contraires.
9. *L'araignée :* « J'aime l'araignée », a proclamé Hugo. Dans la fable était montré le rayonnement de la misère. Le poète sait découvrir jusqu'au rayonnement du Mal.
10. *Comprendre, c'est aimer*. C'est le moment où Hugo achève *Magnitudo parvi;* il y écrit de même au vers 609 : « Il a compris, Il aime. »

11. Vers 28-39. Dans *Unité,* la même idée a été présentée sous la forme d'une fable.

12. Hugo s'est identifié tour à tour à l'enfant qui épelle, à l'écolier qui traduit. Cf. dans V, III, un effet analogue :

Et j'ai dit : Texte : Dieu; contresens : royauté.

13. Ce *oui,* qui relance le développement, amène aussi de nouvelles métaphores : c'est l'arbre qui devient le symbole de la création. Ici encore Hugo ne fait que reprendre un motif traditionnel, mais il y met sa marque par un double effet de contraste :

Rameaux dont le ciel *clair* perce le réseau *noir,*
L'arabesque des bois sur les *cuivres* du soir...

où l'on retrouve le poète des *Orientales.*

14. *Rapports, éléments, causes.* Analyse et synthèse, recherche scientifique et métaphysique complètent la contemplation du songeur.

15. Énumération sous une forme imagée des quatre règnes. *L'aile peinte,* déformation de l'expression virgilienne traduite plus fidèlement en I, XXVIII, 14 et III, XV, 3.

16. *Chiffre* est équivoque : faut-il comprendre : *a)* tétragramme; *b)* caractère de convention pour une correspondance secrète; *c)* entrelacement des lettres initiales? C'est le troisième sens que *arabesques* et en *se croisant* invitent à choisir. Dans son article *The mythology of the Tree in Les Contemplations,* S. J. Scott découvre « un curieux parallélisme » entre la conception hugolienne exposée ici « et la conception indienne de l'arbre cosmique *açratha* comme manifestation du Brahman ». Même image dans VI, VI, 601 et *sqq.* et VI, IX, 70-73.

17. *Sombre, bleue, étoilée.* Ce sont les trois temps de la dialectique hugolienne. L'ordre véritable : bleu, sombre, étoilé, a été modifié pour des raisons de métrique. Cf. *le Satyre.*

18. Vers 50 et *sqq.* N'importe quel objet de contemplation permet d'atteindre le tout. Une double opération se développe alors : un mouvement centrifuge fait découvrir Dieu dans la nature; un mouvement centripète intériorise les richesses et les beautés de la nature

19. Les variations sur le thème initial atteignent ici à la poésie la plus profonde et la plus pure. La rose et le lis sont utilisés par Hugo comme par Mallarmé dans *Toast funèbre.*

20. *Invisible :* cf. le vers 3 du poème suivant (écrit du reste peu auparavant).

21. *Aube* et *front sombre, ombre* et *candeur :* l'opposition du noir et du blanc, symbole de l'âme mi-partie de foi et de doute se poursuit donc tout le long du poème, pour aboutir à l'opposition entre la *chair* et *l'âme.* La comparaison avec III, XXIV, montre l'écart entre l'état d'âme réel en 1843 et l'état d'âme supposé. En 1843, le poète se disait pur comme la nature. Ici, il est hanté par son impureté et ne compte que sur la mort pour recouvrer son âme d'enfant.

ici, puisqu'il représente l'école « historique ». Cependant ses exégèses du *Digeste* firent autorité.

14. Ce beau vers dit admirablement l'accord qui unit la nature et l'homme.
15. Les *pâquerettes* avaient déjà des *collerettes* chez Gautier, mais « le libertinage de la nature » est typiquement hugolien.
16. *Livraient leur âme aux...* transposition de *livraient leur âme au démon.* D'où le *pacte* au vers 43 et *possédés* au vers 49.
17. Vers 45-50 : l'*ad. marg.* reprend avec bonheur certaines notations de *la Fête chez Thérèse :* le bleu du clair de lune, et de *Crépuscule :* la présence de Vénus, l'étoile du soir.
18. *Ennui* a ici sa valeur racinienne, mais selon Littré il s'applique à toutes sortes de souffrances de l'âme.
19. Ce vers glose *l'adorable ennui :* non pas oubli de soi au profit d'autrui, mais possession par autrui et dépersonnalisation.
20. *La Tournelle :* chambre du Parlement de Paris qui siégeait dans une petite tour dite « tour criminelle ».
    Encore est évidemment le mot essentiel du poème. L'adultère est toujours poursuivi; l'amour libre est toujours suspecté et vilipendé. Parmi les « bonnes nouvelles » dont il se jugeait dépositaire, Hugo faisait figurer la liberté d'aimer : « La liberté d'aimer est le même droit que la liberté de penser » (*Moi,* ms. 13.420). Mais il n'adoptait pas toujours cette attitude revendicative, et non moins significatif est son sentiment de culpabilité : cf. III, VIII et surtout VI, IX.

P. 152. III, XI. ?

1. *Dates :* ms. 20 octobre 1846.
   vol. octobre 1840.
   Contemporain de *la Source.*
   Pourquoi la date fictive? c'est l'époque du deuxième voyage au Rhin. Cf. cependant le poème suivant.
   Titre primitif : *De plus haut?* En barrant les trois mots, Hugo a laissé subsister le ? en guise de titre.
   V. retrouve dans ce poème l'influence de Virgile (*Géorg.,* I, 125 et *sqq.*) et d'Ovide (*Mét.,* I, 113 et *sqq.*) décrivant l'âge de fer.
   La composition du poème est typique d'une manière hugolienne : deux parties en antithèse, l'antithèse étant soulignée par le déséquilibre du développement; la première partie déroulant sur vingt-deux vers une seule phrase énumérative, la seconde condensée en un vers unique (qui n'est pas un trimètre mais un alexandrin à la coupe classique mettant le mot *astre* en valeur).
2. Première rédaction :

   Où les hommes courbés travaillent tristement.

   La cor. met l'accent sur l'état d'âme du travailleur : la pensée ajoute à la dureté du labeur.

3. Première rédaction :

Éclos *de* ces sillons ingrats.

Souvenir de la fable de Cadmus. De la sorte il y avait accord entre la dureté de l'homme et celle de la nature. Mais l'homme pouvait-il naître *des* sillons qui sont son œuvre?

4. Abstractions personnifiées : procédé antique et familier à Hugo.
5. L'évocation de la Terre est profondément pessimiste; le vers 8 attribue l'orgueil même aux misérables. La première rédaction allait jusqu'à ne pas mentionner *les puissants*. Hugo avait écrit *les petits*.
6. *Hauts sommets* au sens figuré : cf. les *meilleurs* au vers 10. Mais s'agit-il des génies ou des problèmes les plus ardus?
7. Première rédaction :

L'or fait Dieu; la justice et la beauté vendues.

Hugo n'hésite pas à sacrifier une idée pour améliorer le vers. Souvenir d'Horace (*Odes,* I, XXIV, 6) : *Pudor et Justitiae soror Incorrupta Fides.*

8. V. note combien Hugo est loin de Fourier, apologiste des passions.
9. *Frissonnants :* épithète habituelle de *mâts* dans la poésie de Hugo avec une valeur à la fois physique et morale. — *Mâts :* Mallarmé, admirateur de Hugo, retiendra cette métonymie.
10. Sur la condamnation de la guerre, voir III, VI.
11. « La peinture des maux subis par l'homme est dans sa brièveté complète et logiquement suivie... » (Ph. Van Tieghem, extraits des *Cont.,* Hachette, p. 58.)
12. Le sens du dernier vers a inspiré des gloses contestables. Vianey : « Le dernier mot est essentiel. Il est, comme le remarque Renouvier, un appel aux cieux. Sous une forme dure une question est posée à Dieu. » Ce commentaire ne s'impose pas et pas davantage la remarque d'A. Debidour (Cl. Larousse) : « Ce vers oppose à tant de vilenies, la splendeur inaltérable des cieux. » Revenons au texte : Hugo met en valeur le fait que vue de près la terre est sombre, que vue de plus haut, elle est lumineuse. Il y a là un mystère qui demande une *explication*.

P. 153. III, XII. EXPLICATION

1. *Dates :* ms. 5 octobre 1854.
   vol. novembre 1840.

   J.-R. se demandent si cette pièce contemporaine de *Ce que dit la Bouche d'Ombre* ne serait pas une des « tombées » du grand poème. Hugo, remarquant sa parenté avec *Saturne,* situe la date fictive avant l'exil; puis, s'apercevant qu'il y avait là comme une réponse à l'interrogation de III, XI (reprise des mots essentiels : *nuit* et *astre*), il date l'une d'octobre et l'autre de novembre, la question précédant normalement la réponse (sans qu'on puisse savoir de façon sûre lequel des deux poèmes a été daté le premier).

Cette réponse, trouvée huit ans avant que soit posée la question, est d'ordre théosophique : 1° Toute faute entraîne une déchéance; les anges étant faillibles, un ange coupable devient un homme. Cette première explication s'accorde avec la théorie exposée dans VI, XXVI. 2° Les astres sont classés en deux catégories : les paradis et les enfers. Le soleil et les étoiles sont des paradis; les planètes, c'est-à-dire les globes obscurs, servent de bagnes. Plus le globe est éloigné du soleil, plus le bagne est terrible; les lunes sont pires encore, puisqu'elles sont plus mortes que les terres. 3° Le châtiment n'est pas éternel : la mort, qui juge l'ange après son épreuve sur terre, le ramène à son astre d'origine, ou le rejette plus loin que la terre, jusqu'à ce que la faute soit expiée.

Cette conception est plus proche de celle exposée dans *Saturne* (où la planète est le seul bagne) que de celle exposée par la Bouche d'Ombre, selon laquelle l'expiation se fait par une descente dans l'échelle des êtres. Elle est surtout voisine de celle exposée en juin 1854 dans les poèmes de la *Légende, Inferi* et *Tout le passé et tout l'avenir*. Hugo a-t-il songé à unifier toutes ces théories? Le fait qu'*Explication* ait été rejetée avant l'exil prouve que la synthèse n'a pas été possible.

Il y a enfin dans ce poème une autre théorie et qui lui confère son pathétique : c'est que ces astres bagnes sont eux-mêmes des univers punis. Et ces univers punis souffrent. Pourquoi? Crimes, châtiments, rédemption, tout est mystérieux. Ce thème, que Soumet dès 1840 exposait dans *la Divine Épopée,* est repris brièvement dans *Tout le passé et tout l'avenir* et développé superbement dans *Inferi* (toute la fin d'*Explication* rappelle de près ce dernier poème : *pareils au rêve, tirant des chaînes, mondes spectres, bagnes, ils vont, sans bornes*).

Le 10 novembre, la mort explique par l'intermédiaire de la table que les bons astres rachètent les astres punis. Hugo, interrompant la dictée, observe : « J'ai fait des vers qui côtoient ces idées sans les affirmer. Dans les uns, je représente Dieu vannant les astres et les âmes; dans les autres, qui commencent ainsi : « La Terre est « au Soleil ce que l'homme est à l'ange », je dis que la punition est en raison de la distance du Soleil. » Cependant, le 18 décembre, l'Ombre du sépulcre affirme : « Il n'y a pas deux groupes d'astres : il n'y en a qu'un. » Cette déclaration semble faire écho au dernier vers de notre poème qui abolit tout distinguo.

A partir du vers 17, en effet, Hugo commentait le « plus loin » du vers 16. Comme le prouve le vers 28, il s'agit des planètes *qui ne sont pas la terre :* Jupiter, Mars, Uranus, Neptune sont cités. Si ces mondes spectres implorent un messie et espèrent des apôtres, c'est que la terre en un sens est plus favorisée. On voit donc en quoi ce poème explique la question posée dans le précédent : par rapport au soleil paradis, la Terre est un astre maudit; par rapport aux autres planètes, la Terre est un astre béni.

L'attitude des mondes punis n'est pas sans rappeler celle des monstres domptés par Hercule.
Les admirables vers 23-24 représentent la meilleure manière de Hugo visionnaire. L'évocation d'un univers de cauchemar est d'autant plus saisissante qu'une note bucolique vient souligner par contraste l'horreur.
Les poèmes XI et XII présentent quelque parenté avec le sonnet de Mallarmé *Quand l'ombre menaça,* et la comparaison permet de saisir et ce que Mallarmé doit à Hugo et ce qu'il lui ajoute.
Hugo n'était pas satisfait des deux derniers vers. Sur le ms., il avait écrit en marge cette variante avec la note « mieux peut-être » :

Et, du soleil, au fond des brumes et des ombres
On aperçoit de (au) loin toutes ces faces sombres.

P. 155. III, XIII. LA CHOUETTE

1. *Dates :* ms. 10 mai.
vol. mai 1843.
L'*ad. marg.* des vers 63-72 (comme le prouve le décompte des vers) est postérieure au 10 mai. L'écriture de cette *ad.* ressemblant à celle de *Halte en marchant,* poème écrit le 7 mai 1855, J.-R. en concluent que *la Chouette* est de mai 1855 et non 1854. On voit qu'il n'y a certitude que pour l'*ad. marg.* Cependant, le Christ est évoqué dans l'un et l'autre poème. En outre, le 30 mars 1855, Molière, parlant dans la table, disait de Galilée et de Newton :

Ils auraient pu saisir la muse ensanglantée
Pour la jeter aux pieds du chasseur éternel,
Et lui livrer l'orfraie, immense Prométhée,
A clouer aux portes du ciel.

On retrouve *immense* au vers 81 et le dernier vers aux vers 90-92.
Mais surtout le vendredi 13 avril, Molière ajoutait :

O Newton, Galilée, Hippocrate, Archimède...
Cygnes au grand œil généreux
Qui *devenus hiboux* aux luisantes prunelles...
Sinistres chats-huants de l'immensité sombre...

Tout le poème est à lire. Si l'idée développée est toute différente, Hugo n'en emprunte pas moins à Molière la transformation de celui qui pourchasse l'erreur en chouette. C'est un exemple frappant de l'influence des tables, et par surcroît se trouve confirmée la date de 1855.
La date fictive est la même que pour I, XI et III, XV. Qu'en conclure?
Le motif principal : les bienfaiteurs de l'humanité persécutés par les hommes ne sera exposé que dans le monologue de la chouette.

Le prologue en alexandrins est d'abord une nouvelle variation sur « le livre de la Nature » : la nature donne à l'esprit de l'homme les animaux à déchiffrer. Ceux-ci sont divisés en deux catégories selon l'allégorisme traditionnel, les uns représentent le bien, les autres le mal. Mais Hugo filant sa métaphore assimile ces deux catégories à deux formes de langage; les animaux nobles correspondent au langage noble, les animaux répugnants au patois. Le poète qui aime l'araignée se penche sur le mystère de la pauvre et sinistre chouette. Jamais Hugo n'a défini son attitude complexe devant la laideur avec plus de bonheur que dans le vers 17.

2. Première rédaction : Et, sombre Isis, avec
A rapprocher du vers 1 de *Dolor* :

> Création! figure en deuil! Isis austère!

3. L'âne et le bœuf de la crèche.
4. Le poète ne « nomme » pas le Christ avant le dernier vers.
5. Ce seul vers suffirait à « sacrer » un poète.
6. La chouette crucifiée fait penser au Christ en croix; mais il est évident que Hugo ne voit pas dans la chouette un symbole du Christ, analogue au pélica[illegible] figuré sur les tabernacles. Son but est de souligner la conduite al[illegible]rde des hommes qui martyrisent avec la même fureur le méchant [illegible]e juste. Dans *la Fin de Satan,* l'absurde sera poussé plus loin encore puisque le juste est condamné et le méchant libéré : d'où, amplification formidable du discours de la Chouette, le monologue de Barrabas.
7. La lumière qui ne s'éteint pas est celle qui émane de l'Amour.
8. Ms. et première éd. : que *l'homme;* toutes les autres éd. : que *l'ombre.*
9. C'est un Christ combattant que Hugo évoque, pour mieux s'identifier à lui.
10. Vers 53 et *sqq.* Au vers 48, le mot *essaim* suscite une série de métaphores qui se prolonge jusqu'à la *sinistre couvée* du vers 71.
Le Christ combattant est assimilé à la Chouette chassant les taupes, les phalènes, l'aspic, les vers de terre, les vipères : ce passage sert assurément de preuve à ceux qui veulent que Hugo identifie le Christ à une chouette. Mais l'opposition des vers 31-32 subsiste : les proies de la chouette immense de la lumière et de l'amour sont les multiples aspects du mal. Ce Christ chasseur fait le bien.
« A partir de l'exil, note V., Hugo transforme souvent les êtres moraux, les forces de la nature, les maladies, etc., en bêtes. » L'auteur de *Notre-Dame de Paris* retrouve l'état d'esprit du Moyen Age.
11. Hugo, comme Musset dans *le Saule,* oublie que *phalène* est féminin. N. Parfait le lui ayant fait remarquer, Hugo persista dans l'erreur : « Où diable avez-vous vu que *phalène* était féminin? » (*Cor.,* II, 224.)
12. Les noms propres sont employés comme des noms communs avec la valeur péjorative de *iste* en latin. Les trois exemples d'infidèles sont pris dans la Bible.

13. Allusion à l'épisode célèbre de Jésus chassant les vendeurs du Temple.
14. S'agit-il d'une allusion précise? Hugo, sous forme imagée, dénonce le fanatisme, l'incendiaire prenant le feu du sanctuaire.
Première rédaction : le faux prêtre allumant.
C'est le nom de Mathan (cf. *Athalie* de Racine) qui a pu susciter cette image.
15. *Nous :* désigne les chouettes ordinaires, par opposition à la chouette de la lumière.
16. Même attitude de la foule que dans les épisodes de *Melancholia.*
17. Strophe souvent citée comme exemple d'harmonie imitative, le poète suggérant les coups de marteau de la crucifixion.
V. estime qu'au vers 83 « Hugo se souvient du mot de Jésus pleurant sur Jérusalem, la ville qui *lapide* les prophètes ». Mais l'essentiel de la leçon demeure la stupidité des persécuteurs. Plus que la cruauté de l'homme, c'est son absurdité qui est dénoncée ici.
18. L'opposition de la griffe et de l'aile, la première représentant le mal, la seconde le bien, est typique d'une vision du monde polarisée. L'imagination impose ses classifications malgré l'existence des oiseaux de proie. L'opposition du haut et du bas est aussi fondamentale pour définir l'univers de Hugo que celle du jour et de la nuit. Qui dit aile, dit essor.
Ce poème, on s'en doute, fit scandale en 1856. V. rappelle que pour aucun poème des *Contemplations,* Vallery-Radot, le critique du *Constitutionnel,* ne fut plus dur. Ni Faguet ni même Bellessort en 1930 ne se montrent plus compréhensifs. Ce n'est pas tant du reste l'indécence du rapprochement du Christ et d'une chouette qui les choque, que sa *bizarrerie.* Si l'imagination est la reine des facultés, ce n'est pas sans peine qu'elle affirme sa royauté.

P. 158. III, XIV. A LA MÈRE DE L'ENFANT MORT

1. *Dates :* ms. 21 juillet 1846.
vol. avril 1843.
L'enfant mort est celui pour qui fut écrit *Épitaphe,* III, XV. Il était le neveu d'Auguste Vacquerie. La sœur de celui-ci, Mme Lefèvre, avait perdu tour à tour son fils Charles en 1839, son fils Paul en 1840, son mari en 1842, d'où, dans V, I, le vers 15 :

O sœur! ô mère! ô veuve!

Dans les R. O., la pièce XXXVIII, *Écrit sur le tombeau d'un petit enfant au bord de la mer,* datée du 21 janvier 1840, est consacrée au petit Charles; le poème fut gravé sur sa tombe au cimetière de Graville-Sainte-Honorine.
En mai 1843, Hugo écrivit *Épitaphe* pour Paul. Dans une lettre du 13 mai à Vacquerie, Hugo écrivait : « Voici les vers que j'avais promis à Mme Lefèvre pour son pauvre petit. Mettez-les à es pieds.

Mais mettez sur la tombe les vers si pathétiques et si déchirants que vous avez faits. Ceux-ci ne sont rien près des vôtres. »
La pièce XIV inspirée par le même deuil fut écrite le 21 juillet 1846. La date fictive précède de quelques jours la date réelle d'*Épitaphe* (il ne s'agit pas de la date de la mort de l'enfant, comme le croyait V.; le décès de Paul est bien antérieur, puisqu'il remonte au 9 mai 1840).
A quelle occasion le poème fut-il écrit en 1846? Vacquerie, la mère, sollicitèrent-ils Hugo une nouvelle fois, ou bien le poète, qui dix jours auparavant avait suivi le cercueil de Claire au cimetière de Saint-Mandé (cf. IV, XI), se rappela-t-il la douleur de l'autre mère? Ce poème est à la fois d'un tact et d'un goût douteux. Quelle « consolation » que de dire à la mère qu'elle est responsable de la mort de son enfant! et quelle imagerie de mauvais aloi que cette série de métaphores!

2. Cf. IV, XVII, III :

> Sous le grand dôme aux clairs pilastres.

3. Cf. V, XIV, 36 :

> Est-ce qu'il est permis de cueillir des étoiles?

4. Dans son étude, *l'Esprit de V. Hugo* (p. 139), M. Rochette commente cette fin, en s'efforçant d'excuser Hugo : « Inconsciemment, en vertu du don de vision du poète, sur l'idée de l'enfant et de son âme emprisonnée dans la vie se superpose la vision de l'oiseau dans sa cage... Et voilà pourquoi le poète ne fait au fond que suivre son idée quand il termine par un trait qui nous semble, à nous, d'un goût douteux. »
Sur le ms. le titre primitif était : *Sur la mort d'un petit* (corrigé en *enfant*). *A sa mère.*

P. 160. III, XV. ÉPITAPHE

1. *Dates :* ms. 11 mai 1843.
vol. mai 1843.
Voir le commentaire du poème précédent.
2. Cf. I, XXVIII, 14 :

> Où les strophes, oiseaux peints de mille couleurs,

souvenir de Virgile.
3. *L'onde amère :* l'expression toute faite n'est pas à sa place ici. Cf. au vers 8 *joyeuse*.
4. La Nature personnifiée se livre à un jeu cruel de cache-cache.

5. Cf. V, xxiv, 20 :

Va mourir sur un *cœur, abîme* plus profond.

La deuxième strophe sur le ms. se présentait d'abord ainsi :

O nature égoïste! infinie! étoilée!
Pour cet enfant de plus tu n'es pas plus peuplée
Ni plus joyeuse, hélas! les cieux m'en sont témoins!
Et le cœur de la mère, humble et que Dieu torture,
Cet abîme aussi grand que toi-même, ô nature,
Est vide et désolé pour cet enfant de moins!

La nouvelle rédaction fait disparaître la cheville du vers 3, et atténue l'audace du vers 4.

P. 161. III, xvi. LE MAÎTRE D'ÉTUDES

1. *Dates :* ms. 14 juin 1855.
vol. juin 1843 dans les quatre premières éd. — 1842 à partir de la cinquième.
Ce poème a été écrit en deux temps : le ms. s'arrêtait d'abord au vers 114 et portait la date du 5 juin. Le premier état comportait déjà deux importantes *ad. marg. :* vers 41-60 et 91-102. La suite et fin, vers 115-128, est datée du 14.
A propos d'Horace ayant été terminé le 2 juin, ce poème en est le prolongement. Les commentateurs sont d'avis qu'après l'attaque furibonde contre les sinistres pédagogues, Hugo songe par contraste à Félix Biscarrat, son maître d'études de la pension Cordier, qui était poète : un cahier de 1817-1818 contient des vers de Biscarrat recopiés par le jeune Victor, et suivis d'une réponse fort modeste de l'enfant sublime :

Apollon t'ornera des lauriers de la gloire,
Et quand mon nom obscur languira sans mémoire,
Tes vers l'en feront souvenir.

Le 23 juin 1818, Hugo écrivit une pièce : *A l'ami Biscarrat pour le jour de sa fête,* publiée dans *Océan*. Cf. encore *Victor Hugo raconté...* Biscarrat encouragea les débuts poétiques de son élève. Hugo le choisit avec Vigny comme témoin à son mariage.
Les dates fictives font-elles allusion à un fait précis? Nous l'ignorons. Dans un premier groupement des poèmes, cette pièce figurait au livre I sous le numéro xx; elle portait en outre un autre titre, emprunté à l'argot des écoliers : *le Chien de cour*. Le déplacement se justifiait. Il ne s'agissait ni de souvenirs d'enfance précis ni d'une attaque, mais d'un plaidoyer pour une victime.
2. Nouvelle variation sur la cruauté de l'enfance.
3. Vers déroutant : comprenons que Hugo oppose le « pion » au professeur et que l'attaque de I, xiii, ne vise que celui-ci.

4. *Consomme :* N. Parfait, ayant été étonné de trouver ce verbe au lieu de *consume,* Hugo lui répondit, aussi entêté que pour le genre de *phalène :* « *Consumer* est le mot spécial, *consommer* est l'expression générale. » (*Cor.,* II, 220.)
5. *Ennui :* le vers 39 invite à penser qu'il s'agit de l'ennui des écoliers, mais le vers 52 remet tout en question.
6. Renouvier, faute d'imagination, s'étonne que ce maître qui *saigne* au vers 33 devienne au vers suivant un végétal.
7. L'*ad. marg.* des vers 41-60 est riche en métaphores. Au début, on trouve une étonnante transposition poétique du « chahut ».
Comme toujours chez Hugo, obscurcissement et descente sont liés pour symboliser la chute, le progrès du mal (v. 49 et 60).
8. *Bourreaux charmants :* alliance de mots typiques.
Lorsque Baudelaire en vue d'imiter Hugo dans *les Petites Vieilles* relira « quelques pièces de (ses) recueils, où une charité si magnifique se mêle à une familiarité si touchante », peut-on supposer que celle-ci fut du nombre : les petites vieilles sont des « êtres singuliers (...) et charmants ».
9. L'image non moins typique (le blanc dans le noir) relève un développement d'une sentimentalité déplaisante.
10. Vers 91 et *sqq.* Aux vers 15 et 19, le destin tronqué du maître d'études était figuré par un décalage horaire : quand il fait jour pour les autres, pour lui, c'est encore la nuit, etc.
Ici, il s'agit plus que d'un décalage. Le temps s'arrête :

Demain, même en juillet, sera toujours décembre.

11. La transfiguration qui servait de conclusion au poème restait terne, malgré les couples rassemblés par la rhétorique : l'art et la science, le vrai et le beau, le cœur et l'esprit, malgré le dernier vers gnomique avec son air de proverbe paysan.
12. La nouvelle conclusion convoque les poètes qui reprennent leur rôle bienfaisant, ce rôle dont les régents les détournaient. Cf. I, XIII, 101-103 :

Vous faites de l'enfer avec ces paradis!

13. *Il,* pronom neutre sujet, représentant par anticipation le vers 128.
14. Le *vers limpide* est le lac hanté par le cygne. — Le *drame monstrueux* est l'antre hanté par le lion.
15. *Se fend :* la première rédaction permet d'expliquer ce verbe : qui répand la semence.
Le poème fut publié avant la sortie des *C.* dans le journal de Jersey, *l'Homme.* Ribeyrolles le publia lors de la reparution de son journal pour *frapper un grand coup.* Hugo, qui le lui avait donné pour *l'Almanach de l'exil* en le priant d'être discret, fut très mécontent de ce sans-gêne (*Cor.,* II, 233).
Alors que *A propos d'Horace* avait fait scandale, un morceau de ce

genre devait plaire à la critique et au public de 1856. Il fut en effet loué. De lui descend une postérité médiocre : le Petit Chose de Daudet, le Pif luisant de Rostand. Louons du moins la supériorité de Hugo, hélas ! sur ses héritiers.

P. 165. III, XVII. CHOSE VUE UN JOUR DE PRINTEMPS

1. *Dates :* ms. 4 février 1854.
vol. avril 1840.

Dans *la Légende des siècles, les Pauvres Gens* sont datés du 3 février 1854. Les deux poèmes sont liés, au point que deux vers biffés dans *les Pauvres Gens,* après le vers 143, sont passés dans *Chose vue*... (v. 12-13) et que la première rédaction du vers 25 portait : « Vous cueillez du varech », comme si la scène se passait encore au bord de la mer (Hugo n'en a pas moins maintenu l'évocation du steamer aux vers 35-36, et l'image du naufrage au vers 46).

Berret a montré que Hugo a utilisé pour le poème de *la Légende* un article de *la Presse* du 10 décembre 1852. Cet article reproduisait un récit publié par *l'Indépendant de la Moselle,* qui était lui-même inspiré d'un poème de Ch. Lafont, *les Enfants de la Morte* (1851), très prosaïquement démarqué. Le début du récit n'avait pas été utilisé par Hugo dans *les Pauvres Gens.* Il en tira partie dans le poème des *C.*

Dans une famille d'ouvriers composée du père, de la mère et de deux enfants, le père meurt à 36 ans, épuisé par le travail; la mère sans ressources s'épuise à son tour pour nourrir les deux petits. Elle tombe malade : un matin, la voisine qui la soignait la trouve morte. Elle « aperçut les petits orphelins qui sommeillaient en souriant dans leurs berceaux ».

Hugo fait de ce fait divers une chose vue. C'est donc lui qui pénètre dans la chambre. Les enfants ne sont plus deux mais quatre, et surtout les enfants ne dorment plus en souriant comme dans l'original; comme dans *les Pauvres Gens,* ils sont éveillés et pleurent. V. suggère que Hugo s'inspire de son poème des *R. O., Rencontre,* où il se décrivait trouvant sur son chemin quatre enfants misérables, à l'air morne et navré. La date fictive : avril 1840, nous ramène à l'époque de l'achèvement des *R. O. :* « A cette date, en effet, observe V., il était humanitaire. »

La pièce, sans titre dans le ms., s'intitulait dans la Table *le Grenier.*

2. Le sourire est passé des enfants à la morte. Cf. VI, XIII, 6.
3. La première rédaction était plus brève (au lieu des 32 premiers vers, le début n'en comptait que 11) :

> ...la fit pour être heureuse. Elle perd son mari;
> Alors elle se met au labeur comme un homme.

4. Le choléra est une invention de Hugo.

5. Première rédaction :

On entendait sonner des marteaux dans les forges.

La version définitive ajoute deux nouvelles notations dans un seul vers.
6. « Tout est lumière, tout est joie. » *Spectacle rassurant* dans R. O.
7. La Faim personnifiée est à la fois une goule et une chienne.
8. Exemple de l'utilisation suggestive des coupes.
9. Motifs analogues à ceux développés dans *Melancholia.*
10. Encore un aspect de l'absurdité humaine : à la générosité de la Nature, le poète oppose l'injustice meurtrière de l'état social. Comment peut-on mourir de faim dans un monde civilisé? C'est un des motifs chers à Hugo depuis les R. O. Mais, comme le soulignent J.-R., « si on rapproche ce poème de *Rencontre,* on constate là encore que dans les *C.,* Hugo offre des misères sociales une vision beaucoup plus complète, plus dramatique et plus émue qu'il ne l'avait fait auparavant ».
11. Dans *l'Expiation* (v. 45-46), *vautours chauves* rime également avec *fauves.*
12. *L'immense assassin :* cf. *la Chouette,* v. 81 : la chouette *immense.*
13. *L'enfant, n'est-ce pas un oiseau?* Idée directrice de III, XIV.
14. Hugo a hésité pour ce vers entre deux rédactions :

Pourquoi le nid est-il meilleur que le berceau?

Ce poème fut publié avant l'éd. une première fois le 25 décembre 1854 dans *l'Almanach de l'exil,* une deuxième fois le 3 janvier 1855 dans *l'Homme* sous le titre : *Un grenier ouvert au hasard.* Hugo choisissait comme extraits du futur recueil des poèmes humanitaires.

P. 167. III, XVIII. INTÉRIEUR

1. *Dates :* ms. 10 septembre 1841.
vol. septembre 1841.
C'est en 1841 selon *Choses vues* que Hugo fit la rencontre de la jeune prostituée qui sera la Fantine des *Misérables.*
2. Souvenir de Virgile (*Énéide,* VI, 280-281) : *Discordia demens Vipereum crinem vittis innexa cruentis.* Mais si Hugo utilise une allégorie, la discorde n'a pas chez lui une chevelure de vipères, elle *est* une vipère.
« Cette allégorie initiale, souligne V., introduit immédiatement dans l'histoire ignoble (...) un élément épique qui la poétise; les deux tristes héros nous apparaissent comme dominés par une puissance supérieure à eux. »
3. Selon le ms. et les premières éd. : *quelque* et non *quel.*
4. A partir de ce vers, variations sur l'opposition développée dans le poème précédent et nouvelle preuve de l'absurdité humaine.

« La nature est impitoyable, écrit Hugo dans *Quatrevingt-treize* (III, VII, 6); elle ne consent pas à retirer ses fleurs, ses musiques, ses parfums et ses rayons devant l'abomination humaine; elle accable l'homme du contraste de la beauté divine avec la laideur sociale. »
Hugo célèbre comme tout poète les prodiges opérés par le soleil, surtout à l'heure du couchant. On comparera cette fin (v. 23-26) au « Tableau parisien » de Baudelaire :

> Je n'ai pas oublié (...)
> Et le soleil, le soir, ruisselant et superbe,
> Qui, derrière la vitre où se brisait sa gerbe,
> Semblait, grand œil ouvert dans le ciel curieux,
> Contempler nos dîners longs et silencieux,
> Répandant largement ses beaux reflets de cierge
> Sur la nappe frugale et les rideaux de serge.

Pour Hugo, ce couple est hideux. La « charité si magnifique » qui frappait Baudelaire s'exerce ici au profit de l'enfant (v. 4 et 10). Ce vers 10 avait été corrigé en :

> Ton enfant est sans pain, ton enfant va tout nu.

Hugo est revenu à la première rédaction. Il insiste sur les larmes de l'enfant.
Si l'on peut rattacher à cette veine une poésie réaliste et sociale, ce sera pour insister encore sur la supériorité de Hugo. Ce poème n'a une portée sociale qu'indirectement : le poète s'afflige de la laideur de l'âme chez les misérables.
Le mouvement du poème est à rapprocher de III, XI.

P. 169. III, XIX. BARAQUES DE LA FOIRE

1. *Dates :* ms. 6 juin 1854.
   vol. juin 1842.

Titre primitif : *A un lion.*
La vie de Hugo au cours de cette période se place sous le signe du lion. Le 6 janvier 1854, le lion d'Androclès se présente par la table parlante et déclare : « Les crinières sont la chevelure des fronts souverains. Le lion est le poète des solitudes », etc. Le 17 février, faisant irruption dans la table, il traite les auditeurs d'imbéciles, puis demande à être interrogé en vers. A la suite d'une remarque de Mme Hugo qui voulait être une excuse, il traite les auditeurs d'ânes (le 19 février, Vacquerie priera Eschyle de lui expliquer une telle attitude). Hugo écrit successivement (les 18 et 28 février) : *Androclès* (*Quatre Vents,* III, XV) et *le Lion d'Androclès (Légende des siècles)*. Le 24 mars, il lit ce dernier poème au lion, et aussitôt le lion enchaîne, commençant la dictée d'un poème qui

continue encore le 6 août. Le lion manifeste sa présence dans deux poèmes achevés avant et après celui-ci. Cf. la fin de *Pleurs dans la nuit :*

> ... Et le lion, songeant sous les étoiles,
> Rugit : Pardon, seigneur!

et la fin de *Ibo :*

> Et si vous aboyez, tonnerres,
> Je rugirai.

Le poète est devenu lion, comme Dante avait été lion dans III, 1. Cette identification du poète au lion se fait précisément dans notre poème. On la trouvait déjà dans I, XXVIII, qui date de 1847; on la retrouvera dans le poème XLII de *la Légende des siècles* qui date de 1876 (il y a tout un cycle du lion dans *les Châtiments, la Légende, l'Art d'être grand-père, les Chansons des Rues et des Bois*).
La date fictive, juin 1842, reste énigmatique.

2. Cf. la phrase du lion citée plus haut.
3. Le *dais* qu'on place au-dessus du trône royal.
4. Hugo aime ces tête-à-tête avec les êtres : mendiant, chevrière; avec les bêtes : chien, crabe; avec les éléments : mer, lune. Le tête-à-tête aboutit ici à un échange de regards.
5. Hugo dit *nous,* mais il se distingue auparavant du troupeau. Sous forme de fable est repris le thème développé dans les poèmes précédents : l'absurdité de l'homme soulignée par le contraste. L'homme est petit et bouffi d'orgueil à cause de l'hypertrophie de son moi. L'animal sauvage — qui *se sent à peine* (v. 25) — a son âme accordée à la nature immense.
Le titre souligne d'une autre façon la petitesse de l'homme qui met en cage et exhibe dans les foires le roi des animaux.
6. Autre absurdité : l'homme, victime de la vie urbaine, étouffe en plein air.
7. Cet être... c'est le lion, mais c'est aussi le poète.
Cf. I, XXVII :

> Je cause
> Avec toutes les voix de la métempsycose...

C'est pourquoi l'infini commence aussi dans son œil calme.

8. Boileau ridiculisait ce type de vers (v. 28 et 30) dont abusait Chapelain : « Chapelain soutient souvent ses vers par deux épithètes qui sont comme deux échasses :

> De ce roc scintillant le faîte inaccessible.

Dans *Réflexions et Propositions sur le vers français,* Claudel, pour prouver qu'il y a beaucoup de remplissage dans les vers de Hugo, donne cette preuve : « Ce vers par exemple composé de quatre adjectifs *(sic)* identiques :

L'innocente blancheur des neiges vénérables. »

9. Dans le regard du lion, il lit donc un autre regard, les yeux du fauve sont le miroir de l'âme du monde.

P. 171. III, xx. INSOMNIE

1. *Dates :* ms. nuit du 9 au 10 novembre 1853.
   vol. 1843, nuit.
   La date fictive nous ramène à l'année fatidique, alors que le poème a été écrit au moment de la publication des *Châtiments.*
   Composition en deux parties, la seconde étant introduite par un *mais* (le poème précédent a une structure analogue).
2. Cf. *En marchant le matin* (*Quatre Vents,* III, XVII, 17 mars 1854) :

   Puisque là-bas s'entrouvre une *porte* vermeille,
   Puisque l'aube *blanchit* le bord de l'horizon...

3. *Strophe, psaume, chant* amorcent le parallèle avec le travail poétique.
4. Cf. R. O., VIII :

   Et vos *durs bûcherons,* tout hâlés par le vent.

5. Cf. *le Rhin,* XXIX : « Les *trois* chevaux du chariot descendaient rapidement vers leur écurie aux portes bleues. » C'est à tort que *sept* est substitué à *trois.*
6. Tout ce dialogue est une transposition d'une satire de Perse (v. 132), déjà imitée par Boileau (*Sat. VIII,* 70) : au vers 37, *je ronflais* provient de Perse. D'où le ton familier du développement habituel dans la satire. Mais tandis qu'il est question de l'avarice, ici le poète fait parler *quelqu'un d'inconnu.*
   Quant au thème, il rappelle l'*Enthousiasme* de Lamartine et l'*Ode* de J.-B. Rousseau au comte du Luc.
7. Première rédaction : *Le vent* faisait flotter.
8. A la fin de *Dieu,* le voyant qui va mourir déclare que « l'être lui toucha le front du doigt ».
9. *Biche illusion :* cette expression qui aujourd'hui nous enchante fut citée à l'envi en 1856 par les critiques pour ridiculiser l'emploi du double substantif.
10. *Vieux lâche :* l'expression se retrouve dans *l'Horloge,* de Baudelaire, qui imitait peut-être Ruy Blas : « Oui, meurs maintenant, lâche ! »
11. La psychomachie qui oppose le corps et l'âme est tout naturelle-

ment illustrée par le combat de Jacob avec l'Ange (*Genèse,* XXXII, 24), qui fascina les romantiques. Cf. *les Mages,* 172.

12. Allusions à *Ruy Blas, Marion de Lorme, les Burgraves, Hernani.*
13. Première rédaction :

> Ou l'ode qui châtie et tient dans ses deux mains
> Le fouet de Juvénal et la verge de Dante.

Hugo donnait au mot *ode* un sens vague : il pense ici aux *Châtiments,* satire épique : d'où Juvénal auteur de satires, et Dante, auteur d'épopée. La correction fait place à Horace, auteur d'*odes* au sens précis.

14. Il faut... il faut... il faut : la tournure se retrouve dans deux des textes mentionnés : la *Satire VIII,* de Boileau, et *l'Enthousiasme* (v. 62-66).
15. Cf. IV, XII, mais cette galopade rappelle surtout le fameux poème des *Orientales, Mazeppa,* où le génie devient un ardent coursier qui emporte le poète.

La vision nocturne s'achève sur un étonnant effet de clair-obscur : la *blanche* vision poursuivie par le rêveur nocturne chevauchant l'esprit sombre.

Si l'on veut définir l'originalité de Hugo parmi les grands rêveurs, on constate qu'il fait un état privilégié de l'état intermédiaire entre le rêve et l'insomnie.

On trouvera dans *Océan* des exemples de *Vers faits en dormant,* ceux des 14-15 décembre 1852 et les admirables vers des 26-27 mars 1854 :

> Pendant que je deviens une chose, je sens
> Les choses près de moi qui deviennent des êtres.
> Mon mur est une face et voit; mes deux fenêtres
> Blêmes sur le ciel gris me regardent dormir.

P. 174. III, XXI. *Écrit sur la plinthe d'un bas-relief antique.*
— A MADEMOISELLE LOUISE B. —

1. *Dédicace :* « Il y a, à travers le lyrisme intime de Victor Hugo, observe P. Moreau (*les Cont. ou le Temps retrouvé,* p. 24), tout un cycle de Louise Bertin : dans *les Chants du crépuscule (A Mademoiselle Louise B.)* ; dans *les Voix intérieures,* où il est fait allusion, dans le poème *A un riche,* à son opéra de *la Esmeralda*; dans *les Rayons et les Ombres (Sagesse).* » Dans *les Contemplations,* deux poèmes lui sont dédiés : III, XXI et V, V. Louise, qui fit la musique pour le livret tiré de *Notre-Dame de Paris,* est mêlée à la fois aux rêves liés aux Roches, et aux rêves liés à la musique.

Dates : ms. 8 juin 1839.
vol. juin 1833.

Ce poème aurait pu figurer dans les *R. O.* S'il a été écarté, c'est à

la fois parce qu'il y avait une pièce dédiée à Mlle Bertin, *Sagesse;* et qu'il y avait deux pièces inspirées par la musique : *Que la musique date du XVIe siècle* et *Écrit sur la vitre d'une fenêtre flamande.*
La date nous ramène au temps où Louise et le poète collaboraient : Louise avait commencé cette année-là la musique de l'opéra.
Titre : trois états : 1° *Écrit sur un bas-relief trouvé à Syracuse;* 2° *la Musique;* 3° le titre définitif.

2. Vers 1-10. J.-R. renvoient à l'ouvrage de Curtius, *Europaïsche Literatur und lateinisches Mittelalter,* p. 530 : le *carmen universitatis* ou chant du monde serait d'origine augustinienne (*De musica,* 6, 29). Il ne s'agit pas d'art musical à proprement parler. La musique traduit à l'oreille l'harmonie de la nature, et cette harmonie elle-même est faite de l'union des bruits matériels, des paroles humaines et des voix intérieures. Ces harmonies, le poète les ressentait profondément, s'il n'était pas un musicien au sens strict. C'est pourquoi il était aussi sensible à la parenté des arts qu'aux correspondances.
3. J.-R. remarquent ici pertinemment que, « comme dans bien d'autres vers des *Contemplations,* on hésite à parler d'hypallage ».
Ce sont les *mots* qui sont *fraternels* et les *chênes* qui sont *sombres,* mais « une telle pénétration s'opère constamment dans la poésie de Hugo entre les réalités des différents ordres, que c'est le tressaillement lui-même qui paraît sombre, comme les seuils sont amis les uns des autres » (p. 105).
4. *Le chant suprême :* la musique proprement dite.
5. La vie de la nature et la vie de l'âme demeurent mêlées. Mais l'accent est mis non plus sur les sons, mais sur les visions, non plus sur la passion ou la tendresse, mais sur les songes. La musique n'en est pas moins présente, le poète traduisant son impression par une image plastique : pour notre âme, tout *flotte dans un réseau* de vagues mélodies.
6. Retour aux notations auditives. Les notations précédentes sont donc encadrées par des voix, de même qu'aux vers 2-8 les sentiments étaient encadrés par des bruits.
7. Traduction des bruits sous forme de *danse.* Cf. la pièce célèbre des R. O., *Écrit sur la vitre d'une fenêtre flamande.*
8. Rapprochement plus intime des notations visuelles et des notations auditives aboutissant à l'union du vers 22 où l'on trouve à la fois personnification et transposition des sens.
9. Ce vers formule, à notre avis, l'idée essentielle. La vie de l'âme est une harmonie. Pour suggérer l'idée, le poète a recours à l'image de l'hymen, de l'étreinte de l'âme et du bruit. Et ce bruit est un *doux bruit* comme la clarté des étoiles est une *obscure clarté.*
10. Première rédaction :

Que l'antique sculpteur fit vivre sur la pierre.

La cor. selon J.-R. (*le Ms. des C.,* p. 196), en mettant l'accent sur l'art du statuaire, oppose et rapproche à la fois les deux arts.

11. On a vainement cherché la statue et a fortiori le bas-relief dont Hugo avait pu s'inspirer. Il s'agit sans doute d'un souvenir virgilien :

Sylvestrem tenui musam meditaris avena.

Cependant Hugo réussit à donner l'impression d'une transposition d'art comme dans II, III : le pâtre abaisse sa paupière comme Europe baisse les yeux.
Cette fin sculpturale rappelle d'autre part le mouvement de la pièce des *C. C., A Canaris :*

Il te reste, ô mon Grec, la douceur d'entrevoir
Tantôt un fronton blanc dans les brumes du soir,
Tantôt, sur le sentier qui près des mers chemine,
Une femme de Thèbe ou bien de Salamine,
Paysanne à l'œil fier qui va vendre ses blés
Et pique gravement deux grands bœufs accouplés,
Assise sur un char d'homérique origine,
Comme l'antique Isis des bas-reliefs d'Égine!

Dans *la Revue universitaire* (mars-avril 1953), J. Léger propose comme source un passage des *Lettres sur l'Italie,* de Ch. Dupaty : « A Paestum, sur le fronton d'un temple », lettre XCVIII. « Cependant un jeune pâtre, appuyé nonchalamment sur une corniche, remplit des sons d'un chalumeau le vaste silence de ce désert. »

P. 175. III, XXII. LA CLARTÉ DU DEHORS...

1. *Dates :* ms. 24 mai.
vol. Ingouville, mai 1843.
La pièce comporte une *ad. marg.* d'une autre écriture : vers 7-18. Pour J.-R., l'ensemble peut être daté de 1854 : la strophe est la même que dans *Dolor* et *Horror.*
La date fictive situe la composition à Ingouville comme *Magnitudo parvi.* Ingouville est un faubourg du Havre. Mais il ne semble pas qu'en mai 1843 le poète ait séjourné au Havre. C'est en juillet qu'il y accompagnera François-Victor.
Le poème est fait d'une opposition entre la clarté du dehors et l'ombre de l'âme, *Moi* introduisant la deuxième partie. C'est un lieu commun du romantisme : cf. *Quatre Vents,* III, v, 2. La pièce offre de l'intérêt grâce au ton adopté : dans la partie claire, on retrouve la fantaisie de V. Hugo, « la préciosité galante, qui amenuise et enjolive la nature » (P. Moreau), et le contraste en est rendu plus saisissant.
2. Ce beau vers devrait être vanté par l'amateur de poésie.
3. Cette notation a suggéré la tonalité des deux strophes ajoutées

après coup : il n'y a pas dissonance entre la rédaction primitive et les *ad. marg.*

4. *Vagues :* latinisme. Cf. *Io vaga,* dans l'*Art poétique* d'Horace.
5. *Chastes buveuses de rosée,* est-il dit des abeilles dans *le Manteau impérial.*
6. Cf. I, VII, 185. Les volants ont des plumes comme les oiseaux.
7. Les fleurs sont de *doux fantômes,* comme en III, III, 18, l'homme est un *fantôme rieur.* Cette vie n'est qu'apparence.
8. *Les morts ne souffrent plus,* proclame Hermann dans IV, XII.
9. *Encore un peu de temps* et vous ne me verrez plus : souvenir de la parole du Christ.
10. Selon la célèbre formule pythagoricienne, le corps est une prison. « Quand le corps est décomposé, la prison n'est plus qu'une ruine. » (Vianey.)

Ce poème n'oppose pas simplement à la joie de la nature la tristesse du poète. Le poète songe à sa mort prochaine, qui est la grande délivrance. Il aspire donc à une clarté plus grande que la clarté du dehors : s'il ne peut en jouir encore, c'est qu'il est enfermé dans la prison du corps. La fin *(cette pierre te cache)* laisse une **impression** ambiguë : le paradoxe de la mort est formulé d'une façon saisissante. Si la tombe ressemble à un cachot, comment comprendre que cette incarcération est une libération?

P. 177. III, XXIII. LE REVENANT

1. *Dates :* ms. 18 août.
   vol. août 1843.

Dans *Autour des Cont.,* p. 76, J.-R. notent qu'une ébauche de la conclusion

L'enfant nouveau-né bas à la mère :
— C'est moi. Ne le dis pas.

est écrite au dos de l'*Appel aux habitants de Guernesey en faveur de Tapner,* Jersey, 10 janvier 1854. C'est sans doute en août de la même année que le poème a été écrit.

La date fictive (bien qu'en août Hugo fût en Espagne) nous ramène à l'année fatidique, comme les pièces XIV et XV inspirées par la mort d'un enfant.

2. Sur l'enfant comparé à un oiseau, cf. III, XIV, XV et XVII, fin.
3. Le 16 juillet 1823, était né à Paris Léopold, premier enfant de Victor Hugo. Il fut confié au général Hugo qui habitait Blois avec sa seconde femme. C'est à Blois qu'il mourut le 9 octobre de la même année. Ce deuil inspira au père une ode, *A l'ombre d'un enfant.* Du 17 avril au 19 mai 1825, Hugo séjourna à Blois chez son père. Séduit par la ville, il y situera l'action de *Marion de Lorme.* Quant à la maison de son père, il l'a célébrée dans le beau poème des *F. A.* dédié à Louis Boulanger (cf. encore le poème VIII des R. *O.*, *A M. le D. d...*).

En dépit de ces précisions, il n'est pas possible de savoir si Hugo fait allusion à un fait réel. V. estime que le poète utilise ici des souvenirs de famille : détails intimes et rappel de la douleur de Mme Hugo en 1823. Mais ce ne sont là que des hypothèses.

En revanche tous les témoignages concordent pour confirmer que ce poème traduit une croyance profonde de Hugo, de sa femme et de leurs amis. En 1842, V. Pavie avait perdu deux enfants et espérait être père pour la troisième fois; Mme Hugo lui écrit : « Qui nous dit que les petites âmes ne reviennent pas. » Le 14 avril 1868, Georges, le premier né de Charles Hugo, était mort. Le 21 avril, Hugo écrit à G. Sand (qui avait perdu un petit enfant) : « Le vôtre est revenu, le mien reviendra. Je le crois, je le sais... » Sur le ms. de *l'Homme qui rit* achevé à cette époque, il note : « 16 août 1868. Aujourd'hui comme je venais d'écrire cet appel à un absent (feuillet 588), petit Georges est revenu. A 4 heures 5 minutes de l'après-midi, Alice l'a remis au monde à Bruxelles. » On lui donna naturellement le même prénom. Cf. également les lettres à Vacquerie du 16 avril, 30 avril et 18 août 1868 (*Cor.*, III), et le témoignage de Stapfer (*Revue de Paris,* 1er octobre 1904).

4. Première rédaction : et mille *douces* choses.
5. Variation imprévue sur l'expression : *verba volant*.
6. V., rapprochant ce passage de III, XVII, 39-41, y voit la preuve que les deux pièces sont de date voisine (III, XVII, est de 1854).
7. « Allusion à l'explication du croup dans la médecine du temps. » (J.-R.)
8. A comparer à la description du croup dans *l'Éducation sentimentale* de Flaubert.
9. *Comme un voleur,* souvenir évangélique.
10. Cf. la fin pathétique de V, XIV, 69, sur la mort de Claire.

Cette légende en style réaliste devait plaire en 1856, mais il faut croire qu'une telle « superstition » a dans l'âme de beaucoup une résonance profonde. La critique cita et commenta à l'envi le morceau qui fit le succès du recueil. Seul Duranty se montra réfractaire. Il jugeait en 1857 le livre malsain et cette pièce « contraire à tout sentiment naturel et vrai ».

P. 181. III, XXIV. AUX ARBRES

1. *Dates :* ms. 9 juin 1843.
vol. juin 1843.

Pièce écrite avant le départ pour l'Espagne.

Les vers 27-34 sont une *ad. marg.* de date plus tardive.

On trouvera dans l'éd. Vianey les extraits de Bernardin de Saint-Pierre *(Harmonies)* et de Laprade *(A un grand arbre* et *la Mort du chêne)* que V., sourcier abusif, considère comme ayant inspiré ce poème. Mais V. rappelle lui-même : 1° que le thème : le calme des forêts opposé à l'agitation des hommes était déjà esquissé dans les *F. A.*, XVI, dans les *V. I.*, X et XIV; 2° que « le sentiment religieux que la forêt inspire à Laprade et à Bernardin est fort vague »; 3° que ce poème est un plaidoyer personnel, sans parler de l'art même de la description, inférieur chez les modèles quant à la diversité des impressions, le pittoresque et la vie.

Comme le dernier vers de *Melancholia,* le poème tout entier est un appel à l'aide : le poète, écœuré par l'humanité, cherche et trouve auprès des arbres un accueil fraternel.

2. *Envieux*. Selon V., « probablement il en veut à ceux qui lui reprochent sa liaison ». Mais selon P. Moreau « les caprices de la popularité, les retours de l'opinion, les injustices de la critique, etc., sont un des thèmes sur lesquels Hugo revient avec le plus d'amertume vers 1843, année de l'échec des *Burgraves* ».
3. *Scarabée*. Cf. *R. O.,* XVII (le scarabée, or vivant), et XIX.
4. Vers essentiel qui résume l'évangile hugolien.

Dans la *Troisième Promenade* des *Rêveries,* J.-J. Rousseau déclarait : « L'étude de la nature, la *contemplation* de l'univers, forcent un solitaire à s'élancer incessamment vers l'Auteur des choses. » Le vers 4 précise les deux aspects de cet exercice spirituel : regarder et rêver. Puis la contemplation aboutit à la méditation *(questionner, pensif, étude)*.

5. Cf. III, VIII, 9-11.
6. *Monde :* non pas la vie mondaine mais l'univers.
7. Première rédaction :

> Sous la voûte étoilée et sous le dôme bleu.

Pour V. ce vers est une première version du vers 16.

Pour J.-R. une variante du vers 15, non retenue. La chose a son importance, puisque V. en déduit que l'impression religieuse n'a été sentie qu'à la réflexion.

8. *Clairières :* au pluriel dans le ms. et les premières éd.

Première rédaction : *antres sourds* au lieu de *vallons verts*. C'est la recherche de l'euphonie qui a entraîné la correction.

9. Cf. Laprade :

> Et mon cœur apaisé vit d'espoir et d'oubli.

Un beau chiasme ici montre la spiritualisation de la nature : aux parfums correspond le culte; au silence, l'oubli.

10. Pour P. Moreau, « non point tel qu'il était à sa naissance, mais tel que l'a formé cette mère qui fut selon lui, avec le jardin des Feuillantines et le « vieux prêtre » Larivière, un de ses « trois maîtres ».
11. Vers 77 et *sqq*. La première rédaction à la façon de Rousseau insistait seulement sur la quête, l'élan vers Dieu (cf. le v. 21 : mon culte à Dieu *s'élance*). L'*ad. marg.* met l'accent sur le mouvement centripète qui amène à sentir Dieu en soi, un Dieu qui est Amour.
12. Première rédaction :

> Dans votre solitude ineffable et suprême.

La cor. invite à considérer l'introspection comme une nouvelle phase de la méditation.

13. *Quelqu'un* : cf. *Melancholia,* 176; *Ce que c'est que la mort,* 17; *Claire P.,* 69, etc.

14. *Taillis sacrés* : allusion au buisson ardent de Moïse. On saisit nettement le retour au mouvement centrifuge.

15. Première rédaction : *asiles bien-aimés,* puis *abris religieux* et dans l'éd. *arbres religieux.*

Au temps de l'exil, Hugo, moins timide, parlera des *arbres prêtres,* des *arbres en prière* et demandera au vers 129 de *Ce que dit la Bouche d'Ombre* :

> Et quand tu vois des arbres
> Parles-tu quelquefois à ces religieux?

16. Première rédaction : *immense* au lieu d'*auguste.*

17. Première rédaction : *cercueil* au lieu de *sépulcre.*

18. Cf. III, xxii, fin, et xxvi.

Vers la fin d'*Autrefois,* le poète se montre hanté par l'idée de sa mort. Avant la mort de Jenny, le poète d'*Aurélia* en proie à des pressentiments, se disait de même : « C'est sa mort ou la mienne qui m'est annoncée!, mais je ne sais pourquoi j'en restai à la dernière supposition. »

P. 183. III, xxv. L'ENFANT, VOYANT L'AÏEULE...

1. *Dates* : ms. Cauteretz, 25 août 1843.
   vol. Cauteretz, août 1843.

Hugo a séjourné à Cauterets du 15 au 30 août 1843 au retour de Pampelune. Ce bref séjour fut fécond. Des divers poèmes écrits alors, on retiendra la pièce de *Toute la Lyre,* IV, iii, qui est aussi un « quadro » à la Chénier (combat d'un Centaure et d'un Lapithe). S'agit-il d'une chose vue?

2. Première rédaction : *et puis elle s'enfuit.*

Ce petit tableau est lumière et joie. On y retrouve une fois de plus la comparaison de l'enfant et de l'oiseau.

En 1856, dans les *Débats,* Janin citera *in extenso* ce « chef-d'œuvre du genre anthologique ».

P. 184. III, xxvi. JOIES DU SOIR

1. *Dates* : ms. 13 décembre 1854.
   vol. Biarritz, juillet 1843.

Écrit après *Ce que c'est que la mort* (11 décembre) et *Croire, mais pas en nous* (13 décembre) dans les *Cont.; Écoute, nous vivrons* et *Ire non ambire* dans *la Légende des siècles.*

Depuis septembre, la Mort parlait avec abondance dans la table. Elle avait décidé de la publication posthume des apocalypses de Hugo, et celui-ci lui avait demandé le 10 novembre : « Y a-t-il un moyen humain (humain, j'y insiste, ou du moins dont j'aie seul de mon vivant le secret) de savoir pendant la vie les choses mystérieuses que tu me dis d'affirmer après ma mort? » On voit à quelles hantises le poète était en proie, mais l'on admirera la façon dont le thème est généralisé, et dépouillé de son aspect trop personnel.

La date fictive est une allusion précise. Le 20 juillet, Hugo a visité à Bordeaux le charnier de Saint-Michel. Ce souvenir lui inspirera lors de son séjour à Biarritz et à Bayonne, les 25 et 26 juillet 1843, une page impressionnante sur la mort, recueillie dans *Alpes et Pyrénées*.

Le titre *Joies du soir* est ambigu et d'une ironie macabre : l'accent n'est pas mis ici comme en III, XXII, sur la « délivrance ».

2. Le souvenir mythologique est singulièrement vivifié par une impression directe, qui est du reste le résultat d'une correction. Première rédaction :

> Le soleil dans les bois qui couvrent les collines
> Lance ses flèches d'or comme des javelines.

3. Traduction un peu maniérée de la correspondance entre la nature et l'humanité.
4. Le second thème est exposé, et aussitôt la scène d'apparence joyeuse apparaît au contemplateur comme une comédie sinistre où les acteurs ne voient pas la menace qui pèse sur eux.
5. Allusion au festin de Balthazar, mais voilée sous une forme abusivement compliquée.
6. *Illustre :* digne de gloire.
   Ce vers cornélien ne doit pas surprendre. Il n'est pas seul de son espèce dans l'œuvre de Hugo.
7. *Pas :* passage étroit. — *Pas, sortie, vallée, embuscade, précipice, abîme.* La méditation s'inscrit dans un cadre pyrénéen; et l'Espagne était en pleine guerre civile.
8. Première rédaction : *Quelle sueur au front*. V. avait lu à tort : Quelle *lueur*.
9. Bel exemple d'union d'abstrait et de concret.
10. Cf. VI, XXIV. — *Frères* au pluriel : cependant Abel Hugo n'est pas mort à cette date. La date fictive donne au poème une valeur de pressentiment.
11. C'est la pente de la rêverie.
12. La hantise du poète se résume en deux questions : 1° Comment passerons-nous le passage suprême? 2° Qu'est-ce donc qu'il regarde, cet œil effaré des mourants?
13. *Vision, réalité* sont des oppositions plutôt que le second élément de doubles substantifs.
    Cf., dans *la Légende des siècles, l'Épopée du Ver*.
14. *Routes, chaos, terre, ver, jour,* compléments du verbe *voit*.
15. *Un jour... noir*. Cf. Baudelaire, *Spleen* (LXXVIII) :

Il (le ciel) nous verse un jour noir plus triste que les nuits.

16. *Piqûre :* dans *Pleurs dans la nuit* (v. 7), l'image est attribuée au doute.
17. Le verbe *rire* est répété trois fois : vers 4, 20, 39; d'où le titre.
18. Cf. le dénouement du conte de Poe : *le Masque de la mort rouge.*
19. *Une rougeur de feu :* emploi impressionniste de l'abstrait. Reprise du thème traditionnel du feu de l'enfer.
20. *L'œil fixe :* cf. la fin de *la Conscience* dans *la Légende des siècles.*
    La dernière strophe modifie la portée du poème : elle montre, toujours sous-jacent, un des motifs essentiels de la méditation du poète : le châtiment du méchant.

P. 186. III, XXVII. J'AIME L'ARAIGNÉE...

1. *Dates :* ms. 12 juillet 1855.
   vol. juillet 1842.
   Pièce écrite huit jours après *Éclaircie* et cinq jours avant *Je payai le pêcheur.* Cette période est faite d'apaisement et de pitié. On ignore pourquoi la pièce est fictivement datée de 1842.
2. Les vers 5-12 manquent dans le ms. : grâce à l'anaphore, Hugo développe aisément son thème.
   Cette pièce au rythme de chanson (cf. *Châtiments,* VI, 4 :

   Nous nous promenions parmi les décombres
   A Rozel Tower...)

   sous une forme brève résume le message de *la Bouche d'Ombre :*

   Oh! qui que vous soyez, qui passez dans ces ombres,
   Versez votre pitié sur ces douleurs sans fond!

   Cf. également *la Pitié suprême.*
   Dans *les Misérables,* Mgr Myriel a pitié des araignées. Vacquerie, qui a le don de caricaturer malgré lui les élans de Hugo, déclare dans *Profils et Grimaces* (p. 304), qu'il est « l'ami intime des colimaçons et le galant des araignées ».
3. Correspondance dans l'échelle des êtres : l'ortie (végétal) est à la couleuvre (animal) ce que l'araignée (animal) est au gueux (homme). Dans les trois règnes il y a des misérables.
4. A la fin du beau poème de *la Légende, Puissance égale Bonté,* qui oppose l'action providentielle à l'action satanique, à la haine, l'amour, Dieu fait de l'araignée le soleil.

P. 188. III, XXVIII. LE POÈTE

1. *Dates :* ms. 2 novembre 1854.
   vol. Paris, avril 1835.

La veille, Hugo écrit I, IX : Le poème éploré..., et deux jours après, V, XXV : O strophe du poète...
Au bas du ms. on lit : « Ce vers : Secouant sur sa tête un haillon de lumière, m'est arrivé à l'esprit au moment où la table dictait des *haillons* et avant qu'elle ajoutât des *rayons*. »
Selon le procès-verbal de la séance du 22 octobre, la Mort parlant dans la table et dictant : Vos auréoles ne sont plus que des haillons de rayons, Hugo aurait déclaré en *aparté :* j'ai dit :

Il portait sur son front un haillon de lumière.

Les deux vers ne sont pas identiques dans les deux versions, et selon le procès-verbal, le vers semble déjà fait. La pièce aurait donc été ébauchée avant le 2 novembre. On voit, sur ce petit exemple, qu'il est difficile d'arriver à des conclusions sûres dès qu'on touche à des problèmes de chronologie.
La date fictive nous rappelle la première d'*Angelo* le 28 avril 1835.
Titre : la pièce, dans un plan du recueil, était intitulée *Shakespeare,* ou plutôt *Shaspeare* selon l'orthographe de Hugo. Ainsi la date fictive laisse entendre qu'il est poète au même titre que Shakespeare. Celui-ci avait longtemps hanté la table en 1854, et avait dicté — en français — trois longs poèmes. Le 22 janvier, il avait proclamé « le néant des chefs-d'œuvre humains devant l'œuvre divine », et ajouté en vers :

Ce penseur souverain, quand il est sur la terre,
Parle haut et commande; il t'obéit, ô mort!
Il fait trembler le monde au bruit de sa crinière
Et l'immensité dit : C'est le lion qui sort.

Mais quand il meurt, sa tête incline sa pensée.
Il perd l'ongle et la dent, et nul ne se souvient
Du lion qui rugit, la narine froncée.

Ainsi Shakespeare était représenté par un lion (voir le commentaire de III, XIX).
Mais ce lion est en même temps le vainqueur du lion de Némée, Hercule. Hugo, comme Heredia dans son sonnet, mêle l'homme à la bête. A la fin de la pièce, le repos du dompteur est pareil à celui du fauve. Cette fin rappelle du reste le poème I, XXVIII, *Il faut que le poète,* datant de 1847. Les vers 9-12 sont une *ad. marg.* caractérisée par ses hyperboles.

2. Opposition de la tragédie et du drame, des jardins à la française et des jardins anglais, du classicisme louis-quatorzième et du romantisme.
3. La fixité du regard est nécessaire à la contemplation.
4. *Foule, forêt :* la foule est à la cour ce que la forêt est aux jardins de Versailles. Cf. préface des *Odes* (1826) : « Comparez un moment

au jardin royal de Versailles, bien nivelé, bien taillé, bien nettoyé, bien ratissé, bien sablé (...). Comparez ce jardin si vanté à une forêt primitive du Nouveau Monde, avec ses arbres géants... »

5. Dans les vers 6 et *sqq.*, une série de formules étonnantes rend sensible l'étrangeté du génie : il est *au-dedans de lui-même ébloui*, et surtout son *crâne transparent est plein d'âmes... dont on voit la lueur au dehors*.
Sur le thème du crâne, cf. P. Moreau, *Paysages introspectifs chez Victor Hugo*. Le génie répand de la lumière comme la beauté ou la grâce de la femme. Le génie est plein d'âmes comme le tout. Le génie est comparé à la mer, au vent, mais aussi à un assassin ou à un vautour, à Bacchus...
6. Première rédaction : *terrible* au lieu de *farouche*.
7. Première rédaction : *immense* au lieu d'*étrange*.
8. Dans les vers 20 et *sqq.*, allusions successives à des personnages de *Richard III, la Tempête, le Roi Lear, Jules César, Hamlet, Roméo et Juliette, Othello, Macbeth*.
Le 27 janvier, Shakespeare avait dicté ces vers :

   Lorsque dans Caliban je peins l'être vorace
   Ou que dans Richard III je peins l'homme inhumain...

   On voit que Richard III et Caliban sont déjà rapprochés.
9. *Stryges, spectre :* le spectre est une allusion à *Hamlet*, les stryges à *Macbeth* sans doute.
10. Eschyle avait lui aussi hanté la table et dicté des vers. Dans les vers dictés par Shakespeare, il est mentionné plusieurs fois :

   Quand Eschyle pensif sculpte l'âme d'Oreste...

11. *Alphabet* n'est pas clair : l'alphabet contient tous les éléments de tout écrit. L'auteur de la parodie *Recontemplation* n'avait pas manqué d'observer à propos *d'alphabet :* « Se dit très bien de tout ce qui présente un peu d'obscurité. » (Vianey.)
12. La version définitive fut remplacée provisoirement par

   Calme et repu s'endort avec du sang aux ongles.

   La correction du vers 14 en libérant *immense* a permis le retour à la première rédaction, nettement supérieure.
   L'antre immense correspond à *toute la forêt* du vers 5.

P. 190. III, XXIX. LA NATURE

1. *Dates :* ms. 12 janvier 1854.
   vol. janvier 1843.
   Un certain Tapner, incendiaire et assassin, avait été condamné à être pendu le 3 janvier : Hugo, hostile à la peine de mort, adresse un message aux habitants de Jersey pour qu'ils demandent la grâce du condamné (l'appel a été recueilli dans *Actes et Paroles*). Le poème fut écrit deux jours après le message. Tapner fut exécuté le 10 février.

Pourquoi la date fictive? nous l'ignorons. Le premier poème de *Pauca meae* est également daté de janvier 1843.

Titres : Hugo hésita longtemps entre *l'Homme, l'Arbre, la Nature.*

Ce poème est une fable, à comparer aux fables lyriques de La Fontaine : *l'Homme et la Couleuvre, la Forêt et le Bûcheron.*

L'idée que le seul arbre d'invention humaine est le gibet devait paraître à Hugo très frappante : il l'a reprise dans *Dieu (l'Ange)* et au début de *l'Homme qui rit.*

L'arbre fait la leçon à l'homme comme ailleurs le bouvreuil, le houx, la chouette, mais plutôt que cette présentation il faut voir ici une nouvelle variation sur l'absurdité humaine (cf. III, XVII, XVIII, XIX), la cruauté de l'homme étant mise en contraste d'une façon particulièrement émouvante avec la générosité de la nature.

2. *Marbre :* souvenir d'Ovide : *marmoreo gelu.*
3. Dans le symbolisme de l'arbre, la liaison de la terre et du ciel est un aspect fondamental. Hugo s'y réfère indirectement en envisageant l'arbre en tant que combustible.
4. Première rédaction : *Et le ciel bleu sourit.* La cor. est heureuse qui introduit dans le vers l'antithèse.
5. *Frissonnant :* on peut hésiter sur la construction, le participe pouvant se rapporter au sujet ou au complément. III, XI, 17 fait de *frissonnant* l'épithète de nature de *mât.*

   Le navire est comparé à un oiseau à cause de ses voiles, à une tombe à cause de sa carène. Comparaison saisissante et traditionnelle entre le voyage en mer et la mort.
6. *Essaim :* les oiseaux de passage venant des pays chauds.
7. *D'obscurité vêtu :* variation sur l'expression biblique : *amictus lumine* (*Ps.,* XI, 2). Cf. VI, XXVI, 29, et III, XXX, 733.
8. Première rédaction : *les fruits d'or.*
9. Autre aspect essentiel de la symbolique de l'arbre : mais ici encore Hugo modifie le thème : l'arbre devient l'auditeur, alors que les murmures de la forêt passent pour prophétiques.
10. *Allez-vous-en :* on retrouve dans le message aux habitants de Jersey le même mouvement oratoire : « Est-ce que les ténèbres offrent leurs services à la lumière? Allez-vous-en. »
11. Voir la fin de *Melancholia,* v. 335-336 :

    A vos plaisirs accouplez l'échafaud.

    Ainsi se trouve confirmée l'interprétation à laquelle nous nous sommes rallié.

    Ce poème fut beaucoup admiré en 1850.

P. 192. III, XXX. MAGNITUDO PARVI

1. *Dates :* ms. commencé en 1836 (mais Hugo avait d'abord écrit 1846), fini le 1er février 1855 (Hugo avait d'abord écrit le 20 janvier).

   vol. Ingouville, août 1839.

   En 1839, Hugo a écrit *Saturne.*

C'est l'année où Léopoldine avait 15 ans. Le père et la fille firent-ils cette promenade à Ingouville? Le 28 août, jour de l'anniversaire de Léopoldine (née le 28 août 1824), Hugo partait pour l'Alsace. On ne sait s'il rejoignit sa femme et ses enfants au Havre avant son départ.

Tous les poèmes de longue haleine dans *les Contemplations* ont une histoire si complexe qu'elle ne peut être étudiée ici de façon approfondie. Pour *Magnitudo parvi,* le lecteur trouvera des précisions complémentaires : 1° dans *Autour des Contemplations* de J.-R. (p. 74 et pp. 87-92) où sont rassemblées diverses ébauches du poème; 2° dans *le Manuscrit des Contemplations* des mêmes auteurs (pp. 79-91) où sont relevées les innombrables corrections et précisées les étapes de la composition; 3° dans la *Note sur la première version d'une partie de Magnitudo parvi* de W. Drost (*Studi Francesi,* n° 21, septembre-décembre 1963), où est étudiée en particulier la genèse du passage des vers 252-363.

Voici résumées à l'extrême les phases de la composition :

Selon V., le poème a été commencé en 1846.

Selon J.-R., il faut remonter jusqu'en 1840 pour les vers 764-781.

1° Les vers 1-42 formèrent d'abord un poème séparé (1846).

2° Les vers 43-73, 100-111, 112-118 (première rédaction) datent de 1846, mais les cor. postérieures sont de janvier 1855.

3° Les vers 74-99, 112-763, 782-813 datent de janvier-février 1855.

4° Les vers 764-781 « datent par l'écriture de 1840 environ » (J.-R.). Au verso, un brouillon des vers 716-763 est nettement antérieur à la rédaction définitive.

Titre : Hugo n'a trouvé le titre définitif qu'en exil. Il avait hésité auparavant entre *Lumière Pensée* et deux autres titres latins : *Ens et mens* et *Major mole mens.*

Ce dernier titre à la résonance pascalienne rendait mieux compte de l'idée directrice qui oppose la pensée à l'univers. Le titre définitif insiste sur la grandeur du petit. L'antithèse a désormais une résonance évangélique : Heureux les humbles!

Les deux thèmes majeurs : *a.* la contemplation du ciel nocturne et la méditation qui suit; *b.* la comparaison de l'étoile et du feu du pâtre avait déjà été énoncée par Hugo lui-même.

a. Cf. *F. A.,* XII, 40-44 :

L'œil dans leurs profondeurs (des cieux) découvre à chaque pas
Mille mondes nouveaux qu'il ne soupçonnait pas,
Soleils plus flamboyants, plus chevelus dans l'ombre,
Qu'en l'abîme sans fin il voit luire sans nombre!

ou *Toute la lyre,* III, xxx, *Nuit* (daté du 28 avril 1846).

b. Cf. *C. C.,* XXXII (août 1834) :

A l'heure où nous voyons s'allumer à la fois,
Au bord du ravin sombre, au fond du ciel bleuâtre,
L'étoile du berger avec le feu du pâtre...

Lamartine reprendra la comparaison dans *Jocelyn* (4e époque).
Il va sans dire que la comparaison du pâtre et du poète ou du pâtre et du penseur est un lieu commun romantique : le Moïse de Vigny est un berger. Hugo écrit dans *le Rhin :* « La solitude agit toujours ainsi sur l'intelligence; elle développe la poésie qui est toujours dans l'homme; tout pâtre est rêveur. »
J.-R. citent un passage de Sainte-Beuve (Pléiade, I, 928), un autre de Victor Cousin (préface aux *Fragments de philosophie moderne,* 1833) qui prouvent combien la comparaison était banale.
Il importe donc d'apprécier dans ce poème l'essentiel : 1° sa structure; 2° la géniale puissance de développement de Hugo : contrairement à l'esthétique de Mallarmé, qui est une poétique de la condensation, la poésie de Hugo s'épanouit en se dilatant, en s'étendant; 3° la théorie de la contemplation exposée ici dans toute sa profondeur; 4° plus que le parallélisme entre le rôle du pâtre et celui du mage, il faut apercevoir leur opposition. Ce que Hugo exalte, c'est l'humilité, la sainte ignorance.
C'est pourquoi — contrairement à ce que croyaient Vianey et Levaillant (*R. H. L. F.,* octobre-décembre 1956) — ce poème n'a pu servir à aucun moment de conclusion générale aux *Cont.* Au contraire, tout fait de lui la conclusion du premier tome.
Dans le dernier poème de *l'Ame en fleur,* la bien-aimée disait au poète : « Le ciel que j'ai dans l'âme est plus céleste », esquissant le parallèle amplifié ici. Mais le poète n'envisageait la scène que comme un souvenir ancien. Il fallait que le problème fût posé par une bouche enfantine, d'où sort, dit-on, la vérité.

1er développement : vers 1-42.
A la montée de la nuit correspond un état d'âme que le poète analyse avec une extrême délicatesse (v. 11-12 et 23-24). Cette « harmonie » est lamartinienne : la parenté des premiers vers avec *l'Occident* est évidente, mais les vers 28-30 rappellent le début de *Saturne.* Hugo a l'habitude de rompre le mouvement par un *tout à coup,* un *soudain,* dont nous avons au vers 31 un bel exemple, et au vers 32, « grâce au tour ingénieux que l'esprit a su découvrir » (Rochette) se découvre une correspondance inattendue : le lien quasi mystique qui unit le père et la fille. On notera la répétition lancinante du mot *ombre* (cinq fois en sept strophes), mais sur cette ombre se détachent les deux feux qui sont deux mondes.

2e développement (v. 43-251) : subdivisé lui-même en six sections inégales. La seconde partie, la plus belle du poème selon W. Drost, par les vigoureuses images cosmiques, est consacrée à la représentation du monde des étoiles, le monde « dans l'espace », comme il dit au début.

A) Vers 43-80. S'il nous était donné de pénétrer dans l'immensité de l'espace, nous serions éblouis et épouvantés. La grande période lyrique qui commence au milieu de la première strophe se poursuit jusqu'à la quatrième avec une admirable ampleur. Pour traduire l'inconnu, le mystérieux, le sacré, le poète multiplie naturellement les antithèses *(imperceptible-incommensurable)*, les formules contradictoires :

Radieux gouffre ! abîme *obscur* !

les oxymorons : dans les ténèbres de l'azur.
Si le *tremendum* semble l'emporter, un rayon consumant exerce sa fascination.

B) Vers 81-130. Un autre monde.

2. Vers 81 et *sqq.* : l'inversion du complément de nom est rare chez Hugo; ce procédé classique permet de mettre en valeur les vocatifs symétriques.
3. Voir dans J.-R., à l'occasion de ce vers, une étude poussée de l'emploi du double substantif chez Hugo. L'effet n'est pas toujours le même : il suffit de comparer ici les vers 88 et 92. Au vers 92, le premier substantif (livre) fait image et il y a assimilation des deux éléments. Au vers 88 est réalisée la *coïncidentia oppositorum*. L'autre monde est un monde à l'envers.
4. L'union des contraires est présentée d'une autre manière.
5. *Vagabondes* : Hugo pense aux comètes.
6. Le dilemme renouvelle l'effet du vers 46.
7. Vers 100 et *sqq.* : comment rendre sensible, et surtout à un enfant, l'idée d'*un autre monde!*
8. *Fauve* : unit à la couleur une valeur affective. Cf. *un vers fauve* dans I, XXVIII.
9. Deux manières d'affronter le mystère : le savant approche, le prophète recule. Saint Augustin s'écrie : *Et inardesco, et inhorresco.*
10. Vers 112 et *sqq.* : Hugo présente le monde « autre » d'une façon qui ne diffère guère de sa vision de « notre » monde, lorsqu'il le voit en poète hanté : cf. en particulier VI, VI. Puis, la comparaison entre les deux mondes se fait selon la formule de l'opposition entre la vie et le rêve.
11. Ce vers introduit une idée nouvelle : l'inversion des sentiments et amène le développement suivant : l'évocation de créatures « autres ». La littérature d' « anticipation » nous a rendu familier ce genre de « rencontres ».
12. Première rédaction : qui sont là ce qu'*ici* nous sommes. *Ici* désigne *notre* monde, mais trois vers plus haut, Hugo employait *ici* pour désigner *l'autre* monde : d'où la correction.
13. Cf. dans VI, XVIII, une rencontre analogue.

C) Vers 131-156. Reprise du thème précédent mais qui aboutit à une vision de *notre* monde aussi sinistre que celle de *l'autre*. L'univers est dans la nuit. Le mot n'est jamais trouvé. Des penseurs, Hugo ne retient que les grands négateurs : *Spinoza, Lucrèce.*

14. Spinoza est-il un « esprit frappeur »? Pensons plutôt à Satan gémissant :

Je tâte dans la nuit ce mur, l'Éternité.

15. *L'œil est crevé :* souvenir du célèbre *Songe* de Jean-Paul, *Discours du Christ mort,* imité par Nerval dans *le Christ aux Oliviers.*

En cherchant l'œil de Dieu, je n'ai vu qu'une orbite
Vaste, noire et sans fond...

16. *Les quatre vents,* si chers à Hugo, proviennent de l'*Apocalypse,* VII, 1 : « Après cela, je vis quatre anges aux quatre coins de la terre, qui retenaient les quatre vents du monde. »
17. Admirable exemple de vers métaphysique que l'épouvante dicte au voyant.
18. Hugo associe l'idée de mort à l'image de la neige. Voir plus loin les vers 520-527; et la fin du monde est annoncée par un étonnant parallélisme.

D) Vers 157-206. Le dénouement (v. 251) est retardé par un développement particulièrement saisissant, où est évoqué le passage sinistre de Saturne, puis d'une comète, comme jadis le passage des Djinns.

19. L'image du *puits,* qui est également d'origine apocalyptique, hante l'esprit de Hugo, entraînant à sa suite de nouvelles images : ici, celle du *couvercle;* ailleurs (VI, VI), celle du *seau.*
20. Voir le commentaire de III, III, au sujet de Saturne et Hugo. Nulle part, dans l'*Apocalypse,* Jean ne parle de cet *astre horrible.* En VIII, 11, il évoque l'étoile Absinthe. Hugo mêle divers souvenirs bibliques. C'est Ézéchiel qui dans sa première vision (I, 18) voit près des quatre animaux, quatre *roues :* « Les roues avaient aussi une étendue, une hauteur, une forme qui était *horrible* à voir. » Dans les *Rois* (II, 11) est décrit le char de feu qui emmène Élie au ciel. Mais l'image du char perdant sa roue semble due à la fantaisie du poète.
21. *Canidie,* sorcière attaquée par Horace dans ses *Épodes* et ses *Satires.*
22. Retour au thème amorcé au vers 154; mais la fantaisie de Hugo s'empare du motif des « étranges maladies » des astres pour finir sur un effet semi-burlesque : « la toux lugubre des volcans ».

E) Vers 207-232. Avant la coda, reprise de thèmes exposés plus haut : d'une part l'aspect antithétique de l'univers *splendide et sinistre* (cf. v. 46 en A), d'autre part le cycle de naissance et de mort (cf. v. 138-142 en C).

23. *Invisibles.* Cf. un effet analogue dans le poème liminaire (v. 8).
24. *Zorobabel* reconstruisit le temple de Jérusalem après la captivité de Babylone.
Dédale construisit le labyrinthe de Crète.

Vertigineux : au sens actif : qui donne le vertige.

25. La tour de Babel est associée par jeu de mots à Babylone dont les jardins suspendus étaient une merveille du monde.

26. La conclusion introduit une idée nouvelle : aux deux infinis de Pascal répondent les deux précipices de Hugo. Le désir de l'être se déploie dans l'espace, celui de l'âme dans le temps. Mais il est remarquable que l'idée trouve sa forme définitive sous une forme négative : *sans fond, sans fin.*

F) Vers 233-251. Conclusion du 2e développement où est formulée la révélation essentielle : c'est à la fin du monde que la « face » apparaîtra. L'homme ne connaît Dieu qu'après la mort; ce qui vaut pour l'individu vaut pour la création entière.

L'idée est magnifiquement animée par l'image du *masque* chère au poète (cf. III, XXVI, 41-42). Les *soleils* sont les masques de Dieu, que Hugo ne nomme pas, mais qu'il désigne par des termes négatifs : *l'inconnu, le voilé.*

Aux vers 247-248 apparaît la conception formulée encore en VI, XVI (fin) et commune à Hugo et aux théosophes que, l'*essence* de Dieu étant inaccessible à l'homme, ce sont ses *formes* qu'il divinise. Ces deux vers, qui ont été l'objet de nombreux remaniements, énumèrent les prêtres et les dieux des diverses religions : *Jupiter* correspond aux *flamines* païens; *Allah* aux *santons* musulmans; *Vishnou* aux *brahmanes* de l'Inde; *Mithra* aux *mages* et aux *guèbres* de la Perse. Entre les noms éliminés, relevons les *druides* pour les prêtres; *Bal* ou Bel (= Baal) et *Thor* pour les dieux.

27. *Bas, hauteurs :* l'antithèse suggère ici la totalité.

28. Cette « fin » devait plaire au poète, puisqu'il la reprendra dans *la Trompette du Jugement :*

> Le front mystérieux du juge apparaîtrait!

3e *développement* (v. 252-715) : subdivisé, lui-même en huit sections, la huitième substituant au quatrain d'octosyllabes le sizain qui apparaît également dans la conclusion de *Ce que dit la Bouche d'Ombre.* Les ms. comme dans le 2e développement comportent des rédactions rayées en très grand nombre; mais ils comportent surtout des *ad. marg.* qui seront signalées pour que l'on saisisse sur le vif la technique de l'amplification. Ces développements sont caractérisés par le recours à l'anaphore, une phrase de construction très simple servant de fil conducteur. Mais, à mesure que le poème devient plus ample, la pensée s'enrichit, la poésie s'épanouit en une profusion d'images.

Le 3e développement oppose à l'étoile le feu du pâtre.

A) Vers 252-291. Selon W. Drost la première strophe fut ajoutée pour « faire ressortir la structure du poème tout entier », et rappeler de façon précise la conclusion du 1er développement (v. 41-42).

Sous sa forme primitive, cette section comprenait les strophes 2, 3, 8, 9, 10. Le pâtre apparaissait : 1° comme un « prêtre involontaire » sacré par Dieu, souvenir biblique du berger David sacré par Samuel; 2° comme un indigent; 3° comme un solitaire vivant au contact de la nature. Les *ad.* ouvrent une perspective nouvelle : l'humanité a peur du pâtre : du même coup celui-ci prend à la fois l'aspect d'un fauve et celui d'un fantôme : d'où la terreur qu'il inspire. Ce nouvel aspect s'accorde mal avec le premier; mais de la sorte l'analogie entre le pâtre et le poète apparaît plus riche. La conclusion analogue à celle du *Mendiant* oppose à la misère du pauvre sa grandeur spirituelle.

B) Vers 292-323. Au début, présentation du pâtre, penseur et songeur. Le vers 296 définit parfaitement son essence : il est à la fois un regard et un cœur. En même temps (v. 294) est énoncé le thème fondamental : la sainte ignorance du pâtre.
Une *ad. marg.* (v. 304-311), suggérée par l'image du tison (v. 303), permet de compléter le tableau pastoral.
Les trois dernières strophes soulignent le rôle providentiel du bon pasteur (et le vers 320 résume l'effet en un raccourci paradoxal de monde à l'envers). Au passage, la ressemblance entre le pâtre et le génie qui veille a été soulignée (cf. v. 314 et III, XX, 14).

C) Vers 324-363. La sainte ignorance du pâtre devient science grâce à la solitude. La solitude permet d'accéder à la fois à la hauteur et à la profondeur (v. 330-331). Le pâtre est un étranger dont la patrie est le ciel. Les hauteurs permettent la rencontre des prophètes et des pasteurs.
La suite du développement n'est pas claire : Hugo multiplie les couples : Judée et Chaldée, prophète et berger, apôtre et devin, Zoroastre et Abraham. Pour que le parallèle soit cohérent, il faut oublier qu'Abraham était berger, originaire d'Ur en Chaldée. Abraham représente la Judée et non la Chaldée.
Mais seule importe l'affirmation des vers 354-355 qui met sur le même plan les prophètes hébreux et les mages en leur prêtant la même pâleur.
Une *ad. marg.* (v. 340-343) souligne et l'incompréhension de la foule et le paradoxe qu'illustre l'histoire humaine : les ignorants enseignent la science, les fous enseignent la sagesse.
Une seconde *ad. marg.* (v. 348-351) associe à l'immobilité du songeur l'errance et la marche ascendante du sondeur d'infini. De la sorte est réalisée l'union des contraires. L'impératif *Allez* rappelle et le titre *Ibo* et la strophe finale des *Mages* et la conclusion de la lettre célèbre de Hugo à Baudelaire : *Ite.*

D) Vers 364-459. L'évolution de l'humanité esquissée ici met en valeur l'apport du Christ, l'image du télescope traduisant concrètement l'idée que le ciel et la terre communiquent grâce au Messie. Mais paradoxalement ce n'est pas le ciel qui visite la terre : Jésus ouvre le ciel. Au vers 380, un *oui* annonce la reprise de l'idée développée plus haut (v. 328-331) : la solitude fait le jour.

Suit un développement sur la spiritualité du désert.

Au passage (v. 380-381), est formulée l'idée que l'intelligence humaine, parce qu'elle est soumise aux lois du temps et du nombre, n'accède pas à la vérité : la théorie de la connaissance exposée en ce poème est donc une gnose irrationnelle.

Après une *ad. marg.* (v. 388-391) où Hugo rappelle que le solitaire a le privilège de communiquer avec les morts, le développement suivant souligne le caractère « inconscient » de l'action exercée par la solitude : une série d'expériences contradictoires (paix — trouble, voile — nudité) forme l'âme : comme toujours chez Hugo, le progrès spirituel est symbolisé par le progrès de la lumière : l'âme nouvelle est composée de *tous les éblouissements*.

La longue *ad. marg.* (v. 424-451), qui étire le développement, mêle les archétypes (*l'oiseau,* v. 426, *l'arbre,* v. 435), les directions (le mouvement est à la fois centripète et centrifuge), et semble refléter l'enseignement de Leroux : chaque créature est toute la création. Le solitaire se remémore ses vies antérieures. Mais le poète donne à ces idées confuses un admirable relief : la mémoire antérieure le remplit d'un vaste oubli. La montée dans l'ombre aboutit à l'œil fixe, symbole de Dieu.

Au vers 452 reparaît l'idée formulée au vers 423 : l'illumination spirituelle inconsciente est résumée dans l'image étonnante : *l'infiltration des soleils*. La strophe de conclusion illustre la théorie exposée par J. Starobinski dans *l'Œil vivant :* « Le regard n'est jamais saturé (...) il est dans sa nature même de réclamer davantage. » En tant que voile, l'astre invite; en tant que rayon, il aide à voir plus loin.

E) Vers 460-603. Cette section est un parfait exemple de l'art du développement dans la poétique hugolienne. La longue phrase aux répétitions infinies suit un schéma très simple : Pendant que nous... lui... ce berger... seul... toujours seul... il regarde tant la nature que la nature a disparu. Il ne voit plus... ni... ni... Il voit Dieu. Cet exposé capital a pour objet de définir la « contemplation ». A force de fixité, il se produit dans l'œil une occlusion du regard. Contempler les choses, c'est finir par ne plus les voir. Mais l'expérience du contemplateur confirme le principe spirituel : mourir pour renaître. Si l'œil ne voit plus, c'est pour mieux voir. Voir, c'est opérer une sélection; c'est, selon la nature même de la perception, éliminer au profit de l'unique nécessaire (v. 468). Une fois soustrait tout ce qui n'est pas vraiment lumineux, il ne reste plus que Dieu.

La première partie oppose donc le savant à la vue basse et le berger qui est le voyant. L'*ad. marg.* (v. 484-487) souligne la curiosité chétive du premier qui ne s'applique qu'au néant (la mention du ciron prouve que dans tout ce poème Hugo a les *Pensées* de Pascal présentes à l'esprit).

29. Le vers 507 marque un premier arrêt de la longue phrase : comme plus haut Abraham et Zoroastre se trouvent accouplés ici Moïse et Orphée.

30. Vers 516 et *sqq.* : V. relève avec raison l'absence de l'été (en dépit du vers 544), et l'importance donnée à l'hiver : c'est que Hugo décrit ses impressions de Jersey. L'hiver du reste l'inspire, et les deux strophes des vers 520-527 sont parmi les plus poétiques que nous lui devons.

Mallarmé admirait-il ce passage sur la mort-cygne qui laisse tomber sa plume, et encore les méduses du crépuscule (v. 534) et les deux lèvres refermées (v. 538)?

31. Les participes présents définissent avec précision l'activité spirituelle du songeur : il oublie, il compare, il sonde, il voit, il fait passer le monde par sa pensée, il dépasse la créature, il monte.

32. Encore une formule riche d'expérience : pour résoudre l'énigme posée par le Sphinx, il faut oublier le Sphinx.

33. Vers 572 et *sqq.* : la nature que le pâtre ne voit plus est évoquée dans une énumération ascendante que rythment quelques antithèses (araignée-abeille; ville-campagne; aube-couchant).

34. L'araignée est une étoile noire, « le soleil noir du mal » (Albouy, *op. cit.*, p. 170).

35. *L'œil fixe* du vers 451 appelle naturellement l'opposition entre les étoiles les plus belles, oubliées du pâtre (voir dans *Abîme* la description d'Arcturus, d'Aldébaran et de Sirius) au profit de l'astre unique.

F) Vers 604-679. Le pâtre et le savant.

C'est ici qu'apparaît le mieux l'opposition entre la conclusion d'*Autrefois* et celle d'*Aujourd'hui*.

36. Ce vers n'est pas clair : *tombe* correspond sans doute à ce que le pâtre ne voit plus (la terre); *temple* à ce qu'il voit (Dieu).

37. Cent vers plus haut Moïse était nommé.

Le pâtre a pour apanage la sérénité (v. 608); il est une âme et non un esprit, et l'âme devient voyante par l'amour. Surtout il ignore le *doute*, il ne pose pas de question comme Hobbes, Locke, Ptolémée ou Newton. (Est-ce parce qu'il habitait Jersey que Hugo cite trois Anglais?) Le pâtre devient une image de l'idéal rêvé par le poète qui, hélas! n'ignore pas le doute. Du doute procèdent la recherche scientifique, la physique et la métaphysique. L'extase est donc la véritable voie pour parvenir au vrai, et cette extase est la récompense de l'humilité, de l'amour, de la foi. Hugo insiste plus que jamais sur l'orgueil et la présomption de l'homme et de l'astre, symbole du surhomme (v. 630, 648, 653 et surtout 658-659). Pour le pâtre, le moi est haïssable.

Tandis que l'image de l'ascension illustrait l'essor de l'âme, son humilité est symbolisée par l'image du gouffre où s'engloutit l'Être, et c'est pourquoi Hugo peut parler (v. 674) de *sublime naufrage*.

La dernière strophe ne veut pas démontrer qu'il existe de l'amour-propre chez les plus humbles. L'imbécillité, c'est-à-dire la faiblesse de ceux qui ne prononcent pas le Nom (Mallarmé, dans *Toast funèbre,* opposera de même aux « passants » le « Maître »), provoque sa stupeur et sans doute sa pitié.

G) Vers 680-715. Ce développement amène trois réflexions complémentaires :

a. Dans son extase, le voyant a la révélation de l'action providentielle qui est créatrice, à la fois douce et terrible.

L'*ad. marg.* des vers 688-691 joint aux effets de lumière des effets sonores.

b. Ici-bas, on reconnaît l'âme qui réverbère Dieu à sa clarté parmi les hommes.

L'*ad. marg.* des vers 700-703 est capitale, car elle insiste sur la sainteté du pâtre. Il est à la fois sage et juste. Il réunit l'idéal païen et l'idéal chrétien. L'*ad.* introduit aussi le vocatif : ô ma fille, comme au vers 260.

c. Cette clarté — distincte de celle que répandent les génies — a deux aspects : *l'innocence* et *la vertu.*

Hugo s'inspire-t-il de Balzac? A la fin du *Médecin de campagne,* la mort du petit Jacques suit celle de Bénassis, et tous deux sont les premiers morts enterrés dans le nouveau cimetière; le curé déclare alors : « Nous aurons ainsi commencé par y mettre l'innocence et la vertu. »

Dans *Joseph,* l'opéra de Méhul, Joseph au dénouement fait monter sur son char de triomphe son frère Benjamin et son père Jacob et chante : « Je prouve à tout Memphis combien mon cœur révère et l'innocence et la vertu. »

Sous une forme allusive est évoqué à la fin des quatrains le couple formé par la fille innocente et le père vertueux.

H) Vers 716-781. Ce passage est, selon J.-R., la partie la plus ancienne du poème : on trouve dans les premières strophes plus qu'un schéma du développement précédent. Le pâtre à la candeur sublime acquiert sous l'effet de la solitude des lumières telles qu'il devient un mage. L'opposition entre le pâtre et le mage n'est donc pas absolue. La différence (vers 736 et *sqq.*) est que le pâtre reste toujours inconscient de sa grandeur, qu'il demeure pauvre en esprit.

38. Ce pontife est *vêtu de flamboiements*. L'expression est d'origine biblique. Cf. III, xxix, 27; mais, notent J.-R., sa hardiesse « vient surtout (du) dernier mot », car *flamboiement* était un néologisme.

39. Ce vers marque une étape essentielle de l'itinéraire spirituel décrit ici. « Il regarde tant la nature que la nature a disparu! » lisait-on aux vers 562-563; mais à la fin de l'extase, il *revoit* la nature. Celui qui revient sur terre apporte avec lui une douceur toute franciscaine; il bénit ceux qui souffrent.

L'*ad. marg.* des vers 748-753 insiste sur la pitié pour les animaux et les misérables, en formulant (v. 751-752) une étonnante conception de la réversibilité.

40. Cette strophe prouve que le poète n'est pas le pâtre. Mais elle

souligne le rôle capital joué par la découverte de la sainte ignorance. Le poète, qui est un grand esprit, hanté par la révolte, trouve sa voie à la seule vue de cet humble à l'âme de lumière. Désormais, l' « imitation » du bon pasteur est son but.

La dernière strophe ramène au thème initial : le feu du pâtre sert de phare dans la nuit.

4e *développement :* vers 782-813.

Cette conclusion, comme l'ouverture, est une harmonie. Cependant, au vers 789, Hugo, docile à la leçon de Pascal, pose d'abord deux ordres de grandeur : une âme est plus grande qu'un monde. La supériorité de l'ordre de l'âme est si indiscutable à ses yeux qu'il subordonne — on l'oublie trop — le combat social au combat spirituel, et dans *les Misérables* il n'hésitera pas à proclamer : « Qu'est-ce que les convulsions d'une ville auprès des émeutes de l'âme? L'homme est une profondeur plus grande encore que le peuple. » Mais le regard — qui joue un rôle essentiel dans tout le poème — crée entre la terre et le ciel un lien : l'étoile et le feu du pâtre se regardent : ils se connaissent et, parce qu'ils se connaissent, existe entre eux ce perpétuel échange qui est le signe de l'amour.

41. La comparaison du ciel à un *plafond,* reprise par Mallarmé, est banale chez Hugo.

42. *Endor* était selon la Bible le séjour d'une pythonisse célèbre. Les romantiques ont souvent fait allusion à cet épisode où la pythonisse évoque pour Saül l'ombre de Samuel. Comprenons que l'astre envoie à la terre des visions éblouissantes et prophétiques. La strophe (v. 796-801) oppose l'énormité de l'un à la fragilité de l'autre; mais la strophe qui suit oppose au pessimisme du pâtre, à son inquiétude devant le mal sur la terre, la *certitude* de l'étoile au ciel.

43. L'imagination de Hugo a trouvé une fin digne de cette symphonie splendide. C'est la même inspiration qui lui fera écrire *Booz endormi.* Le Dieu providence est celui qui réunit la terre et le ciel : le Dieu se fait homme. Ici, le rayon terrestre et le rayon céleste sont réunis et métamorphosés; les deux rayons forment les deux ailes de la prière.

Les vers 714-715 relient étroitement le dernier poème d'*Autrefois* au premier poème d'*Aujourd'hui.*

Les derniers vers du livre III, *les Luttes et les Rêves,* annoncent également les premiers vers du livre VI, *Au bord de l'Infini,* consacrés à la prière.

C'est le poète des *Luttes et les Rêves,* transformé par la rencontre du saint, qui va affronter dans la suite la douleur et le désespoir, et tenter la quête du Secret.

Le 12 juillet 1855, Hugo écrivait à N. Parfait : « Je recommande à votre attention fraternelle et paternelle d'abord tout, puis très particulièrement la grosse pièce qui finit *(Magnitudo parvi)* et qui marque le passage d'un volume à l'autre, du bleu clair au bleu sombre. »

LIVRE QUATRIÈME

P. 219 *PAUCA MEAE*

1. Ce titre est une adaptation des vers 2-3 de la Xe *Bucolique* de Virgile : *Pauca meo Gallo... Carmina sunt dicenda. Meae* (s.-ent. *filiae*) est un datif.

P. 221. IV, I. PURE INNOCENCE...

1. *Dates :* ms. 22 janvier 1855.
vol. janvier 1843.
La pièce est contemporaine de *Magnitudo parvi :* d'où le rappel précis des thèmes et la communauté de strophe.
La date fictive nous ramène un mois avant le mariage de Léopoldine : le père songe à l'avenir de sa fille.
2. *Innocence, vertu :* voir les vers 714-715 de *Magnitudo parvi* et le commentaire de la section des vers 680-715.
3. Les symétries que multiplie le poète ne sont pas toujours aisées à mettre d'accord. L'homme en sa maturité combat pour la vérité. Mais que signifie le *combat Ignorance* qu'il faut situer dans la jeunesse? S'agit-il de *préserver* l'Ignorance ou de la *réduire?* La liaison de cette pièce avec la précédente, éloge de la sainte ignorance, permet de choisir la première interprétation.
4. Vers 13-16 : *ad. marg.* qui rappelle de façon précise les vers 805-806 de *Magnitudo parvi :*

> Le pas tremble, éclairé par un tremblant *flambeau;*
> L'homme au *berceau* chancelle et trébuche au *tombeau.*

5. *Fatal milieu :* première rédaction : sans doute *sombre* au lieu de fatal; « il faut probablement entendre milieu (entre les deux extrémités) régi par le destin » (J.-R.).
6. *Blancheurs... humain :* rappel précis des vers 710-715 de *Magnitudo parvi* et en particulier de : cette *blancheur* du cœur *humain.*
7. Du vers 29 à la fin, vision unitaire après les *deux* combats et les *deux* palmes. Il y avait *deux* sommets, il n'y a plus qu'*un* faîte. Un *seul* pied laisse *une seule* trace. Mais la dualité reparaît dans l'unité même : le pied est blanc et rose, pur et sanglant, car l'amour est tragique par essence.

P. 223. IV, II. 15 FÉVRIER 1843

1. *Dates :* ms. à ma fille en la mariant, 15 février 1843.
vol. dans l'église, 15 février 1843.
Le titre a été ajouté après coup, sans doute pendant l'exil. Le poème avait été écrit sur l'album de Léopoldine. Janin, qui révèle ce détail,

publia la pièce une première fois dans un feuilleton des *Débats,* le 11 septembre 1843, puis dans le tome IV de son *Histoire de la littérature dramatique,* en 1854.
Dans *Autour des Contemplations* (p. 57), J.-R. citent ce vers extrait du *Reliquat* du *Théâtre en liberté* et prononcé par Maglia :

Ce bonheur désolant de marier sa fille.

2. Première rédaction :

Sois son trésor, ô toi, qui fus seize ans le nôtre...

3. Première rédaction : enfant *chéri...*
4. Première rédaction : Femme, épouse...
Le double devoir était, selon la première rédaction, celui de l'enfant qui est un ange, celui de l'épouse qui est une femme. La cor. opposant *fille* à *épouse,* il faut sans doute voir une opposition symétrique entre *ange* et *enfant.* Dans chaque opposition il y a un passé et un présent.
5. Première rédaction : *entre* remplacé par *sors :* renforcement de l'antithèse.
Le mariage de Léopoldine eut lieu en l'église Saint-Paul, proche de la place des Vosges.

P. 225. IV, III. TROIS ANS APRÈS

1. *Dates :* ms. 10 novembre 1846.
vol. novembre 1846.
C'est avec intention que Hugo a placé en tête des poèmes écrits trois ans après, le poème du découragement, de la révolte et de l'aspiration à la mort.
Étapes de la composition : selon J.-R., trois étapes successives mais proches dans le temps : 1° vers 1-36; 2° vers 37-53, 61-72, 81-84; 3° *ad. marg.* des vers 53-60, 73-80 et enfin du vers 85 à la fin.
V. rapproche cette pièce de la pièce I des *R. O., Fonction du poète,* où Hugo réfute ceux qui le détournent de l'action. Ses arguments d'alors, il les prête ici à ceux qui lui parlent.
2. A rapprocher du début du livre II, *Premier mai,* vers 2.
3. Cf. IV, XIII, 13 :

Je n'ai pas refusé ma tâche sur la terre.

4. Vers 13-20 : première rédaction : à *seize* ans. Hugo perdit sa mère en juin 1821; il avait donc près de *vingt* ans. Voir dans *F. A.,* VI, *A un voyageur,* pièce datée de 1829 où Hugo évoque un triple deuil : la mort de sa mère, celle de son premier enfant, celle de son père.
5. Allusion à la mésentente de ses parents dont Victor enfant eut à souffrir.

6. Échange de regards typique.
7. Deux vers rayés :

Ces yeux purs, Dieu vient de les clore;
Moi, je ne pouvais m'en passer...

8. A rapprocher des vers de *Magnitudo parvi.*
Vers 562-563 :

Il regarde tant la nature,
Que la nature a disparu!

et vers 566-567 :

... contempler les choses,
C'est finir par ne plus les voir.

9. « Ennui désigne les plus cruels chagrins. » (Geoffroy.)
10. L'*add. marg.* des vers 55 60 enrichit le poème, mais éloigne du motif principal qui est l'opposition de la recherche de la vérité et de la chasse au bonheur.
11. *Moroses :* au sens latin de capricieux, bizarre.
12. Après ce vers, on lisait d'abord :

Oh! plutôt que de voir ta face,
J'eusse aimé mieux, maître inhumain,
Être un homme simple qui passe
Tenant son enfant par la main.

A cette strophe unique, Hugo en substitue deux, où il atténue l'idée blasphématoire et rend plus pathétique l'image familière de la fin. Sur cette image, voir *Magnitudo parvi,* vers 2 et 32.
13. Le découragement du poète a un corollaire : il ne se représente plus la jeune morte sous l'aspect d'un ange céleste, mais d'un spectre glacé dans son tombeau. L'idée obsédante que la morte a froid dans sa tombe est typique de l'imagination primitive du poète.
Le vers 112 serait un souvenir de Virgile (*Buc.*, X) : *Ah! te ne frigora laedant!*
14. Première rédaction :

Quand l'enfant dort dans le jardin.

15. Première rédaction :

Aux triomphes *jadis cherchés...*

16. Première rédaction : Allez *et marchez!*
On ne peut qu'approuver le choix des versions définitives.

17. Antithèse entre la terre et le ciel, l'herbe épaisse et la voûte étoilée : le vers 127 s'oppose au vers 14. Selon V., Hugo « fera pendant l'exil tout ce qu'ici il renonce à faire. Le deuxième volume des *C.* s'ouvre ainsi par l'abdication du penseur; il s'achèvera par un livre où le penseur se mettra tout entier ».
En dépit du caractère oratoire dû surtout aux *ad. marg.*, cette pièce émeut par sa simplicité parfaite.

P. 230. IV, IV. OH ! JE FUS COMME FOU...

1. *Dates :* ms. non daté (sans doute comme III et IV de novembre 1846).
vol. Jersey, Marine-Terrace, 4 septembre 1852.
La date fictive est la même que celle du dernier poème de *Pauca meae.* Six pièces seront datées du jour anniversaire de la mort de Léopoldine : celle-ci se situe neuf ans après, pour le premier anniversaire célébré à Jersey.
2. *Amèrement :* souvenir des larmes de saint Pierre. Cf. *Mat.,* XXVI, 75.
Trois jours : c'est le 9 que Hugo apprend la fatale nouvelle, le 12, qu'il arrive à Paris : les trois jours seraient donc les trois jours de voyage. Dès le 9, il avait écrit à sa femme une lettre « pleine, selon Levaillant qui la cite (*Œuvre de V. H.,* p. 476), à la fois de désespoir et de résignation ». On y trouve « la protestation douloureuse et l'appel direct à Dieu : « Ô mon Dieu, que vous ai-je fait? » mais aussitôt après : « Résignons-nous. » Dans une lettre de Juliette datée du 13, on lit d'autre part : « Je vois tout ce qui s'est passé : les cris de désespoir de ta famille, l'explosion de ton affreux désespoir, *si longtemps et si cruellement retenu...* » Ainsi Hugo a donné de sa réaction *dans le premier moment* une version revue : au début, c'est l'explosion presque insensée du désespoir.
3. Première rédaction : *choses* au lieu de *malheurs.*
4. La folie du premier vers se manifeste par des hallucinations auditives.
5. Cette présence de Léopoldine sera confirmée par les expériences spirites.

P. 231. IV, V. ELLE AVAIT PRIS CE PLI...

1. *Dates :* ms. 1er novembre 1846. Toussaint.
vol. novembre 1846, jour des morts.
La première rédaction du vers 14 :

> Nous causions à Saint-Prix sous nos ombrages verts,

nous laissait dans le décor de vacances évoqué dans les pièces VI, VII et IX, écrites les jours précédents.
Une première correction donne :

> Nous causions en errant, *l'été,* dans les prés verts.

La rédaction définitive n'oppose plus l'été à l'hiver, l'extérieur à l'intérieur. Le vers 18 situe l'ensemble de la pièce à la ville et en hiver; c'est Léopoldine à seize ans qu'elle veut évoquer. Jeune fille, elle continue à venir dans la chambre de son père, le matin. La scène familière décrite d'abord avec vivacité (noter aux vers 5-6 le rejet expressif) est à rapprocher de la pièce XV des *F. A.* : Laissez. Tous ces enfants..., et de la pièce XXII des *V. I.*, *A des oiseaux envolés.*

2. Le thème de la femme inspiratrice est heureusement varié : le poète est inspiré par sa fille. C'est Hugo, ne l'oublions pas, qui a écrit : « Il y a des hommes qui sont faits pour la société des femmes; moi, je suis fait pour la société des enfants. »
Cf. dans la pièce des *V. I.* citée plus haut :

> Toute ma poésie
> C'est vous...

3. Une troisième rédaction de ce vers donne :

> Elle aimait Dieu, les fleurs, le printemps, les prés verts.

Le mot *astres* dans la version définitive nous mène de la terre au ciel et fait écho aux grands développements de *Magnitudo parvi.*

4. Dans *Autour des Cont.*, p. 67, J.-R. citent une première rédaction de ce vers sous forme de vers isolé :

> Son regard réfléchit la clarté de son âme.

L'enfant espiègle se métamorphose. Mais, si l'esprit s'éveille en elle, elle n'est pas encore une femme. C'est cet instant merveilleux que le poète se remémore avec le plus de plaisir, et s'efforce de « perpétuer ».

5. Développement plus banal, tableau intime à la manière de *V. I.*, XXIII.
6. Il ne veut pas dire qu'il se sentait alors insatisfait. Il découvre après coup que ce *peu* était un bonheur sans prix. Cf. *F. A.* :

> Où donc est le bonheur? disais-je. — Infortuné!
> Le bonheur, ô mon Dieu, vous me l'avez donné.

7. Composition originale : le poème qui semblait aboutir à la plainte du vers 23 :

> Et dire qu'elle est morte! hélas!

repart sur un nouveau souvenir, mais par un effet de contagion, c'est une image de Léopoldine triste qui émerge du passé.

8. Tel commentateur rappelle les bals donnés place des Vosges. Mais au vers 26, *en partant,* indique bien que Hugo va en soirée.

Le 15 mai 1856, dans la *Revue des Deux Mondes,* G. Planche fit un éloge enthousiaste de cette pièce et de la suivante : « Simplicité, naïveté, deux sources d'émotion où la poésie contemporaine puise trop rarement. »

P. 232. IV, VI. QUAND NOUS HABITIONS...

1. *Dates :* ms. 16 octobre 1846.
vol. Villequier, 4 septembre 1844.
Le vers 5 nous ramène en 1834, mais les chiffres sont approximatifs : quand Léopoldine, née en 1824, avait *dix* ans, son père en avait *trente-deux*.
Les vers 2 et 4 font plutôt penser à Fourqueux, dans la forêt de Marly, où Léopoldine passa ses vacances en 1836 qu'à la maison des Bertin, les Roches, dans la vallée de la Bièvre, où elle se trouvait en 1834.
Dans l'espace comme dans le temps, on ne peut localiser les souvenirs évoqués ici de façon stricte.
La date fictive laisse croire que le poème a été écrit pour le premier anniversaire de la mort de Léopoldine.
2. Première rédaction : *dans* nos collines (V. qui veut que la première strophe décrive les Roches, estime que la rédaction primitive « répondait mieux à la réalité »).
3. Vers 13-16 : *ad. marg.* pour développer le motif exposé dans la strophe précédente, avant de passer à l'évocation de l'enfant. Effet de lumière à rapprocher de IV, XVI, 19.
4. Ces deux vers ont été inscrits par Hugo sur un fragment d'étoffe intitulé : Robe de Didine, 1834; V. H. Ce serait la robe portée par Léopoldine dans son célèbre portrait par A. de Châtillon.
5. Première rédaction : *causait.*
6. Première rédaction : *rôdaient.*
7. Dans *Autour des C.,* p. 66, J.-R. citent ce quatrain isolé :

> Le soir, à la clarté des lampes,
> Je sentais, sans lever les yeux,
> Ses petites mains sur mes tempes
> Qui jouaient avec mes cheveux.

8. Vers 29-32 : en marge, cette var. rayée :

> Le ciel mettait dans sa prunelle
> Ce regard qui jamais ne ment
> Tout était grâce et calme en elle
> Que son bonjour était charmant.

9. Toutes les strophes du vers 25 jusqu'au vers 50 jouent avec la lumière : *bougie, ciel, aurore, étoile, lune claire, lumière, étoilant, splendeurs du ciel,* puis, l'adjectif *candides* servant de transition en vertu

de sa double valeur : pittoresque et morale, cette lumière devient *joie :* elle était gaie en arrivant.

Ainsi dans sa version définitive, le poème est construit pour former un chiasme : la strophe 4 faisant succéder au parler *joyeux* la *lumière* des yeux.

10. *Les splendeurs du ciel* fait écho à *Magnitudo parvi.* Cf. également le vers 18 : quand je la tenais par la main.

11. Léopoldine est une étoile, un ange : les poncifs ne font pas peur au poète, qui est capable de leur rendre leur fraîcheur par sa seule sincérité.

12. Lieu commun d'origine biblique : cf. la devise de cadran solaire : *Vita fugit sicut umbra.*

Ces mots de Job ont été mis par Chateaubriand en épigraphe aux *Mémoires d'outre-tombe : Sicut nubes... quasi naves... sicut umbra.*

P. 234. IV, VII. ELLE ÉTAIT PÂLE...

1. *Dates :* ms. 12 octobre 1846.
vol. octobre 1846.

Cette pièce commençait dans sa rédaction primitive par la strophe :

> O souvenirs ! matin ! aurore !
> Doux (pur) rayon triste et réchauffant
> Lorsqu'elle était petite encore,
> Que sa sœur était tout enfant...

La strophe a été biffée puis reprise au début de IV, IX. On peut ne pas approuver la mutation, car, 1° la scène évoquée ici ne comporte que les deux sœurs, tandis que IV, IX, évoque ces *quatre* douces têtes, 2° tout le poème étant centré autour de la Bible, les vers 3-4 introduisent une disparate inutile.

2. La pièce V, X, *Aux Feuillantines,* retraçant la découverte de la Bible par Hugo enfant fut écrite en août 1846.

3. Dans la pièce précédente, le poète joue le même rôle à l'égard de sa fille aînée.

4. Ne pas objecter que Satan est nommé au vers 24. L'invitation à être sage se fait sans avoir recours à la peur du diable.

5. On s'est étonné à bon droit des exemples choisis (la comparaison avec *Aux Feuillantines* faisant apparaître ce choix d'autant plus maladroit) : Cyrus, Moloch, Léviathan tiennent bien peu de place dans la Bible. Quant au vers 23 : l'enfer que Jésus traverse, il est sans référence dans l'Évangile, mais est seulement un article du *Credo.* On a émis l'hypothèse qu'il s'agissait d'une Bible illustrée.

Cyrus, roi de Perse, s'empara de Babylone. Cf. *Isaïe,* XLIV.

Moloch, dieu des Amonnites, auquel on sacrifiait des enfants. Cf. *Rois* III, XI, 5-8.

Léviathan, monstre décrit par *Job,* XL, XLI.

6. Satan a pris la forme d'un serpent.

On notera l'effet paradoxal : Jésus est dans l'enfer, Satan dans le Paradis.

7. Cf. le « quadro » de I, III.
8. *En silence* commente *ineffable*.
9. Vers 25-28 : *ad. marg.* heureuse, puisqu'elle prépare, en faisant entrer en scène le poète, la conclusion.
10. *Des nuits et des bois :* hendiadyn.
11. Le merveilleux s'insère tout naturellement dans ces scènes familières. La composition du finale est celle du *Mendiant*. A l'attitude d'autrui s'oppose l'attitude du poète qui rêve et entre en extase.

P. 236. IV, VIII. A QUI DONC SOMMES-NOUS?...

1. *Dates :* ms. 25 avril 1854 (Hugo avait écrit d'abord 34, simple lapsus).
vol. Villequier, 4 septembre 1845.
Dans le projet de table ms. le titre est : *Sombre fatalité*.
La tonalité très différente de cette pièce (insérée ici à la fois pour varier le ton et annoncer la suite) s'explique par la date où elle a été écrite. Elle est contemporaine de VI, IX (29 avril), de *Pleurs dans la nuit* (25-30 avril), dont elle est peut-être un fragment détaché, étant donné l'identité de la strophe. Mais remarque V., « le poète l'a placée dans *Pauca meae,* parce que les derniers vers proclament heureux ceux qui meurent subitement, et sans doute en écrivant ces vers-ci il songeait à sa fille ».
Le 25 avril, au cours de la séance de spiritisme, le lion d'Androclès a poursuivi la dictée de son poème, qui est écrit également dans la même strophe.
2. *Vautour fatalité :* dans la séance du 14 février, Eschyle, le sombre poète de la fatalité, selon Vacquerie, avait dicté des vers et en particulier : Fatalité, lion dont l'âme est dévorée. Le vautour ici remplace le lion.
Dans *Dieu,* le vautour enseigne que l'univers a sur lui trois déesses, Vénus sur la terre, en bas Hécate, « en haut l'ombre Fatalité ». C'est le corbeau cependant qui expose les doctrines du manichéisme.
3. Le thème sera amplifié le 29 dans *A la fenêtre pendant la nuit*. Dans *le Rhin* (IV) où il se demandait pourquoi les penseurs se plaisent à contempler le ciel, il opposait le « confiant éblouissement » de Zoroastre à l' « inexprimable épouvante » de Pythagore; revenant à lui, il concluait : « Quant à moi, je ne crains pas les astres, je les aime. » Mais en 1854, la contemplation du ciel l'emplit d'épouvante comme Pythagore : d'où *songe horrible* au vers 19, et *rêve affreux* au vers 22. Il est vain, comme le fait V., de mentionner ici Fourier.
4. Dans la deuxième strophe, Hugo se demande s'il faut revenir aux croyances antérieures qui subordonnent l'homme à un destin irréfragable ou plutôt qui font de l'homme l'enjeu d'une dispute entre

deux principes opposés. Sur l'effrayant duel de la création, voir dans *Dieu* le passage des vers 759-910.

5. *Mage sombre :* singulier collectif.
6. *Zoroastre* est le réformateur de la religion iranienne. *Manès* est un hérésiarque chrétien qui emprunta à Zoroastre la croyance en l'existence de deux principes opposés : Ormuzd et Ahriman. Tandis que dans le manichéisme authentique, la lutte des deux principes a une fin, dans l'exposé du Corbeau est annoncé le triomphe du mal. Il n'en est pas de même dans *les Mages*.
Ici, comme dans tous les poèmes de la même époque, Hugo multiplie les questions sans réponse.
7. *Noirs vivants :* même expression dans IV, XVII, 77.
8. Selon l'enseignement d'Eschyle dans la table, le lion Fatalité n'est dompté qu'à l'heure de la mort. La mort, c'est le réveil, c'est expliquer l'énigme et recouvrer sa liberté. Mais faut-il comprendre que Hugo souhaite mourir subitement? ou bien ne s'agit-il que d'une façon de parler? *Sommeillent* a appelé *s'éveillent,* et *s'éveillent* a appelé *en sursaut* que le poète avec hardiesse a rattaché aux deux verbes.

P. 237. IV, IX. Ô SOUVENIRS ! PRINTEMPS !...

1. *Dates :* ms. non daté (sans doute 1846 et après le 12 octobre).
vol. Villequier, 4 septembre 1846, c'est-à-dire pour le troisième anniversaire de la mort de Léopoldine.
2. Première strophe destinée d'abord à IV, VII (voir le commentaire de cette pièce).
3. Léopoldine avait alors 16 ans, Adèle, 10. La remarque était mieux à sa place en VII.
4. Autre rédaction : Nous habitions sur la colline.
5. Le château de la Terrasse se trouvait dans la commune de Saint-Prix. Cf. la pièce XIV de *l'Art d'être grand-père : A des âmes envolées.*
6. Le *bois sombre* est la forêt de Montmorency.
7. Première rédaction :

   Elle aimait ces champs. — Oui, pénètre...

8. *Doucement :* ailleurs Léopoldine est un *doux* ange qui parle *doucement.*
9. Première rédaction : Elle *jouait...*
10. Première rédaction : Ses frères *venaient...*
11. *Berceaux :* les berceaux de verdure.
12. Vers 37-40 : dans le poème de *l'Art d'être grand-père* mentionné ci-dessus, Hugo écrit : « Je contais la Mère l'oie. » Lesclide, dans ses *Propos de table de Victor Hugo,* résume quelques-uns de ces contes, mais on se reportera surtout au *Rhin* (XIV) où figure l'histoire de la petite fée (cf. v. 27), grosse comme une sauterelle, qui joue un tour au Diable, en utilisant un géant très bête.
13. *Prodiguant les carnages :* Hugo connaît bien les enfants.

14. *Profond :* l'adjectif est-il ironique? ou bien faut-il faire de Hugo un précurseur des psychanalystes s'interrogeant sur le symbolisme des contes de fées?
15. A prendre au sens strict : les formes fantastiques des ombres suggèrent des personnages dont certains dessins de Hugo donnent l'idée.
16. Pour P. Moreau, l'Arioste représente le fantastique, Homère l'héroïque. Mais l'opposition ne s'impose pas : *l'Odyssée,* comme le *Roland furieux,* est pleine de « fantaisie », et les vers 43-44 pourraient faire penser à Ulysse et Polyphème.
17. Cf. *V. I.,* XX : Regardez : les enfants...

> Leur mère est à côté...
> Inquiète, au milieu de leurs jeux ingénus,
> De sentir s'agiter leurs chiffres inconnus
> Dans l'urne de la destinée.

18. Le père de Mme Hugo, M. Foucher, veuf et retraité, venait en villégiature avec ses enfants et petits-enfants.
19. Comme dans *le Mendiant,* le poète fait deux choses à la fois : il raconte et il contemple. Comme souvent à la fin des poèmes, la vision du ciel élargit les décors et spiritualise la scène.

P. 239. IV, x. PENDANT QUE LE MARIN...

1. *Dates :* ms. 8 avril 1847.
   vol. avril 1847.
2. Première rédaction : *cherche* un *monde.*
3. *Vaste :* première rédaction : *tiède*; deuxième rédaction : *sombre.*
4. Première rédaction :

> Mais *ce fond de saphir n'est qu'un* abîme obscur.

Voir dans *les Travailleurs de la mer,* II, II, 11 : « Le bleu profond du ciel répondait au vert profond de la mer. Ce saphir et cette émeraude pouvaient s'admirer l'un l'autre. »

5. Première rédaction :

> *On ne distingue pas,* la nuit, les *ailes* bleues.

6. Ce n'est pas le poète voyant qui parle, mais le père douloureux. La vision de l'homme est limitée : les étoiles sont à sa portée, mais non les anges. L'imagination fournit du reste une explication familière et fantastique à la fois : le bleu de leur robe se fond dans l'azur du ciel.
   Puisque le poète se complaisait à contempler le ciel en compagnie de sa fille, après la mort de celle-ci, il ne pouvait plus contempler le ciel sans penser à elle.
   Ce type de strophe est sans autre exemple dans l'œuvre de Hugo.

P. 240. IV, XI. ON VIT, ON PARLE...

1. *Dates :* ms. 11 juillet 1846, en revenant du cimetière de Saint-Mandé.
vol. 11 juillet 1846, en revenant du cimetière.
Claire, fille de Juliette et du sculpteur Pradier, morte le 21 juin 1846 et enterrée provisoirement à Auteuil le 23, fut inhumée à Saint-Mandé deux semaines plus tard, selon le vœu exprimé par la jeune morte dans son testament. Hugo, qui n'avait pas assisté aux obsèques de sa fille, suivit le cercueil de Claire avec une grande émotion.
Poème composé selon un procédé familier au poète : un vers final s'oppose à un développement fait d'une énumération (phrases nominales; propositions à l'infinitif; indépendantes introduites par *on*) : ici, aux agitations de la vie s'oppose le silence de la mort.
Voir dans *Toute la lyre,* III, XI, le poème de juillet 1843 : *Un jour que je songeais...* C'est le même thème et parfois le même mouvement.

On marche, on fait sa route;
L'un consulte la foi, l'autre écoute le doute;
La clarté qui nous luit nous conduit-elle au port?
On ne sait. On se dit à l'heure de la mort :
— Ai-je suivi la vraie? Ai-je suivi la fausse?
Puis on est au hasard jeté dans une fosse.

Ce poème offre en outre un portrait complet du poète en 1846. Il a voulu cependant élargir la portée du poème : d'où au vers 10 la mention de la *sœur.*
2. Virgile et Dante sont associés comme dans *la Divine Comédie.*
3. Cf. I, I, 21 : la gaieté manque au grand roi sans amours.
4. Première rédaction : *ennui,* travail, amour. *Espoir* donne au vers une couleur uniforme.
5. Première rédaction : *avance* au lieu d'*arrive.* Selon V., la correction souligne le fait que pour Hugo la vie a commencé pour lui seulement avec la pensée. Il serait plus juste que les passions viennent troubler une existence sereine de penseur.
6. C'est le 14 février 1846 que Hugo prononça son premier discours à la Chambre des Pairs.
7. Multiplication des antithèses pour suggérer l'agitation.
8. Ce vers n'est pas clair : faut-il l'expliquer par ce qui précède ou par ce qui suit? *Flot* allant avec *tempête,* et *âme* avec *foule,* que signifie l'interversion? Le poète veut-il dire que l'on n'est pas où l'on devrait être? ou bien souligne-t-il la fragilité de l'individu qui n'est qu'un souffle (= *anima*) dans la tempête comme il n'est qu'un flot dans l'océan humain?
9. Première rédaction : *l'immense* au lieu de *le vaste.*
L'effet produit par le dernier vers est encore souligné par l'inversion des adjectifs et la coupe qui détache les syllabes fatidiques.
Le rapprochement avec Pascal s'impose : « On jette enfin de la terre sur la tête, et en voilà pour jamais. »

Que figure dans *Pauca meae* un poème inspiré par la mort de Claire souligne la communauté du deuil entre les deux amants. Hugo du reste était attaché à la fille de Juliette. Mais en supprimant l'indication topographique il fait plus : il suggère comme une identité entre les deux mortes dont la mission posthume est identique.

P. 241. IV, XII. A QUOI SONGEAIENT LES DEUX CAVALIERS DANS LA FORÊT

1. *Dates :* ms. 11 octobre 1841.
vol. octobre 1853.

Les deux dates surprennent : ce poème a été postdaté pour pouvoir figurer dans *Aujourd'hui,* alors qu'il est antérieur à la mort de Léopoldine.

Au vers 34, « c'est ton ange *expiré* » a été substitué à « c'est ton ange *d'amour* », mais la cor. date de la même époque que le poème. Hugo ne peut donc penser ici qu'à la mort de son premier-né.

Cette pièce, un des chefs-d'œuvre lyriques de Hugo, pose de nombreux problèmes. Comme elle a été écrite après les voyages en Allemagne, les commentateurs la rapprochent avec raison des ballades germaniques : d'où la chevauchée (plutôt qu'à la *Lénore* de Burger, on songe à la chevauchée de Faust et Méphistophélès que l'illustration de Delacroix a rendue célèbre); d'où le nom d'Hermann (on songe à Arminius, le vainqueur de Varus et l'ancêtre des Germains). Mais il est difficile de reconnaître, comme le fait V., dans « la philosophie sceptique » du même Hermann, une philosophie d'origine germanique.

Qui est Hermann? 1° Dans un fragment célèbre publié dans *Océan* (*Autour des C.*, p. 26), Hugo note :

> Mon moi se décompose en : Olympio : la lyre.
> Herman : l'amour.
> Maglia : le rire.
> Hierro : le combat.

Le poème serait-il un dialogue d'Hermann et d'Olympio? Mais (sans parler de la différence d'orthographe entre l'Herm*an* de la note et l'Herm*ann* du poème), on peut avec J.-R. affirmer : « Ici, Hermann ne semble incarner aucune attitude d'esprit particulière. »

2° Hermann représente-t-il P. Leroux? Dans *la Grève de Samarez* (II, 135 et *sqq.*), celui-ci se reconnaît en Hermann et proteste avec un humour un peu lourd contre la façon dont Hugo le représente : Hugo fait de lui un écrivain germanique, donc nébuleux; Hugo fait de lui un « cavalier », alors qu'il est une « tête ronde »; Hugo le dit « vide d'espérance », alors qu'il a « montré à la génération actuelle la doctrine de la perfectibilité comme un phare ».

La vanité de Leroux le rendant suspect, et Hugo faisant des réserves sur la théosophie de son compagnon d'exil (selon *le Journal d'Adèle,* il le considérait comme un plagiaire de Fourier), on ne voit que prétention dans les commentaires de *la Grève de Samarez*.

Cependant Hermann reparaît dans VI, xx, *Relligio,* et sous ce nom Leroux semble indiscutablement désigné. En postdatant IV, xii, Hugo n'a-t-il pas voulu que Leroux se prît aussi pour le cavalier de *Pauca meae?* Le problème véritable est donc : en 1841, Hugo pouvait-il penser à Leroux en écrivant ce poème? Les commentateurs penchent tous pour la négative.

Il est tentant dès lors de montrer que ce poème met aux prises deux aspects du moi de Hugo en 1841. On observe que lorsqu'il est fait mention de « *ton* ange expiré », c'est « je » qui s'adresse à Hermann, c'est donc Hermann qui a perdu cet ange. On fait un rapprochement entre les paroles d'Hermann aux vers 25 et *sqq.* et le poème célèbre des *V. I.* inspiré par la mort d'Eugène :

> Tu vas *dormir* là-haut sur la colline *verte*...
> Et moi je vais rester, souffrir, agir et vivre...
> Enviant souvent ceux qui dorment sans murmure,
> Comme un doux nid couvé pour la saison future,
> Sous l'aile de la mort!...
> Là, tu reposes, toi!

Dans son introduction (p. xvi), V. résume nettement ce point de vue : c'est un dialogue entre les deux hommes qui sont alors en conflit chez Hugo, celui qui a écrit *Prière pour tous* et celui qui a écrit *Que nous avons le doute en nous*. En outre, on peut souligner à plaisir le côté « fondamental et prophétique » du poème.

La question semblait tranchée, lorsque dans son essai *le Socialisme romantique. Pierre Leroux et ses contemporains,* M. D. O. Evans a fait renaître le débat. Sa connaissance approfondie de l'œuvre de Leroux (en quoi il se distingue des commentateurs du poète) lui permet de conclure : que Hugo était lié avec Leroux bien avant l'exil; que Leroux a exercé une telle influence sur Hugo qu'il a fait de lui un poète humanitaire (dans son étude *De la poésie de notre époque* et qui date de 1831, il reproche à Hugo d'être « en dehors de son temps », de « faire de l'art pour en faire » au lieu d'être « le prophète » que l'humanité attend : « Quand tu laisses les superstitions du passé, quand tu parles en ton nom, tu es comme tous les hommes de ton époque, *tu ne sais rien dire sur le berceau ni sur la tombe* », phrase qui aura pour Hugo valeur d'oracle); que le poème *Que nous avons le doute en nous* procède directement des deux grands essais de Leroux *Aux philosophes* et *De la poésie de notre époque;* que si Leroux n'avait pas été abusé par la date fictive, il aurait vu sans hésiter dans notre poème une allusion au *Discours sur la situation actuelle de la société et de l'esprit humain* qu'il venait de publier en 1841.

Mais si cette démonstration prouve que Leroux a influencé Hugo, elle ne prouve pas qu'Hermann soit Leroux. Car il est évident que l'opposition des deux cavaliers n'est pas claire, ou plutôt la posi-

tion de chaque antagoniste est si peu nette que le lecteur est désorienté par tant d'incohérence, et il n'est pas possible de reconnaître la théorie de l'Humanité dans cette philosophie du néant.
Il serait plus juste de conclure paradoxalement que si Hermann ressemble à Hugo, « je » ressemble à Leroux. Mais nous conclurons avec mesure que les âmes romantiques connaissaient toutes les mêmes tourments.
« L'idée et l'image ne font qu'un, observe V.; le cheval, c'est la pensée; les cavaliers, ce sont les penseurs; le paysage nocturne à travers lequel ils galopent, c'est le grand mystère. »

2. *Ombre :* fantôme, Hermann n'est plus un homme vivant pour son compagnon.
3. Première rédaction : *Nous courions au galop.* La version définitive souligne la passivité des cavaliers. — *A la garde de Dieu!* cette prière traduit l'angoisse des cavaliers oppressés par la nuit noire.
4. Effet de contraste qui ne traduit pas seulement l'impression de vitesse. C'est un monde à l'envers qui est évoqué ici : les *nuages* sont immobiles comme des *marbres,* les *étoiles* volent comme des *oiseaux.*
5. Vers 7-9 : reprise imitée des *lieder* plus que des poésies de Chénier (même effet aux vers 3 et 14).
6. Les *regrets* indiquent que celui qui dit *je* est obsédé par le passé. Hermann de son côté a perdu tout espoir. Ils se tourneront l'un et l'autre vers l'avenir au cours du poème, et c'est alors que l'on apercevra mieux leur opposition.
7. *O mes amours, dormez! :* nous ne savons pas encore la vraie signification de ce sommeil.
8. *Vertes :* épithète de nature (voir plus haut la citation de *A Eugène, vicomte H.*), mais sur ce vert, signe de vie, se détachent les tombes.
9. *Entr'ouvertes* s'oppose plastiquement à *refermés.* Si le lecteur imagine les tombes comme des monstres attendant leur proie, il trahit la pensée d'Hermann. Dans l'univers clos du songeur, c'est la seule ouverture.
10. Opposition expressive mais qui gêne le lecteur. *En avant* se relie bien à *entr'ouvertes,* mais s'accorde plus mal avec *vide d'espérance.* Selon l'idée reçue, regarder en avant est le propre de celui qui est plein d'espoir.
11. *Le vent nous apportait :* même impression de passivité qu'au vers 3. — *Angelus :* l'angélus du matin évoque pour Hermann la journée de labeur qui commence. Pour l'autre, le chant de la cloche est un glas.
12. En comparant les vers 16 et 11, 18 et 12, on constate qu'Hermann *songe,* tandis que l'autre *pense.* Dans une première rédaction du vers 16, Hugo avait écrit *je pense;* il s'est corrigé; c'est donc à dessein qu'il attribue à un cavalier le songe, à l'autre la pensée.
Hermann à l'esprit profond est celui qui songe. Hugo ne distingue pas toujours nettement le penseur et le songeur. Mais, quand il le fait, il estime, note V., que « le premier *veut,* le second *subit* ».

13. La nature s'anime. Chant, murmure, chuchotement suggèrent une impression joyeuse qui s'accorde mal avec le *noir* de la forêt. Mais cette vie de la nature fait ressortir la tristesse des humains. En outre, quelle est la valeur des interrogations : *que disaient? que murmuraient?* Faut-il entendre que les hommes ne peuvent plus comprendre ce langage? et, si les buissons chuchotent *comme d'anciens amis,* qu'ils ont cessé d'être les amis des hommes? Ces notations souligneraient donc l'incompréhension qui règne entre les deux cavaliers et la nature, en renforçant celle qui les sépare eux-mêmes.

14. Le songe d'Hermann se poursuit : comment le jour ranimerait-il la peine, puisque pendant la nuit l'homme ne connaît pas le repos? Opposition saisissante de *veillent* et d'*endormis* et reprise du *dormez* du vers 9, qui prend alors une résonance douloureuse.

15. Cette strophe définit la position d'Hermann : à la vie qui est souffrance, il oppose la délivrance de la mort. Et Hermann chante la douce mort, la mort lumineuse faite de flammes et de rayons qui fait régner une paix universelle et rétablit l'harmonie entre l'homme et la nature. Ce chant de joie est si lyrique que le lecteur peut ne pas saisir tout de suite son aspect négatif : pour Hermann, il n'y a pas de vie dans la mort. Qui dit vie dit malheur. C'est donc le néant qu'il célèbre.

16. Le *mystère* est *noir* comme la nuit, et ce mystère n'est autre que la vie du cadavre dans la tombe, hantise superstitieuse dont plusieurs poèmes conservent la trace. Pour l'étonnement du lecteur, cette superstition est attribuée au *penseur,* opposé au songeur germanique. Mais cette superstition naît du regret des êtres qui nous sont chers, du « deuil ». Celui qui dit *je,* tout penseur qu'il est, vit par le cœur. Les possessifs *(nos, ton, ton, nos)* caractérisent son langage, tandis que celui d'Hermann est marqué par les *tous, tous à la fois.*
Le lecteur risque d'être dérouté encore en entendant traiter les propos d'Hermann d'*ironie amère.* Ce sont les vers 25-26 qui sont visés, où Hermann déclarait les morts heureux parce qu'anéantis.

17. L'expression *comme à travers un rêve* a été commentée par Leroux : « Mais que veux-tu dire avec ces âmes qui nous entendent comme à travers un rêve?... Ah!... je sais ce qui t'inspire ces vers. Parce que je rejette absolument de chimériques révélations, parce que je ne crois pas à l'explication que tu te donnes à toi-même de certains phénomènes qui t'ont séduit, tu me représentes comme ne croyant qu'aux formes matérielles, tandis que tu as le privilège de t'entretenir avec les âmes des morts et de vivre au milieu des natures spirituelles. » On voit que l'auteur de *l'Humanité,* théoricien de la réincarnation, est hostile au spiritisme. Son influence sur Hugo pendant l'exil n'a pas été d'ordre religieux, mais social et économique (c'est à lui que Hugo a emprunté la théorie du *circulus* exposée dans *les Misérables*).
Si l'opposition des deux cavaliers n'est pas nette, et est, comme souvent chez Hugo, plus verbale que foncière, le lecteur ne doit

pas chercher à rendre logique la position de chacun, mais au contraire aimer cette incertitude des âmes romantiques en fuite dans la nuit. On ne saurait conclure comme Vianey que le drame intérieur du poète « se termine ici par la victoire de la foi disant impérieusement au doute : « Tais-toi! » Ce poème ne célèbre pas l'immortalité de l'âme. Mais faut-il alors parler de matérialisme, comme le fait J.-B. Barrère? Ces conclusions sont abusives. Le poème nous autorise seulement à dégager le pessimisme profond qui l'anime, puisque les deux voix nous disent tour à tour : que l'homme souffre la nuit comme le jour, et qu'il peut souffrir dans la tombe. Pour celui qui ne croit pas à la survie, la vie présente est une vallée de larmes; pour celui qui y croit, la mort n'apporte pas le calme. Cependant les deux strophes finales débouchent l'une et l'autre sur le rêve, et toutes deux sont imprégnées de douceur : à la vision de rêve des vers 28-30 répond la voix de rêve du dernier vers.

P. 243. IV, XIII. VENI, VIDI, VIXI

1. *Dates :* ms. 11 avril 1848.
   vol. avril 1848.

   Cette pièce fut écrite à la fin de la campagne électorale qui devait aboutir à un échec de Hugo. Il était attaqué de toutes parts; ces attaques réveillèrent le souvenir d'autres déceptions et d'autres peines. Titre dans le ms. : *Abattement.*

   Le titre définitif est à la fois un titre latin comme Hugo les aime, et un jeu de mots. Car le mot célèbre de César : *Veni, vidi, vici,* je suis venu, j'ai vu, j'ai vaincu, est déformé. Le poète corrige *j'ai vaincu* en *j'ai vécu,* mais les latinistes savent que le parfait *vixi* équivaut à *je suis mort.*

   La plainte du poète rappelle la plainte de Job, motif fréquent chez Hugo : *C. C.,* XXXIII; *V. I.,* XXX; *T. L.,* VI, v (daté du 23 juin 1843), et *Contemplations, A Villequier.*
2. Vers 1-12 : longue phrase prolongée par la répétition de la conjonction *puisque,* procédé cher au poète, mais complété ici par la répétition de la principale, *j'ai bien assez vécu,* au début et à la fin. Le cycle se referme, l'existence est achevée. « La rhétorique, notent avec justesse J.-R., est, là encore, entièrement au service du sentiment à exprimer. » Hugo imite la monotonie des versets bibliques.
3. « Et il ne s'est trouvé personne pour me secourir. » *Job,* XXX, 13.
4. Cf. III, XXII.
5. *Serein :* qui donne la sérénité.
   « J'ai perdu l'espérance... » *Job,* VII, 16.
6. *Souriant* semble ne pas s'accorder avec le vers 9, mais sa lassitude s'explique parce que ce sourire apaisé n'a pas trouvé d'écho.
7. *Debout, mais incliné :* le poète ne s'agenouille pas.
8. « Et je suis devenu l'objet de leurs railleries. » *Job,* XXX, 9.
9. Il saigne comme Job, mais celui-ci criait. Il tombe comme le Christ.
10. Cf. VI, XVI, 91 et 110.

11. C'est dans cette strophe où la plainte s'exprime sous forme d'évocation concrète et familière que Hugo est le plus émouvant.
12. *Sombre* paresse : sombre, parce qu'elle naît du désespoir. Cf. le titre : *Abattement.*
13. « Les portes de la mort vous ont-elles été ouvertes? » *Job,* XXXVIII, 17.
Première rédaction : *la porte* de la nuit.
Dans les *4 V.,* III, XII, 48, le couchant ferme « la porte énorme des nuits ».
Cette fin sublime est une des plus belles trouvailles poétiques de Hugo. Dans son *Introduction à la poésie française,* Th. Maulnier, hugophobe, daigne citer le vers 31.

P. 245. IV, XIV. DEMAIN, DÈS L'AUBE...

1. *Dates :* ms. 4 octobre 1847.
vol. 3 septembre 1847.
Le poème est censé écrit la veille du quatrième anniversaire de la mort de Léopoldine, et, en même temps, doit former un prélude à la grande élégie qui suit.
V. rattache cette pièce à des souvenirs virgiliens : *date lilia... non mollia possunt prata movere animum* — mais le rapprochement ne s'impose guère.
P. Surer a donné dans *l'Information littéraire* (septembre-octobre 1960, n° 4), un commentaire précis du poème : on y trouvera une carte de la région et une discussion sur l'itinéraire.
Pour J.-R., le marcheur arrive plutôt de l'est que de l'ouest, de Rouen que du Havre. Surer penche pour l'itinéraire opposé. Hugo, qui réside au Havre, chez Vacquerie, part à pied, pour se rendre à Villequier, « situé à environ trente-cinq kilomètres, à vol d'oiseau... Il passera par la forêt, dans la région de Lillebonne, et par les coteaux escarpés qui bordent la rive droite de la Seine... En utilisant ce raccourci, il gagnera quelques kilomètres par rapport à la route normale. A l'heure où le *soir tombe,* il pourrait voir... les bateaux à voile *descendant* dans le sens opposé à sa marche, vers *Harfleur,* petit port de pêche, à trois kilomètres du Havre, sur la rive droite de l'estuaire de la Seine ».
Pour J.-R., Harfleur, étant un port déjà envasé au XIXe siècle, ce serait la sonorité qui expliquerait sa présence ici.
Si la douleur du père semble s'exprimer simplement, il est difficile de déclarer comme tel commentateur : le style se dépouille ici de toute recherche artistique. Ce bref poème utilise toutes les ressources de la rythmique et de la rhétorique : les répétitions soulignent l'accablement *(j'irai... j'irai, sans voir... sans entendre)* et évoquent la longue marche (v. 3 et 6). On notera au vers 8 le rejet de *triste,* et l'antithèse du *jour* et de la *nuit.*
Les prétéritions des vers 9 et 10 sentent même le procédé.
Au vers 7, le rapprochement frappant de *seul, inconnu* suggère la

métamorphose du poète qui n'est plus qu'un père douloureux courant à un rendez-vous avec une morte.

Comme dans beaucoup de poèmes hugoliens, nous assistons au passage du jour à la nuit. Ici, le mouvement est plus subtil. De la blancheur de l'aube à l'or du soir qui dore les voiles, nous passons par la nuit de l'âme, mais de cette nuit jaillissent les fleurs champêtres, symboles de vie, de l'amour plus fort que la mort.

2. Autre rédaction :

Une branche de houx et de la sauge en fleur.

On retrouve la sauge au vers 69 de *A celle qui est restée en France*. Ce poème a été également commenté par G. Michaud dans *l'Œuvre et ses techniques,* pp. 67-70.

P. 246. IV, xv. A VILLEQUIER

1. *Dates :* ms. Au bas du ms. on lit 24 octobre 1846 et au-dessus 4 septembre 1844, le dernier 4 étant en surcharge sur 3.
vol. Villequier, 4 septembre 1847 (voir pièce précédente).
V. en conclut que le poème a été composé le 4 septembre 1844, puis revu et corrigé en 1846. Pour expliquer l'hésitation entre 1843 et 1844, il suggère : « Le poète, se trompant, a mis d'abord la date de l'événement 1843, au lieu de mettre la date de la composition. »
Nous faisons nôtres les conclusions de J.-R. qui s'opposent à V. et aux autres commentateurs : 1° le poème ne date pas de 1844, mais de 1846; 2° la seconde date est un projet de datation factice. Hugo a hésité entre deux dates : présenter le poème comme contemporain du drame (mais comment dater le poème du 4 septembre, puisqu'il n'a appris la nouvelle que plusieurs jours après?), ou en faire le poème du premier anniversaire. C'est le parti qu'il adopte, et que confirme le projet de titre rayé : *Un an après*.

M. Levaillant a publié dans la *Revue des Deux Mondes* du 1er mai 1930 (pp. 179 et *sqq.*) divers fragments qu'il considère comme des ébauches de ce poème et qu'il date de 1843, comme si Hugo les avait notés sous le coup de la nouvelle fatale. Dans *Autour des Contemplations* (pp. 60 et *sqq.*), J.-R., qui reproduisent ces fragments accompagnés d'autres inédits, montrent qu'on ne saurait dater ces fragments d'une façon sûre; que plusieurs datent indiscutablement de 1846 et qui sont à proprement parler les ébauches d'*A Villequier*; et ils concluent, d'autre part : « On ne peut déterminer à quel moment la première idée de *A Villequier* est née dans l'esprit de Hugo. » (*Le Manuscrit des Contemplations,* p. 102.)

Un point est incontestable, ce long poème n'a pas été écrit d'un seul jet. Voici les conclusions de J.-R. sur sa genèse (*Autour des Contemplations,* p. 63) :

« 1° Mise au net de 128 vers terminés le 24 octobre 1846, avec une série de doubles leçons entre lesquelles le poète choisit en général peu après;

« 2° De même époque, deux *ad. marg.* successives : d'abord les vers 41-56, puis les vers 73-80;

« 3° D'une écriture de l'exil (peut-être janvier 1855, cf. *Magnitudo parvi*), diverses corrections et l'*ad. marg.* des vers 105-112. »

A Villequier se rattache donc à l'année 1846, et au mois d'octobre et de novembre où se multiplient les poèmes inspirés par le souvenir de Léopoldine.

Beaucoup de commentateurs ont analysé les réactions de Hugo, frappé par le malheur. Dans l'ignorance des dates réelles, on s'est fondé d'abord sur les dates fictives et sur l'ordre des poèmes dans *Pauca meae*. Lorsque ont été connues les dates réelles, on s'est plu alors à comparer l'évolution de ses sentiments, selon la version authentique et selon la version idéale. La datation différente de *A Villequier,* 1844 ou 1846, rend ces restitutions fragiles. Que le Hugo réel diffère du Hugo stylisé, la chose est évidente. On serait même tenté de prétendre, en confrontant la correspondance et les ébauches du texte des *Contemplations,* qu'au lieu de passer de la stupeur à la révolte et de la révolte à la résignation comme le suggèrent les poèmes, il a dans la réalité suivi presque la marche inverse. « Le premier mouvement *exprimé* fut de résignation », notent J.-R.

Il est plus exact de dire qu'il oscille d'une attitude à l'autre, qu'il est à la fois résigné et révolté. Il serait absurde de vouloir mettre de la logique dans ces sautes d'humeur, et lorsqu'on utilise la correspondance, il ne faut pas oublier que Hugo adaptait son état d'esprit à celui de son correspondant.

C'est le poème le plus célèbre du recueil. Même les adversaires les plus acharnés (tel Veuillot) se laissèrent attendrir par la plainte émouvante, qui rappelait la plainte de Job. Il ne faut pas du reste, comme le remarquent J.-R. avec raison, chercher des rapprochements trop précis entre le texte biblique et le poème : « Victime du malheur et tourné vers Dieu, l'homme retrouve éternellement les mêmes plaintes; ce qui nous paraît ici le plus profondément biblique, c'est l'entretien direct avec Dieu. » (*Notes sur les Contemplations,* p. 128.)

D'une façon plus générale, la mort de l'enfant est le thème *absurde* par excellence. Les deux poètes romantiques, Lamartine et Hugo, ont eu à subir la même épreuve. De nos jours ce thème tragique a obsédé non seulement l'auteur de *la Peste,* mais encore des écrivains catholiques comme Bloy *(la Femme pauvre),* Claudel *(l'Annonce faite à Marie),* Bernanos *(Journal d'un curé de campagne),* Malègue *(Augustin ou le Maître est là).*

Dans les *Œuvres choisies de Victor Hugo,* présentées par Moreau et Boudout, la composition du poème est finement analysée (pp. 245-247).

On remarquera l'alternance du « je » avec les expressions plus impersonnelles qui apparaissent en général dans les *ad. marg.*
Un mouvement d'une admirable ampleur montre « celui qui dit je » s'obligeant à réciter son *Fiat* (v. 1-40). (Voir dans les *R. O.* le poème XI, *Fiat voluntas,* inspiré par la mort d'un enfant.)
Une *ad.* postérieure substitue au « je » les sujets *nous, l'homme, il,* et souligne les limites de la condition humaine (v. 41-56).
La strophe des vers 56-60 décrit l'harmonie cosmique faite de l'union des contraires. Au vers 61, la plainte personnelle reprend, plus amère, si amère qu'une *ad. marg.* (v. 73-80) suggère la possibilité d'une explication de l'absurde et atténue le fatalisme des vers 71-72.
Mais à partir du vers 85 et jusqu'au vers 104, un mouvement de révolte s'esquisse, dès que Hugo pareil à Job se voit comme un juste puni sans motif. Le cœur parle et non plus la raison.
Une *ad. marg.* (v. 105-112), qu'on peut dater de l'exil, excuse sous une forme imagée et pathétique la révolte passée, en substituant une fois encore au *je* le *on* et l'*homme*. L'homme est faible foncièrement.
Au vers 113, *aujourd'hui* introduit le développement (v. 113-140) qui décrit l'attitude présente du poète. Il cesse d'accuser. Il est parvenu à un état plus serein où il lui est possible de mieux voir. Il demande seulement le droit de pleurer, de regarder en arrière, et il définit avec une parfaite justesse son attitude :

Et mon cœur est soumis, mais n'est pas résigné.

Du vers 141 à la fin, le ton se fait plus familier (Veuillot y verra de la fausse naïveté). Le poète qui ne dit plus *je* mais *nous* et *on* demande simplement à Dieu de comprendre sa tristesse. C'est un père qui s'adresse à un père.
« Ce célèbre et magnifique poème n'est pas dénué de quelque rhétorique », observe P. Moreau. Il est caractérisé par la répétition des formules mises le plus souvent en tête de phrases : *maintenant que* (6 fois), *je viens à vous* (2 fois), *je conviens* (5 fois), *je sais* (3 fois), *peut-être* (2 fois), *considérez* (4 fois), *que je ne pouvais pas* (2 fois), *laissez* (4 fois), *ne vous irritez pas* (2 fois), *quand on a vu* (2 fois).
« Ces répétitions contribuent à l'ampleur d'un poème dont le souffle se soutient sans faiblesse à travers quarante strophes; elles lui prêtent parfois cette monotonie implacable qui est un des caractères du ton biblique et qu'on a reconnu plus haut dans *Veni, vidi, vixi.* » (Moreau, *op. cit.*, 248.)

2. Vers 1-59 : le poète des *Feuilles d'automne* a dit mieux qu'aucun autre le pouvoir pacifiant de la nature. On peut s'étonner que ce motif reparaisse ici, et que le poète se présente « assis au bord des ondes », puisque Léopoldine a été victime des éléments. Mais il y a opposition, d'une part entre la mer, symbole de la Fatalité, et la grande nature, l'immensité des horizons, la beauté des cieux, d'autre part entre la vie urbaine et le calme des champs.

3. *Vérités, fleurs :* union de l'abstrait et du concret qui souligne la correspondance entre la nature et l'âme. Cf. encore le vers 156.
4. *Voir de mes yeux :* n'avait-il pas eu le courage d'aller sur la tombe? regardait-il sans voir? n'osait-il pas regarder en face?
5. Les *spectacles* sont *divins* parce que la contemplation de la terre révèle Dieu : la création est un miracle.
6. Vers 21-59 : ce passage, qu'admirait Veuillot, fait écho au quatrain, III, IV :

   Vous qui pleurez, venez à ce Dieu...

7. Note pascalienne, l'homme n'est qu'un roseau. Cf. également le vers 59.
8. C'est pour Hugo une certitude qu'il n'a cessé de proclamer dans ses lettres d'amour, ses romans, ses discours, ses apocalypses.
9. « Nous ne voyons *qu'un côté des choses :* Dieu voit l'autre. » *Alpes et Pyrénées,* 27 juillet 1843.
10. *L'immuable harmonie* peut apparaître sous un jour moins *sombre.* Dans *les Malheureux* (v. 325), l'harmonie éternelle berce le pauvre.
11. Ce vers esquisse sans insister la théorie exposée dans *Ce que dit la Bouche d'Ombre.*
12. Dans *A Olympio,* on trouve déjà l'image de la roue, symbole de la Destinée :

   Roue immense et fatale, elle tourne sur Dieu,
   Elle roule sur l'homme (v. 299-300).

13. Vers 69-71 : même mouvement au début du célèbre poème des *Orientales, Fantômes :*

   Il faut que l'herbe tombe...

14. Voir dans *le Temps retrouvé* (Pléiade, III, 1038) la paraphrase de Proust si émouvante.
15. Souvenir de *l'Isolement* de Lamartine :

   Mais *peut-être au delà* des bornes de *sa sphère...*

16. Voir dans *Napoléon II* (v. 186-192) :

   Mais qui sait comment Dieu travaille?...

17. « Vous avez emporté comme un tourbillon ce qui m'était le plus cher », *Job,* XXX, 15.
18. A propos de cette conception de l'ordre immuable, J.-R. citent les *Entretiens* de Malebranche, IX, 3. Les raisons de Dieu « ne s'accordent pas toujours avec une certaine idée de bonté et de charité fort agréable à notre amour-propre ». Le rapprochement entre Hugo et Malebranche avait été fait par le Père Sertillanges.

19. Hugo tire un admirable parti de l'enjambement d'une strophe à l'autre. Autre exemple dans *Ibo* (v. 64-65).
20. Souvenir de la Bible : *aggravata est manus Dei.*
21. Il ne s'agit pas d'une lapalissade lyrique. La contemplation est un épanouissement de la vision. Cf. les vers 115-116.
Dans ce poème comme dans *Magnitudo parvi,* le regard joue un rôle essentiel. Cf. les vers 12, 15, 19, 41, 44, 53, 85, 99, 106, 108, 116, 127, 131, 132, 133, 146, 151, 153, 160. La vision et les larmes font de l'œil l'organe privilégié.
Au regard du poète répondent le regard de Dieu et celui de sa fille rouvrant ses yeux célestes. Et quand le poète parle familièrement à Dieu, il lui dit (v. 144) : Voyez-vous.
22. La sérénité *sombre* à rapprocher du vers 13, calme *sombre;* 57, monde *sombre;* 79, tourbillon *sombre.*
23. Faible comme une mère : s'il se courbe aujourd'hui, c'est donc que lorsqu'il était faible, il se redressait.
24. Faut-il faire de cet alexandrin un ternaire?
25. *Seize.* Léopoldine avait plus de dix-huit ans au moment de sa mort. La grâce était ailleurs liée aux *dix-sept ans* de Claire.
26. Autre rédaction : Que le bonheur qu'il donne est le seul...
27. « Une des plus belles litotes de notre poésie », estimait Bellessort. Pour Vianey, cette plainte lyrique si musicale combine les deux strophes traditionnelles de l'élégie française : celle de *l'Isolement* et celle de la *Consolation à Du Périer.*

P. 252. IV, XVI. MORS

1. *Dates :* ms. 14 mars 1854.
vol. mars 1854.
La pièce a été écrite au cours de ce mois de mars particulièrement fécond, précédant *Horror* et *Dolor*. Mais les poèmes contemporains figurant dans les autres recueils ne relèvent pas tous de cette inspiration sinistre.
V. dans une intéressante notice accumule les textes qui auraient pu inspirer Hugo. 1° Si le poème est une vision apocalyptique *(je vis),* c'est qu'il se rappelle l'*Apocalypse,* XIV, 14-16, où est évoqué le Fils de l'homme « à la main une faux tranchante ». « Alors celui qui était assis sur la nuée jeta sa faux sur la terre, et la terre fut moissonnée. » 2° Dans les *Martyrs,* VIII, Chateaubriand représente la mort sous les traits d'un squelette armé d'une faux : « Elle se montre comme une tache obscure sur les flammes des cachots qui brûlent derrière elle; *son squelette laisse passer les rayons livides de la lumière infernale entre les creux de ses ossements*... D'une main elle tient une faulx comme un moissonneur. » 3° A *la Comédie de la Mort,* en 1838, Gautier joignait le poème *A un jeune tribun* où se lit ce vers :

Elle (la mort) fauche le champ de l'un à l'autre bout.

4° Dans *le Paradis perdu* (trad. de Delille), au chant X, le Trépas et la Révolte sont envoyés sur terre par Satan :

> Partout à pleine main l'un et l'autre moissonnent :
> Beauté, vertu, tout meurt.

Il est peut-être aussi important de noter que le 25 janvier Shakespeare, par le truchement de la table, avait dicté ces vers :

> La mort...
> C'est le semeur du ciel, c'est le grand moissonneur
> Qui coupe sur la tombe une dernière gerbe
> Et jette sa moisson sous les pieds du Seigneur.

D'un bout à l'autre, « l'image se suit avec une cohérence méticuleuse d'allégorie médiévale » (P. Moreau).
La composition de ce bref poème fait apparaître la Mort sous ces deux faces, sinistre et radieuse, mais, selon le procédé cher à Hugo tandis que le tableau lumineux est évoqué en deux vers, le tableau sombre occupe tout le reste du développement. Le tableau sombre est aussi un clair-obscur et le vers 3 contient un bel effet de contre-jour, puisque le squelette blanc semble noir. Seule la faux jette des lueurs.

2. Impression concrète et abstraite, à la fois, d'autant plus frappante qu'elle est transcrite au présent : l'obscurité qui enveloppe les choses semble les éloigner, et cet éloignement est interprété comme un effet de la mort.
3. Pour rendre la scène plus pathétique, Hugo lui donne l'homme pour spectateur.
La dans le ms. et non *sa* (mieux vaut éviter le calembour).
4. Vers 6-19 : c'est sous une forme condensée, l'*épopée du vers*. « La similitude du tour aux vers 7-10 montre dans la diversité des effets l'unité de la cause. » (V.)
5. Vers délicat à interpréter. Allusion sans doute à Louis XVI (ou Charles Ier) et à Napoléon (ou Cromwell). Le parallélisme est surtout verbal.
On a rapproché de ce passage ces vers de *Venceslas* de Rotrou :

> Et faites-y douter à toute la province
> Si, né pour commander et destiné si haut,
> Vous mourrez sur un trône ou sur un échafaud.

6. *Oiseaux :* élément disparate puisque les expressions parallèles évoquent une déchéance. Il ne semble pas que la théorie de l'échelle des êtres soit à évoquer ici. La relation enfant-oiseau est fréquente chez le poète, a fortiori dans la perspective de la mort.
7. Tournure elliptique dont la hardiesse n'apparaît pas sur-le-champ, tant l'idée est émouvante.

8. *En haut, en bas :* « de l'échelle sociale sans doute ». (V.)
9. *Noir* répété (cf. v. 3), comme au vers 17 *ombre* (v. 4), pour donner à la première partie une composition circulaire.
Pourquoi *noirs?* est-ce un effet de la misère? ou un effet de contre-jour?
10. L'image du *troupeau* s'accorde à l'image pastorale de la moisson. La faux est devenue sombre (v. 5), à la fois parce que le paysage crépusculaire est devenu un paysage de nuit (v. 3 et 18), et pour mieux souligner l'effet de lumière : la clarté se concentre sur le front de l'ange.
11. Le sourire de l'ange à la gerbe symbolise la résurrection.
Le 18 mars, Hugo écrira *Lueur à l'horizon* (*T. L.*, III, XXII) :

> Quelle est cette lueur qu'au delà de la vie
> On aperçoit au fond de l'infini muet?

P. 253. IV, XVII. CHARLES VACQUERIE

1. *Dates :* ms. non daté.
vol. 4 septembre 1852 : pour l'anniversaire de la mort de Léopoldine et de Charles après l'arrivée à Jersey.
L'écriture étant proche de VI, XXVI, J.-R. opinent pour octobre 1854. Le 3 septembre 1854, la Mort, parlant par le truchement de la table, déclara : « Les époux charmants envolés dans le fleuve pensent à vous. Ils vous aiment, ils vous voient, ils vous attendent et vous gardent votre place dans l'immense *baiser.* » Hugo était absent. Il est permis de penser que Vacquerie lui communiqua le procès-verbal. L'idée de consacrer un poème à Charles vient-elle de Hugo ou de Vacquerie? On ne sait. Il est sûr que Hugo a voulu que *Pauca meae* s'achevât sur cet hommage au jeune mari, mort avec Léopoldine. Dès le 12 septembre 1843, Hugo écrivait au crayon sur son carnet de voyage :

> N'ayant pu la sauver, il a voulu mourir,

idée directrice du poème, reprise ici au vers 25.
J.-R. rappellent qu'avant l'article de Janin dans les *Débats* du 11 septembre, A. Karr avait publié dans le *Siècle* du 10, un récit de l'accident où il déclarait : « Je veux que Hugo sache que l'homme auquel il avait donné sa fille a voulu mourir pour ne pas revenir sans elle. » Karr, ayant été oublié dans *les Contemplations,* adressa une lettre de protestation à Hugo où se lit cette phrase : « Il faut qu'il sache que celui auquel il a donné sa fille, ne pouvant la sauver, a voulu mourir avec elle. » La lettre malheureusement est sans date, mais on devine que Karr écrit cette lettre après avoir pris connaissance du vers des *Contemplations.*
La pièce n'a pas été rédigée d'un seul jet. Voici, selon J.-R., les

étapes de sa genèse (*le Manuscrit des Contemplations,* p. 106) : « La pièce s'est organisée autour d'un premier noyau... il comprenait les vers 25-42, le début et la fin d'une strophe repris dans les vers 54-55 et les vers 79-84. Le point de départ était donc dans le vers écrit le 12 septembre 1843. »
Il existait une première rédaction des vers 43-73 qui a été rayée. Les interpolations de strophes sont très nombreuses.

2. Vers 1-24 : tout ce début a été ajouté par la suite. La longue phrase oratoire fait appel à tous les procédés de la rhétorique; on notera le leitmotiv en anaphore : *il ne sera pas dit,* et la périphrase du vers 16 qui désigne le cimetière (de même au vers 57).
« Rarement, observe V., Hugo a exprimé avec plus de force qu'il le fait au début de ce poème son horreur pour la grande nuit qu'est la mort. Les mots *ombre, ténèbres, voilé, noir,* etc., se pressent sous sa plume. »
3. *Pleins :* se rapporte pour le sens à coupe : ce transfert d'épithète est, selon J.-R., une élégance latine.
4. *Coupe :* Mallarmé dans *Toast funèbre* reprendra la *coupe* du vers 6 et le *flambeau* du vers 23. L'éloquence de Mallarmé dans son hommage à Gautier rappelle du reste celle de Hugo en ce poème : en particulier le début de l'un et de l'autre est caractérisé par des tournures négatives : *il ne sera pas dit* et chez Mallarmé : *ne crois pas, ne va pas...*
5. *L'azur* s'oppose à *l'ombre* et symbolise la joie de vivre. D'où au vers 37 *la sombre joie,* lorsque les jeunes époux meurent ensemble.
6. Vers 43-60 : la répétition obsédante du mot *sombre* (47-52-60) est particulièrement frappante dans ces trois strophes.
7. Dans le récit de l'accident, Janin donne en effet cette indication : « On les a retrouvés se tenant embrassés l'un et l'autre. » Hugo qui avait imaginé Quasimodo et Esmeralda enlacés dans la mort ne pouvait pas ne pas être bouleversé, en voyant la réalité imiter la fiction.
8. *Claies :* Littré cite de Hugo :

> Ils ont beau traîner sur les claies
> Ce Dieu mort...

9. L'image banale est renouvelée par une trouvaille superbement baroque.
10. Hugo multiplie dans son œuvre les définitions d'ordre de grandeur où les trois ordres de Pascal s'enrichissent des spéculations traditionnelles sur l'échelle des êtres. C'est pourquoi le vers 72 n'est pas une lapalissade lyrique.
11. Vers 73-78 : *ad.* postérieure destinée à mieux souligner l'effet de contraste : le sommeil dans la tombe, qui est ici le sommeil des époux, est exalté au détriment des épreuves de la vie, comme dans la pièce *A Eugène Vicomte H.* et dans IV, XII (voir le commentaire de ce poème).

12. Analogie entre le destin et le navire sur la mer. Il convient de souligner le rôle du *vent* dans tout le recueil. (Cf. la pièce liminaire.) Comme il est à l'origine du drame, on comprend mieux la place qui lui est faite.
13. *Noirs vivants,* même expression dans IV, VIII, 23.
14. *Ou plutôt,* formule de transition qui relance le développement. Après la vie du couple dans la tombe, le poète évoque leur ascension dans l'azur. Mais V. observe avec raison que le thème de l'ascension est antérieur à celui de la vie dans la tombe.
15. Cor. significatives :

1° où l'âme éblouissante est comme un lys vivant
2° où la mort aux yeux purs a l'air d'un lys vivant
3° où la morte au front pâle est comme un lys vivant

Dans *les Orientales,* Hugo appelait les filles de la Grèce « les lys pâles de Damanhour ».

A la suite de la cor., le vers 82 s'applique à l'époux, le vers 83 à l'épouse. Parallélisme analogue aux vers 107-108.
16. C'est l'éternité qui est *bleue* dans ce poème.
Dans VI, XIII, 48, Hugo écrira plus hardiment : la mort est bleue.
17. Le printemps éternel est suggéré d'une façon merveilleuse par cette image.
18. Première rédaction de cette strophe (le quatrième vers manque) :

Chers êtres disparus, hélas, vous n'irez plus,
Où Villequier répand ses grands bois chevelus,
Parmi les fleurs d'hier écloses,
. . . .
Vous n'irez plus, disant tout bas des mots d'amour,
Vous n'irez plus, cueillant des roses!

19. Nouveau développement lyrique avec anaphore du motif : *on ne vous verra plus*. L'évocation du passé aboutira au vers 115 à l'évocation de l'avenir paradisiaque.
Il y a parallélisme entre ce double mouvement et le double mouvement de la première partie : *a)* le drame dans le passé, *b)* la vie dans la tombe; *a)* la joie dans le passé, *b)* la joie céleste.
20. *Chevelus :* épithète habituelle chez Hugo.
21. Première rédaction : *le sombre* asile. Selon J.-R., sombre fut remplacé in extremis par *obscur,* parce que l'expression figurait dans *le Songe d'un habitant du Mogol* de La Fontaine.
22. Vers 97-102 : *ad. marg.* qui unit deux trouvailles poétiques, l'une (v. 98-99) nous montre Hugo animant et personnifiant la nature, l'autre (v. 101-102) est une notation de peintre impressionniste.
23. Après *l'hymen du sépulcre* au vers 76, *le lit nuptial* est transporté dans le ciel.
24. Hugo, en 1846, écrivait dans III, XIV, 5 :

Que le ciel est un dôme aux merveilleux pilastres.

25. Dans V, XIV, Claire dit aux anges :

Est-ce qu'il est permis de cueillir des étoiles?

26. Rappel du motif de la *coupe* qui figure au début du poème. Cette strophe n'est pas sans maladresse. Elle sert, il est vrai, de préparation à la fin magnifique.
27. Le poème s'achève par une métamorphose : Dieu transforme les âmes en étoiles. Cette métamorphose est soudaine, mais elle est en même temps un éternel baiser. Le texte spirite cité plus haut prouve que le baiser symbolise le Paradis, mais ici il rappelle de façon émouvante l'embrassement suprême des deux noyés.
Le vers 124 appelle surtout un commentaire. J.-R. rapprochent cette fin de l'éternité de bonheur qui attend l'enfant mort dans l'*Ode,* V, XVI, *A l'ombre d'un enfant*. Mais en 1823, nous ne trouvons que l'évocation banale d'un paradis de lumière.
Ici, Hugo laisse subsister l'*ombre* à côté du *ciel bleu.*
V. commente : « Il entre dans cet éternel baiser une part d'ombre, il n'y a pas pour Hugo de bonheur sans un élément de mystère. »
Commentaire qui porte à faux, à notre avis. Hugo veut dépeindre un état extatique et, ainsi que nous l'avons relevé chaque fois que le poète veut traduire en mots l'expérience du sacré, il réunit les contraires.
En outre, le finale reprend les deux motifs opposés du début du poème : l'ombre qui est la mort, l'azur qui est la vie.
S'il faut admettre avec J.-R. que les nombreuses additions et interpolations nuisent à la qualité de l'ensemble, l'imagination du poète n'en a pas moins d'admirables trouvailles, et la strophe finale qui clôt superbement ce livre suggère ce que peut être « la vie dans la mort ».

LIVRE CINQUIÈME

EN MARCHE

P. 261. V, I. A AUG. V.

1. *Dates :* ms. 23 décembre 1854.
vol. Jersey, Marine-Terrace, 4 septembre 1852.
Le livre IV s'achève sur un poème dédié à Charles Vacquerie, mort avec Léopoldine; le livre V s'ouvre sur un poème dédié à Auguste Vacquerie qui partage l'exil de Victor Hugo. Intentionnellement, les deux poèmes sont datés du même jour, le jour anniversaire de l'accident, après l'arrivée à Jersey en 1852.
En réalité, l'hommage à Auguste est contemporain des deux hommages à Claire.

Une ébauche que J.-R. datent de 1846 (*Autour des Contemplations*, pp. 67-68) annonce le thème :

Ton frère en ma maison
A côté de mes fils aura toujours sa place...

On oublie trop que l'accident de Villequier fit quatre victimes. Auguste Vacquerie perdit, en même temps que son frère et sa belle-sœur, un oncle et un cousin.

Il était poète, et de même qu'il avait chanté le mariage de son frère dans un poème, il chanta, dès 1844, la catastrophe de Villequier, dans un poème intitulé *Cinq mois après*. Hugo sut mettre à profit cet exemple.

Il était un des adeptes les plus fervents des tables tournantes. C'est lui qui, au début de juillet, ayant relu tous les procès-verbaux, posa des questions méthodiques pour combler les lacunes et dissiper les contradictions de la doctrine.

Il était présent, nous l'avons dit, lorsque, le 3 septembre, la Mort définit le rôle posthume du couple de Villequier (voir le commentaire précédent).

2. *Et toi,* souligne la liaison avec IV, XVII, *Charles Vacquerie*. Auguste, plus âgé que Charles et François-Victor, avait 35 ans en 1854.
3. Première rédaction :

Poète, qui du sort braves les noirs défis.

La substitution de *cœur fier* à *poète* ne trahit pas un jugement de valeur de Hugo sur les dons poétiques d'Auguste. (L'*ad*. du vers 18 lui permettra de l'appeler *poète*.) Ses dons sont en effet discutables : et cela va sans dire, il pastiche Hugo. Les vers que dicte la table ressemblent davantage à du Vacquerie qu'à du Hugo.

4. La mère d'Auguste ne vivait pas à Jersey.
5. Bel effet de clair-obscur : le sépulcre est *noir,* les vivants sont dans la *nuit,* mais ils marchent à la *clarté* qui vient de la tombe.
6. Le parallèle entre les deux frères, l'un vivant, l'autre mort, se double d'une alliance des deux poètes : d'où *nous*.
« Nous sommes dans la caverne du sphinx », écrivait Cazotte.
7. Répétition de l'adjectif rehaussée par le chiasme : élégance classique.
8. *Sœur, mère, veuve :* ces trois vocatifs désignent la même personne, la sœur de Vacquerie, Mme Lefèvre, qui avait perdu ses enfants et son mari; cf. III, XIV et XV.
9. Vers 17-24 : *ad. marg.* postérieure à décembre 1854. — Reprise au vers 18 de la métaphore amorcée au vers 12, poursuivie aux vers 19, 20, 24, 28. L'exil, édifice du Sphinx, est à la fois un précipice et une tombe.

10. Autre rédaction :

O frères! pour rayons vous avez nos ténèbres.

Même effet qu'au vers 7 avec un étonnant chassé-croisé de l'éclairage.

11. *Nous :* n'a pas la même valeur qu'au vers 25, il désigne le père et la fille.

P. 263. V, II. AU FILS D'UN POÈTE

1. *Dates :* ms. Bruxelles, 16 juillet 1852.
vol. Bruxelles, juillet 1852.
Titre ajouté dans le ms. *Au fils d'André Van Hasselt.*
Sur cet écrivain belge (1806-1874), consulter la *Biographie nationale publiée par l'Académie royale de Belgique,* tome VIII (1885).
Admirateur de Hugo depuis 1830, il eut l'occasion de l'accompagner à Louvain en 1852; il lui envoyait ses œuvres; comme le poète français, il avait perdu, en 1850, un fils âgé de cinq ans, et ce deuil avait marqué la suite de ses productions. Hugo lui écrivit aimablement de Jersey, mais lorsqu'en 1853, Van Hasselt reçut la Légion d'honneur, il cessa toutes relations. On s'étonne qu'il lui ait fait une place dans *les Contemplations.*
L'ordre des strophes a été l'objet de plusieurs remaniements : le poème commençait au vers 13, comprenait seulement les strophes 4, 5, 7, 8 et s'achevait sur les strophes 1 et 2. Puis furent ajoutées en marge la strophe 6, ensuite la strophe 3. Enfin les deux premières strophes furent déplacées, pour que le poème s'achevât, non sur l'image lumineuse du poète belge, père de l'enfant, mais sur celle, sombre, de Hugo lui-même.
Les *ad.* ou cor. développent le thème de la mer (vers 1, 11, 21, 23). Sous sa première forme, le poème faisait une allusion discrète à la légende du Juif errant : d'où *Sion* et *Jéhovah.*

2. Cor. heureuse de ce vers :
Première rédaction : *Mon pauvre enfant.* Deuxième rédaction : *Bel enfant blond.*

P. 265. V, III. ÉCRIT EN 1846

1. *Dates :* ms. 7 novembre 1854 et, en surcharge, recopié le 12.
vol. Paris, juin 1846.
Cette apologie politique suit chronologiquement les poèmes d'octobre-novembre 1854 où Hugo fait son apologie littéraire : I, VII; I, IX; III, XXVIII; I, VIII; V, XXV. Il est contemporain de V, VII. Le 22 novembre, Hugo écrit sur le même thème *Littérature* (*4 V.,* I, XIII). Une ébauche publiée par J.-R. (*Autour des Contemplations,* p. 83) contient à la fois les vers 118-125 de notre poème et le vers 6 de *Littérature.*
Selon les mêmes commentateurs, les diverses graphies permettent

de distinguer une partie plus ancienne : vers 1-25, 34-44, 49-72, 91-102, 167-264 (215-218 en *ad. marg.*), 289 à la fin (296-327 en *ad. marg.*).

Parties ajoutées : *a)* vers 25-33, 265-289; *b)* vers 108-167; *c)* vers 73-90 *(ad. marg.)*, 103-107; *d)* vers 54-48 *(ad. marg,)* 151-154 *(ad. marg.*. ; *e*. épigraphe *(ad. marg.)*.

Ce poème a été commenté par Berret (*Revue universitaire,* 1913, II, 48-57) et plus récemment par M. G. Venzac dans sa belle thèse : *Origines religieuses de V. Hugo.*

Le marquis de C. d'E... est Charles-Louis-Alexandre de Coriolis, marquis d'Espinouse, que Hugo mentionne dans *les Misérables,* III, III, 3, parmi les habitués du salon ultra de Mme de T... et qu'il définit « l'homme de France qui savait le mieux la politesse proportionnée ». Ce personnage authentique (cf. G. Venzac, *op. cit.,* pp. 229-236) fut lié avec Lamennais et leur correspondance a été publiée (*Lettres de Lamennais,* dans *Cor.,* I et II; *Lettres à Lamennais,* éd. C. Latreille, 1912). Poète à ses heures, il avait comme Hugo chanté la mort du duc de Berry et le sacre de Charles X. Il fréquentait la Société des Bonnes Lettres et, en 1823, il y condamna la nouvelle école littéraire : c'est là que le jeune romantique a pu le rencontrer. Car ses relations avec la famille Hugo, et a fortiori, sa parenté avec les Trébuchet, c'est-à-dire avec l'ascendance maternelle de Hugo, semblent imaginaires. (Cf. G. Venzac, *op. cit.,* p. 669.)

Hugo pousse loin l'affabulation, puisqu'il fait écrire le marquis en 1846, alors que celui-ci, né en 1772, était mort en 1841.

La lettre de marquis est un contrecoup du discours prononcé par Hugo à la Chambre des Pairs, le 19 mars 1846, sur les affaires de Pologne. Si ce discours fut un échec cuisant pour l'amour-propre de Hugo, « il n'avait rien d'anarchiste », observe V. La rupture avec la droite est postérieure et date du discours sur les affaires de Rome, en octobre 1849. Mais avant cette date assurément, Hugo avait senti de l'hostilité chez les représentants de la droite.

1er *développement :* vers 1-101. Portrait d'un jeune gentilhomme en 1789.

2. *Coblentz :* en 1792, lieu de ralliement des émigrés qui y formèrent l'armée de Condé.
3. Rapprochement expressif des *loups* et des *peuples,* puis des *ogres* et des *jacobins.*
4. *Fauve :* cf. I, XXVI, 42 : « leurs rimes bêtes fauves ».
5. Le marquis est un classique à la façon du XVIIIe siècle.
6. Le motif de la mère qui est repris en contrepoint jusqu'à la fin, par son ton ému donne à ce poème ironique et polémique une résonance ambiguë. Cette justification de la métamorphose politique de Hugo est aussi un poème lyrique sur le temps et la mort.
7. Un des plus beaux témoignages sur le « complexe du front ».
8. Vers 29 et *sqq. :* multiplication des antithèses et des oppositions verbales, pour définir la position du marquis en *ce temps incertain.*

9. Première rédaction :

> Vous aviez quoique ayant l'ombre en votre lunette
> Dans ce temps composé de jeûne et de festin...

10. Le marquis n'aimant pas le peuple ne peut que détester Rousseau.
11. *Goût austère* est ironique, puisque *Pigault-Lebrun* (1753-1835) était un auteur gai, auteur de vaudevilles comme le marquis lui-même.
12. Le génie mâle, passionné, sans mesure de Diderot ne peut que lui déplaire.
13. Attitude contradictoire puisqu'il déteste la favorite de Louis XV et divinise celle d'Henri IV. Est-ce parce que la première était du peuple? ou parce que la deuxième vivait en des temps plus lointains?
14. Allusion aux lettres célèbres de Mme de Sévigné qui décrivent la révolte de la Bretagne et la répression en octobre 1675. Quelle que soit la désinvolture de la marquise (« On commence demain à pendre »), et bien que Sainte-Beuve dans ses *Portraits de femmes* se soit montré sévère pour elle, on ne trouve dans les lettres rien qui corresponde à cette scène romantique : « J'ai trouvé ces bois d'une beauté et d'une tristesse extraordinaire... C'est ici une solitude faite exprès pour rêver », écrit Mme de Sévigné; mais Hugo pense sans doute à la fameuse lettre de 1680 sur le clair de lune. Sainte-Beuve, à propos du *duc de Chaulnes,* « qui a provoqué toutes ces vengeances », note : « Il reste toujours pour elle et pour Mme de Grignan *notre bon duc* à tour de bras. »
15. *Galant incendiaire.* Si l'effet est évident, le sens n'est pas clair. Un effet analogue du vers 48 : *légers* et *lourds* permet d'interpréter : l'élégance des manières chez le représentant de l'ancien régime pouvait accompagner un comportement criminel.
16. Commenté ainsi par Hugo dans une note manuscrite (*Autour des Contemplations,* p. 85) : « Vous portiez votre épée en *quart de civadière.* On disait aussi épée en verrou. La civadière est la vergue dans le beaupré. Les ducs, les pairs et les maréchaux portaient l'épée en civadière tout à fait horizontale. Les moindres gentilshommes portaient demi ou quart de civadière, selon la hauteur de leur talon. »
17. *Blesse :* le présent du subjonctif est incorrect. Que la rime soit la cause d'une entorse à la syntaxe est chose rarissime dans l'œuvre de Hugo.
18. Allusion à l'attitude de jeunes nobles attirés par l'esprit nouveau. Le duc de *Montmorency* (1767-1826), député aux états généraux, sera ministre sous Louis XVIII. Le duc de *Choiseul* (1760-1838) favorisa la fuite du roi à Varennes et dut émigrer. Le vicomte de *Noailles* (1756-1804), député aux états généraux, demanda le 4 août l'abolition des privilèges. Aucun des trois ne périt pendant la Révolution.
19. *Tite* (Corneille dit Tite et Racine Titus, Hugo semble l'oublier) souligne le caractère abusivement francisé de la tragédie classique. Dans *la Fête chez Thérèse,* Hugo écrit en revanche Plautus.

20. *Emboîtiez le pas :* y a-t-il une allusion à la boiterie de Talleyrand?
21. *Protêt :* acte dressé faute de paiement à l'échéance, ou en cas de refus d'acceptation d'une traite. L'ancien régime est le débiteur.
22. *Léviathan* précise la nature du monstre du vers 56. Effet burlesque dont nous avons vu de nombreux exemples en I, VII. L'effet est plus gros qu'au vers 57.
23. *Flambeau,* image assez déconcertante, à rattacher au vers 56.
24. Hugo a hésité entre *monstre, hydre* et *tigre.*
25. Après le rappel des débuts de la Révolution résumé dans les trois noms, Talleyrand, La Fayette et Mirabeau et la prise de la Bastille, voici les trois grandes dates de la Révolution (elles ne sont pas dans l'ordre chronologique) : le 6 octobre 1789, le roi quitte Versailles pour Paris après l'invasion du palais; le 20 juin 1792, le peuple envahit les Tuileries; le 10 août 1792, le roi se réfugie à l'Assemblée nationale, et entend prononcer sa déchéance.
26. Le chevalier de Boufflers, député aux états généraux, était un poète mondain, le représentant le plus typique de la poésie fugitive. Il émigra en 1792.
27. Le vers 72 était suivi primitivement des deux vers suivants :

   Vous disiez : — On n'a pas su s'arrêter en route
   Une transaction eût tout sauvé sans doute.

   L'*ad. marg.* des vers 73-90 amena Hugo à les remplacer par les vers 87-90. Cette addition oppose au passage burlesque un développement pathétique, puis le ton redeviendra ironique pour aboutir à l'effet burlesque du vers 101.
   Ce développement insiste sur l'aveuglement de l'aristocratie dû à sa futilité : d'où *jeux innocents* (v. 75), *énigme de salon* (v. 79), *charade* (v. 86), qui s'opposent à l'évocation épique du « lion populaire », lequel — à cause de l'énigme et de la charade — est d'abord un sphinx.
28. Première rédaction :

   Ne peut-on être heureux, le roi restant le maître?

   Cor. heureuse, suggérée peut-être par un souvenir de *Britannicus :*

   Rome soit toujours libre, et César tout-puissant.

29. Première rédaction :

   Le peuple avec le roi, c'eût peut-être été grand.

30. Évocation des splendeurs de l'ancien régime, mais d'une chronologie incertaine. Mme de Montespan était en disgrâce quand fut créée la maison royale de Marly.
31. Hugo condamne donc toute tentative pour concilier l'ancien régime et la Révolution.

2e *développement :* vers 102-165. Hugo justifie son évolution : le jeune jacobite est devenu progressiste.

32. Le marquis est comparé à Fronsac, qui n'est autre que le maréchal de Richelieu (1696-1788), ce parfait représentant de l'aristocratie du XVIIIe siècle, spirituel et dépravé. Comment aurait réagi Richelieu, s'il avait assisté à la Révolution? Le marquis permet de se l'imaginer. La Terreur, c'est-à-dire l'époque où sévit le Tribunal révolutionnaire en 1793-1794, déchaîne sa peur et sa fureur.

33. Dans *Sagesse,* le poème XLIV des *R. O.,* on trouve *furieux* associé à l'image de la mère :

> Furieux! d'un regard ma mère m'apaisait.

34. Admirable vers que la litote *endormie* rend émouvant. Ces *pieds froids* frappèrent Mallarmé. Cf. Je t'apporte l'enfant d'une nuit d'Idumée...

35. Le 12 juillet 1789, le prince de Lambesc, colonel du Royal Allemand, dispersa les rassemblements avec tant de violence qu'il fut poursuivi en justice. Hugo entremêle les noms de révolutionnaires qui passent pour sanguinaires et de monarchistes non moins brutaux. A Lambesc, il joint Charette, le héros de la guerre de Vendée. Le marquis a peur de la violence.

36. Souvenir du *Loup et l'Agneau.* Cf. encore le vers 216.

37. Première rédaction : *dix-sept* prêtres, réduits à *douze* (à cause, sans doute du vers 148 : la coïncidence aurait paru abusive), mais le chiffre *dix-sept* était le bon. J.-R. reproduisent, *in extenso,* une note manuscrite du ms. 13.420 (Moi), où l'anecdote est racontée : « Ma mère, royaliste, n'aimait pas les prêtres... Elle croyait à Dieu et à l'âme, rien de moins, rien de plus (dans l'interligne Hugo ajoute, puis biffe : « Elle faisait grand cas de Voltaire »)... ce qui n'empêche pas que dans sa jeunesse, elle avait en une seule fois sauvé la vie à dix-sept curés vendéens. » M. G. Venzac examine minutieusement le problème (*op. cit.,* 89-114). Il semble que la mère de Hugo ne devint royaliste qu'après la Révolution, à la suite de sa liaison avec Lahorie; que la famille Trébuchet, liée à Nantes avec Carrier, penchait pour la Révolution; mais qu'un acte de cette sorte n'en reste pas moins possible.

38. Allusion à l'ode fameuse du recueil de 1828, qui fut lue précisément à la Société des Bonnes Lettres.

39. C'est dans les *Odes* encore que Hugo a célébré la Vendée. Jean Cottereau fut surnommé Jean Chouan, et son surnom désigna les paysans qui prirent les armes contre le gouvernement révolutionnaire. Marceau, qui devait mourir en héros, participa à la guerre de Vendée du côté républicain. Stofflet fut le plus énergique commandant de l'armée vendéenne.
Dans sa petite épopée, *Jean Chouan* (1876), comme dans son roman *Quatrevingt-treize,* Hugo réconcilicra les adversaires.

40. *Loriquet* (1767-1845), jésuite, auteur d'une *Histoire de France* à l'usage de la jeunesse où il arrangeait l'histoire pour les besoins de la cause. — Sur *Labarpe,* voir I, XIII, 130, et I, XXVI, 62.

41. Vers esquissé bien longtemps avant (cf. *Autour des Contemplations,* pp. 53-54).
Dans le ms. des *F. A.* (autour de 1828) :

Sire, faut-il que pour vous plaire
Le ciel se fleur de lyse au lieu de s'étoiler...

et dans *Océan* (autour de 1832) : (c'est Bourdaloue qui parle à Louis XIV) :

Pour vous plaire, faut-il...
Qu'au lieu de s'étoiler le ciel se fleurdelise.

3e développement. Voir un effet analogue dans VI, VI, où la section XII est réduite à un hémistiche.
Dans *C. R. B.,* I, VI, XVII, plaisanterie analogue :

Le roi, ce faux nez auguste
Que le prêtre met à Dieu...

4e développement : vers 167-275.

42. Autre rédaction : *erreurs* au lieu de *rêves.*

43. Vers 179-204 : cf. III, VIII, 1-4 : même suite d'images, ici continuée jusqu'au vers 195 *(accentue, souligne).* Mais la métaphore reparaît encore *(sens des phrases, écrivaient)* pour aboutir à l'antithèse scolaire du vers 204 : *texte, contre-sens.* On admirera au passage la trouvaille du vers 193.

44. Ton burlesque qui ne manque pas d'humour : le poète qui pourtant fait œuvre pie se présente sous un aspect caricatural.

45. Dans *les Mages,* ce sont les gladiateurs de Dieu qui sont *hauts de cent coudées* (v. 591).

46. Développement analogue mais beaucoup plus ample dans *les Malheureux.* On y trouve *Socrate* au vers 104, *Jean Huss* au vers 106, *Colomb* au vers 115, et le vers 117 regroupe trois de ces noms :

Quand on est un Socrate, un Jean Huss, un Messie.

47. Les polémistes réactionnaires avaient beau jeu d'insister sur les excès sanglants des révolutions. Une révolution peut-elle se faire sans violence, se sont demandé les partisans du progrès. Hugo soutient comme tant d'autres la théorie du mal passager qui engendre un bien éternel; au vers 229, il souligne que rien ne peut plus faire éclore la Terreur. Mais il était facile aux progressistes de renvoyer

la balle à leurs adversaires et de montrer que la Terreur était l'arme de la monarchie, qu'elle n'était en 1793 qu'une séquelle de l'ancien régime. Dès lors (v. 260), le poète apocalyptique pouvait faire de la révolution un « châtiment ». « Savez-vous qui a torturé Louis XVII? Ce n'est pas Simon, c'est Louis XIV. » Voir dans *les Quatre Vents de l'Esprit,* le livre épique.

48. *Ampleurs :* emploi du pluriel fréquent chez Hugo, mais il n'a pas l'apanage du procédé, que l'on retrouve chez Chateaubriand, Lamartine.
Ici, commence une période d'une belle ampleur. La conjonction *quand* introduisant la subordonnée est répétée *treize fois* et variée une fois en *lorsque.* Arrivée à son sommet, la période marque un arrêt pour des répétitions : *plus* (v. 252-253), *partout* (v. 254-255), *debout* (v. 256), puis la période redescend sous la forme de cinq principales juxtaposées.
49. *Du midi dans le nord :* la première rédaction permet d'expliquer cette expression ambiguë : *du levant au couchant.*
50. *Crécy :* défaite du roi Philippe VI; *Rosbach,* défaite du roi Louis XV.
51. *Babel :* la tour maudite symbolise l'ancien régime.
52. *Tristan* l'Hermite, prévôt de Louis XI, symbole chez les romantiques du policier cruel, d'où *échafaud* (cf. VI, XXVI, 273); *Lebel,* valet de chambre de Louis XV, qui procurait au roi des maîtresses, d'où *harem.* — Sur le premier, voir *Notre-Dame de Paris;* sur le second, voir *Madame Putiphar* de Pétrus Borel.
53. Hugo avait d'abord écrit le *moignon* de l'homme. N. Parfait, à force d'insistance, obtint la correction : cf. *Cor.,* II, 223 (9 octobre 1855).
54. *Un cri s'entend sur les hauteurs.* Expression biblique. Cf. *Jérémie,* IX, 10; *Isaïe,* XIII, 4. (*Autour des Contemplations,* pp. 159-160.)
55. *Va! :* impératif épique cher à Hugo. Dans *la Fin de Satan,* Dieu dit à l'ange Liberté : Va!
56. Parallèle entre la Réforme et la Révolution : lieu commun des partisans de progrès.
5e développement : vers 276-357.
57. *Gouffres :* première rédaction : qui font les Cromwells (les Marats). (Cf. IV, XVI, 8.)
58. *Duel :* ordinairement disyllabique. Cf. V, XI, 19.
59. *Flanelle, rhumatisme :* effet burlesque de plus en plus fréquent chez Hugo depuis *les Châtiments.*
60. *Menins, majordomes :* on pense à la cour d'Espagne, mais au XVIIe siècle, le titre de menin (jeune noble attaché aux enfants royaux) apparut à la cour de France.
61. Le texte authentique de Marc Aurèle ne rappelle que de loin cette adaptation, on n'y trouve pas l'image du vers 294 : « Si quelqu'un peut me reprocher et me faire voir que je pense ou me conduis mal, je me corrigerai avec plaisir; car je cherche la vérité qui n'a jamais nui à personne. Ce qui nuit, c'est de persister dans son erreur et son ignorance. » (VI, 21.)

62. Première rédaction :

J'avance. Encore un mot, marquis, puisqu'aujourd'hui...

Suivait le vers 329. Le rappel de l'œuvre est une *ad. marg.*

63. *Le bouffon :* Triboulet. *L'histrion :* la Tisbé?

64. Les noms propres sont des noms français évoquant les vices de la monarchie française.

65. Ruy Blas, Jean Valjean, Fantine : *les Misérables* sont commencés depuis 1845.

66. J.-R. citent dans *Autour des Contemplations,* p. 84, une ébauche de ce passage étonnant :

Et j'ai collé ma bouche à toute âme tuée
Comme font les enfants, sur la pauvre aile d'or
D'une abeille qui meurt, pour qu'elle vive encor.

et soulignent que pour Hugo *mouche* et *abeille* étaient interchangeables comme dans la poésie classique. Cf. III, III, 39; IX, 9; XVII, 51.

67. Comprendre que le véritable coupable était la société contre laquelle ceux qu'elle accusait portaient témoignage.

68. Cf. *Amour,* III, X.

69. Cf. *la Nature,* III, XXIX. *La Grève :* lieu des exécutions capitales. *Alcide :* Hercule.

70. Bel exemple de procédé de développement épique : l'idée personnifiée est décrite en action; puis la poésie se ramasse en une antithèse qui fait image. *Euménide* (bienveillante), nom donné par antiphrase aux Érinnyes (voir la tragédie d'Eschyle dans la trilogie d'Oreste). Justifier son changement d'attitude par le passage de l'erreur à la vérité était une attitude naturelle chez Hugo. Cf. dans la préface de 1853 aux *Odes et Ballades :* « Monter d'une échoppe à un palais, c'est rare et c'est beau, si vous voulez; monter de l'erreur à la vérité, c'est plus rare et c'est plus beau. »

71. *Épiménide :* selon la légende, ce philosophe crétois resta endormi dans une caverne pendant plusieurs années (le chiffre varie de 37 à 100 ans). Le thème de l'homme qui, à son réveil, se retrouve dans un monde qui a changé, alors que lui-même est resté le même, était voué à une grande fortune. Le sommeil d'Épiménide est donc une expression proverbiale, qui pouvait s'appliquer aisément à la Révolution comme à la Restauration. D'où, en 1790, la pièce de Flins : *le Réveil d'Épiménide à Paris;* d'où en 1814, la pièce de Gœthe : *le Second Réveil d'Épiménide.*

72. Première rédaction : *rugit* au lieu de *pleure.*

73. *Bonhomme :* au sens classique de « homme âgé ».

74. Vers 346-354 : cf. plus bas, V, VII. — Le temps qui passe est toujours pour Hugo la venue de la lumière.

75. Sur ce passage, cf. M. G. Venzac, *op. cit.,* p. 233. Hugo, condamnant son propre passé, ne laisse pas de s'attendrir sur lui-même.

Mais le passage est peut-être seulement ironique : le conservateur qu'est le marquis prouve lui-même la loi du changement, puisqu'il n'est plus le chef sauvage, ni le Celte de jadis.

6e développement : vers 358-418. C'est la partie essentielle du poème. Après avoir affirmé et justifié le droit au changement, Hugo découvre une autre explication : le changement s'est fait autour de lui, mais non en lui. Son âme est toujours la même, une belle âme. Tout le début a été beaucoup corrigé.

76. Cf. *A Villequier,* vers 28. Ce vers prouve que Hugo se souvenait bien de Job dans le poème de *Pauca meae.*
77. Souvenirs bibliques : la marche des Hébreux portant l'arche est associée à l'échelle de Jacob.
78. Cf. *Hernani,* III, 995 : « Où vais-je? je ne sais », et la suite. Il ne s'agit pas d'un poncif romantique, Hugo n'a jamais été plus sincère : voir *la Psychanalyse de V. H.,* p. 104.
79. Première rédaction (aussitôt après le vers 378) :

> Je vois, et rien de plus, je crois et rien de moins
> Mais Longwood et Goritz tous deux m'en sont témoins...

Deuxième rédaction :

> Mais Goritz, Claremont, Longwood m'en sont témoins...

Il pensait successivement à la mort de Napoléon, exilé à Longwood, de Charles X, exilé à Goritz, de Louis-Philippe, exilé à Claremont. Mais il se rappela que le poème était écrit en 1846, sous le régime même de Louis-Philippe : d'où la rédaction définitive augmentée d'une *ad. marg.* et de la note.

80. Voir les poèmes *A la Colonne, Napoléon II, Sunt lacrymae rerum.*
81. Vers 399-402 : *ad. marg.* qui insiste sur l'idée capitale pour Hugo que l'explication est dans la tombe.
82. Le poème de *la Légende, la Conscience,* est écrit depuis 1852 : il se rattache, on l'oublie trop, à l'inspiration des *Châtiments.* Les deux dénouements se ressemblent et s'opposent. L'œil de Dieu ne cesse de peser sur le criminel, l'œil maternel ne cesse de couver l'homme de devoir.
83. Première rédaction : Elle *avance inflexible.* Deuxième rédaction : Elle *va toujours calme.* Troisième rédaction : Elle marche sereine. Pour une âme romantique, c'est la sérénité qui constitue l'état idéal.
84. Du vers 361 au vers 417, on notera la présence du vent, présence ambiguë comme le prouvent les vers 18-20 de la suite.

P. 278. ÉCRIT EN 1855

1. Tout en constituant un poème distinct (puisque, comme le souligne Hugo dans sa lettre du 27 décembre 1855, il commence par une rime féminine, alors que le précédent s'achève de même), ces vers

n'ont pas droit dans la table des matières à un numéro particulier. Le poème a été écrit selon le ms. le 10 janvier 1855.

2. L'analogie entre l'exil et la mort est un leitmotiv des *Contemplations.*

3. Première rédaction :

La morne obscurité couvre mon horizon.

La cor. introduit un élément fantasmagorique. Cf. *Mages,* vers 467 : le crêpe de la nuit en deuil.

4. A la manière de Chateaubriand?

5. Fin familière et sublime, à comparer avec *les Malheureux,* V, xxv, 55-56.

P. 280. V, IV. LA SOURCE TOMBAIT...

1. *Dates :* ms. 21 avril 1854.
vol. avril 1854.

Le 17 avril, Hugo avait écrit VI, III, où il disait : « Tâche de faire un peu de bien. » Le 21, le lion d'Androclès, symbole de générosité, de la part de nos « frères inférieurs » poursuit la dictée de son poème. Ce bref morceau est une fable comme I, XXV. Tel La Fontaine, Hugo nous apprend (v. 7-8) qu'on a souvent *besoin* d'un plus *petit* que soi. Mais on mesure la différence entre la simplicité classique et le sublime romantique.

M. Souriau voulait y voir une allégorie : « L'océan, c'est Hugo, génie immense mais amer. La goutte, c'est Juliette, humble et douce. »

La place même du poème au livre V suffit à ruiner cette interprétation.

J.-R. en proposent une autre : « Ne peut-on voir dans l'océan, l'infini de l'univers et dans la source, la poésie de l'exilé? »

A rapprocher de la fable de Gautier, *le Bédouin et la Mer,* qui prouve que Dieu n'a pas créé une seule chose complète. Cette vision pessimiste n'est pas celle de Hugo. Même si l'optimisme n'est pas affiché comme dans la fable des *V. I.,* « La tombe dit à la rose... », la fable procède d'une vision harmonieuse de l'univers. Si allégorie il y a, elle nous semblerait plutôt d'ordre social : au tyran destructeur, la charité des humbles sert de compensation.

Renouvier admirait la concision merveilleuse de cette pièce.

P. 281. V, V. A MADEMOISELLE LOUISE B.

1. *Dates :* ms. 27 juillet 1855.
vol. Marine-Terrace, juin 1855.

Un des derniers poèmes dans l'ordre chronologique, écrit comme V, XV; V, XXI; V, VIII pour étoffer le livre V.

Hugo avait déjà dédié à Louise Bertin la pièce XXI du livre III. Ici, il fait plus : il célèbre la famille amie. Cette famille avait été éprouvée : Mme Bertin mère était morte en 1838, le père en 1841. Armand le fils avait pris alors la direction des *Débats*. Armand perdit sa femme en janvier 1853, et lui-même mourut un an après, jour pour jour, laissant deux enfants orphelins.
J.-R., dans *Autour des Contemplations* (p. 70), reproduisent un vers datant de 1846 :

Armand, voilà cinq ans que votre père est mort...

Hugo renonça à écrire ce poème. Mais la mort d'Armand lui-même, en 1854, le décida peut-être à célébrer la famille Bertin, et plus encore la publication par Janin de l'*Histoire de la littérature dramatique*.
Le 26 décembre 1854, dans sa lettre de remerciements à Janin, Hugo déclare en effet : « Cela nous ramène aux Roches. »
On lira dans *Victor Hugo raconté* le chapitre XLIX, *Amis,* où se trouve évoquée la famille Bertin et citée la cinquième strophe de cette pièce.
Hugo pense à Louise, la survivante. Il met en parallèle la mort de Bertin, le père, et celle de Léopoldine, puis songe à la mort de Mme Bertin et d'Armand qui lui rappelle la mort de sa propre mère et de son frère Abel.
Sur le séjour aux Roches, cf. livre I, II, V, XXVII. Sur Louise, cf. III, XXI.
Ce poème n'a été mis au point qu'après une série de rajouts.
Les vers 7-12 sont une *ad. marg.;*
Le vers 30 était suivi des vers 79-90;
Les vers ajoutés 31-78, selon J.-R., ont été écrits en trois temps :
a) les vers 31-36 suivis des vers 43-48 et 73-78,
b) les vers 37-42 puis 55-66 ont été intercalés,
c) enfin les vers 67-73 ont été ajoutés (les vers 49-54 manquent dans le ms.).

2. « Le parc plein de chênes séculaires. » *(V. H. raconté.)*
3. Première rédaction :

Et les vers qu'on disait, et la lune, et la brise.

4. Vers 35-54 : développement à rapprocher de *la Tristesse d'Olympio :* « Le poète, note V., se souvenant des Roches se souvient des Metz; alors ce qu'il a écrit jadis sur les Metz lui suggère d'ajouter, en écrivant sur les Roches, ces reproches à la nature. »
« Au coup de cloche du dîner... M. Bertin rentrait et mettait une rose sur la serviette de sa voisine de table. » *(V. H. raconté.)*
5. Léopoldine était particulièrement chère à Bertin le père (v. 34) et à Louise. L'humble cœur qui s'élève désigne Léopoldine.
6. Le rire du fils fait écho au rire du père (v. 8).

7. Cf. VI, vi, 38 :

Un mariage obscur sans cesse se consomme
De l'ombre avec le jour.

8. Première rédaction : *honnête* au lieu de *divin.*
9. Hugo insiste sur les deux deuils qui lui permettent un parallèle entre Louise et lui-même.
10. Vers plusieurs fois remaniés : 1° je pleure, vous pleurez; 2° O mêmes questions!
11. La strophe mêle l'onde du flot et l'onde du glas.
La fin avait frappé Mallarmé lycéen qui l'imita dans une élégie de sa jeunesse.

P. 284. V, vi. A VOUS QUI ÊTES LA

1. *Dates :* ms. 27 mai 1855.
vol. Marine-Terrace, janvier 1855.
Ce poème d'hommage aux compagnons d'exil est censé écrit au début de la nouvelle année. V. observe que l'évocation de Jersey en hiver a été écrite en mai, tandis que dans *Pasteurs et Troupeaux* la description printanière d'avril a été faite en décembre.
Développement en trois parties.
a) Vers 1-35, caractérisée par la répétition oratoire :
vous qui l'avez suivi (v. 1, 5, 7),
recevez (v. 12, 20, 26, 27, 28),
vous aiment (v. 15, 19).
2. Vers 1 et *sqq. :* sur les réactions diverses que Jersey inspire à Hugo, cf. I, xiv, note 7.
La rhétorique l'obligeait ici à souligner l'horreur, la solitude, mais à la *blême vallée* du vers 1, on opposera dans les *4 V.,* III, xxxiv, *Entrée dans l'exil :*

J'ai fait en arrivant dans l'île connaissance
Avec un frais vallon plein d'ombre et d'innocence.

L'hiver lui-même n'inspire pas toujours des impressions lugubres. Cf. encore dans les *4 V.,* III, xii, *Nuits d'hiver,* daté du 15 janvier 1855.
3. *Ses* selon le ms. et non *ces.*
4. Ms. : *ces écueils* corrigé en *brisants* pour l'édition à cause du vers 2.
5. Cf. *C. R. B. :*

Ce laboureur, la tempête,
N'a pas, dans les gouffres noirs
Besoin que Grignon lui prête
Sa charrue à trois versoirs...

6. « Hugo fait bénir ses compagnons d'exil par les lieux témoins de leur dévouement, comme le Psalmiste fait louer Dieu par ses créatures. » (V.)

7. Ce vers réunit tous les êtres chers : après sa femme, sa fille, ses deux fils, Vacquerie, allusion discrète à Juliette.
8. *Du soir* vague *et sonore :* J.-R. observent à propos de cette expression que la poésie des *Contemplations* offre des surimpressions de sens. En effet, *vague* peut signifier à la fois qu'on entend *vaguement* et *vagabond.*
9. Adaptation de la formule : que Dieu vous le rende.
10. « Hugo renouvelle ici heureusement la comparaison... entre ces deux abîmes : la mer et le cœur. » (V.) Voir V, xxiv, 20.

b) Vers 36-43.

Les points d'exclamation se multiplient.

Variations sur la pieuse comédie, *le mensonge auguste,* que jouent les compagnons d'exil, pour consoler l'exilé.

c) Vers 44-66.

11. Depuis le premier vers, le poète s'est mis en scène à la troisième personne. On notera dans cette périphrase qui le désigne le rôle donné au vent. — Après une transition exclamative *(c'est beau!),* description d'une scène symbolique le jour du départ. Comme dans III, xxix, il imagine un dialogue entre le banni et le ruisseau (v. 55), les oiseaux (v. 57), les forêts (v. 62). Pour finir, il n'oppose pas à l'indifférence de la nature, la sympathie des fidèles, comme on aurait pu s'y attendre. Il insiste sur la solitude du proscrit.

Le poème s'achève sur une idée nouvelle : les *passants* du vers 52 ne comprendront que plus tard l'exilé mystérieux. Le mot essentiel est le dernier du poème : cette ombre qui l'enveloppe est *sacrée.* Cette ombre, dirait Mallarmé, est son sacre. Nous assistons ici au dépassement de l'idée simpliste que exil = mort.

P. 287. V, vii. POUR L'ERREUR...

1. *Dates :* ms. 11 novembre 1854.
   vol. Marine-Terrace, novembre 1854.

Poème contemporain de V, iii : le sujet développé ici : l'accusation d'être un renégat se rattache directement au grand poème. Cf. en particulier les vers 330-354.

Si ce fragment est séparé, c'est que la thèse que Hugo soutient ne s'accorderait pas avec celles développées dans V, iii. Il refuse ici de reconnaître qu'il a varié d'opinion. Il n'indique même pas qu'il est passé de l'erreur à la vérité. *Renégat, apostat* sont les insultes adressées par les ennemis du progrès à ceux qui apportent la lumière. Hugo se compare à Jésus, à Socrate, à Galilée.

La pièce commençait d'abord au vers 3.

Les deux premiers vers ont été ajoutés après coup.

On notera au vers 2 la rime normande (autre exemple dans *A Villequier,* v. 104).

P. 288. V, VIII. A JULES J.

1. *Dates :* ms. 22 août 1855.
vol. Marine-Terrace, décembre 1854.
C'est la dernière pièce écrite en hommage à un ami.
On doit se demander pourquoi Hugo a songé à lui en dernier lieu, surtout si on relit le passage dithyrambique de l'*Histoire de la littérature dramatique* auquel la note de Hugo nous renvoie :
« L'avons-nous aimé ce grand poète de notre âge, l'avons-nous entouré de nos déférences, et maintenant que de larmes, que de regrets, quelle profonde et sympathique pitié, mêlée à tant de douleurs, à tant de respects! La dernière fois que je l'ai vu, ce démon poétique, dont le souvenir se mêle à toutes les fêtes de notre jeunesse, à toutes les douleurs de notre âge mûr, c'était dans une ville étrangère, une ville d'exilés, le matin, à cinq heures, le soleil montait dans le ciel, dissipant les dernières vapeurs de la nuit. Sur la place où d'Egmont et le comte de Horn sont tombés, pour satisfaire aux rancunes de l'inquisition, s'ouvrait, dans une boutique sombre, une porte étroite; on montait par une échelle au réduit où se tenait ce pair de France, ce tribun, ce chevalier de la Toison d'Or, et grand d'Espagne, qui a mis au monde Hernani et Ruy Blas.
« La porte était ouverte, on entrait chez le proscrit, comme on entrait naguère chez le poète. L'homme était étendu sur un tapis, à terre, et dormait. Il dormait, si profondément, qu'il ne m'entendit pas venir, et je pus admirer tout à l'aise ces membres solides, cette vaste poitrine où la vie et le souffle occupent tant d'espace, ce front découvert, ces mains dignes de tenir la baguette de la fée, en un mot, je le vis tout entier, ce vaillant capitaine des grandes journées... on eût dit le sommeil d'un enfant, tant le souffle était calme et régulier.
« A la fin, il se réveilla, comme autrefois, de ce réveil heureux que la pensée apporte avec elle; il me sourit, et comme je me jetais dans ses bras, retenant mes larmes, il m'embrassa à m'étouffer. »
Le 26 décembre 1854, Hugo avait écrit à Janin une lettre de remerciements particulièrement émue. En même temps, il écrivait le poème de *T. L.,* V, XXII, *A deux ennemis amis* (daté du 21), où il s'efforçait de réconcilier Janin et Dumas. Enfin, il commençait un autre poème dont J.-R. ont publié les ébauches (*Autour des Contemplations,* pp. 100-102) et ce poème n'est autre que celui-ci. On ne sait pourquoi Hugo ne l'acheva pas aussitôt, mais seulement en août 1855. Au moment où il le commençait, la tempête faisait rage, d'où dans les ébauches les allusions à l'ouragan, au flot furieux, à la tempête affreuse. Il ne reste rien de cette tempête dans la version définitive.
Développement naturel à partir de la page citée plus haut : Hugo oppose au séjour à Bruxelles le séjour à Jersey; puis il remercie Janin pour son livre, loue le courage du critique et célèbre la vertu éclairante de l'ouvrage.

2. A l'image du poète endormi, Hugo substitue celle de l'éternel errant.

3. Plus que le souvenir biblique de la feuille emportée par le vent, il faut noter ici le rôle attribué au vent lui-même.
4. Antithèse entre les quatre points cardinaux symbolisant l'espace infini et les quatre pavés symbolisant la fin tragique. Cependant, les quatre noms cités au vers 21, plutôt que les quatre directions : nord, sud, est, ouest, représentent les quatre éléments : *aigle :* air; *astre :* feu; *flot :* eau; *mont :* terre.
5. Le comte d'Egmont se souleva contre l'Inquisition. Le duc d'Albe le fit décapiter en 1568. Gœthe a glorifié le héros dans une tragédie dont Beethoven a composé l'ouverture.
6. A Jersey, Hugo erre. A Bruxelles, il se décrivait, non pas couché, comme le fait Janin, mais le coude sur ses livres (v. 12). — A Bruxelles, c'était le *temps* qui était *le noir passant ailé* (v. 13).
7. Souvenir combiné du rameau d'olivier apporté par la colombe à Noé dans l'arche, et du chant du cygne.
8. Vers 35-38 : *ad. marg.* postérieure.
9. Première rédaction :

Merci poète, ami, frère, songeur, esprit.

10. *Sans y mêler la haine :* équivoque : faut-il le rattacher au sujet (Janin) ou au complément (Hugo). Le vers 44 invite à choisir la première construction.
11. Dans *les Malheureux,* Étienne le martyr est lapidé, et les pierres de son supplice font son triomphe (v. 152).
12. *Horace :* le poème de *T. L., A deux ennemis amis,* rappelle l'amitié de Virgile et d'Horace, et, non moins flatteur, compare Janin à Diderot et Dumas à Schiller.
Dans l'ébauche de décembre, la comparaison de Janin et d'Horace est amorcée :

Ayant je ne sais quoi
D'Horace à qui Voltaire aurait dit quelques mots.

Dans la version définitive, la comparaison s'épanouit. L'imagination transforme le compliment en une scène merveilleuse et étrange. Le livre devient un miroir, miroir magique où Hugo voit Janin, et où Horace se mire. En même temps, Horace derrière Hugo se penche sur le livre, comme les anges souriants, dans le poème XXIV d'*Aurore.*
13. Type de conclusion fréquente chez Hugo : cf. le poème suivant. L'action que le poète est en train d'accomplir déclenche le songe. Le poète alors oublie le présent et devient un voyant.
Rarement Hugo a décrit avec plus de bonheur la fraîcheur de la vision poétique :

mon œil visionnaire
A qui tout apparaît comme dans un réveil...

Dans l'ébauche de décembre, Hugo avait noté une fin différente :

Je marche au bord des mers ton beau livre à la main...
J'interromps par moment ma lecture, et, songeant,
Ma pensée où l'essaim des souvenirs se lève
Vole hors de la tienne et mon œil distrait rêve,
Et ton livre agité près du flot furieux
Frémit et l'ouragan le frôle curieux,
La bise échevelée a l'air d'y vouloir lire :
Les pages en tournant font le bruit d'une lyre.

P. 291. V. IX. LE MENDIANT

1. *Dates :* ms. (10) 20 octobre 1854.
vol. décembre 1834.

Ce poème pose un double problème chronologique : 1° la date fictive 1834, figurant sur l'édition originale, est une faute d'impression corrigée à partir de 1856. 2° La date réelle sur le ms. est 1854; or, *le Mendiant* figure sur une liste de poèmes dressée, semble-t-il, en 1846. (Cf. *Autour des Contemplations,* pp. 26-31.) Comment expliquer ce mystère? *Le Mendiant* sous sa première forme comprenait 28 vers et non 26; cette version demeure inconnue. Si le ms. définitif porte la date de 1854, c'est que Hugo inscrivait de préférence la date de l'achèvement, mais on voit, par ce simple exemple, à quelles erreurs s'expose l'historien s'il veut retracer la genèse des *Contemplations,* en se fondant sur les dates inscrites dans le manuscrit. Souvent reproduite dans les anthologies scolaires, cette pièce permet d'analyser aisément les procédés de Hugo.

Bien que la charité de Hugo ne doive pas être mise en doute, il est inutile de se demander s'il s'agit d'une scène vécue : la pièce écrite en octobre est datée de décembre et au vers 1 *le givre* a été substitué à la *pluie.* Ce qui importe ici, c'est le lien qu'établit le poète entre une idée et une image. L'idée est que le pauvre est « plein de prières ». Dans la pièce fameuse *Pour les pauvres,* Hugo enseignait qu'un mendiant est « puissant au ciel ». (Cf. encore, dans la *L. S., le Jour des Rois,* où le mendiant, « fantôme chenille », touche aux hommes par sa prière.)

L'image, préparée de loin, compare le manteau du mendiant, troué et jadis bleu, lorsqu'il est étalé devant le feu de l'âtre, au ciel noir étoilé.

Plus intéressante encore est la composition même du poème. Le ton prosaïque que soulignent et la dislocation de l'alexandrin et la multiplication des rejets devient à la fois plus solennel et d'un rythme plus régulier. Mais ce changement se fait à deux reprises, au vers 9 et au vers 21, comme si le poète prenait un double élan pour s'élever.

Quant à la fin, elle est non moins typique : le poème ne s'achève pas sur l'idée du vers 24, ni sur la seule évocation du ciel nocturne.

Nous assistons dans cette pièce à une double métamorphose et c'est ce parallèle qui en fait le principal attrait. D'une part, dans le mendiant sans nom (le rejet du vers 12 ne fait que souligner l'anonymat du pauvre) se révèle une grandeur spirituelle. Le double sens du mot *niche* invite à un jeu de mots qui résume parfaitement l'intention du poète : ce pauvre est un chien et un saint. La tournure *plein de* d'origine biblique contribue à suggérer cette grandeur. D'autre part, le poète lui-même, qui se montrait sous un jour simple, poli et bon, devient le songeur.

De même que le mendiant entendait mal (*je lui criai,* v. 10), le poète cesse d'entendre (v. 15 et 25) : étonnant dialogue de sourds. De même que le mendiant rêve (v. 7), le poète songe (v. 24) et pense (v. 15). Il se détache de la scène présente. Ou plutôt, il est à la fois là et ailleurs, et ce qu'il *regarde* n'est pas ce qu'il *voit.* La *bure* (qui évoque à la fois une étoffe grossière et la robe d'un San Francesco), lorsqu'il la *contemple* à la lueur du feu, devient l'occasion d'une révélation sublime : *magnitudo parvi.*

P. 292. V, x. AUX FEUILLANTINES

1. *Dates :* ms. 10 août 1846.
vol. Marine-Terrace, août 1855.

Pourquoi la date fictive? V. répond avec maladresse : « Le poète, qui composait à ce moment-là des pièces en l'honneur de ses meilleurs amis..., voulut que les chers compagnons de son enfance, Abel et Eugène, eussent aussi leur place dans *les Contemplations* »; mais V. oublie de remarquer l'essentiel : la mort d'Abel, en février 1855. Dans *Propos de table de V. H.,* R. Lesclide rapporte le récit fait par le poète de la découverte de la Bible des Feuillantines. La date tardive de ces souvenirs invite à se demander si le poème n'est pas la source du récit.

Hugo a immortalisé la maison et le jardin des Feuillantines. Voir *R. O.,* XIX et XLIV; *V. I.,* XXIX; *Dernier jour d'un condamné,* XXXIII. Voir également *V. H. raconté,* VII.

V. note que « le poète aimait beaucoup sa bible illustrée et ne la laissait pas entre les mains de ses enfants ». Lorsque dans le poème XXII des *V. I., A des oiseaux envolés,* il veut symboliser sa capitulation devant les enfants qu'il adore, il donne ce détail hyperbolique :

> Je vous laisserai même, et gaîment, et sans crainte,
> O prodige! en vos mains tenir ma bible peinte...

mais est-il certain que la bible peinte soit celle des Feuillantines? On goûtera dans ce poème familier tout ce qui le distingue des productions médiocres qui, sous le nom de poésies, ont été publiées depuis cent cinquante ans. Le livre prestigieux, que qualifie d'abord l'adjectif ambigu *noir,* émeut tous les sens : l'odorat (v. 13), la vue (v. 15), et, plus singulièrement, le toucher (v. 24).

Au vers 17 l'adjectif *doux* résume l'impression dominante, confirmée au dernier vers par le substantif *douceur*.
Les trois épisodes mentionnés illustrent parfaitement cette *douceur :* celui de *Joseph* célèbre le pardon des offenses; celui de *Ruth et Booz* commémore moins une idylle qu'un exemple de générosité; enfin celui du *bon Samaritain* qui provient du *Nouveau Testament* et non de *l'Ancien* exalte mieux encore le devoir de charité.
Le récit souligne la fascination exercée par le livre, puisque ces gamins turbulents, désobéissants (cf. v. 3 et 10), oublient de jouer (ce verbe est répété à dessein) et passent leur journée à lire.
Mais la dernière strophe suggère avec une délicatesse rare la qualité de leur joie et de leur étonnement. Le rapprochement paraîtra naturel si l'on se rappelle le poème des *R. O., Sagesse.* Hugo y raconte son amour enfantin pour les oiseaux. Les deux souvenirs sont associés ici.
Dans I, vi, on trouvait déjà unis les scènes merveilleuses de la Bible et le charme de l'enfance.
La strophe exceptionnelle n'est pas la terza-rima utilisée par Gautier, Vigny, Mallarmé, Leconte de Lisle, Heredia.
La pièce II, xxxii, de *T. L.,* datée du 28 juillet 1846, n'a d'un tercet que l'apparence : il s'agit d'un poème en rimes plates.
On notera ici la répétition des rimes masculines en *oir,* au centre même de la pièce, comme si le poète avait voulu ralentir son récit.
L'Envoi des Feuilles d'Automne, pièce xviii des *C. C.,* offre la particularité : 1° d'être écrite en tercets (mais le vers est décasyllabique et la rime du troisième vers est triplée), 2° de s'achever sur la comparaison du livre à un oiseau :

> Qu'à vos côtés, à votre ombre, il se couche,
> Oiseau plumé, qui, frileux et farouche,
> Tremble et palpite, abrité sous vos pieds.

Le goût douteux de cette fin fait apprécier, par contraste, le charme de *Aux Feuillantines.*
Autre comparaison non moins suggestive : on lit dans *Vie de Henry Brulard* (8) : « Nous avions une grande bible à estampes reliée en vert, avec des estampes gravées sur bois et insérées dans le texte, rien n'est mieux pour les enfants. Je me souviens que je cherchais sans cesse des ridicules à cette pauvre bible... »

P. 294. V, xi. PONTO

1. *Dates :* ms. 3 mars 1855.
vol. Marine-Terrace, mars 1855.
Dans *Autour des Contemplations,* p. 93, J.-R. publient cette ébauche :

> les Contemplations, le chien
> ....

la vertu. Dieu.
Et n'ayant pu la faire homme, Dieu la fit bête.

A. Vacquerie, dans *Profils et Grimaces,* p. 300, raconte l'histoire de Ponto, l'épagneul. Les bêtes étaient aimées des proscrits, qui leur attribuaient à l'exemple du Mage une âme. Vacquerie, irremplaçable pour formuler d'une façon ridicule les idées de Hugo, écrit : « Il y a des cœurs d'ange sous des pelages de caniches. » Le 24 avril 1854, Hugo avait obtenu du Drame parlant dans la table, cette réponse : « Les animaux sont des prisons d'âmes... L'œil du chien qu'on fouette voit sourire les anges. »
Dans *Dieu,* c'est l'Ange qui déclare :

Homme, envie
Ton chien; tu ne sais pas, triste maître hagard,
S'il n'a pas plus d'azur que toi dans le regard.

Le poème de la *L. S., le Lion d'Androclès* illustre magnifiquement cette thèse.
De telles croyances n'étaient pas l'apanage du groupe de Jersey. Voir dans *Jocelyn,* IXe époque, les vers 80 et *sqq.* Fido est pour son maître une preuve de l'immortalité.
Dans le poème V, VIII, nous avions déjà vu le poète lisant en marchant. Le pouvoir consolant de la nature et de nos frères inférieurs est souligné par une évocation atroce de l'histoire humaine. Ce développement, au centre de la pièce, est d'un sectarisme caractéristique et Bellessort était outré par cet « affreux mépris de l'histoire ». Car Hugo ne se contente pas de collectionner les atrocités. Il en rajoute.

2. Cf. III, XXIX : « et l'aube en pleurs sourit ».
3. Nous savons Hugo grand lecteur de Tacite. Pour Froissart et Montluc, V. se montre sceptique.
4. *Alexandre* tua Clitus son ami, mais Montesquieu nous rappelle qu'il rendit cette action « sublime par son repentir ». Si, d'après Suétone, *César* est un séducteur, sa sobriété est non moins frappante.
5. Pour l'auteur d'*Hernani, Charles Quint* n'est qu'un tyran cruel. *Didier,* roi des Lombards, fut dépossédé par *Charlemagne* en 773. Les Saxons, dont *Witikind* était le chef, ne furent domptés qu'après un horrible massacre.
6. Les latinistes connaissent bien deux épisodes rapportés par Sénèque : celui du *De Clementia* où il est dit du gastronome Vedius Pollion : *muraenas sanguine humano saginabat* (I, 18, 2), celui du *De Ira,* où le même Pollion, sur le point de livrer aux murènes un esclave coupable d'avoir brisé un verre, est puni par Auguste, témoin de cette fureur. Si le *De re rustica* de *Caton* l'Ancien témoigne d'une grande sévérité à l'égard des esclaves, il n'est pas question de les livrer aux murènes. Le plus étonnant est que la confusion entre Caton et

Pollion remonte à la jeunesse de Hugo : voir *Odes,* IV, VIII, *l'Homme heureux* (1822) :

> Je fais jeter par jour un esclave aux murènes,
> Et je m'amuse à peine à ce jeu de Caton.

Une anecdote amusante mais suspecte rapportée par Martin-Dupont dans *V. H. anecdotique* (1904) attribue cette pratique à Sénèque lui-même.

7. *Titus* détruisit *Jérusalem* en 69.
8. *Turenne* remporta avec Condé la victoire de *Nordlingen* en 1645. *Catinat,* l'un des meilleurs chefs d'armée sous Louis XIV, était surnommé le Père la Pensée, comme *Bayard,* le Chevalier sans peur et sans reproche. C'est en 1674 que Turenne ravagea le Palatinat.
9. Le coup de *Jarnac* a valu à son auteur une renommée fâcheuse. Ce coup, qui consistait à couper les jarrets de son adversaire, était autorisé. C'est parce qu'il avait triomphé de La Châtaigneraie, favori de Henri II et de Diane de Poitiers, que fut suspectée sa loyauté. Quant à *Carrouges,* la rime non seulement l'a privé de l'*s* qui termine son nom, mais surtout elle explique sa présence parmi tant de forfaits illustres : il est connu pour avoir livré le dernier combat judiciaire. Il est vrai que Hugo avait les duels en horreur.
10. Saint Louis avait en effet condamné les blasphémateurs à avoir la langue percée d'un fer rouge en cas de récidive : mais il supprima cette pratique à la demande du Pape.
11. Hugo s'inspire de son propre drame : et encore nous montre-t-il seulement *Milton* humilié par *Cromwell.* — *Servet* avait été condamné par le Grand Conseil de Genève. Il fut brûlé vif le 26 octobre 1553.
12. *Mal de splendeur vêtu :* c'est encore une fois, l'expression biblique : *amictus lumine sicut vestimento.*
13. Effet analogue dans *le Lion d'Androclès :*

> Et, l'homme étant le monstre, ô lion, tu fus l'homme.

14. On notera ici à l'inverse, quelles que soient les croyances « occultes » de Hugo, la discrétion de l'expression.

P. 296. V, XII. DOLOROSÆ

1. *Dates :* ms. 14 juillet 1855.
   vol. Marine-Terrace, août 1855.
   sans titre dans le manuscrit. Allusion à la prose : *Stabat mater dolorosa* (cf. V, XXVI, 152). L'adjectif du titre est au datif. La date fictive est la même que celle de V, XXIV : Adèle et Juliette sont louées en même temps.
   Chenay, beau-frère d'Adèle, dans son *V. H. à Guernesey,* note : « L'épouvantable catastrophe de Villequier la hantait toujours », et Adèle demanda à être enterrée auprès de sa fille. V. observe avec

raison que « le souvenir de leur fille morte était le lien le plus fort qui subsistait entre Victor et Adèle ».

2. C'est en décembre 1854 que Hugo avait écrit *Claire* où l'on trouve le même thème, mais traité avec plus d'émotion.
3. J.-R. se montrent sévères pour ce poème : la mièvrerie de ces deux vers justifie leur sévérité.
4. Vers typiquement hugolien en raison de l'antithèse entre *splendeurs* (au sens concret de lumière éclatante) et *sombre,* et de l'emploi de *sombre* appliqué à la *nature* (sombre = mystérieuse). Cf. I, XIV :

   Toute la nature sombre
   Verse un mystérieux jour...

   et IV, III :

   Cette splendeur sombre
   Qu'on appelle la vérité.

5. Hugo s'efforce de rendre sensible ce qu'il appelle au vers 9 une *douleur douce* (cf. *Aux Feuillantines*), mais il se contente de faire un distinguo entre les diverses douleurs, et de mettre en antithèse *pleurs* et *sourire :* les pleurs sont réservés au *deuil.* L'exil ne provoque que le sourire.

P. 298. V, XIII. PAROLES SUR LA DUNE

1. *Dates :* ms. et vol. 5 août 1854, anniversaire de mon arrivée à Jersey. Le 26 juillet, Hugo avait écrit *Ibo.* Son humeur instable lui fait écrire quelques jours plus tard ce poème désespéré.
   Dans *la Grève de Samarez,* Leroux raconte que Hugo lui récita de suite *Relligio* et *Paroles sur la dune,* et que lui, le philosophe, fut choqué de la contradiction entre ces deux poèmes, l'un représentant le poète croyant, l'autre, le poète en proie au doute. Ces sautes d'humeur ne nous étonnent plus.
   Pour J.-B. Barrère (*Fantaisie de V. H.,* II, 93), cette pièce est « un de ces poèmes cruciaux de son existence dont le rythme et les tours se répètent périodiquement, *Paroles sur la dune,* apparenté à *Tristesse d'Olympio* et à *A Villequier* »; il note : « L'attaque est un écho volontaire à celle d'*A Villequier*... La fin rappelle l'ouverture de *Tristesse d'Olympio.* »
   Les deux poèmes des *Contemplations* commencent par une phrase ample introduite par un *maintenant que* répété. La nature apaisait le père douloureux, ici elle favorise son spleen.
2. On notera dans ce poème l'emploi conscient d'un vocabulaire archaïque qui donne à cette plainte une allure classique : *flambeau de la vie, heures sonnées, urnes, ondes.*
3. Est-ce une allusion à *Ibo?*
4. *Tourbillon,* en latin *turbo* signifie vents impétueux qui tournoient.

5. Lieux communs parfaitement accordés au ton du poème.
6. Le rêveur solitaire marche courbé (cf. III, VIII, 11). — *Profonds :* ni cheville ni épithète de nature : la mer a ses profondeurs comme l'âme.
7. *Songe,* repris au vers 19 sous la forme de l'adjectif *pensif* et dans la dernière strophe sous la forme du verbe *je pense.* Faut-il établir une progression entre les deux verbes?
Comme : dans chacune des trois premières strophes l'emploi de *comme* pour introduire une comparaison accuse l'allure classique déjà notée.
Les strophes 4, 5, 6 correspondent aux trois premières : le poète décrit ce qu'il voit et ce qu'il entend.
8. Cf. V, XXIII, 39 :

Et des vagues sans trêve et sans fin remuées.

9. *Vautour aquilon :* à côté du style noble, Hugo, non sans disparate, n'hésite pas à avoir recours à la « métaphore maxima ».
A rapprocher du vautour fatalité de IV, VIII, et de la tempête vautour du *Colosse de Rhodes,* vers 45 dans la *L. S.* Lebrun-Pindare, en lyrique classique, écrivait :

La tempête agitant ses ailes
Comme un effroyable vautour.

Hugo anime la scène, le *bec* accentuant la personnification.
10. *Toison* suggère seulement la comparaison entre moutons et nuées.
11. *Ce qui parle* vient de l'humanité; *ce qui murmure* vient de la nature. Voir dans *F. A., Ce qu'on entend sur la montagne.*
12. L'accablement, admirablement suggéré jusqu'ici par le rythme, gagne le promeneur en proie au spleen. Il attend alors le lever de la lune, pour « être vu » par ses yeux sinistres.
13. *Rêver* correspond à *celui qui songe* du vers 12.
14. *Yeux sinistres :* impression fréquente chez Hugo. Cf. V, III, 246 : la lune sinistre, et VI, XXIII, 253 : quand la lune apparaît sinistre.
15. Vers 25-28 : *ad. marg.* qui introduit dans l'élégie une note fantastique. Hugo aime ces tête-à-tête. Le 18 septembre, il écrira *Lettre* (*4 V.*, III, XLVII) :

Je contemple la mer...
Et nous nous regardons, moi rêveur, elle énorme.

16. Hugo avait d'abord écrit : elle qui *rêve.* La cor. non seulement évite une répétition, mais modifie le rapport entre le poète et la lune. Les yeux *sinistres* laissaient croire à une parenté entre la lune et le poète en proie au spleen. Dès lors, il y a opposition entre l'éclat de l'une et la souffrance de l'autre. L'effet final est donc amorcé ici.

17. Début de la grande plainte élégiaque qui se manifeste d'abord par des interrogations multipliées, puis par des exclamations.
18. « Il a les yeux encore *éblouis* de la lumière du passé, mais il n'a plus cette *clarté* qui permet de voir et de connaître. » (P. Pouget.)
19. Ici encore le vers le plus familier est le plus émouvant.
20. S'il trouve une correspondance dans la nature, cette analogie au lieu de l'apaiser ne fait qu'accentuer son spleen, en attirant son attention sur la fragilité, l'instabilité de l'homme.
21. Le cliché « le soir de la vie » est admirablement renouvelé. Pour en saisir l'audace, qu'on mette à côté le vers de *Booz endormi :*

> Je suis veuf, je suis seul, et *sur moi* le soir tombe;

il y a plus qu'un accord entre le décor et l'âme, il y a intériorisation du décor.
22. Le caractère ossianique du paysage permet cette pénétration. La *terre* n'est plus qu'une *tombe,* comme dans *la Maison du Berger,* d'où le poète sort comme un spectre. Cette sortie s'oppose à l'intériorisation précédente. Comme tous les poètes, Hugo traduit son trouble par des images complémentaires et contradictoires.
23. L'image classique de la *coupe* est rajeunie par l'évocation d'une scène familière, mais que les deux premiers vers, et le crescendo du vers 42 en particulier, rendent pathétique.
24. Le *sacré souvenir* de la *Tristesse d'Olympio* est dépouillé de sa vertu consolatrice. Avec une lucidité que des psychologues ont admirée, Hugo découvre une parenté entre le souvenir et le remords.
25. Vers élégiaque par excellence.
26. Ici encore l'image classique des portes de la mort est rajeunie. Pour le poète mélancolique, la mort cesse d'être une délivrance. La mort est ce qui ferme : un verrou noir et froid.
27. Vers 49-52 : cf., dans les *4 V.,* le poème daté de mai 1843, *Près d'Avranches,* III, VI :

> Saint-Michel surgissait, seul sur les *flots amers*
> Chéops de l'Occident, pyramide des *mers.*
> Je songeais à l'Égypte *aux plis infranchissables,*
> A la grande isolée éternelle des *sables.*

La comparaison des deux poèmes est très suggestive.
Cf. encore : Triste jusqu'à la mort, je contemplais le monde.
28. Le vent, la mer que le poète entendait au vers 17, qu'il invoquait au vers 35, il les écoute encore, mais leur murmure est devenu gémissement.
29. Les deux derniers vers donnent au poème une fin saisissante que Leroux admirait, mais qui a mis les commentateurs dans l'embarras. Faguet estime que, malgré l'absence de transition, l'effet est le même que dans *le Vallon :*

> Mais la nature est là qui t'invite et qui t'aime.

On peut comprendre aussi bien le contraire : le rire de l'été ne console pas le poète. Le rire de l'été prouve l'insensibilité de la nature qui reste sourde à la plainte humaine. Cette fleur bleue qui s'épanouit dans le désert « torture » le poète en proie au spleen. C'est ainsi que l'entendait Mallarmé. « Le sonnet *Renouveau,* ai-je noté ailleurs (*Revue des sciences humaines,* janvier 1955, p. 171), est une réplique condensée du poème célèbre des *Contemplations :* même thème, même architecture. De part et d'autre, nous retrouvons une antithèse entre le spleen du poète et le rire du printemps et de l'été; de part et d'autre, un développement volontairement déséquilibré, la brièveté de la seconde partie accusant le contraste. Or, des deux poètes, c'est le rhéteur romantique qui pratique l'asyndète, alors que Mallarmé l'obscur souligne l'opposition par un lourd *cependant :*

> Cependant l'azur rit sur la haie et l'éveil
> De tant d'oiseaux en fleur gazouillant au soleil. »

J.-B. Barrère (*op. cit.,* p. 94) revient à l'interprétation de Faguet : « Ce rire ne lui est pas une insulte, mais un espoir. Espoir, tenace espoir, enraciné dans la nature de l'homme, au sol le plus ingrat d'une vie agitée! » De toute manière, le poème n'est pas construit sur une opposition simpliste entre les pleurs du poète et le rire de la Nature : « Triste ici et gaie là, note V., elle est comme nous une grande énigme; le mystère qui est en elle s'ajoute pour le compliquer, et non pour l'éclaircir, au mystère qui est dans l'homme. » Leroux déclarait en 1863 que ce poème était considéré par la critique de son temps comme le « plus beau fleuron des *Contemplations* », Gide continuait à penser de même. Dès 1862, Mallarmé en revanche mettait hors de pair *Pleurs dans la nuit.*

30. J.-R. relèvent cette note remontant au voyage en Espagne de 1843 : « le chardon bleu des dunes » (ms. 24.799, f° 152).

P. 300. V, XIV. CLAIRE P.

1. *Dates :* ms. 14 décembre 1854.
vol. juin 1854.

Sur Claire, consulter de P. Souchon *: le Roman vécu d'une jeune fille romantique : Claire Pradier et Victor Hugo, France-Illustration,* supplément, 11 février 1950.

Claire, fille de Juliette et du sculpteur Pradier, mourut le 21 juin 1846 : d'où le choix du mois de juin pour la date fictive. Après IV, XI, qui est de juillet 1846, c'est le premier poème écrit en exil à la mémoire de Claire, il sera suivi d'un deuxième, le 27 décembre (VI, VIII), d'un troisième, le 14 janvier 1855 (III, IX).

Du 6 au 14 décembre, Hugo est hanté par la mort. Le 13, il écrit *Joies du soir* (III, XXVI), qui porte la date fictive : Biarritz, juillet 1843, souvenir du voyage avec Juliette. Lut-il le poème à celle-ci? Évoquèrent-ils le passé?

Dans *Autour des Contemplations,* p. 85, J.-R. citent cette ébauche du vers 1 :

N'est-ce pas? Claire avait vingt ans quand elle est morte?

Dans une première rédaction, le vers 2 était suivi des vers 19 et *sqq.* L'*ad.* s'est faite en trois temps : *a)* vers 3-8, 13-14; *b)* vers 9-12 en marge; *c)* vers 15-18. — Autre *ad.* : vers 35-38 de même encre que *a)*.

2. Cf. dans IV, VIII, 31 :

Tu passais parmi nous comme Ruth la glaneuse.

et aussi dans *Mors* (IV, XVI) le vers final :

Un ange souriant portait la gerbe d'âmes.

3. Claire était née en 1826. La liaison de Hugo avec Juliette commence en 1833. (Voir *Cor.*, I, pp. 570-571, lettre du 22 août 1840 à Pradier, et dans les *Lettres de Hugo à Juliette* (édition Gaudon, p. 23), la lettre du 3 août 1834.)
4. Ce vers suivait d'abord le vers 4 sous la forme :

Il n'a brillé qu'un jour, ce regard ingénu.

Après le déplacement du vers, Hugo revient au motif du *front* amorcé au vers 2, puis il introduit le thème du *regard* au vers 17.

5. Huguet, dans *la Couleur, la Lumière et l'Ombre dans les Métaphores de V. H.* (p. 279), hésite sur la valeur de la comparaison : Hugo pense-t-il aux cierges funéraires? ou veut-il symboliser la pureté céleste du regard?
6. Selon Huguet encore (*ibid.*, p. 312), « le lys vermeil est un lys d'une blancheur éclatante ».
7. Type de beauté qui unit le Nord (le blond flamand) et le Midi (les yeux noirs italiens), cher aux romantiques : cf. l'œuvre de Nerval.
8. *N'étant qu'un ange :* il ne s'agit pas d'un cliché mièvre, mais d'une conviction profonde. Voir dans *les Travailleurs de la mer* cette formule : « Quand la femme se fait, l'ange s'en va. »
9. Cf. *Cadaver,* VI, XIII, 42-43.
10. Imagerie traditionnelle (cf. III, XIV) d'une naïveté irritante.
11. Vers 43-54 : ce passage choquait un critique comme Faguet qui y voyait un magnifique exemple de mauvais goût. Mais il semble bien que le sculpteur et le poète ont été fascinés par l'aspect double de Claire, ombre et lumière, Marie et Vénus.
L'union des contraires exerce toujours une fascination sur l'artiste. En outre, il paraissait naturel à Victor Hugo de mêler « l'église et la fable ».
12. *Dieu sévère :* voir *Claire,* vers 77.

13. Vers 60-62 : J.-R. soulignent avec raison que « le vieux procédé de rhétorique (répétition et symétrie) n'est plus du tout senti comme tel, tant il est nécessaire à l'expression de l'idée ».

14. Pradier était mort en 1852. Quel que soit le talent du sculpteur, qui n'est pas grand, le caractère de l'homme était bas; cet artiste était un « affreux bourgeois ».

15. Vers 63-70 : ce passage particulièrement émouvant, et qui par ses coupes, ses répétitions, ses allitérations, rappelle les morceaux les plus pathétiques des drames de Hugo, sauve cette pièce médiocre.

16. Première rédaction : *ce* ciel n'est pas le ciel.

P. 303. V, xv. A ALEXANDRE D.

1. *Dates :* ms. 30 juillet 1855.
vol. Marine-Terrace, décembre 1854.

Le drame de *la Conscience* fut joué pour la première fois à l'Odéon le 6 novembre 1854. Selon *le Livre d'Or de V. H.* (p. 191), A. Dumas écrivit le soir même de la création sa dédicace à Hugo :

« C'est à vous, mon cher Hugo, que je dédie mon drame de *la Conscience.* Recevez-le comme le témoignage d'une amitié qui a survécu à l'exil, et qui survivra, je l'espère, même à la mort.

« Je crois à l'immortalité de l'âme.

A. DUMAS. »

Le 17 novembre 1854, Hugo répond à Dumas (*Cor.*, II, 201) :

« Un ami coupe dans un numéro de votre *Mousquetaire* quatre lignes et me les envoie. Dans ces quatre lignes vous avez su mettre deux grandes choses, votre esprit et votre cœur. Je vous remercie de me dédier votre drame, *la Conscience.* Ma solitude avait quelque droit à ce souvenir. Cette dédicace, si noble et si touchante, me fait l'effet d'une rentrée dans mon foyer. C'est une joie pour moi de penser que je suis en ce moment à Paris, et présent dans un succès d'Alexandre Dumas. On m'écrit que le succès est grand et que l'œuvre est profonde. L'œuvre et le succès ressemblent à mon amitié pour vous. Cher compagnon de luttes, grand et glorieux confrère, je vous serre dans mes bras. »

En décembre, Hugo reçut le texte du drame : d'où la date factice. En réalité, il ne songea à faire place à Dumas dans *les Contemplations* qu'in extremis.

Quant au souvenir évoqué (v. 7 et *sqq.*), il avait été raconté par Hugo, dans une lettre à sa femme, le 2 août 1852 (*Cor.*, II, 122) :

« Au moment où je suis monté sur le *Ravensbourne,* à trois heures, pour venir à Londres, une foule immense encombrait le quai, les femmes agitaient des mouchoirs, les hommes criaient *Vive Victor Hugo.* J'avais, et Charles aussi, les larmes aux yeux. J'ai répondu *Vive la République!* ce qui a fait redoubler les acclamations.

« Une pluie battante venue à ce moment-là n'a pas dispersé la foule. Tous sont restés sur le quai tant que le paquebot a été en vue. On distinguait au milieu d'eux, le gilet blanc d'Alexandre Dumas. Alexandre Dumas a été bon et charmant jusqu'à la dernière minute. Il a voulu m'embrasser le dernier. Je ne saurais te dire combien toute cette effusion m'a ému. J'ai vu avec plaisir que je n'avais pas semé en mauvaise terre... »

D'après le *Journal d'Adèle,* Hugo, arrivant à Jersey le 5 août, refit le récit de l'embarquement pour Londres. Dumas ne se distingue pas par son gilet blanc, mais par sa haute taille.

Le poème est fait d'une série d'antithèses : le jour et la nuit; l'un et le multiple; le bonheur et le deuil, etc. Ces contrastes mettent en valeur l'accord des deux luths et l'échange des âmes.

On notera que, si Hugo tutoie Dumas en vers, il ne le tutoie pas en prose.

P. 305. V, XVI. LUEUR AU COUCHANT

1. *Dates :* ms. 30 avril 1855.
   vol. Marine-Terrace, juillet 1855.

   Voir dans *Autour des Contemplations,* pp. 95-96, deux ébauches de cette pièce. Hugo avait inscrit dans l'angle du ms. la phrase de Tacite : *quindecim annos grande mortalis aevi spatium.* Il l'a reprise dans la Préface. « Quinze ans » : Hugo penserait donc aux journées commémoratives des Trois glorieuses en 1840. (Faut-il rappeler que le 14 juillet n'était pas encore une fête nationale?)
2. *Et pourtant :* à cause de la malédiction : *vae soli.*
3. Paraphrase du jeu de mots célèbres : solitaire, solidaire.
4. Première rédaction :

   Virgile, Horace, ou bien André Chénier, leur frère.

   Les deux versions sont également révélatrices du goût de Hugo.
5. *Ananké :* transcription du mot grec qui signifie fatalité et qui joue un grand rôle dans la psychologie et la métaphysique du poète : cf. *Notre-Dame de Paris* et *Travailleurs de la mer.*
   Dès 1840, s'annonçait la Révolution de 48.
6. Bel exemple de l'aptitude au symbole de Hugo. En deux vers, un « petit mythe » est esquissé. Cf. *Dernier Jour d'un condamné* (XXXIV) : « Ma belle jeunesse! étoffe dorée dont l'extrémité est sanglante. »
7. Première rédaction : *montait* au lieu de *brillait.* — Et dans l'ébauche : Le Louvre rayonnait.
8. Tour par l'abstrait caractéristique du style artiste.
9. *Temps biblique* est expliqué par *patriarcal.*
10. Nous avons rencontré le lion populaire dans V, III, 101.
11. *Doux* fait écho à *doux* du vers 7. Il y a donc accord entre le poète et le peuple.
12. Vers 34 et *sqq. :* à ce premier accord en correspond un deuxième entre le poète et la nature, symbolisé par une métaphore prolongée assez laborieuse : l'esprit du poète est un arbre; comme les arbres des Champs-Élysées, qui laissent voir entre leurs branches les étoiles

pareilles à des yeux et s'emplissent de fusées, les rameaux de cet arbre se mêlent aux lueurs des penseurs étoilés et s'ouvrent aux cris de la foule.

13. Première rédaction : et je passais content de vivre.

14. Première rédaction : autour d'eux rayonnaient.
Vers non seulement ridicule mais d'une construction incertaine.

15. *Songeur* semble dire plus que *rêveur,* au vers 11, le songeur contemple. — *Fumants :* fait allusion aux troubles révolutionnaires.

16. *Rire :* fait écho à celui du vers 21.

17. L'âme du poète participe à la fois de la joie de la jeunesse et de la sagesse de la vieillesse. A quoi pensent les vieillards? A la Révolution de 1830 ou à celle de 1789?

18. Ce dernier vers, selon V., exprime probablement autant l'espoir que le regret. Cette concorde n'est pas inconciliable avec le caractère fatal de la Révolution que rappelle le vers 19. Mieux encore : c'est cet accord seul qui peut mettre fin à la dictature.
Le titre est d'une telle ambiguïté qu'il divise les commentateurs. Selon P. Moreau, « à distance, il les voit (les souvenirs qu'il évoque) comme « une lueur au couchant », reflet de sa maturité qui l' « éclaire au seuil de la vieillesse ».
Selon V., « la lueur qui brille au couchant annonce la fin du jour mais aussi son retour ».
Mais ne peut-on pas considérer comme une glose du titre les vers 34-37 :

mon esprit... dans la sereine *nuit*
S'ouvrait à tous ces cris charmants comme *l'aurore?*

P. 307. V, XVII. MUGITUSQUE BOUM

1. *Dates :* ms. 26 juillet 1855.
vol. Marine-Terrace, juillet 1855.
Titre : Citation d'un vers de Virgile : *Géorg.,* II, 470, cité intégralement dans *le Rhin* (25 juillet 1838) : « Hier à la chute du jour, mon cabriolet cheminait au-delà de Sainte-Menehould; je venais de relire ces admirables et éternels vers : *Mugitusque boum mollesque sub arbore somni...* »
Le vers est traduit dans un poème des *4 V.* (III, XIV), *Jersey,* écrit le 8 octobre 1854 : Mugissement des bœufs! doux sommeil sous les arbres. (Cf. également dans *Autour des Contemplations,* p. 71, deux fragments où se trouvent traduits et ce vers et le vers des *Bucoliques* cité plus bas.)
Hugo écoute, comme jadis Virgile, le mugissement des bœufs; et comme Virgile, il y perçoit la grande voix de la nature qui invite à vivre et à aimer. Dans la Préface du *Rhin,* où Hugo raconte qu'il emporte toujours avec lui Virgile et Horace, il disait du premier : « Virgile, c'est-à-dire toute la poésie qui sort de la nature ». — Voir également dans *V. I.* la pièce *A Virgile.*

2. *Doux :* épithète de nature employé aussi bien par Lamartine que Hugo.
3. *La nue agile,* et non *la nuit agile.* Tel est le texte du ms. repris par I. N. — *Agile :* épithète de nature.
4. *Blés mouvants :* encore une épithète de nature que, selon V., Hugo aurait été le premier à appliquer aux blés. Cf. II, I : chênes mouvants.
5. Cf. VI, VI, 313. Et la terre, agitant la ronce à sa surface... Selon V., l'image du *panache* vient de Gautier.
6. De Gautier encore, la comparaison de la moisson et de la mer : *A trois paysagistes :*

   La campagne de Rome embrasée et féconde,
   En sillons rutilants jusques à l'horizon
   Roule l'océan d'or de sa riche moisson.

   Ce rapprochement rend la supériorité de Hugo éclatante.
7. La hiérarchie des quatre règnes n'est pas respectée : tout vit pour le poète. D'où la multiplication des personnifications : la nuée est *agile,* l'ombre *verse* la rosée, les champs sont *extasiés,* les bœufs *parlent.* On peut, comme le fait P. Moreau, rattacher cette pensée à Virgile et à sa sixième *Bucolique : Mens agitat molem.*
8. Vers 9-20 : ici, se place une longue *ad. marg.* où le vers 8 sera repris et amplifié (v. 18-20), mais après une évocation qui combine deux souvenirs virgiliens : 1° les vers célèbres de la première *Bucolique* (v. 82-83) :

   Et jam summa procul villarum culmina fumant
   Majoresque cadunt altis de montibus umbrae.

   auxquels Hugo a souvent fait allusion. Voir, par exemple, *Alpes et Pyrénées* (23 juillet 1843) : « Le soir qui a fourni à Virgile tant de beaux vers, tous pareils par l'idée, tous différents par la forme, versait l'ombre sur le paysage et le sommeil sur les paupières des voyageurs. »
   Dans le poème de la *L. S., Tout le passé et tout l'avenir* (achevé en juin 1854), se trouvait déjà relié le souvenir du vers des *Géorgiques* et celui du vers des *Bucoliques :*

   Vous n'avez donc... jamais écouté
   Mugir les bœufs rêveurs quand rampent dans les plaines
   Les longues ombres du couchant?

   2° les vers des *Géorgiques* (II, 523) :

   Interea dulces pendent circum oscula nati.

   mais Hugo transforme ce qu'il emprunte : au vers 10, les arbres deviennent de *grands fantômes noirs,* ce qui n'a rien de virgilien.

C'est, au contraire, un motif favori de Hugo : « J'ai toujours aimé les voyages à l'heure crépusculaire. C'est le moment où la nature se déforme et devient fantastique... Les javelles et les gerbes debout dans les champs au bord du chemin vous font l'effet de fantômes assemblés qui se parlent à voix basse. » *France et Belgique.* En outre, le poète moderne établit un rapport entre la vie extérieure et la vie intérieure : à l'allongement de l'ombre correspond l'accroissement du désir du foyer dans le cœur du paysan. Si Hugo semble s'éloigner de Virgile, le développement n'en reste pas moins « virgilien », si on le compare au motif primitif : c'est la tendresse qui est célébrée par opposition au *grand amour farouche;* c'est le calme du foyer par opposition au *vaste emportement d'aimer,* à l'illimité, à l'immensité.

9. *Brun laboureur :* épithète de nature : *V. I.*, XXX, et *L. S.*, *la Terre :*

Quand les bruns laboureurs s'en reviennent traînant
Les socs pareils à des cuirasses.

10. *Êtres, choses :* récapitulent toutes les formes de la vie du vers 8. Cf. III, VIII, 41-42 :

Oui, la création tout entière, les choses
Les êtres...

Sans : la répétition de la tournure négative amène le rapprochement étonnant de *sans peur* et *sans nombre.*

11. *Vermeil :* épithète favorite de Hugo pour exprimer le rayonnement de la joie.
12. L'*ad.* s'achève sur cette image du repos (suggérée par la deuxième partie du vers qui sert de titre), alors que le motif original était essentiellement agité *(agitant, semez le grain, frissonner, tremblement, emportement, tressaillir, palpitations, tombez).*
13. *Profonds :* latinisme : *qui sont au fond.*
14. *Emportement :* emploi impressionniste de l'abstrait (cf. v. 17, 28, 38).
15. *Ouverte :* épithète de nature.
16. Vers ternaire qui constitue le sommet d'un mouvement ascendant.
17. *Sombres astres d'or :* emploi typique de *sombres,* qui a pour Hugo un sens si différent de l'emploi courant qu'il peut parler de blancheur sombre. Ici, emploi impressionniste : le ciel noir et l'or des étoiles se fondent dans une impression commune. Mais on peut penser aussi à un sens moral appliqué aux astres et nuançant l'impression de *sérénité. Sombres* n'impliquerait pas une menace, mais aurait la même valeur qu'au vers 30, l'adjectif *farouche.*

    Ces nuances s'effaceront du reste dans l'impression finale.
18. Sans doute correspondance entre l'air et l'eau d'une part et de l'autre le vol et le baiser.
19. Vers 25-31 : cf. VI, x, *Éclaircie.*

20. Cf. V, XXVI, 365 : *Sous l'être illimité* sans figure et sans nombre.
21. Cf. *Magnitudo parvi,* v. 267 :

Fruit tombé de l'arbre hasard.

et *les Malheureux,* v. 342 :

Quand sur l'arbre du temps les ans venaient d'éclore.

22. Est-ce Virgile, le cygne de Mantoue, qui a fait choisir le *cygne* pour représenter la vie animale?
23. *Le sourire vermeil* s'est dissipé. La nature devient un *abîme.* L'adjectif *sombre* est répété, le dernier mot est *ombre.*
Dans ce poème si beau, le poète oppose subtilement la terre nourricière et ses fruits divins que Virgile et lui-même contemplent à plusieurs siècles de distance comme si le spectacle était le même, et le flux perpétuel qu'est la vie.
Tout vit, donc tout passe. L'eau, le bouleau, le rocher, le ciel, devenus témoins fixes, voient passer le cygne, le vent, l'écume et l'homme, ces formes essentiellement mobiles de l'être.
Comme le note Levaillant, « seuls les poètes savent entendre les conseils de la nature en discernant ce qui demeure à travers ce qui passe ». Mais ce n'est pas là tout le sens du poème, puisque le poète lui-même, en tant qu'homme, se trouve emporté par le flux.
Le rythme admirable, dans l'étonnant finale, suggère le mouvement perpétuel. Le poète en proie au vertige traduit son trouble par trois exclamations en crescendo, et s'arrête, comme il dit si bien, au bord de l'infini.

P. 309. V, XVIII. APPARITION

1. *Dates :* ms. 23 août 1855.
vol. Jersey, septembre 1855.
V. rapproche cet ange de celui qui porte la gerbe d'âmes en IV, XVI. Mais le texte est formel : cet ange est l'Amour, et cet ange est un ange-femme. Grillet avec plus de raison le rapprochait de la Dame blanche. Cf. VI, XV, 64 : Je m'appelle amour.
J.-R. comparent le début du poème à celui de IV, XVI, à cause de la formule apocalyptique : *Je vis,* et le dialogue « haché et suspensif » à celui de IV, XII. Mais ce qui importe ici, c'est le passage du jour à la nuit, et la révélation qui se fait à la faveur du mystère nocturne. En dépit du changement d'atmosphère et de ton, il serait plus révélateur de rapprocher ce poème de II, V, et II, X.
2. On pense à la fois à l'épithète homérique appliquée à la mer « πολυφλοιςβος » et au mot de l'évangéliste après l'apaisement miraculeux de la tempête : Qu'est celui-ci qui commande à la mer?
3. Le poète a peur de perdre son âme, car l'ange, étant une femme, est à ce titre un être de fuite. Il repartira avec sa prise.

4. Expression admirable de l'ambiguïté du sacré suivant Otto : *tremblant = tremendum; tendant les bras = fascinans.*
5. Cette ambiguïté éclate plus encore dans ce vers. Le silence de l'ange achève de troubler le voyant qui ne sait plus distinguer la vie de la mort.
6. Nouvelle expression ambiguë : la nuit, le noir devrait augmenter la crainte : or, l'âme est ravie.
7. Quand la nuit est si profonde que l'ange blanc lui-même devient noir, celui-ci parle et révèle son identité.
8. Racine écrivait d'Uzès :

Et nous avons des nuits plus belles que vos jours.

9. Les vers 15-18 sont une amplification et une explication du vers 14. L'effet final rappelle *le Mendiant* et les vers 34-42 de *Lueur au couchant.* « Le sens symbolique, reconnaissent J.-R., est assez difficile à dégager. » Selon la glose de V., cela signifie que « nous comprendrons ces vérités seulement quand nous serons à la mort, peut-être seulement quand nous serons morts. »
J.-R. interprètent de leur côté : « L'amour, d'abord clair et apaisant à ses débuts, puis sombre dans ses tourments, se révèle pourtant, comme la mort, « l'avènement du vrai ». »
Retenons de ces gloses la parenté de l'amour et de la mort. L'amour, ange noir au front sombre, a sa lumière et ne cache pas la lumière. Ici encore l'étoilé, symbolisé à la fois par les yeux et les astres, est l'état parfait rêvé par le poète. Dans la dialectique esquissée (et qui est celle du *Satyre*) : au blanc (v. 1) ou au bleu (v. 12) succède le noir (v. 15), mais la synthèse finale, que prépare le sombre, se réalise sous la forme de la nuit lumineuse. L'amour nous fait passer par ces trois étapes : il apaise, il inquiète, il charme.
Pourquoi cette *Apparition* n'est-elle pas aussi vantée que *l'Apparition* de Mallarmé? Hugo sait, quand il le veut, être mallarméen.

P. 310. V, XIX. AU POÈTE QUI M'ENVOIE UNE PLUME D'AIGLE

1. *Dates :* ms. et vol. 11 décembre (sans indication d'année).
J.-R. rectifient une erreur de V., qui, se fiant à L. Séché, avait daté le poème de l'exil. En fait, ce poème est de 1841 et figure sur la liste d'œuvres mentionnée à propos du *Mendiant* et que J.-R. datent de 1846, sous la forme : *Plume d'aigle.*
Quant au poète, il s'agit de Roger de Beauvoir. Pourquoi n'est-il pas nommé : petite énigme irrésolue? C'est seulement dans un recueil de 1862, *les Meilleurs Fruits de mon panier,* que Beauvoir publia la « strophe » envoyée à Hugo :

C'est un aiglon qui, rejoignant son aire,
Laissa tomber sur le roc solitaire

La longue plume arrachée à son flanc :
Je vis au bout une perle de sang.
J'en eus pitié... car vous êtes son frère!
Où planez-vous, dites, notre aigle à tous,
Pendant qu'ici la bise nous assiège?
Près de ces monts aux épaules de neige,
On est si haut qu'on doit penser à vous.
Pic de la Vignemale (Pyrénées).

La date du recueil, certaines expressions de la strophe expliquent l'erreur de Séché et de Vianey. L'envoi de la strophe et de la plume datent du 17 septembre 1841. (Voir le recueil de Beauvoir, p. 73.) Que signifie, à cette date, la perle de sang? Encore une allusion énigmatique.

2. Première rédaction :

Et le penseur grave et serein,

d'où, dans la première rédaction, l'emploi de la troisième personne aux vers 5, 6, 9.

3. J.-R. rappellent à propos de ces vers qu'A. Weill raconte dans *Introduction à mes Mémoires,* p. 103, que Hugo l'avait accueilli place des Vosges par les mots : « Soyez le bienvenu dans mon humble demeure de poète. »
L'envoi de Beauvoir transforme la célébrité contemporaine en une gloire éternelle. L'heure solennelle est donc celle où Hugo devient immortel. Peut-être le *bruit contemporain* fait-il allusion à son élection à l'Académie?
Selon J.-R., « l'offre d'une plume d'aigle était peut-être à cette époque un hommage à la mode », et il cite un passage de Sainte-Beuve (Pléiade, II, 877) décrivant ironiquement l'intérieur de Soumet : « On voyait, en manière de trophée, une plume d'aigle donnée par Émile Deschamps, et avec laquelle Soumet était censé avoir écrit son poème; il vous la montrait sans sourire. »
Dans l'introduction de *la Divine Épopée,* Soumet avertit son lecteur qu'il écrit « les récits étoilés de (son) drame mystique avec une plume de l'aigle de saint Jean, l'inspiré de Patmos ».
L'auteur de *la Fin de Satan* devait donner au mythe de la plume un génial prolongement.

P. 311. V, xx. CÉRIGO

1. *Dates :* ms. 11 juin 1855.
vol. juin 1855.
Cette pièce a été écrite en deux temps : après le vers 50, Hugo note sur le ms. 1855, 9 juin, 3 heures du matin. Cette première partie ne comptait d'abord que 38 vers. Hugo ajoute ensuite les vers 21-24, puis les vers 9-12, puis les vers 5-8 (ces derniers vers ajoutés après le 11).

Le même jour, Hugo esquisse un plan de la deuxième partie (voir *Autour des Contemplations,* p. 98). L'ensemble sera daté du 11.
J.-R. reproduisent une autre ébauche dans *le Manuscrit des Contemplations,* p. 206.
La genèse de ce poème pose un problème délicat d'influence littéraire, qui a échappé à V., mais qui depuis a été longuement étudié, voir en particulier : P. Maury, *Mercure de France,* 15 octobre 1925; J. Collas et G. Brunet, *R. H. L. F.*, juillet-septembre 1929; A. Thibaudet, *N. R. F.*, juin 1933.
1° Hugo aurait eu l'idée d'écrire *Cérigo* après la lecture du *Voyage à Cythère,* de Baudelaire. Ce poème des *Fleurs du mal* figure dans le choix que Baudelaire donna à la *Revue des Deux Mondes* le 1er juin 1855. On s'est même demandé si d'autres pièces de ce choix n'avaient pas influencé Hugo. On a rapproché par exemple les vers 15-16 de *l'Amour et le Crâne,* et VI, XI écrit peu après, le 20 août (et daté comme *Cérigo* de juin), de *l'Aube spirituelle.*
2° Pour certains, le poème de Baudelaire n'a pas été simplement le point de départ de l'inspiration hugolienne. L'opposition entre les deux poèmes est telle que l'on a prétendu que Hugo « ne vit dans ces strophes qu'une pensée à rectifier, une âme à consoler, une vérité à affirmer » (F. Strowski), ou même que Hugo « n'était pas fâché de faire la leçon à un confrère qui ne l'avait point ménagé » (Crépet-Blin). Mais, ni du côté de Hugo ni du côté de Baudelaire, la moindre allusion n'a été faite à la chose.
3° Le *Voyage à Cythère* a été inspiré à Baudelaire par un fragment du *Voyage en Orient* de Nerval. Entre la première version du *Voyage à Cythère* de Nerval, publiée dans *l'Artiste* le 30 juin et le 11 août 1844, et la version définitive du *Voyage en Orient,* il y a des variantes notables. Au témoignage de Baudelaire lui-même, c'est la version de *l'Artiste* qui lui a inspiré son poème.
4° J. Collas est allé jusqu'à se demander si Hugo ne s'inspirait pas, lui aussi, du texte de Nerval publié par *l'Artiste.* Car si l'on retrouve dans *Cérigo* telle expression qui rappelle le texte de Baudelaire (A *Belle île aux myrtes verts* des *Fleurs du mal* correspond Cythère aux *myrtes verts* de *Cérigo* (v. 3) qui, par surcroît, remplace une première rédaction : l'*île des myrtes verts*), il y a des rapprochements plus frappants à faire entre la prose de Nerval et les vers de Hugo :
Vers 4. *La conque de Cypris* et « Pas un coquillage le long de ce bord où les Néréides avaient choisi la *conque de Cypris* ».
Vers 49. *Le pirate qui guette* et « le rocher lointain de Cerigotto, vieille retraite des pirates ».
Vers 14. *Cythère est là... Tête de mort,* et vers 36, *Mais toujours le ciel bleu* et « Le ciel et la mer sont toujours là... mais la terre est morte ».
Mais surtout la transition entre I et II est nettement suggérée par Nerval : « Ainsi les dieux s'éteignent eux-mêmes, ou quittent la terre vers qui l'amour ne les appelle plus! (—) *Mais* vous êtes là toutes encore, sur vos astres étincelants; l'homme est forcé de vous reconnaître au ciel, et la science de vous nommer. »

Tout cela, à vrai dire, est plus excitant que vraiment convaincant.

2. « Je suis un cimetière... », écrit Baudelaire. Hugo emploie le verbe être avec la même valeur. En revanche, il ne dit pas *je,* mais *tout homme,* généralisant le thème, même s'il est lui-même *cet homme qui vieillit.*

3. Première rédaction : *et pauvre.*

4. Première rédaction : *l'île des nids cachés, l'île des myrtes* verts.

5. Première rédaction : la vie *immense.*

6. Première rédaction : *la Grèce au loin rayonne* agonisante.

7. *Brille-agonisante, lumière-deuil.* Nerval oppose à la *terre morte* le ciel et la mer qui se donnent chaque matin, le saint baiser d'amour. Baudelaire demande : « Quelle est cette île triste et *noire?* » Hugo, au vers 9, après avoir écrit d'abord *Tout rayonne,* corrige *La terre luit :* on voit que Hugo décrit le contraste entre le passé et le présent d'une façon originale.

8. C'est le paysage de Jersey qui est évoqué ici.

9. *Candiote :* de Candie, en Crète.

10. Ce vers violent a été l'objet de plusieurs cor. : *épuisée* remplace *effarée.* — La première rédaction était : Cythère est là, *la vieille et sinistre idiote.*

11. L'amour est assis sur le crâne...
De l'Humanité...

BAUDELAIRE.

Faut-il souligner l'audace de ces vers?

12. Les questions vont se multiplier, selon la formule biblique et médiévale, *Ubi sunt?* destinée à la fortune que l'on sait depuis Villon jusqu'à Hugo (voir l'article d'É. Gilson recueilli dans *les Idées et les Lettres,* pp. 9-38). Après avoir demandé en avril 1854 (VI, VI, 484-486) : « Où donc est Thèbes?... Où donc est Ninive?... Où donc est Tyr? » il demande : « Où donc est Mars? Où donc Éros? Où donc Psyché? »

13. La présence du mot *étoile* en ce vers pose un problème. Hugo avait-il déjà en vue son second développement, et ce vers en constitue-t-il l'amorce? Le vers 55 semble bien une réponse. Mais en réalité, dans la seconde partie, Hugo compare l'île des mers et l'île des cieux, tandis qu'ici l'étoile est le symbole de l'âme que l'île a perdue. Indiscutablement la première partie formait un tout. Mais brusquement, et dès le 9 juin, Hugo a l'idée d'une suite, et il note dans l'ébauche mentionnée plus haut : Homme tu cherches l'astre — Lève les yeux.

14. Vers 21-24 : il existe deux rédactions de cette *ad. marg. :* dans la première, Hugo avait écrit au vers 21 *de* Samos *à Lépante,* au vers 25 *Où donc est-elle?* au lieu de *Qu'en a-t-on fait?*
De Samos à Lépante suggérait plus nettement l'idée *de l'est à l'ouest : Lépante* est le nom moderne de Naupacte, à l'entrée du golfe de Corinthe. *Samos* fait partie des Sporades.

15. Périphrase superbe pour définir l'île de l'amour. La *Chimère* avait la queue d'un dragon.
16. *Des sens :* le contexte invite à attribuer à l'herbe la sensualité.
17. Quand le vers 25 suivait le vers 20, il se présentait ainsi :

> *O noir rivage,* où donc sont-ils? Où donc sont-elles?

18. Première rédaction : Le doux oiseau *Caprice.* Cf. au vers 15 *le rêve amour.*
19. Dans le poème de Baudelaire, on trouve *chansons* (v. 6), *soupirs* (v. 15), *roses* rimant avec *écloses* (v. 16 et 13).
20. Première rédaction : Plus *de trépieds,* ô *jours!*
21. Première rédaction : Toujours le *même* ciel. La cor. souligne l'opposition *mais... bleu,* au moment où va être mise en lumière par un *c'est-à-dire* peu élégant la clé du symbole. Le ciel toujours bleu symbolise la mort, qui elle aussi est bleue. (Cf. VI, XIII, 48.)
22. Belle antithèse soulignée par la forme des mots : *é*den, *é*cueil. Les rimes *deuil, écueil* nous invitent à faire un rapprochement avec le célèbre poème des *Orientales, l'Enfant.* Dans la première strophe sont opposés les deux aspects de l'île de Chio avant et après le massacre. P. Moreau se demandait si, dans son poème, Baudelaire, de son côté, ne se souvenait pas des tonalités et de la composition plastique de *l'Enfant?*
23. Vers obscur, à la tournure grammaticale hardie. — Rapproché de *toi que nous fuyons, spectre* peut s'entendre : qui fait fuir les baisers. Mais *masure des rayons* introduit une idée nouvelle : l'île n'offre plus à la lumière qu'un triste séjour.
24. Première rédaction : quelque *barque.*
25. Souvenir des *Orientales.*
26. « Vous savez comme j'aime Vénus », écrit Hugo dans *le Rhin* (XXXI) et en parlant de l'étoile. — Dans VI, VI, 31-32, *Vénus* sera, comme au vers 58, comparée, ainsi qu'Orion et Sirius, à des *roses.*
27. Allusion au vers 3.
28. Première rédaction : l'adolescent *au fond de...*
29. Cf. *Booz endormi :*

> Et l'on voit de la flamme aux yeux des jeunes gens,
> Mais dans l'œil du vieillard on voit de la lumière.

30. Vers 65-69 : hommage ému à Juliette. Hugo n'a pas donné place au thème exprimé dans les ébauches :

> Vous êtes beaux pour l'âme
> Cheveux blancs de Baucis plus que ses cheveux noirs.

Des ébauches datées par J.-R. de 1854 prouvent qu'avant la lecture du *Voyage à Cythère,* Hugo optait déjà pour l'amour contre le plaisir :

... Je préfère
A l'amour dans la chair, l'amour dans les étoiles
Et Vénus Uranie à Vénus Pandémos.

31. Première rédaction : *acceptés.*
32. Retour naturel au symbole : l'étoile du matin qui est aussi l'étoile du soir n'est autre que la planète Vénus.
En passant de la première à la deuxième partie, Hugo exorcise la tristesse de vieillir : il découvre le privilège de la vieillesse.
Le vieillard voit avec les yeux de l'âme l'amour, lueur éternelle.
Dans la première partie, Hugo opposait à la tristesse de vieillir l'espérance de la mort. Sur l'île devenue un écueil, sur Cythère devenue Cérigo s'étale le même ciel bleu.
Dans la seconde partie, Hugo oppose au plaisir l'amour :
le premier est physique, le second appartient à l'âme,
le premier est éphémère, le second est éternel,
le premier est terrestre, le second est céleste.
« L'île des mers s'éteint, mais non l'île des cieux.
La terre à Cérigo, mais le ciel à Vénus. »
Peut-être y a-t-il dans la seconde partie plus qu'une opposition : le plaisir meurt pour renaître sous la forme de l'amour. Hugo pressentirait donc le principe de tout progrès mystique.
On notera enfin la différence entre le symbolisme de la seconde partie et celui de la première : l'azur, symbole de la mort bleue, cède la place à la nuit lumineuse qui correspond mieux, nous le savons, aux tendances profondes de Hugo, à sa croyance en la vie des astres, et à ce désir commun à tous les poètes de concilier les contraires.

P. 314. V, XXI. A PAUL M.
AUTEUR DU DRAME PARIS

1. *Dates :* ms. 19 août 1855.
vol. Marine-Terrace, août 1855.
Paul Meurice, ancien rédacteur à *l'Événement,* le journal fondé par Hugo en août 1848, chargé de surveiller l'impression des *Contemplations,* publia en 1855 un drame en 5 actes : *Paris : Gesta Dei per Francos,* dédié à V. Hugo.
L'éditeur Michel-Lévy refusa d'imprimer la dédicace en vers :

Maître! génie absent de la grande cité!
Lutteur qu'aime et que craint l'archange Adversité!
Voudrez-vous de ce drame où l'Histoire et la France
Ont eu le poing coupé pour crime d'espérance?
Qu'à votre ardent Pathmos inondé de rayons
Il porte au moins les vœux que nous vous envoyons
Au nom de la patrie expirante et fidèle,
Nous exilés de vous, à vous exilé d'elle.

(Cité d'après *Cor.*, II, p. 222. V. dans son édition donne un texte différent : Qu'à votre fier rocher inondé de rayons.)
Précédés d'un prologue (qui se passe au foyer de l'Opéra) et suivis d'un épilogue célébrant la réconciliation des Français libérés, ces cinq actes résumaient l'histoire de la France en cinq tableaux : 1er : l'an 50 avant J.-C. — 2e : en 1118. — 3e : en 1572, dans l'atelier de J. Goujon. — 4e : sous Louis XIV. — 5e : sous la Révolution. Le drame selon Meurice fut mutilé par la censure impériale.
Le directeur de la Porte-Saint-Martin ajouta un tableau impérialiste; Meurice, ayant demandé le retrait de son nom et n'ayant pas eu satisfaction, lui fit un procès qu'il perdit.
Allusion est faite à ces événements dans la lettre chaleureuse que lui adressa Hugo, le 3 septembre 1855, après avoir lu son drame : « L'histoire était statue, vous la faites déesse, ange, spectre, et vous lui mettez dans la main gauche le tison du passé, et dans la main droite l'étoile de l'avenir, et vous lui dites : Marche ! — C'est beau. »
2. Vers 3-6 : *ad. marg.*
3. *Moins noire :* le ms. et l'éd. de Bruxelles donnent *plus noire; moins* est assurément plus suggestif.
4. *Le flanc saigne... cloué :* la proscription est comparée à la Passion.
5. *Feu* et *nuit, airain* et *verre* forment deux couples d'antithèses. La ville géante unit les contraires.
6. Sans doute allusion au deuxième tableau de l'acte I, où le gouverneur romain admire sainte Geneviève.
7. Cette légende des Français est évidemment un évangile du progrès.
8. Première rédaction : cœur *saignant* corrigé en cœur *meurtri* après l'*ad.* du vers 3. Allusion sans doute à la prise de Lutèce par César, et à la mort en apothéose des prêtres gaulois vaincus, Merlin et Velléda.
9. Première rédaction : nous *charmer* au lieu de nous *sacrer*.

P. 315. V, XXII. JE PAYAI LE PÊCHEUR...

1. *Dates :* ms. 17 juillet 1855.
vol. Jersey, grève d'Azette, juillet 1855.
A Jersey, la famille Hugo tout entière rivalisait de pitié pour les animaux. Voir le *Journal d'Adèle,* 26 juillet 1854, à la Maison V.-Hugo et le *Victor Hugo anecdotique* de Martin-Dupont (p. 16).
« On avait vu Adèle Hugo se hâtant vers la plage où elle allait rendre à l'océan un homard dont elle avait peine à se défendre, cueilli dans le panier de la ménagère. » Cette pitié s'adressait surtout aux bêtes haïes ou mal aimées, à cause de leur laideur ou même de leur méchanceté.
Puisqu'il s'agit d'une croyance fervente, le poème a la valeur d'une parabole. Malgré nos efforts de compréhension, il n'en a pas moins un aspect parodique. En si peu d'espace se trouvent groupés les effets les plus voyants du poète : choix des adjectifs : *horrible, obscur, affreux, noir, formidable, sombre, hideux;* antithèses, parallèles (v. 4-14) ;

effets métriques (la coupe mettant l'adjectif en valeur : v. 2, 6, 8); effets de sonorité indiquant le ton (v. 14).
Faut-il souligner le fait que le crabe n'est pas nommé avant le vers 13, qu'il est défini par des comparaisons suggestives et par des formules négatives (*sans* forme, *sans* nom).

2. Vers 3-7 : *ad. marg.* — Avant l'*ad.* on lisait après le vers 2 :

> Le crabe s'agitait et tâchait de me mordre.

Il serait ridicule de reprocher au poète son ignorance en matière d'histoire naturelle : le crabe ne mord pas.

3. Son ton pontifiant au vers 14 est peut-être moins excusable; on pense à la fin d'*Angelo*. La Tisbé mourante s'écrie : « Vivez! Je te bénis! »
A la fin du poème, c'est — contrairement à ce que l'on notait dans *le Mendiant* — l'idée, la leçon qui est formulée dans le dernier vers. L'image magnifique est placée avant.
4. *A l'océan* n'est pas dans le ms.
5. Le vers est obscur. Le baptême fait penser soit au début de la vie : il s'agirait donc du soleil levant, soit à l'immersion dans l'eau purificatrice : il s'agirait donc du soleil couchant.
Dans *Ce que dit la Bouche d'Ombre,* v. 62, Hugo écrit :

> L'être créé, paré du rayon baptismal

où l'adjectif nous ramène à l'origine.
Peut-être y a-t-il un parallélisme entre ce noir gouffre qui est en même temps un vase purificateur, et l'homme qui rend le bien pour le mal?

P. 316. V, XXIII. PASTEURS ET TROUPEAUX

1. *Dates :* ms. La Corbière, 17 octobre 1854.
vol. Jersey, Grouville, avril 1855.
Triple changement dans la date fictive :
de millésime : le poème est postdaté; de mois : le poème est censé écrit au printemps; de lieu : les récifs de la Corbière se trouvent à dix kilomètres de Marine-Terrace, à l'extrémité sud-ouest de Jersey. Grouville, au contraire, se trouve à l'est de l'île et à vingt minutes de Marine-Terrace. C'est là qu'est le vallon, promenade familière de Hugo. Voir dans *4 V.*, III, XXXIV :

> J'ai fait en arrivant dans l'île connaissance
> Avec un frais vallon plein d'ombre et d'innocence
> Qui, comme moi, se plaît au bord des flots profonds...

Ce poème célèbre, souvent commenté, est remarquable par sa composition. Selon le schéma familier, le poète en promenade fait une rencontre et s'éloigne. Le poème commence par la description du vallon où le poète se promène chaque jour; puis vient la description de la pastourelle qu'il y rencontre *parfois* (v. 19) : description conventionnelle qui rappelle celle de l'enfant grec. Puis le poète s'éloigne (v. 31). Le décor du vallon s'efface, la voix de l'enfant se perd, et le poète fait une seconde rencontre, celle du promontoire dressé parmi les vagues, qui semble garder son troupeau de moutons. Il y a, à la fois, correspondance et antithèse entre les deux paysages.

Nous passons de l'idylle au cauchemar : de *charmant* (v. 1) à *sinistres* (v. 46), et ce passage s'explique par le changement d'éclairage aussi bien que par le changement de décors. Une fois de plus donc le poème décrit le moment crépusculaire, la transition du jour à la nuit, du pourpre (v. 29) au gris (v. 33) avec lever de lune.

Mais une étude plus attentive invite à nuancer l'impression qui au début n'est pas purement charmante, ni à la fin purement sinistre. Grâce à une alliance de mots (v. 3), Hugo dit délicatement l'ambiguïté de ce charme : c'est un *sourire triste*. Puis le poète insiste sur le caractère privilégié de cette retraite (v. 6) qui prend l'aspect d'un paradis terrestre : d'où les vers 7-9, beaux exemples de la fantaisie de V. Hugo, et, selon le répertoire de J.-B. Barrère (*Fantaisie,* III, 162), variation sur le thème *vere novo :* « le libertinage de la nature ».

2. Vers 8-9 : la comparaison entre la version définitive et la première rédaction est fort suggestive. Hugo d'abord ne faisait pas place aux oiseaux.
Vers 8 : le brin d'herbe avec le lierre s'y querelle.
Vers 9 :

> Et la pervenche y met de travers son bonnet.

3. L'expression « mettre de travers son bonnet » signifie se fâcher.
4. Vers 10-11 : reprise sous forme d'alternance de l'effet produit au vers 3 par les *ronces en fleurs,* illustrations du *sourire triste :* d'où l'opposition de *bourrus* et *riantes.*
5. Première rédaction :

> De *vieux* granits bourrus, puis des *plaines* riantes.

6. Application plaisante à Dieu de l'expression de l'*Art poétique* d'Horace (v. 359) : *Quandoque bonus dormitat Homerus.*
Voir dans *4 V.*, I, XLII, un développement de ce motif : *Dieu éclaboussé par Zoïle.*
7. Vers 15-18 : *ridant sa face :* allusion aux vers de La Fontaine : « Le moindre vent qui d'aventure fait *rider la face* de l'eau » dans *le Chêne et le roseau* et « et dans cet océan on eût vu la fourmi » dans *la Colombe et la fourmi*. Ces trois vers sont du reste un embryon de fable : la Mare et l'Océan, qui aurait pu être développé comme *la Source.*

8. Première rédaction : *imitant l'océan.* Hugo se plaît à adopter le « point de vue de la fourmi ». (Cf. *le Rhin,* XX, XXIX.)
9. Comprendre que l'océan lointain ignore l'ironie de la mare qui s'amuse à l'imiter.
Hugo associe volontiers *petitesse* et *ironie :* cf. *Tristesse d'Olympio :*

Et de sa *petitesse étalant l'ironie*
Son pied charmant semblait rire à côté du mien.

10. Vers 19-22 : description assez fade relevée à coup d'antithèse : *hideuse* et *doux,* yeux *bleus* et ravin *noir.*
11. Désaccord des commentateurs sur le sens de *s'étoile.*
Pour V. : C'est par le toit qu'apparaissent les étoiles. Non content de cette interprétation erronée, il en propose une autre non moins discutable : la vieille maison est étoilée le soir par la présence de la petite bergère.
Le vers 11 du poème suivant : Quelques toits, s'éclairant au fond d'un entonnoir, donne l'explication. Mais cette clarté est une clarté d'étoiles, car ce foyer est sanctifié par le travail et l'innocence.
12. Voir dans le répertoire de J.-B. Barrère (*op. cit.*, pp. 30-41) de multiples variations sur le thème « apparition d'une belle enfant sauvage » avec les deux détails caractéristiques : *pieds nus* et *yeux bleus.*
Cf. dans I, XXIX, les vers 25-30.
En dépit de l'innocence de l'héroïne, le motif ne manque pas de sensualité. « C'est un peu de cette trouble pureté qui fait le charme singulier de ce motif », conclut le critique.
13. Vers 25-27 : la scène de la rencontre est non moins typique par un mélange de fantastique, de galanterie, de solennité : hommage du génie sombre à l'innocence.
14. Ce *sourire* associé à la *peur* fait écho *au sourire triste* du vers 3.
15. Ajoute à l'hommage du poète celui de la nature, et la cérémonie prend un caractère liturgique.
16. Première rédaction :

Une toison pareille à des flocons d'écume...

L'effet final (v. 46) est préparé de loin.
17. L'aspect fantasmagorique de la scène s'accentue.
18. *Ouvrière* est sans aucun doute un adjectif (cf. v. 5).
19. *Douce* rappelle le *doux être* du vers 20.
20. Première rédaction : Promontoire avait un P majuscule. Il y avait donc personnification et non pas alliance de noms communs.
Hugo donne de ce passage un excellent commentaire dans *les Travailleurs de la mer* (II, I, VIII) : « Il est très difficile, quand on vit dans la familiarité bourrue de la mer, de ne point regarder le vent comme quelqu'un et les rochers comme des personnages. »
21. On a voulu donner à cette personnification une origine virgilienne : le Polyphème de *l'Énéide* ou le Protée des *Géorgiques.*

Le promontoire personnifié est un pâtre qui rêve. On est tenté de rapprocher cette fin de la fin de I, v :

Et pendant ce temps-là, Satan, l'envieux, rêve,

mais le promontoire n'est pas envieux. Il rêve à la façon du berger de *Magnitudo parvi*. Car cette fin n'est pas absolument sinistre, quand bien même le poème s'achèverait sur une image de tempête. A l'ascension de la lune triomphale, aux nuages bénis s'opposent le tremblement de l'ombre, l'âpreté de la rafale. Mais si la tempête menace, le gardien veille. Le pâtre est un bon pasteur.

22. *Sinistres :* première rédaction : énormes. Le contraste avec le début est accusé. La comparaison des vagues à des troupeaux de moutons est entrée dans la langue courante : moutonner, moutons. Hugo reprend volontiers cette image : *4 V.*, III, XLVII, *Lettre.*
« Il est évident, notent en conclusion J.-R., que la beauté de cette fin du poème V, XXIII, résulte autant du mouvement que de l'image. »
Dédicace : Ni le titre ni la dédicace ne figurent dans le ms.
En volume, le poème est dédicacé à Louise Colet, qui servait de « boîte aux lettres » au résistant en exil.
Voir dans la *Revue de France* (15 mai et 1er juin 1926) la *Correspondance* entre Louise Colet et Victor Hugo publiée par J. Simon et en particulier la lettre adressée par Hugo à Louise, le 1er avril 1856 (p. 416) : « Puisque vous désirez lire ces quelques vers ornés de votre nom en frontispice, je vous les envoie. Ils ne vous sont que dédiés; mais il me semble qu'il y a quelque chose du double aspect de votre poésie, suavité et puissance, dans cette enfant qui garde ses chèvres et dans ce rocher qui est pasteur lui aussi... »
Les Contemplations, à cette date, n'avaient pas encore paru. Hugo, ajoutons-le, était sensible à la beauté de la poétesse, toujours ardente, malgré ses 46 ans.
Mais il ne semble pas que Hugo ait pensé à Louise en écrivant ce poème, même si certaines images et expressions (v. 7, 12-13, 15-16) semblent choisies pour un lecteur poète.

P. 318. V, XXIV. J'AI CUEILLI CETTE FLEUR...

1. *Dates :* ms. Il existe deux ms. de cette pièce : dans l'un, elle est datée de Jersey 31 août 1852; dans l'autre, qui est une mise au net offerte à Juliette, avec la dédicace : « Pour toi, mon doux ange », elle est datée de Boulay bay, 28 août 1852.
C'est le premier poème des *Contemplations* écrit à Jersey. Boulay bay est situé sur la côte nord de l'île et, en 1852, la famille s'y rendit à plusieurs reprises, soit en voiture, soit par la mer.
Juliette, invitée à prendre part à une de ces promenades, préféra refuser et resta seule à se morfondre : voir la lettre du 1er septembre 1852, dans P. Suchon (*op. cit.*, p. 438).
vol. Ile de Serk, août 1855, la date fictive a fait naître une

discussion sur les excursions de Hugo à l'île de Serk. Selon J.-B. Barrère (*Revue des sciences humaines,* avril-juin 1954 : *V. H. dans l'île de Serk)* et J.-R., — qui contredisent Vianey et Guimbaud, — il n'y est allé ni en 1852 ni en 1855, mais en 1853 et 1854. C'est de l'île de Serk, juillet 1853, qu'est daté dans le volume : *Écoutez, ie suis Jean* (VI, IV).

Vacquerie, dans *Profils et Grimaces,* a décrit une excursion dans l'île, au mois de juillet. Selon J.-R. qui citent un fragment de Vacquerie, c'est « le pittoresque du décor » qui explique « pourquoi Hugo a modifié la localisation de son poème » : « Il y a là un sentier effrayant, la Coupée... On se hasarde, on passe, et l'on trouve au bout — Quoi? — une touffe colossale de chèvrefeuilles et de genêts, bouquet géant, galanterie de l'abîme. »

Voir dans J.-B. Barrère (*Fantaisie,* III, 65-66), sous le titre « J'ai cueilli cette fleur », de nombreux exemples d' « envois de fleurs » par lettre, accompagnés ou non de vers. Le 3 septembre 1837, par exemple, le poète écrit d'Étaples à Léopoldine : « J'ai cueilli pour toi cette fleur dans la dune. C'est une pensée sauvage qu'a arrosée plus d'une fois l'écume de l'Océan. Garde-la pour l'amour de ton petit père qui t'aime tant. J'ai déjà envoyé à ta mère une fleur des ruines, le coquelicot de Gand : voici maintenant une fleur de la mer. »

Ce poème a été l'objet de nombreux remaniements et la mise au net offerte à Juliette n'est qu'un état provisoire.

Première rédaction des vers 6-9 :

Comme on construit au lieu d'une illustre victoire
Un grand arc de triomphe éclatant ou vermeil,
A l'endroit où s'était englouti le soleil
Le couchant bâtissait un porche de nuées.

Première rédaction des vers 11-12 :

En se penchant au fond du gouffre, on pouvait voir
Une maison cachée aux plis d'un rocher noir.

Deuxième rédaction des vers 11-12 :

Quelques chaumes cachés aux plis du rocher noir.

Variantes du vers 21 :

Douce fleur, fane-toi sur cette gorge ronde...
Fane-toi sur ce sein où je dors loin du monde...
Fane-toi sur ce sein! cette âme, c'est un monde!

Première rédaction des vers 24-28 :

Le flot berçait les caps où s'éteignait le jour
Les vagues se plaignaient, d'un vent sombre poussées.
Ah! comme dans mon âme abordaient les pensées,
Tandis que je songeais, laissant errer les yeux
Sur la mer où tombait le soir silencieux.

Au vers 3 : *et peut seul* apparaît après la première édition.
Dans ce poème qui évoque le moment crépusculaire, la version définitive accentue la tristesse du poète (c'est la cor. des vers 11-12 qui a rendu disponibles les mots *gouffre* et *noir*).
Le poème est fait de trois mouvements :
1º Le premier est un « coucher de soleil » et une « vue plongeante ». En dépit de la couleur vermeille, l'impression que le poète veut laisser est une impression de vertige et de peur (v. 12), qui fait ressortir par contraste le caractère paisible de la fleur (v. 4).
2º Le second mouvement, avec reprise du premier hémistiche, décrit la misère de la fleur : pâle et inodore. Le poème, dès lors, rappelle V, XXII, le poète parle à la fleur comme il parlait au crabe : il rectifie le destin de l'un et de l'autre. L'abîme du cœur est plus profond que l'abîme de l'eau, selon l'ordre de grandeur qui lui est propre.
Ainsi la fleur, promise à la mort, aura du moins une mort plus douce, puisqu'elle mourra sur un cœur d'amour épris.
3º Le troisième mouvement, magnifique lamento, associe au vent dans la nuit la tristesse de l'âme. Le poète songe en proie à l'angoisse. Pourquoi cette immense tristesse, alors que la première version insistait seulement sur le foisonnement des pensées dans l'âme du songeur? Sans doute la tristesse est-elle poétiquement associée à l'impression de peur et de mort qui domine dans la version définitive, mais aussi à l'absence de la bien-aimée, victime des conventions sociales.

P. 319. V, XXV. O STROPHE DU POÈTE...

1. *Dates :* ms. 4 novembre 1854.
vol. Jersey, novembre 1854.
C'est la dernière pièce de la série consacrée à la création poétique : I, VII (24 octobre); I, IV (1er novembre); III, XXVIII (2 novembre); I, VIII (3 novembre). Le même jour, Hugo écrit *Duo* (*4 V.*, III, XLI), bel exemple de poèmes consacrés à des sujets différents, mais utilisant les mêmes images (l'idylle dans la prairie, l'enfer, le crâne).
Ce poème est un « symbole » dont le dernier vers donne la clé. Le mythe de l'enlèvement de Proserpine sert de cadre à la pièce : Proserpine jouait parmi les fleurs; elle fut enlevée par Pluton qui l'emmena aux enfers dont elle devint la reine.
Dans son ouvrage *les Mythes grecs dans la poésie de V. Hugo,* A. Py ne fait aucune allusion à ce poème. Il rappelle cependant la description du sarcophage de Charlemagne à Aix-la-Chapelle, représentant

l'enlèvement de Proserpine (*Rhin,* IX). Proserpine saisie par Pluton « crie, lutte et se tord avec désespoir ».

Proserpine est la strophe; Pluton, le poète; l'enfer, son crâne. La vie souterraine qui s'oppose à la vie terrestre symbolise un changement de manière : à l'idylle bleue s'oppose le drame noir. Si cette allusion au drame invite à rapprocher cette pièce de I, IX, et III, XXVIII, il ne faut pas oublier que drame pour Hugo ne désigne pas seulement les œuvres de théâtre : de *l'Homme qui rit,* il dit par exemple : « Poète, il a voulu faire un drame. » En outre, sa place à la fin du livre V annonce le changement d'inspiration du livre VI que l'on peut considérer comme une descente aux enfers.

2. *Strophe :* sens propre ou sens figuré? J.-R., rappelant le célèbre commentaire de Péguy dans *Clio,* soulignent le fait que Hugo a « effectivement utilisé de manière toute nouvelle des strophes ordinairement employées pour la poésie légère », mais *strophe* semble bien être ici l'équivalent de *poésie.*
3. Cf. *Magnitudo parvi,* v. 516 : Seul quand mai vide sa corbeille.
4. Hugo a hésité entre *âme, forme* et *aile :* il est revenu avec raison à la première rédaction.
5. *Bleue, azur* s'opposent au *noir* comme *autrefois* à *aujourd'hui.* Dans sa lettre du 2 septembre 1855 à Janin, Hugo dit des *Contemplations :* « Cela commence bleu et finit noir. »
6. Selon la légende, Proserpine jouait avec les Océanides au moment du rapt.
7. *Blême :* appliqué au jour signifie *pâle.*
8. *Averne :* lac sulfureux près de Naples qui passait pour l'entrée des enfers, désignés ici par la périphrase du vers 11.
   L'antécédent du relatif est-il *habitant* ou *caverne?* — La ponctuation invite à considérer la relative comme une glose de *blême :* l'enfer est blanc, rouge et noir, à mesure que l'on s'enfonce dans l'abîme.
9. Cf. I, IX, 10, le poète a saigné le sang qui sort du drame.
10. Dans l'hymne homérique, le texte insiste sur les cris de Proserpine.
11. *Et maintenant.* Deux antithèses remarquables définissent l'état présent : la poésie-Proserpine est à la fois captive et reine, et le crâne est à la fois céleste et souterrain. « La rime est une esclave », disait Boileau. « Une esclave-reine », répond Hugo.
    Dans le poème des *4 V.* mentionné plus haut, on lit :

    Le crâne du poète est un dôme effrayant
    Où de sombres oiseaux volent en tournoyant
    Et qui dit au grand aigle : O farouche figure
    Entre! Mon diamètre admet ton envergure.

    Cf. encore I, IX, dernier vers, et III, XXVIII, 9-10.
    « Le crâne, note V., ressemble à la fois à la voûte du ciel et à la voûte d'un cachot, la poésie de Hugo est celle d'un homme dont la pensée tour à tour plane au ciel et se sent murée. »

12. Selon le mythe, Cérès attendrit le maître des dieux et Proserpine put passer trois mois hors des enfers. — L'absence d'espoir n'altère pas le calme de la poésie. On ne saurait mieux dire.
13. Première rédaction : *sous tes pieds*. Deuxième rédaction : *à tes côtés*. Troisième rédaction : *près de toi*. Les drames sont comparés à des démons qui feuillettent le registre des passions. Dans *Magnitudo parvi,* les Lucrèce du noir infini feuillettent les registres (v. 135). Ce poème dit bien (v. 13) que le poète est précocement vieilli parce que, en composant le drame, il a pénétré dans le monde sombre des passions. Désormais sa poésie est *sinistre*.
14. *Sa* nuit : on notera le possessif : la nuit est le royaume de Pluton. Cf. paradoxalement II, x, 10, et la note.
Proserpine *rêve* comme Shakespeare *songe* en début de III, xxxviii.

P. 321. V, xxvi. LES MALHEUREUX

1. *Dates :* ms. 17 septembre 1855.
vol. Marine-Terrace, septembre 1855.
La date 17 septembre est celle de la mise au net de l'ensemble, mais cet ensemble est fait d'éléments de dates diverses, dont la genèse reste mystérieuse.
Selon J.-R., l'épisode final (v. 337-376) serait nettement antérieur. Dans *Autour des Contemplations,* p. 56, ils reproduisent un canevas de cet épisode qu'ils datent des environs de 1835. « Le premier homme et la première femme, chargés d'années et de douleurs, étaient assis sur leur seuil un soir. Tous deux étaient en proie à l'affliction et aux souvenirs. Le père songeait à Abel, la mère à Caïn. » Suivent les deux derniers vers sous leur forme actuelle.
L'épisode, qui formait un poème séparé, aurait été écrit en 1854 (soit une vingtaine d'années après le canevas) : une première rédaction du vers 343 se trouve dans le ms. de VI, 1, daté du 13 octobre 1854.
Les vers 1-336 forment un ensemble homogène qu'on peut dater de 1855, avec une *ad. marg.* des vers 56-74, 139-184, 227-234, 235-253. Le poème a été envoyé à N. Parfait le 23 septembre (*Cor.,* IV, p. 226).
Autre projet de titres : Qui sont les malheureux... *Beati infelices*.
Pour J.-R., la dédicace et les deux premiers vers ont été ajoutés après coup, ainsi que *mes enfants* au vers 58.
Ainsi Hugo a voulu conclure le livre V comme il avait conclu le livre III. Il s'adresse à ses enfants pour leur léguer une leçon essentielle : ce sont les méchants qui sont les malheureux, les malheureux qui sont les heureux.
Ce paradoxe est un lieu commun. V. cite un passage de *la Nouvelle Héloïse* II, xi. Mais on trouve dans le roman de G. Sand, *Consuelo* (Garnier, 236), un discours d'Albert de Rudolstadt qui invite à une comparaison plus suggestive : non seulement parce qu'il permet de définir le changement qui s'est opéré entre *Melancholia,* poème

d'*Autrefois,* et *les Malheureux,* poème d'*Aujourd'hui,* mais encore parce qu'il montre comment le thème se lie aux spéculations du livre VI.

« J'ai vu les hommes et leurs institutions; l'indignation a fait place dans mon cœur à la pitié, en reconnaissant que l'infortune des opprimés était moindre que celle des oppresseurs. Dans mon enfance, je n'aimais que les victimes : je me suis pris de charité pour les bourreaux, pénitents déplorables qui portent dans cette génération la peine des crimes qu'ils ont commis dans des existences antérieures, et que Dieu condamne à être méchants, supplice mille fois plus cruel que celui d'être leur proie innocente. » Comme ces idées viennent de Leroux, ce rapprochement invite, en outre, à reposer le problème de l'influence de Leroux à Jersey.

C'est la manière dont Hugo traite le thème qui importe. Beaucoup de discours, beaucoup d'axiomes, beaucoup de tableaux surtout, note V. « C'est même l'abondance des visions qui distingue la pièce. » On assiste au passage de l'épître à la vision apocalyptique.

2. Pense-t-il uniquement à ses deux fils qui ont été les lutteurs de *l'Événement?* A Adèle aussi, puisque d'après le *Journal de l'exil* elle a discuté de ce problème avec son père et son frère (voir plus loin).
3. Comme *misérable, malheureux* a plusieurs sens : ici, il signifie « indigent ». Dans le reste du poème, il y aura glissement du sens de « frappé par le malheur » à « coupable » et « méchant ».
4. Vers 21 et *sqq. :* même dans un poème réaliste, il y a place pour le merveilleux.
5. Cf. le dernier vers du *Mendiant*. Du reste, le vers 19 reprend l'effet : Je me nomme le Pauvre. On retrouve de part et d'autre l'alternance des mots *vieux* et *vieillard.* Le vers 25 évoque les haillons étalés devant le feu, et le vers 26 introduit les *étoiles.* Mais c'est le mendiant qui formule lui-même la pensée prêtée au poète dans V, IX : Je sens (Dieu) près de moi (v. 48).
6. Vers 31-37 : passage sans transition du style indirect au style direct.
7. Peut-être souvenir de La Fontaine : *le Savetier et le Financier,* mais au lieu du financier, l'interlocuteur est ici l'auteur d'*Insomnie.*
8. Cf. I, XXVII, 44 : il est de la maison. Le mendiant et le poète sont frères.
9. Le Cid fait de même dans le *Romancero* de la *L. S.* (XIV, 603).
10. Même effet à la fin de *Écrit en 1855.*
11. Comparer les deux gouffres aux deux abîmes de V, XXIV. L'audace du poète affrontant le mystère suscite tour à tour l'image du vol ou celle de la plongée. Le choix de la deuxième s'explique par l'attitude adoptée ici : (v. 57) le passant qui regarde en bas. L'image de la plongée est d'origine biblique : *Job,* XXVIII, 12-18. La sagesse est comparée à une perle au fond de la mer.
12. L'image rappelle celle qui illustre la fin du recueil : *A Celle...,* v. 351-354. Les justes sont à la fois aigles et colombes.
13. Voir dans le poème final, *A celle...,* les vers 169-192.
14. Après la mer, le ciel.

15. Première rédaction :

> Caton au fier profil et Dante au dur sourcil.

Il s'agit de Caton d'Utique qui se suicida. — *Manteau blanc :* on pense à la fois au grand manteau de Dante dans III, I, et au lin blanc dont est revêtu Booz.

16. Rochette dans *l'Esprit de V. H.,* p. 83, a étudié cette figure qu'il appelle antithèse-nuance et dont le poète use avec prédilection.

17. Première rédaction : *Chanter,* cor. à cause du vers 108.
Campanella (1568-1639), philosophe italien, passa vingt-sept ans en prison et fut torturé à plusieurs reprises. Son œuvre hardie, *la Cité du solei ,* fut traduite en 1840. Dans un article de 1843 sur Naudé, Sainte-Beuve est heureux de rappeler les réserves de celui-ci, « au temps où l'on est en train d'exagérer sur Campanella ». Ses rêveries sociales eurent en effet grand succès avant 1848, auprès de L. Blanc en particulier. Louise Colet elle-même avait publié en 1844 des *Œuvres choisies* de Campanella.

18. *Thomas Morus,* cf. I, XXIX, 54. — *Lavoisier* (1743-1794), chimiste illustre, décapité parce qu'il avait été fermier général. — *Loizerolles* est le héros d'une anecdote célèbre de la Révolution : au moment de l'appel des victimes, le père prit la place de son fils qui dormait. Le fils écrivit, en 1813, un poème en trois chants : *la Mort de Loizerolles ou le Triomphe de l'amour paternel.*
Jane Grey (1537-1554), décapitée à 17 ans sur l'ordre de sa sœur Marie Tudor.

19. Vers très remanié :

> Toi, Charlotte Corday, toi, la chaste Roland.

Les deux héroïnes sont souvent associées. Cf. Michelet et L. Colet.

20. *Contemplant :* on comprend qu'il ait été choisi dans *la Fin de Satan* pour servir de pendant au Christ.

21. *Jean :* il s'agit de Jean-Baptiste décapité à la demande d'Hérodiade. *Malesherbes* (1721-1794), le défenseur de Louis XVI, décapité sous la Terreur.

22. *Egmont :* voir V, VIII, 22.

23. *Coligny* (1519-1572), l'amiral protestant victime de la Saint-Barthélemy.

24. *Huss :* cf. I, XXIX, 58.

25. *Thraséas,* la plus illustre victime de Néron.

26. *Saint-Just* (1767-1794), guillotiné en même temps que Robespierre.

27. *Phocion,* général athénien condamné à boire la ciguë comme Socrate.

28. *Savonarole* (1452-1498), dominicain brûlé à Florence.

29. Une des plus belles images illustrant le thème du crâne.

30. A rapprocher du couplet de Didier dans *Marion de Lorme :*

Lorsque la lourde tombe a clos notre paupière,
L'âme lève du doigt le couvercle de pierre
Et s'envole...

et encore :

De toute cette chair morte, sanglante, impure,
L'âme immortelle sort sans tache et sans blessure!

et dans *Cadaver,* VI, XIII, de tout le couplet final :

Oui, Dieu le veut, la mort, c'est l'ineffable chant...

31. Le discours lyrique de Savonarole sert de transition à une vision apocalyptique aux formules étonnantes : *yeux obscurs* (v. 139), *jeté le seuil* (v. 152).
32. Le martyre de saint Étienne est raconté dans les *Actes des Apôtres.* Dans *Choses de la Bible* (*Autour des Contemplations,* p. 169), Hugo avait paraphrasé en vers ce chapitre.
Cf. encore (*ibid.,* p. 146) la paraphrase des Livres sapientiaux :
(les martyrs) ils marchent en rêveurs, comme je vous le dis
et tout à coup ils sont au seuil du paradis!
33. Traduction du *Stabat Mater dolorosa,* prose de Jacopone da Todi : cf. V, XII, et *Châtiments,* I, VIII.
34. Petit mythe inspiré à Hugo par le verset II, 28, de l'*Apocalypse,* déjà mis en vers par lui, vers 1846 :

Et je vous donnerai l'étoile du matin.

Voir, à la fin du livre I, un petit mythe analogue en marge de la Passion.
35. Antithèse saisissante qui rapproche la Vierge Marie et le héros du *Satiricon,* l'œuvre célèbre de Pétrone, écrite peu de temps après la mort du Christ.
36. En dépit de son caractère apocalyptique, le poème est composé comme I, VII, ou V, III. Ici, la foule présente une objection : « Passe pour une mort illustre, mais les morts obscures? » Hugo répliquera au vers 219 : « Eh bien non! le sublime est en bas. »
Dans le *Journal de l'exil,* à la date du 1er septembre 1854, Adèle demandait : (puisque les gens malheureux sont encore heureux) « Où donc est le malheur? » Question reprise au vers 274 sous la forme : « Où sont les malheureux? » Hugo répondit alors : « Il faut faire deux distinctions : les martyrs et les malheureux... Ceux-là sont à envier et non à plaindre. » Ainsi, à cette date, il n'est pas parvenu à la position radicale : *tous* les malheureux sont heureux, avec le corollaire du vers 336 : il n'est qu'un malheureux, c'est le méchant. Le problème a dû être discuté souvent en famille.
37. Vers 175-260 : rhétorique verbeuse et sans poésie.

La verve de Hugo prend parfois heureusement la tonalité bouffonne :

> Être un titan cloué sur une énormité
> Cela plaît...

38. Vers 208-218 : *Prométhée* n'est pas nommé, mais son souvenir est partout. Son nom apparaîtra au vers 252 associé de façon frappante à celui de Job. Job était de même présent, sans être nommé dans les vers 240-251.
39. *Samson,* les yeux crevés, tournait la meule à Gaza. — *Épictète* était à Rome l'esclave d'un affranchi de Néron.
40. Nouvelle allusion à la Passion. L'évangile de Matthieu ne fait pas la distinction entre le bon et le mauvais larron : « Ceux qui étaient crucifiés avec lui l'outrageaient de même. »
41. On ne retrouve pareille accumulation d'adjectifs qu'en VI, VI, 404-405.
42. Vers 275 et *sqq. :* la *pitié suprême* est une longue paraphrase de ce thème. — *Et j'ai vu,* formule d'introduction des visions apocalyptiques. Dans ce développement, variation très libre sur les chapitres XXI et VII de l'*Apocalypse.*
43. Inspiré par le chapitre II du *Livre de la Sagesse* et par *Isaïe.*
44. A rapprocher de la conclusion de *Melancholia,* mais au lieu d'évoquer la guillotine, il évoque le glaive de l'archange.
45. Vers 297-305 : passage hallucinant. L'imagination délirante paraphrase la formule biblique : « Dieu sonde les reins. » L'effet de terreur est souligné par la comparaison familière du vers 300.
46. *L'iman :* titre de certains souverains musulmans.
47. *Le jour* n'est pas complément de temps, mais complément direct du verbe *faire.*
48. On lit dans *Ruy Blas* (v. 354) :

> Car j'ai dans ma poitrine une hydre aux dents de flamme
> Qui me serre le cœur dans ses replis ardents.

49. Ces deux vers font écho aux vers 127-128.
50. Dans *Ce que dit la Bouche d'Ombre* (v. 248), Hugo écrit avec plus d'audace :

> L'assassin pâlirait s'il voyait sa victime; c'est lui.

51. Vers 316-336 : résumé du développement avant le mythe qui couronne le poème. Ce résumé est rendu émouvant par l'aveu personnel des vers 318-319. Qui oserait aujourd'hui mettre en doute la sincérité du poète?
52. Vers 321-324 : ces vers ne figurent pas dans le manuscrit. La première rédaction du vers 320 était :

> Vous qui me regardez dans ma nuit fixement.

Hugo, ici, a écarté l'image de l'œil au profit du doigt de Dieu déjà évoqué au vers 303.
Pourquoi les vers 321-322 ne sont-ils pas célèbres comme tel vers de *la Mort des pauvres?* C'est le même mélange d'émotion, de familiarité et de poésie.

53. Ésope et Scarron sont les deux bossus illustres de la littérature : on les retrouve ensemble dans *les Mages* (v. 152-153), parmi les prêtres du rire. Heine avait traité Hugo de bossu dans *Lutèce.* Voir dans *Histoire d'un éditeur*... de Parménie et Bonnier de la Chapelle, pp. 271-275, la scène désopilante racontée par Hetzel.
54. Lequel des deux Zénon? Le contexte semble désigner le fondateur du stoïcisme, plutôt que Zénon d'Élée.
55. Ce vers figure, isolé, dans le *Reliquat des Contemplations.*
56. Ce mythe, même s'il était à l'origine indépendant, conclut magnifiquement le livre et le poème.
On admirera l'ample phrase d'introduction (v. 337-350) et plus encore la phrase de conclusion qui se développe sur vingt vers.
57. Dans *Mugitusque Boum,* vers 33, l'arbre du temps est évoqué discrètement.
58. Ce vers embarrasse les commentateurs. Il ne voit plus Dieu, face à face, dit l'un. Il a conservé en lui l'image de Dieu, dit l'autre, mais il ne l'aperçoit plus à travers les choses. Il ne semble pas nécessaire de compliquer l'idée : Adam *voit Dieu* comme le pâtre de *Magnitudo parvi.* Cf. *Claire,* VI, VIII, 107-108 :

> ... et chacun d'eux portant sous sa paupière
> La sereine clarté des paradis profonds.

Mais à l'heure du crépuscule, les deux vieillards (qui s'opposent au vieux mendiant du début) *regardent,* puis *songent* (v. 372) et alors cessent d'entendre et de voir. (Cf. *le Mendiant,* v. 15.)
Après le vers 360, on lit dans le ms. :

> Ils regardaient courbés, sous l'immensité sombre,
> L'un, décroître le jour, et l'autre, grandir l'ombre.

Les vers 361-364 ne figurent pas dans le ms.

59. L'image plastique symbolise l'incompréhension du couple, incompréhension qui s'ajoute à leur indifférence devant la nature compatissante (v. 347).
60. *L'être illimité :* Dieu et la nature sont fondus dans cette formule à la triple négation.
61. A rapprocher du vers 376 : *l'un* est Adam, qui est sensible à la disparition du jour comme à la mort d'Abel; *l'autre* est Ève, qui est sensible à l'invasion de l'ombre comme au crime de Caïn.
Une fois de plus, Hugo situe son poème au *moment crépusculaire.*
62. On comparera ce *baiser* à celui de *Mugitusque Boum,* v. 31, et à celui d'*Éclaircie,* v. 4.

Vianey rappelle à propos de cette fin et le *Caïn* de Byron et le début de *la Chute d'un ange*. Il conclut en soulignant l'originalité de Hugo : « Ce fragment est, dans un décor où est toute la nature, le poème de toute la souffrance humaine. »
Les mythes de ce poème ont valeur d'archétype. Au martyre de saint Étienne, qui est le *premier* martyr, correspond le meurtre d'Abel, qui est le *premier* meurtre. Le coup de génie de Hugo, poète de *la Conscience,* est d'avoir évoqué ici le *premier* crime à travers la réaction du *premier* couple. S'ils pleurent tous deux, la réaction de la *première* femme n'est pas celle du *premier* homme : la pitié de la mère va à Caïn, — celle du père à Abel. La mère, qui est la plus tendre, s'apitoie sur celui qui est le plus à plaindre.
En outre, à l'évocation de Marie, la *Mater dolorosa,* correspond celle d'Ève, la mère du genre humain. Le poète montre les deux mères en pleurs, mais tandis que Marie, la seconde Ève, sent une joie immense à la pensée que la mort de son fils assure le salut du monde, la première Ève prouve par son choix que le meurtrier est plus à plaindre que la victime.
« Ce poème, remarque Levaillant (qui lui a consacré une étude dans la *Revue des Deux Mondes,* 1er mai 1930 : *Dans l'atelier de V. Hugo*), est comme le dernier regard que le visionnaire jette sur la terre, avant de sonder l'abîme de l'infini. » Mais, ajouterons-nous, l'absurdité de cet ultime spectacle, de ces pleurs dans la nuit, est une énigme dont il doit de toute urgence aller chercher le secret au cœur des ténèbres.

LIVRE SIXIÈME

AU BORD DE L'INFINI

P. 335. VI, 1. LE PONT

1. *Dates :* ms. 13 octobre 1854.
vol. Jersey, décembre 1852.

Écrit comme *Explication* et *Relligio,* au moment de la mise au net de *Ce que dit la Bouche d'Ombre*. La table parlante sert de truchement à la Mort depuis le début de septembre.
La date fictive est celle de l'anniversaire du rétablissement de l'Empire. A la même heure, le poète prie au bord de l'infini.
Ce poème rappelle la manière de *Mors* au livre IV, d'*Apparition* au livre V. Le poète angoissé dialogue avec son âme. Son appel désespéré suscite l'apparition d'un ange, qui révèle son nom au dernier vers.
Selon Stapfer (*Revue de Paris,* 15 décembre 1904), Hugo déclarait en 1867 : « Pour moi, je ne passe pas quatre heures de suite sans prier. Je prie régulièrement chaque matin et chaque soir. Si je me

réveille la nuit, je prie... » Ceci est confirmé par une lettre de Hugo à sa femme, écrite de Villequier, le 4 septembre 1845 : « ... Tu sais comme j'ai la religion de la prière. »

Dans son *Victor Hugo par lui-même* (p. 77), H. Guillemin a souligné ce trait : « Jusqu'à ses derniers jours, Hugo ne cessa de prier », et tout naturellement il ajoute : « Hugo croit à l'existence des anges. » L'ange de la Prière prend l'aspect de Léopoldine morte. N'est-ce pas à elle qu'il s'adressait dans le beau poème des *F. A. : la Prière pour tous?*

Hugo a eu plusieurs conceptions de la prière. Celle que nous trouvons ici est commentée avec netteté dans la fameuse *Parenthèse* des *Misérables,* II, VII (en particulier dans les chapitres V et VI) : « Mettre par la pensée, l'infini d'en bas (l'âme) en contact avec l'infini d'en haut (Dieu), cela s'appelle prier. » Si l'image du pont n'est pas dans *les Misérables,* elle est impliquée par la formule « mettre en contact ». Selon V., c'est à Milton qu'il l'aurait empruntée. Aux livres II, VII et X du *Paradis perdu,* il est question d'un Pont construit sur l'abîme par le Péché et la Mort.

2. Première rédaction : *faible* au lieu de *sombre.*
3. Vers 14-17 : ce passage fantastique est en même temps un des plus émouvants inspirés à Hugo par le souvenir de sa fille.
Mallarmé en démarquera un hémistiche dans *Brise marine :*

Sur le vide papier que sa blancheur défend.

4. Selon J.-R., ce vers figure, isolé, sur un fragment classé dans le ms. de *Dieu.*
5. Comme dans *Mors,* la lumière émane de l'ange.
6. En marge :

Quand? — Sur-le-champ. — Comment? — Sans bois, sans fer, sans [pierre.

La cor. permet d'apprécier le goût de Hugo.

P. 336. VI, II. IBO

1. *Dates :* ms. 24 juillet 1854.
vol. Au dolmen de Rozel, janvier 1853.

« L'été, écrit J.-B. Barrère (*Fantaisie,* III, 93), en apparence un été stérile, traversé d'un examen de conscience mélancolique, fut, en réalité, vraisemblablement absorbé par l'achèvement de son système philosophique. »

Selon la date fictive, ce poème, placé au début de la seconde année à Jersey, fait suite au premier daté de décembre 1852. Les deux poèmes servent donc de prélude au livre mystique. Dès le début de l'exil, le poète joint au recours à la prière la volonté irréfragable de parvenir au *tabernacle de l'inconnu.* « Ce livre, écrit V., est bien d'un homme qui prie et d'un homme qui veut. » Si donc la force seule est exaltée ici, comme le notent J.-R., le poète n'en tire pas moins de la prière l'essentiel de sa force : « L'âme est forte quand le souffle de Dieu l'emporte », dit le texte (v. 63).

Plusieurs poèmes du livre I sont situés près d'un dolmen, surtout au dolmen de Rozel.

Titre : est-il nécessaire de rattacher ce futur du verbe *ire* à un souvenir de Virgile (*Buc.*, X, 50)? Hugo conjuguait volontiers ce verbe : voir, dans la lettre célèbre à Baudelaire, l'impératif *Ite* (il avait oublié qu'on tutoie en latin). — Du reste, Hugo a hésité entre *ascendam* et *ibo*.

Onze strophes ont été ajoutées en *ad. marg.* et six (ou sept) après le 24 juillet : 1° vers 21-28; 2° vers 33-48 (en deux temps : v. 33-40, puis v. 41-48); 3° vers 81-88; 4° vers 109-116; 5° vers 125-128.

Le poème comprenait à l'origine deux divisions : I, v. 1-76; II, v. 77 à la fin. Il s'ouvre sur un *pourquoi* angoissé. Le premier développement est rythmé par la reprise de *vous savez bien que j'ai des ailes* (v. 11), *tu sais bien* (v. 19), *j'ai des ailes* (v. 49), *j'ai des ailes* (v. 51), *vous savez bien* (v. 57), *vous savez bien* (v. 61), *vous savez bien* (v. 64), pour aboutir à la conclusion : l'homme doit voler Dieu.

L'invocation à la foi, au droit et à la liberté (v. 28-30) fait naître une série d'invocations supplémentaires à la beauté, à l'amour et à la raison (v. 21-28).

J'ai des ailes amène une variation en quatre strophes sur le thème *Je suis oiseau.*

2. Cf. *A celle...* :

> Le contemplateur, triste et meurtri, mais serein,
> Mesure le problème *aux murailles d'airain...*

C'est une expression latine : cf. Horace, *Épodes,* I, 1, 60.

3. Première rédaction : *muet* au lieu de *sourd,* comme si les deux mots pour Hugo étaient équivalents.

4. Ces *lois* éternelles, cachées dans l'infini comme sous un suaire, ce sont les vertus énumérées par la suite. Dans le second développement, Hugo reviendra à ces lois : cf. vers 79 et 93-96.

Au vers 117, retour au thème initial : *Pourquoi cacher ces lois...* La composition du poème est donc très stricte. A un *pourquoi* angoissé répond un *Ibo* frémissant d'audace héroïque.

5. Strophe assez mal venue. Au vers 14, Hugo hésite entre où *l'espoir* fond et où *l'esprit* fond.

6. C'est la vision du mal qui détermine le poète à tenter son aventure spirituelle, mais c'est précisément parce que, en cette époque agitée (v. 69), la liberté se voile (v. 31), qu'il ira voler Dieu. Il n'y a pas de coupure entre la politique et la métaphysique, le poète des *Châtiments* veut résoudre le problème du mal sous toutes ses formes.

7. Cet idéal est à la fois intellectuel, moral, politique, religieux et esthétique.

8. Première rédaction : *rayons* de Dieu.
9. *Morne :* sans éclat.
10. Première rédaction : âme *aux gouffres* habituée.
11. Première rédaction :

> Mon âme a fait des chansons fières.
> Nous y mêlions
> L'aile de l'aigle et les crinières
> Des grands lions.

La strophe a été dédoublée.
12. Jean a été remplacé par *Amos,* qui est un des douze petits prophètes comme Baruch avait été remplacé par Amos dans *Sagesse* (*R. O.,* XLIV, 192). On ne trouve pas dans le *Livre d'Amos* d'allusion à l'*être.* C'est en fait la vision d'Ézéchiel et celle de Jean (*Apocalypse,* IV, 7-8) qui sont à l'origine de ce texte, et de l'allusion au lion ailé de saint Marc. Cf. aussi le griffon de *Dieu* représentant le christianisme. Mais le nom d'Amos lui plaisait : Amasias traitait le berger Amos d'*homme de visions* (VII, 12), et ces visions étaient terribles (dans le chapitre III, v. 8, on lit : Le lion rugit, qui ne craindra point?), d'où la place privilégiée faite à Amos dans *les Mages* (v. 105).
13. Vague allusion à l'échelle de Jacob.
14. Les deux mythologies sont liées : Adam et Prométhée jouent le même rôle. Les vers 73-74 font allusion au vol du feu par Prométhée; les vers 75-76, au vol des fruits de l'arbre de la science du bien et du mal par Adam. De la sorte, Adam devient maître de sa destinée. A quoi bon la prière, dira-t-on, si l'homme est ce révolté? Mais, comme le dit si bien le poète de *Plein Ciel* (v. 36), la grande révolte est obéissante à Dieu, puisque ce que l'homme vole, c'est la loi écrite par Dieu et dont il a besoin.
L'homme se révolte en fait contre l'occultation de la loi qu'il juge injustifiable.
15. *Ad. marg.* qui ajoute à l'idée politique une résonance sociale : le peuple est le grand martyr. L'homme-esprit dit Amour plus que Révolte.
16. Première rédaction:

> L'homme est esprit.

17. Je suis une force qui va, disait Hernani.
Et dans *A celle...* (v. 12) : Va! dit l'esprit. Je vais.
18. L'image des clairons évoque à l'esprit la Trompette du Jugement, les trompettes de Jéricho, donc le poète des *Châtiments* après celui de *la Légende des siècles* et avant (v. 108) celui des *Quatre Vents de l'Esprit.*
19. Vers difficiles : J.-R. y voient un souvenir vague du livre de vie

de l'*Apocalypse*. Peut-être faut-il opposer les *vivants* aux morts, les vivants que le poète condamne et damne à sa manière.
A rapprocher de la fin de V, xxv.

20. Vers 101-110 : « l'imagination mythique de Hugo suscite un être fantastique et ailé, symbole de son propre esprit, et pour lequel il crée un nom de chimère où se combine le double élément, concret et abstrait, qui le compose » = l'homme-devoir (Moreau).

21. L'image de l'homme ailé cède, au moment de l'arrivée au but, la place à celle d'un titan brutal comme un soudard.
C'est une *ad. marg.* qui lui permet d'ajouter l'image baroque de la comète traînée par les cheveux.

22. Vers 113-116 : mais cette autre *ad. marg.* renforce l'idée directrice du poème : *les lois... je les aurai... j'irai.*

23. *Blême... effaré.* Dans *les Mages,* les contemplateurs sont *pâles* (v. 269), et ils songent *effarés* (v. 292).
L'*ad. marg.* a entraîné la répétition des rimes masculines *(aurai, effaré, muré, passerai);* mais l'impression d'acharnement n'en est que mieux rendue.

24. V. observe que dans *l'Homme qui rit* (I, 15), Hugo dit au contraire : « Quand l'Infini s'ouvre, pas de fermeture plus formidable. »

25. Si l'on considère le poème comme un poème initiatique, allusion ici à l'épreuve du feu et de l'eau comme dans *la Flûte enchantée.*

26. *Bible :* c'est l'univers, c'est-à-dire la nature et l'au-delà.

27. Vers 122 et *sqq. :* de même qu'il unissait Adam et Prométhée, Hugo mêle ici des souvenirs bibliques et païens : *tabernacle, portes* sont dans les *Psaumes;* la *meute* fait penser à Cerbère, le chien à trois têtes.
Peut-être la strophe des vers 125-128 a-t-elle été ajoutée pour préparer le verbe *aboyer.*

28. *Noirs éclairs :* les éclairs peuvent être noirs comme l'amour. L'adjectif suggère une impression de vague épouvante.

29. *Visionnaires :* dans *Puits de l'Inde* (R. O., XIII, 51), on trouve déjà *grottes visionnaires,* au sens actif, qui font apercevoir des visions.
Comprendre sans doute : qui ouvrent sur des visions, plutôt que portes qui ne nous apparaissent qu'à travers des visions ou portes ouvertes aux seuls visionnaires.

30. *Sacré :* au sens latin de *sacer :* intouchable.

31. *Je rugirai :* on devine quels sarcasmes a suscités cette fin audacieuse chez ceux qui traitaient Hugo de Matamore, sinon de Jocrisse à Patmos.
Nous trouvons ici l'aboutissement du thème du lion qui s'était étendu des poèmes en chantier aux dictées de la table.
On se reportera à III, 1, où Dante déclare : « Je fus un lion », et surtout à III, xxviii, où Shakespeare à son tour est comparé à un lion (voir les notes à ces poèmes).
Cette pièce admirable a été beaucoup attaquée de Barbey à Faguet et même à Bellessort.

L'unanimité s'est faite cependant sur le choix saisissant de la strophe qui est celle de la chanson de Fortunio :

> Si vous croyez que je vais dire
> Qui j'ose aimer,

et qui se trouve, selon les remarques de Péguy à propos de la *Chanson de Malbrough,* métamorphosée. C'est le formidable élan suggéré par ces vers brefs qui est surtout étonnant; et l'effet est renforcé par les anaphores, les répétitions, et l'enjambement de strophe à strophe (voir en particulier les vers 64-65).

Nous dirons aujourd'hui avec J.-R. que ce poème est « un des plus admirables glorifications du surhomme ». Mais l'aspect le plus remarquable n'en reste pas moins la trouvaille du visionnaire qui se voit lui-même comme un monstre fabuleux avec l'aile de l'aigle et la crinière du lion.

P. 341. VI, III. UN SPECTRE M'ATTENDAIT...

1. *Dates :* ms. 17 avril 1854.
   vol. Au dolmen de Rozel, avril 1853.
   Écrit après la série lugubre de mars : *Mors, Dolor, Horror.* C'est l'époque aussi où le lion d'Androclès dicte son poème. Le 4 avril, il avait annoncé « dans la langue des animaux » : « La comète vient... la comète est le serpent qui paraît dans les moments où l'humanité va ouvrir les sépulcres... » Au même instant, François-Victor, qui revient de Saint-Hélier, dit à son père qu'il vient de voir une comète.
   Le poème est antidaté d'un an comme si Hugo, décidé à *aller* depuis janvier, rapportait un premier message de l'abîme.
   Situé au dolmen de Rozel comme VI, II et VI, XXVI.
2. Négation « au second degré » typique de Hugo. Le muet désigne Dieu, mais J.-R. y verraient plutôt un neutre qu'un masculin. Si le vers 631 de *Pleurs dans la nuit* appuie la deuxième hypothèse, la première rédaction du vers 24 de notre poème : Apprends que le profond sait tout, pourrait confirmer la première. « Dieu, concluent J.-R., apparaît parfois (à Hugo) comme impersonnel. »
3. *Irrité :* l'air sombre. Cf. *sombre* et *obscurité.*
4. Formule condensée et étrange : la parole est un bruit ridicule puisqu'elle est incapable d'expliquer ou de consoler la douleur exprimée par la larme.
5. C'est la présence obsédante du vent qui distingue ce poème. Cf. vers 8, 10, 15, 27, 28. Le *souffle* correspond au *vent.*
6. Alternance de vers simples et émouvants, de maximes d'une frappe classique (v. 11-12) et de vers imagés, mystérieux à souhait; mais, de part et d'autre, c'est l'influence biblique que l'on retrouve, des *Proverbes* à l'*Apocalypse.*
7. Dans le ms. : océan *n*ombre (ailleurs V, XXIII, 40, c'est l'inverse). « Le Nombre où tout est contenu », écrit Hugo dans *les Mages.*

8. *Job,* VII, 7 : « Souvenez-vous, Seigneur, que ma vie n'est qu'un souffle. »
9. Cf. IV, XII, où sont rapprochées : solitudes *vertes* et tombes *entr'ouvertes.*
Ces vers nous permettent d'apercevoir l'image latente. (Cf. *le Rhin,* XIII.)
10. C'est en cette maxime que se résume la morale du poète, « morale provisoire » qui ne résout aucunement l'énigme. — *Coupe un lambeau :* souvenir de saint Martin coupant son manteau.
11. Le Jugement dernier.
12. Tâche de vivre; Crois : le ms. comporte une simple virgule. Foi et vie sont liées.
13. Dans l'*Apocalypse* (V), l'Agneau ouvre le livre. Hugo se plaît à varier le thème, en lui associant, comme ici, une image familière.
14. Avant que Dieu le juge, l'homme est épié par l'espace. L'angoisse engendre une étrange « espionnite ».
15. V. s'efforce de rendre rassurante cette fin, mais elle diffère de celle de VI, XIX. C'est la menace qui domine.
La mort est partout présente; sous forme statique (v. 26) ou dynamique (v. 27), elle est là, terriblement hallucinante.
Le dernier vers nous fait sentir le *frisson* de la mort.
Celui qui se reporterait à *V. H. le philosophe* (p. 307) constaterait avec surprise et amusement que ce poème permet à Renouvier de transformer V. Hugo en adepte de sa doctrine : le criticisme issu du kantisme!

P. 343. VI, IV. ÉCOUTEZ. JE SUIS JEAN...

1. *Dates :* ms. non daté.
vol. Serk, juillet 1853.
Malgré l'absence de date, cette pièce est indiscutablement de 1846, et contemporaine de III, VI, et de VI, VII, d'inspiration apocalyptique. C'est alors que Hugo paraphrase en vers la Bible; mais dans les passages inspirés par l'*Apocalypse* (J.-R., *Autour des Contemplations,* pp. 171-179), on ne retrouve pas le thème de ce poème.
Sur la localisation à Serk : voir les notes de V, XXIV.
La date fictive est postérieure à celle de VI, III, mais à partir de VI, III, Hugo renonce à respecter la chronologie.
A l'origine de ces vers, on trouve les versets suivants du chapitre XXII de l'*Apocalypse :* 8. C'est moi, Jean, qui ai entendu et qui ai vu toutes ces choses... 6. Ces paroles sont très certaines, et très véritables; et le Seigneur, le Dieu des esprits des prophètes, a envoyé son ange, pour découvrir à ses serviteurs ce qui doit arriver dans peu de temps... 11. Que celui qui commet l'injustice, la commette encore; que celui qui est souillé, se souille encore... 12. Je vais venir bientôt... 20. Celui qui rend témoignage de ces choses dit : Certainement, je vais venir bientôt.
Le texte au verset 11 s'adresse aussi bien au juste qu'au pécheur. Hugo ne s'adresse plus qu'au pécheur.

En outre, selon V. dans l'*Apocalypse,* Jean parle peu, tandis que l'ange parle longtemps et impérieusement. C'est le contraire chez Hugo. Enfin Hugo accentue le caractère dramatique de la scène. Grillet y voyait l'influence des prophètes, mais ce procédé de présentation est habituel au poète.

2. Selon V., la vision « baigne dans un décor miltonien ». Ce décor « où s'engloutit l'espace, où s'épuisent les nombres » (Milton, trad. par Delille), est celui de toutes les visions hugoliennes.
3. Après Milton, Dante.
4. *Engloutissements* était alors un néologisme et l'emploi au pluriel rendait plus audacieuse encore l'expression.
5. Première rédaction : *qui sont au fond des bois,* puis : *qui se cachent aux bois.*
6. Ce regard qui épie, dans le poème précédent était attribué à l'espace (v. 24).
7. Première rédaction : au lieu de *fureurs, rêves.*
8. Première rédaction :

Et le Seigneur m'a dit : je vais bientôt venir.

P. 344. VI, v. CROIRE, MAIS PAS EN NOUS

1. *Dates :* ms. 11 décembre 1854.
vol. Marine-Terrace, décembre 1854.

Écrit entre VI, XXIII, *Ce que c'est que la mort,* et III, XXVI, *Joies du soir*; le 8, Hugo écrit également *Ire non ambire (L. S.),* où il insiste déjà sur l'idée que nous n'avons pas à exiger pour nos vertus la louange. Galilée parlant dans la table avait rappelé à l'ordre Hugo, qui souhaitait que la table employât « le langage splendide de la vérité ». C'est à propos des constellations qu'il fit cette demande. « Tout ce qui est l'incréé est l'innommé », déclare entre autres répliques Galilée. A son tour, Hugo rappelle à l'ordre les hommes. Ce poème groupe avec plus d'éloquence que de poésie des thèmes édifiants. Après avoir condamné le pharisaïsme, Hugo invite l'homme à comparer sa bonté mesquine à celle de la mère nature et de Dieu. D'où le titre : *Croire, mais pas en nous.* Ne comptons pas sur nous, comptons sur Dieu. Lui seul peut nous sauver. A la fin, retour au thème initial : D'où sortez-vous donc pour vous croire meilleurs que Dieu?

Dans la première partie, on reconnaît l'allusion à l'Évangile : cf. *Matthieu,* XXV, 35 : J'ai eu faim et vous m'avez donné à manger. 42 : J'ai eu faim et vous ne m'avez pas donné à manger.

2. A rapprocher du *Mendiant,* et conforme à l'esprit des versets 40 et 45 du même chapitre. Le pauvre est le Christ lui-même.
3. Souvenir de la parabole du pauvre Lazare (*Luc,* XVI, 21), « qui eût bien voulu se rassasier des *miettes* qui tombaient de la table du riche ».
4. Première rédaction :

On dit : Je suis très bon! contemplez; me voilà!

souvenir des critiques adressées par le Christ aux pharisiens.

5. *Matthieu,* XXIII, 23 : Malheur à vous, scribes et pharisiens hypocrites, qui payez la dîme... pendant que vous négligez ce qu'il y a de plus important dans la loi : la justice.

6. Le Christ dans l'Évangile prend le lys en exemple.

7. Vers 30 et *sqq. :* ce passage rappelle les discours d'Éliu dans *Job,* XXXV-XXXVII.

8. Il aurait pu opposer le chêne et le *roseau,* mais le *cèdre* accentue la couleur biblique.

9. *Fumée :* sens classique, vanité.

10. *Terrible, doux : coïncidentia oppositorum* en Dieu.

11. *Passants :* cette expression pour désigner l'humanité aura grand succès auprès de Villiers et de Mallarmé. Cf. *Horror,* 121.

12. *Job,* XXXVII, 19 : car, pour nous, nous sommes enveloppés de ténèbres.

13. Dieu seul est grand : exorde de l'oraison funèbre de Louis le Grand par Massillon, mais aussi souvenir de *Job,* XXXVI, 26 : Voici que Dieu est grand : il dépasse notre science...

14. Cf. *Dolor,* vers 113-114.

15. Cf. *Job,* XXXV, 2 : Croyez-vous avoir eu une pensée équitable, en disant : Je suis plus juste que Dieu?

16. Première rédaction :

> Et qui tourne vers vous, à l'heure du réveil,
> Cet immense sourire appelé le soleil

Le soleil, sourire de Dieu, ne vient pas de la Bible assurément, mais l'effet final n'en vient pas moins de *Job,* XXXVI, 32-33. Dans les poèmes du livre VI, Hugo évoque plus volontiers en conclusion le retour de la lumière que la fin du jour.

P. 347. VI, vi. PLEURS DANS LA NUIT

1. *Dates :* ms. 25-30 avril 1854.
vol. Jersey, cimetière de Saint-Jean, avril 1854.

Aboutissement des semaines lugubres de mars et avril 1854 qui ont vu naître : *Mors, Dolor, Horror, Un spectre m'attendait, A qui donc sommes-nous?, A la fenêtre pendant la nuit.*

L'activité des tables parlantes atteint son apogée : le Lion d'Androclès continue la dictée de son poème, et Shakespeare commence la dictée de son drame. Mais on retiendra surtout le dialogue du 24 avril entre Hugo et le Drame sur l'opposition entre l'homme qui pense et qui ne voit pas et l'animal qui ne pense pas et qui voit.

La genèse de ce long poème est très complexe :

1° Hugo reprend un thème esquissé sans doute vers 1846, à l'époque où il paraphrasait la Bible : cf. les vers 457-480. (J.-R. reproduisent les fragments de l'esquisse primitive dans *le Manuscrit des Contemplations,* pp. 145-146, et *Autour des Contemplations,* p. 74.)

2° Ce poème est contemporain de VI, IX. Selon J.-R., ils sont nés ensemble, parfois peut-être à l'état indifférencié.

3° Après le vers 552 on lit dans le ms. une date biffée : 28 avril 1854. Le poème devait s'arrêter là, et les vers 551-552 se présentent bien comme le mot de la fin, justifiant le titre.

4° Le poème commençait d'abord au vers 37.

5° Les *ad. marg.* sont en effet extrêmement nombreuses et faites en plusieurs temps. (Pour une étude détaillée, se reporter à J.-R., *Manuscrit des Contemplations,* pp. 139-148.)

6° Après le 28 avril, le poète poursuit son poème sur un autre ton. Mais le foisonnement des thèmes ne nuit pas à l'unité de l'ensemble. *Pleurs dans la nuit* est une immense amplification de *Mors* (IV, XVI); ou encore le grand poème combine le pessimisme de *Horror* et l'optimisme de *Dolor*. Ce qui appartient en propre à *Pleurs dans la nuit* est le leitmotiv que l'on pourrait appeler le « film » des funérailles. Il commence au vers 89 : c'est un cercueil qu'on porte; vers 133, le corbillard franchit le seuil du cimetière; vers 139, le dedans de la fosse apparaît; vers 265, la fosse est ouverte; vers 271, on rend le corps à la nature; vers 337, la terre tombe sur la bière; vers 355, le fossoyeur s'en va; vers 367, le mort est seul.

— Après l'hémistiche du vers 397 qui constitue à lui seul un développement : *tous y viendront,* commence une extraordinaire danse macabre qui se poursuit jusqu'à l'évocation au vers 552 des pleurs dans la nuit, aboutissement du poème sous sa forme première.

Le foisonnement des images, métaphores et comparaisons, caractérise l'œuvre plus encore que le foisonnement des thèmes, et surtout la multiplication des antithèses et la répétition obsédante des mots sinistres (*ombre,* 20 fois; *mort,* 16; *nuit,* 13; *noir,* 12; *sombre,* 10; *obscur,* 9; *ténèbres-ténébreux,* 6). Dans le sizain, avec un art infaillible, le sixième vers auquel sa place et sa brièveté donnent un rôle privilégié, fait ressortir une image ou un mot essentiel.

1er mouvement : vers 1 à 30. Le passage du *je* au *nous* permet au poète qui se met en scène d'aborder le mystère de l'homme.

Dès la première strophe le thème du *cercueil* apparaît et, chose frappante, sous une forme sonore et non plastique.

Dès la deuxième strophe paraît le second thème qui est le *doute.*

2. *Lymphe* a donné lymphatique et l'on aperçoit alors le lien avec *scrofuleux,* puisque les scrofules sont des gonflements des ganglions lymphatiques.
3. Première rédaction : *Murmure : non.* Chez Hugo, la notion du *doute* est extrêmement complexe. La cor. s'imposait, car *non* est le mot de l'athée (v. 125) et du jouisseur (v. 571). Le doute ressemble à la sagesse, mais il est décourageant, il retire l'envie de chercher.
4. *Mancenillier :* arbre dont le fruit, le suc et l'ombre seraient mortels. A inspiré à Millevoye un célèbre poème.
5. Hugo seul a écrit des vers de cette sorte; cf. encore le vers 25.
6. Voir la réponse dans *Ce que dit la Bouche d'Ombre.*

7. Vers 25-30 : *ad. marg.* qui pose le problème de la liberté. L'homme est décrit à la fois comme libre et prisonnier.
2e mouvement : vers 31 à 60. Le mystère de l'homme est défini par une série d'antithèses : haine et amour, âme pure et chair sombre, mortel et immortel. L'être est à double face.
8. L'image auditive des *clefs* a été suscitée par celle du *cachot*.
9. Cf. V, v, 76 et VI, x, 36-37.
Une *ad. marg.* (v. 49-62) oppose l'homme douloureux à la nature riante et cette douleur inconsolable s'explique par le caractère éphémère de l'humanité.
3e mouvement : vers 61 à 84. Tandis que les antithèses foisonnent, le thème de la brièveté de la vie se métamorphose en mythe guerrier, d'où *cible, flèches, char, assaut, armée, bouclier*.
10. Amorce du thème *ubi sunt,* qui sera magnifiquement développé en XIII.
11. *La minute nous tue :* peut-être souvenir de la devise de cadran solaire : *ultima necat*.
Un vers se détache : l'énorme éternité luit, splendide et stagnante.
4e mouvement : vers 85-96. Transition qui introduit le leitmotiv de l'enterrement : vers 89-90.
12. Jeu sur les possessifs : *tes, mon, leur* = toi, moi, les autres pour montrer que nous sommes tous solidaires dans le deuil. Il avait d'abord écrit maladroitement : *leurs* fils sont morts, *mon* père est mort, *ta* mère.
13. Un des « petits mythes » les plus fascinants nés de l'imagination de Hugo.
5e mouvement : vers 97-132. La formule *Ils le portent* passe d'un mouvement à l'autre.
En première rédaction, la première strophe était faite des vers 97-98 et 105-108.
Ici Hugo se désolidarise de ceux qui emportent le cadavre et ne croient pas à la survie. C'est le premier effort de redressement. Ces infortunés matérialistes sont caractérisés par le rire et la négation.
14. Première rédaction : sourds *au chant de l'orage*.
15. Vers 115-120 : *ad. marg.*
16. Le poète, après avoir fait écarter par les insensés le témoignage de l'astre et de l'arbre, l'approuvera solennellement en conclusion. Le dénouement est donc préparé ici.
17. Les images les plus saisissantes des cinq premiers mouvements sont des images auditives : vers 5-6; 35-36; 78; et celle-ci.
6e mouvement : vers 133 à 144.
18. Au deuil de l'homme s'oppose la joie de la nature. Un double contraste est donc souligné : la nature est joyeuse quand l'homme est triste, la nature célèbre Dieu quand l'homme le nie.
19. Première rédaction :

Tout être a son mystère, et le crée et l'ignore.

20. Première rédaction :

> Et l'on croit voir s'ouvrir de sinistres paupières.

Ce vers hallucinant n'est donc pas un vers donné.

7e *mouvement :* vers 145-264. Alors que le reste du poème, en dépit des images baroques, ne développe qu'un lieu commun, ce mouvement se distingue par son extravagance. C'est la première fois que Hugo expose la doctrine de la punition des criminels par leur descente dans l'échelle des êtres; mais seule la claustration dans la pierre est envisagée. L'appel à la miséricorde divine prouve en outre que Hugo n'a pas écarté le dogme de l'éternité des poèmes. Enfin il présente sa théorie, sinon comme simple hypothèse, du moins comme une vision. D'avril en octobre, il y a donc eu, et avec l'aide de la table, un grand effort de mise au point.

21. En revanche, ce mouvement offre un étonnant effet oratoire. *Est-ce que* du vers 145 est repris au vers 150; mais la question reste en suspens, par suite de l'insertion des infinitives, *après avoir,* vers 151, 157, 161, 163, 169. *Est-ce que* est alors repris d'une façon pressante, vers 175, 176, 181, pour aboutir enfin au verbe principal *seraient,* vers 185. Cependant l'interrogation recommence encore : *est-ce que,* vers 187, 193. La réponse enfin est formulée sous forme d'infinitifs exclamatifs, vers 199-204. Dans la rédaction primitive, le vers 198 était suivi de la strophe des vers 259-264. Nous trouvons également ici une de ces énumérations de noms propres dont beaucoup se retrouvent dans le poème dicté par le Lion d'Androclès et dans *Ce que dit la Bouche d'Ombre.* Parmi les condamnés figurent *Cambyse,* roi de Perse, conquérant de l'Égypte, *Néron, Nemrod, Sforce,* c'est-à-dire le premier des Sforza, paysan et non pâtre (Moreri autorisait son classement parmi des criminels), *Messaline, Cléopâtre, Caligula, Macrin,* empereur romain successeur de Caracalla, *Achab,* époux de Jézabel et coupable du meurtre de Naboth, *Phalaris,* tyran d'Agrigente qui cuisait des victimes humaines dans un taureau d'airain, *Charles IX, Constantin, Louis XI, Vitellius,* empereur romain glouton et cruel, *Busiris,* roi d'Égypte, doublure de Phalaris, *Cyrus* l'Ancien, qui périt noyé dans le sang par Tomyris, *Égisthe,* amant de Clytemnestre et meurtrier d'Agamemnon, *Belus,* roi légendaire d'Assyrie, *Sylla, Tibère, Borgia,* nom de famille qui ici désigne César Borgia.

Les listes de noms étant soumises à variations, les premières rédactions permettent d'ajouter à la liste : *Henri VIII, Mourad* (les Mourads sans parents, selon la première rédaction du vers 183. Voir *Sultan Mourad* dans *L. S.*) et *Commode,* v. 239.

22. Première rédaction :

> Après avoir gonflé de sang les mers rougies.

23. Première rédaction :

> Après avoir peuplé les tombes élargies.

Vers repris au vers 163, Hugo n'hésitant pas à répéter quatre fois la même rime.

24. *Laticlave :* robe des sénateurs romains.
25. *Adam* représente l'humanité.
26. Première rédaction : Ce *noir granit.*
27. Première rédaction :

Dieu, montrez votre face à tous ces misérables.

28. Emploi typique de participes et d'adjectifs comme substantifs. *Exécrables* au sens latin de *maudits.*
29. Après ces développements étranges, retour à des thèmes proprement chrétiens : prière à Dieu pour qu'il fasse miséricorde, qu'il pardonne au bourreau au nom des victimes.
30. Vers 229-240 : *ad. marg.* destinée à souligner le fait que les victimes intercèdent pour les bourreaux.
31. Ces vers justifient la théorie du châtiment par la pétrification.
32. Mais déjà s'esquisse une autre forme d'expiation.
33. *Sourire :* sans doute celui de la lumière et de l'azur.
34. *Chimère ou réalité?* L'auteur de *Ce que dit la Bouche d'Ombre* n'aura plus ces hésitations.

8e mouvement : vers 265 à 276. La nature qui sait et qui sent ressent un frisson sacré devant la fosse béante. L'explication est dans la tombe, dira le poète de *Dolor*. Ici, il insiste sur la profondeur de cet abîme.

9e mouvement : vers 277-312. Les questions aux « vivants » se pressent angoissées, avec en leitmotiv : Que voulez-vous puiser dans ce puits? (v. 283), repris aux vers 285, 289, 299, pour aboutir à la réponse terrible : Vous ne puiserez rien (v. 307), mais qui n'en comporte pas moins une issue : *un jour* (la comparaison filée depuis le vers 282 s'épanouissant en une image stupéfiante, v. 311-312).

35. L'image de la *sonde* vient de la Bible.
36. Imité de la formule évangélique : hommes de peu de foi.

Vers 307-308. Première rédaction :

les morts tombent au gouffre
Engloutis, submergés avec leur cœur qui souffre...

10e mouvement : vers 313-336. Ce mouvement, le plus poétique peut-être, est une digression provoquée par la question de la terre : l'homme est mort : que veut-on que j'en fasse? Avec le cadavre, la terre fait de la vie, thème repris en 1855 dans *Cadaver.* — Pourquoi V. estime-t-il qu'ici l'impression est terrible?

11e mouvement : vers 337-396. Retour au leitmotiv de l'enterrement et évocation d'un réalisme implacable : fuite des parents, fuite du fossoyeur, mais relevée par des trouvailles poétiques : vers 345, et des expressions hardies : vers 355.

37. Vers 349-354 : l'*ad. marg.* insiste sur l'immobilité définitive du mort.

38. Vers 361-366 : les « choses du soir » inspirent toujours le poète : le paysage au crépuscule s'anime et devient terrifiant.
39. Vers difficile à interpréter : on dit un marbre veiné, le paysage devient donc marmoréen et cette impression est due à l'obscurité.
40. Vers 367 et *sqq. :* Hugo reprend à son tour le thème macabre cher à Gautier et Baudelaire. On appréciera sa discrétion. Pour Hugo, le cadavre garde une espèce de sensibilité : est-ce une fiction? L'idée que le cadavre a froid dans le cercueil revient d'une façon trop obsédante pour ne pas voir dans cette fiction l'expression d'une hantise. Il importe peu que cette conception ne s'accorde guère avec les idées relatives au châtiment par métamorphose. Les cauchemars les plus disparates l'assaillent.
41. Allégorie plus traditionnelle pour symboliser la vanité de la richesse, du plaisir, de l'amour.
42. *Sans pli,* appliqué à la joie : lisse.

Le thème du *fossoyeur* reparaît *in fine* sous forme métaphorique.

12e mouvement : vers 397. C'est après coup que Hugo a songé à faire de ce fragment de vers, un mouvement indépendant. En outre, il avait longtemps cherché sa forme : 1º *Et tous s'en vont.* 2º *Et tous meurent.* 3º *Tous s'en iront.* Et c'est alors que le fragment forme un développement à part. 4º *Tous y viendront :* la correction en rattachant l'idée au 11e mouvement le rend plus affreux.

13e mouvement : vers 397-552. Ce développement a été le plus remanié : les vers 457-462 et 463-480 reprennent des textes antérieurs à l'exil.

Ad. marg. des vers 487-492, 499-504, 511-516.

D'où un certain flottement surtout sensible au début, mais Hugo préfère « la composition par reprises » au développement logique, et l'on admirera la diversité des tons et la maîtrise avec laquelle le poète passe de l'élégie à la grandeur épique.

43. Dans *Fantômes* (*Orientales,* v. 15), on retrouve la même image.
44. L'imagination de Hugo se plaît à faire apparaître du blanc dans le noir : cf. le vers 363 et dans *Horror,* les vers 125-126.
45. Cf. *les Malheureux,* v. 261-263.
46. *Licteurs :* sans doute souvenir d'Horace, *Odes,* II, XVI, 10.
47. Nous sommes loin de la rhétorique irritante de *Fantômes.*
48. *Larve :* sens latin, fantôme.
49. Parce qu'on dit *verba volant,* la *bouche* devient un oiseau.
50. On notera dans ce développement l'importance donnée au *savoir,* vers 407, 421, 438.
51. *Longs fusils :* ce tableau est moderne. Pense-t-il à l'expédition d'Égypte? Avait-il un tableau présent à l'esprit?
52. Première rédaction : Comme un *pigeon* sauvage.
53. Ces deux strophes forment une sorte de fable : la tente et la pyramide, à comparer à *la Source.*
54. *Apocalypse,* XVIII, 8-9 : « Et elle périra par le feu... Alors les rois de la terre... frapperont leur poitrine en voyant la fumée de son embrasement. »

55. *Apocalypse,* XVIII, 18 : « Quelle ville, disaient-ils, a jamais égalé cette grande ville? »
56. A la comparaison des voiles aux ailes venue d'*Isaïe* (XVIII, 2), Hugo substitue la comparaison à des nuées.
57. Première rédaction :

Où sont tes bateleurs si savants à la lutte?

58. Première rédaction :

Et tes joueurs de harpe et tes joueurs de flûte.

Le premier texte était plus fidèle au texte de l'*Apocalypse,* XVIII, 22 : « Et la voix des joueurs de harpe et des musiciens, ni celle des joueurs de flûtes et de trompettes ne s'entendront plus chez toi... et on n'y entendra plus le bruit de la meule. » Cette dernière phrase a fourni le vers 475.
59. *Apocalypse,* XVIII, 2 : « Et il cria de toute sa force : Elle est tombée, la grande Babylone; elle est tombée. »
60. *Apocalypse,* XVIII, 23 : « La lumière ne luira plus chez toi. »
61. Cf. *la Pente de la rêverie, la Vision d'où est sorti ce livre,* et *les Sept Merveilles du monde.*
62. Souvenir de *la Conscience,* déjà écrit.
63. *Isaïe,* XXIX, 15 : « Malheur à vous... qui faites vos œuvres dans les ténèbres et qui dites : « Qu'est-ce qui nous voit? »
64. *Veillez! veillez!* Souvenir de l'Évangile.
65. Vers peu clair. Pour V., le trépas fond sur nous avec la vitesse de l'aigle. Mais le texte insiste sur l'idée que le trépas nous effleure du bout de l'aile : faut-il comprendre qu'un rien suffit à nous abattre? Faut-il relier ces vers aux deux suivants?
66. *Le masqué.* Cf. *Magnitudo parvi,* v. 235 et 240.
67. Première rédaction :

L'infini, route noire où fuit l'homme, vain songe,
Et qui joint l'âme à Dieu, monte et descend, prolonge...

L'infini joue ici le rôle de la Prière dans VI, 1, 7 et 9.
68. *Cintres :* courbes.
69. *Ne savent ce qu'ils font :* souvenir de la parole du Christ à l'heure de la Passion.
70. Image hallucinante sur laquelle s'acheva provisoirement le poème.
14e mouvement : vers 553-576. Reprise du chant des Jouisseurs. Variation épicurienne sur une formule biblique (*Sagesse,* II, 1-6) que Hugo avait développée avec prédilection dans *C. C.,* XXXIII et *V. I.,* VI.
— Ici, l'appel au plaisir se double de l'insulte à Dieu.
71. Première rédaction : *On veut fuir* l'immuable.
72. Première rédaction : Dans le *Sarcasme inepte.* La version définitive

rappelle la célèbre opposition de Voltaire entre léthargie et convulsion.

73. Première rédaction : L'*esprit* est un caillou.

74. Première rédaction : Il souffle, *noir forçat,* sa vermine (cacophonie)... Le développement s'achève sur le châtiment de l'impie, condensé en une image effrayante. (Cf. *les Malheureux,* v. 292-293.)

15e mouvement : vers 577-600. Passage élégiaque qui contraste avec l'effet sinistre précédent et qui correspond au 10e mouvement, remarquable par les répétitions plaintives de *Qu'est-ce que tu feras,* varié en *que feras-tu :* vers 580, 582, 583, 595, avec un effet d'écho aux vers 582 et 595; remarquable par ses antithèses, vers 581, 598; remarquable par l'effet final, tout aboutissant à un vers formé d'un seul mot, ample et formidable (voir un effet analogue dans *l'Épopée du vers*).

Le vent symbolique emporte tout dans un tourbillon incertain.

Autant en emporte le vent : cf. les vers 203, 430, 453.

75. Vers 589-594 : *ad. marg.*

16e mouvement : vers 601-672. Un des exemples les plus frappants de l'imagination mythique du poète. Sur le symbolisme de l'Arbre dans *les Contemplations,* voir l'article de S. J. Scott, dans *A. U. M. L. A.,* mai 1959.

L'arbre Éternité procède de l'arbre de vie placé au milieu du Paradis terrestre (*Genèse,* II, 9) plutôt que de l'arbre de vie de l'*Apocalypse*. L'imagination de Hugo donne une prodigieuse vie au négatif : l'arbre est sans *faîte* et sans *racines*.

Dans la strophe des vers 607-612, le mythe prend un aspect étonnant : la branche Destin est placée à l'intérieur du crâne.

L'*ad. marg.* des vers 613-630 va placer sur les branches de l'arbre des bûcherons qui sont aussi des dénicheurs (voir dans *Autour des Contemplations,* p. 80, une ébauche de ce passage).

76. Deutz est l'homme qui livra la duchesse de Berry en 1832, (cf. *C. C.,* X). Il était juif comme Judas : d'où le rapprochement. Première rédaction : Lier *Monk* à Judas. Monk, lieutenant de Cromwell, finit par rétablir la monarchie. Pour *Nemrod,* voir *la Fin de Satan*.

Schinderhannes, ou Jean l'écorcheur, était un brigand célèbre, exécuté à Mayence en 1803. Après son voyage sur le Rhin, Hugo le mentionne souvent; Heine, Nerval, Apollinaire l'ont également célébré.

77. *Contemplant* est employé sans complément.

78. Les chercheurs sublimes sont des sceptiques, des critiques, des négateurs; c'est Zénon d'Élée qui est mentionné ici.

79. Ce vers n'est pas la réponse aux questions posées aux vers 625-630. Le poète revient au *nous* du vers 613.

Qui se tait : cf. le muet de VI, III.

80. Admirable vers dont aucun poète n'aurait été capable.

81. « Ignorer ce qu'on affronte est terrible », note Hugo dans *l'Homme qui rit*. Au cœur des ténèbres, le poète évoque la menace hallucinante des griffes.

82. Le mot de l'énigme, c'est Dieu. Effet frappant puisque le mot de l'énigme, selon la légende d'Œdipe, c'est l'homme.

Au terme de ce poème, Hugo n'expose pas une doctrine. Il nous propose un acte de foi héroïque, un *oui*. Essaie-t-il de se persuader en nous persuadant, ou bien est-ce la conviction qui le rend si pressant? Les affirmations s'accumulent. L'*ad. marg.* des vers 655-660 insiste. Pour combattre le doute qui était le sien au début de cette rencontre avec la Mort, mais qui a cessé de l'être, il trouve dans la nature des croyants qui lui ressemblent.

Tout ce développement rappelle de près *Dolor,* vers 7-12 et 109-114. De même qu'à la fin d'*Ibo,* le poète rugissait comme un lion, le lion ici prend la place du poète pour demander à Dieu pardon de l'aveuglement des hommes.

Les deux dernières strophes sont elles-mêmes une *ad. marg.* qui d'abord venait après le vers 612.

Le 24 avril, Hugo, dialoguant avec le Drame, entendait la table dicter : « Pardon est le seul mot de la langue humaine qui soit épelé par les bêtes. » Le Drame continua en reprochant au poète : « Vous plaignez Jésus-Christ : plaignez aussi la croix. Je te demande formellement des vers sur les souffrances des instruments de torture et les quatre clous de Jésus-Christ. « — Connais-tu les vers, répond Hugo, que j'ai faits ce matin, et d'autres plus anciens, sur les clous du Christ? »

Allusion, sans doute, aux vers de *Dolor,* écrits en mars :

Et nous voyons saigner aux quatre coins du monde
Les quatre clous de Jésus-Christ.

mais on notera dans *Pleurs dans la nuit* les vers 239-240 qui prouvent que Hugo s'est exécuté d'une certaine manière :

...et la plaie
Dit : Grâce pour les clous!

En guise de conclusion, on méditera la remarque de Mallarmé dans l'article qu'il publiait à l'âge de 20 ans : « Si la masse n'avait défloré ses poèmes, il est certain que les pièces auréolaires d'Hugo *(sic)* ne seraient pas *Moïse* ou *Ma fille, va prier...,* comme elle le proclame, mais *le Faune* ou *Pleurs dans la nuit.* »

P. 370. VI, VII. UN JOUR, LE MORNE ESPRIT...

1. *Dates :* ms. 4 septembre 1846.
vol. Jersey, septembre 1855.

Comme VI, IV, ce poème apocalyptique remonte à l'année 1846 et rappelle les paraphrases de la Bible que Hugo rédigeait alors. Mais cette pièce a été écrite le jour anniversaire du drame de Villequier.

Lux, poème des *Châtiments,* formulait ce thème (v. 101-107) qui provenait, comme le montrent J.-R. (*Autour des Contemplations,* p. 132), d'une esquisse de 1846 :

Qui donc a traversé l'espace,
La terre, l'eau, l'air et le feu,
Et l'étendue où l'Esprit passe?
Qui donc peut dire : J'ai vu Dieu?
J'ai vu Jéhovah! je le nomme!

Jean, dans sa *Première Épître* (IV, 12), proclame : « Nul homme n'a jamais vu Dieu. » Même idée dans son *Évangile* (I, 18, et VI, 46). Dans l'*Apocalypse* (XV, 5 et 8), on lit : « Comme je regardais ensuite, je vis que le temple du tabernacle du témoignage s'ouvrit dans le ciel... Et le temple fut tout rempli de fumée, à cause de la majesté et de la grandeur de Dieu. » — Cf. également l'*Exode* (XL, 32-33).

2. Hugo a hésité entre quatre adjectifs : *triste, morne, sombre* et *grand.* Il choisit finalement le moins banal : *morne,* désignant la tristesse *abattue,* qui convient à un exilé qui n'en est pas moins *sublime.*
3. *Frémissant :* l'effarement sinon l'effroi, appartient au visionnaire.
4. Souvenir du « festin de Balthazar ».
5. L'*aigle* est celui des quatre animaux affecté à saint Jean.
6. Première rédaction : Et ce lieu *sombre* était plein *de fumée,* plus proche de la traduction de l'*Apocalypse*. *Redoutable* insiste sur l'effroi du voyant. Dans *Ibo,* le poète associe de même l'ombre au *tabernacle terrible.* Ainsi la mort de sa fille fait naître chez Hugo, l'idée d'*aller* voir Dieu. La volonté de conquête célébrée dans *Ibo* procède du deuil de 1843.

P. 371. VI, VIII. CLAIRE

1. *Dates :* ms. 27 décembre 1854.
   vol. décembre 1846.

   Écrit trois jours après V, XIV, également consacré à Claire.

   La date fictive le situe six mois après la mort de la jeune fille. Ce poème de la mort et de la résurrection trouve naturellement sa place au livre VI.

   Cette pièce, que l'on croirait écrite d'une seule coulée tant ses accents sont purs, a été l'objet d'*ad. marg.* nombreuses et en plusieurs temps. Le premier état comprenait : les vers 1-16, 61-100, 125-128, 133-148. Il y eut une première série d'additions : les vers 101-124, 129-132, 149-168; puis une seconde : les vers 17-60, composée elle-même par à-coups (v. 37-44 en *ad. marg.*).

   Sous une forme élégiaque et musicale, ce poème exprime la conviction la plus profonde de Hugo. « La vierge, note P. Albouy (*la Création mythologique chez V. Hugo,* pp. 204-206), conserve encore une nature angélique. La jeune fille, chez Hugo, est, en effet, un être ailé. » « Une vierge, lit-on dans *les Travailleurs de la mer,* est une enveloppe d'ange. » Claire, comme Léopoldine, était un être prédestiné, un être béni.

Elles devaient toutes les deux mourir jeunes, mais à ces « élues du mystère » était réservée « une mystérieuse maternité spirituelle ». « Leur rôle est l'intercession entre Dieu et certains êtres humains; les jeunes mortes guideront un jour leur père ou leur mère dans l'azur, présideront à leur nouvelle naissance à l'immensité. » En 1865, une troisième jeune fille, Emily de Putron, la fiancée de François-Victor, se joindra au groupe des jeunes mortes (voir le discours de Hugo sur sa tombe).

Mais plus importante encore est la conviction que celles qui sont parties prématurément « sont revenues ». J'ai insisté, dans mon essai *Mallarmé et la morte qui parle,* sur le succès de cette croyance au temps du romantisme (voir en particulier le chapitre *l'Apparition de l'ombre*). La pratique des tables tournantes a convaincu Hugo et les siens que les « morts sont les invisibles, mais (qu') ils ne sont pas les absents ».

Ce poème éclaire un double mystère : celui de la mort prématurée des êtres chers, celui de la présence invisible de ces mêmes êtres. Ils sont sur terre pour égayer les jours de ceux qui sont condamnés à une longue vie. Ils partent pour nous ouvrir le chemin du ciel. Ils reviennent pour nous faire patienter. Le sentiment et l'imagination permettent donc au poète de résoudre l'énigme qui le hante. En outre, il sait évoquer, avec un tact parfait ici, la grâce, le charme, l'innocence de la jeune morte. Mais ce qui donne à cette élégie une résonance particulièrement émouvante, c'est que derrière la douleur du père apparaissent, au plus secret de l'âme, le dégoût de la chair, la honte d'être soi-même impur devant tant de pureté, l'espoir d'être un jour une âme délivrée des faiblesses charnelles. L'aspiration à l'immortalité est traduite avant tout par une aspiration à la pureté.

Les quatrains élégiaques chantent la grâce de la disparue; mais jamais leurs accents ne sont plus tendres ni plus émouvants que lorsque le poète fait parler les mortes.

2. Ce vers semble dire l'impossibilité du retour; mais les *ad. marg.* des vers 101 et 104 et surtout des vers 129-132 affirmeront le contraire.
3. Vers 13-16 : ces quatre vers ont été gravés sur la tombe de Claire à Saint-Mandé.
4. Symbolisme de l'étoile et de la fleur en relation avec la femme et la mort, repris aux vers 39 et 44, aux vers 95 et 97 et au vers 147.
5. Dans la première rédaction, ces vers étaient suivis des vers 61-68. A *voilà* s'opposait un *voici* introduisant les parents.
6. Comprendre *échappée aux grands cieux* comme un doublet de *remontée au firmament.*
7. On saisit ici le passage de l'opposition à la « métaphore maxima ».
8. *Épithalame :* poème composé pour un mariage, au sens ici de cérémonie nuptiale et qui désigne le mariage avec la mort.

9. Si l'on compare l'image de Claire dans VI, VIII, et V, XIV, on notera une idéalisation croissante.
Première rédaction : en te voyant si *gaie*. Pour des raisons d'euphonie, Hugo a préféré le calme à la gaieté. Du reste, la gaieté de Claire était soulignée au vers 21. L'emploi de *calme* au vers 29 a entraîné la correction du vers 37 où *calme* a été remplacé par *chaste*.
10. Pour *Ruth,* voir *Aux Feuillantines*.
11. Dans la beauté de la femme, les hommes de douleurs aperçoivent comme un reflet de la douceur de la nature. *Èva,* dans *la Maison du Berger,* joue ce rôle d'intermédiaire.
12. Mouvement inverse du vers 18.
13. *Comme la vision,* cf. *Lueur au couchant,* vers 23 :
Première rédaction :

Emportée au hasard du souffle qui s'enfuit!

14. Encore un exemple remarquable d'apparition de blanc dans le noir.
15. Symphonie en blanc et bleu : *candide, cygne, blanche* et *aube*.
16. Le lit de Dieu n'est pas une image biblique : on la retrouve sous une forme plus heureuse dans *Booz endormi :*

Voilà longtemps que celle avec qui j'ai dormi,
O Seigneur, a quitté ma couche pour la vôtre.

17. Emploi remarquable du nom abstrait au lieu du verbe; cf. vers 100.
18. Première rédaction :

Un vent du ciel bleu passe et soulève sans cesse...

19. *Fantômes :* c'est le titre du poème des *Orientales* sur le même thème.
20. Dans *C. C.,* XV :

Puisque j'ai mis ma lèvre à ta coupe encor pleine.

21. *Bénis*. Première rédaction (hésitation sur l'adjectif) : *charmants, sereins*.
22. J.-R. reproduisent cette ébauche (*Autour des Contemplations,* p. 86) :
à l'âge où la prunelle est en fleur, et rayonne
à l'âge où la prunelle ignorante est en fleur.

Hugo a ajouté en marge : « J'ai mis ce vers dans *les Contemplations,* Claire. »
Il l'avait repris d'abord pour I, XVI, 11, et sous sa forme définitive, mais l'avait écarté ensuite.
23. Première rédaction : Nous qui sommes *forçats*. La cor. accentue l'antithèse. Le poète est à la fois démon et apôtre, « et c'est là le mystère ».

24. Exemple d'enjambements expressifs, le plus célèbre étant celui du vers 127.
Ces anges qui ont la nostalgie du ciel ont pour mission d'être des messagers de joie.
25. Allusion au combat de Jacob et de l'Ange (*Genèse*, XXXII, 30), à la suite duquel Jacob dit : « J'ai vu Dieu face à face, et mon âme a été sauvée. » Puis allusion sans doute à la vocation de saint Pierre.
26. Reprise idéalisée du vers 46.
27. Ces anges sont donc vraiment des intermédiaires : ils rappellent le ciel aux hommes, ils montrent à Dieu quelle est notre voie douloureuse. Cf. l'expression : chemin de croix.
28. *Éclair :* la mort accidentelle de Léopoldine. — *Mal :* la tuberculose de Claire.
29. L'œil fixé sur la porte, image concrète en relation avec le vers 3 et les verbes : *ils s'en vont, ils partent, ils sont partis, ils sont revenus*. Mallarmé emploie l'expression : « le magique espoir du corridor ».
30. C'est Platon qui a comparé l'âme qui meurt au son d'une lyre. Dans *l'Immortalité, l'Automne,* Lamartine reprend avec prédilection l'image.
31. Vers 128 et *sqq. :* la délicatesse de l'expression ne doit pas celer le caractère spirite des manifestations prouvant la présence des disparus : lueur la nuit interprétée comme un sourire, souffle, frôlement, frissons, caresses. Enfin, ils parlent : comprenons qu'ils parlent par l'intermédiaire des tables. Mais Hugo dit la chose avec tant de mesure et d'émotion qu'on peut croire à une illusion des cœurs blessés.
32. Les vivants connaissent alors la douce effusion des larmes. Jusque-là, tant qu'ils les croyaient partis pour toujours, ils restaient pétrifiés, l'œil hagard.
33. La sentimentalité de Hugo est d'autant plus émouvante qu'elle s'exprime à l'aide d'images concrètes et familières.
34. Sans doute souvenir de l'échelle de Jacob.
35. Tournure familière : pour que nous puissions nous en aller...
36. L'ange garantit donc au poète martyr son salut.
37. Première rédaction :

Et nous les écoutons d'une oreille effarée.
Oh! quand donc viendrez-vous! Quand verrons-nous, flambeau,
La douce étoile Mort, rayonnante et dorée,
Naître à cet horizon qu'on appelle tombeau?

Ces vers nous permettent de comprendre l'attrait du poète pour le « moment crépusculaire ». C'est qu'il est, plus encore que l'aube le symbole de la mort-résurrection. Hugo a écrit : « L'état normal du ciel, c'est la nuit. »
38. Première rédaction : Vers ce *radieux* ciel.
Dictame : baume et au figuré consolation.
39. L'immortalité dont rêve le poète comporte des baisers, des regards

spirituels. S'il veut s'affranchir de la chair ténébreuse, il ne veut pas renoncer aux signes qui traduisent l'amour.

40. Le thème de la métamorphose inspire toujours le poète : cf. VI, xiii, fin, et VI, xxii, fin.

41. La métamorphose s'accompagne de nouvelles merveilles : personnification et fusion des sens : la strophe *bleue*.

42. Le regard de Dieu est éblouissant, mais une fois encore l'ombre se trouve jointe à cette lumière, sans qu'il soit indiqué du reste que celle-là procède de celle-ci comme dans VI, vii.

P. 377. VI, ix. A LA FENÊTRE PENDANT LA NUIT

1. *Dates :* ms. 29 avril 1854.
vol. Marine-Terrace, avril 1854.

Poème contemporain de IV, viii, et de VI, vi, ainsi que du poème dicté par le Lion d'Androclès, tous écrits dans la même strophe. « Dans ses parties II et III notamment, *A la fenêtre pendant la nuit* pourrait bien avoir été un fragment de *Pleurs dans la nuit.* » (J.-R.) Le ms. comporte « quatre types successifs d'encre et d'écriture ». *Ad. marg.* des vers 1-8 et 19-21; 55-60; 79-84; 85-88, mais « il serait imprudent d'affirmer que ces différences correspondent à diverses étapes de la création proprement dite... Il est douteux en particulier... que Hugo ait commencé à écrire cette pièce au vers 22 ». (J.-R.)

La question soulevée ici : la formation des nouveaux astres et qui n'est qu'un aspect d'une question plus vaste : la création continue, était à l'ordre du jour. V. renvoie à Fourier, Boucher de Perthes et Jean Reynaud (le livre célèbre de ce dernier, *Terre et Ciel,* est postérieur au poème); J.-R. à Lamennais. V. remarque du reste que des poètes avaient traité ce thème avant V. Hugo, Lamartine en particulier (cf. *les Étoiles* dans les *Nouvelles Méditations, Hymne du matin, l'Infini dans les Cieux, Éternité de la Nature, Brièveté de l'homme, les Révolutions* dans les *Harmonies;* et la 2e époque de *Jocelyn :* vers 215-220; 232-253).

Mais « de tels rapprochements ne servent qu'à mieux saisir la complète originalité de Hugo ». (J.-R.) Ce qui lui appartient, c'est le foisonnement des images, et comme le prouve la comparaison avec Lamartine, la force suggestive de ces images; la contemplation de la nuit, tournant à l'hallucination, laisse le poète frémissant d'épouvante.

1er thème : au branle universel s'oppose la fixité de l'astre.
2e thème : ne verrons-nous jamais briller de nouveaux astres?
3e thème : que savons-nous?
4e thème : peut-être de nouveaux astres vont-ils apparaître.

Le schéma fait ressortir par sa sécheresse même la puissance de l'imagination hugolienne.

2. Comparer avec le début de IV, XII. Au monde à l'envers vu par les cavaliers s'oppose le monde vu par le contemplateur : les nuages ressemblent non à des marbres, mais à des oiseaux; les étoiles ne volent pas mais sont des points d'or.
3. Le vent joue dans ce poème un rôle primordial. Il reparaît dans les quatre sections : II, 31 et *sqq.;* III, 47; IV, 95.
Le vent parle et il est le souffle de Dieu.
4. *Écume, fumée :* souvenir de la Bible : *Sagesse,* V, 14.
5. Première rédaction :

Le monde a-t-il sur lui des lueurs éternelles...

La cor. enrichit le texte. Pour Hugo la pensée de l'homme progresse : donc un raisonnement par analogie peut justifier sa divagation.
6. Chaque développement s'achève sur une image étonnante.
Ici, vision anthropomorphique du ciel qui le rapproche de la terre, introduisant la série d'images de la seconde section. Les étoiles sont comparées à des fers de lance, d'où l'image des sentinelles sur les tours, souvenir d'*Isaïe,* LXII, 6.
7. Vers 19 et *sqq. :* le second développement est fait d'une quadruple variation : une comparaison banale (les étoiles évoquent des yeux, des cierges ou des torches, des fleurs, des pierres précieuses) suscite une image saisissante, elle-même variée et filée :
Les étoiles-yeux font naître l'image du masque,
Les étoiles-cierges font naître l'image de la cathédrale,
Les étoiles-fleurs font naître l'image de la plaine au printemps,
Les étoiles-pierres précieuses font naître l'image de la tiare.
8. *Larve* est expliqué par *spectre* = fantôme. Ces fantômes sont masqués.
9. La Grande Ourse est comparée au chandelier à sept branches dans *Abîmes,* le poème de *L. S.* écrit le 26 novembre 1853. — Cf. dans VI, XXV :

Les sept astres géants du noir septentrion.

10. Cf. VI, XVIII, 4.
11. *Vénus* est aussi *Stella matutina* comme la Vierge Marie.
12. Comme dans *Ruy Blas,* le ver de terre est opposé à l'étoile.
13. Formule saisissante où l'inquiétude se traduit dans un langage singulièrement rationaliste.
14. Dans *Tout le passé et tout l'avenir,* poème de la *L. S.* écrit en juin 1854, l'image de la tiare est comme ici liée à celle des roses.
15. La parole de Dieu est créatrice, mais qui dit parole dit souffle. Cf. *C. C.,* XX :

Astres que fait naître
Le souffle du maître.

Mais, en outre, Hugo anime l'image en évoquant (v. 47-48) une scène familière qui contraste avec la scène majestueuse.

16. Sur le cycle des comètes, voir Albouy, *op. cit.,* pp. 411-417. Ici la comète est une vagabonde qui brûle et *vole* (le sens de *vole* n'est pas douteux = dérobe, en dépit des vers 95-96).

17. Hugo, qui ici n'est pas affirmatif, se montre ailleurs un partisan décidé de l'idée que les astres ont des âmes : l'idée est traditionnelle de Pythagore à Fourier ou Nerval.

18. Vers 55-60 : *ad. marg.* qui développe la strophe suivante, elle-même inspirée de *Job.* Ces variations sont toutes personnelles. Cf. *Job,* XXXVIII, 11 : Et j'ai dit : Tu viendras jusque-là et tu ne passeras pas plus loin; ici tu briseras l'orgueil de tes flots. 16 : Avez-vous marché dans le fond de l'abîme?

19. Remarquable exemple de reprise qui montre, selon la remarque de J.-R., « la rhétorique au service de la poésie ». Effet analogue aux vers 90-91.

20. Nouvel aspect saisissant de la poétique de l'Arbre. On peut penser à l'*Edda,* mais si Hugo a un modèle, c'est Bernardin de Saint-Pierre *(Harmonies de la nature).*

21. Le témoin du vers 66 devient ce *voyeur* louche.

22. Hugo joue sur les mots : pour découvrir Dieu, l'esprit s'élève.

23. Première rédaction :

Par cette formidable et morne claire-voie.

24. L'œil de Dieu apparaît à la fin de cette section comme à la fin de *la Conscience.*

25. Vers 79 et *sqq. :* Ce sont surtout des images marines qui vont être développées ici depuis les *flottes* jusqu'aux *marées.* Au début Hugo rapprochait l'élément de l'homme. Ici, nous nous éloignons de l'homme pour retourner à l'élément.

26. Hugo compare souvent le ciel à un crible. Cf. *Dieu :*

L'astre n'est-il qu'un trou mystérieux du crible?

27. Première rédaction : rameaux. Cf. VI, XXVI, 475 :

A travers les taillis de la nature énorme...

28. Le cinéma, qui trahit les hantises de l'imagination, à défaut de l'invasion des astres, a évoqué l'invasion des oiseaux.

29. Vers 98-101-102 : ce cauchemar est noir et rouge, mais les astres rouges sont tantôt anges, tantôt démons. Cf. IV, VIII, écrit le 25 avril. Hugo distingue de préférence les astres en enfer et paradis.

30. Ms. : *bois* (éd. I. N.).

31. Première rédaction : L'Infini, flux obscur. Au vent qui parle (v. 5) s'oppose l'Infini muet, et cet Infini qui est le ciel devient une mer ignorée.

32. L'image de la marée a tellement plu à Hugo qu'il l'a reprise dans *le Titan,* VI, et dans *le Pape.*
Voir l'article de M. H. Tuzet : *Deux types de cosmogonies vitalistes* (*Revue des sciences humaines,* fasc. 101, janvier-mars 1961, pp. 36-53), où les différences entre Hugo et Fourier sont bien marquées (p. 38). Les défilés d'astres nouveaux semblent avoir directement inspiré Hugo.
Baudelaire, dans son article sur Hugo, semble fasciné par ce « dédale enivrant de conjectures », ajoutant d'une façon significative : « Je m'attache à ce mot *conjecture,* qui sert à définir, passablement, le caractère extra-scientifique de toute poésie. »

P. 381. VI, x. ÉCLAIRCIE

1. *Dates :* ms. 4 juillet 1855.
vol. Marine-Terrace, juillet 1855.
A rapprocher de II, XVII, écrit le 17 juin, de II, XXIII, écrit le 18 et de V, XVII, écrit le 26 juillet. Cet admirable poème, souvent cité et commenté (voir en particulier P. Moreau, *op. cit.*), offre du génie de Hugo, un aspect tout autre que le poème précédent.
Pour Vianey, « le poème a été écrit évidemment, par une très belle journée ». C'est un contresens qui ne tient pas compte du titre. *Éclaircie* laisse entendre au contraire qu'il y a eu tempête ou orage et brusquement tout s'assoupit, se calme, s'éclaire. La scène se situe à la tombée du jour, mais l'éclaircie est telle qu'on se croirait à l'aurore (v. 18). Le poème a donc une valeur symbolique : il est la préfiguration de l'ère future où la vie aura dissous le mal. (Les commentateurs ont peut-être trop insisté sur l'impressionnisme de l'œuvre et sa discontinuité.)
Le paysage qui est évoqué ici est celui que le poète a sous les yeux, un paysage insulaire, le paysage de Jersey avec le voisinage typique du laboureur (v. 26) et du pêcheur (v. 28). Tour à tour sont décrits : la mer, la terre, le ciel.
Le thème du baiser apparaît au commencement et à la fin de l'œuvre. Le baiser est le signe d'un rapprochement, de la fin d'une séparation; union de la mer et de la terre (v. 1-4); union de l'homme et du grand Tout (v. 8-9); union de la lumière et de l'ombre.
Si la vie dissout le mal, par un mystérieux échange, la Mort incite le vivant à aimer. C'est le thème développé dans II, XXVI, mais dépouillé de l'angoisse crépusculaire.
2. Dès le premier vers, la mer et le ciel apparaissent unis.
3. Emploi typique de *on* au lieu de *je* ou *nous;* de même aux vers 16, 18. (Cf. VI, XIX, et VI, XXII.) D'autre part, élargissement du thème impressionniste. Hugo visionnaire eschatologique annonce l'avènement de l'amour.
4. Développe la notion du mal : le deuil, l'hiver, la nuit sont analogues. L'envie, appelée par la rime, est un péché capital qui tient la place de la haine.

5. La vie dissout le mal lorsque s'épanouit l'âme.
6. Souvenir virgilien : *Géorg.*, II, 325-327, qui sera développé quelques jours plus tard dans V, XVII, *Mugitusque Boum.*
7. Le rapprochement de la sève et de la marée se trouve dans le poème précédent (v. 68 et 107).
Voir encore *A celle...*, v. 332 :

La vaste paix des cieux de toutes parts descende.

8. Cf. I, XXVII :

Le brin d'herbe, vibrant d'un éternel émoi.

9. *Chaud, nid.* Cf. II, XXVII :

La couvée est dans la mousse
Du portail qui s'attendrit.
Elle sent la chaleur douce
Des ailes de Jésus-Christ.

10. L'Infini est tantôt une mer (VI, IX), tantôt une feuille frissonnante.
11. Vers 18-22 : le lever du jour est évoqué par des impressions sonores.
12. A rapprocher du début d'*Insomnie,* III, XX, où « la porte du jour commence à s'entrouvrir » et où le poète note les bruits du matin. Le vent et l'homme sont unis également dans V, XIII, 17-18.
13. Dans la première rédaction du vers 372 des *Mages,* Hugo avait écrit :

Nous regardons la noire écume,
Où jamais l'aube n'a henni.

L'image abandonnée est reprise sous la « forme de métaphore maxima ». Le blanc indique qu'il s'agit de l'*aube* et non de l'*aurore.*
14. Vers 23 et *sqq. :* Symphonie pastorale : tout est joie, jeu. L'homme n'est pas exclu de cette joie, les pêcheurs sont attablés sous un pampre, si le laboureur travaille. En outre le laboureur et les blés collaborent, Hugo inverse la vieille métaphore qui comparait les lignes écrites à des sillons.
15. *Fol esprit :* un elfe, un follet.
16. Première rédaction :

La brise joue avec l'alouette espiègle.

La cor. met en parallèle l'air et l'eau.
17. La vision lumineuse devient une vision de rêve où se célèbre une nouvelle union : celle de l'air et de l'eau, et où s'opère une métamorphose.

Cf. *les Châtiments,* I, XI :

Et l'énorme océan, *hydre* aux écailles vertes

et le poème précédent, v. 4 : Les *nuages* ont l'air d'*oiseaux*...

18. Du berceau au tombeau, le poète trace un chemin de lumière. La lueur, vague à l'origine, qui dore tout sur son passage, est elle-même transformée au contact du tombeau. Ce petit mythe reprend le thème de la mort formulée au vers 7. A la fin comme au début, la mort se révèle bienfaisante.

19. Continuant sa course, la lumière plonge dans le gouffre et se penche sur l'ombre comme Jésus se penchera sur Bélial.
Voir dans *L. S., Tout le passé et tout l'avenir,* v. 619-624 :

Au fond du gouffre où sont ceux qui se font proscrire,
Des plus profonds enfers, stupéfaits de sourire,
L'amour ira baiser les gonds,
Comme un rayon de l'aube, à l'orient ouverte,
Va dans la profondeur de l'eau sinistre et verte,
Jusqu'aux écailles des dragons.

Premières rédactions :

L'abîme rit (s'ouvre) (s'offre) au jour qui plonge et va chercher...
L'abîme dort : le jour y plonge et va chercher...

20. *Apaisé* confirme le titre *Éclaircie.*
Dieu regarde : le 27 avril 1854, le Drame dictait une œuvre de Shakespeare qui faisait dialoguer le Paradis et l'Enfer. Au Paradis était attribué un couplet de même tonalité que ce poème, et le Paradis proclamait dès l'abord : Dieu *sourit.*
Ce regard n'est pas l'œil fixe qui poursuit la coupable. C'est le regard lumineux providentiel que Hugo célébrait en décembre 1854, dans *Croire, mais pas en nous.*
Hugo oscille entre deux attitudes : Sois de plus en plus l'âme, professe-t-il, lorsque la chair le dégoûte (voir les poèmes suivants), mais son rêve le plus profond est de vivre dans un univers où la chair serait pure.

P. 383. VI, XI. OH ! PAR NOS VILS PLAISIRS...

1. *Dates :* ms. 20 août 1855.
vol. juin 1855.
Pourquoi antidater ce poème et le suivant? Parce que, dit Vianey, en juin le poète avait exalté la passion (dans V, XX; II, VIII, XVIII, XXIII...) et qu'il voulait montrer que le remords accompagnait la faute!
Sur cet aspect de Hugo, lire les remarques de H. Guillemin dans *V. Hugo par lui-même,* pp. 58-60.

2. Première rédaction : l'aile *des sens.*
Sur ce thème, voir VI, VIII, 93-94, et VI, XV, 103. — Déjà, dans la *Prière pour tous* (*F. A.*, XXXVII), il souhaite que sa fille ignore comme sa mère :

> Ces misères du monde où notre âme se mêle...
> Intimes souvenirs de honte et d'amertume
> Qui fait monter au front de subites rougeurs.

Mais après la mort de Léopoldine, sa gêne ne fit que s'accroître. Il ne s'agit pas seulement de remords. Du moment que Hugo croit à la présence des mortes, il ne peut chasser l'idée qu'elles sont témoins de ses débauches. La dévotion à l'ange gardien a suscité des hantises analogues.
Hugo n'est plus celui qui osait écrire en 1833 : « Je n'ai jamais commis plus de fautes que cette année, et je n'ai jamais été meilleur. » Pour compensation, on le sait, il ne cessera d'imaginer des héros chastes, voire vierges (Jean Valjean, Javert, Enjolras, etc.).

P. 384. VI, XII. AUX ANGES QUI NOUS VOIENT

1. *Dates :* ms. 4 octobre 1855.
vol. juin 1855.
Le 9 octobre, Hugo écrit à Noël Parfait : « Avez-vous besoin de copie? Je vous envoie une petite pièce, *Aux anges qui nous voient,* à intercaler dans le sixième livre après la pièce XI, cette pièce *Aux anges...* doit donc prendre le chiffre XII, et les chiffres suivants doivent se modifier en conséquence. »
En dépit de la date fictive, c'est le dernier poème achevé à Jersey.
2. Emprunt du mot *passant* au dernier vers de XI.
3. Première rédaction :

> Mais, étant spectre, *ange* et mage.

Hugo a tenu à ne pas mentionner l'ange à l'intérieur du poème.
4. Les archanges de la pièce précédente ne révélaient pas leur origine mortelle.
Vianey observe que la pièce XII est plus générale que la pièce XI, mais il faut souligner plutôt que si Hugo ne mentionne pas ici les ivresses de la chair, il ne cesse d'y penser; et, s'il ne les nomme pas, c'est qu'ici, en revanche, il révèle l'identité des anges : ce sont celles qui l'ont aimé.
5. Cette fin surprenante embarrasse Vianey : mais il s'agit là d'une transposition de la croyance à l'ange gardien.
On trouve dans *les Châtiments,* datée du 1er août 1853, une pièce (III, XI) présentée de la même façon : dialogue entre le poète et divers interlocuteurs formant une chanson, un *lied,* qui traduit une hantise, même si la biographie ne concorde pas exactement avec les propos.

P. 385. VI, XIII. CADAVER

1. *Dates :* ms. 9 août 1855.
vol. Au cimetière, août 1855.

La sérénité du cadavre, le sourire du cadavre, est un motif cher aux poètes et aux romanciers, sourire à distinguer du sourire des mourants, motif non moins cher à Hugo (voir en particulier, dans *les Misérables,* la mort de Jean Valjean).

Une conception optimiste de la mort ne se satisfait pas de la seule survie de l'âme.

— C'est ainsi que la théologie chrétienne a fait sienne la théorie de la résurrection des corps sous forme de corps glorieux. Ici, Hugo développe une idée « qui lui était commune avec ceux des poètes de son temps qui inclinaient plus ou moins au panthéisme » (V.). Vianey cite à l'appui un passage de *Milly,* de Lamartine, un autre des *Sept Cordes de la Lyre,* de G. Sand : « Écoutez! rien ne meurt, tout se transforme et se renouvelle... Quand même ton essence enchaînée pour jamais à celle de la terre se mêlerait à ses éléments, il y aurait encore une destinée pour toi. Qu'oserais-tu mépriser dans la nature, ô fille de la lyre? » Voir encore Gautier, *Comédie de la Mort.*

Vianey observe non moins pertinemment que cette perspective n'est pas toujours consolante. Dans *la Maison du Berger,* elle provoque les imprécations de Vigny. Dans les *4 V.,* le poème *Sous terre* (III, XXIII), daté du 29 mai 1854 transforme l'idée du vers 16 en cauchemar. Dans *Religions et Religion* (v. 1325-1347), une voix développe un motif non moins atroce : « la fuite rapide et sinistre du corps ». Le thème était magnifiquement développé dans la section X de *Pleurs dans la nuit.* Comme ici, le retour à la vie faisait de la mort un mystère joyeux. Cependant les derniers vers, et en particulier le vers 334, « *les effroyables morts* sans souffle et sans paroles », donnaient à la scène une tonalité lugubre, et ce pour l'accorder à l'ensemble du développement. Cette tonalité, moins sensible ici, n'en subsiste pas moins. Certes, l'heure est splendide, c'est-à-dire rayonnante. Mais la joie qu'éprouve le corps à sentir la métamorphose de la chair putréfiée est qualifiée de *terrible.* Le regard est voilé d'une *ombre étrange.* La sérénité du cadavre est *formidable.* Ainsi le poète ne se contente pas d'un optimisme simpliste. Il traduit d'une façon suggestive l'ambiguïté du sacré.

Dans *Pleurs dans la nuit,* Hugo variait un même motif : la terre fait de la vie avec des cadavres. Ici, l'idée de résurrection est exprimée plus subtilement pour les verbes : *rajeunir, se répandre, retourner.* Les vers 25-27 esquissent un petit mythe original : la délivrance des atomes maîtrisés par l'homme et rendus enfin à la liberté.

2. Ces vers qui semblent gratuits s'expliquent mieux, si on les rapproche des vers 319-320 de *Pleurs dans la nuit :*

> Fais ruisseler ce sang dans tes sources d'eaux vives,
> Et fais-le boire aux bœufs mugissants, tes convives.

3. Le *oui* n'indique pas simplement une « reprise ». Le poète exorcise la terreur qui subsistait dans le premier mouvement et le rapprochement du destin du corps avec celui de l'âme aboutit à une fin nettement optimiste. Seul le linceul reste *lugubre*. Seul le vent garde son ambiguïté.
Chaque mouvement s'achève par la métamorphose de la prunelle en étoile (v. 38 et 54). Mais désormais ce lever d'étoiles n'est plus mystérieux. La mort, c'est la paix, et le poète, dans une énumération lyrique, suggère l'accord et la fusion de tous les éléments, et surtout la participation du ciel à cet office qui semblait purement terrestre (v. 52). L'impression finale se résume dans l'expression hardie : *La mort est bleue* (v. 48).
Chose remarquable : Hugo a eu peur de cette hardiesse et il lui avait substitué une énumération sans danger :

> La paix des fleurs, l'oubli des bois, l'ombre des nuits,

mais il a surmonté sa timidité in extremis.
V., qui rapproche cette expression de celle des *4 V.* (III, XXXIII)

> J'aperçois les blancheurs de la cime du mort,
> Et le bout de ton aile est déjà bleu, mon âme...

juge cette dernière « mieux préparée », laissant percer de la sorte un certain désarroi devant l'expression saisissante des *Contemplations.* Hugo applique à la mort le qualificatif qu'il attribue normalement à l'Infini : O bleu profond de l'Infini.
Un rapprochement suggestif est à faire avec la fin de IV, XVII, où le *bleu* apparaît lié à la naissance des deux étoiles.

P. 387. VI, XIV. O GOUFFRE ! L'AME PLONGE...

1. *Dates :* ms. non daté.
vol. Marine-Terrace, septembre 1853.
Non seulement la strophe est celle d'*Horror,* mais on trouve dans un ms. (24.754, f° 284), sur une même feuille, quatre fragments d'*Horror* et un fragment de ce poème. Pour J.-R., ces trois strophes sont un ancien projet de début pour *Horror* (ce dernier poème étant achevé le 31 mars 1854).
La date fictive est celle du début des expériences spirites lors de la visite de Mme de Girardin.
2. Première rédaction : *Abîme!* au lieu de *ô gouffre!*
La correction introduit une fois de plus le son *ou* dont la répétition

combinée avec celle de *on* et l'allitération de *pl (plonge, plombs, pâles, contemplons)* donne à cette strophe une tonalité *sourde* et *implacable*. V. rappelle avec raison que Hugo ne cesse d'utiliser l'image jobienne de l'abîme sondé, et cite un passage de *Pensar Dudar* des *V. I.*, où l'on trouve déjà : *plonge, gouffre* et *sonde* (v. 132-136).

3. *Plombs :* les feuilles qui recouvrent les toits (cf. les plombs de Venise).
4. Reprise de la formule qui termine la strophe précédente, procédé rhétorique dont Hugo tire un admirable parti (voir dans ce même livre *Ibo*, v. 40-41, et *Pleurs dans la nuit*, v. 582-583).
5. La posture familière à la fenêtre pendant la nuit est transposée dans un registre épique et fantastique. C'est là un des aspects les plus typiques de la création poétique chez Hugo.
6. Vers 12-17 : dans la contemplation nocturne sont notées tour à tour les sensations auditives et visuelles.
7. Le vent joue toujours un rôle essentiel.
8. Première rédaction :

   Le frisson de l'immensité.

9. Fin étonnante où l'image familière est unie à la notion abstraite pour susciter chez le lecteur un frisson métaphysique.
   Le symbole de la fenêtre et de la vitre sera repris par Mallarmé.

P. 388. VI, xv. A CELLE QUI EST VOILÉE

1. *Dates :* ms. 11 janvier 1855.
   vol. Marine-Terrace, janvier 1854.
   Titre primitif : *A la voilée.*
   Cette pièce a été rédigée d'abord sous une forme réduite (*Autour des Contemplations*, p. 81).

Tu parles à travers un rêve
Comme une âme parle aux vivants.
Comme l'écume de la grève
Ta robe flotte dans les vents.

Sors de la nuit, ombre charmante
Ange voilé, laisse-toi voir.
Sois un rayon dans ma tourmente,
Sois un astre dans mon ciel noir.

Sois l'alcyon blanc qui se mêle
Aux grandes vagues en courroux
Oh! viens! tu dois être bien belle,
Car ton chant lointain est bien doux.

Car tu fais germer la prière,
Car dans l'ombre, en fermant les yeux,
J'entrevois comme une lumière
Ton sourire mystérieux!

Ces quatre strophes corrigées deviendront les vers 1-4; 21-24; 29-36 de la version définitive.

Ce madrigal, comme tout madrigal hugolien, unit l'amour et la religion. Sa place au livre VI s'explique parce qu'il s'adresse à un fantôme, qui n'est pas celui d'une morte, mais celui de la Dame blanche.

Dans le roman de W. Scott, *Guy Manering,* la Dame blanche protège la maison d'Avenel. On sait que Boieldieu, sur un livret tiré par Scribe du roman de Scott, écrivit l'opéra *la Dame blanche.*

Mais il s'agit ici d'un fantôme qui hantait l'île, et Marine-Terrace en particulier, et qui avait joué un rôle important dans les expériences occultes de Hugo et de sa famille. Cette histoire ne peut être retracée d'une façon sûre tant que n'auront pas été exhumés et publiés tous les comptes rendus des séances spirites (Hugo souligne lui-même l'importance de la séance du 27 août 1854 dont le procès-verbal a disparu) et le *Journal d'Adèle,* dit *Journal de l'Exil,* dont l'ensemble très copieux se trouve morcelé : une partie étant conservée à la Maison de V. Hugo, à Paris, l'autre à la Morgan Library, à New York. La partie américaine se présente sous forme de deux énormes volumes reliés, mais la reliure a été faite avant que les fragments aient été remis en ordre. Adèle faisait plusieurs brouillons. On trouve à New York, par exemple, trois versions d'une discussion sur la Dame blanche, dispersée en trois endroits. C'est pourquoi encore, des passages identiques se retrouvent à Paris et à New York. Fr. Guille, auteur d'une thèse sur *François-Victor Hugo et son œuvre,* prépare une édition intégrale du *Journal d'Adèle.*

La date fictive semble être celle où les quatre strophes furent rédigées et doit correspondre aux premières relations avec le fantôme. (Il est question d'une femme en blanc dans le *Journal* du 23 janvier.) D'après les documents publiés (cf., en particulier, *la Crise mystique de V. H.,* par M. Levaillant, pp. 124 et *sqq.,* et 217 et *sqq.*) dans la séance du 26 au 27 mars 1854, la Dame blanche avait proposé un rendez-vous dans la rue à 3 heures du matin et à l'heure juste Hugo fut réveillé par un coup de sonnette. Cet événement fantastique le frappa beaucoup. A quelques jours de là, un crayon ayant été attaché au pied de la table, la Dame blanche traça son portrait. « Il y a deux mois, avoue Hugo, avant que la Dame blanche n'eût dessiné son portrait, je n'éprouvais pas cette terreur, mais maintenant, je l'avoue, j'éprouve l'horreur sacrée. »

Hugo, en effet, avait déclaré à Vacquerie, le 23 janvier : « J'éprouverais une douceur infinie à voir une ombre. » Il semble avoir eu des rendez-vous avec la Dame blanche sur la grève, et l'on doit faire un sort particulier à cette phrase (qui figure, à vrai dire, dans un compte rendu de mars 1855) : « Es-tu la même qui est venue sur la grève, devant ma maison, et qui m'a demandé des vers? Je suis toujours celle-là. » D'un fragment dépareillé du *Journal* à la date incertaine, détachons ce dialogue : « V. H. — Ces vers sont faits depuis longtemps, il faudra que je les lui lise. — Mme V. H. Cette figure voilée, c'est la Dame blanche. — V. H. Sans doute. » Dans un autre procès-verbal daté inexactement par Guillemin du 6 janvier 1854 (il contient des allusions à la nuit fantastique de mars) et qui est antérieur à celui du 1er mars 1855 (J.-R. proposent la date du 23 janvier 1855; pour ma part, je le situerai plutôt au cours de l'été 1854, en raison de la présence des Keller, de l'allusion au Lion d'Androclès), se lit ce dialogue non moins étonnant : « V. H. — Pourquoi vient-il ici? (Il s'agit d'un autre spectre de Jersey : l'Homme sans tête.) La Table. — Lire des vers. V. H. — De qui? La Table. — De V. Hugo. V. H. — Quels vers? Sais-tu? La Table. — Sur la Dame blanche. »

Les manifestations de la Dame blanche continuèrent en effet au cours de l'été 1854, puis pendant l'hiver suivant. Mais, est-il précisé, « il me semble que, depuis l'hiver, tu ne viens plus sur la grève et que tu viens dans la plaine ». Hugo ne cesse de réfléchir à ce phénomène étrange, de questionner. C'est le 1er mars 1855 que la Dame, ou plutôt un être mystérieux, fera une déclaration solennelle sur son identité : « Je ne suis pas un de tes morts. Je suis un symbole plutôt qu'un être; je suis le fantôme d'une foule; je suis le spectre d'un crime plutôt que d'une criminelle. »

Il importe de souligner : 1° que le poème est antérieur à la révélation du 1er mars 1855; 2° que les strophes de complément ne traduisent pas « l'horreur sacrée » (celle qui, au contraire, inspire le début d'*Horror,* v. 1-30, ajouté précisément en mars) ni les curiosités occultes. Ainsi le poète contrôle toujours son inspiration : et ceci est aussi significatif que cela.

Selon J.-R., les *ad.* ont été en plusieurs temps :
1° *ad.* à l'encre noire : vers 9-20, 41-52, 94-116;
2° *ad.* à l'encre bleue : vers 5-8, 53-84, 85-92;
3° *ad.* à l'encre noire : vers 25-28, 37-40.

La strophe des vers 97-100 suivait d'abord le vers 24.

C'est de lui-même surtout que Hugo parle dans la rédaction définitive : il fait le portrait de l'exilé, et reprendra ce thème en mai (V, VI) et en août (V, VIII, 23-32). Dans *Horror,* il appellera l'ombre ma sœur (v. 25); l'intérêt de ce portrait réside dans le fait qu'est suggérée la ressemblance entre le poète et le fantôme.

Au vers 13, il écrit : Je suis le proscrit *qui se voile*. Cf. le titre et encore la strophe des vers 16-20. Réciproquement au vers 45 le fantôme devient un penseur. En outre, l'exilé ressemble au lieu de son exil (v. 9), le lieu que hante le fantôme. Marine-Terrace, qu'ailleurs Hugo compare à un tombeau, est, ici, comparé à un spectre blanc (v. 44).

2. Première rédaction : *pour* me connaître. La rédaction définitive : *sans* me connaître, permet d'affirmer qu'il n'y a pas eu rencontre entre le poète et le fantôme, et qu'il souhaite au contraire cette apparition.

3. Cette comparaison est familière à Hugo, mais on se rappellera surtout *Magnitudo parvi*.
4. Aspect étonnant de la symbolique du vent : la présence du fantôme autant qu'à sa blancheur se décèle à son souffle.
5. Aspect non moins étonnant de la symbolique de l'ombre.
6. *Je m'appelle amour :* cf. V, XVIII.
7. Cf. VI, I, 17 :

Ses mains en se joignant faisaient de la lumière.

8. Strophe essentielle : le poète a conscience du caractère limité de sa vision. Le vers 80 n'est pas clair : est-ce un doublet du vers 22 : laisse-toi voir, ou bien du vers 72 :

Sois la clarté chez le voyant.

9. *La brume hagarde :* plus qu'une sorte d'hypallage, la métaphore rend sensible la métamorphose de l'esprit du poète en brume.
10. A rapprocher de la fin du poème précédent.
11. Comme le pâtre de *Magnitudo parvi* (v. 433-434) dans son passé vertigineux, sent-il revivre d'autres vies? Ici, il insiste davantage sur son origine angélique : Hugo se considère comme un ange déchu.
12. Si la Dame blanche, comme le veut la légende de l'île, est une infanticide, pourquoi fait-il d'elle une créature céleste? Refuse-t-il de la considérer comme une âme en peine? Croit-il qu'elle est sauvée? Les comptes rendus complets des séances de spiritisme pourraient seuls permettre de répondre.
13. Ce vers se retrouve dans *les Mages,* v. 381.
14. Image étrange! le cadavre de l'oiseau symbolise l'ange déchu. La chute de la plume serait un signe de pitié.
15. Vers 102 et *sqq. :* aveu capital : si la vision du poète est bornée, c'est en raison de la dualité de sa nature. La chair est laide. De la sorte l'inspiration de cette pièce rejoint celle de VI, XI et XII.
16. Première rédaction : un *damné.*
17. L'amour, si idéal soit-il, reflète toujours notre condition mortelle. La Dame blanche est l'amour allégé du poids de la matière. En faisant le parallèle du poète et du fantôme, Hugo prend donc conscience de sa grande origine et de sa déchéance.

P. 392. VI, XVI. HORROR

1. *Dates :* ms. fini dans la nuit du 31 mars 1854.
vol. Marine-Terrace, nuit du 30 mars 1854.
Les poèmes *Horror* et *Dolor* non seulement se suivent et se ressemblent (titre latin, strophe identique), mais leur composition « fut à peu près simultanée ». (J.-R.)
Pour V., *Dolor* fut écrit d'abord, *Horror* ensuite. Mais comme *Hor-*

ror semble la demande et *Dolor* la réponse, *Horror* étant le poème du doute et *Dolor* celui de la foi, Hugo aurait jugé bon d'inverser l'ordre.

Cette présentation est un peu schématique. La seconde strophe de *Dolor* est devenue la strophe des vers 127-132 de notre poème. Réciproquement le vers 73 de *Horror* sous sa première forme :

> La mort avec son doigt écrit Dieu sur le marbre,

devient, transformé, l'avant-dernier vers de *Dolor*.

Il semble plus juste de dire que les poèmes furent composés ensemble. Chacun, d'autre part, comporte de nombreuses *ad. marg.*

Horror se présentait d'abord sous une forme restreinte, cohérente et contenant à la fois la question et la réponse. Cette première version comprenait six strophes : vers 31-36, 121-126; 37-42, 115-120; 73-78, 85-102.

Selon J.-R., on peut distinguer trois couches d'additions : *a)* vers 1-12, 43-72, 73-74 (remaniés), 79-84, 103-108; *b)* vers 13-30; *c)* vers 109-138 (dont la strophe de *Dolor*).

Il est évident : que la section I est un prélude ajouté après coup;
que les éléments du premier poème ont été répartis dans les sections II, III, IV;
que la correction des vers 73-74 modifie la portée du poème qui traduit un profond désarroi marqué par la multiplication insolite des points d'exclamation (20) et des points d'interrogation (25);
que la quatrième section ajoutée en dernier lieu augmente cette impression, étant donné l'ambiguïté du mot de la fin.

Section I : vers 1-30.

Cet esprit mystérieux est bien la Dame blanche, comme le prouve le vers 8 (voir le commentaire du poème précédent). Le fait que *Horror* suive *A celle qui est voilée* renforce notre conviction. L'ombre qualifiée de *charmante* en VI, xv, est présentée ici sous un jour sinistre : elle est la *sœur* de *l'homme farouche,* et Hugo traduit en termes inoubliables ce qu'il appelle l'horreur sacrée.

2. *Farouche :* voir *Ibo,* v. 101.
3. *Ivre d'ombre et d'immensité :* voir *A celle qui est restée,* v. 345.
4. Hugo notait pieusement ces phénomènes étranges, voir ses carnets à la B. N.; et — il importe de le noter — il continue de le faire, alors qu'il renonce à faire parler la table.
5. Le poème présente une série de variations sur les morts-vivants. Le prologue introduit le thème de l'exil pareil à la mort (v. 23-24); puis le développement généralise l'idée en faisant de nous tous des *vivants douteux* (v. 49).
6. Ce prélude n'a pas été écrit lui-même d'un seul jet : on distingue par l'écriture deux parties : vers 1-12 et 13-30.
7. Dans les cauchemars hugoliens, on trouve le gouffre issu de l'*Apocalypse* et l'escalier qui s'enfonce dans les ténèbres. Le beau poème

des *4 V.*, III, 1 : Je suis l'escalier Ténèbres, jadis aimé des seuls connaisseurs, a été popularisé.

8. Marine-Terrace était situé près du cimetière.

9. Cf. V, VI, 53 et la préface. — La comparaison de 22 est à rapprocher du *naufragé* de V, II, 2.

10. Si l'esprit mystérieux effraie, il se comporte comme une sœur qui est l'Électre de cet Oreste. On pense à la dédicace des *Paradis artificiels* : « Tu verras dans ce tableau un promeneur sombre et solitaire, plongé dans le flot mouvant des multitudes, et envoyant son cœur et sa pensée à une Électre lointaine qui essuyait naguère son front baigné de sueur. »

Section II : vers 31-66.

11. Première rédaction : Oh! que l'ombre est profonde ..

12. Première rédaction : Se taisent. Tout est noir...
Ce silence, quand la strophe était la strophe initiale, soulignait dès l'abord l'incommunicabilité entre les êtres. — *Passent* amène les questions du vers 37.

13. « Les croyants, pour toute réponse, montrent que la prière écorche leurs genoux sans qu'ils en soient plus éclairés. » (V.)

14. *Le Cimetière marin* nous invite à rapprocher l'image de la flèche des sophismes de Zénon d'Élée, mais l'image de la flèche et de la cible est d'origine biblique : *Sagesse,* V, 12.

15. On saisit nettement le passage de l'opposition entre virgules à la métaphore maxima.

16. L'énigme qu'est la mort est posée sous forme de couples contradictoires.

17. Les astres sont les clous du dais céleste selon l'image couramment employée par Hugo et Lamartine. Ici l'imagination hantée renouvelle l'image en identifiant le firmament à un profond tombeau.

18. La présence des ténèbres est suggérée par le vocabulaire, qui plus que jamais traduit l'obsession par la répétition maniaque des mots (*ombre,* 10 fois; *nuit,* 8 fois; *noir,* 4 fois, *ténèbres-brume,* 4 fois). Pour traduire son épouvante, Hugo fait appel à son expérience du cauchemar qui peut remonter jusqu'à la première enfance.
La peur dans le noir (le cabinet noir) s'accroît si le prisonnier étouffe dans le noir (cauchemar de l'enterré vivant) ou encore si à la peur du noir s'ajoute la peur de tomber dans un abîme invisible (cauchemar du gouffre).
La peur dans le noir atteint son degré le plus terrible (et cette aggravation est caractéristique de l'exil), lorsque le noir est un noir qui vit, un noir où se devine une présence menaçante trahie par des bruits (le pas dans les ténèbres), des souffles (le souffle des chevaux et le vers 122), des contacts (les pleurs dans la nuit ne sont pas des bruits de sanglots, mais des gouttes tombant du plafond). Une lueur blanche dans la nuit n'est pas toujours rassurante. Elle peut être aussi le signe d'une approche hostile. A la nuit, Hugo préfère alors la *brume* (v. 64). Que le dessinateur Hugo soit épris d'effets de contraste en noir et blanc, certes : mais il y a dans *Horror* une

recherche de l'horreur précisément par l'apparition du blanc dans le noir : nous devenons *pâles* dans la main de la *géante nuit* (v. 40-43) : d'où le reflet de la grande pierre *blanche* dans la *brume* (v. 64-65); d'où le *flot livide* des humains dans la *bouche* de *l'urne* (v. 89-90); d'où le flocon de la *neige* éternelle dans l'éternelle *obscurité* (v. 125-126); d'où, sans doute, dans l'*ombre,* la *statue* de Jéhovah.

19. Dans *Dieu, le Hibou,* cette image est magnifiquement développée.

20. Remarquables exemples d'humanisation de la nature.
L'observation sur la peur panique dans la forêt invite à illustrer les remarques précédentes par la mention du célèbre chapitre des *Misérables : la Petite toute seule.* Mais la peinture la plus hallucinante de la terreur enfantine se trouve dans le chapitre de *l'Homme qui rit : l'Enfant dans l'ombre.*
Section III : vers 67-108.

21. Vers 73-78 : la première rédaction du vers 73 est citée plus haut : c'est la strophe la plus remaniée pour laisser au poème sa note uniformément sinistre. Hugo a hésité entre le *caillou* et la *cendre.* La cor. accentue le parallélisme des trois phrases : aux éléments stables : *marbre, écueil, branche,* s'opposent les éléments mobiles : *cendre, flot, vent.*

22. Première rédaction :

> Hors de là, que sait-on? Tout meurt, la branche d'arbre...

23. Première rédaction :

> Le crépuscule froid jusqu'aux os nous pénètre.

La cor. reprend le verbe du vers 35, *passent.*
On notera dans ce poème nocturne le mouvement frénétique qui emporte tout : strophe I : *passes, marches;* II : *vient, marches;* III : *échappés, montez, sortez;* IV : *sort, flotte, submergé;* V : *me penche;* VI : *passent;* VII : *viens, vas, onde, flot, va, vient, fuit, se fermer;* VIII : *fuir, lancé;* IX : *s'entr'ouvre;* X : *pas, passe, traînant, char;* XI : *tremblement, penche,* etc. Cf. XIII : *passez;* XXI : *passants;* XXIII : *un pas.*

24. Cf. III, v :

> Vivants! vous êtes des fantômes.
> C'est nous qui sommes les vivants

25. *Sitôt* dans les éd. postérieures.

26. Souvenir déformé de l'échelle de Jacob. On pense aussi au rêve de Booz :

> Un roi chantait en bas; en haut mourait un Dieu.

27. Le 17 avril, Hugo écrivait dans VI, III :

> Le muet habite dans le sombre.

28. La peine de mort était littéralement un cauchemar pour Hugo. Il suffit de jeter les yeux sur l'image du pendu qu'il a dessinée à plusieurs reprises, pour apercevoir que cette gravure est assortie aux hantises que nous évoquions; le petit Gwynplaine heurte un pendu au cours de sa marche dans l'ombre.
29. *D'erreur vêtue :* variation sur la formule biblique *amictus lumine.*
30. L'imagination hantée se plaît à animer le poteau du gibet.
31. Étonnant rapprochement entre les douze signes du Zodiaque et les douze empereurs de Rome.
Section IV : vers 109-138.
32. Selon une ébauche déchiffrée par J.-R. *(Autour des Contemplations)*, il apparaît que Hugo a hésité entre *quatre mille* et *six mille ans.* Cf. *Fin de Satan :*

> Depuis quatre mille ans il tombait dans l'abîme.

33. Apparition de deux hantises du poète : le forçat et le cachot. La première est analogue à celle de la peine de mort. La seconde, liée à la peur d'être enterré vivant, aboutira au grand poème de *L. S. : le Titan.*
34. *Ame d'ombre :* hébraïsme imité de la Bible.
Ce complexe de claustration est un aspect typique du spleen : cf. Baudelaire :

> Quand la terre est changée en un cachot humide,
> Où l'espérance, comme une chauve-souris,
> S'en va battant les murs de son aile timide,
> Et se cognant la tête à des plafonds pourris...

et Mallarmé :

> Quand l'ombre menaça de la fatale loi
> Tel vieux Rêve, désir et mal de mes vertèbres,
> Affligé de périr sous les plafonds funèbres
> Il a ployé son aile indubitable en moi.

35. Vers 117-125 : *son temps est court,* cf. *Job,* XIV, 5 : « Les jours de l'homme sont courts. »
Lamartine s'inspirant de *Job,* XXIV, 19, dans la trad. de Genoude avait écrit *la Poésie sacrée* où l'on trouve à la fois : « L'homme vit un jour sur la terre » et « Mes jours fondent comme la neige ». Hugo renforce l'effet, non seulement, par l'apparition du blanc dans le noir, mais encore, par le redoublement de l'adjectif *éternelle,* hyperbole qui traduit le tragique de la condition mortelle.
36. Vers 127-132 : cette strophe était la deuxième de *Dolor.*
37. Le silence de Dieu (cf. v. 88) est le comble de l'horreur.
38. Premières rédactions : *a)* tressaille; *b)* est sur l'écueil.
39. Premières rédactions : *a)* l'obscure immensité; *b)* l'obscurité sans fond; *c)* la morne immensité.

L'inversion est un procédé très conscient chez Hugo et non une séquelle de la poésie classique, cf. le vers 136.

40. Effet analogue dans VI, XVIII, 16-18.

41. Nier le progrès est pour Hugo la formule hyperbolique du désespoir.

42. Ce poème est pour ainsi dire le cauchemar d'Adam.

43. L'image du navire emporté par le vent rappelle évidemment le poème liminaire.

44. Ces deux vers sont difficiles à interpréter. Si l'on a le poème liminaire présent à l'esprit, on est tenté de poursuivre le parallèle et de faire de *Jéhovah!* l'équivalent de *C'est le Seigneur!* J.-R. n'hésitent pas à écrire : « L'extrême fin fait luire une lueur d'espoir sur cet ensemble si sombre. » Le vers écarté :

La mort avec son doigt écrit Dieu sur le *marbre*

subsiste en quelque sorte sous la forme de la *statue.*
Mais on peut, semble-t-il, interpréter cette fin comme la peinture la plus sombre de la misère de l'Homme. Une statue est un simulacre. L'homme sans Dieu prend donc un simulacre pour le Dieu qu'il cherche. Adam n'échappe pas au cauchemar : la statue l'épouvante puisqu'elle est *immense.* C'est la peur qui fait le Dieu. Cf. dans *la Chauve-Souris,* qui représente l'athéisme :

J'entends crier en bas : Jéhovah...

Sur un dessin tracé par la table (au verso du folio 11), on lit nettement l'inscription : *Sum horror et dolor.* Deux fantômes se croisent en s'envolant et forment un X. L'un a les mains jointes et porte une auréole : *Dolor. Horror* est informe.

P. 397. VI, XVII. DOLOR

1. *Dates :* ms. 30 mars 1854.
vol. Marine-Terrace, 31 mars 1854.
Un brouillon de ce poème se présentait également sous une forme plus brève et plus cohérente; il comprenait huit strophes : vers 1-6, 127-132 de *Horror;* vers 13-36, 73-78, 115-120. Si sous cette forme réduite le contenu ne répond pas au titre, l'ensemble se tient parfaitement : le poète croyant condamne la révolte. Il nous invite à courber la tête et à prier, et en conclusion annonce que l'explication est dans la tombe : les morts savent que Dieu est. L'athéisme est condamné. Puis le poème s'enrichit d'une série d'*ad. :* vers 91-102, 79-84, 85-90, 37-42; une strophe composée alors des vers 43-44 et 69-72. La strophe de *Horror* est remplacée par les vers 7-12. Une nouvelle mise au net aboutit à l'état définitif, les vers 55-66 formant une *ad. marg.*
Ces additions ont insisté sur diverses idées : l'idée jobienne de la

petitesse de l'homme au regard de la création; l'explication de l'athéisme par le libertinage, l'orgueil, la passion; surtout l'idée que les souffrances sont des faveurs. L'homme nie Dieu parce qu'il souffre et ne comprend pas pourquoi il souffre. En réalité, notre douleur nomme Dieu; la douleur est la clé des cieux.

L'angoisse commune aux deux poèmes justifie le flottement du développement, mais l'ensemble n'en constitue pas moins le message religieux du poète : de tâtonnement en tâtonnement, ce poème « est devenu le *Credo* de Hugo » (V.).

2. *Isis.* « Cette éternelle Nature, que Lucrèce, le matérialiste, invoquait lui-même sous le nom de Vénus Céleste, a été préférablement nommée Cybèle par Julien, Uranie ou Cérès par Plotin, Proclus et Porphyre. — Apulée, lui donnant tous ces noms, l'appelle plus volontiers Isis; c'est le nom qui, pour lui, résume tous les autres. » (G. de Nerval, *Isis,* IV.)
3. Le début de *Dolor* se lie étroitement à *Horror.* La peur panique régnait dans le premier poème; par un renversement paradoxal, Hugo formule l'hypothèse que la Nature peut-être a peur de nous. Le climat de peur, au lieu de se limiter, s'étend à l'univers entier. Au vers 89, le motif sera repris et varié : la nuit partage la peur de l'homme devant l'immensité.
4. Le *rire* pour Hugo est aussi satanique que pour Baudelaire et Bernanos. Le mot (verbe ou nom) revient sept fois dans le poème, appelant en contraste le verbe *pleurer.*
5. Il ne s'agit pas de l'échelle des êtres, mais d'un classement des oiseaux selon une logique affective en oiseaux noirs et oiseaux blancs, classement qui est le symbole de la métamorphose du monstre en ange.
6. Réplique aux vers 88 et 128 de *Horror.*
7. Cf. VI, xviii, 17.
8. *Le chandelier à sept branches,* périphrase qui désigne le *noir septentrion* de VI, xxv. Sur le chandelier d'or que Moïse fit construire et placer dans le tabernacle, cf. *Exode,* XXV, 31-37.
9. *Phalène* au masculin comme en III, xiii, 56, où l'on retrouve en outre le même qualificatif.
10. I. N. et *ne varietur* donnent *Mais* pour *Nais :* faute d'impression.
11. Il ne s'agit pas du doux sommeil des morts, mais du dévoilement de la vérité au-delà de la mort.
12. A l'impiété de l'homme s'oppose la piété du reste de la création.
13. Il peuple les astres, plutôt que : il donne une âme aux astres.
14. Cf. VI, vi, 575.
15. Hugo appelle couramment le soleil ou les astres nocturnes : fleurs de lumière, fleurs de feu, fleurs en flamme.
16. L'image du compas, selon V., vient de Milton (*Paradis perdu,* VII) : cf. la traduction de Chateaubriand : « Une pointe de ce compas, Il (le verbe créateur) appuie au centre, et tourne l'autre dans la vaste et obscure profondeur. » Dans une note des *Martyrs* (livre III), Chateaubriand attribue l'idée première de Dieu au compas au peintre

Raphaël. J.-R. observent que l'image du compas se retrouve dans le poème de *l'Astronomie,* de Fontanes (cité par Sainte-Beuve dans ses *Portraits littéraires*), et dans *Paris, élévation,* de Vigny. Faut-il souligner que Hugo ne se contente pas d'animer l'allégorie de l'éternel géomètre, et que nous avons ici une variation étrange sur l'image du crible.

Cf. *Magnitudo parvi,* v. 180 : la braise en pleut comme d'un crible.

17. *Qui sommes-nous?* même question dans *Horror,* 33.

18. *C'est lui. C'est lui...* effet analogue à *C'est le Seigneur* dans le poème liminaire.

19. Image lamartinienne, note V., mais rajeunie : le sein devient la mamelle.

20. A propos de cette strophe, V., qui vante la philosophie chrétienne du poème, s'inquiète de ce penchant au panthéisme, mais toute vision du monde théosophique implique la fusion du déisme et du panthéisme.

21. V. cite un vers de *Farniente,* de Gautier :

> La limace baveuse aux sillons argentés.

Mais l'image réaliste est prise en un sens symbolique à la suite de son croisement avec l'expression : prendre pour argent comptant.

22. Après la peur de la nuit, voici la haine du jour que le poète traite symptomatiquement de rage d'enfant.

23. Souvenir de Virgile, *Géorg.* (I, 63) : *Homines durum genus.*

24. *Ironie... noire,* cf. *Châtiments* (V, XIII, VII, 306) :

> Comme le noir sarcasme et l'ironie ardente...

emploi typique de noir (voir également au vers 55).

25. Cf. VI, VI, 649 : Ne doutons pas. Croyons.

Bégaie, à rapprocher de *la création bègue* de *Horror,* v. 119.

26. L'apparition de la *pourpre* et du *haillon* se trouve déjà dans *les Burgraves* (III, III, 1787) :

> O l'insensé qui doute et qui balance encore
> Entre un haillon souillé, sans pourpre et sans honneur...

27. *Nue :* dénudée.

28. Cf. V, XXVI, 280 : Et j'entendais *chanter : Jouissons!*

29. Vers 99-102 : sur ce thème, cf. I, XXIX, et V, XXVI.

30. Voir dans V, XXVI, 260, un effet d'élargissement analogue.

31. *Ceinte de bandelettes :* rappel heureux du thème d'Isis.

32. Développement du vers 31, amenant un effet analogue à la fin de *Pleurs dans la nuit.*

33. A l'hommage de la création est joint l'hommage des morts. Le caractère macabre de l'évocation ajoute à l'effet de la leçon. On notera l'impression terrible produite par la préposition *sous.*

Plus que le *Credo* formulé ici, nous frappe le caractère hétérogène de l'expression qui donne à cette pièce un ton très particulier. Aux impératifs qui défendent ou ordonnent, aux formules gnomiques de facture classique (les souffrances sont des faveurs, monter c'est s'immoler) se mêlent les images les plus folles. Chaque strophe semble s'achever sciemment sur un effet de surprise de plus en plus hardi, et l'imagination déchaînée se complaît dans l'élargissement des images les plus réalistes ou les plus familières : une chandelle attire des papillons; une ombre montre le poing; un homme crache, un vers bave, une tête de mort rit de toutes ses dents, une main jette de la cendre. La plus étonnante est cette trouvaille du poète du noir :

Et nous nous figurons...
Que nous avons un peu de Dieu dans notre ordure
Entre notre ongle et notre chair.

Le plus bel effet d'élargissement est cette vision de la croix étendue aux extrémités de la terre :

Et nous voyons saigner aux quatre coins du monde
Les quatre clous de Jésus-Christ.

Le 17 février 1854, l'Ombre du Sépulcre avait dicté ces vers :

Je vois, j'aime et je plains ce pauvre et ce proscrit
Qu'une oppression lâche enchaîne à ces galères
Où saigne encor le clou du forçat Jésus-Christ.

Dans le *Journal d'Adèle,* on trouve ce témoignage intéressant : « Le lendemain matin (?), Victor Hugo lut deux pièces de vers : l'une s'appelait *Horreur* et l'autre *Douleur*... A. V(acquerie) hasarde quelques critiques sur la pièce de vers *Douleur*. Je trouve que vous jetez trop la pierre à ceux qui doutent. Le doute, la discussion *(sic)*, c'est l'œuvre humaine, c'est le travail humain.
« V. H. — Vous ne connaissez pas tout mon livre. Ne jugez pas mon livre sur un détail. Ces deux pièces de vers du reste, elles n'attaquent pas les douteurs, elles blâment les rieurs... »

P. 401. VI, XVIII. HÉLAS ! TOUT EST SÉPULCRE...

1. *Dates :* ms. 9 juin 1854.
vol. Au dolmen de la Corbière, juin 1855.
(Le dolmen de la Corbière se trouvait au sud-ouest de l'île.)
Au tête-à-tête avec le lion du 6 juin (III, XIX) succède le tête-à-tête avec l'aigle.
Comme les deux suivants, ce poème de 1854 est déplacé en 1855. Rarement le poète a traversé phase de pessimisme plus sombre.

Le mot *nuit* est répété d'une façon obsédante. Comme Satan dans la nuit, Hugo tâte ce mur, l'Éternité.

2. Ce début a été manifestement imité par Baudelaire dans *le Gouffre :*

Hélas! tout est abîme.

3. Ces vers rappellent les vers 139-140 des *Pleurs dans la nuit :*

Le dedans de la fosse apparaît, triste crèche
Des pierres par endroits percent la terre fraîche...

et les vers 271-276 du même poème où les oiseaux de l'air comparent les abîmes.

Un message venu des mondes que Hugo veut explorer, un oiseau d'annonce nouvelle, dirait Mallarmé, avoue son angoisse en découvrant les ténèbres et l'abîme de notre monde. Cette angoisse se traduit sous une forme familière et concrète : l'aigle se pose un problème de contenant et de contenu.

4. *Sans flambeau,* dans VI, xv, 18 : le poète se considérait au contraire comme un flambeau dans ce monde âpre et vil.

5. Première rédaction rayée :

Et, quoique grand moi-même, épouvanté, j'arrive.
As-tu peur aussi, toi, songeur de cette rive?
Frissonnes-tu comme un flambeau?
Connais-tu ces terreurs et peux-tu t'y soustraire?
Toi, l'aigle de ce ciel? — Et je lui dis : Mon frère
Je suis le ver de ce tombeau.

La comparaison des deux rédactions permet d'élucider cette fin assez mystérieuse. L'aigle considère le poète comme son frère. L'aigle qui vient de la lumière suppose donc que le monde noir où il est parvenu a aussi son azur, puisqu'il a son aigle. Mais le poète, au comble du désespoir, répond négativement à la question de l'aigle : Notre monde est un tombeau et lui-même n'est pas un aigle, mais un ver. La rédaction définitive laisse entendre que non seulement notre univers, mais même celui de l'aigle est dans la nuit. Tout est mort.

P. 402. VI, XIX. VOYAGE DE NUIT

1. *Dates :* ms. 30 octobre 1854.
vol. Marine-Terrace, octobre 1855.

Ce poème a été écrit après la *Réponse à un acte d'accusation.* Le navire symbolique prend son essor comme dans la *Réponse...,* le vers vole dans les cieux, alouette divine.

Au poème qui précède, d'un pessimisme radical, ce poème-ci, par sa place et par sa date, oppose une lueur d'espoir.

Si au *Tout est sépulcre* de XVIII fait écho le *tout est brume* du vers 41 ; un *mais* au vers 44 laisse voir dans la brume l'éclosion de la blancheur et de l'azur. Le même jour, Hugo écrit la belle chanson des *4 V.* (III, XXX), où cet optimisme s'exprime de façon plus délicate :

Passant, la mort vient et je lui souris

L'image de l'astre-vaisseau est banale : Lamartine comme Hugo l'emploie avec prédilection, et au cours de cette période Hugo l'avait reprise dans *A la fenêtre pendant la nuit, Inferi, Tout le passé et tout l'avenir*. V. estime que Hugo s'inspire ici de la nouvelle méditation : *les Étoiles*. Mais c'est pour souligner aussitôt l'originalité de Hugo qui emploie un vocabulaire technique *(vigie, barre, roulis)*, tout en laissant à l'astre-vaisseau son aspect fantastique : il est *énorme, monstrueux*, il a l'*apparence d'un globe noir*, et, plus mallarméen que lamartinien, il est *sans agrès* et *sans voiles*.

2. Sans doute allusion à la tour de Babel.
3. Cette image bizarre illustre le titre : *Religions et Religion*.
4. Dans la partie pessimiste, Hugo accumule les raisons de désespérer. Ici, il insiste sur la finitude de l'homme à qui échappent les deux extrêmes.
5. Nouvelle idée : le progrès est entravé par les tenants de la tradition. Socrate et Jésus furent tous deux victimes de ces conservateurs fanatiques.
6. *Allons*, cet impératif hugolien (cf. *les Mages*, v. 587) serait d'origine biblique selon Grillet (*Job*, XXXIX, 28) : « Lorsqu'on sonne la charge, il dit : Allons. »
7. Socrate et Jésus sont associés par Hugo comme par les philosophes déistes. Mais ils représentent le progrès et le martyre les unit.
8. Nouvelle idée : l'homme se révèle démoniaque dans sa conduite.
9. Première rédaction : Nous *nommons espérance*. Hugo s'est corrigé pour ne pas affaiblir sa conclusion : il revient donc à l'idée formulée déjà au vers 7.
10. Vers 23-30 : *ad. marg.* où se trouve défini, de façon moins simpliste, l'absurdité de la condition humaine : en particulier au vers 28.
11. Image qui rappelle *A Villequier*, v. 67-68 :

   La création est une grande roue
   Qui ne peut se mouvoir sans écraser quelqu'un.

12. La peine de mort est aussi absurde que le crime.
13. Ce vers est lié au vers 28. La beauté elle-même peut être mise en question.
14. Adam, symbole de l'humanité, est en proie au doute, qui n'est pas, comme la mélancolie, le mal du siècle, mais qui est le mal originel.
15. Le chaos est suggéré par la succession des états extrêmes.
16. Vers de facture classique, non seulement en raison de l'inversion

du complément, mais de l'emploi de *climats* au sens de régions.

17. Hugo, une fois de plus, nous apparaît hostile aux thèses de Fourier. La passion, semble-t-il, est une cause de l'obscurantisme; mais l'image bizarre est difficile à interpréter.

18. Il ne semble pas qu'il faille rattacher ce vers à *Tout est brume,* que Hugo donc condamne Rousseau comme Maistre : il faut remonter au vers 35 : *je dis oui, je dis non,* et sans doute plus haut encore, jusqu'au vers 15. Ce vers de conclusion est à la fois la preuve de l'incertitude du jugement humain et de la menace qui pèse toujours sur le progrès.

19. Vers 45-49 : ces vers avaient dû frapper l'auteur du *Coup de dés,* mais on en retrouve paradoxalement un écho dans le *Tombeau* de Verlaine.

20. Le vers final traduit admirablement le « décollement » du navire aérien. Mais il n'est pas sûr qu'il faille le couper comme un trimètre.

P. 404. VI, xx. RELLIGIO

1. *Dates :* ms. 10 octobre 1854.
vol. Marine-Terrace, octobre 1855.

Pas de titre dans le manuscrit.

Religio dans *ne varietur.*

Leroux dans *la Grève de Samarez* (II, 1, 48-165) raconte comment Hugo lui lut à la suite *Relligio* et *Paroles sur la dune.*

Il n'est pas sans intérêt de noter les réactions du philosophe : il trouve dans ce poème « de la candeur, de la foi, de l'émotion ». Il fait surtout trois remarques pertinentes : 1° le thème n'est pas neuf; cependant Hugo le renouvelle par « le rapport étrange qu'il a été saisir ». 2° Leroux s'indigne que Hugo ne justifie l'existence de Dieu que par la beauté de la nature, et non par l'expérience intérieure : « Oui, le monde est un temple et Dieu s'y fait sentir; mais l'âme humaine aussi est un temple, et Dieu habite aussi ce temple et il s'est fait verbe dans ce temple. » (Soit dit en passant : le début célèbre de *Correspondances :* « La Nature est un temple... » est un lieu commun à l'heure où Baudelaire écrit son sonnet.) 3° Hugo illustre par l'image de la messe une attitude plus païenne que chrétienne : « C'est un poème antique, où est niée la religion du Fils. Et pourtant c'est à la religion du Fils qu'est emprunté le symbole. »

J.-R. observent que le mot *église* était considéré comme familier dans la langue poétique. Le mot *temple* est le mot noble (cf. Lamartine). Hugo se conforme donc ici à sa doctrine révolutionnaire. Une fois de plus Leroux se vanterait-il ou serait-il la dupe du poète?

Le ms. 24.782 (f° 321) reproduit dans *William Shakespeare,* éd. I. N., pp. 579-580, et dans *Autour des Contemplations,* p. 57, contient ce canevas en prose :

« Eh! dit Olympio, je crois, voilà tout; la foule a les yeux faibles, c'est son affaire. Les dogmes et les pratiques sont des lunettes qui font voir l'étoile aux vues courtes. Moi, je vois Dieu à l'œil nu,

distinctement. Je laisse le dogme, la pratique et le symbole aux intelligences basses. La lunette est précieuse, l'œil est plus précieux encore. La foi à travers le dogme est bonne; la foi immédiate est meilleure. J'aime et je respecte la messe du dimanche à ma paroisse. J'y vais rarement, dis-tu, c'est que j'assiste sans cesse, religieux, rêveur et attentif, à cette autre messe éternelle que Dieu célèbre nuit et jour pour l'homme, dans la nature, sa grande église. En ce moment, ils arrivèrent au bout des arcades. C'était une nuit magnifique. La lune ronde et pleine montait dans un ciel presque bleu, pareille à une grande hostie resplendissante.
« Tiens, dit Olympio, regarde. On en est à l'élévation. »
Dans ce texte *Olympio* remplace un autre nom rayé, *Lucio*.
La date du fragment est incertaine : vers 1840, selon J.-R.
Ainsi les deux poèmes où figure Hermann nous ramènent vers 1840. Mais il faut noter que dans le canevas en prose, l'interlocuteur n'a pas de personnalité. Au contraire dans le poème, les propos d'Hermann, ses questions pressantes, tel vocatif (v. 10) sont bien dans la manière de Leroux.
Comme pour IV, XII, il faut à la fois observer que remonter à 1840 ne nous éloigne pas de Leroux, au contraire; mais que le rôle attribué au philosophe de l'Humanité est étonnant. Du reste, celui-ci ne manque pas de souligner la chose dans *la Grève de Samarez* (II, 135) : « Ce qui est curieux, c'est le rôle que tu m'assignes et celui que tu te donnes. Toi, tu es le novateur; moi, je suis l'homme arriéré. » Et sans doute était-ce là l'arrière-pensée du poète.
En comparant le poème à l'ébauche, on s'aperçoit aisément que Hugo a supprimé la réponse abstraite, se contentant de montrer l'astre d'or.
J.-B. Barrère (*Fantaisie,* III, 232-235) rassemble une série de variations sur le thème « cathédrales de fleurs », où le thème de la nature-église est développé surtout sur un ton humoristique (voir, dans *C. R. B., l'Église* et *la Sainte Chapelle*). Dans ce dernier poème, on lit :

Là resplendit l'eucharistie
Qu'on appelle aussi le soleil.

Pourquoi, ici, la lune plutôt que le soleil (Barbey ne manque pas de se le demander) pour illustrer la messe de la nature? Mais la lune est blanche comme l'hostie, et l'élévation de la lune illumine la terre obscurcie.
Vers 1856, ce poème fit scandale. Pontmartin, Caro, Barbey, Veuillot se voilent la face devant cette « impiété horrible ». Pour Barbey, « cette pièce (l'une des mieux fabriquées) est d'un grotesque involontaire et d'une fausseté d'images qui montrent que l'imagination de M. Hugo est aussi corrompue et perdue que sa conscience de chrétien ».

P. 406. VI, XXI. SPES

1. *Dates :* ms. 17 janvier 1855.
vol. janvier 1856.

Au début de l'année 1855, Hugo avait écrit à Mme de Girardin : « Je ne suis pas pressé, moi, car je suis beaucoup plus occupé du lendemain que de l'aujourd'hui; ce lendemain devra être formidable, destructeur, réparateur et toujours juste. C'est là l'idéal. Y atteindra-t-on? Ce que Dieu fait est bien fait; mais quand il travaille à travers l'homme, l'outil va quelquefois à la diable et fait des siennes malgré l'ouvrier. Espérons pourtant et préparons-nous... »

La date fictive, qui est la même que pour *les Mages,* fait de ce poème le dernier mot des *Contemplations.* Ce mot, qui fournit son titre au poème, est un acte d'espérance.

Le poème rappelle XVIII et surtout XIX. A *tout est sépulcre, tout est brume* correspond *tout est ombre.* Le poète réagit contre cette vision pessimiste comme dans XIX. Son espoir ne se traduit pas cependant par un *mais.* Ici le passage de la nuit à l'aube nouvelle se fait par une gradation insensible. En outre, le salut apparaît, non pas gagné, mais donné, et le mérite du voyant est de savoir interpréter un signe peu lisible.

2. Vers 1-10 : Hugo fait entendre ici des accents qui représentent le dernier degré du désespoir : il y a un abîme où Jéhovah *n'est pas.* Dans *Dieu,* II, VII, où il exprime son point de vue normal, il déclare :

Dieu n'est pas moins en bas qu'en haut.

3. Cf. dans *la Fin de Satan :*

La mouche humaine allant heurter aux cieux son aile.

Ici, le rejet donne à l'expression *se casser l'aile,* une étonnante vigueur. Ce plafond où se casse l'aile est très mallarméen.

4. Vers obscur : étant donné le contexte, comprendre que la prière redescend parce qu'elle n'a pu pénétrer jusqu'à Dieu.
5. Dans *les Mages,* v. 456-457, c'est le rocher qui dit *mort,* le cromlech qui dit *nuit.*
6. Sur le *registre feuilleté,* voir V, XXV, 31.
7. Image de cauchemar où s'ébauche la métamorphose du Satyre, inspirée, selon V., du rêve de Pythagore décrit par Delisle de Sales dans *Philosophie de la Nature.*
8. Marquer la césure après *plus,* comme en V, XII, 6.
9. Il n'y a pas simplement opposition en noir et blanc. Hugo colore la gravure d'une tache rouge.
10. Admirable évocation du poète en un distique harmonieux.
11. Allusion au coq de l'évangile.
12. Cf. *Dieu,* II, V : O passant de la nuit, marcheur des noirs sentiers.
13. *Blême :* si les mages redescendant des hauteurs ont des rayons

dans les cheveux, le voyant ici n'a d'autre signe que sa pâleur même, cette pâleur romantique qui est commune au Josué de Vigny et au pâle Vasco de Mallarmé.

14. Il fait plus qu'annoncer l'aube nouvelle. Un comparatif, selon la tournure qui lui est chère, définit un ordre de grandeur.
Un poème des *4 V.*, *En marchant le matin* (III, XVII), et *Lueur à l'horizon* (III, XXII), qui sont des variations sur le symbolisme de l'aube, n'expriment pas un espoir aussi net.

P. 407. VI, XXII. CE QUE C'EST QUE LA MORT

1. *Dates :* ms. 8 décembre 1854.
vol. Au dolmen de la tour Blanche, jour des Morts, novembre 1854.
Ce poème fait partie d'une série de méditations sur la mort écrits du 6 au 29 décembre 1854. L'optimisme absolu qui s'y exprime, à la différence d'autres poèmes, où Hugo, qui n'a pas la conscience tranquille, redoute d'être puni, explique sa place à la fin du recueil.
L'affirmation fondamentale que la mort est la véritable naissance est un lieu commun. V. remarque naturellement que dans cette pièce « Hugo a des vues sur l'orgueil humain que pourrait lui envier un moraliste chrétien ».
L'expression mérite davantage de retenir l'attention : l'indéfini *on* comme l'indique les vers 2 et 3, est une façon de parler, à la fois, à la première personne du singulier et à la deuxième du pluriel, mais avec une autre valeur que le *nous*.
2. *Le bas :* la vie, surtout la vie facile, est une descente.
3. Pour Vigny, poète de *la Flûte,* cette égalité n'est pas *sombre,* mais sainte.
4. Petit mythe cosmogonique : l'humanité naît d'une larme, comme Éloa d'une larme du Christ. Mais d'une larme de qui? de Dieu, selon V. Le contexte, qui nous présente l'homme condamné au mal et à la mort, inviterait plutôt à considérer Adam comme ce père. Ce point de vue est confirmé par le passage du *Livre de la Sagesse,* que Hugo paraphrasait vers 1846 (*Autour des Contemplations,* p. 149).
VII, 1 : Je suis moi-même un homme mortel semblable à tous les autres sorti de la race de celui qui le premier fut formé de terre...
3 : Je me suis fait entendre d'abord *en pleurant* comme tous les autres.
5. Vers 11-18 : passage remarquable par ses coupes expressives.
6. Accumulation de verbes en un seul vers. Cf. VI, XVII, 25.
7. *Quelqu'un :* Hugo se plaît à désigner Dieu par ce mot vague. Cet indéfini n'est pas un signe de peu de foi, mais à la fois une façon de suggérer le mystère de l'Être et l'expression naturelle du gnosticisme du poète. Cf. encore *Melancholia,* v. 176, *Ce que dit la Bouche d'Ombre,* v. 42.
8. Effet analogue dans le poème liminaire, v. 7-8.

9. Dans *Magnitudo parvi,* v. 78, Hugo, qui employait le verbe *fondre,* comparait l'homme, non pas à un glaçon, mais à une cire.

10. La mort n'est pas seulement résurrection, elle est métamorphose et réintégration. Le monstre que nous sommes en vertu de la chute redevient l'ange originel.
La métamorphose, par une sorte de litote, est présentée comme une défaite : c'est ici le combat du jour et de la nuit. — Renouvier jugeait cette pièce sublime.
Hugo n'avait pas achevé sa pièce sur cette métamorphose, puisque le poète compta 28 et même 32 vers.
Le développement, après le vers 24, était relancé par un *oui :*

> Oui, mourir, c'est jaillir hors du néant. Dieu bon
> Refait le diamant avec le noir charbon :
> Dieu, dans son mortier sombre où tout coule et ruisselle
> Pile l'ombre et la nuit; et l'astre est l'étincelle.

Puis au lieu des deux vers 27-28, il avait noté les six vers :

> Tout sous sa main rayonne, éclaire, luit, s'allume,
> Dieu, le grand forgeron sur l'éternelle enclume
> Faite avec cet airain que nous nommons l'azur
> Bat de son lourd marteau l'ombre, l'abîme obscur,
> L'homme sinistre et noir, la brume universelle,
> Les ténèbres, la nuit : et l'astre est l'étincelle.

Hugo a fini avec raison (le Dieu-forgeron ne valant pas mieux que le Dieu-chimiste, puisqu'il fallait insister sur la transformation de l'homme) par tout rayer.

P. 408. VI, XXIII. LES MAGES

1. *Dates :* ms. 24 avril 1855.
vol. janvier 1856.

Hugo a donné à sa grande ode la même date fictive qu'à *Spes,* et cette date est la plus récente de toutes : 1856. Par là, il veut signifier et que le monosyllabe latin est son dernier mot et que sa quête s'achève par une sorte d'appel des poètes-pontifes, des génies recteurs de l'humanité, au nombre desquels il se range. Cet exemple prouve de la façon la plus nette que la date fictive et la place du poème dans le recueil ne concordent pas et qu'il y a donc deux ordres de classement.
Les Mages servent de pendant à *Magnitudo parvi.* Comme à la crèche au pied de l'Enfant-Dieu, aux bergers succèdent les rois mages. Hugo s'opposait au pâtre, qui alliait à la voyance la sainte ignorance. Il s'identifie au contraire au prêtre-roi qui voit, qui sait et qui peut. Cependant, pas plus que dans *W. S.,* il ne figure effecti-

vement dans la liste des génies : avec une modestie manifeste, il oppose au *ils* désignant les *mages* un *nous* désignant les hommes ordinaires.

Le manuscrit de la grande ode a été étudié avec une minutie parfaite par J. Seebacher dans un article : *Sens et Structure des Mages* (*Revue des sciences humaines,* 1963, pp. 347-370) : le lecteur doit se reporter à cette analyse non seulement pour connaître le détail d'une genèse fort compliquée, mais encore pour préciser le sens complexe du poème. On trouve également de précieuses remarques dans un article de Jacoubet : *Sur quelques passages des Mages, R. H. L. F.,* 1936, pp. 291-299.

De l'exposé subtil de J. Seebacher, nous dégagerons les conclusions suivantes : à la fin du ms., Hugo, selon son habitude, a indiqué le total des vers du poème : on trouve cinq chiffres différents : 500, 520, 760, 700, 710.

Au cours de sa genèse, la grande ode fut considérée comme achevée sous une forme plus courte, puis plus longue que l'état définitif. Le poème est passé, en effet, de sept parties à treize, puis à douze, puis à onze.

Sous sa forme la plus brève en sept parties, il comprenait une partie centrale, flanquée de part et d'autre de trois développements. La partie centrale groupait les strophes 34-36, 42-44, 50-51. C'était bien là le cœur du poème, la réponse à la vaste question posée aux strophes 31, 32, 33. En outre, la première partie, qui, dans la version définitive comprend à elle seule 23 strophes sur 71 dizains, se présentait aussi sous une forme plus brève : 15 strophes, et l'actuelle partie X ne comptait que 8 strophes au lieu de 10. Autrement dit, la liste des Mages était plus courte.

Dans une seconde phase, la partie centrale fut disloquée pour introduire trois additions de 5 strophes chacune : de ces additions, la seconde n'est autre que la partie V actuelle, l'épisode de la plume; la troisième n'est autre que la partie VII actuelle, l'épisode des trois phrases. Mais la première pose un problème, puisqu'elle a disparu; c'est elle qui fit passer provisoirement le poème à 760 vers. J. Seebacher a le mérite de l'avoir identifiée : les 5 strophes supprimées sont les strophes 1-2, 5-7, de *Umbra* dans *Toute la lyre* (III, XLV). En même temps le poète ne cessait d'augmenter les actuelles parties I et X. A la suite des interpolations le nombre des parties était passé à 13 et la strophe 36 formait à elle seule une partie.

Dans une dernière phase, 1° Hugo supprime les 5 strophes d'*Umbra;* 2° rattache la strophe 36 aux strophes 34-35 pour former la partie IV; 3° désormais la partie centrale VI est encadrée par l'épisode de la plume (V) et celui des trois phrases (VII).

Structure. La grande ode comme une symphonie se subdivise aisément en quatre mouvements :

1° la nomenclature des mages : I-II,
2° les mages et Dieu : II-VIII,

3° les mages et le Progrès : IX-X,
4° coda lyrique : XI.

Peut-on essayer de pousser plus loin l'analyse de la structure? M. Breunig a démontré brillamment que la *Chanson du Mal-Aimé* d'Apollinaire s'ordonnait autour de sa partie centrale.

La structure de la grande ode pourrait être schématisée de même :

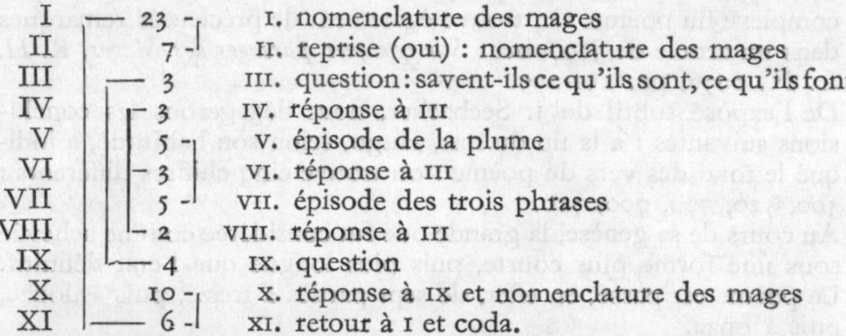

I 23 I. nomenclature des mages
II 7 II. reprise (oui) : nomenclature des mages
III 3 III. question : savent-ils ce qu'ils sont, ce qu'ils font?
IV 3 IV. réponse à III
V 5 V. épisode de la plume
VI 3 VI. réponse à III
VII 5 VII. épisode des trois phrases
VIII 2 VIII. réponse à III
IX 4 IX. question
X 10 X. réponse à IX et nomenclature des mages
XI 6 XI. retour à I et coda.

Il est difficile de parler comme le font J.-R. « d'ensemble chaotique ». Hugo a de la fonction du poète une idée précise, si complexe soit-elle, et il l'expose, en dépit du beau désordre de règle dans la grande ode, avec une rigueur remarquable que fera ressortir le commentaire de détail.

Motifs. V. multiplie les rapprochements pour montrer que les idées directrices de l'ode étaient autant de poncifs : les hommes de génie et surtout les poètes ont une mission sacrée, ils sont choisis et inspirés par Dieu (de Chateaubriand à Lamartine en passant par Sainte-Beuve et Balzac, quel romantique n'a pas célébré les chanteurs de race divine?). Il est préférable de souligner que l'idée que le poète est le véritable prêtre a été favorisée par le mysticisme anticlérical du XVIIIe siècle (c'est une opinion chère à Saint-Martin, et c'est de celui-ci sans doute que la tient Lamartine); et surtout que la présence des savants à côté des artistes révèle une influence saint-simonienne.

Il n'est pas moins aisé de prouver que ces motifs avaient déjà été développés par Hugo en vers et en prose. En particulier le dizain d'octosyllabes est la grande strophe lyrique déjà utilisée par lui dans le poème des R. O. : *Fonction du poète*. Le parallèle s'impose, mais il aboutit à marquer la différence entre l'ode classique d'avant l'exil et notre grande ode. Il ne s'agit pas du reste exclusivement de « forcénement lyrique ». Avant l'exil, Hugo ne faisait pas figure de poète « engagé ». Il affectait plutôt, une fois sa carrière assurée, de se tenir au-dessus de la mêlée. C'est pourquoi avant 1845-1850, il s'est vu reprocher — et par Leroux, en particulier — d'être trop indifférent à la mission *sociale* du poète. En même temps qu'il le confirmait dans cette vocation, l'exil exaltait son mysticisme. D'où ces notes révélatrices recueillies dans *Océan* (où s'esquisse de surcroît une hiérarchie des mages) : « Penser, c'est prier. Voir, c'est prier. Il y a deux prêtres : le penseur et le voyant. Le voyant est celui qui entre en communication par les organes avec la nature secrète et supérieure et à qui le mystère se révèle par la matière. Le penseur est celui qui entre en communication avec la nature secrète et supérieure par l'inspiration et à qui le mystère se révèle par l'esprit. Mesmer est un voyant. Galilée est un penseur. Tous deux sont prêtres. Il y a eu des hommes comme Orphée et Moïse, en qui le penseur était doublé du voyant. Ceux-là sont des pontifes. On naît prêtre. (...) En d'autres termes, le prêtre est sacré par Dieu directement, en dehors de l'homme. »

Le *Journal d'Adèle* en avril 1854 enregistre cet aveu étonnant : « Après avoir traversé tout ce qu'on est convenu d'appeler les grandeurs humaines (...) je vis dans l'exil; là, je perds le caractère de l'homme pour prendre celui de l'Apôtre et du Prêtre. Je suis Prêtre. »

Ainsi le recensement des génies et la recherche de Dieu ne sont que deux aspects de la même quête.

Nomenclature des mages. Bien que Hugo se soit plu à fragmenter l'énumération des mages et surtout à mélanger les disciplines, les époques et les contrées (voir en particulier les vers 235-240), il n'est pas sans intérêt de dresser la liste des mages : le lecteur saisit mieux de la sorte quelle catégorie de grands hommes Hugo exalte, et à quelle catégorie vont ses préférences (entre parenthèses, les noms supplémentaires fournis par les variantes ou désignés par les périphrases).

I. ANTIQUITÉ : A. *Ancien et Nouveau Testament :* Adam, Moïse, Élie, Job, David, Salomon, Isaïe, Jérémie, Baruch, Ézéchiel, Daniel, Amos, Jésus, Jean, Paul, Jérôme.

B. *Grèce :* Orphée, Homère, Hésiode, Ésope, Archiloque, Tyrtée, Solon, Pindare, Eschyle, Aristophane, Démocrite, Socrate, Platon, Épicure, Anacréon, Bion, Moschus (Linus, Terpandre), Phidias, Lysippe (Mnésiclès, Apollonius de Tyane), Archimède, Euclide, Pythagore, Thalès.

C. *Rome :* Plaute, Térence, Lucrèce, Caton, Catulle, Virgile, Horace, Perse, Juvénal, Tacite.

D. *Perse :* Zoroastre, Manès.

II. TEMPS MODERNES : A. *Poètes, écrivains, penseurs, juristes :* Rabelais, Scarron, Molière; Dante, Arioste; Shakespeare, Milton; Cervantes; Camoëns; Voltaire, Rousseau, Beccaria.

B. *Artistes (peintres, sculpteurs, architecte, musiciens) :* Raphaël, Michel-Ange, Bramante, Piranèse, Primatice; Rembrandt; Pergolèse, Mozart, Gluck, Beethoven.

C. *Savants :* Copernic, Newton, Herschell, Franklin, Fulton, Volta (Jackson).

D. *Explorateurs :* Colomb, Vasco de Gama.

Cette liste appelle quelques remarques élémentaires : en dépit de la croyance au progrès, la balance penche en faveur des temps antiques; la supériorité de la civilisation grecque est évidente; en dépit du syncrétisme religieux, la tradition judéo-chrétienne l'emporte.
Dans les temps modernes, la France n'occupe qu'une place modeste : aucun artiste, aucun savant. Et pourquoi Scarron alors que Ronsard ou Corneille ou Diderot ne sont pas nommés?
Les artistes eux-mêmes sont réduits à la portion congrue, et le goût de Hugo peut surprendre (que l'on compare son choix à celui de Baudelaire dans *les Phares*).
Le manuscrit prouve que les additions postérieures ont profité aux savants (strophe 8) et aux représentants du Nouveau Testament (strophes 11-12).
Les conquérants brillent par leur absence, alors que, dans *Abîme,* l'Esprit humain déclarait :

Je m'appelle Shakspeare, Annibal, César, Dante.

Autres absences remarquables : la borne Aristote et Gœthe : pour ce dernier, voir dans *les Misérables* (éd. Garnier, II, 465) la condamnation des « magnifiques égoïstes de l'infini » : à Gœthe, Hugo joint Horace (mais sa présence est indispensable dans *les Contemplations*) et La Fontaine « peut-être ». « Il faut les admirer et les plaindre », déclare-t-il.
Section I : vers 1-230.

2. La question *ex abrupto* trouve sa réponse au vers 11; celle-ci est variée au cours du premier développement, reprise au début du second par un *oui* (v. 231) et enfin reprise au début du dizième (v. 651) :

Oh! Vous êtes les seuls pontifes

où l'idée est renforcée.

3. *Sombre* et *doux :* alliance des mots. Comme dans *Bénédiction* de Baudelaire les élus sont maudits et bénis à la fois.
Doux appliqué aux poètes sacrés a une saveur évangélique (« Je suis doux et humble de cœur »). Dans *la Chute d'un ange* (VIII, *Vision*), le passage qui a pu inspirer Hugo commence précisément par :

Il est parmi les fils les plus *doux* de la femme,
Des hommes...

Dans *Fonction du poète* (v. 284), Hugo écrivait :

Homme, il est *doux* comme une femme,

et dans une autre pièce des *R. O.* (XXXII), le poète est défini :

Cet homme pensif, mystérieux et *doux*.

Shakespeare avait défini dans la table les

Esprits religieux si puissants et si doux

4. Hugo a tenu à ajouter l'adjectif *effrayant*. Il avait d'abord écrit :

Dans l'ombre son doigt invisible,

puis : son immense doigt...
Dieu entre en scène dès la première strophe, défini par les deux caractères essentiels que Hugo lui attribue : *effrayant* (cf. VI, IX) et *invisible* (cf. VI, VII).
5. Comme le poète est le seul prêtre, la terre devient la véritable Bible (cf. III, VIII), mais d'autre part cette Bible est écrite par Dieu sous le crâne des poètes (cf. III, XXVIII, 9-10).
6. Première rédaction :

Les mages de l'onde et du vent.

Monte et descend : faut-il attribuer un sens symbolique à ce mouvement? Selon I, V, le poète est à la fois sublime et familier, mais peut-être n'est-ce là qu'une traduction plastique du mot *inquiètes* au vers suivant, ou plutôt le rapprochement avec les vers 19-20 : *Entre, sort* suggère un va-et-vient, et plus précisément un rythme centripète et centrifuge (cf. le vers 18, *se concentre*). Autre interprétation (cf. Bossuet, *Oraison funèbre du P. Bourgoing*) : « Prêtres qui êtes les anges du Dieu des armées, vous devez sans cesse monter et descendre, comme les anges que vit Jacob dans cette échelle mystique (...) montez donc et descendez sans cesse, c'est-à-dire priez et prêchez : parlez à Dieu, parlez aux hommes... »
7. *Virgiles :* Hugo hésitant sur les noms propres écrit : *Moïses, Pindares, Virgiles.*
8. Première rédaction : inversion de *yeux* et de *fronts.*
9. Vers 21-40 : *ad. marg.*
10. *Horebs* montagne d'Arabie, la montagne de Dieu où celui-ci se manifeste à Moïse (*Exode,* III) et à Élie (*Rois,* I, XIX). Le *Thabor* est la montagne de la Transfiguration.
11. Le vent est avec le poète et Dieu le principal élément du poème, et la contemplation des nuages amène le mage à découvrir que « ce vent constructif est celui de l'esprit ».
12. Vers 31-34 : l'*ad. marg.* ajoute après coup artistes et savants.
13. Première rédaction : les *philosophes.* L'énumération était par trop prosaïque, *chercheurs* avait alors une inflexion péjorative.
14. Vers 35-40 : « Il appartient à la manière de Hugo d'imaginer la

figure concrète d'une notion qui répugne à toute représentation. » (J.-R.)

15. Pour éclairer ce vers, plutôt que d'y voir « une vraie pensée pythagoricienne », il vaut mieux lire dans *W. S.* (I, III, II) le développement : « Le profond mot Nombre est à la base de la poésie de l'homme; il est, pour notre intelligence, élément; il signifie harmonie aussi bien que mathématiques. »

16. Se rattache à la seconde strophe : après *bouches, yeux, fronts, têtes.*

17. Première rédaction :

Qui vient de Dieu, que l'ombre amène.

18. Première rédaction : au lieu de *rochers,* Hugo avait hésité entre deux noms propres : *Nérons, Césars.* Il a dû éliminer de son texte tout nom de tyran.

19. La mer rend hommage au poète comme l'Océan monstrueux à Europe.

20. Cette image souligne l'union de la poésie et de la religion comme est soulignée, au vers 624, l'union de l'art et de la science.

21. Vers 52-55 : hésitation sur les noms propres, première rédaction :

Job voit Dieu dans l'ombre et de près,

et vers 55 :

Orphée, immense créature.

22. L'image d'Hésiode quoique inspirée de la *Théogonie* ne laisse pas de surprendre. Dans *W. S.* c'est Ézéchiel qui sera « le devin fauve ».

23. Dans le poème célèbre de Vigny, Moïse « étend sa grande main ».

24. *Manès* est le fondateur du manichéisme. S'il est écouté des astres, c'est qu'il a été influencé par la religion des mages, observateurs des astres. Hugo fait à tort du manichéisme un dualisme absolu : c'est sans doute à Bayle qu'il faut attribuer cette interprétation erronée.

25. Remarquable combinaison d'allitérations et de rimes intérieures.

26. Allusion à saint Jean, l'auteur de l'*Apocalypse* et à Apollonius de Thyane, tous deux victimes de la tyrannie de Domitien. Voir, dans *Années funestes,* le poème V, *Écrit sur un exemplaire de la vie d'Apollonius de Tyane.* Plus encore que le thaumaturge, c'est le mage invitant Stephanus à frapper le tyran qui séduit Hugo.

27. Les chênes sacrés de Dodone faisaient connaître la pensée de Jupiter.

28. Palais de Charles Ier, puis de Cromwell dont Milton était le secrétaire.

29. Hugo pense à la clarté d'une lampe aperçue derrière une vitre.

30. Vers 71-80 : *ad. marg.* qui augmente le nombre des savants.

31. *Archimède* découvrit les propriétés de la spirale : l'image sous-

jacente est celle de l'escalier en spirale s'enfonçant dans l'abîme (cf. *Horror,* v. 14).

Son sommet : cf. I, IX, 16 : seul sur son noir sommet.

32. *Puits de l'abîme :* expression empruntée à l'*Apocalypse,* IX, 1.

33. *Copernic* découvrit le double mouvement des planètes.

34. V. a tort de critiquer cette étonnante vision, qui permet de traduire poétiquement le système héliocentrique de l'illustre astronome.

35. Ces deux noms continuent la liste des vers 66-70.

36. *Fulgores :* insectes de l'Amérique tropicale. Un renflement de leur tête brille dans l'obscurité. La comparaison illustre, non ce qui précède, mais ce qui suit : d'où au vers 87 : dont *l'œil luit.*

37. Dans *les Nuées, Aristophane* se moque de Socrate.

38. Le *De natura rerum* devient un monstre qui unit les contraires, le mal, le bien, *la griffe, l'aile,* le jour, la nuit.

Dans *W. S.,* Hugo écrit : « Dans Lucrèce, Pan apparaît » (à rapprocher du vers 26); et plus loin, après avoir fait de lui un grand initié : « Tour à tour attiré par ces deux précipices, religieux quand il contemple l'énigme, sceptique quand il aperçoit le vide; de là ses deux aspects, également profonds, soit qu'il nie, soit qu'il affirme. »

39. Vers 91-100 : *ad. marg.*

40. *Thébaïdes :* région de la haute Égypte dont la partie désertique fut « peuplée d'anachorètes ».

41. Ces ermites sont *blêmes,* comme, au vers 23, ceux qui se penchent sur le précipice, et le désert est *sombre* pour faire ressortir cette pâleur.

Décombres : s'agit-il des monuments égyptiens ou des antres rocheux qui les abritent?

42. La légende d'Orphée se mêle à l'évocation de la vie érémitique, mais *saint Jérôme* est représenté avec un lion pour compagnon.

43. Vers 101-120 : autre *ad. marg.* sans doute postérieure à la précédente.

44. Le rédacteur de *la Vulgate* se retira dans le désert de Chalcis pour faire pénitence : saint Jérôme dans le désert a été un sujet favori des peintres.

45. *Élie* quand il était sur la montagne d'Horeb reçut d'un ange du pain et de l'eau (*Rois,* III, XIX, 6); mais dans la Bible, l'ange n'est pas *épouvanté.*

46. *Amos :* les cinq grands prophètes figurent dans la liste des mages; les douze petits prophètes sont représentés par le seul Amos, pour qui Hugo avait une vénération particulière. « Aussi grand qu'Homère », note-t-il après l'avoir lu. Ce berger prophète prête au Seigneur des vengeances terribles et des malédictions contre les riches et les voluptueux : « La trompette sonnera-t-elle dans la ville sans que le peuple soit dans l'épouvante! »

Des *R. O.* (XLII) aux *4 V. (Horreur sacrée), Amos* occupe une place privilégiée dans la poésie hugolienne.

Dans *W. S.*, c'est à propos de saint Paul que Hugo parle de « la demi-possession de la mort ».

47. Vers 111-120 : voir, dans *W. S.* encore, *les Génies,* X. Saint Paul représente la conversion : il est le « vaincu de la lumière ». L'iconographie dote l'apôtre de l'épée qui fut l'instrument de son supplice. Cette épée, Hugo l'en arme : « Paul, après sa chute auguste, s'est redressé armé, contre les vieilles erreurs, de ce glaive fulgurant, le christianisme. » Saint Paul fit en effet la guerre aux idoles (*Actes des Apôtres,* XIX).

48. Hugo a hésité sur les noms des déesses. Première rédaction : *Hécate, Vénus.* — *Louves* a le sens latin de *prostituées.*

49. Pour les besoins de la cause, Hugo oublie au vers 118 que l'auteur de l'*Épître aux Corinthiens* paraphrasée par Racine est l'apôtre de la Charité. Voir *Ce que dit la Bouche d'Ombre,* note 156.

50. Première rédaction : *Linus* au lieu d'*Orphée.* Linus est également un poète légendaire de Thrace.

51. *Monstrueuse :* la peinture sinistre qui suit veut évoquer le chaos qu'Orphée domptera. Comme dans *la Fin de Satan,* Orphée est lié à l'évocation d'une gigantomachie.

52. *Baruch,* prophète qui annonça aux Hébreux captifs à Babylone la délivrance. En V, 5, on lit : « Levez-vous, ô Jérusalem! Tenez-vous en haut, regardez vers l'orient. »

53. *Se hausse :* cf. Archimède *sur son sommet.*
Pélion : il n'y a pas sans doute allusion aux géants entassant Pélion sur Ossa pour escalader le ciel. Le Pélion est en Thessalie d'où Pindare était originaire.

54. L'épisode de Daniel dans la fosse aux lions, pendant biblique à celui d'Androclès, a frappé l'imagination de Hugo. Voir, dans *L. S., les Lions.*
Fait sortir Dieu des lions : tournure à rapprocher du vers 421 : *ils tirent de la créature Dieu,* et d'une première rédaction de la strophe 52 : *et le peuple sort des pavés;* c'est toujours la même image de naissance par extraction.

55. Vers 145-150 : *ad. marg.* Selon J. Seebacher, cette *ad.* aurait été suggérée par les vers 194-200 où l'image de la sculpture est principale. D'où *sculpte* en parlant de Tacite.

56. Trois satiriques : latin, grec, hébreu; le mot *crime* rappelant le titre *Histoire d'un crime* invite à ajouter Hugo à la liste.

57. Vers 151 et *sqq. :* ces deux strophes sur les *prêtres du rire* et de *l'amour* ont été écrites dès le début de la rédaction. Selon J. Seebacher, « elles introduisent dans la gravité de cette première partie une dissonance certaine. (Hugo) ne s'est pas décidé à les sacrifier et, pour les maintenir, a été conduit à les intégrer dans une série de strophes qui passent en revue les grandes catégories de mages, protestataires, vengeurs, sculpteurs, écrivains ».
Le prêtre du rire (variation romantique sur le thème du clown triste) enseigne l'espérance tout en étant lui-même désespéré. *Scarron* est rapproché d'Ésope en V, XXVI, 329-330.

Ésope, esclave de Xanthus, fut condamné à recevoir les étrivières (voir l'anecdote racontée par La Fontaine).

Cervantes, fait prisonnier après Lépante, resta cinq ans aux fers.

58. *Rabelais* est placé entre *Démocrite,* philosophe grec, et *Térence,* auteur comique latin. Démocrite, matérialiste précurseur d'Épicure, est le type même de l'optimiste : un tableau de Rubens représente Démocrite riant. Faut-il comprendre en outre que Rabelais tient à la fois du philosophe matérialiste et du comique latin?

Cette interprétation romantique de Rabelais est devenue célèbre. Voir dans *W. S.* le développement sur Rabelais dans *les Génies :* il y est rapproché de Dante comme dans I, v. L'idée du vers 158, assez énigmatique, n'y sera pas reprise. *Nous rêvons ce qu'Adam rêva,* écrivait Hugo en VI, XVI, 135 : Adam représente donc l'homme toujours pareil à lui-même, c'est-à-dire aussi malheureux qu'au premier jour.

Comme une mère, Rabelais le berce pour lui faire oublier la douleur. Dans *Umbra* de *T. L.* (v. 441-450), c'est une tout autre conception de Rabelais qui est présentée : railleur de l'horizon humain.

59. « Hugo songe à la parenté de la comédie avec le drame satyrique. » (V.) Non, dans le *Mercator,* de Plaute, Dimiphon, qui rêve, croit voir sa femme et sa jeune esclave transformées en chèvres.

60. *Médor,* personnage du *Roland furieux* de l'Arioste.

61. Voir, dans *Châtiments, le Manteau impérial :* Les abeilles volent sur les lèvres de Platon.

62. *Anacréon,* le poète, et *Épicure,* le philosophe, sont des Gémeaux comme Castor et Pollux, les Dioscures, puisqu'ils chantent la joie.

63. *Bion* naquit à Smyrne et vécut en Sicile; *Moschus* était originaire de Syracuse, d'où allusion à *l'Etna.*

64. Allusion au combat de Jacob avec l'ange, la scène biblique qui a hanté l'imagination romantique et que Delacroix a illustrée. Pour Hugo, le musicien de génie ne connaît pas les affres métaphysiques du penseur, en vertu d'une sorte de grâce, que le sourire de Mozart reflète.

Le *Stabat* de *Pergolèse* a été admiré par les romantiques : peut-être est-il à l'origine de la scène des *Malheureux* (v. 153 et *sqq.*).

65. *Piranèse* (1720-1778), graveur italien qui s'est plu surtout à représenter des architectures fantastiques. Hugo dessinateur se sentait des affinités pour ce « maçon d'apocalypses ». Cf. dans R. *O.,* XIII :

Effrayantes Babels que rêvait Piranèse.

66. *Bramante* est l'architecte qui dessina les plans primitifs de la basilique de Saint-Pierre de Rome. C'est cette basilique que Hugo désigne sous le nom de *la Vaticane.*

67. Il ne s'agit pas d'une allusion à une œuvre précise. A la façon de Baudelaire dans *les Phares,* Hugo évoque le style de *Michel-Ange* par un motif plastique et fantastique : ce génie éminemment triste fait de l'Enfant Jésus dans sa crèche un spectre dans son linceul. Dans une lettre à Vasari qui le félicitait de la naissance d'un neveu, Michel-Ange écrivait : « Il faut attendre la mort et ne pas rire à la

naissance, réserver l'allégresse pour la mort de celui qui a bien vécu. »

68. La *bible* du vers 9 suscite ici *chapitre, verset, psaume, strophe.*

69. Première rédaction : Du grand Talmud (recueil des traditions rabbiniques).

70. Hugo formule l'idée du Livre idéal auquel collaborent tous ceux qui écrivent.

71. *Lysippe* était né à Sycione, dans la région du Péloponnèse où se trouve le mont *Ithome.*

72. *Ardente paupière :* trouvaille admirable pour traduire la vision de Rembrandt, génie du clair-obscur.

73. *Le Primatice,* comme Michel-Ange, fut à la fois peintre, sculpteur et architecte. Italien, il vécut en France et fut le maître de l'école de Fontainebleau.

74. La strophe qui veut suggérer la correspondance des arts finit sur un effet hétérogène et étonnant : *Job,* que Hugo considère comme un poète de génie (voir *W. S.*), fait de son *fumier* emblématique sa poésie. *Dante* écrit en vers d'airain.

75. Vers 201 et *sqq. :* ces œuvres, qui toutes chantent l'*Être,* sont symbolisées par le *griffon,* l'animal fabuleux qui tient à la fois du lion, de l'aigle, du cheval, du poisson. Idée essentielle : les mages représentent des tendances contradictoires et complémentaires (d'où les antithèses : l'appel d'en bas, la voix des cimes).
Il y a les croyants et les inquiets, les génies clairs et les génies sombres, les instinctifs et les volontaires. Mais tous traduisent l'inquiétude humaine et l'apaisent.

76. L'homme, *lambeau* de l'Être, éprouve un frisson sacré devant le mystère.

77. *Ouverture :* la révélation du secret du tombeau.

78. Vers 211 et *sqq. :* image pascalienne; cet être éphémère a conscience de sa petitesse et de sa misère en face de l'infini.

79. Vers 215 et *sqq. :* le doute est une sorte de cécité spirituelle. Ailleurs, Hugo préfère opposer à l'homme aveugle la *bête* qui voit.

80. L'expression familière : avoir une araignée dans le plafond, est-elle à l'origine de ces vers? Ni Hugo ni Claudel ne répugnent à ces jeux de mots. — Jacoubet rappelle que le philosophe agnostique Ariston de Chio comparait les syllogismes aux toiles d'araignées (cf. Cicéron, *De Finibus*).

81. Le mouvement s'achève comme à l'accoutumée sur une gerbe d'antithèses.
Pleurent du vers 221 suscite *rendent... humides,* qui signifie : tirent des larmes des yeux de l'astre et du monstre. Ici aussi la leçon est contradictoire en même temps que complémentaire : l'astre a la révélation de sa mort future; le monstre de sa splendeur passée.
Section II : vers 231-300.

82. Les *oui* sont comme les barres de reprise en musique, mais Hugo en profite pour ajouter de nouveaux noms.

83. Il ne s'agit pas de *Caton* l'Ancien, flétri dans V, XI, 15, mais de Caton d'Utique, célébré en V, XI, 83-85.

84. *Juvénal* passe pour avoir été exilé. Mais Hugo pense surtout à la *Satire III* et à Umbricius quittant Rome : d'où le bâton du voyageur.
85. *Tyrtée,* pendant la guerre de Messénie, entraîna les Spartiates par ses chants. *Solon,* l'un des Sept Sages, donna à Athènes sa constitution.
86. Hésitation sur les noms propres : *Virgiles, Terpandres* avant les *Platons.* Le nom de Raphaël surprend assurément à cette place.
87. Évocation de la « messe de minuit » : autre façon d'exprimer l'idée des vers 1-2.
88. Vers 241 et *sqq. :* la périphrase désigne les mages; les lois, ne leur apparaissant que sous des formes vagues, deviennent des *larves* et des *spectres.*
89. Vers 245 et *sqq. :* si Hugo use volontiers des images architecturales, ici il assimile d'une façon saisissante les monuments et les esprits des penseurs de la Grèce, de l'Égypte, de la Chaldée et de l'Inde.
90. Vers 251-270 : ces deux strophes étaient considérées par Brunetière, étudiant l'évolution de la poésie lyrique, comme les plus caractéristiques du lyrisme de Hugo après l'exil.
Le critique ne pouvait s'empêcher de choisir deux strophes, remarquables certes, mais de ton oratoire et de facture classique.
Caystre : cf. II, VI, 6. Souvenir de Virgile ainsi que l'image de la pluie tordue (*Énéide,* VIII, 429).
Animation prodigieuse de la nature en des scènes d'orage que conclut l'apparition de l'aube.
91. *Suprême :* même effet que dans le sonnet de Mallarmé, *A la nue accablante :*

Suprême une entre les épaves.

92. *Opale :* pierre d'un blanc laiteux.
93. Ils sont *pâles* et *penchés* comme Hugo à la fin de *A celle...,* vers 345, 350.
94. Les trois dernières strophes proposent une première description du rôle des mages sans originalité et qui rappelle le développement analogue de Lamartine dans *la Chute d'un ange :* ils savent, ils entendent, ils regardent.
95. Expression assez gauche : la palme personnifiée a le choix entre le bourreau et la victime.
96. Le pêcheur, le paysan, le soldat symbolisés. Mais peut-être la chose en sait-elle plus que le misérable qu'elle représente.
97. Note mignarde qui n'est pas rare chez Hugo, mais qui est unique dans la grande ode. L'antithèse souligne fâcheusement l'effet.
98. Vers 281-290 : entre *ils entendent* (v. 275) et *ils regardent* (v. 291), cette strophe décrit avec bonheur l'assimilation de la nature par le mage. L'activité spirituelle est toujours à l'image du rythme vital : entre deux mouvements centrifuges, un mouvement centripète.
99. Comme pour *suprême* au vers 267, Hugo joue sur le double sens de *horreur.*

La note *bois jauni* précise l'évocation dans le temps et l'espace c'est l'automne de Jersey que le poète se représente.

100. Première rédaction : longue hésitation sur le choix des mots : *nature, lumière, matière.*

101. Cette ivresse dionysiaque n'est pas marquée par la joie.

102. *Messies :* les mages, qui sont des prêtres, deviennent des envoyés de Dieu, mais avec ce corollaire implicite, que Jésus prend place parmi toute une famille de grands initiés.

103. *Spectateurs :* par un procédé typique de l'imagination hugolienne, ce mot va engendrer le développement suivant, mais en suscitant son contraire, en transformant les mages-spectateurs en mages-acteurs.

104. *Poètes, apôtres.* Première rédaction : *bardes, philosophes.*

105. Autre type de fin : après les antithèses des vers 221-230, l'image plastique violemment baroque.

Il est possible que le mot *bardes,* supprimé, ait suscité auparavant cette évocation ossianesque et fantastique *(suaires)*. Mais finalement on pense davantage aux prophètes de la Sixtine.

Section III : vers 301-330.

La grande ode n'est pas un simple dénombrement des génies. Elle est une tentative de définition du génie même, mais d'autant plus difficile que le génie est ambigu. Le problème du génie devient la comédie du génie intermédiaire entre *la Comédie humaine* et *la Divine Comédie.*

Ce troisième développement transforme les mages en splendides histrions, masqués ou fardés. Il les oppose à la tourbe des hommes, définit leur rôle en une formule contradictoire (v. 319), mais surtout pose une double question : savent-ils ce qu'ils sont? savent-ils ce qu'ils font?

Les vers 305, 313, 318 suggèrent déjà que par leur origine et par leur action ils ne sont pas purement terrestres.

On doit se demander cependant, puisque le mot *histrions* (v. 330) est péjoratif, si Hugo ne veut pas suggérer que la grandeur des mages est relative. Faut-il parler d'imitation parodique de la réalité comme n'hésitent pas à le faire J.-R.? Mais *histrions* ne sert qu'à faire mieux ressortir l'antithèse. *Histrions* traduit en langage de théâtre la misère de l'humanité qu'ils revêtent : ces *histrions* sont *splendides,* ces hommes n'en sont pas moins des surhommes. Quant au *drame profond,* même s'ils n'en comprennent pas tout le sens ils n'en sont pas moins « agis » par Dieu.

106. *La comédie énorme* n'est autre que le *drame profond* du vers 302.

107. *La torche ou la coupe.* Ce vers énigmatique a dérouté les commentateurs. Torche ou coupe sont assurément des accessoires de théâtre, mais, dans *Toast funèbre,* Mallarmé les mentionne l'une et l'autre, en décrivant un rite funèbre. V. y découvre une opposition : torche = tragédie, coupe = comédie. En vérité, les termes ne semblent pas opposés, mais complémentaires.

Selon J. Seebacher, les images d'incendie et d'ivresse sont traditionnelles pour les monstres sacrés, mais les commentateurs ne semblent pas avoir remarqué que le vers 338 offrait l'explication la plus naturelle. Ils sont lumière (torche) et nourriture (coupe). Cf. dans *W. S.*, un effet analogue : « Vous pouvez vous *chauffer les mains* à son génie. Shakespeare se verse toute la nature, la boit et *nous fait la boire.* »

Section IV : vers 331-360.

La réponse aux questions est fragmentée dans les sections IV, VI, VIII. Ce qu'ils font est une *œuvre auguste.* Ce qu'ils sont? *des héros.* Ce mot, heureusement choisi, puisqu'il s'applique à la fois au protagoniste du drame et aux hommes éminents permet de passer du théâtre à la vie. L'homme est plongé dans les ténèbres. Dieu se tait, muré dans sa solitude. Pour Hugo gnostique, Dieu est inaccessible; mais pour Hugo gnostique, le besoin d'un médiateur entre l'homme et Dieu n'en est que plus nécessaire. Le mage est précisément cet intermédiaire. Les vers 347-350 décrivent admirablement le frisson ambigu de l'homme devant le sacré; mais les mages sont à l'aise devant le mystère et ils apportent aux hommes Dieu qui est leur véritable nourriture.

108. Vers 354-355 : au vers 12, on appelait les mages ceux dont l'aile monte et descend. Ici, cette mission d'agent de liaison se précise. Ils vont de la terre au ciel et du ciel à la terre. Comme la colombe lâchée par Noé, ils annoncent la fin de la Nuit. Cette activité des mages est celle-là même que s'attribue Hugo dans *Ibo.*

109. *Es-tu là?* La question s'adresse aux morts, non à Dieu.

110. Une fois encore, Hugo insiste sur la diversité des mages.

111. On comparera cette fin aux vers 131-132 de *A celle qui...*

> Qu'elle dise : Quelqu'un est là; j'entends du bruit!
> Qu'il soit comme le pas de mon âme en sa nuit!

L'imagination hantée achève cette fois le développement sur l'image troublante d'un bruit sourd dans la nuit.

Section V : vers 361-410.

Un épisode rompt le développement : le mythe de la plume. L'orage des vers 255-256 se poursuit ici en une symbolique tempête dans la nuit. Les morts sont les vagues déchaînées heurtant la falaise du tombeau. L'image du messager, puis celle de la colombe font surgir celle de l'oiseau de mer qui effleure la rive pendant la tempête, puis celle de l'ange qui franchit le mur de l'abîme (l'ange apparaissait déjà au vers 307).

Là-dessus se greffe le mythe de la plume. Ce mythe cher à Hugo et à Mallarmé trouvera son plein épanouissement dans *la Fin de Satan* et *le Coup de dés.* La plume tombée de l'aile de Satan foudroyé s'anime par l'effet de la parole de Dieu et devient l'ange Liberté. Selon P. Albouy (*op. cit.,* p. 168), J. Beauverd a montré que l'idée que la liberté est une plume tombée de l'aile de Lucifer remonte à 1854 et non à 1860 comme on le croyait. Si le mythe a ici moins d'ampleur épique, il n'en est pas moins significatif. La plume tombée de l'aile de l'ange se retrouve longtemps après dans la main d'un génie.

112. Première rédaction :

Où jamais l'aube n'a henni.

La cor. n'est pas heureuse. Hugo a-t-il reculé devant les hardiesses de l'expression?

113. La mer, comme les cieux, chante la gloire de Dieu.

114. Vers 375-380. Hugo s'inspire manifestement d'un beau passage du *Génie du christianisme* (première partie, V, VII, *Migration des oiseaux*) : « Quelquefois deux beaux étrangers, aussi blancs que la neige, arrivent avec les frimas (...) Vous courez à l'endroit d'où ils sont partis, et vous n'y trouvez que quelques plumes... »

115. Vers 381-400 : Hugo semble insister sur la nécessité d'une période de maturation entre la révélation et son effet bénéfique.

116. *Doigt de feu,* analogue à la langue de feu qui marque les Apôtres à la Pentecôte.

117. Il est possible qu'un tableau de saint Jérôme soit à l'origine de cette évocation.

118. Rodin avait-il remarqué ce vers avant de sculpter son *Penseur?*

119. Mouvement analogue dans *Abîme,* vers 5-9 *(L. S.),* mais dans un contexte différent.

120. *Ptolémée,* astronome grec du second siècle de notre ère qui plaçait la terre au centre du monde et en faisait un corps fixe; d'où sans doute le vers 407.

121. *Zoroastre* est à sa place au terme du développement, puisqu'il institua la caste des mages. C'est l'œil de la femme qui est comparé d'ordinaire à une étoile.

Le rôle joué par les astres dans la religion de Zoroastre justifie cette faveur. Du reste, V. remarque qu'à partir des *Contemplations* l'image de la prunelle-étoile est appliquée à l'homme de génie éclairant l'humanité.

122. Image analogue à celle des vers 9-10.

Section VI : vers 411-440.

Ce développement au centre du poème en constitue comme le cœur. La strophe des vers 421-430 est une *ad. marg.* Les deux strophes primitives s'ouvraient par un *oui* qui indiquait une reprise de IV. Dans la version définitive, Dieu figure dans chaque strophe. De ce triple foyer rayonne le poème tout entier.

On notera, par rapport aux développements précédents, un progrès dans la connaissance et dans la présence de Dieu. La lumière étant symbolique, *tout luit* (v. 419). La comparaison de la première et de la troisième strophe manifeste le mouvement contradictoire et complémentaire typique de l'expérience mystique telle que Hugo la conçoit.

Vers 415 : l'homme *en Dieu* palpite; vers 439-440 : une sorte de

Dieu fluide coule *aux veines* du genre humain. Dieu est à la fois contenant et contenu. C'est le rôle du cœur et du sang qui symbolise l'expérience mystique.

La strophe intermédiaire explique comment cet effet est obtenu : aux mages est attribué un geste à la fois chirurgical et magique; ils dissèquent pour accoucher, ils invoquent pour évoquer.

Au vers 421, *créature* doit être entendu au sens large : création.

123. Le caractère sacré du mage est traduit par l'union des contraires : *sage, fou.*

124. L'homme est défini ici par une dualité qui n'est pas celle du corps et de l'âme, mais celle de *l'âme* et de *l'Être.* L'homme, être intermédiaire, appartient à la fois à Dieu et à la Nature. Il y a deux marches parallèles : l'une vers Dieu, l'autre vers le progrès; ainsi au cœur du poème sont conjoints les deux motifs de la grande ode : les mages et Dieu, les mages et le Progrès.

125. Le muet sans doute au neutre.

126. *Symbolique :* chargé de symboles. Première rédaction : *babélique.*

127. La vue du lynx passe pour être perçante : la nuit aveugle voit comme le muet parle.

128. Le Dieu fluide présent en l'homme est manifesté par l'histoire : idée typiquement romantique.

Allusion successive à la religion égyptienne, scandinave, indienne, romaine, grecque, gauloise.

Le *pilône* est un monument, les *runes,* des caractères alphabétiques, le *brahme* et le *flamine,* des prêtres.

Pilône (orthographe correcte : pylône) : pyramide tronquée encadrant l'entrée des sanctuaires égyptiens.

Rune : caractère des plus anciens alphabets scandinaves.

Section VII : vers 441-490.

Cet épisode d'une grande poésie confirme la présence de Dieu dans la nature. Sous les aspects les plus divers, symbolisé par la terre, la mer, le ciel, Dieu est présent. Il est l'unité et la permanence qui se cachent derrière le multiple et le mouvant.

Cette triade rappelle le poème liminaire où la mer, le vent, l'astre symbolisent le Seigneur.

Aux trois éléments qui décrivent le triple aspect du paysage de Jersey, correspond une série de triades :

cromlech	— monts	— herbe	— Nuit	— crêpe
archipel	— mer	— mouette	— Mort	— pierre
étoiles	— ciel	— âme	— Dieu	— rayon

Le *cromlech* (qui est un monument mégalithique composé de menhirs ou pierres verticales disposées en cercle) écrit, tandis que les *îles* et les *étoiles parlent.*

L'archipel en tant que récif correspond au cromlech; en tant qu'îlot à l'étoile.

Hugo imagine un dialogue entre éléments fixes (terre, mer, ciel) et éléments mobiles (herbe, mouette, âme) qu'il qualifie toutes trois de *proscrites,* victimes d'un hiver symbolique. La réponse est différente : le cromlech dit *Nuit;* le récif dit : *Mort;* l'étoile dit : *Dieu.* D'où une difficulté : Hugo suggère-t-il un progrès, une dialectique? V. tente d'expliquer le choix de ces réponses. Le cromlech dit *Nuit,* parce qu'il représente la disparition d'un culte évanoui; le récif dit *Mort,* parce que selon Hugo lui-même « tout est perpétuellement pétri par la mort... même le granit »; les étoiles disent *Dieu,* parce que *coeli enarrant gloriam Dei.* Mais cette interprétation ne s'impose pas. Il importe davantage de souligner que les réponses sont des réponses de *noirs* témoins (v. 461), y compris l'étoile.

Les trois témoins parlent une langue différente, mais pour Hugo, il n'y a pas de témoin privilégié. Avec une belle audace, il estime donc que les trois mots : Nuit, Mort, Dieu sont équivalents. Au vers 470, les trois mots deviennent trois paupières : Dieu en tant que mot est un voile, Dieu en tant qu'Être est l'œil que cachent les paupières. Cependant, parce qu'il fait de Nuit, Mort, Dieu, le même mot en trois langues différentes, il réalise la *coincidentia oppositorum :* le positif et le négatif cessent d'être perçus contradictoirement.

129. Cette intention est confirmée par l'expression *tombe là-haut.* Dans l'univers où accède le myste, la pesanteur n'existe plus; c'est le haut et le bas qui cessent d'être perçus contradictoirement.

130. Ici encore ce qui engloutit s'identifie à ce qui fait émerger, ce qui détruit à ce qui produit.

Les deux triades oraculaires que profère Mallarmé dans le poème liminaire de ses *Poésies* et dans l'*Hommage à Vasco* rappellent exactement les triades de Hugo :

Solitude — Récif — Étoile
Nuit — Désespoir — Pierrerie

131. Vers 471 et *sqq. :* vision analogique de l'univers qui exalte l'harmonie entre l'infiniment grand et l'infiniment petit : l'orage et le soleil, la goutte d'eau et le globe. Au vers 375, l'opposition du grand et du petit apparaît toute relative : « Pourtant, chaque atome est un monde », écrivait déjà Lamartine. Enfin, aux vers 476-477, tout aboutit à un mouvement ascendant et progressif : la paille porte l'épi qui produit la civilisation.

132. Vers 481 et *sqq. :* Dieu se révèle à la fois dans l'infiniment grand et dans l'infiniment petit. La preuve traditionnelle est renouvelée par l'évocation poétique du microscope et du télescope : la science, on le voit, favorise la foi.

133. *Herschell,* astronome anglais, construisit un puissant télescope. Selon V., l'expression *être central* a été faite d'après l'expression consacrée : point central.

134. *L'œil sidéral* désigne la lunette.

135. *Hydres profondes :* les animalcules aux prises dans les profondeurs.

Dieu nous apparaissait comme un œil au vers 470. Ici, c'est l'œil du savant qui est évoqué. Le développement, comme souvent chez Hugo, aboutit à un échange de regards.

Section VIII : vers 491-510.

136. Première rédaction : Dieu, triple splendeur infinie. La correction heureuse insiste sur la simplicité de Dieu, et suggère mieux le mystère divin en associant la musique à la lumière. Les variations sur le ternaire de la section VII deviennent une préparation à cette strophe éclatante où enfin la nature de Dieu est révélée en une sorte d'éblouissement.

137. Première rédaction : à l'âme, à l'*ombre,* au firmament.

V. rapproche avec raison la définition hugolienne de l'Être suprême de celle proposée par Lamennais dans *Esquisse d'une philosophie*. Pour celui-ci, l'Être est puissance, intelligence et amour. Rapprochement justifié, comme le remarque P. Albouy (*op. cit.*, p. 449) par cette note de *Tas de pierres,* antérieure à l'exil :

« Dieu vie, Dieu lumière, Dieu chaleur, c'est-à-dire Dieu puissance, Dieu intelligence, Dieu amour. »

Dans la triple triade hugolienne, il faut, semble-t-il, rapprocher :

Amour — Bonté — Âme
Puissance — Flamboiement — Firmament
Volonté — Insomnie — Être

Reconnaissons que la distinction menaisienne entre puissance et intelligence est plus nette que celle entre puissance et volonté, ou que « le puissant Ternaire dans lequel Dieu se réfléchit », selon Fabre d'Olivet, à savoir : la Providence — le Destin — la Volonté — est plus conforme à la tradition, puisqu'il correspond à la triade :

Deus — Natura — Homo.

La triade du vers 497 ne correspond pas exactement à celle du vers 445, encore moins sous sa forme primitive. Aux vers 415-416, l'âme et l'être représentaient les deux aspects de l'homme.

138. Vers 501 et *sqq. :* si la strophe précédente définit les propriétés de Dieu, celle-ci définit le rapport des mages et de Dieu, donc l'aspect essentiel de leur rôle.

Une fois de plus, la diversité des mages est soulignée, mais ici enfin expliquée, puisque chaque catégorie correspond à une propriété de Dieu : *voulut = volonté; réclame = puissance; couva = amour.*

Dans cette strophe, on retrouve l'image traditionnelle de Dieu, figuré par l'œil dans le triangle. P. Albouy (*op. cit.*, p. 431), observe que dans *Dieu,* « le poète déiste raillera cette représentation de l'Être suprême, habitant d'un triangle où flambe un mot hébreu ».

L'échange de regard amorcé dans la section VII aboutit ici à un chassé-croisé analogue à celui que Mallarmé suggère dans *Toast funèbre :* le soleil descend dans le tombeau, tandis que la gloire du poète monte vers le soleil. Chez Hugo, l'âme du mage émet un rayon qui va jusqu'à l'œil de Jéhovah, tandis que descend une lueur d'en haut. Les vers 509-510 sont moins obscurs qu'il ne paraît d'abord. Les *Salomons,* désignant les rois mages ont à leur tiare l'escarboucle, la pierre précieuse fabuleuse, « diamant des diamants », écrira Hugo dans *W. S.,* qui « au dire de Jérôme Cardan diffère du cristal et du verre en ce qu'elle a la double réfraction »; l'escarboucle est donc le symbole du génie.

Mais par un transfert significatif, tandis que le front génial est toute lumière (et l'escarboucle passait pour luire dans les ténèbres), Dieu est devenu gouffre.

Section IX : vers 511-550.

139. Vers 511 et *sqq. :* cette strophe joue dans la structure du poème un rôle capital, puisqu'elle fait rebondir le développement. J. Seebacher cite trois états de cette strophe; nous en reproduisons les quatre premiers vers :

Ils parlent à la solitude	Ils parlent à la solitude
Et le désert leur dit : Vivez.	Et disent aux déserts : Vivez.
Ils parlent à la multitude	Ils parlent à la multitude
Et le peuple sort des pavés.	Et des cœurs sortent des pavés.

Ils parlent à la solitude
Et la solitude comprend
Ils parlent à la multitude
Et font écumer ce torrent...

La transition entre le développement sur les mages et Dieu, et celui sur les mages et le progrès est faite par l'antithèse : solitude-multitude, à rapprocher du jeu de mots : solitaire-solidaire.

Dans *W. S.,* on trouve un effet analogue à propos d'Isaïe : « C'est une espèce de bouche du désert parlant aux multitudes. » Hugo prend le contrepied de l'expression : parler dans le désert, et fait allusion à la prédication de Jean-Baptiste.

Et le peuple sort des pavés soulignait mieux, nous l'avons dit, le parallélisme des deux parties, en montrant que les mages procédaient toujours par effraction et extraction. Mais l'effet était trop vite décrit; la réponse précédait la question.

140. Vers 521 et *sqq. :* la question *Comment naît un peuple?* suscite en effet tous les développements postérieurs. Question équivoque : formation d'une nation ou avènement de la démocratie? Hugo évoque un état de ténèbres absolues, dû à la tyrannie. Le triomphe de l'absolutisme implique pour lui l'extinction de la pensée. Tout naturellement la vision d'Ézéchiel prophétisant le rétablissement d'Israël (XXXVII) lui vient à l'esprit.

Ce passage fameux de la Bible avait été mis en vers par Le Franc de Pompignan et Lamartine *(la Poésie sacrée)*. Pour saisir l'intention de Hugo, il suffit de se reporter au paragraphe consacré à Ézéchiel dans *W. S.* La vision s'y trouve résumée ainsi : « Il y avait une plaine et des os desséchés. Et je dis : « Ossements, levez-vous. » Et je regardai. Et il vint des nerfs sur ces os, et de la chair sur ces nerfs, et une peau par-dessus; mais l'Esprit n'y était point. Et je criai : « Esprit, viens des quatre vents, souffle », et ils se levèrent, et ce fut une armée et ce fut un peuple. Alors la voix dit : « Vous « serez une seule nation, vous n'aurez plus de juge et de roi que moi, « et je serai le Dieu qui a un peuple; et vous serez le peuple qui a « un Dieu. » Hugo, enthousiaste, commente : « Tout n'est-il pas là? Cherchez une plus haute formule, vous ne la trouverez pas. L'homme libre sous Dieu souverain. » Ainsi l'avènement du peuple est une sorte de corollaire de l'avènement de Dieu.

On notera la substitution des pierres aux os. Il faut y voir une manifestation de syncrétisme de Hugo, celui qui lui dicta dans *la Fin de Satan : Selon Orphée et selon Melchisédech.* Ici, il combine à la vision d'Ézéchiel la fable de Deucalion.

141. Comparaison d'origine apocalyptique : I, 15.

142. Le vent, c'est la liberté. Vent et souffle, souffle et esprit, esprit et liberté sont interchangeables. C'est dans la même intention que Hugo fera de l'ange Liberté, le protagoniste de *la Fin de Satan.*

143. L'expression : *ce grand tout* suscite *le grand rien.* Mais il est manifeste que Hugo avait présent à l'esprit le célèbre factum de Sieyès, *Qu'est-ce que le Tiers État?*

144. Dieu parle de la même manière, sublime et simple, dans *la Fin de Satan :* Ne jetez pas ce qui n'est pas tombé.

145. L'allusion à la France, qui témoigne de la souffrance de l'exilé plus que de l'opposition à Napoléon III, ne crée pas de disparate, mais se révèle émouvante dans sa sobriété.

146. Ce noir suaire *tombe,* non pas comme la nuit ou le rideau du théâtre. Comprendre au contraire que le voile opaque disparaît. *Section X :* vers 551-650.

147. L'ouragan a été suggéré par le *vent,* son antagoniste. La métaphore va être largement développée. Cet ouragan symbolique est le *souffle de la matière* (v. 581), alors que le vent était le souffle de l'Esprit. L'ouragan est la négation de l'amour, du jour, de Dieu. Il représente les forces du Mal.

Au vers 583, pour parachever l'opposition, Hugo appellera l'Esprit *ouragan de lumière.* Dans *Jéhovah,* ode de 1822, « le souffle immense » de Dieu était déjà « aux ouragans pareil ».

148. Première rédaction :

> Il brise la barque aux abîmes,
> L'onde aux plages, l'éclair aux cimes.

149. La terre, le ciel et la mer sont discrètement évoqués.

150. Vers 561 et *sqq.* : Première rédaction :

L'ouragan qui vit d'épouvante
Dévore les quatre éléments
L'horreur, le bruit, la mer mouvante
Les monts neigeux, les monts fumants,
Il vole, en secouant ses ailes
Des Andes (De Quito) brasiers d'étincelles...

Quito est la capitale de l'Équateur.
L'Hékla est un volcan situé en Islande, mais non pas au pôle.

151. J.-R. soulignent avec raison le caractère baroque de l'image.

152. *Grand linceul :* la nuit de l'Infini, selon la glose de V. Mais l'image du « grand silence blanc » suggérée par le pôle suggère, à son tour, l'image du grand linceul, symbole de l'ouragan destructeur. Cf., au vers 548, *le noir suaire.*

153. Vers 581 et *sqq.* : strophe importante, car s'y trouve défini le mode d'action de l'Esprit. L'Esprit dissipe le *principe par le principe,* comprenons qu'il ne peut triompher de l'ouragan qu'en lui opposant une force de même nature mais de signe opposé.

154. Éléments : le mot est imprécis, s'agit-il des quatre éléments ou de l'ensemble des forces naturelles comme dans l'expression : les éléments déchaînés?

155. Puisque l'ouragan est *Satan* (v. 580), le *Christ* mène l'attaque. La présence d'Homère associe d'une façon expressive poésie et religion.

156. *Préau :* cour de prison.

157. Première rédaction : L'esprit dans leur foule.

158. Sous une forme imagée différente, c'est la même idée qu'au vers 586.

159. Vers 601 et *sqq.* : Nouvelle énumération des mages, significative parce qu'elle met sur le même plan les savants domptant les éléments déchaînés et les penseurs domptant les abus. L'image de l'ouragan semblait nous écarter du thème politique lancé en IX, mais nous découvrons tout à coup qu'il y a pour Hugo parallélisme, et même identité, entre les diverses formes du mal, ce qu'il appelle ailleurs les anangkés.
Hugo célèbre tour à tour l'inventeur de la pile, du paratonnerre, du bateau à vapeur; puis *J.-J. Rousseau,* apôtre de l'égalité, *Voltaire,* apôtre de la liberté, *Beccaria* (1738-1794), criminaliste italien, auteur d'un *Traité des délits et des peines,* qui contribua à adoucir le droit pénal.

160. Les *Fluides :* ce pluriel désigne le fluide électrique.
Phlégéton : fleuve des Enfers qui roulait non de l'eau mais des flammes.
Le procédé qui rappelle la poésie scientifique du siècle des lumières ne donne pas ici l'impression d'un pédantisme sénile.

161. Première rédaction

Les Fluides vont tout dissoudre:
Volta dompte ce Phlégéton!

Parais, Franklin, Voici la Foudre...

162. *Grève, Tyburn :* lieu des exécutions capitales à Paris et à Londres.

163. *Montfaucon :* le célèbre gibet. Exemple saisissant de l'imagination mythique du poète.

164. Vers 611-630 : *ad. marg.*

165. Allusion à l'Américain Jackson qui découvrit les propriétés anesthésiantes de l'éther.

166. Nous découvrons ici le poète de *Pleine Mer* et de *Plein Ciel*. — La navigation sur mer fait prévoir la navigation aérienne, comme si l'homme finissait par aller là où parvient son regard.

167. Idée nouvelle : Ces poètes sont les frères des explorateurs. Mieux encore : le poète est le pilote de la grande aventure humaine. L'idée est illustrée par un double exemple. *Orphée* participa à l'expédition des Argonautes dirigée par Jason. Ainsi pour parvenir à la Toison d'or, il faut que le poète monte à bord du navire.
Camoëns est l'auteur des *Lusiades,* le poème épique portugais qui célébra le voyage de Vasco de *Gama* jusqu'aux Indes. Hugo fait comme si le poète participait à l'expédition. Deux signes révèlent l'approche du but, l'un terrestre, l'autre céleste. Il ne faut pas comprendre que l'explorateur a le regard tourné vers le bas, tandis que le poète a le regard tourné vers le ciel. Le poète a les yeux *sur le double horizon* (v. 622) mais l'explorateur a la vue bornée, tandis que le poète rend hommage à celui qui a mené la barque jusqu'à son but.

168. Vers qui souligne l'identité de la science et de la poésie.

169. Vers 635 et *sqq. :* le progrès est décrit par la progression de l'homme dans tous les sens : ascension, descente souterraine et sous-marine, exploration de la surface du monde.

170. L'imagination antithétique du poète associe les *monstres* et les *perles.*

171. Vers 641 et *sqq. :* la graphie rapproche cette strophe des vers 591-600 : le Christ et *Prométhée* sont associés dans l'esprit du poète. Les deux grands mythes antiques, celui d'Orphée, celui de Prométhée, se trouvent également réunis dans cette partie (voir, d'A. Py, *les Mythes grecs dans la poésie de V. H.* et, de R. Trousson, *le Thème de Prométhée dans la littérature européenne*). Hugo distingue ainsi deux types de mages : les *hommes d'extase* (expression forgée sur le modèle d'homme de désir) dont Orphée est le type et qui conduisent la marche du genre humain, et les *libérateurs enchaînés,* qui éclairent cette marche. Orphée est associé à l'eau, Prométhée au feu.
Le Caucase sur lequel Prométhée est enchaîné en punition de sa philanthropie devient la montagne sacrée (dont le calvaire serait l'équivalent dans la poétique d'un Claudel par exemple, encore que nous retrouvions le Caucase dans *Tête d'or*). Hugo fait *in petto* une comparaison entre le *Caucase* et *Jersey.*

172. La marche qu'est le progrès n'est pas une marche triomphale.

Comme dans *L. S.*, nous allons bien de la nuit à l'azur, mais le ciel est rapproché de la mer qui demeure *irritée*. Comme l'amour d'Éva, l'aventure humaine est toujours menacée.

Section XI : vers 651-710.

La coda s'ouvre par un *Oh!* et vont se multiplier les points d'exclamation et les impératifs (surtout du verbe cher à l'auteur d'*Ibo : Allez!*).

173. *Hippogriffes :* cheval ailé monté par Roger dans le poème de l'Arioste.

Pégase : cheval ailé monté par Persée ou Bellérophon.

174. Première rédaction :

Vous *êtes* la religion.

175. *Fuir dans l'ombre :* expression équivoque, c'est le mouvement aller dont le mouvement décrit à la strophe suivante sera l'inverse.

176. L'image a été suggérée par les chevaux fabuleux.

Cf. dans une ébauche de 1828 :

Tous ces nuages blancs là-bas amoncelés
Comme des croupes de cavales.

177. Comme le mot dans I, VIII, comme l'esprit humain dans *Dieu,* la phalange des mages s'appelle *Légion.*

178. *Célébrateurs* est un néologisme; *révélateurs* également dans le sens où l'entendaient les saint-simoniens et qui se retrouve ici.

179. Souvenir de *l'Exode,* XXXIV : de la montagne, « Moïse descend ayant la tête environnée de rayons » (selon le résumé de Sacy).

180. Même effet syncrétique que plus haut : les deux enfers sont associés.

Ixion, pour avoir outragé Junon, fut attaché à une roue tournant sans fin.

181. Comme dans *la Pitié suprême,* les bons et les méchants reçoivent

La bénédiction, qu'il a puisée à l'urne
De l'insondable amour
(*Magnitudo parvi,* v. 756-757).

182. Vers 681 et *sqq. :* parallélisme frappant entre l'image et l'idée, à la façon de la célèbre chanson des *Châtiments*

Nous nous promenions parmi les décombres...

183. Les quatre principaux foyers religieux. Hugo invite donc les mages de toute origine à communier dans la lumière : le théosophe pratique un œcuménisme non chrétien.

184. Hugo s'efforce de traduire le frisson de l'extase et de la révélation : la fable et la vérité sont confondues, et l'être se fond dans

l'espace. L'esprit n'est plus qu'essor et se sent le maître de l'espace.

185. *La note humaine :* image suggérée par la théorie pythagoricienne de la musique des sphères. L'homme a sa place dans un univers harmonieux, place que le mage a la mission de découvrir.

186. C'est la *mort* qui est l'*extase*. Le mage a le privilège de connaître *hic et nunc* un avant-goût de cet état. Le mage apparaît comme un sublime outlaw.

187. *Nous établîmes :* entendons que le poète-mage est toujours au-dessus de la mêlée, les lois signifient les *formes* de la vie religieuse, ou sociale, ou morale, ou politique. « Dans tout ce poème, note P. Moreau, règne le sentiment d'une famille humaine universelle, supérieur aux frontières des nations et aux diversités des époques », et le commentateur renvoie aux *Phares* de Baudelaire.

188. Le dernier vers est énigmatique en raison du vague du substantif abstrait et de l'ambiguïté du complément de nom.
Moreau : la joie de vous évanouir dans les cieux. Évanouir ayant le même sens que dans *Oceano nox :*

Dans ce morne horizon se sont évanouis...

(et Moreau glose sur ce dernier vers : évoque sans doute la disparition du navire au moment du départ, plutôt que son naufrage).
Levaillant : le plaisir de la transfiguration qu'on goûte dans les cieux.
Van Tieghem : l'évanouissement de notre être matériel dans les cieux.
Seebacher : « Il ne s'agit pas seulement de l'évanouissement de la matière dans les cieux, et pas du tout de la libération de l'âme après la mort. Il faut comprendre que les cieux eux-mêmes s'évanouissent, cessent d'être cette calotte surplombante; plus précisément, l'évanouissement devient la substance des cieux, et le terme conserve sa double valeur de substantif et d'action : il est à la fois le milieu de Dieu et sa fuite continuelle. » Et Seebacher mentionne la *Préface philosophique des Misérables* où Hugo se pose la question : « Où va ce qui s'en va? » : « Oh! le ciel est un évanouissement d'astres. »
Si l'on s'en tient au contexte, on peut proposer une autre interprétation. D'une part, Hugo rapproche l'extase de la mort, et cet état mystérieux est à la fois, comme toute expérience du sacré, délices et tourments. D'autre part, l'extase est symbolisée par un essor vers l'azur, vers l'éther irrespirable pour un mortel.
Les cieux provoquent donc cette sorte de syncope qu'est l'extase. Cf. à la fin de *Dieu :* Et je mourus.
J. Seebacher conclut (à tort, semble-t-il) : « On pourrait donc avancer qu'au terme des *Mages,* Dieu n'existe plus, et se contente d'être tout l'être. » Ce que Hugo veut nous faire ressentir, c'est l'harmonie suprême qui désormais règne entre Dieu et l'Homme et la Nature. On retrouve, en effet, dans ce poème la notion traditionnelle qu'un Guénon appelle la Grande Triade : *Deus, Homo, Natura.*
L'homme est essentiellement l'être intermédiaire. L'idée dévelop-

pée dans l'ode et qui n'est pas originale (voir, dans la théosophie de Martinez de Pasqually, le rôle des mineurs-élus) est que l'homme pour réaliser l'harmonie des trois éléments de la Triade ou Cosmos doit être à la fois ébranlé, éclairé, guidé, par ces élus que sont les mages.

Le mage est en effet le véritable prêtre. Le mage prie comme le prêtre, mais sa supériorité tient à l'essence même de la magie : le mage *force* Dieu dans son silence et son absence : Prométhée le voleur de Dieu est le type même du mage.

Le rôle de ces élus est complexe, non seulement parce que tous n'ont pas le même caractère, ni la même tâche, qu'ils peuvent jouer un rôle complémentaire et contradictoire : les uns apportant la paix, d'autres la guerre; les uns réveillant Adam, d'autres le berçant pour l'endormir. Mais surtout parce que ce rôle est double. Par rapport à la nature, le mage est celui qui métamorphose un monde chaotique en un monde harmonieux : le mage corrige ce qui est obstacle à l'harmonie : le déchaînement des forces de la nature, le déchaînement des passions. Le mal n'ayant pas d'existence absolue, il est possible de le combattre en opposant au principe de désordre un principe analogue, inverse et plus puissant. Ce principe est ce que nous appelons : découvertes ou réformes. L'action du mage consiste en une conversion du négatif en positif, du mal en bien. (Pour illustrer cette conception, que l'on pense à la « conduite forcée » dans le domaine physique, au « code » dans le domaine politique, social ou moral.)

Par rapport à Dieu, la théosophie hugolienne pourrait être considérée comme une gnose. Dieu est l'obscur, parce qu'il est au-delà. L'homme en quête de Dieu risque de s'égarer, s'il s'adresse au prêtre, car le prêtre rétrécit Dieu. Cette absence de Dieu s'associe paradoxalement à une conception providentielle de l'histoire. Si le mage est de la race des violents qui forcent le royaume du ciel, ses rapports avec Dieu sont fondés sur l'échange. Parce que le mage veut, peut, aime, il révèle à l'Homme, le Dieu, triple à l'image du Cosmos, le Dieu qui est Amour, Puissance, Volonté.

En ces messies, Dieu a mis toutes ces complaisances, et c'est pourquoi le mage expérimente dès cette vie, cette prise de possession de Dieu par l'homme et de l'homme par Dieu qu'est la mort.

On voit donc : 1° que si Hugo joint aux poètes, les savants et les réformateurs, il réalise l'union sacrée en confiant à tous les élus une fonction religieuse; 2° que le message de Hugo ne se borne pas à un matérialisme progressif ni à la conception plus subtile, exposée par J. Seebacher, de la transcendance obligée de se faire immanence, de la fusion finale de l'Univers-Dieu, mais qu'il est fort près de la notion théosophique de réintégration.

De même qu'il se crut obligé de reprendre l'exposé théorique de *Ce que dit la Bouche d'Ombre,* Hugo voudra compléter cette théorie du mage. Il le fera dans *William Shakespeare*. Le meilleur commentaire du poème n'est autre que l'essai de 1864.

Quant à l'ode, par sa strophe, par son ton, par son ampleur, elle occupe une place à part dans *les Contemplations*. Si dans l'œuvre hugolienne elle rappelle des morceaux lyriques analogues : avant le recueil de 1856, *Fonction du poète;* après celui-ci, *l'Ame à la poursuite du vrai* dans *l'Art d'être grand-père, Umbra* dans *Toute la lyre,* elle l'emporte sur ces pièces par l'harmonie de sa structure, le déferlement de son lyrisme, la densité de sa pensée, la beauté de ses épisodes et, dans l'histoire de notre poésie lyrique, elle occupe une position centrale entre les *Odes pindariques* de Ronsard et les *Grandes Odes* de Claudel.

P. 430. VI, XXIV. EN FRAPPANT A UNE PORTE

1. *Dates :* ms. 29 décembre 1854.
vol. Marine-Terrace, 4 septembre 1855.
La date fictive fait de cette pièce la dernière commémoration de la tragédie de Villequier.
Le 7 février 1855 mourut Abel Hugo, frère aîné de Victor. La première rédaction fut modifiée sur deux points :
1° Le vers 2 se présentait d'abord sous la forme :

Mon premier-né, mon frère, hélas!

où il était fait allusion à la mort d'Eugène.
2° Les vers 5-8 furent ajoutés, mentionnant la mort des deux frères. Hugo fait l'appel des morts de sa famille : six deuils, celui de Léopoldine étant non le plus récent, mais le plus douloureux : d'où la date fictive.
La strophe des vers 13-16 insiste sur les caprices du destin.
La strophe des vers 17-20 est une *ad. marg.*
2. *Orfraies :* cette espèce d'aigle, si l'on en juge par le vers 272 de *Ce que dit la Bouche d'Ombre,* symbolise la cruauté.
3. Reprise d'un thème développé à plusieurs reprises dans le recueil et qui ici provoque l'identification du poète au Christ, avec allusion au chemin de la Croix, au coup de lance, à la couronne d'épines. D'où à la strophe suivante (v. 26) : *ma robe* et, au vers 15, *pourpre.* Le 2 mai 1837, Juliette écrivait à Victor : « Ce que Jésus-Christ a fait pour le monde entier, tu l'as fait pour moi seule. » Cette identification n'a rien d'étonnant : le poète étant entretenu dans cette idée.
4. Tout le poème tend à cette affirmation, variante du vers d'Hippolyte :

Le jour n'est pas plus pur que le fond de mon cœur.

Nous savons bien qu'à d'autres moments, le poète, au contraire, est tenaillé par la honte et le remords. Mais il s'agit ici d'un ultime examen de conscience au seuil de la tombe (cf. le titre) : il se pro-

nonce en toute lucidité et, faut-il le dire, en toute humilité. On devine la fureur des pharisiens. Aucun poème n'a indigné Veuillot plus que celui-ci.
La strophe est la même que celle de II, x. Pour écrire *Ibo,* Hugo avait choisi la strophe de la chanson de Fortunio. Ici, la réussite paradoxale n'est pas moins étonnante.

P. 432. VI, xxv. NOMEN, NUMEN, LUMEN

1. *Dates :* ms. 1er mars 1855.
vol. minuit, au dolmen du Faldouet, mars 1855.
Dans le ms., pas de titre, mais un dessin schématique de la Grande Ourse.
Hugo se plaisait à jouer sur les mots, en latin plus encore (cf. dans *Hernani : ad augusta per angusta;* les titres : *ens et mens; veni, vidi, vixi*). Non seulement, comme tout poète, il voyait dans ces ressemblances des signes, mais il croyait à la vertu créatrice de la parole. Le poète passe sans solution de continuité du calembour à la sorcellerie évocatoire.
Le 6 août 1854, au début de la séance spirite, Hugo demanda : « Qui est là? » et le Lion d'Androclès répondit : « *Omen, lumen, numen nomen meum.* » Mais le rapprochement de *nomen* et de *numen,* d'après la formule sceptique *nomina, numina,* avait été fait par lui depuis longtemps, puisque *Son nom,* ode de 1823, a pour épigraphe : *Nomen aut numen.* Ici, le jeu se complique et le sens s'enrichit : le nom qui est dieu est aussi lumière.
Dans la *Genèse* (I, iv), Dieu à chaque création approuve son œuvre : Dieu vit que la lumière était bonne. Milton paraphrase ce thème dans *le Paradis perdu :* après la création des astres :

> Dieu les vit; applaudit à leur magnificence.
> (Trad. Delille.)

Dans divers passages de la Bible, il arrive à Dieu de se nommer. Dans l'*Exode* (III, 14), le Seigneur se nomme à Moïse. Mais l'idée que Dieu éprouve le besoin de se nommer parce qu'il a créé les soleils appartient à Hugo, qui semble combiner les deux thèmes précédents.
Dans *la Fin de Satan,* Hugo a tiré de beaux effets du pouvoir évocateur de la parole proférée :

> C'était ainsi quand Dieu se levant dit à l'ombre :
> — Je suis. — Ce mot crié les étoiles sans nombre.

Ce pouvoir n'est pas l'apanage de Dieu, et les mots hurlés par Satan dans sa chute sont aussi créateurs : le mot *Mort* donne naissance à Caïn; le mot *Tu mens* donne naissance à Judas; le mot *Enfer* crée Sodome.

Le nom divin, selon la tradition hébraïque, est le téragramme formé des lettres Iod, Hé, Vau, Hé. Pour Hugo, le nom divin est Jéhovah qui comporte sept lettres. Mais 7 est aussi un nombre sacré.
Le choix de la Grande Ourse est dicté certes par l'attrait qu'éprouvait le poète pour « cette belle constellation »; mais aussi par le verset de l'*Apocalypse* où le fils de l'Homme est évoqué tenant en sa main sept étoiles (I, 16).
Quant à la comparaison des étoiles à des lettres, c'est une image très ancienne (on la trouve chez Plotin), et Hugo l'employait spontanément. Le 3 septembre 1837, il écrivait à sa fille en parlant précisément de la Grande Ourse : « Vois, mon enfant, comme Dieu est grand et comme nous sommes petits; où nous mettons des taches d'encre, il pose des soleils. C'est avec ces lettres-là qu'il écrit. Le ciel est son livre. » Avait-il gardé le souvenir de cette lettre?
Dans *Toute la lyre,* (II, XXIII), on trouve une autre variation sur ce thème :

> Septentrion, delta de soleils dans les cieux,
> Écrit du nom divin la sombre majuscule.

V., qui cite ces vers, parle de J majuscule (initiale de Jéhovah), mais il s'agit du delta, initiale de Dieu.
2. *Éblouis* appliqué aux soleils est une trouvaille pour démontrer la suprématie du Dieu-lumière.
3. *Profonde* au sens de *lointaine,* au fond du ciel.
4. *Formidable et serein :* bel exemple de la *coincidentia oppositorum* pour définir le divin.
5. Ainsi on lit aussi dans nos yeux le nom sacré.
Ce dizain formé d'une seule phrase est d'une autre tonalité que I, VII, et I, XXV, puisque les rimes y sont à prédominance masculine. Ces deux brefs poèmes entre la grande ode et le grand poème apocalyptique constituent une sorte de repos.

P. 433. VI, XXVI. CE QUE DIT LA BOUCHE D'OMBRE

1. *Dates :* ms. 1-13 octobre. J'ai fini ce poème de la fatalité universelle et de l'espérance universelle le vendredi treize octobre 1854.
vol. Jersey, 1855.
Bien que le ms. mentionne exceptionnellement un laps de temps plus large pour l'achèvement du poème, il est évident que ses origines sont plus lointaines, que son élaboration a été plus longue; mais cette histoire est particulièrement confuse.
Journet-Robert se sont attachés à l'exégèse de ce poème (*Autour des Contemplations,* pp. 43, 54, 82, 83; *Manuscrit des Cont.*, pp. 173-185; *Notes sur les Cont.*, pp. 212-237). Malgré une analyse scrupuleuse des diverses graphies, ils jugent impossible l'établissement d'un

ordre chronologique parmi les fragments du ms. Les *ad. marg.* sont nombreuses : 190 vers sur 786 (elles seront signalées dans le commentaire de détail).

Mais il est indiscutable que la rédaction est antérieure au 1er octobre :

a) J.-R. datent de 1836-1839 une ébauche :

> Je contemple... nuit et jour
> La sublimation des choses par la flamme
> La sublimation de l'homme par l'amour.

Hugo a ajouté au crayon : voir *Contemplations* (ce sont les vers 713-714).

b) P. Meurice, qui avait envoyé à Hugo une de ses œuvres, *Schamyl,* parlait, dans une note jointe à la pièce, de la « fatalité volontaire qu'on appelle le devoir ». Dans une lettre du 20 septembre 1854, Hugo, frappé par la coïncidence, écrit à Meurice : « Dans *les Contemplations,* il y a cette fin de vers : Le devoir, fatalité de l'homme. » C'est le vers 483 de la *Bouche d'Ombre.* Le poème existait donc à cette date.

c) La veille, 19 septembre, Hugo, au début de la séance de spiritisme, avait pris la parole : « J'ai une question grave à faire... L'Ombre du sépulcre m'a dit de finir mon œuvre commencée; l'être qui se nomme l'Idée a été plus loin encore, et m'a « ordonné » de faire des vers appelant la pitié sur les êtres captifs et punis qui composent ce qui semble aux non-voyants, la nature morte. J'ai obéi. J'ai fait les vers que l'Idée me demandait (ils ne sont pas encore complètement achevés). Pour être compris, il a fallu expliquer. J'ai dû entrer dans le détail, détail qui contient ma pensée ancienne avec l'élargissement apporté par la révélation nouvelle. Dans ces vers, deux choses sont empruntées à la table en propres termes, *le ver Cléopâtre* et la gradation de la prison au bagne. »

Ce passage, me semble-t-il, est capital pour préciser la genèse de la *Bouche d'Ombre.* Malheureusement, nous ne possédons pas au complet les procès-verbaux des séances, et on ne peut étudier de façon stricte « l'élargissement apporté par la révélation nouvelle ». S'il faut donner raison à Hugo limitant ses emprunts « en propres termes », à deux, il apparaît que le rôle inspirateur joué par la table a été considérable, et l'on doit comprendre que la *Bouche d'Ombre* est ce poème qui lui a été « commandé » par l'Idée.

Le *ver Cléopâtre* (*Bouche d'Ombre,* v. 318-319) provient du poème dicté par le Lion d'Androclès, et plus précisément d'une strophe dictée le 9 mai :

> Toi, taureau Goliath, épouvante du pâtre,
> Cèdre Nemrod, boa Nisus, ver Cléopâtre,
> Rhinocéros Caïn.

Mais il est aisé de constater que la strophe de la partie lyrique de la *Bouche d'Ombre* est celle du poème dicté par le Lion, que l'on retrouve de part et d'autre, plusieurs noms propres de tyrans punis, que la réconciliation finale est déjà prophétisée par le Lion.

Mais avant le 9 mai, le 7 février, c'était Eschyle qui proclamait :

Dans les mondes punis, dans le monde où vous êtes
Noir cachot dont le doute a forgé les barreaux
Les êtres animés, les hommes et les bêtes,
Sont tous des condamnés et sont tous des bourreaux.

Le 8 décembre 1853, c'était Moïse qui avait rappelé : « Le châtiment est un enseignement plus grand encore que la récompense. » Et il avait ajouté : « Triboulet a péché en riant, il a été condamné à rire. Le marquis de Sade a péché en blasphémant, il est rivé à son blasphème. Judas a péché en trahissant, il est prisonnier de ses trahisons. » Cette dernière citation permet de saisir sur un exemple précis l'effort de mise au point que constitue le poème.

Grâce à M. Levaillant (*Crise mystique de V. H.*, pp. 147-160), nous savons qu'à partir du 3 juillet, afin de préparer la mise au point de la nouvelle Bible, Vacquerie établit un résumé de la doctrine des tables qu'il soumit pour vérification à l'Idée, celle-là même qui avait commandé à Hugo le poème.

Hugo, présent à la première séance, n'assista pas aux autres : non pour éviter de paraître peser sur les discussions, comme l'écrit Levaillant, mais, au contraire, pour ne pas se laisser dominer par la table.

Car la table lui faisait, d'une certaine manière, concurrence.

Dans sa déclaration du 19 septembre, Hugo dit bien que depuis vingt-cinq ans environ « il s'occupe des questions que la table soulève et approfondit ». Ce que fait Vacquerie de son côté, il le fait du sien et le résultat de ce travail d'explication détaillée (pour reprendre les termes de la déclaration reproduite au début), de cette refonte de sa pensée ancienne grâce à « l'élargissement apporté par la révélation nouvelle », n'est autre que notre poème. Mais ce travail ne se borne pas à ce seul poème. J.-R. reproduisent (*Notes sur les Contemplations,* pp. 214-217) un long fragment de prose (ms. 24.782) publié déjà dans l'édition I. N. de *Post-scriptum de ma vie* (pp. 585-591). Il s'agit d'une méditation philosophique qui apparaît comme un canevas, mais un canevas dilué du début du poème.

Le poème lui-même, malgré son ton apocalyptique, est un exposé complet et clair. Il est facile de détacher du texte des formules nettes et fortement liées entre elles.

Hugo part de l'expérience : *Tout parle*. Il ne s'agit ni d'une hypothèse ni d'une fantaisie. L'expérience poétique a pour Hugo autant de valeur que l'expérience scientifique.

Tout parle parce que *tout vit,* tout est plein d'âmes. Les deux expressions ne sont pas équivalentes. On peut concevoir un animisme universel, sans que tout soit plein *d'âmes* (au pluriel).

Cosmogonie : Ce monde a été créé par Dieu. La création, pour être,

devait être imparfaite. A partir de là, la méditation en prose est moins rapide que le poème : « Il y a deux imperfections dont la première engendre la seconde : l'imperfection être, la création;
l'imperfection action, le mal.

La matière est le signe de l'imperfection. La création de Dieu était matérielle, mais impondérable. La création de la créature était nécessairement pondérable : *la première faute fut le premier poids.* »

Nature, cause, effet de la Faute, tout est résumé dans l'ambiguïté du verbe *être*. Pour le Poète, la Faute est poids et ombre.

Le poids prit une forme et *tout alla s'aggravant :* de l'ange à l'esprit, de l'esprit à l'homme, de l'homme à l'animal, de l'animal au végétal, du végétal au minéral.

La théorie de la faute implique donc la théorie de l'échelle des êtres. L'homme n'est pas le sommet de la création : être intermédiaire, il en est le milieu. Au-dessus de lui, par des hiérarchies d'esprits de plus en plus purs, on parvient au Dieu-lumière. Au-dessous de l'homme, et par-delà les trois règnes, on plonge dans l'abîme au fond duquel règne, négatif de Dieu, *un affreux soleil noir d'où rayonne la nuit.*

Théorie de l'action morale : Dieu ne nous juge point. La pesanteur est la seule loi morale. Qui fait le bien remonte dans l'échelle des êtres; qui fait le mal descend. Cette descente ou cette remontée est le résultat de notre conduite pendant notre vie.

La théorie de l'échelle des êtres est donc liée à la théorie de la métempsycose (le mot est tout à fait impropre puisque c'est la forme matérielle qui change, alors que l'âme reste la même).

L'exposé débouche sur le problème du châtiment qui, pour le poète des *Châtiments,* semble être le problème majeur. Nous savons qu'à l'intérieur même du recueil diverses théories se font concurrence : le poète a fait sienne la théorie des migrations stellaires.

L'idée de transformer Saturne en bagne des âmes punies l'a retenu longtemps, puisque, après le poème de 1839, il l'a reprise dans *Inferi (L. S.)* et dans *Explication* (III, xii). C'est alors que par un renversement hardi (et c'est sans doute là l'élargissement de la doctrine par la table), notre terre devient le bagne à la place de Saturne.

Dans votre globe où sont tant de geôles infâmes,
Vous avez des méchants de tous les univers (v. 556-557).

Cette théorie nouvelle ne s'accorde pas sans peine avec la théorie du châtiment relativement simple exposée plus haut : les méchants de notre terre sont punis par une descente dans l'échelle des êtres. Si notre globe sert de bagne universel, l'homme représente lui-même une forme de châtiment modéré pour les âmes venant d'ailleurs. C'est pourquoi à quelques vers d'intervalle (v. 294-311), nous passons des *quatre* sortes d'incarcération : prison (homme), bagne (bêtes), cachot (arbre), enfer (pierre), aux trois cachots correspondant aux trois règnes. Le Hugo justicier préfère assurément la deuxième théorie, puisqu'il peut damner à plaisir ceux qu'il hait : les tyrans et les fanatiques.

Cette exigence de châtiment est telle qu'il cherche sadiquement quelle est la pire punition : descendre au plus bas degré de l'échelle des êtres, devenir pierre, disait-il dans *Pleurs dans la nuit*. Ici, il a trouvé mieux. La punition est assortie au crime. Il y a analogie entre le forfait et la forme nouvelle qui enferme l'âme punie. L'imagination de Hugo se déchaîne, excitée par la découverte de ces correspondances. Il s'ensuit qu'un criminel ne descend plus nécessairement au degré le plus bas : il pourra devenir animal ou végétal si la plante ou la bête ressemblent à son crime. Hugo va plus loin (et ce, à la demande expresse de la table dans la séance du 24 avril) : le criminel peut revivre dans une chose, un objet. De même que l'iconographie chrétienne associe au martyr l'instrument de son supplice, ici, c'est le bourreau qui se métamorphose en hache.

La théorie de la métempsycose pose un problème délicat : le souvenir des vies antérieures. C'est sur ce point que la réflexion de Hugo semble la plus originale; il confond du reste le problème de la réminiscence et celui de la survie de la conscience dans la brute. Alors qu'il s'attachait plus haut à relier l'homme au reste de l'univers, il va maintenant définir la situation morale de l'homme par opposition à l'ensemble de la création.

1° Les animaux, les végétaux, les pierres, les choses *a)* ont une âme, *b)* voient Dieu, *c)* se connaissent, *d)* gardent la mémoire de leur vie antérieure, *e)* sont soumis à la fatalité.

Ce dernier point ouvre à l'imagination une perspective vertigineuse un loup sait qu'il est un loup, qu'il est devenu loup parce qu'il a été un homme cruel et qu'il ne peut pas ne pas agir en loup, c'est-à-dire, selon la fable de La Fontaine, en bête cruelle.

2° Les hommes *a)* ont une âme, *b)* ne voient pas Dieu, *c)* s'ignorent, *d)* ne savent rien de leur vie antérieure, *e)* sont libres.

Donc la vie de l'âme est différente pour l'homme et pour le reste de la création.

Dans le monstre, elle expie; en l'homme, elle répare (v. 516). Pour que l'homme puisse se racheter, il faut à la fois qu'il soit libre et incertain. Le doute devient le sceau de l'humanité.

Je doute, donc je suis un homme. L'homme est l'être double dont l'âme est paralysée par le corps. Mais de cette lutte que livre l'âme pour échapper à l'emprise de la matière dépend sa réintégration. Une belle âme échappe à l'étreinte du corps, et remonte dans l'échelle des esprits.

Le poète est surtout fasciné par les conséquences de cette opposition entre l'homme et le reste de la création. Tout ce qui n'est pas l'homme contient une âme en peine. Tout ce qui n'est pas l'homme est un cachot où souffre une âme coupable. Pour une imagination visionnaire, l'univers métamorphosé devient une géhenne monstrueuse où toute beauté est abolie, puisque la plus belle rose cache une âme torturée.

L'exposé aboutit à la fois a un appel à la pitié et à une prophétie :

Ayez pitié! voyez des âmes dans les choses.

Le poète voyant, qui dépasse les apparences et qui surtout ne peut rester confiné dans cet univers de cauchemar, décèle parfois dans les profondeurs noires, comme un rayon lointain de l'éternel amour. C'est que Dieu qui est Amour ne peut supporter tant de souffrance, et les âmes en peine percevant elles-mêmes ce rayonnement de la Pitié suprême,

Tout l'abîme n'est plus qu'un immense sanglot.

Le poète devient prophète, et son apocalypse sera sciemment hétérodoxe, car il croit être choisi pour compléter la bonne nouvelle : pas d'enfer éternel. La conclusion du poème témoigne d'un optimisme irréfragable, encore que l'on puisse regretter un certain vague dans le processus de réconciliation. L'homme peut-il vraiment hâter la délivrance des âmes captives? Hugo nous invite à prier, comme jadis il invitait les riches à donner. Mais c'est l'Amour divin qui opère le rachat. L'univers cessera d'être un univers maudit; le bien et le mal cesseront d'être perçus contradictoirement, et Dieu, Père Éternel, ne pourra distinguer Satan de Jésus.

Les critiques depuis longtemps se demandent quelle est la source de cette théosophie, et cela, en dépit des déclarations formelles de Hugo revendiquant la paternité de son système : « Depuis vingt-cinq années environ (donc depuis 1830), déclare-t-il dans le procès-verbal du 19 septembre, je m'occupe des questions que la table soulève et approfondit. » Il consent, malgré son amour-propre, à avouer la supériorité de la table. « Dans ce travail de vingt-cinq années, j'avais trouvé, par la seule méditation, plusieurs des résultats qui composent aujourd'hui la révélation de la table, j'avais vu distinctement et affirmé quelques-uns des résultats sublimes, j'en avais entrevu d'autres qui restaient dans mon esprit à l'état de linéaments confus... Aujourd'hui, ces choses que j'avais vues en entier, la table les confirme, et les demi-choses, elle les complète. » Le 4 janvier 1855, il écrira de même à Mme de Girardin, son initiatrice : « P. M. (Paul Meurice) vous a-t-il dit que tout un système quasi cosmogonique, par moi couvé et à moitié écrit depuis vingt ans, avait été confirmé par la table avec des élargissements magnifiques? »

Le *Journal d'Adèle,* le 27 avril 1854, fait état d'un mot de Hugo qui, dans le présent débat, semble décisif : « Quant à ce que la table a dit l'autre jour sur les métaux et sur les souffrances de la matière inorganique, je l'ai dit moi-même dans *Lacrymae* (le poème *Sunt Lacrymae rerum* des *V. I.*)... lorsque j'ai plaint les canons. Villemain tout en admirant cette pièce de vers me disait : « Vous avez puisé « vos doctrines dans l'école d'Alexandrie. — Non, lui dis-je, je les « ai puisées dans moi-même. »

Que le sourcier persévère en dépit de ces déclarations, la chose est admissible, un écho ne sachant pas qu'il est un écho. « Souvent note V., quand il s'imagine faire une découverte, il a une réminiscence. »

Il conviendrait alors que cette enquête fût menée méthodiquement. A l'époque où Vianey éditait *les Contemplations,* cette enquête aboutissait à quelques notions simples : pythagorisme virgilien combiné avec la doctrine de Zoroastre, Hugo étant tributaire de l'un et de l'autre par l'intermédiaire de Delisle de Sales, de Soumet et de Lamennais. Quant à la métempsycose, c'était alors un article de foi commun à Fourier, Boucher de Perthes, Leroux, Reynaud, Hennequin.

Depuis, l'exploration des sources occultes a bénéficié d'une grande faveur. Mais on ne manie pas sans danger ces grimoires : le délire d'interprétation menace le sourcier qui ne se contrôle plus. Tel fut le cas de Saurat qui s'imagina trouver dans la Kabbale la source de cette théosophie, et, qui plus est, dans A. Weill l'initiateur de Hugo. A. Viatte dans son étude sur *V. Hugo et les Illuminés de son temps* a réagi sainement en démontrant que tous les illuminismes convergent. Régulièrement un chercheur crie : Euréka, lorsqu'il tombe par hasard sur un bouquin oublié où ces théories se retrouvent.

A l'abbé Constant et à son *Dictionnaire de littérature chrétienne* en particulier, à Esquiros, Mirville, Ferdinand Denis, Fabre d'Olivet proposés par Viatte et l'auteur de ces notes, J. Roos ajoute Ballanche, H. Temple Patterson, Mercier, M. Milner, Franck, auteur d'un ouvrage sur *le Kabbale ou la Philosophie religieuse des Hébreux,* 1843 ; P. Moreau, Delaage.

Une étude sérieuse du romantisme amène l'historien à constater que Hugo n'est pas une exception et que l'on retrouve des croyances analogues chez Bernardin de Saint-Pierre, Lamartine, Laprade, G. Sand, Balzac, Nerval. Une comparaison entre le conte philosophique de Balzac, *les Proscrits,* et le poème de Hugo se révèle très suggestive. L'on conclura donc avec mesure que le romantisme et Hugo, en particulier, baignent dans le courant hétérodoxe qui se manifeste en Europe à partir de 1760, en réaction contre le rationalisme des idéologues et le christianisme traditionnel. Ce courant hétérodoxe, on pourra l'appeler judicieusement gnosticisme, et Hugo, mieux que Saint-Martin et Fabre d'Olivet, pourra être qualifié de « gnostique de la Révolution ».

La réaction de J.-R. est originale. Ils insistent sur le fait que, à force d'outrer l'hétérodoxie, on risque d'oublier que de semblables spéculations ne sont pas étrangères à la théorie orthodoxe : patristique et scholastique. C'est ainsi que l'idée que la création devait être imparfaite est un argument traditionnel que l'on retrouve chez saint Augustin, saint Thomas et Leibniz, et plus près de Hugo

chez Cousin et Lamennais. La vision eschatologique de la réconciliation en Dieu tient une large place dans la tradition chrétienne, et il y a de singulières analogies entre Hugo et Origène.
L'échelle des Êtres, si l'on se réfère à l'ouvrage de Arthur O. Lovejoy, *the Great Chain of beings,* est une notion qu'on retrouve constamment depuis Platon jusqu'aux philosophes modernes en passant par le néo-platonisme et le Moyen Age.
Quant à la transmigration, elle ne peut, selon Bréhier, « nullement être rattachée à une origine historique précise ».
Un nouveau risque apparaît, c'est qu'à vouloir retrouver tout dans tout, on ne s'en tienne qu'à des analogies de surface.
Prenons un exemple précis : le thème le plus étonnant du poème : la réincarnation punitive fondée sur l'analogie entre la faute et la forme du châtiment. On peut n'y voir qu'une application un peu délirante de la loi du talion. Pour Vianey comme pour Viatte, la chose va de soi : *Quisque suos patimur Manes.* Il suffisait d'un petit choc initial pour que l'imagination de Hugo fît le reste. Dans les *Notes sur les sources de V. H.* (*R. H. L. F.,* 1932), Viatte trouve le choc initial dans les *Lois de Manou,* traduites par Loiseleur. Au livre XII, verset 9, on lit : « L'homme passe, après sa mort, pour des actes criminels, provenant principalement de son corps terrestre, à l'état de créature privée de mouvement; pour des fautes surtout en paroles, il revêt la forme d'un oiseau ou d'une bête fauve; pour des fautes mentales, il renaît dans la condition la plus vile. » « Le poète romantique... poursuit Viatte, n'aura qu'à permuter les châtiments, en ajouter d'inédits, mettre des noms propres », et dans *V. H. et les Illuminés de son temps* (p. 217) : « Thème inépuisable pour l'imagination lyrique... nous reconnaîtrons le forfait à la nature du châtiment; nous suivrons le méchant à la piste, identifiant l'ortie avec Ganelon, le loup avec Verrès, le ver de terre avec Cléopâtre... Par une figure de style nouvelle, nous accolerons le nom et le substantif qui lui correspond. » Ainsi dans le cas présent l'enquête tourne court parce que cette pratique paraît caractéristique de l'imagination du poète. Or, il suffisait de poursuivre la recherche des sources pour constater que même dans ces écarts de l'imagination, Hugo avait des précurseurs. Plutôt que du côté des *Lois de Manou,* il convenait de chercher, d'une part, du côté des contes de fées : dans *le Serpentin vert* du pseudo-Perrault, les fées, pour punir les personnes qui tombent en des défauts essentiels, les métamorphosent : « Elles firent des perroquets, des pies et des poules de celles qui parlaient trop; des pigeons et des serins, des amants et des maîtresses; des singes de ceux qui contrefaisaient leurs amis, etc. » D'autre part, du côté des « pythagoriciens modernes ». Mrs H. Temple Patterson insiste avec raison (*op. cit.,* pp. 271-275) sur le thème de la métempsycose exposé par Mercier dans *l'An 2440* où l'on peut lire par exemple : « Tel monarque à son décès devient taupe, tel ministre un serpent venimeux... » Mais personne n'a songé à explorer les *Voyages de Pythagore* en six volumes de l'athée Sylvain Maré-

chal. Au tome VI, p. 315, on lira : « Les peines que vous souffrez aujourd'hui ne sont, sans doute, que le châtiment des fautes commises par vous, dans un état précédent dont vous ne vous souvenez plus. Et si vous commettez de nouveaux crimes, sachez qu'ils ne vous seront point remis en mourant. Vous ne sortirez de cette vie que pour aller dans une autre, subir votre supplice. Phararis, quoique déjà puni dans le taureau infernal qu'il inventa, subit de nouvelles tortures en passant dans d'autres corps. Son âme occupe, peut-être, aujourd'hui, celui d'un taureau, que le sacrificateur doit frapper de la hache au pied des autels. Peut-être d'après la doctrine du Gange, est-il devenu un vautour. Sémiramis qui, de son vivant, se faisait appeler la colombe, a subi la plus étrange métempsycose d'après ses goûts sanguinaires et libertins; peut-être, est-ce elle que vous avez frappée de mort, sous la forme d'une fouine, amie du sang et d'une louve avide de chair humaine. »

Tout y est, y compris les noms propres, le pittoresque de l'évocation. Mais sur un point essentiel, Hugo et Maréchal s'opposent (sans parler de la simplification notoire que Hugo a fait subir au système). « Les fautes commises par vous, dans un état précédent *dont vous ne vous souvenez plus* », écrit Maréchal. C'est finalement, on le voit, la survivance de la mémoire qui fait l'originalité de Hugo. D'où ce passage du *Journal d'Adèle :* Hugo ayant illustré par des exemples la doctrine de l'expiation par la réincarnation, son fils Charles observe : « Mais ceci se rapproche beaucoup de la métempsycose. — Non, réplique le père. Dans la métempsycose, l'homme *n'a pas conscience du moi.* » Comprenons qu'après sa réincarnation, l'homme, selon Hugo, garde présent à l'esprit le souvenir de ses fautes. Comme l'a bien vu Baudouin, Hugo est, par excellence, le poète de *la Conscience.* Hugo autant que Baudelaire est le poète de « la conscience dans le mal ».

En dépit de ce rappel à l'ordre, on finit toujours par conclure que « Hugo n'est pas de la race des imitateurs ». Selon la formule décisive de Viatte : « Hugo donne une portée générale à l'illuminisme précisément parce qu'il ne s'y cantonne pas. »

Plutôt que de vouloir discréditer le penseur en insistant sur son extravagance ou ses incohérences, il importe de voir qu'il pense en poète. Ce qui signifie que ces théories ne sont que le déguisement ou l'extrapolation d'une expérience profondément vécue. Hugo, plus qu'aucun autre poète, éprouve l'humiliation de l'Homme-Esprit du fait de son incarnation. Le corps est un cachot; le vivant subit la loi d'une prison à peine moins noire et moins écrasante que celle qui enferme les monstres punis.

C'est pourquoi dans cet exposé de sa doctrine nous frappe moins les vers gnomiques, les formules dans lesquelles est condensée la méditation en prose du *Post-Scriptum de ma vie* que les passages où le poète entre en transes : la formule sert de point de départ à des variations d'une virtuosité inégalable (la variation sur *Tout parle* au début) ou à des divagations frémissantes d'angoisse et d'ironie et aboutissant à un trait fulgurant (v. 444-477), ou à des visions à la fois hallucinantes et baignées de tendresse (v. 668-690).

En fin de compte, le ton est déroutant. Il a plu à Hugo de formuler sa révélation sur le même ton qu'il avait répondu à ses adversaires : l'apocalypse et le burlesque se trouvent paradoxalement liés. (Comment P. Moreau peut-il parler de « *solennelle puérilité* »?) Il règne tout au long de ce poème, remarque excellemment J.-B. Barrère (III, 95), « une allégresse croissante, mal déguisée par l'ampleur et la gravité des révélations ». C'est le même critique qui a vu la raison de ce paradoxe : « Joie claironnante du créateur » « que délivre l'exécution de cette somme cosmique », et aussi « volonté bien arrêtée d'un homme qui, en dépit des profondeurs qu'il croit avoir sondées, est bien résolu à ne pas succomber au vertige du gouffre».

Titre : on peut voir à la Maison Victor-Hugo un dessin du poète intitulé *Dolmen où m'a parlé la Bouche d'Ombre*. Celui qui parle est un spectre sombre. J.-B. Barrère a émis l'hypothèse que le titre pouvait avoir été suggéré par un aspect du paysage évoquant une bouche noire. Près du dolmen du Couperon, il n'y a pas de trou. Cependant une gorge noire s'enfonce dans l'eau.

Au sens figuré, on peut entendre : 1° d'une façon vague la voix du mystère, de l'inconnu; 2° en VI, XVI, Hugo déclare :

> Une parole peut sortir du puits farouche,

donc la voix sortant du puits de l'abîme; 3° dans *Sous terre* (*4 V.*, 29 mai 1854), un mort parle à la rose qui veut boire son sang :

> — Laisse-moi. — Non. — O griffe sombre. Bouche horrible!

C'est la bouche de Cybèle, de la terre qui boit le sang des morts.

Le ms. 13.364 (f° 9) offre, semble-t-il, des essais de titre : *Suprêmes Ténèbres* ou *les Ténèbres suprêmes;* l'œil hagard du songeur regarde en frémissant *ce qu'on voit sous le porche d'ombre; le voile levé par le voilé; explications nocturnes, verbe nocturne; paroles de la Bouche d'Ombre; Ce que dit la Bouche d'Ombre.*

Autres titres : selon Barthou : *la Porte noire entrebâillée;* selon Barrère : *Sagesse de Rozel*. Enfin, selon le plan du VIe livre (ms. 13.363, f° 496) : *Sophia*.

2. Vers 1-6 : *ad. marg.* Le prologue fantastique est inspiré de la Bible : *Daniel* (XIV, 35) : « Alors l'ange du Seigneur le prit par le haut de la tête, et le tenant par les cheveux, il le porta dans l'*impétuosité* de son esprit jusqu'à Babylone. » Hugo, d'une certaine façon, prend le contrepied de la Bible, en appelant l'ange : l'être sombre et *tranquille*.

3. Première rédaction :

> Je suis celui qui parle au sphynx universel.

4. *Ciron :* de la présence du ciron, due à la lecture des *Pensées* de Pascal, J.-B. Barrère conclut que la contemplation de l'infiniment petit plus que celle de l'infiniment grand caractérise le présent exposé.
5. *Être :* notion vague, prise dans un sens différent ici, où il semble désigner Dieu ou l'âme du monde par opposition aux *êtres,* et ailleurs (v. 51, 62, 66) où il désigne la création ou la créature.
6. Vers 14-39 : cette série de questions est imitée de *Job* (XXXVIII-XL). Le spectre rabat l'orgueil du mage comme l'Éternel celui de Job.
7. La forme sort du nombre. Cf. *les Mages,* v. 37 : le nombre où tout est contenu. Réciproquement, si l'on peut dire, toute forme procède d'un calcul.
8. *Joueur de flûte,* cf. I, v :

> Ce n'est pas un pleureur que le vent en démence.

Ici, comprenons que le vent ferait entendre un son dépourvu de sens.
9. Cf. *Toast funèbre,* de Mallarmé :

> Dont le *frisson* final, dans sa voix seule, éveille
> Pour la *Rose* et le *Lys* le mystère d'un nom.

10. *Bégayer,* cf. *V. I.,* XXVIII, 174 :

> Toutes ces voix ne sont qu'un bégaiement immense,

et *Horror,* v. 119.
11. Opposition expressive : celui qui *chante* n'est pas le poète.
12. Voir *la Mort de Socrate,* de Lamartine (v. 375 et *sqq.*), et les *Vers dorés,* de Nerval. Hugo aurait déclaré, selon O. Uzanne : « Dans ce siècle, je suis le premier qui ai parlé non seulement de l'âme des animaux, mais encore de l'âme des choses. »
13. Ce genre de pause familière s'accorde fort bien pour Hugo, qui reste l'auteur de la *Préface de Cromwell* avec un exposé sublime. Il prodigue cet effet dans *Dieu.* — *Évanoui :* pâmé d'épouvante ou effacé comme un fantôme?
14. Vers 52-62 : ce passage essentiel est remarquablement commenté par M. Milner dans *le Diable dans la littérature française* (II, 396-404). On a rapproché cette théorie de la théorie du « retrait » telle qu'on la trouve exposée dans le *Zohar.* Mais « Hugo introduit entre les deux étapes : création de l'être primitif et naissance de la matière — une étape intermédiaire dont la Cabale ne dit rien : « la première faute ».
Cette faute est-elle fatale ou non? Selon la méditation en prose citée plus haut : « L'être ne suffit pas à l'être. Tout être a une loi, être, et une fonction, se mouvoir... Or, absolument, se mouvoir, c'est faire... Il suffit d'être pour faire. En d'autres termes, être,

c'est faire... » (L'imperfection étant, qu'a-t-elle fait ?) « A-t-elle pu faire la perfection ? Non. Qu'a-t-elle donc fait ? l'imperfection... Qu'est-ce que l'imperfection action ? C'est la faute. C'est ce que nous nommons le mal. »

Ainsi, comme l'écrit Lamennais, « le mal, en tant que possible, dérive des nécessités même de la Création ».

15. *S'aggravant :* sens étymologique : devenant plus lourd.
16. *Éther* ≠ *air :* c'est la matière de feu, cf. vers 65, *flamme.*
17. Ange ≠ *esprit :* l'ange est un esprit parfaitement pur.
18. *Le caillou...* est *aveugle :* pour expliquer l'état d'âme du caillou pensif, Hugo le compare à un infirme : un musicien sourd, un aveugle.
19. La chute provoque l'éloignement de la lumière originelle. Mais en outre l'entassement de la matière sous forme de *globes* crée une sorte d'écran qui fait la nuit.
20. Le mal, c'est la matière. Ce n'est pas là seulement une idée gnostique, mais, selon J.-R., « un lieu commun ». Ils citent l'*Esquisse d'une philosophie* (II, 32 et *sqq.*). « Ceci achève d'expliquer, conclut Lamennais, comment les philosophes... ont, pour la plupart, été conduits à chercher dans la matière... le principe effectif du mal. » Mais Lamennais aurait-il admis que le corps soit créé par la faute première ?
21. Vers 83-98 : ce passage a dû constituer un poème à part, cf. au vers 92 : *ayant rejeté Dieu.* L'idée (la faute expliquée par la révolte selon la théorie habituelle) crée une disparate.
22. Cf. V, XVIII, 18.
23. *Simulacre :* image vaine. — *Aromal :* adjectif formé par Fourier sur *arôme.* Selon H. Renaud, commentateur de Fourier, *corps aromal* est synonyme de corps glorieux. Dans *Dieu,* Hugo oppose à l'être aromal l'être charnel.
24. Première rédaction :

    Faire de l'ombre, c'est pouvoir faire du mal.

    Cf. *Toast funèbre :*

    Le splendide génie éternel n'a pas d'ombre.

25. Le poète fera de même avec son livre dans *A celle qui...* — *Prends, et vois :* variation sur *Tolle Lege* des *Confessions* de saint Augustin, plutôt que sur *Prenez et mangez* de l'*Évangile* (institution de la Cène).
26. Vers 105-115 : résumé de la suite. Les deux protagonistes du drame sont présentés : le monde châtiment et Dieu fin universelle.
27. *Terrible :* effet saisissant après le participe présent *effrayant.* Cf. VI, XXV, 2, *éblouis* et, dans *Bouche d'Ombre,* le vers 172.
28. Formule frappante où la positivité du négatif est remarquablement exprimée. Sur l'image du masque, cf. III, XXVI, 41-42 ; III, XXX, 240-243, 250.

29. Vers 120 et *sqq. :* nouvelle imitation du ton de l'Éternel dans *Job.*
30. *Religieux,* voir, dans *L. S., le Sacre de la Femme,* v. 206 : des arbres prêtres.
31. *Instinct :* comme *être* est pris dans des sens divers. Au vers 153, l'homme étant opposé à l'ange, les *instincts* soulignent le côté charnel de l'humanité. Ici, *instincts* souligne l'éveil de l'esprit et correspond à l'intuition.
32. *Atteints : éteints* dans les autres éditions.
33. *Radieux orteil,* cf. Mallarmé, *les Fleurs :* vermeil comme le pur orteil du séraphin.
34. Vers 163-166 : cette parenthèse introduit une idée importante fondée sur une vision analogique de l'univers; l'échelle des êtres est en quelque sorte l'image de la vie morale. La vision de *Jacob* est rappelée une fois de plus. Le païen *Caton* associé à Jacob est Caton d'Utique qui relut le *Phédon* avant de se tuer.
35. Cf. le vers 128 de *Claire :*

> Parfois nous apparaît vaguement dans la nuit...

36. Correspondance terme à terme comme aux vers 158-160.
37. Première rédaction : en spectres *infinis* (d'où : *où vous êtes bannis,* au vers 174). *Indéfini* est une cor. heureuse : dont nous n'apercevons pas les limites.
38. *Hydre :* cf. I, IV, 35 :

> Les constellations, ces hydres étoilées.

39. Première rédaction : *d'effrayants soleils noirs.* Plus que la répétition d'*effrayant* (v. 105), le pluriel était maladroit, dans la mesure où le monde d'en bas est le reflet du monde d'en haut.
    Sur le *soleil noir,* consulter l'article de H. Tuzet (*Revue des sciences humaines,* octobre-décembre 1957). Il est difficile d'attribuer une source précise à l'image chez Hugo : poésie latine? *Apocalypse* (VI, 12)? poésie allemande? romantiques français? Soulignons que dans les mystères d'Isis, selon Apulée, le soleil de minuit s'oppose au soleil diurne. Mais l'image était profondément hugolienne, soit qu'il décrive l'agonie du soleil comme dans *la Fin de Satan,* soit qu'il évoque, comme ici, un soleil naturellement noir d'où émane la lumière noire. « Impossible à penser, ce négatif est admirable », notait Valéry dans *Tel quel.*
40. Cf. *A celle qui est voilée,* v. 101-102 :

> Oui, mon malheur irréparable,
> C'est de prendre aux deux éléments.

41. *Vestiaire* rimant avec *matière* se trouvait dans *les Mages,* v. 305-306. Le 3 septembre 1854, la Mort déclarait dans la table : « Le corps n'est que l'habit de voyage de l'âme. On change de vêtements dans

la tombe, le sépulcre est le *vestiaire du ciel.* » L'idée de vestiaire apparaît ici liée au voyage, et pas nécessairement au théâtre.

42. Ainsi le voyant ne se propose pas de résoudre l'énigme du Mal et de la Chute. Il ne peut qu'*entrevoir :* l'explication est dans la tombe.

43. Ce vers semble difficile à accorder avec la suite qui évoque des va-et-vient de la nuit à l'azur. Peut-être faut-il l'expliquer par l'idée de *savoir,* formulée au vers suivant : Pour lui, tout est *clair*.

44. Vers 204-226 : passage essentiel : en vertu de la loi de la pesanteur, Dieu n'a pas à intervenir pour déterminer notre place dans l'échelle des êtres.
Toute action est sanctionnée par une montée et une descente. En vertu de l'analogie définie plus haut, notre vie morale est faite d'une suite d'oscillations. Et au moment de la mort, tout homme est pesé.

45. Vers 227-238 : *ad. marg.* Ici (v. 238) commence la descente aux enfers.

46. *Nœuds :* ce nom a toutes sortes de sens. Le contexte suggère celui d'échelons, de divisions. Dans le puits s'enfonce une corde à nœuds.

47. Vers 239-290 : énumération lyrique des « réincarnations punitives » qui s'étend en reprenant sans fin jusqu'au vers 675. Les imaginations du poète finissent par amuser : elles deviennent une sorte de jeu macabre, car certains cas constituent de véritables devinettes, et l'on peut allonger la liste, car dans le poème du Lion d'Androclès on trouve d'autres exemples. J.-R. observent que certains criminels : Nemrod, Cléopâtre, Sforce, Égisthe, transformés en pierres dans *Pleurs dans la nuit,* subissent ici une punition différente, et que dans *Ch.* (VI, v), ce ramas de mêmes monstres préfigure Napoléon III.

48. Ce vers assez nébuleux est clarifié par le vers 247, mais il reste difficile à accorder avec le vers 204 :

Le monstre n'est pas aveugle, mais aveuglé

Quos vult perdere...

49. On voit par ces deux exemples combien capricieux est le choix de la réincarnation punitive : le rapport saisi par l'imagination du poète pouvant être de nature très différente; le rocher de Tibère n'est pas le plus bas degré de l'échelle, mais une allusion précise à Capri. Quant à Séjan, c'est son attitude générale qui est sanctionnée : comme tout favori, il était un être rampant.

50. Nouvelle variation sur le crible (cf. III, xii, 14). Les tombeaux sont des trous comme les étoiles.

51. C'est *à pic* qui importe : allusion à la *montée* de Nemrod.

52. Pourquoi un *crapaud* (cf. v. 617)? est-ce pour punir l'hétaïre?

53. *Anitus,* accusateur de Socrate, le fit condamner à boire la *ciguë.*

54. Le critique d'Homère est mis sur le même plan que le traître responsable de la mort de Roland. Il est possible qu'il y ait un chiasme : Zoïle étant l'ortie et Ganelon, le houx.

55. *Brunehaut* fut attachée à la queue d'un cheval. *Frédégonde* était déjà morte lors du supplice de son ennemie.

56. Le duc d'Albe, au service de Philippe II, se rendit célèbre par ses cruautés aux Pays-Bas.

57. *Farinace,* magistrat romain sous le pontificat de Clément VIII et de Paul V, célèbre par sa rigueur et sa dépravation.

58. *Jeffryes,* chancelier de Jacques II, se signala par sa cruauté en 1685, dans la répression de la conspiration de Sydney et Monmouth. Son nom fait déjà penser à *orfraie,* comme celui de *Xercès* à *excrément.*

59. Vers 273-276 : *ad. marg.* qui permet d'ajouter à la liste des monstres le prévôt de Louis XI, *Tristan;* deux héros de Shakespeare, *Macbeth* et *Richard III;* deux Italiens, *Ezzelin,* dit le Féroce, chef du parti gibelin sous Frédéric II (cf. *Ch.*, VI, VIII, 44), et *Ludovic Sforce* (à ne pas confondre avec Sforce, le pâtre de *Pleurs dans la nuit*), qui s'empara de Milan par la force; le conventionnel *Carrier,* responsable des noyades de Nantes, qui, dans le reliquat de *W. S.*, est associé à Jeffryes. « Carrier met sur la république la tache que Jeffryes met sur la royauté. »

60. La femme de l'empereur Claude et Isabeau de Bavière sont deux débauchées illustres.

61. Pourquoi faire de *Claude* une *algue?* A cause de la mollesse de l'empereur?

62. Vers 284-290 : *Xercès,* envahisseur de la Grèce; *Charles IX,* responsable de la Saint-Barthélemy; *Hérode,* responsable du massacre des Innocents; *Judas,* qui trahit le Christ; *Érostrate,* qui incendia le temple d'Éphèse, une des Sept Merveilles du monde; *Néron,* qui incendia Rome.

63. *Crachats :* Hugo voit-il une analogie entre le baiser de Judas et le crachat?

64. *Sodome,* la ville luxurieuse détruite par le feu du ciel est devenue archétype.

65. Application stricte du châtiment par la descente dans l'échelle des êtres.

66. Le combat entre l'âme et l'azur est un combat les yeux dans les yeux.

67. *Octave :* Auguste est puni pour les crimes de sa jeunesse.

68. *Attila* prétendait que l'herbe ne repoussait pas là où son cheval avait passé.

69. D'Octave à Cléopâtre nous remontons l'échelle : minéral, végétal, animal. Octave serait donc pire que le Fléau de Dieu et la Femme fatale. On devine pourquoi : à la république, il a substitué l'empire.

70. Vers 327-370 : *ad. marg.* Explication mythique des rayures du pelage chez le tigre et de la forme de l'aile chez le corbeau.

71. Vers 334-341 : *ad. marg.* On notera ici la réserve de Hugo à l'égard de la civilisation de l'Inde. (Cf., sur ce point, le chapitre consacré par R. Schwab à Hugo dans sa *Renaissance orientale.*) Hugo tenait, comme le prouve l'affirmation consignée par Adèle, à opposer sa théorie à celle du Gange. Tandis que Lamartine est « épanoui par

l'Inde », selon Schwab, Hugo est seulement « troublé » : il restera toujours sur l'expectative.

72. *Entrevu :* il est exact que le « bouddhisme insiste sur la valeur de rétribution morale que revêt la métempsycose » (J.-R.).

73. La *mandragore* était utilisée en sorcellerie. Voir, dans la collection *Symboles,* l'étude que lui a consacrée A.-M. Schmitt.

74. *Fulgore :* cf. VI, XXIII, 83.

75. *Avernes :* Hugo fait un nom commun pluriel du nom propre du lac napolitain aux émanations sulfureuses qui passait pour une entrée des enfers. Cf. V, XXV, 11-12 (mêmes rimes).

76. Première rédaction : *Ténébreuse Babel* du mal.

77. Vers 353-393 : *ad.* postérieure figurant dans le texte.

78. Vers 355 et *sqq. :* le festin des méchants est un poncif de Hugo inspiré du festin de Balthazar.
Cf. *C. C., Noces et Festins* et dans *les Contemplations,* III, II; V, XXVI; VI, VI.
Vers 362 : digression où le voyant annonce le dénouement, en particulier le vers 373 est à rapprocher des vers 686 et *sqq.*

79. Vers 381-393 : *ad. marg.* Après le vers 380 on lisait d'abord :

> Le monde Châtiment est une âpre Babel.
> L'homme, plus composé de Caïn que d'Abel
> Souffre et luit, plane et rampe, être crépusculaire
> L'homme en est le milieu. L'homme est joie et colère.

80. *La baguette d'Hermès* psychopompe.

81. Le châtiment, idée centrale, suggère l'image du labyrinthe *(dédale)* et celle de l'enfer dantesque *(spirales).*

82. *Babel renversée :* comprendre : Babel inversée. Voir à ce sujet l'article suggestif de M. Butor : *Babel en creux,* dans *Répertoire II,* où se trouve cité le passage de Dieu sur le cirque de Gavarnie :

> A-t-il pris brusquement et retourné Babel...

83. Que l'on pense à Apollon berger chez Admète et au conte de *la Belle et la Bête.*

84. Vers 404-412 : repris et amplifié dans *Toute la lyre,* III, XLVIII :

> Tu veux comprendre Dieu...
> Et maintenant, *forçat,* c'est ton heure : Aux latrines!

85. *Socrate* est le *génie, Aspasie, la beauté.* Socrate fréquentait cette courtisane cultivée.

86. Vers 413-433 : c'est le passage essentiel de l'évangile selon Hugo, celui assurément où sa pensée se révèle la plus originale et la plus audacieuse.

87. *Toujours présente :* leitmotiv d'une autre tonalité; Hugo rappelle tout le long de son exposé sombre la présence de la lumière; comme

au vers 434, il rappelle que c'est l'amour qui fait de l'homme un être ailé.

88. Vers 436-444 : on comparera à ce développement ce passage de *Toast funèbre* qui en est manifestement inspiré :

> Vaste gouffre apporté dans l'amas de la brume,
> Par l'irascible vent des mots qu'il n'a pas dits,
> Le néant à cet Homme aboli de jadis :
> « Souvenirs d'horizons, qu'est-ce, ô toi, que la Terre? »
> Hurle ce songe; et voix dont la clarté s'altère,
> L'espace a pour jouet le cri : « Je ne sais pas! »

89. Vers 451 et *sqq.* : ce passage hallucinant expose l'autre aspect original de cette doctrine, né de l'exercice de l'imagination sur le plan le plus terre à terre : les choses voient.

90. *Aigle aveuglé* correspond à *roi forçat*.

91. Sur les étoiles comparées à des lettres, voir VI, xxv et plus bas le vers 518.

92. *Tu dis : Non!* cf. VI, vi, 571; il dit : Non!

93. Voir *Ponto* et la fin de *Pleurs dans la nuit* et, dans *L. S.*, *Dieu invisible au philosophe,* où le voyant n'est pas le chien mais l'âne.

94. Vers 480-516 : c'est parce que cette théorie est originale que Hugo se croit obligé de l'exposer une seconde fois. Il veut aussi écarter l'objection : l'homme est-il donc inférieur à l'animal? Non, cette loi est *sublime,* puisque c'est d'elle que naît le devoir.

95. En appelant le devoir *fatalité de l'homme,* il veut montrer que toute créature est soumise à une loi. Mais il souligne par-là même la noblesse de l'homme, ce qu'il appelle l'effrayante aventure du choix.
Le devoir est tragique : il a l'œil en pleurs.

96. La *vision* répond à *aveuglé* du vers 491.

97. Ainsi un être libre et sûr est aux yeux de Hugo moins digne du titre d'homme qu'un être libre et incertain. Pour le postkantien, Renouvier, quelle recrue de marque!

98. Le doute aboutit donc à la quête du Dieu caché.

99. Cf. V, xxx, 336, et dans *la Fin de Satan* :

> Je tâte dans la nuit ce mur, l'Éternité.

100. *Transparent* : cf. le vers 761 : devenant *diaphanes*...

101. *Le doute le fait libre* : hémistiche déroutant puisque Hugo vient de démontrer que le doute est un effet de la liberté.
Comprenons que l'aveugle qu'est l'homme tente une aventure qui atteste sa grandeur.

102. Vers 511-514 : *ad. marg.*, le vers 511 comparé au vers 424 montre l'importance de la reprise aux vers 480 et *sqq.* *S'ignore* au vers 424 signifie en réalité : cherche à se connaître.

103. Les vers 513-514 introduisent une idée importante : l'homme

se méprend sur le véritable objet de sa quête. Il vaut mieux au fond qu'il ne paraît et Dieu l'en récompense au centuple.

104. Vers 518-552 : comme l'indique le vers 551, ce développement halluciné est la justification de l'angoisse du songeur : Hugo évoque le grand ciel formidable. Tandis que Pascal est effrayé par le silence éternel des espaces infinis, Hugo est non moins effrayé par l'ahan de l'univers puni.

105. La marque du forçat a frappé l'imagination de Hugo comme nous l'avons vu en I, VII. Ici, elle est liée à une des images les plus étonnantes du poète.

106. Scène mythologique où les constellations choisies à dessein parmi celles qui portent un nom d'animal s'animent *pour* l'homme : c'est ainsi que se produit l'étonnante rencontre de *forçats*.

107. Vers 527-542 : *ad. marg.* substituée à une rédaction plus brève et plus terne.

108. L'*ad. marg.* ajoute à la connivence décrite plus haut une idée d'*échange*.

109. L'*ad.* aboutit à la vision hallucinée d'amours monstrueuses et de baiser triste.
L'informe engendré du pervers, voir, dans *L. S.*, *Puissance égale bonté.*

110. *Pris par :* reprise de l'idée indiquée aux vers 369-370.

111. A rapprocher des monstres humiliés qui errent dans l'atrium en II, III.

112. *Pêne* correspond à *verrou* du vers 452, à *scellé* du vers 549.

113. *Scellé :* sceau apposé à une serrure.

114. La terre fait partie de cet univers puni.

115. Vers 553-564 : *ad. marg.* qui introduit l'idée que la terre sert de bagne à tous les univers. La vision hallucinée devient de plus en plus vaste, mais le développement perd de sa cohérence.

116. Le prêtre bouddhiste est associé au prêtre romain : à rapprocher des vers 550-551.
Songes vains est une expression toute faite : voir *Cimetière marin.*

117. Petit mythe et image plastique condensés en un distique admirable. Le poète ne dote pas l'étoile de la chevelure de la comète; il donne une apparence au négatif.

118. Ce vers constitue une menace que le développement suivant va éluder.

119. Retour au thème des trois cachots.

120. Au lieu de se révolter contre le mal, dont Dieu seul connaît la nécessité, l'homme est invité à *verser sa pitié.*
Il est dit au vers 586 que cette pitié ne dérange pas l'équilibre d'en haut mais au vers 628 qu'elle fait sortir des rayons de la pierre. Il y a là un distinguo subtil, mais qui traduit exactement la conviction du poète. On retrouve le verbe imagé qui exprimait l'action des *Mages :* c'est par extraction que se réalise le progrès. Le mal est ombre et poids. Sans que le poids varie, l'homme peut faire que l'ombre diminue et que la lumière augmente.

121. Vers obscur, et dont l'obscurité est due à l'emploi du verbe *être.*

Pour J. Seebacher, *récompense* a le sens de compensation : la mémoire est une cause de souffrance, puisqu'elle est la compensation du forfait. Mais pour J.-R. ce vers sibyllin engage l'avenir : si les emmurés des trois cachots souffrent parce qu'ils se souviennent de leurs forfaits, l'âme réintégrée sera heureuse parce qu'en se souvenant de son expiation, elle en apercevra la raison.
Mais peut-être le fait que Hugo identifie sciemment souvenir de la vie antérieure et conscience morale, permet-il de considérer *mémoire* comme équivalent de *conscience* : le vers signifierait simplement : la conscience, lorsqu'elle est morale, apporte aussi bien la *peine* du remords que la joie de la *bonne conscience*.

122. Vers 589-606 : *ad. marg.* où cette peine est brillamment décrite. Un nouveau thème se présente, à la poésie prenante : l'apparence est trompeuse, la beauté n'est qu'une illusion. Tout est douleur.

123. Vers 606-607 : variation sur *tout est douleur* avec reprise de l'appel à la pitié du vers 557 aux vers 628, 632, 665.

124. Cf. Nerval, *Vers dorés :*

> Et, comme un œil naissant couvert par ses paupières,
> Un pur esprit s'accroît sous l'écorce des pierres,

et *R. O.*, XIX, 23 :

> Semé de fleurs s'ouvrant ainsi que des paupières.

125. Cet admirable vers n'est pas dépourvu d'obscurité : annonce-t-il simplement ce qui suit ou bien le poète veut-il suggérer qu'un visage au « teint de rose » est comme barbouillé de sang?

126. Vers 612 et *sqq.* : thème plus familier à Hugo que celui exposé au vers 600. Le 24 avril 1854, le Drame avait rappelé à l'ordre le poète, en l'invitant à plaindre ce qui est difforme dans l'expiation autant que ce qui est gracieux dans la souffrance.

127. Voir dans *L. S.* le début du *Crapaud :* Un crapaud regardait le ciel...

128. Vers 620 et *sqq.* : ces deux exemples empruntés à l'histoire romaine : le dernier des douze Césars et le proconsul accusé par Cicéron (Domitien était un turbot dans le poème du Lion à cause de l'anecdote célèbre; quant à *Verrès,* Hugo oublie le calembour cicéronien : Verrès = verrat) illustrent remarquablement la thèse. La métamorphose déclenche le remords que le criminel ignorait. La conscience s'éveille.
Le vers 623 est une des plus belles trouvailles poétiques de ce morceau.

129. Reprise en majeur du motif formulé aux vers 451-455.

130. Vers 636-648 : petit mythe fantastique et macabre particulièrement saisissant qui s'achève sur l'impression visuelle d'un billot coupé.

131. Vers 653-667 : Barbey, après avoir cité ce passage, écrit : « Cer-

tainement à quelque place de l'histoire littéraire qu'on se mette, il n'a été écrit à aucune époque de vers plus radicalement mauvais. »

132. Ce rappel du thème de *Pleurs dans la nuit* laisse transparaître la peur ancestrale : le cauchemar de l'enterré vivant.

133. Cette fin du développement, qui est une fin du jour, sert de repoussoir à la rencontre de Jésus et de Bélial.

134. Après l'étonnante divagation, le développement revient à l'idée du vers 588.

135. Vers 668-690 : transition vers le morceau lyrique de conclusion, où dans une énumération frénétique, de nouvelles incarnations punitives sont citées, mais où les vers 680-681 annoncent déjà la réconciliation cosmique.

Atrée, célèbre dans la légende grecque par sa haine contre son frère. *Timour* est le célèbre conquérant, plus connu sous le nom de Tamerlan.

Caïphe et *Pilate* sont métamorphosés en deux des instruments de la Passion : la couronne d'*épines* et le *roseau,* sceptre dérisoire du Christ.

Alaric, roi des Wisigoths, pilla Rome; le roi d'Angleterre *Henri VIII* fit décapiter son chancelier, Th. Morus; *Selim,* dit le Cruel, tua tous ses parents; quant à *Borgia,* il s'agit de César, modèle de Machiavel pour *le Prince* (voir dans *L. S.*, la pièce XXIII).

136. Le Lion d'Androclès parlant en vers avait célébré lui aussi le grand apaisement à venir. Le 4 juillet, il avait eu cette trouvaille :

> Les branches s'écartaient pour ne pas gêner l'herbe;
> La montagne avait pris, complaisante et superbe,
> La fleur sur ses genoux...

137. Le sizain lyrique caractéristique des *Contemplations* se présente sous deux formes différentes : les troisième et sixième vers étant soit un vers de six pieds, soit un octosyllabe. *Horror, Dolor, Relligio* sont écrits dans cette dernière strophe. *A la fenêtre pendant la nuit, Pleurs dans la nuit, Ce que dit la Bouche d'Ombre* adoptent la strophe du Lion. Les vers 3 et 6 étant plus courts, la formule de conclusion se trouve condensée et la strophe plus frappante.

138. *Pas d'enfer éternel.* G. Sand fut très sensible à cette communauté d'idées entre l'exilé de Jersey et elle-même. Voir son compte rendu des *Contemplations* recueilli dans *Autour de la table.*

139. L'image de la *porte du ciel* est renouvelée par le traitement « technique » de l'image. La doctrine est analogue à la doctrine chrétienne de la réversibilité des mérites.

140. Cf. *A celle qui est voilée :*

> Je sens que jadis j'ai plané.

141. Comprenons : Travaille à la préparation du paradis.

142. Vers 709-714 : *ad. marg.* où se trouve reprise une ébauche très

ancienne; c'est pourquoi nous voyons apparaître un autre aspect de l'univers maudit : le froid.

143. V. cite ces vers de *la Mort de Socrate :*

De l'amour dans nos cœurs alimentons la flamme.

L'amour est le lien des dieux et des mortels...

144. *D'ombre,* au pluriel dans les éditions postérieures.

145. Vers 718-720 : dans l'album *V. H. dessinateur* (éd. Le Minotaure), on trouvera reproduits, pp. 188-189, un dessin et un lavis représentant une planète en forme d'œil regardant vers les immensités. La parenté de ces œuvres avec certaines lithographies de Redon est saisissante.

146. Deuxième rédaction : *Vers l'éblouissement.* Hugo revient avec raison à la première rédaction.

147. *Sérénité :* cet état est le but rêvé de tout poète romantique. Voir *A celle...,* v. 347.

148. *Regard fixe :* voir III, XXVI, 48, et III, XXX, 451.

149. *Énormité :* sens étymologique : ce qui est monstrueux, intouchable comme le paria.

150. Vers 739-750 : *ad. marg.*

151. Voir, dans *L. S., Puissance égale Bonté.*

152. Dans *les Mages* (v. 475-477), on retrouve *astre* et *pilastre* à la rime, et *paille* et *épi* à l'intérieur des vers.

153. A partir de ce vers, le poème en 1856 déchaîna la fureur de Barbey et de Pontmartin : « Il singe la fougue et écrit avec de froids calculs des choses sacrilèges », proclame Barbey.

154. Première rédaction

Quel flot de jour au seuil du paradis...

155. *Fin de Satan :*

Dieu! faites se baiser les bouches qui se mordent.

Ce qui fait la beauté de ces vers, c'est leur audace dans la déraison : les fanges s'éclairent, les laideurs brillent, l'araignée éclate en splendeur, et pourtant elles demeurent fanges, laideurs, araignées. Rien dans tout cela d'une spéculation qui fondrait toutes les formes individuelles dans la même lumière indifférenciée. Ces monstruosités se transfigurent, s'illuminent, s'azurent, mais à partir d'une réalité monstrueuse qui ne sera jamais perdue de vue. » (Milner, *op. cit.,* II, 403.)

156. « Pourquoi Bélial et non Satan? », demande M. Milner. Ce seul exemple suffirait à justifier la recherche des sources. Ni Vianey ni M. Milner n'ont su découvrir la véritable source et de ce fait n'ont pas saisi toute la portée de cette fin. Le nom de Bélial figure dans *le Paradis perdu.* C'est à l'influence de Milton que V. attribue le

choix du nom, à l'influence de Soumet et de sa *Divine Épopée* qu'il attribue l'idée de la rédemption complète de Bélial. A la question posée par lui-même, M. Milner répond : « Sans doute pour rester dans la note monstrueuse qui a dominé toute cette conclusion. Mais il représente bien l'être perdu par excellence, dont la réhabilitation prélude à l'extinction définitive du mal. » M. Milner fait en outre état d'une note de Hugo : « Dahak est le Satan de la Perse, Bélial de la Chaldée. » La consultation du dictionnaire de Moreri aurait dû les mettre sur la bonne piste : « Saint Paul donne ce nom à Satan. » Dans la Deuxième Épître de saint Paul aux *Corinthiens* (VI, 14-15), il est écrit : « Car quelle union peut-il y avoir entre la justice et l'iniquité? Quel commerce entre la lumière et les ténèbres? *Quel accord entre Jésus-Christ et Bélial?* Quelle société entre le fidèle et l'infidèle? » Ainsi Hugo ne se contente pas d'illustrer par un mythe la formule : *Pas d'enfer éternel!* Il prend sciemment le contre-pied de saint Paul, il corrige et complète l'Écriture sainte. Le vers 118 des *Mages* élucide cette attitude, le poète dit à saint Paul : Tu veux punir et non absoudre.

157. Dans la *Pistis Sophia* (v. 27 et 49), ouvrage gnostique, il est dit que le Christ est le frère aîné de Satan, celui-ci étant le fils cadet du Père Éternel. La parabole de l'enfant prodigue trouve ici une application parfaite.

158. Cf. le vers 39 :

> D'entendre bégayer une sourde-muette.

159. Cf. *A Villequier* :

> Et que ce qu'ici-bas nous prenons pour le terme
> Est le commencement.

Hugo fait de *commencement* le mot de la fin. C'était simple, mais il fallait y penser.

Ce poème est la conclusion des *Contemplations*.

Dans une lettre inédite publiée par L. Barthou se lit ce passage capital : « La dernière pièce est mon apocalypse. C'est pour elle que j'ai fait les deux volumes et emmiellé avec tant de soins le premier. Combien d'intelligences pourront boire à cette coupe sombre, je l'ignore, mais c'est à l'avenir que je la tends. »

Si cette apocalypse a été écrite dans l'allégresse, le poète étant heureux de mettre en forme des idées nébuleuses, l'auteur de *Ibo* ne pouvait s'arrêter dans sa quête, soit qu'il tînt à répéter ce message, soit qu'il tînt à le compléter ou même à le dépasser. Il restait dans ce poème le poète des *Châtiments*.

Dès le début de 1855, il commença *Solitudines coeli,* où les thèmes seront amplifiés dans *l'Ange* et *la Lumière.* « Dans la première de ces deux parties, notent J.-R., on retrouve la théorie de l'expiation analogue à celle de la *Bouche d'Ombre*... Mais dans *la Lumière,* la

théorie de l'expiation est dépassée, et Dieu n'est plus qu'amour... » En mai 1855, Adèle notait dans son *Journal* avec une naïveté qui authentifie ces remarques :
« Mon père lit son poème des *Religions*... mon père parle des Révélations faites par les Tables, puis il arrive enfin à sa propre Religion qui se résume dans ce grand mot Amour. » « Ce témoignage, poursuivent J.-R., confirme ce qui ressort nettement de la lecture de *Dieu :* Hugo croit en l'Amour plus encore qu'en la Justice, et c'est la partie lyrique de *Ce que dit la Bouche d'Ombre* qui traduit sa conviction la plus profonde. »

P. 458. A CELLE QUI EST RESTÉE EN FRANCE

1. *Dates :* ms. et vol. Guernesey, 2 novembre 1855, jour des morts. Le quatrain qui sert d'épigraphe à *la Légende des siècles :*

Livre, qu'un vent t'emporte
En France, où je suis né!
L'arbre déraciné
Donne sa feuille morte.

avait d'abord été écrit pour *les Contemplations* en 1854, au moment où le poète croyait son œuvre achevée. Il écarta la dédicace du livre à la France, pour lui substituer la longue dédicace *A celle qui est restée en France,* offrande du livre à Léopoldine, mais aussi rappel symphonique des leitmotive du recueil.
Ainsi *les Contemplations* s'achèvent sur un magnifique lamento. Le poème n'a pas été écrit d'un seul jet. L'étude du ms. conduit J.-R. à distinguer les étapes suivantes : 1° après le vers 290, on lit 8 octobre 1855. A cette date, Hugo est encore à Jersey. Cette première rédaction comporte de nombreuses *ad. marg.* 2° C'est le 31 octobre que Hugo quitte Jersey pour Guernesey. Entre le 8 octobre et le 2 novembre, il a ajouté les vers 291-354 et, en *ad. marg.* à la partie déjà écrite, les vers 97-115 et 167-186. 3° Après le 2 novembre, *ad. marg.* des vers 275-279 (peut-être?), des vers 309-310 et déplacement des vers 291-308.
On trouvera dans *Autour des Contemplations* (pp. 104-110) de nombreuses ébauches de ce poème qui laissent penser qu'il fut longuement mûri. Dans un fragment (p. 108), Hugo hésite entre « depuis ces trois ans » et « depuis ces quatre ans » « je ne suis pas allé prier sur ton tombeau », preuve que l'année 1855 n'était pas avancée et qu'il croyait encore à une publication prochaine de son livre. Un plan d'avril 1855 le mentionne sous le titre : *l'Absent à l'absente.* C'est un souvenir virgilien, pendant mélancolique au fameux *invitus invitam, Illum absens absentem auditque videtque* (*Énéide,* IV, 83). La division en parties a été faite après coup:
Section I : vers 1-34.

2. Les premiers vers font une attaque très belle; on pense à certains

débuts beethoveniens. L'effet tient au rythme de l'alexandrin : l'enjambement; les deux trimètres qui suivent soulignent l'accablement du donateur.

3. *Spectre :* pour V. qui pense à la phrase de la préface : « Ce livre doit être lu comme on lirait le livre d'un mort », on trouve dans ce livre un spectre, c'est-à-dire « l'apparition effrayante d'un mort »; ce mort, c'est la vie du poète.
Une autre interprétation est possible si l'on pense au *spectre* solaire. Interprétation confirmée par le fait que le vers 4 et les vers 6-8 ne présentent pas l'œuvre sous une couleur uniforme, monotone, mais soulignent au contraire les contrastes, la diversité de cette âme et de cette vie.

4. Vers 10 et *sqq. :* tout ce passage est *molto agitato.* On notera la double trouvaille : *j'habite un tourbillon d'écume* et *ce livre en a jailli.* Ce livre est né de l'écume de la mer comme Vénus. Le tourbillon introduit le thème du vent et correspond au tourbillon qui emporte le livre, au vers 288.

5. Souvenir d'une célèbre épigramme de Boileau, où Apollon, dieu de la poésie, déclarait : « Je dictais, Homère écrivait. »

6. Première rédaction : Je suis l'aile. La cor. insiste sur la passivité de l'inspiré.

7. Vers 15 et *sqq. :* le développement rappelle dans sa forme la fable lyrique *la Nature* (III, XIV) et, dans son thème, V, VI, 55-63.

8. *Inquiète :* épithète de nature, sans rapport, semble-t-il, avec le contexte.

9. *Vas-tu pas :* Hugo, surtout au théâtre, emploie parfois cette tournure familière où le *ne* est supprimé.

10. Les aiguilles sur le cadran décrivent un cercle : c'est le temps qui fait tourner son compas. L'image apparaît assez vainement précieuse.

11. Le premier mouvement s'ouvre et se ferme sur l'image de la tombe.
Section II : vers 35-84.
Reprise amplifiée de IV, XIV : *Demain dès l'aube,* et de divers motifs de *Pauca meae.*

12. Première rédaction :

> Jadis, quand l'affreux jour de mon deuil revenait.

La version définitive souligne poétiquement l'accord du poète et de la Nature *en larmes.*

13. *Horrible :* notation remarquable de la projection du sentiment sur le décor.

14. Première rédaction : *calme et froid.* Deuxième rédaction : *l'œil aux cieux.*

15. Dans cette scène tout humaine, la participation de la nature à la douleur semble aller de soi.

16. *Vénus,* l'étoile du soir. Cf. II, XXVI et XXVIII; III, X, et V, XX.

17. Il s'agit des fleurs poussant dans le cimetière.

18. Le pouvoir du poète devant l'obstacle de la tombe est celui qu'il s'attribue à la fin du poème, celui qu'il se donnait dans *Spes :* au cœur de la nuit, à travers la pierre, au fond du gouffre, il aperçoit une lueur.
19. Même effet qu'au vers 35, mais avec plus d'insistance.

Section III : vers 85-120.

Passage né de plusieurs *ad.* et qui emmêle des motifs hétérogènes.

20. Quand il écrit *sanglots,* le poète pense *larmes :* d'où *tombaient* (cf. le vers 123).
21. Hugo a formulé plusieurs fois l'idée qu'il était passé à côté du bonheur sans le savoir (voir IV, v, 22).
22. Il est tenté de partager la superstition ou l'idée païenne que les morts dans la tombe vivent d'une vie relative. Même idée en IV, XII. La théosophie élaborée par le penseur ne peut rien contre les divagations de la douleur. Ici, ces questions sont d'autant plus naturelles que dans les développements précédents le père s'étonnait du silence de sa fille (v. 58-59) ou affirmait que sa fille morte *savait* (v. 82-84).
23. De même que dans *Pauca meae* un poème est consacré à Ch. Vacquerie, dans cet entretien entre père et fille, quelques allusions sont faites (v. 95-104) à celui qui dort auprès d'elle.
24. Cf. *Eviradnus,* v. 962 :

> Et que Zeno chancelle ainsi qu'un mât qui sombre.

Le grand monologue est dit face à la mer : le paysage suggère l'image.

25. Même effet qu'au vers 78.
26. Voir IV, XIV. Selon J.-R., la flèche de l'église d'Honfleur a 83 mètres de haut.
27. Vers 116 et *sqq. :* parenthèse suggérée par la résurrection de Lazare. Cet épisode des Évangiles avait particulièrement frappé le poète, puisqu'il le choisit pour présenter le Christ dans la *L. S., Première Rencontre du Christ avec le tombeau;* le poète poursuit son parallèle avec Jésus. L'idée est plus attendrissante en sa naïveté que choquante en sa démesure.
28. *Mortelle :* l'ombre de la mort.

Section IV : vers 121-166.

29. *Pâle :* emploi impressionniste, l'adjectif implique une nuance tragique.
30. *Légion :* dans le style de l'Écriture : une légion d'anges.
31. Les vers 138-139, rapprochés des vers 20-21, font penser au poème de Vigny publié en février 1854 dans la *Revue des Deux Mondes : la Bouteille à la mer.*
32. *Acre :* on dit et Hugo dit (VI, XI, 11) : *un vin âcre.* Acre parfum est une transposition hardie. Cf., de Baudelaire :

> Quelque armoire
> Reine de l'âcre odeur du temps...

33. Ce vers résume le poème, le recueil, l'expérience spirituelle de Hugo.
34. Souvenir du quatrain-dédicace.
35. Ce regard n'est pas celui de la morte qui dort, ni de la mort invoquée. Il est impersonnel, indéfini. C'est dans la nuit du tombeau une anonyme présence, témoin de l'épanouissement qui conditionne la métamorphose.
Section V : vers 167-212.
Digression saisissante où Hugo, poète de la mort, proclame sa puissance sur les ombres. Mais ce pouvoir de pythonisse est décrit dans un langage macabre à plaisir (v. 182-186). Dans *Pleurs dans la nuit,* Hugo identifiait *fossoyeur* et *oubli.* Il devient lui-même fossoyeur, et il illustre l'idée qu'il n'a pas atteint le *fond* du problème, qu'il a tout *saisi sans rien prendre,* par une image extraordinaire (v. 197) qui rappelle Mallarmé, *Las de l'amer repos...*

Plus las sept fois du pacte dur
De creuser par veillée une fosse nouvelle
Dans le terrain avare et froid de ma cervelle
Fossoyeur sans pitié pour la stérilité.

36. Cette marche n'est plus la marche du poète décrite en II, *le noir chemin* (v. 85); elle est celle du poète décrite dans *Ibo.*
37. *Qui donc a la science?* on retrouve textuellement cette question dans la *Préface philosophique* des *Misérables.*
38. Il regrette le rêve d'*Autrefois* et ce passage évoque de façon précise *Magnitudo parvi.* Mais le souvenir modifie l'impression laissée par le poème qui conclut *les Luttes et les Rêves.*
Le rêveur tenant la main de sa fille apparaît ici plus détendu que dans le grand poème, ou plutôt il insiste davantage sur l'effet spirituel produit par le contact de la pureté de l'enfant.
39. *L'ange qui l'encense :* périphrase désignant Léopoldine vivante.
Section VI : vers 213-254.
40. *Je ne puis plus :* Comme Eurydice deux fois perdue, Léopoldine a été deux fois ravie à son père : par la mort et par l'exil (cf. v. 268).
41. Amorce du développement final.
42. *Solime :* Jérusalem, non pas la Jérusalem nouvelle, la cité céleste, mais la cité de l'ombre.
43. Paris est résumé dans sa cathédrale, célébrée par le poète.
44. La nuit trouée de clartés : nouvelle amorce du développement final.
45. *Panthéon :* sans majuscule. Il ne s'agit pas du monument parisien célébré dans l'hymne des *C. C. :* Ceux qui pieusement...
Panthéon a ici le sens de *coupole.* Cf. le vers 250.
46. *Horeb :* voir la note 10 des *Mages.*
Cédron : le torrent qui sépare Jérusalem du jardin des Oliviers.
Balbeck ou Héliopolis, la ville du Liban qui était la cité de Baal.

Il ne faut pas, semble-t-il, rapprocher terme à terme les six noms propres.

L'ombre rappelle à l'ordre l'homme qui se penche sur son passé. Ce n'est pas son drame personnel qui doit l'absorber, mais, puisque l'exil a fait de lui un prophète, l'opposition du vrai Dieu et de Baal, le Christ aux Oliviers. L'ombre l'invite à élargir l'objet de sa méditation, et, s'il s'en tient à des sujets lugubres, à substituer à la tombe unique *l'universel tombeau.*

47. Vers 225-246 : passage né d'une série d'additions, où se trouve évoquée la mission du poète, mission qui consiste, comme le disait jadis Leroux, à expliquer d'où vient l'humanité et où elle va.

48. L'argument essentiel est qu'en raison de son origine céleste, le poète trahit sa mission en cantonnant sa pensée en un *coin de terre.*

49. Cette mission n'est pas celle d'un philosophe, mais d'un contemplateur. Un vers étonnant résume la technique hugolienne de l'extase.

50. *Mais :* la contrepartie ne répond pas strictement au développement qui précède. L'idée que l'on attend est qu'en dépit de sa mission, le poète sent toujours son cœur saigner, ou, plus audacieusement, que la recherche métaphysique n'est pas consolatrice.
Nous ne trouvons qu'une sorte de conspiration de la nature s'efforçant de distraire et de calmer le père douloureux, mais ne parvenant pas à le détourner de sa peine.

51. *La lune amie :* on reconnaît l'expression virgilienne : *par amica silentia lunae.*
Section VII : vers 255-290.
Reprise du parallèle entre les fleurs et le livre.

52. Encore un souvenir virgilien :

Manibus date lilia plenis.
(*Énéide,* VI, 883.)

53. Vers 275-279 : *ad. marg.* où l'appel à la morte devient de plus en plus passionné. Non seulement le vers 279 enferme dans la tombe les trois vertus théologales, mais le vers précédent introduit une note trouble : l'antithèse de la cendre et de la flamme dissimule sous un voile baroque l'image de la tombe-lit.

54. Nous voici parvenus au point culminant, et c'était évidemment ainsi que s'achevait d'abord le finale et le livre tout entier. Le livre va se métamorphoser sous le regard de la morte : admirable correspondance de regards : le livre est né du regard du père fixé sur le Grand Tout. Le livre renaît sous le regard de la fille.

55. L'expression *fais-en sortir un divin psaume* laisse entendre que la morte en exalte la spiritualité.
On notera que la fille comme le mage procède par extraction.

56. Le livre devient *fantôme* comme celle à qui il est offert. Le livre n'a plus qu'une existence falote, comme la morte dans sa tombe.

57. Sous le regard le livre noir (par allusion aux signes imprimés) devient de plus en plus blanc.
58. Le livre achève de disparaître. La triple comparaison l'assimile à une lueur (braise, feu follet, charbon) qui brille et s'éteint.
59. *Atre :* le foyer où l'on fait le feu, d'où le feu.
60. Le feu meurt pour renaître. Mais surtout la fleur sépulcrale qui s'était épanouie sous un regard anonyme (v. 164) se métamorphose en étoile sous le *regard éblouissant et sombre;* donc le regard de la morte a l'ambiguïté du sacré.
Ce poème est un des plus beaux exemples du symbole de la fleur-étoile. Cf. dans mon *Mallarmé et la Morte qui parle,* le chapitre : *la Fleur et l'Étoile.*
Section VIII : vers 291-308.
Le poète a senti que si ce finale pouvait convenir à l'offrande du livre, au sextuor où la mer, la terre, et le ciel, le père, la fille et Dieu emmêlaient leurs voix, le livre lui-même, œuvre d'un génie sans frontière, exigeait un finale sublime.
61. Vers 291-308 : une *ad. marg.* est consacrée à l'invocation à *Gethsémani.* Selon les termes de Chateaubriand, Gethsémani est la « grotte du calice d'amertume ». Cf. *Évangile de Luc,* XXII, 41 : « S'étant mis à genoux (Jésus) priait. — [42 :] En disant : Mon Père, si vous voulez, éloignez ce calice de moi; néanmoins que ce ne soit pas ma volonté qui se fasse mais la vôtre. — [43 :] Alors il lui apparut un ange du ciel pour le fortifier; et, étant tombé en agonie, il redoublait ses prières. — [44 :] Et il lui vint une sueur comme des gouttes de sang qui découlait jusqu'à terre. »
Cette scène a inspiré à Hugo le chapitre VII du *Gibet* dans *la Fin de Satan : Commencement de l'angoisse.*
Autant que le combat de Jacob avec l'ange, le Christ aux Oliviers et son combat ont fasciné l'imagination romantique. Mais plutôt qu'à Vigny ou à Nerval qui font du Christ le symbole de leur révolte, la lutte de l'esprit contre le destin s'exprime ici, même si l'esprit de l'évangile est dénaturé, sur un tel fond de douleur que l'on préfère comparer Hugo à Lamartine intitulant *Gethsémani* le poème inspiré par la mort de sa fille Julia, et même à Bernanos faisant de son curé de campagne le prisonnier de la Sainte Agonie : « La vérité est que depuis toujours c'est au jardin des Oliviers que je me retrouve. »
62. *Cave :* cavité, caverne.
63. *Échelle :* échelle de Jacob et échelle des êtres sont singulièrement mêlées.
Monte : expression paradoxale, puisque le mal tombe naturellement. C'est là l'expression même de l'absurde.
Louche : qui n'est pas transparent.
64. Sentant la plénitude : expression déconcertante. — *Plénitude* s'emploie souvent dans le style biblique. Faut-il lui donner la valeur du *Consommatum est* de la Passion : tout est consommé?
Les vers 292-293 *(soit que... soit que...)* résumaient les deux atti-

tudes entre lesquelles le poète était partagé (v. 239-240 : opposition des *soleils* et de la *terre*). Ainsi quelle que soit la voie adoptée (et de la sorte Hugo répond aux reproches de l'ombre), on en vient toujours à cette solitude totale, à cet abandon : Mon père, pourquoi m'avez-vous abandonné?

C'est alors que le poète prend la parole pour son ultime message. « Ici commence, note Levaillant, une des périodes poétiques les plus vastes et les plus heureusement équilibrées de Victor Hugo. » La « berceuse » qu'elle enferme n'exprime pas seulement un souhait « d'apaisement universel ». Dans cette vie, le mal et le bien semblent consubstantiellement liés.

65. *La grande horreur religieuse :* s'agit-il de ce que Hugo appelle en général l'horreur sacrée? ou bien ce vers est-il relié à ce qui précède, et traduit-il sous une forme restreinte l'émotion que suscitent les arbres religieux? Cf. *Horror,* v. 62-63.

66. J.-R. observent que l'audace de ce vers ne peut plus guère nous frapper. Le nom *apaisement,* l'adjectif *insondable* n'étaient pas d'usage courant. Selon Littré, *apaisement* n'est pas dans le dictionnaire de l'Académie.

67. *L'ombre athée :* faut-il entendre l'ombre qui fait naître l'athéisme ou que fait naître l'athéisme? Il y a régression du doute à l'athéisme.

68. Multiplication des antithèses pour embrasser la totalité de l'univers.

Tout l'univers est dans la nuit (d'où les *pas noirs* au vers 326), et cette ombre universelle est l'image de la douleur universelle.

69. Vers gnomique qui surprend : à ce moment suprême tout apparaît au voyant à la fois *ambigu* et *sacré.*

70. Avec la locution conjonctive *tandis que,* exceptionnellement placée à la rime commence la deuxième partie de la période : en face de cet univers sombre, le poète qui le contemple. Il ne s'agit pas d'une opposition : l'attitude du poète est celle du pâtre dans *Magnitudo parvi.*

Comme le pâtre, comme le Christ disant à son troupeau : « Paix, mes brebis », le poète veille sur le sommeil du monde.

71. Exceptionnellement le poète apparaît *assis.* Lui aussi participe à ce calme qu'il fait régner, puisqu'il est, comme Moïse sur l'Horeb, en présence de l'Être. Dans ces derniers vers, Hugo, qui, tout au long de son recueil, s'est présenté, s'est défini avec une vigueur d'expression inoubliable, va nous léguer une dernière image qu'il est permis de juger admirable.

72. Cette image n'est pas nouvelle, puisque le poète amplifie la conclusion de *Spes.* Au *front blême* du poème XXI correspond *pâle.*

Ivre d'ignorance. Ce n'est pas la sainte ignorance du pâtre. Le mage qui a *fouillé tout* s'enivre de mystère, trouve dans le mystère que rien n'abolit une ivresse. Cf. *Horror :* ivre d'ombre et d'immensité.

73. Voici à la fin des *Contemplations* la définition parfaite du contemplateur. Pour un poète romantique, il n'est qu'un idéal : la conquête de la sérénité. L'homme qui sort de la grotte fatale n'a pas trouvé

la joie, mais il a réussi à exorciser le spleen. La comparaison avec *Paroles sur la dune* permet de saisir le progrès.

74. Cf. *Ibo,* v. 2 : l'insondable au mur d'airain...

75. Comme dans *Spes,* le poète guette les signes annonciateurs de l'aube : *blancheurs, rayons, clartés, lueurs...* Cf. également la fin de VI, XIV.

76. Du vers 350 à la fin : il est remarquable que le recueil s'achève sur un souvenir de l'*Apocalypse,* IX, 1 : « Je vis une étoile qui était tombée du ciel sur la terre, et la clef du puits de l'abîme lui fut donnée. — [2 :] Elle ouvrit le puits de l'abîme, et il s'éleva du puits une fumée semblable à celle d'une grande fournaise; et le soleil et l'air furent obscurcis de la fumée de ce puits. »

77. Le verbe *s'étoiler* fait écho à *étoiles* du vers 290. En même temps l'expression hardie qui désigne les lueurs de l'aube réalise l'union des contraires, des deux apparitions de la lumière : la nuit étoilée et le jour naissant. Enfin, sur un mode sublime, le poète se présente dans la même attitude et surtout doté du même pouvoir qu'aux vers 75-77.

78. Le dernier vers n'est pas fait pour nous éblouir, ni non plus pour nous alarmer. Le dernier vers nous laisse *au bord de l'infini.* Le poète est celui qui crée un frisson, que ce frisson soit nouveau, ou qu'il soit le même qu'aux premiers jours du monde.

TABLE ALPHABÉTIQUE DES POÈMES DES « CONTEMPLATIONS »

A Alexandre D.. 303
A André Chénier 15
A Aug. V. 261
A celle qui est restée en France 458
A celle qui est voilée. 388
A Granville, en 1836. 44
Aimons toujours! aimons encore! 108
A Jules J. 288
A la fenêtre pendant la nuit. 377
A la mère de l'enfant mort 158
A Madame D. G. de G. 32
A Mademoiselle Louise B. 174
A Mademoiselle Louise B. 281
A ma fille 9
A M. Froment Meurice. 49
Amour. 150
A Paul M., auteur du drame PARIS 314
Apparition 309
Après l'hiver 111
A propos d'Horace 37
A qui donc sommes-nous? 236
A quoi songeaient les deux cavaliers dans la forêt. 241
Au fils d'un poète. 263
A un poète aveugle 55
Au poète qui m'envoie une plume d'aigle 310
Aux anges qui nous voient. 384

Aux arbres 181
Aux Feuillantines 292
A Villequier 246
A vous qui êtes là 284
Baraques de la foire 169
Billet du matin 95
Cadaver 385
Ce que c'est que la mort 407
Ce que dit la bouche d'ombre 433
Cérigo 311
Chanson 81
Charles Vacquerie 253
Chose vue un jour de printemps 165
Chouette (La) 155
Claire 371
Claire P. 300
Coccinelle (La) 47
Crépuscule 118
Croire, mais pas en nous 344
Demain, dès l'aube 245
Dolor 397
Dolorosæ 296
Éclaircie 381
Écoutez. Je suis Jean 343
Écrit au bas d'un crucifix 142
Écrit en 1846 265
Écrit en 1855 278
Écrit sur un exemplaire de la Divina Commedia 127
Églogue 93
Elle avait pris ce pli dans son âge enfantin 231
Elle était déchaussée 56
Elle était pâle, et pourtant rose 234
En écoutant les oiseaux 88
Enfance (L') 60
En frappant à une porte 430
Épitaphe 160
Explication 153
Fête chez Thérèse (La) 57
Halte en marchant 71
Hélas! tout est sépulcre 401
Heureux l'homme, occupé de l'éternel destin 61
Hier au soir 82
Horror 392

Ibo 336
Il fait froid. 105
Il faut que le poète 70
Il lui disait : « Vois-tu, si tous deux nous pouvions. 107
Insomnie. 171
Intérieur. 167
J'ai cueilli cette fleur pour toi. 318
J'aime l'araignée et j'aime l'ortie. 186
Je lisais. Que lisais-je? 147
Je payai le pêcheur qui passa son chemin. 315
Je respire où tu palpites. 115
Je sais bien qu'il est d'usage 100
Jeune fille, la grâce emplit tes dix-sept ans. 149
Joies du soir 184
La clarté du dehors ne distrait pas mon âme. 175
La source tombait du rocher 280
L'enfant, voyant l'aïeule à filer occupée 183
Le firmament est plein de la vaste clarté. 13
Le poème éploré se lamente. 30
Le poète s'en va dans les champs. 11
Les femmes sont sur la terre 91
Lettre 83
L'hirondelle au printemps. 98
Lise. 34
Lueur au couchant 305
Mages (Les) 408
Magnitudo parvi 192
Maître d'études (Le) 161
Malheureux (Les). 321
Melancholia. 128
Mendiant (Le) 291
Mes deux filles 12
Mes vers fuiraient, doux et frêles 79
Mon bras pressait ta taille frêle. 90
Mors 252
Mugitusque boum. 307
Nature (La) 190
N'envions rien 103
Nichée sous le portail (La). 120
Nomen, numen, lumen. 432
Nous allions au verger. 85
Ô gouffre! l'âme plonge 387
Oh! je fus comme fou dans le premier moment 230

Oh! par nos vils plaisirs 383
Oiseaux (Les). 51
On vit, on parle, on a le ciel et les nuages 240
Ô souvenirs! printemps! aurore! 237
Ô strophe du poète 319
Oui, je suis le rêveur 68
Paroles dans l'ombre 97
Paroles sur la dune 298
Pasteurs et troupeaux 316
Pendant que le marin 239
Pleurs dans la nuit. 347
Poète (Le) 188
Pont (Le) 335
Ponto 294
Pour l'erreur, éclairer, c'est apostasier 287
Premier mai 77
Pure Innocence! Vertu sainte! 221
Quand nous habitions tous ensemble 232
Que le sort, quel qu'il soit 114
Quelques mots à un autre 63
Quia pulvis es 143
15 février 1843 223
Relligio 404
Réponse à un acte d'accusation. 19
Revenant (Le). 177
Rouet d'Omphale (Le). 80
Saturne 138
Source (La). 144
Sous les arbres 99
Spes. 406
Statue (La). 145
Suite (Réponse à un acte d'accusation). 27
Trois ans après. 225
Tu peux, comme il te plaît. 86
Une terre au flanc maigre. 152
Unité 62
Un jour je vis, debout au bord des flots mouvants 5
Un jour, le morne esprit. 370
Un soir que je regardais le ciel 122
Un spectre m'attendait. 341
Veni, vidi, vixi 243
Vere novo 36
Vers 1820 48

Vie aux champs (La). 16
Vieille chanson du jeune temps. 53
Viens! — une flûte invisible 94
Voyage de nuit 402

TABLE DES MATIÈRES

Introduction I
Chronologie des Contemplations. XXXIX
Bibliographie. XLV
Chronologie de Victor Hugo. LIII

LES CONTEMPLATIONS

Préface. 3
Un jour je vis, debout au bord des flots mouvants 5

LIVRE PREMIER

Aurore

I. A ma fille. 9
II. *Le poète s'en va*. 11
III. Mes deux filles. 12
IV. *Le firmament est plein de la vaste clarté* 13
V. A André Chénier. 15
VI. La Vie aux champs. 16
VII. Réponse à un acte d'accusation. 19
VIII. Suite 27
IX. *Le poème éploré se lamente* 30
X. A madame D. G. de G.. 32
XI. Lise. 34
XII. Vere novo. 36

XIII. A propos d'Horace 37
XIV. A Grandville, en 1836 44
XV. La Coccinelle 47
XVI. Vers 1820 48
XVII. A M. Froment Meurice 49
XVIII. Les Oiseaux 51
XIX. Vieille chanson du jeune temps 53
XX. A un poète aveugle 55
XXI. *Elle était déchaussée* 56
XXII. La Fête chez Thérèse 57
XXIII. L'Enfance 60
XXIV. *Heureux l'homme, occupé de l'éternel destin* 61
XXV. Unité 62
XXVI. Quelques mots à un autre 63
XXVII. *Oui, je suis le rêveur* 68
XXVIII. *Il faut que le poète* 70
XXIX. Halte en marchant 71

LIVRE DEUXIÈME

L'Ame en fleur

I. Premier mai 77
II. *Mes vers fuiraient, doux et frêles* 79
III. Le Rouet d'Omphale 80
IV. Chanson 81
V. Hier au soir 82
VI. Lettre 83
VII. *Nous allions au verger* 85
VIII. *Tu peux, comme il te plaît* 86
IX. En écoutant les oiseaux 88
X. *Mon bras pressait ta taille frêle* 90
XI. *Les femmes sont sur la terre* 91
XII. Églogue 93
XIII. *Viens! — une flûte invisible* 94
XIV. Billet du matin 95
XV. Paroles dans l'ombre 97
XVI. *L'hirondelle au printemps* 98
XVII. Sous les arbres 99
XVIII. *Je sais bien qu'il est d'usage* 100
XIX. N'envions rien 103

XX. Il fait froid 105
XXI. *Il lui disait : « Vois-tu, si tous deux nous pouvions* . 107
XXII. *Aimons toujours! aimons encore!* 108
XXIII. Après l'hiver. 111
XXIV. *Que le sort, quel qu'il soit* 114
XXV. *Je respire où tu palpites*. 115
XXVI. Crépuscule. 118
XXVII. La Nichée sous le portail 120
XXVIII. Un soir que je regardais le ciel. 122

LIVRE TROISIÈME

Les Luttes et les Rêves

I. Écrit sur un exemplaire de la Divina Commedia . 127
II. Melancholia 128
III. Saturne 138
IV. Écrit au bas d'un crucifix. 142
V. Quia pulvis es. 143
VI. La Source. 144
VII. La Statue 145
VIII. *Je lisais. Que lisais-je?*. 147
IX. *Jeune fille, la grâce emplit tes dix-sept ans* 149
X. Amour 150
XI. *Une terre au flan maigre*. 152
XII. Explication 153
XIII. La Chouette. 155
XIV. A la mère de l'enfant mort 158
XV. Épitaphe 160
XVI. Le Maître d'études. 161
XVII. Chose vue un jour de printemps. 165
XVIII. Intérieur. 167
XIX. Baraques de la foire. 169
XX. Insomnie 171
XXI. A Mademoiselle Louise B. 174
XXII. *La clarté du dehors ne distrait pas mon âme*. 175
XXIII. Le Revenant. 177
XXIV. Aux arbres. 181
XXV. *L'enfant, voyant l'aïeule à filer occupée*. 183
XXVI. Joies du soir. 184
XXVII. *J'aime l'araignée et j'aime l'ortie* 186
XXVIII. Le Poète 188

XXIX. La Nature 190
XXX. Magnitudo parvi 192

LIVRE QUATRIÈME

Pauca meae

I. *Pure Innocence! Vertu sainte!* 221
II. 15 février 1843 223
III. Trois ans après 225
IV. *Oh! je fus comme fou dans le premier moment* 230
V. *Elle avait pris ce pli dans son âge enfantin* 231
VI. *Quand nous habitions tous ensemble* 232
VII. *Elle était pâle, et pourtant rose* 234
VIII. *A qui donc sommes-nous?* 236
IX. *Ô souvenirs! printemps! aurore!* 237
X. *Pendant que le marin* 239
XI. *On vit, on parle, on a le ciel et les nuages* 240
XII. A quoi songeaient les deux cavaliers dans la forêt . . 241
XIII. Veni, vidi, vixi 243
XIV. *Demain, dès l'aube* 245
XV. A Villequier 246
XVI. Mors 252
XVII. Charles Vacquerie 253

LIVRE CINQUIÈME

En marche

I. A Aug. V. 261
II. Au fils d'un poète 263
III. Écrit en 1846 265
Écrit en 1855 278
IV. *La source tombait du rocher* 280
V. A Mademoiselle Louise B. 281
VI. A vous qui êtes là 284
VII. *Pour l'erreur, éclairer, c'est apostasier* 287
VIII. A Jules J... 288
IX. Le Mendiant 291
X. Aux Feuillantines 292

XI. Ponto. 294
XII. Dolorosæ 296
XIII. Paroles sur la dune. 298
XIV. Claire P. 300
XV. A Alexandre D. 303
XVI. Lueur au couchant 305
XVII. Mugitusque boum 307
XVIII. Apparition. 309
XIX. Au poète qui m'envoie une plume d'aigle. 310
XX. Cérigo 311
XXI. A Paul M., auteur du drame PARIS 314
XXII. *Je payai le pêcheur qui passa son chemin* 315
XXIII. Pasteurs et troupeaux. 316
XXIV. *J'ai cueilli cette fleur pour toi*. 318
XXV. *Ô strophe du poète*. 319
XXVI. Les Malheureux 321

LIVRE SIXIÈME

Au bord de l'Infini

I. Le Pont. 335
II. Ibo. 336
III. *Un spectre m'attendait* 341
IV. *Écoutez. Je suis Jean*. 343
V. Croire, mais pas en nous 344
VI. Pleurs dans la nuit 347
VII. *Un jour, le morne esprit*. 370
VIII. Claire. 371
IX. A la fenêtre pendant la nuit. 377
X. Éclaircie. 381
XI. *Oh! par nos vils plaisirs* 383
XII. Aux anges qui nous voient 384
XIII. Cadaver. 385
XIV. *Ô gouffre! l'âme plonge* 387
XV. A celle qui est voilée. 388
XVI. Horror 392
XVII. Dolor. 397
XVIII. *Hélas! tout est sépulcre*. 401
XIX. Voyage de nuit. 402
XX. Relligio. 404
XXI. Spes 406

XXII. Ce que c'est que la mort 407
XXIII. Les Mages. 408
XXIV. En frappant à une porte. 430
XXV. Nomen, numen, lumen 432
XXVI. Ce que dit la bouche d'ombre 433

A celle qui est restée en France 458

Notes 469
Table alphabétique des poèmes. 803

ACHEVÉ D'IMPRIMER
PAR L'IMPRIMERIE FLOCH
A MAYENNE
LE 28 AOUT 1969

Numéro d'éditeur : 1256
Numéro d'imprimeur : 7561
Dépôt légal : 3e trim. 1969

Printed in France